SHL ITEM BARCODE

D1076470

3020000133806

# DOCUMENTS ON BRITISH FOREIGN POLICY 1919–1939

EDITED BY

## E. L. WOODWARD, M.A., F.B.A.

*Hon. Fellow of Worcester College, Oxford*
*Professor at the Institute for Advanced Study*
*Princeton, New Jersey, and formerly*
*Professor of Modern History in the*
*University of Oxford*

AND

## ROHAN BUTLER, M.A.

*Fellow of All Souls College, Oxford*

*FIRST SERIES*
*Volume V*
1919

LONDON
HER MAJESTY'S STATIONERY OFFICE
1954

WITHDRAWN

14-0112

*Crown Copyright Reserved*

PUBLISHED BY HER MAJESTY'S STATIONERY OFFICE

To be purchased from

York House, Kingsway, LONDON, W.C. 2    423 Oxford Street, LONDON, W. I

P.O. Box 569, LONDON, S.E. I

13a Castle Street, EDINBURGH, 2    I St. Andrew's Crescent, CARDIFF

39 King Street, MANCHESTER, 2    Tower Lane, BRISTOL, I

2 Edmund Street, BIRMINGHAM, 3    80 Chichester Street, BELFAST

or from any Bookseller

1954

Price £3. 10s. 0d. net

PRINTED IN GREAT BRITAIN

UNDER THE AUTHORITY OF HER MAJESTY'S STATIONERY OFFICE

BY CHARLES BATEY AT THE UNIVERSITY PRESS, OXFORD

BIBL. LONDON UNIV.

WITHDRAWN

# PREFACE

THIS volume presents documents on British policy in relation to Western Europe and the United States during the latter half of 1919. Preceding volumes for this period have illustrated British policy in Eastern Europe and the Middle East, and the proceedings of the Allied Supreme Council at the Paris Peace Conference. The main concern of the Supreme Council in its various forms was the preparation of peace with the states succeeding the Central Empires, and comparatively little material has hitherto been published concerning the relations between the allied and neutral powers of Western Europe in the formative aftermath of the First World War.

The first chapter provides material concerning political, economic and military arrangements of international significance in Western Europe during the transitional period from the signature of the Treaty of Versailles on June 28, 1919, to its entry into force on January 10, 1920. The leading issue here for British foreign policy was the revision of the settlement of 1839 whereby the independence and integrity of neutral Belgium had been guaranteed by Great Britain and the other great powers of Europe. It was the German violation of this 'scrap of paper' in August 1914 which had led to the entry into the First World War of Great Britain; for her, therefore, the revision of the international position of Belgium, in accordance with the wish of the Belgian Government, was a question of high importance. Negotiations in this connexion were conducted primarily in Paris but outside the Supreme Council, in the specially constituted Commission for the revision of the Treaties of 1839, which held its first meeting on July 29, 1919. This commission arose out of the Peace Conference at Paris but was not, properly speaking, an organ of it since it included representatives of the neutral Netherlands. The official minutes of the meetings of this commission and of the informal but important meetings of the representatives of the five great powers upon the commission, together with those of the subcommissions, are long and in French. (The English text is unauthenticated and unofficial: cf. Volume II, document No. 69, note 13.) In view, however, of their significance for British policy, it has seemed desirable to print them in full.

The independence and security of the Low Countries have been a secular interest of British foreign policy. On August 22, 1919, the British military delegate to the Commission for the revision of the Treaties of 1839, Lieutenant-Colonel Twiss, explained that the danger threatening Belgium appeared to him 'to be chiefly for the time when Germany should have been able to arm herself anew and perhaps conclude an alliance with Russia, which might give birth to a rival of the League of Nations. This danger could not, however, arise for twenty or thirty years. . . . The fact that the French frontier had been retraced towards the north along the Rhine made it more and more necessary for Germany to attack in Limburg. Germany would, therefore, become increasingly liable to violate the frontier of Limburg—i.e., more liable to oblige Holland to make war.' (Cf. document No. 86.)

In the revision of the settlement of 1839 Great Britain and the other great powers were primarily concerned with broad political and strategic considerations. These were, however, closely interrelated with military, economic and technical issues of leading importance for Belgium and the Netherlands. This was notably the case as regards the navigation of the Scheldt and the establishment of a naval base at Antwerp, with their international implications.

Members of the Commission for the revision of the Treaties of 1839 endeavoured to promote the co-ordination of the defensive arrangements of Belgium and the Netherlands, and to revise the settlement of 1839 by securing the drafting of a Belgo-Netherland navigational and economic treaty, and of a collective political treaty between the Five Principal Allied and Associated Powers, Belgium and the Netherlands, which Germany and Austria should observe and to which Russia might subsequently be invited to adhere. Difficulties were, however, encountered, first between Belgium and the Netherlands, and, further, in connexion with the question of an interim guarantee by France and Great Britain of Belgian independence and integrity pending the provision by the League of Nations of the fresh guarantees envisaged in the newly drafted treaty. His Majesty's Government felt able to give such a guarantee only if the Belgian Government on its part furnished a guarantee for the neutrality of Belgium in general accordance with the nature of the original settlement of 1839. In these circumstances the Belgian Government signified to H.M. Ambassador in Brussels on January 8, 1920, that it would abandon its request for guarantees in substitution of those contained in the treaties of 1839. Such was the position upon the entry into force of the Treaty of Versailles, and the collective treaty drafted to replace the old one was not concluded. The draft Belgo-Netherland treaty was likewise not concluded and subsequently, in 1920, direct negotiations between the two riparian powers of the Scheldt estuary failed to secure agreement concerning the outstanding issue of the sovereignty of territorial waters in the Wielingen channel.

The negotiations for the revision of the settlement of 1839, as now presented, were thus, though unsuccessful and little publicized, of major significance in relation to the issues of western defence and of British foreign policy. The question of the international position of Belgium had, in addition, a bearing to some extent upon that of the international position of Luxemburg, also illustrated in the first chapter of this volume. It further includes new material concerning such issues as the autonomist and separatist movements in the Rhineland and arrangements there in connexion with the Allied occupation, the movement in the Vorarlberg for union with Switzerland and its possible bearing upon Austro-German relations, preparation for the plebiscite in Schleswig, the attribution of Spitzbergen to Norway, and dispositions in regard to the proposed trial of the former German Emperor and other enemy nationals accused of war-crimes. Allied endeavours to co-ordinate economic policies in various fields are illustrated in the minutes of the proceedings of the Supreme Economic Council. Also printed are some minutes of the Committee on Organization of the Reparation Commission. These include important discussions concerning the future functions of the Reparation Commission and concerning coal deliveries from Germany, a question which came to bulk large in 1920. Some documents have also been printed in order to indicate the background of social readjustment and unrest in Western Europe, including Spain, in the early aftermath of the First World War and of the Russian Revolution.

The first chapter as a whole illustrates the way in which the allied powers in Western Europe sought to make arrangements for the entry into force and implementation of the Treaty of Versailles and of the League of Nations. The overshadowing effects of the non-ratification of the peace treaty by the Senate of the United States of America are here evident. In this respect the first chapter forms a convenient introduction to the second and concluding chapter concerning the special mission to Washington of Viscount Grey. This is the first detailed record of his mission, which was largely rendered unproductive by the illness of President Wilson. The documents, nevertheless, shed new light upon Anglo-American relations during a critical period, and upon a little-known aspect of the career of Lord Grey. Anglo-American relations are here illustrated with reference to Irish and to naval affairs as well as to the controversy concerning provisions of the Treaty of Versailles and, in particular, the voting strength of the British Empire in the Assembly of the League of Nations.

In the compilation of Chapter II the personal papers of Lord Curzon have, exceptionally, been of particular importance. This reflects the special circumstance that during Lord Grey's mission to Washington he and Lord Curzon exchanged secret and urgent messages in private telegrams, usually unnumbered, which were often not entered in the main files of the Foreign Office, but are preserved in Lord Curzon's papers. It further appears that such private telegrams were commonly amplified not in official despatches but in private letters; these letters were likewise not entered in the regular way, and, unlike the telegrams, are not included among the Curzon Papers in the Foreign Office; to this extent, therefore, is the chapter incomplete.

Lord Curzon's relevant papers in the Foreign Office archives have now been definitively classified, and are here cited, under reference Confidential/ General/363/15–24. Another such collection of personal papers, used in connexion with the first chapter, is that of Sir S. Waterlow, cited as Waterlow Papers/4: see document No. 62. It has further been possible to collate that document, which is missing from the main archives of the Foreign Office, with a copy in the archives of H.M. Embassy at Washington, which are available for this period. Document No. 443 has been supplied from these embassy archives, which have, however, as in previous similar cases, proved chiefly useful in collating doubtful texts and furnishing occasional supplementary particulars given in footnotes. In other respects, likewise, the editorial method is in general the same as for preceding volumes.

The present volume has been edited by Mr. Rohan Butler under the standing conditions, which continue to be fulfilled, of access to all papers in the Foreign Office archives, and freedom in their selection and arrangement.

The Editor would once again like to acknowledge warmly his debt to Mr. C. H. Fone, M.B.E., and other members of the staff of the Reference Room of the Foreign Office Library. The collaboration of Miss A. W. Orde, M.A., has again been most valuable, and Miss E. McIntosh, M.B.E., continues to compile the chapter summaries. The Editor is further grateful to Mrs. J. D. Ede, M.A., D.Phil., and also to Miss I. Bains, M.A., and Miss M. E. Lambert, B.A., for their help in the later stages of preparation.

ROHAN BUTLER

*December 1953*

# CONTENTS

# CONTENTS

# CHAPTER SUMMARIES

## CHAPTER I

Correspondence and conversations concerning political, economic and military arrangements of international significance in Western Europe before the entry into force of the Treaty of Versailles
June 28, 1919–January 10, 1920

xi

xvii

xxvii

I. V   c

xliii

CHAPTER II

# The mission to Washington of Viscount Grey of Fallodon
## August 13–December 30, 1919

xlix

1

lv

# CHAPTER I

Correspondence and conversations concerning political, economic and military arrangements of international significance in Western Europe before the entry into force of the Treaty of Versailles

## June 28, 1919—January 10, 1920

### No. 1

*Sir R. Rodd*[1] *(Rome) to Earl Curzon (Received July 3)*

*No. 286 [97578/57309/22]*

ROME, *June 30, 1919*

My Lord,

It is regrettable to have to report that the signature of the preliminaries of peace has left this country cold and apathetic. Except at the Government offices not a flag was to be seen in the streets which have hitherto displayed national colours in profusion at the slightest provocation.

The people are sore and depressed. The peace which had been signed does not, as far as they can see, greatly touch them. They realise that Germany has been brought to her knees and has admitted herself vanquished, and that this is a result of immense importance for Great Britain and France, but of remoter consequence for themselves. The questions on which they are more especially interested have yet to be decided, and the prospect of the decision does not promise altogether to content their aspirations. They have got rid of the incubus of Austrian domination and menace, but the prospect of new neighbourships only inspires them with misgiving. They are conscious of having made sacrifices beyond their resources and of having involved themselves in great material and financial difficulties in the future, and they are uncomfortably aware of having, largely perhaps through their own fault, placed themselves in a position of national isolation. As to the great general principles invoked at the Peace Conference towards the confirmation of which so important a step had been made, the scepticism of the Latin peoples, who look to logical and concrete results rather than to ideal conceptions, make[s] them somewhat diffident. The President[2] is regarded as having waived many of the points for which he originally stood, on grounds more convincing to those in whose favour they have been waived, than to those who feel rightly or wrongly that these points have been upheld in opposition to their

---

[1] H.M. Ambassador at Rome.     [2] President Wilson.

particular interests. He has quite lost the prestige which he enjoyed when he arrived in Europe in the character of an impartial and disinterested arbitrator. The evidences of an interested and economic and industrial American penetration initiated by the agents of certain organisations, received here with enthusiasm as benevolent and charitable associations, have indeed induced a certain scepticism as to that disinterestedness.

I am not attempting to justify the attitude of the Italian people, but only to set before you their mentality at the present moment as a factor which has to be reckoned with. It is reflected in the press of all shades of opinion, the extreme section of which, representing the parties which disapprove of war at any price, contends that the peace which has just been signed is fertile in germs of future wars, and therefore demands early revision. The papers have described the pomp and circumstance of the signature at some length. But their own comments and leading articles are more concerned with the departure of the President, who, they seek to persuade, has left Europe with prestige diminished both at home and abroad.

The result is deeply disappointing but undoubtedly the impression here received is rather that which might have been expected in a neutral rather than in an allied country.

I have, &c.,
RENNELL RODD

## No. 2

### *Mr. Ovey*[1] *(Christiania) to Earl Curzon (Received July 7)*

### *No. 137 [99110/99110/30]*

CHRISTIANIA, *June 30, 1919*

My Lord,

The news of Germany's agreement to sign the conditions of peace presented to her by the Associated Governments was generally received in Norway with calm.

In the capital, at least, no demonstration of any kind occurred, no flags were hoisted, and no congratulatory telegrams were addressed to the Legation. In fact, the event passed almost, as it were, unnoticed.

On the west coast, where the British mine-sweeping fleet is based, I understand considerable sympathy was shown, the occasion being utilised for the extension of still further hospitality to the officers of the fleet.

On my return from the United Kingdom at the beginning of June, I was informed of a considerable swing in public opinion in the direction of increased sympathy with the Germans, due partly to a natural pity for the beaten side, and partly to a feeling that the conditions of peace were unduly hard. This feeling appeared to be more or less general. In the Christiansand S[outh] district I was even informed that some of the British vice-consuls of

[1] H.M. Chargé d'Affaires at Christiania (Oslo) during the absence of Sir M. Findlay.

Norwegian birth shared these sentiments to such an extent that it would be inadvisable to invite them to participate in any peace celebration.

Whatever may have been the extent of this feeling, its progress appears to have suffered a set-back recently. The German action in scuttling the German fleet at Scapa, and the burning of the French flags at Berlin[2] have contributed to a more reasonable interpretation of the situation, and have, on the whole, been interpreted as renewed examples of German bad faith. The hospitality extended to German children has by no means appealed to everyone's sense of what is fitting, and many express the feeling that charity of this kind might more suitably begin at home. As your Lordship will be aware, the Norwegian Red Cross (see my telegram No. 1144)[3] renewed the invitation previously extended during the war to offer a month's recuperation to one hundred tired English nurses.

That strong criticism of the treaty exists will, however, be seen from the enclosed translation of an article entitled 'The Peace'[3] in the *Norske Intelligenssedler* of to-day, which endeavours to prove generally, and in detail, that the treaty is inspired rather by jingoism than by President Wilson's fourteen points.

As regards the attitude of the Norwegian Government towards the League of Nations, I transmitted to your Lordship in my despatch No. 134[3] of the 28th instant an account of an interpellation in the Chamber.

As regards Bolshevism, there is undoubtedly a strong undercurrent of anxiety, tinged, however, with the hope that in reality the movement represents nothing more than the ebullition of a minority of hot-heads, whose practical activities will probably not lead to serious results unless they receive a lead in the larger countries of Europe and particularly England, where the more timorous see immediate Bolshevism in every industrial strike or movement for higher wages.

At the national meeting of the Labour Party held at Whitsuntide, Mr. Chr. H. Knudsen, one of the old parliamentary leaders of the Labour Party, appeared to have thrown in his lot with the extremists (see Sir M. Findlay's despatch No. 121[3] of the 12th June), inasmuch as he was elected member of their committee. Mr. Knudsen has now, however, published a denial of the fact that he is really in any way associated with the policy adopted by the extremists, and has stated that he will not sit on the committee.

Whatever may be the future of the Bolshevist activities in Norway, there remains a widespread and well-founded anxiety as to the future of Labour. Wages, it is felt, must fall, and it is hardly credible that any serious reduction can fail to be accompanied by disturbances. The Government, in their dealings with the extreme Socialists, appear, on the whole, to have combined wisdom with firmness—wisdom in giving the Socialist orators full scope for declamation, and firmness in their action in handling the disturbances last year in Trondhjem and Sulitjelma, where a display of military force instan-

---

[2] For this incident cf. *Papers relating to the Foreign Relations of the United States: the Paris Peace Conference 1919* (Washington, 1942 f.), vol. vi, p. 651.

[3] Not printed.

taneously quieted the mob. My confidence in the existence of the latter quality has now been somewhat diminished by what I have from a confidential source, namely, that the apparent firmness was more due to the personal strength of character of the officer commanding the troops, who acted in a manner reminiscent of Lord Nelson at the battle of Copenhagen. Even in the train, just before reaching Trondhjem, this officer received a telegram from the commandant at that town recommending the utmost caution and the postponement of the entry of the troops into the town until after dark. Captain Wedel-Jarlsberg took no notice whatever of this suggestion, and marched with his men boldly through the affected area and camped in the midst of the rioters, who quietly dispersed. He behaved in a similarly cool, collected and successful manner at Sulitjelma.

As regards the question of Spitzbergen,[4] I enclose in a separate despatch[3] translation of a newspaper article indicating the annoyance caused by the reports which have recently reached this country from England as to the attitude and statements of the members of the Northern Exploration Company. This criticism, it will be seen, is solely directed against the company, and in no way against His Majesty's Government.

In the above despatch I have endeavoured to touch upon those questions which possess some general outside interest. The questions which really interest the average Norwegian and fill the columns of the daily press are of a more domestic nature and rarely soar above the level of a commercial or socialistic parochialism, absorption in which, in preference to a desire to make world-history, is commonly conceded to be the criterion of a nation's happiness.

I have, &c.,

ESMOND OVEY

P.S. At the opening of the session of the Storting to-day, the President made the following speech, which was heard by the members standing:—

'Peace is signed. Much remains to be done before order is finally established, but I think I am expressing the sentiments of the assembly when I express the wish that this may be the introduction to a real peace amongst nations and an eternal peace amongst men.'

[4] See No. 24.

# No. 3

*Record of a meeting in Paris of the Supreme Economic Council*[1]

*No. XXV [Confidential/General/128/1]*

The Supreme Economic Council held its twenty-fifth Meeting[2] on Monday, the 30th June, 1919, at 10 a.m., under the Chairmanship of Lord Robert Cecil.

[1] This document is printed in *Papers relating to the Foreign Relations of the United States: the Paris Peace Conference 1919*, vol. x, pp. 430 f.

[2] This meeting was held at the French Ministry of Commerce in Paris.

The Associated Governments were represented as follows:—

*America, United States of—*
Mr. Hoover.
Mr. Gordon.
Dr. Taylor.
Mr. Dulles.
Mr. Riley.

*British Empire—*
Mr. Wise.
Sir W. Goode.
Mr. Waley.
Mr. Barrie.

*France—*
M. Clémentel (part time).
M. Loucheur.
M. Claveille.
M. Vilgrain.
M. Seydoux.
M. Celier (part time).

*Italy—*
Signor Crespi.
Professor Attolico.

*Belgium—*
M. Jaspar.
M. de Cartier de Marchienne.
Lieut.-Col. Theunis.

240. The minutes of the twenty-fourth meeting[3] were approved.

241. *Allied Economic Co-operation after Peace.*

With reference to Minutes 216[4] and 238,[5] memoranda from the American (217)[6] and French Delegates (218),[7] dated the 22nd [*sic*] and 28th June respectively, were submitted.

In this connection the following decision reached by the Council of Heads of States at their meeting on the 28th June[8] was reported:—

'*That in some form international consultation in economic matters should be continued until the Council of the League of Nations has had an opportunity of considering the present acute position of the economic situation, and that the Supreme Economic Council should be requested to suggest for the consideration of the several Governments the methods of consultation which would be most serviceable for this purpose.*'

It was agreed that the Committee on Policy should consider and report to the Council as soon as possible upon the best means of carrying into effect the decision of the Council of Heads of States, and that the Committee should meet in Paris or London, as might be more convenient. . . .[9]

APPENDIX 217 TO No. 3

*American Note on Suggestions of various Allies as to Economic Co-operation after Peace*

With respect to the note by the British Delegation,[10] the American Delegates would like to observe as to paragraph 2, that they cannot at all agree

[3] Printed ibid., vol. x, pp. 370 f.    [4] Ibid., vol. x, pp. 363–4.
[5] Ibid., vol. x, p. 376.    [6] Appendix 217 below.    [7] Appendix 218 below.
[8] Meeting of 11 a.m. on June 28, 1919: *v.* op. cit., vol. vi, pp. 741–3.
[9] The meeting passed to discussion of other matters.
[10] This note of June 20, 1919, is printed op. cit., vol. x, pp. 414–18.

with the constructions placed on the expressions in the Treaty with regard to German supplies. Such construction will imply the rationing of Germany over a term of years, the establishment of priorities, and a control over commercial relations of Germany, and by agencies outside the Reparation Commission which are in contradiction to the spirit of the Treaty, and the American Delegates who were members of the Committee, who settled these phases of the Treaty, absolutely repudiate any suggestion that such intention was ever discussed or determined. They also find themselves in entire disagreement with many other propositions contained in the note. They simply want to record the fact that they do not accept the propositions laid down.

With respect to the French propositions,[11] they wish to observe that from a historical point of view co-operation in economic measures between the nations engaged against Germany have [sic] grown gradually since the beginning of the war, and do not take their root in any particular document or agreement. The organisations for this purpose have expanded and contracted with the problems to be met. Many forms of organisation have already been abandoned and new ones created as necessities suggested, nor are any of the arrangements entered into in any way obligatory of continuation after the signature of Peace. The American Delegation wishes to place on record the fact that so far as the United States is concerned all economic arrangements binding the American Government fall absolutely with the Peace signature, and bear no relation to any subsequent arrangements that may be entered upon, which must be of world character and not limited to a particular block of nations.

As to the role of the various executives and sections now extant, they cannot agree to any participation in the continuation of these bodies except in the sheer sense of liquidation at the earliest possible moment.

H. HOOVER

*June* 27 [*sic*], 1919

## APPENDIX 218 TO No. 3

*Memorandum from the French Delegation on National Control Policy*

The French Government, owing to the complete suppression by the United States of all measures of control, has given complete freedom to exports, the only reservation being that of laws connected with trading with the enemy.

The French Government has also, by a recent decree, permitted the importation of the majority of products, freedom of import which will very shortly be extended to almost all goods.

This has been done in accordance with the desires constantly expressed by the American and British Delegates on the Supreme Economic Council.

But the Allies, as a whole, have not taken corresponding measures, and the

[11] The reference was to a French note of June 20, 1919, printed ibid., vol. x, pp. 418–24.

situation created in France by the maintenance of national control in other Allied countries is extremely grave.

Two instances of this stand out clearly and are as follows:—

*Coal.*—England instituted a control of coal which enabled her to supply the Allies with coal at the same price as that used for national consumption.

At present the only person profiting by it is the English consumer. The French purchaser pays 60 to 80 f.o.b. more than the English buyer. Further, France is compelled, owing to the destruction of her mines, to turn to England for supplies.

Moreover, the freight rates to France are now extremely high, owing to the control of tonnage by the British.

A limited price was fixed by the Franco-English agreement of December 1918, but this price is very high and it is impossible to charter under it owing to the restrictions imposed on the ships carrying coal to Dunkerque, for example, to go to Bilbao to carry a cargo of ore for England at a ridiculous price.

The result that this has on the French metallurgical industry is that she pays an exorbitant price for her coal, whereas the English industry buys coal and ore at a very low price.

*Freight.*—When a quarter of wheat is sent from New York to Liverpool, one has to pay 9s.; from New York to Le Havre, 15s. For a ton of wheat 110s. from Australia to England; France cannot even find ships at 250s.

France cannot get the necessary ships to carry the stocks in her Colonies which are deteriorating on the spot, and is compelled to purchase in England the same commodities coming from the English Colonies.

Besides, the French trade has always had need of British tonnage, now more than ever, since the war has reduced considerably French tonnage.

Other instances could easily be given of similar differences in the price of a number of essential products.

Import restrictions produce the same disastrous results.

Consequently the French Delegation desire:—

1. That the Supreme Economic Council draw the attention of the Heads of Governments to the gravity of the situation resulting from the want of balance at present existing, and of the necessity, having regard to the circumstances, of returning to a uniform condition of freedom.

2. That the Council recommend, as being absolutely necessary, the Allied and Associated States to guarantee between them freedom to purchase, at equal prices and conditions, all products and materials coming from their respective territories, as well as permission to use under the same conditions, the means of transport under their control or at their disposal; also mutually to guarantee permission to import and export.

3. That, if in certain exceptional cases national control is maintained by

7

any one of the Allied countries, this country should take all necessary measures in order that the other Allied countries should not suffer therefrom.

## No. 4

### *Mr. Balfour (Paris) to Sir W. Townley[1] (The Hague)*

#### *No. 26 Telegraphic [477/2/6/13915]*

PARIS, July 1, 1919

Your telegram No. 38[2] (June 27th. Ex-Kaiser).

Following telegram[3] was despatched to the Hague by M. Clemenceau on behalf of Allied and Associated Powers on June 27th.

'The Allied and Associated Powers desire in the interests of Peace to call the attention of the Dutch Government to the position of the German ex-Kaiser and the German ex-Crown Prince who early in last November sought safety in Dutch territory.

'The Allied and Associated Governments have heard with great surprise that the titular Crown Prince, who is a German combatant officer of high rank, has been permitted in violation of the laws of war to escape from the neutral country in which he was interned.[4] They trust that no similar breach of international obligation will be permitted in the far more important case of the ex-Kaiser. He is not only a German officer who has fled to neutral territory, he was also the potentate whom all the world outside Germany deems guilty of bringing on the great war, and of pursuing it by methods of deliberate barbarism. According to the Treaty of Peace which is about to be signed with Germany his conduct will be judicially arraigned. But he still represents the military party whose influence has ruined his country and brought infinite suffering on the human race. His escape would raise their credit and revive their waning hopes. It would threaten the peace so hardly achieved and even now not finally secured. To permit it would be an international crime, which could not be forgiven those who have contributed to it by their carelessness or their connivance.

'The Allied and Associated Powers are confident that those considerations will commend themselves to the Dutch Government. But they desire to add that should that Government feel that in existing circumstances the safe custody of the ex-Kaiser involves responsibilities heavier than any which it is

---

[1] H.M. Minister at the Hague.　　　　　　　　　　[2] Not printed. Cf. No. 5, note 4.

[3] This telegram is printed op. cit., vol. vi, pp. 714–15.

[4] This report proved to be incorrect. On July 2, 1919, the Secretariat-General of the Peace Conference circulated the text of the following 'modification' of the first two sentences of this paragraph: 'Les Gouvernements Alliés et Associés ont été très émus par les bruits qui ont été répandus, à diverses reprises, dans les derniers temps, au sujet de l'éventualité dans laquelle l'héritier de la couronne d'Allemagne, qui est officier combattant de grade élevé, viendrait à s'échapper en violation des lois de la guerre, (du) [*sic*] pays neutre dans lequel il est interné. Ils comptent qu'on ne permettra pas que les obligations internationales soient violées dans ce cas, comme dans le cas infiniment plus important de l'ex-empereur.' Cf. No. 7 below.

prepared to bear, the Allied and Associated Governments are willing to undertake the duty and so relieve a neutral State of a thankless task which it never sought but which it is under grave obligation to carry out.'

Repeated to Foreign Office. No. 1111.

## No. 5

*Mr. Robertson[1] (The Hague) to Earl Curzon (Received July 2)*

*No. 1250 Telegraphic [97114/9019/39]*

THE HAGUE, *July 1, 1919*

Sir W. Townley's telegram No. 1247.[2]

French Chargé d'Affaires has now given me copy of Note which he addressed to Minister for Foreign Affairs on June 28th in the name of Allied and Associated Powers. Note quotes a communication signed 'Clemenceau' and is a strongly worded warning against any attempt to escape by ex-Emperor or Crown Prince.[3] Note states that to allow their escapes would be an international crime which could not forgive those [*sic*] who contributed to it by their negligence or complicity. It concludes by stating Allied and Associated Governments would be prepared to relieve Netherlands Government of guarding Emperor in the event of latter considering responsibility greater than they can assume. Copy of note by (? bag) today.

Note was handed to Ministry for Foreign Affairs by French Chargé d'Affaires just before Peace was signed and former at once remarked it appeared to contain a threat.

For my part I venture to point out extremely embarrassing position in which I am placed as a result of so serious a communication being made in writing by my French colleague on behalf of Allied and Associated Governments, when I have received no instructions to take part in it. Verbal warnings given by Sir W. Townley to Queen, Prime Minister and Minister for Foreign Affairs and reported in his telegrams Nos. 1238[4] and 1247[2] would appear sufficiently to have met the case for the moment, and are much less likely to irritate and prejudice Netherlands Government than Notes of tenour of that sent in by my French colleague which are likely to defeat their own object.

I would also urge following upon your earnest attention. Neither Dutch Government nor Dutch press or people are by any means convinced that

---

[1] H.M. Chargé d'Affaires at the Hague after the departure of Sir W. Townley.

[2] Not printed. In this telegram of June 29, 1919 (received that day), Sir W. Townley had reported that the French Chargé d'Affaires at the Hague had showed him M. Clemenceau's telegram cited in No. 4. Sir W. Townley added: 'I spoke in similar terms to Queen and Prime Minister and Minister for Foreign Affairs all of whom I saw yesterday and impressed upon them gravity of Holland's responsibility. Two latter repeated emphatically that they have not smallest reason to anticipate that German Emperor proposes to leave the country.'

[3] Cf. No. 4.

[4] This telegram was the same as Hague telegram No. 38 to the British Peace Delegation: cf. No. 4, note 2.

whole responsibility for war rests on shoulders of Germany and her former Emperor, nor are they convinced that atrocities and violations of International law were only committed by one side. German propaganda has done its work. Moreover economic considerations and fact that Germany is Holland's 'Hinterland' naturally incline Dutch to interested if not convinced leniency towards her Eastern neighbour. Further, Dutch have strong and obstinate views of their own on International law to the letter of which they are inclined to adhere. It is also important to remember that position of Monarchy is by no means secure in this country and in some circles here surrender of a former Sovereign would be regarded as a dangerous precedent and likely to diminish prestige of Monarchy generally. Finally there is in Holland a strong feeling against surrendering a man to be tried by his accuser.

I do not think that Netherlands Government have yet made up their minds as to exact status of their unwelcome guests, or as to what power they have to hold them or to hand them over. Negotiations will be difficult and delicate but I do not despair as to success if we take line of persuasion and avoid Notes that savour of hectoring in the German manner, which will only harden the hearts of Netherlands Government and incline them still further to adhere to letter of law as they interpret it. Much is being said and written here about a 'Peace of violence' and I venture to think it will be your view that we should avoid all appearance of 'Bullying Dutch' who are after all a 'Small Nation'.

I imagine it to be out of the question now that request for surrender should be made by League of Nations, but I suggest all Allied Powers, large and small, be associated with request when made. This could not fail to make a better impression than if five great Powers acted alone.

In conclusion I should be glad of your urgent instructions as to what attitude I am to adopt if (? Minister for Foreign Affairs) asks me whether His Majesty's Government associate themselves with text of French Note.

Repeated to Peace Conference No. 39.

## No. 6

*Mr. Robertson (The Hague) to Earl Curzon (Received July 7)*

*No. 175 [99072/9019/39]*

THE HAGUE, *July 3, 1919*

My Lord,

With reference to my telegram No. 1250[1] of the 1st July, I have the honour to forward to your Lordship, herewith, translation of an article[2] in the *Handelsblad* of the 30th January [1919] regarding the legal position of the former Emperor and Crown Prince of Germany according to Dutch law.

I am not aware whether this article was officially inspired, but I can safely say that it represents a considerable body of opinion in this country.

---

[1] No. 5.　　　　[2] Not printed. This article was as indicated below.

The views expressed in the article may be summed up as follows:—

(1) The Emperor and Crown Prince are not being detained in this country on behalf of the Allied and Associated Governments until the time comes for them to be handed over for arraignment.

(2) Their presence in Holland is regulated by the Dutch Alien Laws, and it is doubtful whether under those laws the Dutch Government have any right to restrict their liberty, even though they may have submitted themselves to the control of the Dutch Government when they entered the country.

(3) They are in any case free to leave the country when they wish, and to proceed whither they wish. There can therefore be no question of their 'escaping'.

(4) Any restriction of liberty imposed upon them is exclusively a Dutch affair, and is no concern of foreign countries.

(5) The Dutch Government have the power to expel them if they desire so to do.

(6) There can be no question of 'extraditing' the former Emperor, as he is not accused of any criminal offence provided for in the Dutch Law of Extradition, or in the Treaties of Extradition, but only of an offence against 'international morality and the sanctity of treaties.'[3]

(7) If it is desired to try the Crown Prince before military courts for certain war crimes, it might be possible to extradite him, but the Dutch Government would have carefully to examine the grounds on which his extradition was asked.

In addition to the considerations which I ventured to urge in my telegram referred to above, I would point out that the decision to which the Dutch Government will eventually have to come in regard to the handing over of the former Emperor and the Crown Prince, and indeed the action which they will feel themselves entitled to take in the event of their desiring to leave the country, are matters which will require very careful and serious consideration on the part of the Netherland authorities, in view of Dutch law, international law and public opinion. A considerable portion of public opinion in this country would disapprove of the surrender—not for any special reasons of sympathy with the Emperor and Crown Prince, but for reasons of national pride. The Socialists, for example, are, I understand, strongly opposed to the surrender. The Majority Socialists uphold the right of asylum for all alike, Emperor or peasant. The Communists consider that the victory of the Allies represents a victory of Imperialism and Capitalism, and they do not hold the Emperor to be worse than anybody else. In Government circles very genuine difficulty is felt on grounds of international and of Dutch law.

My own view is that, if we desire to obtain the surrender of the Emperor for public arraignment, we should, as far as possible, avoid any communication to the Dutch Government which may call forth a purely legal rejoinder, or which may contain statements which a country, that has throughout preserved what in its view was complete neutrality, might challenge or deny.

[3] Article 227 of the Treaty of Versailles.

I would suggest that it might be possible to persuade the Dutch Government that it would be well, for reasons of international morality and for the purpose of securing in the future respect for international law and the sanctity of treaties, that the Emperor should stand his trial and be given a chance to refute the accusations which have been brought against him. I have some reason for thinking that the Prime Minister and other members of the Government would favourably examine any arguments based upon considerations of humanity and higher policy that we might put forward, and that they are even anxious for such arguments and for help out of an extremely embarrassing position. It would probably help to some extent in meeting the Dutch objection to handing over a man to be judged by his accusers if a neutral judge could be associated with the Allied judges at the trial. In the meantime, I should be failing in my duty if I did not record the view which I have heard expressed, that the note sent in by the French Chargé d'Affaires, under instructions from M. Clemenceau, was uncalled for in its severity, and makes statements which the Netherland Government may have to challenge against their will.

I have, &c.,
ARNOLD ROBERTSON

## No. 7

*Letter from Mr. Robertson (The Hague) to Mr. Russell[1]*

Unnumbered [Confidential/General/363/19/Netherlands]

THE HAGUE, *July 3, 1919*

My dear Theo,

You will probably have seen my telegram No. 1250[2] of July 1st respecting the Note addressed by the French Chargé d'Affaires, under instructions from Monsieur Clemenceau, to the Dutch Government in regard to the possible escape of the Kaiser and Crown Prince. I have since received a telegram[3] from Mr. Balfour, in which he repeats the instructions sent to my French colleague without comment.

It would not be respectful for me to comment officially on a document which I now gather was prepared, or at any rate sanctioned, by the Council of Four, but I think it only right to convey privately that the Note in question contains statements which the Dutch Government will not be prepared to admit, and also something very like a threat, which they are sure to resent. It would not be right for me to conceal my conviction that the Note is likely to make our task of inducing the Dutch Government to surrender the Emperor considerably more difficult.

The Note opens with a statement that the Allied Powers had heard with great surprise that the Crown Prince had been permitted, in violation of the

[1] Mr. Theophilus Russell was at that time Private Secretary to Lord Curzon. The date of receipt for the present letter is uncertain, but was probably July 7, 1919.

[2] No. 5.

[3] No. 4.

Laws of War, to escape. He had not, and has not escaped. The French Chargé d'Affaires fortunately altered this part of the Note.[4]

Insistence on the fact that the Crown Prince is 'a German combatant officer of high rank', and must therefore be interned, does not come with a very good grace from us, who, only a few months ago, were begging the Dutch Government to help us by allowing our troops to pass to and fro through Dutch territory with their arms,—a request which the Dutch Government granted.

The statement that the Emperor is a 'potentate whom *all the world, outside Germany*, deems guilty of bringing about the great war' is certainly disputed in this country, where the actual responsibility for the war is not by any means assigned to Germany alone, or to the Emperor.

The warning that to permit the Emperor's escape would be 'an international crime which could not be forgiven those who contributed to it by their carelessness or by their connivance' is resented as a threat.

The assumption in the last paragraph, that the Netherland Government are responsible to anyone for the custody of the Emperor, and that they are 'under a grave obligation to carry out' the duty of guarding him, will certainly be contested. The Dutch Government are not at all clear as to what the exact status of the Emperor and the Crown Prince is, or whether they have any right to restrict their movements even in this country—let alone to prevent their 'escape'.

That the Emperor and Crown Prince are unwelcome guests, and that the Dutch Government would gladly get rid of them, if only they can save their own face in doing so, I have little doubt. With careful handling and tact, I think we may be able to convince the Dutch Government that, for reasons of international morality and in the high interests of humanity, they ought to hand the Emperor over for trial. I believe that they would like to be convinced, but, if we threaten or try to coerce them, they will shelter themselves behind the wall of their conception of International Law, and we shall not be able to budge them, unless we don 'shining armour' and shake a 'mailed fist' at them.

I attach considerable importance to the suggestion which I made in my telegram[2] that *all* the Allied Powers should take part in the request for surrender, and to the further suggestion made in my despatch of to-day[5] that a neutral judge should be associated with the Allied judges.

I hope that the Secretary of State will realize that all I am trying to do is to advise as best I can as to the most likely method of getting what we want, viz., the surrender of the Kaiser.

Please remember that the Dutch are not unlike ourselves in many ways. They have strong independent views, and resent threats or dictation. Our policy should be to smooth them down, and not to ruffle them up if we wish to gain our ends by peaceful methods.

Yours ever,<br>ARNOLD ROBERTSON

[4] Cf. No. 4, note 4.          [5] No. 6.

## No. 8

### Mr. Robertson (*The Hague*) to Earl Curzon (*Received July 7*)

### No. 177 [*99073/7067/39*]

THE HAGUE, *July 3, 1919*

My Lord,

I have the honour to forward to your Lordship herewith translations of extracts from the Dutch press[1] on the subject of the signature of the Peace Treaty. The signature was greeted with no manifestations of joy whatever. Not a flag was hung out. Not a glass of wine was drunk in its celebration. Not a smile even of relief lighted a Dutch face. The press, no longer severely condemnatory as on the occasion of the first publication of the peace terms, is as gloomy as the Dutch sky, which must surely have its effect on the national temper. Disappointment, uneasiness and, to a large extent, ill-will towards the Allies in general and Great Britain in particular prevail.

The reasons for this feeling of gloom are manifold. The main reason is set forth in Sir Walter Townley's despatches Nos. 119[1] and 123[1] of 12th and 15th May. The Dutch as a whole are a materialistic people, without any very high ideals. They feel that the main source of their wealth and prosperity has been dried up for long years to come, that their 'hinterland' has become but a barren field from which they can reap no profit. They also fear that, with the French in control of an important reach of the Rhine, traffic may be diverted across Northern France by means of canalisation and via Antwerp, with the result that Rotterdam will sink to insignificance as a port of transit.

But this is not the only consideration. I do not believe that the majority, or the thinking part, of the nation desired a German victory, from which they had much to fear. On the other hand, they did not anticipate an Allied victory. At first they were convinced that Germany would win. Later, they based all their hopes on a drawn battle, which was the end that they would really have welcomed. The overwhelming victory of the Allies has come as a surprise and a disappointment. They have an uneasy feeling that their neutrality throughout the war was apparently sympathetic towards the vanquished, and that they can lay no claim to the gratitude or even the respect of the victors. Yet I doubt if this feeling is clearly defined. People are reserved in discussing the war and the peace. In conversations with Allied diplomats their hostility is one of manner rather than of speech. The upper classes were pro-German, partly on account of family alliances, partly because they saw in the German Court and its surroundings the last great home of aristocracy free from all middle-class atmosphere. The upper middle classes, while they had little liking for the German, whom they rather despised, derived enormous profits from trading with him, and his downfall is likely to spell ruin for them, or so they fear. The lower middle and lower classes have not forgotten the Boer war, and their dislike of Great Britain gives them a leaning towards Germany. Monsieur Troelstra and his

[1] Not printed.

Majority Socialist Party are ardent admirers of Scheidemann,[2] German theoretic Socialism, German literature, German thought. Monsieur Wijnkoop and the Communists are merely pro-Spartacus, pro-revolution, and rage against the Allies as Imperialists and capitalists.

It is not, I think, unfair to say that the ideals for which the Allies fought made no appeal to the majority of the Dutch. Those to whom they did appeal consider that the 'Peace of Violence' is but a mockery of them, and hold the Allies to be hypocrites. But very few are really convinced that Germany was responsible for the war. While most people admit that the Germans committed atrocities and violations of international law, many believe that the Allies also were far from guiltless and that the Germans were to some extent excused on grounds of self-preservation. Successful German propaganda is largely responsible for this attitude. The violation of Belgian neutrality has been forgotten, or, rather, sympathy with Belgium on that account has been converted into hatred on account of Belgian demands on Dutch territory.[3] The requisitioning of the Dutch ships,[4] though it brought profit to the shipowners, hurt the national pride, was hotly resented throughout the country, and created a deeper and a more abiding impression than German sinkings. The fact that it was the German submarine warfare that confined the Dutch merchant fleet to port and that Dutch vessels had been frequently sunk by the Germans seems to have been completely forgotten or forgiven in view of the requisitioning.

Interference with Dutch trade by the Allies, the stoppage of the profitable traffic with Germany, the effects of the blockade which reduced the whole nation to the verge of starvation, historic dislike of Great Britain who robbed Holland of her supremacy in the world, are other causes which biassed [sic] the Dutch against the Allies during the war. Now that peace has come, uneasiness as to the commercial future, fears of a social revolution, suspicion as to the exact attitude of the Allies towards Belgian demands, anxiety as to the form that the request for the surrender of the ex-Emperor will take and as to what the Allies will do in the event of a refusal, the vague feeling that Holland is without friends in the world, and the chronic gloom of the skies all combine to deprive the Dutch of any feeling of joy, of any desire to 'celebrate'.

I have, &c.,

ARNOLD ROBERTSON

[2] A leader of the German majority socialist party and German Chancellor, February–June, 1919.      [3] See No. 21.

[4] For this question see Cd. 9025 of 1918, *Correspondence with the Netherlands Government respecting the requisitioning of Dutch ships by the Associated Governments.*

## No. 9

*Lord Acton[1] (Berne) to Earl Curzon (Received July 7)*

*No. 383 [99165/58017/43]*

My Lord,                                                                    BERNE, *July 3, 1919*

I have the honour to report to Your Lordship that Monsieur Calonder[2]

[1] H.M. Chargé d'Affaires at Berne.      [2] Swiss Minister for Foreign Affairs.

took the opportunity on June 28 to make a reasoned statement respecting the attitude of the Swiss Government in regard to the Vorarlberg question.[3]

Monsieur Calonder stated that he had recently received, in the name of the Federal Government, Monsieur Ender, the Vorarlberg President, who explained the situation of the country and expressed the strong desire of the people of the Vorarlberg to be received into the Swiss Confederation. Monsieur Calonder informed him that if a strong majority of the people pronounced themselves in favour of the Vorarlberg becoming united to Switzerland, he would put the question before the Federal Council who would be willing to discuss it. Monsieur Calonder went on to say that some time later he had heard officially that more than eighty per cent of the Vorarlberg people were in favour of their country becoming part of Switzerland. The Federal Council however would only discuss the question provided that the Paris Conference and the Government of German-Austria recognised the right of self-determination of the Vorarlberg, which, in the opinion of the Swiss Government, ought as a matter of course to be granted to that country. In any case the Swiss Government do not wish to be dragged into international complications by attempting to deal with this question before its international aspect has been definitely settled. Monsieur Calonder then emphasized the fact that the Swiss will never agree to the union of the Vorarlberg to Switzerland being made the object of compensation or exchange in any form whatsoever. Switzerland consists of a small territory, which formed itself little by little during the course of history, and they will never consent to give up any part of the heritage of their ancestors.

Lastly, the Minister for Foreign Affairs while recognising the importance of the economic effects that the union might have and with regard to which there was still a divergence of opinion, laid stress upon the fact that fundamentally it was a political question that the Swiss people had to deal with. What they had to decide above all was whether Switzerland was capable of assimilating the Vorarlberg and on the other hand whether the Vorarlberg wished to be absorbed into Switzerland because of the community of feeling between the two peoples and not merely for material reasons and in order to escape from an impossible economic situation. In the latter case, Switzerland, who did not wish to be suspected of self-seeking, would certainly oppose the union. To sum up, while highly appreciating the confidence shown by the people of Vorarlberg in wishing to throw in their lot with Switzerland, the Swiss Government must approach the matter with great caution as the question is not as yet ripe for settlement.

A copy of this despatch has been sent to Mr. Balfour.

I have, &c.,
ACTON

[3] See below.

## No. 10

### *Cardinal Gasparri[1] to Mr. Balfour (Received July 9)[2]*

### *No. 92828 [100480/9019/39]*

SEGRETERÍA DI STATO            DAL VATICANO, *le 4 juillet 1919*
DI SUA SANTITÀ

Excellence,

Monseigneur Cerretti,[3] à son retour de Paris, a fait savoir avec quel esprit de modération Votre Excellence a pris en examen les demandes relatives aux Missions Catholiques que le Saint Père avait exposées au Congrès de la Paix, et avec quel zèle Elle s'était ensuite employée pour les faire accueillir. En me confiant l'agréable mission d'en remercier Votre Excellence, Sa Sainteté nourrit l'espoir que la même modération présidera à l'examen de sa demande concernant les Missions Catholiques des Indes, actuellement soumise au gouvernement anglais.

Le Saint Père fait une autre très vive instance auprès du Gouvernement anglais, par l'intermédiaire de Votre Excellence, afin qu'il ne soit pas donné suite au procès que, conformément au traité de paix avec l'Allemagne, on voudrait faire au Kaiser et aux commandants supérieurs allemands. Ce procès ne ferait que rendre plus aigües les haines nationales et éloigner pour longtemps cette pacification des âmes, à laquelle toutes les nations du monde aspiren[t][4]. En outre, ce procès, si l'on veut y observer les règles de la j[usti]ce,[4] rencontrerait des difficultés insurmontables, comme le mon[tre][4] l'article ci-joint de l'*Osservatore Romano*,[5] qui s'occupe seulement du procès du Kaiser, le journal se réservant de revenir dans une autre étude sur la question du procès des généraux.

Je saisis, etc.,
P. CARD. GASPARRI[6]

---

[1] Cardinal Secretary of State.

[2] Date of receipt in the Foreign Office, to which this note was remitted. A copy of the note was forwarded to Mr. Balfour in Paris under Foreign Office formal covering despatch No. 4818 of July 17, 1919.

[3] Papal representative at the Peace Conference in Paris.      [4] The text here is torn.

[5] This French translation, headed 'Le Procès au Kaiser', of an article in the *Osservatore Romano* of June 25, 1919, is not printed.

[6] With reference to this note Mr. Balfour stated in his despatch from Paris No. 1370 of July 22, 1919 (replying to Foreign Office despatch No. 4818—see note 2 above): 'I am disposed to think it would be advisable to leave this communication unanswered.'

## No. 11

### *Mr. Balfour (Paris) to Mr. Robertson (The Hague)*

### *No. 28 Telegraphic [477/2/6/14221]*

PARIS, *July 5, 1919*

Your tel. No. 39[1] (of July 1st. Ex-Kaiser).

You will have received my telegram No. 26[2] repeating message sent to

[1] Repetition to Paris of No. 5.                    [2] No. 4.

Netherlands Govt. by M. Clemenceau which was result of deliberations of Supreme Council and with which H.M.G. were fully associated.[3]

[3] This telegram was repeated to the Foreign Office as No. 1122.

## No. 12

*Sir C. Marling*[1] *(Copenhagen) to Earl Curzon (Received July 12)*

*No. 202 [101762/101762/30]*

COPENHAGEN, *July 7, 1919*

My Lord,

Since my arrival in the Spring I have repeatedly spoken to the Minister of Foreign Affairs about the Bolshevik propaganda which is so notoriously carried on at Copenhagen with great activity, and for some time I found His Excellency but little inclined to take any measures to check them [*sic*], but early in May it became clear from the constant strikes brought about by the Syndicalist elements in the various Workmen's Unions and particularly among the dock workers that the apathy of the Danish Government was bearing its inevitable fruit. I therefore went again to see M. Scavenius, and on this occasion, probably in consequence of conversation I had had a day or two before with Mr. Andersen of the Øst Asiatisk Compagni, he shewed much more interest, and promised that if I could furnish the police with the names of any Bolshevik agents, steps would be taken for their expulsion. I told His Excellency that our Anti-Bolshevik Enquiry Service could probably give a good deal of information and as I understood that the Danish Government were ready to accept official cooperation with it, we might hope for useful results provided the Danish police was empowered to take action on the information supplied.

About the same time the Press and in particular the *Social Democrat* began to call attention to the disastrous consequences for the commercial interests of Copenhagen and therefore also for Labour if the Syndicalist elements were to be allowed to bring about perpetual strikes, and simultaneously the Unions also took up a firmer stand against the illegal and partial strikes which the Syndicalist minorities had succeeded in contriving. Since then Labour unrest has been decidedly less, and the Bolshevik agents, finding their energies checked in one direction, have directed their activities into another channel. They have published wholly imaginary accounts of mutinous conduct among the crews of the foreign and especially the British ships of war lying at Copenhagen, mentioning specific cases in which the men had refused to remain in the Baltic, and had successfully demanded that their ships should be sent home. On the 28th ultimo M. Scavenius warned me that a special attempt to distribute revolutionary literature on a large scale among the seamen was to be made on the 30th. I fancy that the Bolsheviks must have known that the police had got wind of their plan, for the grand attack

[1] H.M. Minister at Copenhagen.

18

dwindled down to a single case where two or three young women attempted to thrust some leaflets through the port of a destroyer lying alongside the quay at Langelinie. I have seen a copy of one of the leaflets. It is a very poor production and most unlikely to excite anything but derision among British sailors.

Commenting on this attempt to infect the foreign warships with Bolshevism the *Berlingske Tidende* on the 5th in an article headed 'Bolshevik Money' remarks that while it has long been known that revolutionary socialism has been spreading its net for the Danish working man, it was not certain whether the properly so-called Syndicalists were receiving pecuniary support from abroad, but it is now beyond doubt that the so-called Socialist Labour Party which published the daily paper, *Klassenkampen* and has a wide-spread party organisation, is actually living on Bolshevik money. In regard to the Syndicalist movement, the papers go on to remark, while it may be true as their leaders aver that their hands are clean as regards money, it is perfectly certain that the hands of those 'Syndicalists' whose special business it has been to provoke strikes, have never been defiled by labour.

The leaflet distributed to the foreign warships is copied from the original appeal printed in Stockholm, where Bolshevism has established a strong footing in the shape of the Social-Revolutionary party whose paper the *Folkets Dagblad* is the chief organ of Scandinavian Bolshevism, and it is through Stockholm, the *Berlingske* continues, that Lenin, Trotsky and their associates with all their financial agents have established strong connections through the three Northern countries.

I have, &c.,<br>CHARLES M. MARLING

## No. 13

### *Earl Curzon to Sir F. Villiers[1] (Brussels)*

### *No. 237 [101158/25108/4]*

FOREIGN OFFICE, July 9, 1919

Sir,

The Belgian Minister, who had returned from Paris only yesterday, came to see me this afternoon on a matter of special urgency, which he had been directed by his Government to submit to me without delay.

First he had been instructed to put before me the case of Malmédy, the town and district of which had been assigned to Belgium by the Peace Delegates in Paris. The region, however, was still in the occupation of British troops, and this military authority naturally carried with it a certain control over the civil administration, which was still in the main in German hands. The Belgian Government felt that, as the place was shortly to pass into their possession, the transition would be more easily effected, and there would be

---

[1] H.M. Minister at Brussels.

a better chance of accustoming the people to the new conditions, if the occupying force were to be Belgian instead of British in composition, and if this change could be effected without further delay. The Belgian Government had, he said, addressed more than one representation to you on the point, but so far without eliciting a reply from His Majesty's Government.[2] They had further made representations to Sir William Robertson, as commander of the British Army of Occupation at Cologne, but he had been unable to promise a decision on a point which, he said, involved political considerations. The Minister therefore came to me to ask the intervention of His Majesty's Government to secure this concession, which he regarded as of high value to his country, and to which he said that his Government attached great importance.

I promised that the matter should receive full and immediate consideration.

The Minister, speaking in tones of equal seriousness and candour, then went on to appeal for the friendly help and sympathy of Great Britain in the difficulties with which his country was confronted with regard to the revision of the Treaty of 1839.[3] An International Commission to advise upon this subject had recently been set up in Paris, but had not yet commenced its labours.[4] Upon it, *inter alios*, there would be two Belgian, two Dutch, and two British representatives. He could not exaggerate the degree of importance which his country attached to the solution of the main difficulties: there was the question of the navigation of the Scheldt and the deepening of the channel; there was the question of fortifying, by some common arrangement with Holland, the angle between the Scheldt and the sea; there was the question arising out of the geographical position of Limburg. These questions could not be solved without some concession on the part of Holland; and they were matters which affected, not so much the relations between the Belgians and the Dutch, as the future peace of the world. He implored the British Government to show a more sympathetic attitude to his country than they had shown hitherto.

I asked the Minister what evidence he had of any lack of sympathy or interest on our part. Speaking from recollection, I said that, on the many occasions on which the case of Belgium had been pleaded most ably by

[2] This statement by the Belgian Minister was subsequently referred to by Sir F. Villiers in Brussels despatch No. 273 of July 24, 1919 (received July 26: not printed). Sir F. Villiers there described the Belgian Minister's observation as being 'not quite a correct statement' since, while it was true that no answer had been returned to a number of Sir F. Villers' earlier despatches on the subject, a communication had, however, been made to the Belgian Chargé d'Affaires in London on June 3. In this note of June 3 Lord Curzon had replied to a Belgian complaint concerning the general attitude of the British authorities at Malmédy, and had stated, in particular, that 'as a result of a full enquiry His Majesty's Government are satisfied that there are no grounds whatsoever for the allegation that the district has been administered in any other way than with complete impartiality'.

[3] The treaties of 1839 which had made the independence and neutrality of Belgium the subject of international guarantee: cf. *British and Foreign State Papers*, vol. xxvii, pp. 990 f.

[4] Cf. Volume I, No. 11, note 10.

M. Hymans[5] in Paris, Mr. Balfour in particular had taken, not only an active, but a friendly part in the discussion, and had shown no lack of sympathy with Belgian interests and aspirations. What had passed in the Council of Four of course I did not know, but I had not the slightest reason to believe that any less interest had been shown by Great Britain than by any other of the principal Allies. Had Baron Moncheur, I enquired, any definite complaint to make on this score?

He replied that it was not so much the adoption of a definitely unsympathetic or unfriendly attitude that he complained of, as it was the apparent absence of any genuine interest in the case of Belgium. Belgium, he said, looked to us to champion her interests with feelings quite different from those which she entertained towards any other Power. She did not think that we had so far helped her as we might have done. He appealed to me most urgently, and almost pathetically, to exercise whatever influence I might possess in securing a more favourable attitude.

Without in any way accepting the fairness of the Minister's suspicions, for which I told him that I knew of no foundation, I undertook to pass on to Mr. Balfour in Paris the recommendations he had made.

I am, &c.,

CURZON OF KEDLESTON.

[5] Belgian Minister for Foreign Affairs and Delegate Plenipotentiary to the Peace Conference.

## No. 14

### Earl Curzon to Mr. Balfour (Paris)

### No. 4592 [477/2/6/14874]

FOREIGN OFFICE, *July 9, 1919*[1]

Sir,

In the course of conversation on July 2nd with Sir Ronald Graham[2] the Netherlands Minister enquired whether it was the case that the Allied and Associated Governments had addressed a communication to the Netherlands Government with regard to the ex-Emperor of Germany in which the Netherlands Government had been summoned to take steps to prevent the escape of the ex-Emperor from Holland.

2. Sir R. Graham said that a telegram had been despatched to The Hague by Monsieur Clemenceau on behalf of the Allied and Associated Powers in the sense indicated.[3] The immediate cause of the communication had no doubt been the report that the Crown Prince had left Dutch territory.

3. Jonkheer van Swinderen declared that it seemed incredible to him that any such step should have been taken. The Netherlands Government had

[1] The filed copy of this despatch in the main files of the Foreign Office (98828/9019/39) is an approved draft dated July 8.

[2] Acting Under-Secretary of State for Foreign Affairs during the absence in Paris of Lord Hardinge.

[3] See No. 4.

been reproached for harbouring the ex-Emperor and the Crown Prince and were not to be threatened if they allowed them to depart from Holland. The ex-Emperor and Crown Prince were not permitted to leave the localities in Holland assigned to them for their residence with a view to moving about the country, but no precautions had been taken to prevent their departure from Holland if they wished to go. In such a case the Netherlands Government would be glad to be rid of them.

4. Jonkheer van Swinderen added that he had discussed with a number of highly placed Englishmen the question whether, if the Netherlands Government were called upon to surrender the ex-Kaiser and the Crown Prince to the Allied and Associated Governments, they would be justified in doing so. He declared that Lord Curzon was the only statesman who had answered this question in the affirmative. Personally he thought it incredible that Holland should stain her honour by any action of the kind. It would not be a case of delivering over these persons to an impartial authority but to their avowed enemies.

5. The Minister emphasised the fact that he was speaking as a private individual and without authority as he had not even been aware of the summons addressed from Paris to The Hague.

6. Sir R. Graham said that the Netherlands Government would make a great mistake if they adopted the line which he foreshadowed.

7. I have addressed a similar despatch to His Majesty's Chargé d'Affaires at The Hague.

I have, &c.,
(For Earl Curzon of Kedleston)
GERALD SPICER

## No. 15

*Mr. Robertson (The Hague) to Mr. Balfour (Paris. Received July 10)*

*No. 41 Telegraphic* [477/2/6/14969]

THE HAGUE, *July 10, 1919*

Your telegram No. 26.[1]

Following is translation of reply addressed to French Chargé d'Affaires.

'Netherlands Minister for Foreign Affairs has received from French Chargé d'Affaires a communication addressed to Royal Government by Allied and Associated Powers relative to case of ex-Emperor and ex-Prince Imperial of Germany.

'This communication which according to its terms is only based upon rumours contains an admonition to a neutral and friendly Government which has painfully surprised Royal Government.

'Royal Government are conscious of their international obligations; they are also conscious of not having failed to fulfil them.

'As regards case raised in communication of Powers they must reserve to

[1] No. 4.

themselves free exercise of their sovereignty as regards rights which appertain to them and duties which are incumbent upon them.'

Repeated Foreign Office 1287.

## No. 16

*Sir R. Rodd (Rome) to Earl Curzon (Received July 14)*

*No. 304 [102473/731/22]*

ROME, *July 10, 1919*

My Lord,

I have the honour to report that I have to-day received a visit from Count Sforza, the new Under-Secretary of State for Foreign Affairs, who will be in charge of the Ministry during the absence of Signor Tittoni[1] at Paris with, as I understand, considerable independence of powers. I was unable to elicit from him what the exact reasons were which had brought Tittoni and two of the other Italian delegates back to Rome so soon after their arrival in Paris,[2] but I gather that they have come to report on the situation which they had found there, and possibly to submit a programme in accordance with that experience.

Count Sforza said he had been with the President of the Council this morning and found him quite serene and hopeful about the position here. He was himself inclined to think that the people were in the mass peacefully disposed, the only fear he had had was that of a general failure of food supplies,[3] but he had been consoled by finding Signor Nitti so calm, and must

---

[1] Italian Minister for Foreign Affairs.　　　　　　　　　　[2] Cf. Volume IV, No. 7.

[3] In this connexion Sir R. Rodd stated in Rome telegram No. 478 of July 11, 1919 (received that day): 'Though I trust it may not be necessary it would, I think, be well that contingency should be contemplated of having to assist British officials and colonies in Italy by transmission of foodstuffs to ports. Looting and compulsory sales at greatly reduced prices have entailed danger of supplies not being replaced in time to prevent acute shortage and consequent danger of serious disorder. I presume if necessary Malta could send certain essential stores to Palermo, Naples, Leghorn, Genoa, &c. Inland cities will present a more difficult problem. Milan and Naples both report danger of this future shortage. Turin reports situation normal and shops reopening. Florence calm. Rome appears quiet tonight, but shops and restaurants are closed. There was rioting yesterday and some lives lost. Troops everywhere and machine guns held in readiness.' Sir R. Rodd had previously reported in Rome telegram No. 473 of July 9 (received next day): 'Governing Board of General Confederation of Labour at a meeting with directing Committee of Socialist Party and Railway Workers Syndicate has decided in favour of a general and simultaneous (? strike) on 20th and 21st instant which shall have the significance of a general mobilization of forces of International Proletariates against international plutocracy, the enemy of Liberty, and mark their unconditional solidarity with Russian and Hungarian workmen in their efforts to control state. National Council of Labour Confederation is convened at Bologna on 13th and 14th instant to deliberate on general strike and convocation of general congress of Confederation'. Subsequently, in Rome despatch No. 424 of September 30, 1919 (received October 6), Sir R. Rodd stated that 'the situation in Italy does not any longer appear to justify the necessity of accumulating stores in Malta for eventual despatch to Italy. The request for possible eventual assistance was only put forward in view of the

assume that he had confidence in the machinery set in motion for securing those supplies.

There was a dual motive of action in all that was going on in this country. There was the actual discontent arising from the difficulty of living and the high prices, which were largely the inevitable result of the war, and there was the very intense feeling which existed about Fiume.[4] The latter worked upon the moral depression caused by the former, and intensified it. But for that the sense of a victorious issue from the war would have compensated morally for the privations and disabilities which would be more readily endured. As it was the people were convinced that they had been deprived of what they rightly or wrongly regarded as the legitimate fruits of their victory, and therefore felt their material difficulties and privations more acutely. Of this situation those who had been against the war, what he in fact called the whole Germanophile band, were taking every advantage and they were stimulating the discontent for their own ends. For these reasons it was imperative that a settlement or compromise should be found at once.

He was preoccupied at the very strong anti-French feeling in this country. Whatever took place at the Conference which could be regarded as contrary to Italian interests was at once and often unjustly put down to French influence. Unfortunately all the French troops which had passed through Italy belonged to the Armée d'Orient into which all the worst elements had been drafted and there was a great indiscipline among them. The French troops at Fiume belonged to this category, and he thought it a great mistake that a French depot had been established there. He had seen something of this at Constantinople.[5] The French soldiers never saluted the British and Italian officers. There would often have been incidents there, but they were got over by a little good-humoured chaff when offensive remarks were made, and ended amicably. When nerves were as tense as they now were in Italy, even a depreciating remark might lead to serious consequences. He had found the French officers in the East were only thinking of the French point of view and of French interests, and not of the general advantage of the Allies. He observed casually he wondered what the attitude of the French would have been if a city as essentially French in character as Fiume was Italian had been left outside the territories assigned to France. Of the British High Commissioner[6] and his work he spoke in terms of warm praise.

The visit was only a first formal one, and our conversation was confined to these general matters. In conclusion Count Sforza said he had not yet quite realised what his position was going to be. He is junior hierarchically to Signor de Martino, the Secretary-General, and I imagine that the latter will now be sent to a foreign post, while probably most of the higher officials who have assisted Baron Sonnino[7] will also be changed. Count Sforza is a man of

menace of a general strike in the country, which for the present at any rate appears to have passed.'                                                                                                      [4] See Volume IV, Chap. I.

[5] Count Sforza had previously been Italian High Commissioner at Constantinople.

[6] At Constantinople: cf. Volume IV, Chap. III.

[7] The predecessor of Signor Tittoni as Italian Minister for Foreign Affairs.

character, with considerable ability and culture. He is, I am told by those who know him better than I do, a warm supporter of the Entente, and the appointment of a professional diplomatist rather than a party politician to administer the Italian Foreign Office seems in itself at the present time a welcome change.

I have, &c.,

RENNELL RODD

## No. 17

*Record of a meeting in Paris of the Supreme Economic Council*[1]

*No. XXVI [Confidential/General/128/1]*

The Supreme Economic Council held its Twenty-sixth Meeting[2] on Thursday, the 10th July, 1919, at 4.30 p.m., under the Chairmanship of M. Clémentel.

The Associated Governments were represented as follows:—

*America, United States of—*
Mr. Hoover.
Dr. Taylor.
Mr. Dulles.

*British Empire—*
Mr. Wise.
Mr. Waley.
Mr. Barrie.

*France—*
M. Loucheur.
M. Boret.
M. Vilgrain.
M. Seydoux.

*Italy—*
Commendatore Volpi.

*Belgium—*
M. de Cartier de Marchienne.

250. The minutes of the twenty-fifth meeting[3] were approved. . . .[4]

259. *Economic Co-operation after Peace.*

(*a*) With reference to Minute 241,[3] a report from the Committee on Policy[5] was submitted, and the recommendations made therein amended and approved for submission to the Governments of the Allied and Associated Powers.

It was agreed that no public notification regarding these proposals should be made until they have been formally accepted by the Allied and Associated Governments.

[1] This document is printed in *Papers relating to the Foreign Relations of the United States: the Paris Peace Conference 1919*, vol. x, pp. 447 f.
[2] This meeting was held at the French Ministry of Commerce in Paris.
[3] See No. 3.
[4] The meeting passed to the discussion of other matters.
[5] This report is printed by S. L. Bane and R. H. Lutz, *Organization of American Relief in Europe 1918–1919* (California, 1943), pp. 626 f.

(*b*) A memorandum from the Director-General of Relief, dated the 3rd July (240),[6] regarding the economic situation in Europe, was submitted for the information of the Council. . . .[4]

## Appendix 240 to No. 17

*Memorandum by the Director-General of Relief on the Economic Situation of Europe*

The economic difficulties of Europe as a whole at the signature of Peace may be almost summarised in the phrase 'demoralised productivity.' The production of necessaries for this 450,000,000 population (including Russia) has never been at so low an ebb as at this day.

A summary of the unemployment bureaux in Europe will show that 15,000,000 families are receiving unemployment allowances in one form or another, and are, in the main, being paid by constant inflation of currency. A rough estimate would indicate that the population of Europe is at least 100,000,000 greater than can be supported without imports, and must live by the production and distribution of exports, and their situation is aggravated not only by lack of raw materials imports, but by low production of European raw materials. Due to the same low production, Europe is to-day importing vast quantities of certain commodities which she formerly produced for herself and can again produce. Generally, not only in [is] production far below even the level of the time of the signing of the Armistice, but far below the maintenance of life and health without unparalleled rate of import.

Even prior to the war these populations managed to produce from year to year but a trifling margin of commodities over necessary consumption or to exchange for deficient commodities from abroad. It is true that in pre-war times Europe managed to maintain armies and navies, together with a comparatively small class of non-producers, and to gain slowly in physical improvements and investments abroad, but these luxuries and accumulations were only at the cost of a dangerously low standard of living to a very large number. The productivity of Europe in pre-war times had behind it the intensive stimulus of individualism and of a high state of economic discipline, and the density of population at all times responded closely to the resulting volume of production. During the war the intensive organisation of economy in consumption, the patriotic stimulus to exertion, and the addition of women to productive labour largely balanced the diversion of man power to war and munitions. These impulses have been lost.

## II

It is not necessary to review at length the causes of this decrease of productivity. They comprise in the main as follows:—

The industrial and commercial demoralisation arising originally out of the war but continued out of the struggle for political rearrangements during the

[6] Appendix 240 below.

Armistice, the creation of new Governments, the inexperience and friction between these Governments in the readjustment of economic relations.

The proper and insistent demand of labour for higher standards of living and a voice in administration of their effort has, unfortunately, become impregnated with the theory that the limitation of effort below physical necessity will increase the total employment or improve their condition.

There is a great relaxation of effort as the reflex of physical exhaustion of large sections of the population from privation, mental and physical strain of the war.

To a minor degree, considering the whole volume, there has been a destruction of equipment and tools and loss of organisation and skill due to war diversions with a loss of man power. This latter is not at present pertinent in the face of the present unemployment.

(The demoralisation in production of coal in Europe to-day is an example in point of all these three forces mentioned above, and promises a coal famine, and with industrial disaster, unless remedied. It is due to a small percentage from the destruction of man power or the physical limitation of coal mines or their equipment. It is due in the largest degree to the human factor of the limitation of effort.)

The continuation of the blockade after the Armistice has undoubtedly destroyed enterprise even in open countries, and, of course, prevented any recovery in enemy countries. The shortage in overseas transportation and the result of uncertainties of the Armistice upon international credits have checked the flow of raw materials and prevented recovery in the production of commodities especially needed for exchange for imports from overseas. The result of this delay has been unemployment, stagnation, absorption of capital in consumable commodities to some extent all over Europe.

From all these causes, accumulated to different intensity in different localities, there is the essential fact that unless productivity can be rapidly increased, there can be nothing but political, moral, and economic chaos, finally interpreting itself in loss of life on a scale hitherto undreamed of.

### III

Coincident with this demoralisation in production, other disastrous economic phenomena have developed themselves, the principle [sic] one of which is that the very large wage paid special workers and the large sums accumulated by speculation and manufacture during the war have raised the standard of living in many individuals from the level of mere necessities to a high level of luxuries. Beyond this class there is a reflex in many other classes from the strenuous economies against waste and the consumption of non-essentials in all countries, and, as a result, there is to-day an outbreak of extravagance to a disheartening degree.

Another economic change of favourable nature from a human point of view, but intensifying the problems of the moment, has been the rise in the standard of living of large sections of the working classes through the larger and better wage distribution, separation allowances, &c., during the war. Parallel with these classes are those of fixed income, the unorganised workers, the unemployed to whom the rising cost of living is inflicting the greatest hardship.

## IV

During some short period, it may be possible for the Western Hemisphere, which has retained and even increased its productivity, to supply the deficiencies of Europe. Such deficiencies would have to be supplied in large degree upon credits; but, aside from this, the entire surplus productivity of the Western Hemisphere is totally incapable of meeting the present deficiency in European production if it is long continued. Nor, as a practical fact, could credits be mobilised for this purpose for more than a short period, because all credits must necessarily be simply an advance against the return of commodities in exchange, and credits will break down the instant that the return of commodities becomes improbable. Further, if such credits be obtained in more than temporary purposes, it would result in economic slavery of Europe to the Western Hemisphere, and the ultimate end would be war again.

The solution, therefore, of the problem, except in purely temporary aspects, does not lie in a stream of commodities on credit from the Western Hemisphere, but lies in a vigorous realisation of the actual situation in each country of Europe and a resolute statesmanship based on such a realisation. The populations of Europe must be brought to a realisation that productivity must be instantly increased.

## V

The outcome of social ferment and class consciousness is the most difficult of problems to solve. Growing out of the yearning for relief from the misery imposed by the war, and out of the sharp contrasts in degree of class suffering, especially in defeated countries, the demand for economic change in the status of labour has received a great stimulus, leading to violence and revolution in large areas, and a great impulse to radicalism in all others. In the main, these movements have not infected the agricultural classes, but are essentially a town phenomena.

In this ferment, Socialism and Communism has embraced to itself the claim to speak for all the downtrodden, to alone bespeak human sympathy, and to alone present remedies, to be the lone voice of liberalism. Every economic patent medicine has flocked under this banner. Europe is full of noisy denunciation of private property as necessarily being exploitation. Considerable reliance upon some degree of Communism has been embraced by industrial labour even in non-revolutionary countries. Its extremists are loud in assertion that production can be maintained by the impulse of altruism alone, instead of self-interest. Too often they are embracing criminal support and criminal methods to enforce their ideals of human betterment. Every country is engaged in political experimentation with varying degrees of these hypotheses, and so far every trial has reduced production. The Western Hemisphere, with its more equitable division of property, its wider equality of opportunity, still believes that productivity rests on the stimulus from all the immutable human qualities of selfishness, self-interest, altruism, intelligence, and education. It still believes that the remedy of economic wrong lies, not in tampering with the delicate and highly developed organisation of production and distribution, but in a better division of the profits arising from them. It still believes in the constitutional solution of these problems by the will of the majority, while Europe is drifting toward the domination of extremist minorities. The Western Hemisphere's productivity is being maintained at a surplus over its own needs.

The first and cardinal effort of European statesmanship must be to secure the materials and tools to labour, and to secure its return to work. They must also secure a recognition of the fact that, whatever the economic theory or political cry, it must embrace the maximum individual effort, for there is no margin of surplus productivity in Europe to risk revolutionary experimentation. No economic policy will bring food to those stomachs or fuel to those hearths that does not secure the maximum production. There is no use of tears over rising prices: they are, to a great degree, a visualisation of insufficient production.

## VI

During the period of reconstruction and recovery from reduced productivity, the conservation in the consumption of non-essential commodities is more critical than any time during the war. The relaxation of restriction on imports and on consumption of articles of this character since the Armistice is disheartening in outlook. It finds its indication in the increased consumption of beverages and *articles de luxe* in many countries, even above a pre-war normal. Never has there been such a necessity for the curtailment of luxury as exists to-day.

## VII

The universal practice in all the countries at war of raising funds by inflation of currency is now bringing home its burden of trouble, and in extreme cases the most resolute action must be taken, and at once. In other countries of even the lesser degree of inflation, such currency must be reduced and included in the funded debt, or alternately the price of wages, living, and international exchange must be expected to adjust itself to this depression. The outcry against the high cost of living, the constant increase of wages, and the fall in exchange that is going on, is, in a considerable degree, due to this inevitable readjustment.

## VIII

The stimulation of production lies in the path of avoidance of all limitations of the reward to the actual producer. In other words, attempts to control prices (otherwise than in the sense of control of vicious speculation) is the negation of stimulation to production, and can only result in further curtailment of the total of commodities available for the total number of human beings to be fed, clothed, and housed. There still exist in Europe

29

great bureaucracies created from the necessity of control of price and distribution by the conditions of the war who are loath to recognise that with world markets open no such acute situation exists, and that their continued existence is not essential except in the control of speculation. The argument so much advanced that world shortage may develop and justifies continued control of distribution and price is based upon the fallacious assumption that even if the world markets are freed of restraint that there is a shortage to-day in any commodity so profound as to endanger health and life. From any present evidence, thanks to the high production outside Europe, no shortage exists that will not find its quick remedy in diminished consumption or substitution of other commodities through minor alteration and price. All attempts at international control of price, with view to benefiting the population in Europe at the cost of the producer elsewhere, will inevitably produce retrogression in production abroad, the impact of which will be felt in Europe more than elsewhere. A decrease of 20 per cent. of Western Hemisphere wheat would not starve the West; it would starve Europe. It must never be overlooked that control of price and distribution cannot stop with a few prime commodities, but, once started, its repercussions drive into a succeeding chain of commodities, and that on the downward road of price control there can be no stoppage until all commodities have been placed under restriction, with inevitable stifling of the total production. It is also often overlooked by the advocates of price control that, whereas the high level of production was maintained during the war even under a restraint of price, this high production was obtained by the most vivid appeal to patriotic impulse on both sides of the front. This stimulus to production and distribution no longer maintains, and the world must go back to the prime impulse, and that is the reward to the individual producer and distributor.

That body of advocates who have deduced from war phenomena that production and distribution can be increased and maintained by appealing to altruism as the equivalent of patriotism or self-interest, should observe the phenomena of Russia, where the greatest food exporting country is to-day starving.

## IX

It must be evident that the production cannot increase if political incompetence continues in blockade, embargoes, censorship mobilisation,[7] large armies, navies, and war.

## X

There are certain foundations of industry in Europe that, no matter what the national or personal ownership or control may be, they yet partake of the nature of the public utilities in which other nations have a moral right. For instance, the discriminatory control of ships, railways, waterways, coal, and iron, in such a manner as to prevent the resumption of production by other States, will inevitably debar economic recuperation and lead to local spats

[7] There should probably be a comma after 'censorship'.

[*sic*] of economic chaos, with its ultimate infection abroad, to say nothing of the decrease in productivity. These misuses are already too evident.

## XI

The question of assistance from the Western Hemisphere during a certain temporary period and the devotion of its limited surplus productivity to Europe is a matter of importance, and one that requires statesmanlike handling and vision. It is but a minor question compared to those stated above, and it is in a great degree dependent upon the proper solution of the factors already touched upon. It is a service that the Western Hemisphere must approach in a high sense of human duty and sympathy. This sense will, however, be best performed by the insistence that their aid would not be forthcoming to any country that did not resolutely set in order its internal, financial, and political situations, that did not devote itself to the increase of productivity, that did not curtail consumption of luxuries and the expenditure upon armament, and did not cease hostilities, and did not treat their [*sic*] neighbours fairly. If these conditions were complied with, it is the duty of the West to put forth every possible effort to tide Europe over this period of temporary economic difficulties. Without the fulfilment of these conditions the effort is hopeless. With Europe turned toward Peace, with her skill and labour aligned to overcome the terrible accumulation of difficulty, the economic burden upon the West should not last over a year, and can be carried and will be repaid. To effect these results the resources of the Western Hemisphere and here must be mobilised.

HERBERT HOOVER

*July 3, 1919*

## No. 18

*Mr. Capel Cure*[1] *(Rome) to Mr. Balfour (Received July 28)*[2]

*No. 270 (Overseas Trade)* [*108943/15189/122*]

ROME, *July 11, 1919*

Sir,

On the subject of the ever-present Commercial and financial activities of America in Italy, I have the honour to report that Commendatore Fenoglio, Managing Director of the Banca Commerciale, informed me on the occasion of my late visit to Milan, that he had lately been in Paris with other Italian Bankers to meet a group of American financiers, and that, though no definite conclusion had been arrived at, the impression he had derived from the conversation was a perturbing one, since he could not but fear that the Americans were on the high road towards the commercial enslavement of

[1] Commercial Counsellor in H.M. Embassy at Rome.
[2] Date of receipt in the Foreign Office. This despatch, addressed to the Secretary of State for Foreign Affairs, was sent direct to the Department of Overseas Trade, whence it was remitted to the Foreign Office.

Italy. He had not the time to go into details on this subject at the moment, but said he would tell me these in two days, when he made an appointment to meet me in Rome. That appointment unfortunately was not kept, since Comm. Fenoglio wrote to me to say that he was unwell, and consequently I cannot say more as to the particular negotiations which he had in his mind.

Three days ago, I had another conversation which tended towards the same conclusion. I went to see the Permanent Secretary of the Treasury on the question of the exchanges, and the conversation took the somewhat wider form of the financial position of Italy. I asked him if he could tell me as a friend, whether he thought that the new Minister of the Treasury intended to apply for some form of loan to the English Government, as I had known confidentially that the last Minister of the Treasury had meant to do, and as I had indeed reported in one of my previous despatches. Commendatore Conti Rossini replied that he was unaware of the intentions of the Minister at the moment, but that, even if the British Treasury would consent to such a measure, his private opinion was rather against a loan from Government to Government. Something however would have to be done—he said—to save Italy from financial servitude to America. The Americans had made colossal sums of money during the war, and were now putting this out at what would prove to be an inconveniently heavy interest, in order to gain for themselves the commercial monopoly of the world.

To Italy, for instance, they were making continual offers of help, and should these be accepted, they would obtain a hold, not only over the commerce, but over the land itself. He might instance a proposal which had recently come to his knowledge, for the electrification at the most favourable terms and at a surprisingly short date, of a great part of the Railways in Northern Italy. This proposal had actually been accompanied by an offer to pay a large sum as a bonus to the Italian Treasury for the concession.

The Standard Oil Company was also attempting to establish a monopoly for the whole of the Mediterranean of which Italy would be the centre, a monopoly in antagonism with the company in which English capital has so large an interest.

Such proposals—he said—represented in his opinion not only a menace to Italy, but also to England, since it was certain that America would always insert clauses in favour of her own commerce in any agreement into which she might enter for the giving of financial aid to Italy.

His opinion was, that the only way in which England could save her commerce in this country, was by giving a loan in order to enable Italy to buy English goods on credit until this crisis was passed. Such a loan would be made by a group of English Banks to a group of Italian Banks. The security offered on the part of Italy would be as absolute as if it originated from the Government itself, since a coalition of the four Italian Banks could not fail to comply with their obligations unless the country was bankrupt. He thought in fact that, if it were necessary to go through what he considered a mere form, the Italian Treasury would actually back the agreement of the Banks.

The fact of negotiations being in course between Italy and foreign financiers in order to relieve the pressure of the present situation, is again brought out in the speech of the Minister of the Treasury, made in the Chamber yesterday, where he says that a beneficial influence may be exercised on the exchanges by the negotiations which are now taking place, and in which the Italian Treasury is interested, between Italian banks and commercial men, and foreign groups. That these foreigners are Americans is suspected even by the newspaper which prints the speech, since it inserts in brackets the words: 'forse Americani'.[3]

There can, I think, be no doubt that if a financial arrangement is arrived at between Italy and America, it will be to the detriment of English commerce. I would therefore ask you whether it would be possible to call together a group of English Bankers with whom the Anglo-Italian Corporation might possibly act as mediator, in order to lay the situation before them, and to ascertain whether they would be willing to issue a loan to a combination of the principal Italian Banks for the purpose of facilitating British Trade with this country.

I should be most grateful to you if you would take this idea into consideration, and if you would give me an answer as to whether it is likely to assume a practical form.[4]

I have, &c.,

E. CAPEL CURE

[3] 'Perhaps Americans'.
[4] At the end of July 1919 Signor Schanzer, Italian Minister of the Treasury, visited London where, on August 8, he concluded with the Chancellor of the Exchequer an Anglo-Italian financial agreement concerning certain credits offered by H.M. Government to the Italian Government as a final instalment of the loans accorded to it by the British Treasury in consequence of the First World War. Mr. Capel Cure visited London at the same time as Signor Schanzer.

## No. 19

### Earl Curzon to Mr. Balfour (Paris)

*Unnumbered. Telegraphic* [*101677/7067/39*]

FOREIGN OFFICE, *July 11, 1919*

Ratification of Peace Treaty with Germany by Allied Powers.

Do you attach importance to very early ratifications, and is it proposed that the three obligatory Powers shall be Great Britain, France and Japan? Is it thought that America and Italy will fall in with this arrangement? Some delay must occur here because of necessary legislations, and there is some difficulty owing to prorogation of Canadian Parliament. It would assist us to know what is earliest date of ratification that you have in view, and what is your opinion as to urgency.

## No. 20

*Sir G. Grahame*[1] *(Paris) to Earl Curzon (Received July 18)*

*No. 697* [*104446/8259/17*]

PARIS, *July 15, 1919*

My Lord,

While the population of Paris, estimated at double its normal number, was celebrating yesterday the march past of the victorious troops, the National Council of the Socialist Party was engaged in the discussion which had begun on the 13th instant in regard to the policy to be adopted towards the Peace Treaty.

The morning session was remarkable for the large number of absentees presumably taking part in the ceremonies which has formed the subject of a very jaundiced comment in the official Socialist organ, *L'Humanité*, of to-day's issue. The principal speaker at the morning session was Monsieur Longuet, the leader of the 'Néo-Majoritaires', who spoke strongly in favour of refusing to ratify the Peace Treaty. During the afternoon Monsieur Albert Thomas, though criticising certain clauses of the Treaty, urged that the virtues of its essential character should not be forgotten. He regretted that Socialism did not sufficiently support national interests at the same time as those of international labour. The war had given it an opportunity—of which it had not taken advantage—of creating through the mass of the population a new force capable of restoring the ruins and disorder created by this world-catastrophe. The choice lay, he said, between an exclusive and narrow-minded Socialism, and one which, while acting on a national basis, should strive to better the conditions of the working classes in general. He advocated a vote in favour of the Treaty.

The ballot at the conclusion of the discussion showed, however, the following results:—1,420 votes against ratification: 54 for, 114 abstentions, and 387 refusals to participate in the ballot. By a two-thirds majority the French Socialist Party has thus expressed itself against the ratification of the Peace Treaty by Parliament.

The National Council subsequently discussed the various motions to give effect to the above-mentioned vote, and a majority was obtained in favour of the resolution of Monsieur Renoult, which proclaimed the impossibility of any agreement between Socialism and Capitalism and condemned the Treaty as one of violence and hatred, of secret negotiations and disguised annexations.

The extreme Bolshevist resolution only received twenty-four votes, and that of Monsieur Renaudel, which was the most moderate, four hundred and thirty seven.

Generally speaking the attitude of the Socialist Party is summed up by Monsieur Marcel Cachin in the *Humanité* this morning, who states that by refusing to approve the terms of the Treaty the execution of which is likely to

[1] Minister in H.M. Embassy at Paris.

34

give rise to serious trouble, the Socialist Party shows its intention of preserving its independence of action in the work of revision which will be necessary to restore permanent peace in the world.

I have, &c.,
GEORGE GRAHAME

## No. 21

*Earl Curzon to Mr. Robertson (The Hague)*

*No. 233 [104641/11763/4]*

FOREIGN OFFICE, *July 17, 1919*

Sir,

Deserting the attractions of the Royal Garden Party at Buckingham Palace, the Dutch Minister called upon me yesterday afternoon, and I presently found myself plunged into a serious discussion, firstly on the controversy between Holland and Belgium which was about to be decided in Paris, and secondly upon the question of the trial of the Kaiser. The first of these questions the Minister discussed in a conciliatory temper, but with regard to the second he showed a pardonable anxiety, which he made no effort to conceal.

Concerning the former, he told me that he was leaving London on the next morning to take his place as one of the two Dutch representatives on the Commission which had been set up in Paris by the Council of Four to investigate the Dutch and Belgian claims arising out of the supersession of the Treaty of 1839. I understood him to say that his colleague would be a Dutch professor of law. He assured me that the Netherlands Government were anxious to approach the case in the most friendly frame of mind and, while declining to consider any abandonment of sovereignty or cession of territory, to meet the reasonable demands of their Belgian neighbours wherever they could.

We then discussed the two principal subjects of possible disagreement.

The first of these was the navigation and defence of the Scheldt. The Minister told me that his Government were prepared to deal with this case in its twofold aspect—strategical and economic. With regard to the first aspect, he could quite understand the desire of the Belgian Government, in the event of a renewed attack upon Belgium in the future, to have means of access either for their own military or naval armaments or for those of a foreign Power coming to their assistance by way of the Scheldt to Antwerp. But for this purpose any cession or occupation of territory on the left bank was wholly unnecessary, and could not be considered for a moment. Indeed, any special agreement between his own Government and that of Belgium on the subject was superfluous, because, as he understood, the case would be amply provided for by the already accepted stipulations in the Covenant of the League of Nations. Under that Covenant sufficient and clear provision would be made for the use of a waterway such as the Scheldt by the forces of any member of the League in conditions such as those which were apprehended in the present case. All that would be required, therefore, would be to apply these conditions, under the auspices of the League, to the Scheldt. As to fortifications, before the war the Dutch Government had favoured the erection of a great fort, or scheme of forts, at the mouth of the river; but the modern scientific developments had induced them to abandon this plan, and it would no longer be proceeded with. On the economic aspect of the case and the use of the estuary as a means of commercial access to the interior, the Netherlands Government fully appreciated the anxieties of the Belgians, and were prepared to make all necessary arrangements as regards the deepening and keeping open of the channel.

When later in the same evening the King of the Belgians—who happened to be staying with me, and to whom I reported this conversation—asked me what the Dutch Minister had said about the canals, I could only reply that that was an aspect of the case with which I was not familiar, and which had not been mentioned in my conversation with M. van Swinderen.

The latter then passed on to the Belgian claims to the district of Limburg. He drew for me a sketch on a piece of paper, explaining the geographical conditions of the area, with its single town of Maestricht containing over 30,000 people, and a total population of something like 100,000 souls. The Belgians desired to obtain this territory on the ground that, in the event of future invasion, the Germans might march through it on their way to invade Belgium. M. van Swinderen said that his Government would in no circumstances consider the cession of this or any other part of Dutch territory. Limburg was inhabited by an exclusively Dutch population. It had belonged to Holland, not only since 1839, but before 1815. Further, in his opinion the strategical considerations which inspired and alarmed the Belgian Government were wholly fallacious. No German invasion could violate this corner of Dutch territory without infringing the neutrality of and running the risk of an immediate declaration of war from Holland. The Germans had not infringed that neutrality in the present war, nor were they likely to attempt it in the future. Even if they did so, they would gain no appreciable advantage in their attack upon Belgian territory. The area in question was masked by the Dutch Army, whose positions on the north-west side rendered it sufficiently secure. Moreover, even if the Belgians obtained the district, and kept troops there, they would be liable to be cut off by a German army advancing from the north-east. For these reasons, he regarded the Belgian claim as untenable, and it was not one which his own Government could make any effort to meet.

Concluding this part of our conversation, the Minister said that he had every confidence that a satisfactory arrangement could be arrived at in Paris, and he would do his best to contribute to it.

M. van Swinderen then turned to the much more delicate topic of the contemplated trial of the Kaiser, and the demand for his surrender by the Dutch Government. He said that, among the scores of people with whom he had conversed upon the subject, I was the only one who had defended the policy of the trial, which he now believed to be condemned by an almost unanimous public opinion. Persons of the greatest importance had approached him during the last few days, and had unanimously expressed the view that the trial was a great blunder, and that it could only result in disappointment, if not disaster. Indeed, he went on to say, several persons of the highest eminence had implored him to use his influence with his own Government to induce them to refuse the surrender, when demanded of them, in order to get the Allied Powers, and Great Britain in particular, out of a disagreeable scrape. He mentioned M. Jules Cambon[1] in Paris as being one of those who had given him this advice.

I asked the Minister whether the objections to which he referred were objections to the holding of the trial in this country or to the holding of the trial at all; because, I said, there was a wide distinction between the two questions, and it was quite possible to be sincerely and keenly in favour of the trial without agreeing that it ought to take place in Great Britain.

He replied that the objections to which he referred were to both, but more particularly to the former, that is, to the policy of trial in any circumstances, which he now found was universally condemned.

I asked him how he could reconcile this assertion with the reception which had been given to the Articles in the Peace Treaty providing for a trial, both in Parliament and in the press and by the public opinion of the country as a whole? When the Minister, in reply, referred to recent correspondence in the newspapers, I pointed out that, while there was considerable difference of opinion as to the place where the trial should be held, and while some persons seemed to have changed their views as to the policy of trial *per se*, there was nothing to indicate that there had been any great reversal of judgment about the latter. Further, it must be remembered that, when a policy had been accepted and held the field, it was always the minority, who disapproved, rather than the majority who assented, that rushed into attack in print. I went on to say that the Minister made the mistake, because there was a question of holding the trial in this country, of regarding the matter of the trial itself as one that either wholly or mainly affected ourselves. He seemed to have forgotten that the Treaty which contained this provision was signed, not by Great Britain alone, nor by the five Great Powers alone, but by a combination of twenty-seven States, all of whose representatives had put their signatures to these Articles. Was it to be believed that they had all been swept off their legs by a sentiment which had no real existence, and which was not supported by the public opinion of the States from which they came? Were they all affected, as the Minister seemed to think, by electioneering motives only? Had an important and serious demand ever been put forward with such a consensus of authority behind it? I thought, therefore, that the Minister was on very insecure ground in arguing that the views he was placing before me represented those of the thinking community, either in this or in any of the other Allied countries.

[1] French Delegate Plenipotentiary to the Peace Conference at Paris.

But the real point of M. van Swinderen's conversation was an attempt onc again to obtain some ray of comfort or guidance for his distracted Government in the perplexing problem with which, in all probability, they will soon be confronted.

When, he asked, did I expect that the request, if made at all, would be made? What form would it take? Could I give any advice to his Government as to the reply they should make?

As regards the first point, I said I anticipated that the demand would not be made until the Treaty had been ratified. I assumed that it would be made in the terms provided for in the Treaty. But, as to the reply to be made by the Dutch Government, I could only repeat the advice which I had given on a previous occasion,[2] and I must decline to express any opinion myself.

When the Minister raised the question of the legal position of his Government, I answered that I did not think it would be open to them to quote their law relating to extradition, because I did not imagine that it would be for extradition that the demand would be made. It would be made not for extradition under any specific treaty, but for surrender in deference to the request of what was practically the entire civilized world, acting in accordance with the code of international morality and justice. Not by any narrow interpretation of words would the Dutch Government, therefore, in all probability be able to escape the important decision which would lie before them.

The Minister, with increasing anxiety, then asked me if I could suggest any possible method by which the Dutch Government could escape, even at the last hour, from the formidable dilemma with which they were confronted.

I replied that he had himself suggested one at our last meeting, namely, that the Kaiser, without waiting for the action of the Dutch Government, should take the initiative by offering to surrender himself to the Allies. I offered no opinion as to the desirability or likelihood of this, but at least it was an answer to his question.

The Minister then went on to make a novel suggestion on his own account. Supposing the Dutch Government allowed the Kaiser to retire to one of the Dutch colonies in a distant part of the world, was it likely that the demand for surrender would be dropped and that his disappearance to a remote exile would be regarded as relieving the mind of Europe?

I said that I could not believe that the Dutch Government would succeed by any such evasion in avoiding the request that would be made to them, and indeed the briefest examination would show that such a device would be only a subterfuge to cover the extrication of the Dutch Government from a difficult position.

I am afraid that my conversation did not go far to relieve the anxieties of

[2] On June 18, 1919, Lord Curzon had had a conversation with the Minister of the Netherlands in London in the course of which Lord Curzon had stated with regard to the proposed Allied request for the surrender of the former German Emperor that 'the Dutch Government would do well to meet the request of the Powers with as much compliance and as little disturbance as they could'.

the Minister, nor, I imagine, to diminish the perplexities of the situation. But, as the Minister will probably repeat it to his Government, I place it on record for what it may be worth.

I am, &c.,
CURZON OF KEDLESTON

## No. 22

*Mr. Balfour (Paris) to Earl Curzon (Received July 19)*

*No. 1173 Telegraphic: by bag [104717/7067/39]*

PARIS, *July 18, 1919*

Your telegram private of July 11th.[1] (Ratification of Peace Treaty). Japanese Delegation seem to think there need be no great delay, but time must be allowed for certified copy of Treaty to reach Japan.

In view of uncertainties of the position it would be wise to proceed as quickly as possible with necessary legislation in London. I understand there are precedents for separate ratifications being deposited by His Majesty's Government on behalf of self-governing Dominions, and allowance has been made for this in the Treaty (for instance Article 296 *e*). Ratification could therefore be deposited on behalf of His Majesty without waiting for all the Dominion Parliaments to complete their registration.[2]

Germans having already ratified,[3] Allied Powers ought to put themselves in position to ratify, and thus bring Treaty into force as soon as possible, at any rate by middle of August.

[1] No. 19.
[2] This word was queried in pencil on the filed copy.
[3] On July 9, 1919: cf. Volume I, No. 7, minute 13.

## No. 23

*Mr. Waterlow[1] (Paris) to Earl Curzon (Received July 21)*

*No. 206 (Commercial) [105198/105194/1150 RH]*

PARIS, *July 18, 1919*

My Lord,
The German Delegation at Versailles, on being told that they must sign the Rhineland Occupation Convention without discussion at the same time as the Treaty of Peace, addressed a note to Monsieur Clemenceau on June 27,[2] in which, while protesting on juridical grounds against this requirement, they agreed to sign the Convention, and stated that Germany would be ready to

[1] A British representative on the Supreme Economic Council.
[2] An English translation of this note is printed in *Papers relating to the Foreign Relations of the United States: the Paris Peace Conference 1919*, vol. vi, pp. 733-4.

ratify it at an early date. They expressed the opinion, however, that it would, in any case, be necessary directly after signature for plenipotentiaries of the contracting parties to meet together in order to complete and rectify the stipulations of the agreement. In this connection the German note of June 27 contains the following passage:—

'It would, in the opinion of the German Government, be to the interest of both parties if the draft in question in the first instance formed the subject of special negotiations. As at present worded the Agreement can hardly be in accordance with the intentions of its authors. The conditions are apparently intended to be adapted to the situation in Germany, but they do not fulfil their object, for the very complicated state of affairs in the German States concerned was not known to those authors. Other stipulations do not fulfil practical requirements and would probably in the course of oral discussion have been modified in such a way as to be more in harmony with the interests both of the troops of occupation and of Germany'.

2. To this note Monsieur Clemenceau replied on June 27,[3] stating that the Allied and Associated Powers saw no objection to negotiations being entered upon after signature, with a view to settling questions of detail, which might be raised by the German Delegation, in the best interests of the various parties.

3. The German Delegation having inquired on June 30 when and where the deliberations regarding the occupied regions would begin,[4] the Council of Five appointed on July 7[5] an inter-allied commission to discuss the details of the Occupation Convention with the Germans. This Commission was composed as follows:

| | |
|---|---|
| Mr. E. F. Wise | (Great Britain) |
| Monsieur Loucheur | (France) |
| Baron de Gaiffier | (Belgium) |
| Mr. Dullis [Dulles] | (United States). |

At the meeting of the Commission with the German Delegation, which took place at Versailles on the 11th instant, I acted for Mr. Wise, who was absent in London. Copies of the procès-verbal of the meeting are enclosed herein.[6]

4. I also have the honour to transmit to Your Lordship herewith copies of the following documents:—(1) the English translation of the note which was read by the President of the German Delegation at the above-mentioned meeting,[7] together with the English translation of a supplementary note which was subsequently sent by the German Delegation to the Secretary of

---

[3] Cf. Volume I in this series, No. 8, note 2.
[4] See Volume I, No. 1, appendix A.
[5] Apparently in error for July 10: see Volume I, No. 8, minute 2.
[6] Annex below.
[7] A French text of this note, not here printed, is printed in Volume I, No. 15, appendix A (document 2).

the Peace Conference,[8] and (2) an English translation of the reply to these two German notes,[9] which was drafted by Monsieur Loucheur and approved by the above-mentioned inter-allied commission yesterday. This draft reply, together with the German notes, was submitted to the Council of Five this afternoon and approved by them.[10] The Council of Five decided, after some discussion, that the reply should be sent to the Germans in English, as well as in French, and that the French and English texts should, in the first instance, be referred to the Drafting Committee of the Peace Conference for collation and verification.

I have, &c.,
S. P. WATERLOW

### ANNEX TO No. 23

*Comité provisoire des Pays rhénans*

*Procès-verbal No. 1. Séance du 11 juillet, 1919*

La Séance est ouverte à 17 heures 15, sous la Présidence de M. Loucheur.

Sont présents: pour les Puissances Alliées et Associées:
Etats-Unis: M. Dullis [Dulles].
Empire Britannique: M. S. P. Waterlow.
France: M. Loucheur, Ministre de la Reconstitution Industrielle.
Belgique: M. le Baron de Gaiffier, Ambassadeur.

Pour l'Allemagne:

le Sous-Secrétaire d'Etat Lewald (Président).
le Baron Von Lersner, chef de la Délégation allemande pour la Paix.
MM. le Président de Gouvernement Von Starck,
le Conseiller de Gouvernement Von Friedberg.
l'Assesseur Von Friedberg.

LE PRÉSIDENT présente les délégués des Puissances Alliées et Associées. — LE BARON VON LERSNER présente les membres de la Délégation allemande.

LE PRÉSIDENT rappelle que le Comité se réunit pour les délibérations de détail qu'a demandées la Délégation allemande en se référant à la lettre de M. Clemenceau en date du 27 juin 1919.[3] Le Président demande à le [la] délégation allemande quelles sont les questions qu'elle désire discuter.

MONSIEUR LE SOUS-SECRÉTAIRE D'ETAT LEWALD (Allemagne) lit en français le document reproduit en Annexe (Voir Annexe I).[7]

LE PRÉSIDENT dit que d'après la lecture de ce document il peut conclure

---

[8] A French text of this note, not here printed, is printed in Volume I, No. 15, appendix A (document 3).

[9] A French text of this note, not here printed, is printed in Volume I, No. 15, appendix A (document 1),

[10] See Volume I, No. 15, minute 2.

que les intentions des Puissances Alliées et Associées n'ont pas été en général comprises.

Il ajoute que le document allemand a soulevé *deux sortes* de questions:

1°. Certaines d'entre elles paraissent tendre à une modification du texte; lorsque, par exemple, le document allemand demande à ce que certaines décisions soient prises 'd'accord' avec le Commissaire Impérial, cela voudrait dire à la lettre que le consentement du Commissaire Impérial sera nécessaire. Or cela serait modifier l'esprit et le texte des conventions.

LE SOUS-SECRÉTAIRE D'ETAT LEWALD déclare que le [la] délégation allemande n'a pas voulu demander cela. Elle prie seulement que le Commissaire Impérial soit consulté au préalable.

2°. Les autres questions ne se rapportent qu'à l'interprétation du texte. LE PRÉSIDENT déclare que le Comité est prêt à étudier les points soulevés, mais qu'un certain nombre de jours — une semaine au moins — seront nécessaires pour consulter les Gouvernements et les experts militaires. La Délégation allemande veut-elle attendre la réponse à Versailles, ou préfère-t-elle rentrer en Allemagne et revenir lorsque les Puissances Alliées et Associées seront prêtes à donner l'interprétation demandée? Dans ce cas la Délégation allemande serait prévenue deux ou trois jours à l'avance.

Enfin LE PRÉSIDENT demande à la Délégation allemande de faire parvenir au plus tôt plusieurs copies en français et en anglais du document reproduit à l'Annexe I,[7] en y joignant le texte allemand.

M. LE SOUS-SECRÉTAIRE D'ETAT LEWALD (Allemagne) répond que les copies demandées seront remises le lendemain à M. le Colonel Henry.[11] Il ajoute que la délégation allemande préfère rentrer en Allemagne et revenir lorsque les Puissances Alliées et Associées seront prêtes à répondre.

Il demande enfin à ce que ces questions soient traitées dans le plus bref délai possible.

La séance est levée à 18 heures.

[11] Chief Allied liaison officer with the German Peace Delegation.

## No. 24

*Record of a meeting in Paris of the Spitzbergen Commission*

*No. 1 [Confidential/General/177/4]*

*Procès-verbal No. 1. Séance du 18 juillet 1919*

La séance est ouverte à 10 heures 10, sous la présidence de M. Laroche.

*Sont présents:*

*Constitution de la Commission.* M. Fred. K. Nielsen (*États-Unis d'Amérique*); l'Honorable C. H. Tufton (*Empire Britannique*); MM. Laroche et de Celigny (*France*); M. Marchetti Ferrante (*Italie*).

M. de Montille représente le Secrétariat général de la Conférence de la Paix.

LE PRÉSIDENT. Le Conseil suprême, dans sa séance du 7 juillet, a décidé
de nommer une Commission composée de Représentants des
*Plan des travaux* États-Unis, de la Grande-Bretagne, de la France et de l'Italie,
*de la Commission.* pour examiner les revendications des diverses Puissances au
sujet du Spitsberg et faire un rapport au Conseil.[1]

Il a également décidé que toutes les Puissances neutres intéressées seraient
invitées à faire connaître leur point de vue et leurs observations.

Deux réponses des Puissances neutres intéressées sont actuellement par-
venues: le Danemark a fait connaître le 11 juillet qu'il communiquera la
réponse de son Gouvernement dès qu'elle lui sera parvenue; la Norvège a
demandé le 17 juillet à être entendue par la Commission.

*Exposé de la* La question se pose de savoir si la Commission doit au préa-
*question du* lable étudier la question en elle-même, ou bien s'il est préférable
*Spitsberg.* qu'elle entende tout d'abord les observations des intéressés.

(Les Délégués, consultés, décident d'entendre au préalable les observations des Puissances neutres.)

LE PRÉSIDENT rappelle que le Spitsberg est considéré comme *res nullius.*
Pour faire cesser cette situation qui pouvait avoir d'autant plus d'inconvénient que des mines ont été découvertes dans cet archipel, une conférence
a été réunie en juin et juillet 1914 à Christiania. La guerre a interrompu les
travaux de cette conférence. Une clause du Traité additionnel de Brest-
Litovsk[2] rouvre la question en stipulant que le Spitsberg doit être organisé de
telle façon que l'Allemagne et la Russie y fussent sur un pied d'égalité.

Le Gouvernement britannique fit ressortir qu'en raison de l'état d'impuissance de la Russie, l'Angleterre et la France devaient exiger une représentation dans la Commission; le Gouvernement norvégien fit savoir que
si l'Allemagne demandait un siège dans la Commission éventuelle d'administration du Spitsberg, il verrait tout avantage à ce que ces deux Puissances y fussent également représentées.

La Norvège, dans un mémoire remis à la Conférence en avril dernier, par
son Ministre à Paris demande que des droits de souveraineté
*Point de vue de* lui soient reconnus sur le Spitsberg, sous réserves de garanties à
*la Norvege.* accorder par elle concernant le régime des concessions minières.

Le Ministre des Pays-Bas à Paris a fait à la Conférence une communication
dans laquelle il signalait que si les Grandes Puissances se propo-
*Point de vue des* saient de régler la question du Spitsberg par un arrangement
*Pays-Bas.* définitif, le Gouvernement de la Reine désirerait prendre part
aux délibérations qui pourraient avoir lieu.

Le 27 mars 1919, le Ministre de Suède à Paris faisait savoir que des sociétés
houillères suédoises, britanniques et norvégiennes possédant
*Point de vue* des mines au Spitsberg devaient se réunir dans une Conférence
*suédois.* en vue d'écarter, par une action commune, certaines réclamations illégitimes qui empiéteraient sur les territoires desdites sociétés.

[1] See Volume I, No. 4, note 14.
[2] i.e. article 33 of the supplementary legal-political treaty of March 3, 1918: text in
*Reichsgesetzblatt*, No. 77, June 11, 1918.

La France fit à ce projet d'expresses réserves, la proposition pouvant avoir pour résultat de placer le Gouvernement en présence d'un fait accompli.

Actuellement, le Gouvernement suédois ne fait pas d'objection à ce que le Spitsberg soit norvégien, si les Grandes Puissances délèguent la Norvège et pourvu que les droits particuliers des Suédois soient sauvegardés. (Ces derniers renseignements ne sont connus que par les déclarations du Ministre de Norvège.)

*Point de vue anglais.* Le Gouvernement anglais a toujours eu l'intention de soutenir la demande de la Norvège, tout en défendant les droits de ses ressortissants sur les mines du Spitsberg.

*Point de vue russe.* Le point de vue russe a été exposé dans une note spéciale[3] dont M. Laroche donne lecture (Annexe).

MM. NIELSEN (*États-Unis d'Amérique*), TUFTON (*Empire britannique*) et MARCHETTI FERRANTE (*Italie*) remercient de ces renseignements plus complets que ceux possédés par eux.

M. TUFTON (*Empire britannique*) pose la question de savoir si le Représentant de la Finlande dont l'intérêt se confond dans la question avec celui de l'ancienne Russie, ne devrait pas être invité à présenter ses observations.

M. NIELSEN (*États-Unis d'Amérique*) pense préférable de ne pas compliquer une question déjà peu simple en provoquant de trop nombreuses auditions.

LE PRÉSIDENT estime, au contraire, que les Finlandais doivent être entendus comme les autres intéressés s'ils en expriment le désir.

Il propose:

1° D'entendre le Ministre de Norvège au cours de la prochaine séance;

2° D'inviter les Puissances intéressées à faire parvenir leurs mémoires ou observations avant le 4 août;

3° Dans l'intervalle, la Commission examinera les observations russes et pourra procéder à une étude d'ensemble sur le fond de la question, sous réserve des amendements qui pourront être apportés aux conclusions provisoirement adoptées, après étude des observations des mémoires des Puissances neutres au fur et à mesure de leur arrivée.

La prochaine séance est fixée au lundi 21 juillet, à 10 heures du matin, pour audition du Ministre de la Norvège.[4]

La séance est levée à midi.

### ANNEX TO NO. 24
### *Point de Vue Russe*[5]

Le Gouvernement russe a de tout temps considéré le Spitsberg comme une *terra nullius.* Il a formulé ce point de vue très nettement en 1871, lorsque le Gouvernement de Suède et de Norvège a bien voulu s'enquérir auprès de lui s'il n'élevait pas d'objections contre son projet d'annexer ce territoire. En

---

[3] Emanating from the Russian Political Conference in Paris in the interests of the administration of Admiral Kolchak.

[4] The minutes of this meeting are not printed. For the Norwegian point of view concerning Spitzbergen, cf. Nos. 75 and 77.

[5] This memorandum was printed as a pamphlet at the time in Paris.

effet, dans la note du 15–27 mai 1871 adressée au Ministre de Suède et Norvège à St.-Pétersbourg, le Ministère russe des Affaires étrangères déclarait: 'Les questions de droit qui pourraient impliquer une possession effective des îles du Spitsberg par l'une des Puissances à qui la découverte en est attribuée, ou qui ont à diverses époques tenté d'y créer des établissements, sont tellement obscures qu'il serait difficile de les résoudre.

'Il nous paraîtrait dès lors plus pratique de ne point les aborder et de nous borner à la situation de fait maintenue jusqu'ici par un accord tacite entre les gouvernements et qui fait considérer ce groupe d'îles comme un domaine indécis accessible à tous les États dont les nationaux cherchent à en exploiter les ressources naturelles.

'Cette situation laisse place à tous les droits sans en léser aucun; elle établit entre les Puissances, dont les sujets visitent ces contrées, une certaine parité à laquelle nous ne saurions renoncer sans froisser un sentiment national, vu que les sujets russes ont, de temps immémorial, fréquenté ces parages et y ont créé à diverses reprises et notamment à la fin du siècle dernier et au commencement de celui-ci, des établissements fixes qui ont consacré aux yeux de l'opinion publique russe la conviction de titres au moins égaux à ceux des autres nations.'

En présence des considérations développées dans cette Note, le Gouvernement de Suède et de Norvège déclara 'renoncer au projet d'annexion' du groupe des îles du Spitsberg (Note du Ministre de Suède et de Norvège à St.-Pétersbourg du 16/26 juin 1872), et le Cabinet russe prit acte de cette communication par une note en date du 30 juin/12 juillet 1872.

La question de droit sembla se poser de nouveau lors de la rupture de l'Union entre la Suède et la Norvège. Des mémoires furent échangés à ce sujet entre la Légation de Russie et le Ministère des Affaires étrangères de Norvège. Voici la teneur de la réponse norvégienne, datée du 6 juin 1906:

'A l'occasion de nouvelles répandues dans les journaux norvégiens au sujet de la fondation de compagnies norvégiennes pour l'exploitation du charbon et des autres richesses minières de l'archipel du Spitsberg, la Légation impériale de Russie, par une communication verbale, a rappelé au Ministère des Affaires étrangères l'accord intervenu entre les Cabinets de Christiania et de Stockholm et celui de Saint-Pétersbourg au sujet du statut dudit archipel.

'En réponse, le Ministère des Affaires étrangères a l'honneur de confirmer à la Légation impériale que le Gouvernement norvégien s'est toujours considéré engagé par l'interprétation donnée dans les notes échangées en 1871 et 1872 à ce sujet, de même qu'il continuera toujours de s'y associer.'

Toutefois l'absence au Spitsberg de toutes règles concernant le droit de propriété et d'usage privé et le manque complet de sécurité dans ce groupe d'îles amena le Gouvernement norvégien à prendre en 1907 l'initiative d'une démarche auprès des Puissances intéressées (Allemagne, Belgique, Grande-Bretagne, Danemark, France, Pays-Bas, Russie, Suède) en vue de remédier à cet état anarchique préjudiciable aux intérêts des sujets de tous les pays. En 1910, les représentants des trois Puissances du Nord (Norvège, Russie,

Suède) arrêtèrent, à Christiania, un projet de convention pour la réglementation de la situation de Spitsberg. Sur la base des observations des autres Puissances intéressées, ce projet fut modifié à une seconde Conférence des trois États du Nord, réunie en 1912, également à Christiania. Enfin, une troisième Conférence, celle-là générale (Allemagne, Amérique du Nord, Danemark, Grande-Bretagne, France, Norvège, Pays-Bas, Russie, Suède) se réunit à Christiania, en 1914, pour l'élaboration du statut définitif du Spitsberg. La Conférence élabora un projet de Convention, mais sur nombre de questions l'accord ne put se faire. Dans ces conditions, le 30 juillet 1914, à la veille de la guerre, la Conférence s'ajourna au 1er février 1915.

Le Gouvernement norvégien revendique aujourd'hui devant la Conférence de la Paix la souveraineté sur le Spitsberg. 'L'expérience des pourparlers' déclare-t-il, 'qui se sont succédé et les travaux de la Conférence de 1914 semblent avoir pleinement démontré que les difficultés d'arriver à déterminer, en partant de la conception de *terra nullius*, une administration internationale des îles du Spitsberg (y compris l'île aux Ours) sont pour ainsi dire insurmontables, et la seule solution satisfaisante et viable sera de rendre cet archipel à la Norvège.' Le Gouvernement norvégien invoque en faveur de cette solution d'anciens droits souverains sur le Spitsberg, ainsi que le développement de ses intérêts économiques dans l'archipel.

En ce qui concerne les droits historiques de la Norvège, le Gouvernement russe est obligé de formuler des réserves en rappelant les anciennes expéditions et colonies russes dans l'archipel. Le Gouvernement russe ne méconnaît cependant pas l'intérêt économique tout particulier que présente le Spitsberg pour la Norvège et serait prêt à reconnaître la souveraineté de la Norvège sur l'archipel, en subordonnant toutefois cette reconnaissance à quelques conditions susceptibles de sauvegarder les intérêts légitimes des nationaux russes.

Ces conditions se traduiraient, dans l'esprit du Gouvernement russe, par le maintien de quelques principes et stipulations sur lesquels l'accord s'est fait à la Conférence de 1914 de Christiania, à savoir:

1. Le Spitsberg (toutes les îles situées entre la 10° et 35° de longitude Est de Greenwich et entre les 74° et 81° de latitude Nord), avec les eaux et glaces qui les entourent, jusqu'à une étendue de cinq milles marins, sera ouvert aux nationaux russes dans les mêmes conditions qu'aux nationaux norvégiens.[6]

La chasse et la pêche ainsi que la récolte des œufs et du duvet des oiseaux sauvages seront partout libres aux nationaux russes sauf les dispositions du Règlement sur le régime immobilier.

2. En cas de guerre, le Spitsberg sera toujours considéré comme territoire neutre. Tout acte contraire à la neutralité du Spitsberg en temps de guerre est placé sous la garantie de la Société des Nations.[7]

[6] Note in original: 'Alinéa 1 de l'article 2 des dispositions de Christiania: "Le Spitsbergen sera ouvert aux ressortissants de tous les États, conformément aux dispositions de la présente Convention." '

[7] Note in original: 'Reproduction de l'article 3 des dispositions de Christiania avec modification de la fin, qui portait: "Sous la garantie collective et individuelle des Puissances contractantes." '

3. Partant de l'idée que le Spitsberg était *terra nullius*, la Conférence de Christiania avait décidé que sur le sol du Spitsberg ne pouvait être acquis de propriété, mais seulement un droit d'occupation[8] qui se perdait au cas où le fonds de terre n'était pas exploité pendant 6 ans (art. 50 des dispositions de Christiania).[9] Avec la reconnaissance de la souveraineté de la Norvège, le principe de la propriété privée pourrait être introduit au Spitsberg. Le Gouvernement russe voudrait cependant maintenir les règles qui prohibaient l'acquisition de fonds 'd'une étendue manifestement démesurée' (article 43 des dispositions de Christiania) et qui liaient les droits à un fonds de terre à l'exploitation effective dans un délai déterminé. Seul un régime excluant l'attribution de trop vastes fonds et comportant l'annulation des droits de propriété pour cause de non-exploitation pourrait satisfaire tous les intérêts en présence et prévenir l'accaparement de toutes les terres par quelques grandes compagnies. Dans le même ordre d'idées, l'étendue des terres domaniales, que voudrait se réserver la Norvège, devrait être fixée d'un commun accord par les Puissances.[10]

4. Le Gouvernement russe demande que le droit à un fonds de terre au Spitsberg puisse être obtenu par chaque ressortissant russe qui le réclamera, sauf les dispositions du règlement sur le régime immobilier.[11]

5. Le régime immobilier au Spitsberg et en particulier les questions de juridiction qui s'y rattachent devront être définies par un accord international, se rapprochant autant que possible de celui de 1914 et placé sous la garantie de la Société des Nations, laquelle, en cas de besoin, pourrait provoquer sa révision.

6. Indépendamment de cet accord, le Gouvernement russe 'maintient' le principe qu'il a défendu à Christiania, à savoir que les contestations relatives aux occupations des fonds de terre remontant à une date antérieure à la convention à intervenir devront être portées devant un Tribunal international, qui jugera d'après les principes du droit international.

7. Le Gouvernement [? russe] désirerait, dans les intérêts de la navigation et du commerce russe, posséder au Spitsberg une station météorologique et radio-télégraphique.

Le Gouvernement russe est heureux de constater que le Gouvernement norvégien a déjà, de son propre chef, fait droit à certains des *desiderata* russes.

---

[8] Note in original: 'Comp. article 41 des dispositions adoptées à Christiania: "Sur le sol de Spitsbergen ne pourra être acquis qu'un droit d'occupation et d'exploitation sujet aux conditions et restrictions de la présente convention." '

[9] See *Conférence internationale du Spitsbergen: Actes et documents* (Kristiania 1914), vol. i, pp. 362–3.

[10] Note in original: 'L'alinéa 2 de l'article 42 des dispositions adoptées à Christiania déclarait: "Aucun État ne pourra ni occuper des fonds de terre au Spitsbergen, ni acquérir sur ces fonds des droits d'occupation à l'exception de fonds qui seront destinés exclusivement à des établissements d'un caractère purement scientifique ou humanitaire ou nécessaire au service des cultes religieux." '

[11] Note in original: 'Article 42, alinéa 1, des dispositions de Christiania: "Le droit à un fonds de terre au Spitsbergen pourra être obtenu par quiconque le réclamera, sauf les dispositions ci-dessous." '

Dans le mémoire, présenté à la Conférence de la Paix, il s'exprime dans ces termes: 'Cette solution (celle de rendre le Spitsberg à la Norvège) n'exclurait point un arrangement d'après lequel les occupants actuels auraient la faculté de soumettre les litiges éventuels, relatifs à leurs droits de propriété, à la décision d'un tribunal international. De même le Gouvernement norvégien ne verrait aucun inconvénient à ce que le futur régime minier de Spitzberg fût défini par l'accord à intervenir pour la remise des îles à la Norvège.'

Le Gouvernement russe pense que non seulement le régime minier, mais toute la future situation légale du Spitsberg, placé sous la souveraineté norvégienne, devront être définis par l'accord international à intervenir, auquel il serait, pour sa part, prêt à souscrire, sous réserve de l'acceptation de ses vœux plus haut formulés.

## No. 25

*Letter from Mr. Tufton (Paris) to Mr. Law[1] (Received July 22)*

*Unnumbered [105454/2333/30]*

PARIS, *July 19, 1919*

Dear Law,

You are, I understand, drawing up a memorandum about Spitsbergen, and you may like to know that the Committee appointed by the Supreme Council to go into this question met for the first time this morning [*sic*].[2]

I have been appointed British representative on this Committee, which is to hear the Norwegian and other neutral representatives at an early date. So far as I can gather, at present, most people are now in favour of the sovereignty of the islands passing to Norway, subject, of course, to certain safeguards. So far as British interests, which are considerable, are concerned, it seems to me the best solution, short of annexation by the British Empire, which is, I gather, out of the question. We should, in my opinion, press for annexation by Norway, provided we can get the establishment of a Claims Commission to decide upon the various claims to property in the islands; proper law about mining and water power; and an undertaking that the islands shall not be fortified, or used as a naval base in time of war, and the recognition of the right of companies to erect wireless installations to communicate with the outside world. In addition to this, we should have to secure the absolute right of nationals of all countries to be treated in every respect in the same way as Norwegians, in all matters such as trade, commerce, industry, shipping, fishing, &c.

I should be glad if you would let me have your memorandum as soon as possible, and what I should particularly like would be the draft which was drawn up for the Conference in 1914, but which was, I believe, never submitted to the Conference, of a proposal to establish a Claims Commission. I have the *procès verbaux* of the 1914 Conference, but I do not find it amongst the documents there.

Yours very sincerely,

CHARLES TUFTON

[1] Mr. N. W. Law, a Second Secretary in H.M. Diplomatic Service.    [2] See No. 24.

## No. 26

### Memorandum by Captain Fuller[1] (Paris)

[427/3/1/15851]

*Spitzbergen (including Bear Island) from the Naval point of view*

*19. 7. 19*

1. Spitzbergen, on account both of its strategic position and its mineral resources, might form an important naval base, of extreme value to any power hostile to Great Britain.

2. It is therefore essential from the naval point of view that Spitzbergen should not be allowed to fall into the hands of any power which might use it as a base from which to operate against our communications. It is presumably politically impossible that Spitzbergen should be given to Great Britain, and the best solution would appear to be that it should be allotted to Norway under a mandate from the League of Nations.

3. The geographical and political situation of Norway tend to bring her into conflict with both Germany and Russia, the powers to whom Spitzbergen would be specially useful if they were at war with Great Britain. Though Norway is weak from the military point of view, the fact of her holding the islands under a mandate from the League should ensure her possession.

4. It appears that the mineral deposits in Spitzbergen may be of great value to the ship-building and maritime interests of the British Empire. Consequently every precaution must be taken, when transferring the islands to a Norwegian mandate, that our commercial interests there are safeguarded in every possible way.

5. It is understood that Germany has abandoned all her rights in Spitzbergen under the terms of the Peace Treaty.[2]

C. FULLER

[1] At that time head of the Naval Section of the British Peace Delegation.

[2] This memorandum was minuted as follows by Sir E. Crowe: 'Mr. Balfour has decided that if the other Powers prefer to give Norway sovereignty, we should not withhold our assent, provided the desired safeguards are granted. E. A. C. July 23.'

## No. 27

### Earl Curzon to Mr. Clive[1] (Stockholm)

No. 108 [106518/2333/30]

FOREIGN OFFICE, *July 22, 1919*

Sir,

The Swedish Minister called this afternoon and spoke about the question of Spitsbergen which has now been raised in Paris.

[1] H.M. Chargé d'Affaires at Stockholm.

Count Wrangel said that friendly relations with Norway were an essential feature of Swedish foreign policy and Sweden desired to do everything in her power to be agreeable to that country. The Swedish Government were not opposed to a mandate being granted to Norway under the League of Nations to administer Spitsbergen; they would however strongly object to the Island being handed over to the sovereignty of Norway and the Norwegian Minister in Paris had been vehemently declaring that nothing short of this would satisfy Norwegian aspirations.

Count Wrangel was told in reply that the British Peace Delegation in Paris would be informed of the Swedish point of view. No definite decision had yet been reached regarding British policy on this subject but feeling in the Foreign Office in London certainly inclined rather towards a mandate for Norway than to Spitsbergen being handed over to the Norwegians as a possession.

I am, &c.,[2]

[2] Signature lacking on filed copy of original.

## No. 28

### *Sir G. Grahame (Paris) to Earl Curzon (Received July 23)*

*No. 898A Telegraphic: by bag [106730/70047/39]*

PARIS, July 22, 1919

*Temps* in its leading article this evening comments appreciatively on passage of Defence of France Bill in House of Commons in three successive readings and without ballot.[1] People in France observes the *Temps* wondered whether Great Britain would await the decision of the United States of America before approving the Anglo-American French covenant.[2] 'The House of Commons', it gratefully remarks, 'has neither waited nor argued. Its quick and unanimous vote does not surprise us, but it touches us and the French public will answer it by a loyal assurance of its friendship'.

True friendship however, it adds, does not consist only in helping one another in the day of peril, but also in working together to avert such peril and the three Powers should therefore inaugurate at once a common policy towards Germany.[3]

Communicated to Peace Delegation.

[1] This bill had its second and third readings in the House of Commons on July 21, 1919.

[2] i.e. the treaties of assistance signed between Great Britain and France and between the United States and France on June 28, 1919: texts in *British and Foreign State Papers*, vol. cxii, pp. 213 f.

[3] In a subsequent telegram, No. 914 of July 29, 1919 (received July 31), Sir G. Grahame further reported: 'French public opinion seems to be somewhat uneasy at the opposition which is being shown by the American Senate to the Treaty of Versailles, and more than ever inclined to appreciate the prompt action of the British Parliament in the matter.'

## No. 29

*Mr. Balfour (Paris) to Earl Curzon (Received July 23)*

*No. 1188 Telegraphic* [*106767/106767/350*]

PARIS, *July 23, 1919*

Following for Lord Milner.[1]

I have seen your memorandum of[2] War Cabinet Paper, G.T. 7732[3] of July 18th, about ratification of Treaty by Canadian Parliament. It seems to me that only course is to wire to Canadian Government and also to other Dominion Governments explaining that it is imperative that Treaty should be ratified as soon as possible, as otherwise peace cannot be established, nor can any of the commissions be set up. For various reasons the only three Powers who are in a position to ratify quickly are France, Italy and the British Empire. France and Italy are expected to have ratified before August 10th and British Parliament will have approved before end of July. It would be disastrous if the whole of peace of the world were to be hung up for months because the Canadian Parliament had adjourned, and in order to give time for the Treaty to reach Australia and be discussed and approved by the Australian Parliament. In these circumstances it would seem to be the right course that His Majesty should ratify the Treaty on behalf of all his Dominions subject to a declaration, that the ratification (? once)[4] put in does not preclude Him from depositing further ratifications on behalf of each of

---

[1] Secretary of State for the Colonies.

[2] This word was not in the text as sent from Paris. In that text the words from 'War Cabinet' to 'July 18th' were in parenthesis.

[3] Not printed. In this memorandum for the War Cabinet Lord Milner had reported that he had received the message of July 9, 1919, from Sir Robert Borden, Prime Minister of Canada, printed in *Correspondence and Documents relative to the Representation of Canada at the Peace Conference and to the Ratification of the Treaty of Peace with Germany* (Sessional Papers: Third Session of the Thirteenth Parliament of the Dominion of Canada, vol. lv: Special Session 1919—Ottawa—vol. i, Sessional Paper No. 41j, p. 10). In this telegram Sir R. Borden had stated: 'I am under pledge to submit the Treaty to Parliament before ratification on behalf of Canada. No copy of Treaty has yet arrived and Parliament has been prorogued. Kindly advise how you expect to accomplish ratification on behalf of whole Empire before end July', the date referred to as a desirable possibility in a telegram of July 4 from Lord Milner, printed ibid. In his memorandum for the War Cabinet Lord Milner asked for instruction as to the reply which he should make to Sir R. Borden. This reply, sent after consultation with Mr. Lloyd George and the Cabinet, is printed loc. cit., p. 11, where it is dated July 23, 1919. (A copy of this telegram in the files of the Foreign Office is noted as 'sent 11.3 p.m., 22nd July 1919'). In the last paragraph of this telegram Lord Milner informed Sir R. Borden: 'I am communicating with the Government of South Africa, New Zealand and Australia explaining urgency, and begging them to submit treaty to their Parliaments without delay, if they feel bound to do so before assenting to its ratification'. Lord Milner made this communication in a short circular telegram of July 23 to the Governors-General of Australia, New Zealand and South Africa respectively. (*v*. loc. cit. for subsequent correspondence on the subject between Lord Milner and the Canadian Government.)

[4] The text as sent from Paris here read '. . . the ratification thus put in', &c.

the Dominions as soon as their respective Parliaments have approved of the Treaty.

I should also be inclined to add this is simply one more illustration of practical difficulties which arise out of the existing constitutional organisation of the British Empire, and to say that this and all analogous questions must be fully thrashed out and settled at the Imperial Conference to discuss the constitutional future of the Empire which it was agreed in 1917 should follow the war. I would also explain that His Majesty's Government in advising the King to ratify do not wish in slightest degree to prejudice the position of Dominions, but do so simply because the overwhelming necessities of the world (? situation) drive them to advise His Majesty to ratify the peace as soon as it is technically possible. Dominions will then be in exactly the same position as all the other signatories, including the U.S.A. and Japan. Peace is established as soon as three powers ratify, but majority of the ratifications come in later.

## No. 30

*Letter from Mr. Urwick[1] (Coblenz) to Mr. Waterlow (Paris)[2]*

*No. Lux 212[108651/297/1150]*

COBLENZ, *July 23, 1919*

Dear Waterlow,

We know very little so far of the economic developments in Germany but she is making far reaching plans to conserve her resources, to confine her imports to necessities, to buy as cheaply as she can, and to sell as well as she can.

2. Dr. Mathies[3] of Berlin who was here last week spoke of arrangements that were being made by which different trades would both buy and sell through their trade organisations. He was very vague in his statements, but the reason he gave for this was that it would be necessary to ration the various manufacturers throughout the country for raw material, and also the various distributors of manufactured articles. If this is done the result will be that there will be a large number of industrial trusts supervised by the Government. I confess that this is very unpleasant prospect.

3. We have, of course, had the trust with us for a long time, and during the war we have had the Government control trust. In my opinion if this continues, in peace times, it will be a danger both to the trade of the world and also to the trade of the country that adopts the system. If all the manufacturers of a certain article buy as one man it stands to reason that they buy more cheaply than if each bought on his own account, it also is true that if these same manufacturers sell the finished article as one man they can

---

[1] A member of the British element of the Interallied Rhineland Commission.

[2] This letter was received in Paris on July 25, 1919, and a copy of it was transmitted to the Foreign Office under cover of Mr. Waterlow's despatch No. 222 Commercial of that date (received July 28).

[3] An official of the German Ministry of Commerce.

obtain a higher price than if they compete among themselves for orders. The only protection that the producers of raw material will have will be to combine among themselves, and consumers also may be driven to do the same.

4. I know it is said that the day of the small man is over, but most big men began in a small way, and if these big trusts are really going to control Trade it will undoubtedly tend to destroy the efforts of the individual. Combination is a very excellent thing but there is a great danger of carrying it too far. This is a very big subject, but I think, it will be well that our people at home should be warned of possible developments in Germany and so be able to prepare to counteract them.

Yours sincerely,
T. H. URWICK

## No. 31

*Lord Acton (Berne) to Earl Curzon (Received July 24)*

*No. 1125 Telegraphic [107344/104004/18]*

BERNE, *July 24, 1919*

My telegram 1088.[1]

It is reported from Munich that Bavarian Landtag have resolved to suppress separate Diplomatic representations abroad. Consequently post at Berne will not be filled though Commercial staff will be kept on for the present. An investigation will be made into recent activities of Foerster.

It is not clear how far decision is dictated from Berlin.

Telegram adds that special care will be taken in selection of representative at Berlin presumably in order that latter should have voice in choice of Imperial representatives abroad.

On same occasion Bavarian Prime Minister announced that military sovereignty of Bavaria was coming to an end and that separate War Office would cease to exist by October 1st.

[1] Not printed. In this telegram of July 16, 1919 (received next day), Lord Acton had reported the announcement of the resignation of Prof. F. W. Foerster, Bavarian Minister at Berne, and the closure of the Bavarian legation there. Lord Acton concluded: 'I am awaiting confirmation of this unexpected report.'

## No. 32

*Lord Acton (Berne) to Earl Curzon (Received July 25)*

*No. 1133 Telegraphic [107766/104004/18]*

BERNE, *July 24, 1919*

My telegram No. 1125.[1]

I understand that in renouncing her right to separate diplomatic representation abroad Bavaria does not abandon her passive, as opposed to her

[1] No. 31.

active, diplomatic prerogative and she would be disposed to receive in future as in past foreign representatives at Munich without reciprocity.

Such a system would (? make for) decentralization and its maintenance would of course redound to interest of Allies.

## No. 33

*Lord Kilmarnock[1] (Copenhagen) to Earl Curzon (Received July 26)*

*No. 1417 Telegraphic [108216/548/30]*

COPENHAGEN, *July 25, 1919*

My telegram No. 143 [? 1413][2].

I received today visit of deputation from Sonderborg who stated town was being terrorised by German naval sailors from Kiel. Incidents arose through visit of 1400 Danish boy scouts who were encamped at Dobbel. Sailors visited camp and demanded delivery of Mr. Andreas Grau[3] who was not present. Subsequently they created disturbances in town and came to blows with inhabitants. German military and other authorities when appealed to for protection refused to intervene. Deputation begged earnestly for protection from Entente either by immediate occupation or by sending of destroyer whose presence would overawe sailors. Latter are armed and whole of town suffers from feeling of insecurity.

Repeated to Peace Conference.

[1] H.M. Chargé d'Affaires at Copenhagen.

[2] Not printed. In his telegram No. 1413 of July 24, 1919 (received next day), Lord Kilmarnock had reported, in particular, that M. Peter Grau, chairman of the Committee of the North Schleswig Electors Union had 'said that evacuation of third zone [cf. Volume I, No. 12, appendix B] was essential in order to avoid intimidation and to secure for population of second zone real liberty and expression of their views. He further expressed hope that ratification of Peace Treaty would not be long delayed as harvest would be shortly ready and Germans were preparing to requisition it as soon as it was cut. Moreover law was already printed and would be rushed through Reichstag imposing immediate heavy taxation on Schleswig which would result in dispoiling region before it could be handed over to Denmark.' In his following telegram No. 1414 of even date (received July 25) Lord Kilmarnock had further reported that the Danish Foreign Minister would be glad to receive confirmation of a report that a British naval force would proceed to Flensburg 'and will be in a position to land 2,500 men for maintenance of order. . . . Public opinion is becoming nervous and Danish Government would be glad to be able to make announcement of reassuring nature.' Cf. No. 49.

[3] Editor of the *Dybböl-Posten* of Sonderborg.

## No. 34

*Lord Kilmarnock (Copenhagen) to Earl Curzon (Received July 26)*

*No. 1419 Telegraphic [108217/548/30]*

COPENHAGEN, *July 25, 1919*

My telegram No. 1417.[1]

I received to-day visit from deputation from 3rd zone who presented

[1] No. 33.

petition signed by 40 prominent residents begging for evacuation of that region by Germans before Plebiscite. Deputation stated that all who had agitated for annexation to Denmark had since exclusion from peace treaty of 3rd zone[2] been subjected to persecution by authorities including arrest, domiciliary search etc. and were threatened with punishment for high treason. In the circumstances they had only been able to obtain 40 signatures to petition instead of thousands and original lists had been confiscated. They say that 75% of population are in favour of transfer to Denmark. One of them Mr. Thomsen was I understand deputy for South Schleswig to Reichstag and states that he received 30,000 votes from 3rd zone. They insist on absolute necessity of evacuation of 3rd zone as otherwise Germans will by spying and intimidation be in a position to influence voting decisively in their favour. Only alternative is they say complete isolation of 2nd zone by military cordon along boundary which would be almost impossible in practice.

Deputation dwelt on the importance from economic point of view of second and third zones not being separated and instanced the fact that cattle bred in 2nd zone and also in first zone were largely dependent for summer grazing on marshes which are situated entirely in 3rd zone and are generally owned by farmer in first and second zones. If these facilities are cut off effect will be fatal to industry.

Deputation ask that their visit may be kept secret as their personal safety depends on Germans remaining in ignorance of it.

Repeated to Paris.

2 Cf. Volume I, No. 12, appendix B.

## No. 35

*Lord Acton (Berne) to Earl Curzon (Received August 2)*

*No. 444 [111268/104004/18]*

BERNE, *July 26, 1919*

My Lord,

Professor Foerster, who has recently resigned the post of Bavarian Minister at Berne, made certain communications to an informant on the 17th instant of which the following is the substance:—

Bavaria is now more hostile than ever to the Berlin Government and to Prussia. The Hoffmann Cabinet which leans on Prussian bayonets is entirely discredited. The constitution of the Empire which has been elaborated at Weimar deprives Bavaria of her character as an independent state and robs her of her army, of her diplomatic representation, state railways and national postal service. Bavaria will never accept the situation which the Berlin Centralists are endeavouring to impose upon her and the irritation in Bavaria is extreme. The inhabitants are rendered impotent for the moment by the presence of forty thousand Prussian troops concentrated in the vicinity of Munich. But resistance is in course of preparation and this resistance will be directed by the Catholics with Dr. Heim at their head. The latter is the leader of the Catholic Peasants' League of Bavaria of which the seat is at Ratisbon. Heim recently seceded from the German centre party as a protest against the support given by that parliamentary fraction to the draft constitution of the Empire. He does not conceal his intention of effecting the separation of Bavaria from Prussia and from Germany in its present form. Foerster has recently been requested by Heim to join the Bavarian peoples' party in an official capacity in order to take part in the struggle against the Prussian spirit. The *mot d'ordre* of all Bavarian Catholics and of many Bavarian socialists of both wings is, at the present moment, 'Los von Preussen.'[1] This movement has however not extended to Franconia which, in virtue of its Protestantism and industrial character, is united by close ties to North Germany, but it has become universal in the country districts of the Upper Palatinate, in Upper and Lower Bavaria and in Bavarian Swabia. The lower clergy are active supporters of this anti-Prussian movement which has even extended to the heart of the army, especially to the senior officers who remain attached to the particularist traditions of the former Bavarian army. The movement is not solely of a separatist character; it is also a federalist movement. Separatism in the Rhenish provinces was compromised, in Foerster's opinion, by the clumsy precipitation with which its cause was promoted. The only means of saving Germany and the peace of Europe will be found in a reawakening of German public spirit. This process can only succeed by means of a weakening of Prussia; her territories should be further reduced, for instance by the formation of an independent Hanover; it is for Bavaria to pave the way for this re-construction of Germany. But it is to-day too late to arrive at such a result by statecraft or diplomacy. Bavaria now finds herself compelled to break with Prussia and with Prussian Germany. At no distant date she must proclaim her independence and by this means she will form a kernel round which a Germany shall arise which, in virtue of its organisation, its spirit and the nature of its boundaries, will indeed be a new Germany.

Professor Foerster then proceeded to describe the character of the German Federation which he has in mind. This Federation shall include autonomous states of which some perhaps will reach beyond the national limits of the empire founded by Bismarck. Bavaria for example may possibly lose her Franconian provinces, but on the other hand she may join German-Austria and thereby constitute a vast Alpine republic, agricultural, pastoral and Catholic. Negotiations to this end have already been commenced in secret between certain Bavarian and Austrian agents.

At the conclusion of this interview Professor Foerster observed that this scheme of separation can only stand a chance of success if supported by the Entente Powers. The Allies should send diplomatic representatives to Munich and the latter would then offer a rallying point for advocates of Bavarian autonomy.

In connection with the above information I may report that my French

[1] 'Quit of Prussia.'

colleague has received from Professor Lammasch the text of a letter addressed to the Austrian statesman by Dr. Foerster on the 20th instant. In this letter the Bavarian Professor elaborates his theory of a Danubian Confederation including Catholic Bavaria united to German-Austria. It will be remembered from previous despatches that Professor Lammasch is himself the protagonist of the creation of an Alpine republic. Foerster foresees that Rhenish Prussia will some day join this Confederation and he has before him an utopian vision of a neutral league therefrom arising to which will some day adhere Belgium, Switzerland and Poland. Prussia would thereby become encircled and would be prevented from engaging in an aggressive Eastern policy.

In a later portion of this letter Foerster describes the visit received by him from a senior officer of Munich who stated that he had absolute proof of the fact that the revolution at Munich[2] had been organised from Berlin with the object of wrecking every attempt at reconciliation and of placing Bavaria under the military heel of Prussia. This plot had entirely succeeded, as the present situation at Munich proves. The same military expert informed Foerster that the Entente were entirely deceived on the subject of the number of troops mobilized at present in Germany. These are not, as alleged, 360,000 but in reality about 1,000,000.

Foerster further states that Bavaria would be ready to pay her share of the national debt in return for protection against the centralising influence of Berlin.

In conclusion Foerster states that, if a Catholic Peoples' Party in Bavaria were to gain the upper hand, they would call a member of the House of Wittelsbach to assume the presidency of the Bavarian Republic. This Prince would certainly not be the Crown Prince whose unpopularity among the Army and the people is as great as ever.

It is evident from the above communication that the clerical party in Bavaria represent a centre of opposition to Prussia and will, in all probability, endeavour to neutralise the present policy of national abdication illustrated by the renunciation by Bavaria of her diplomatic and military prerogatives.

A copy of the present despatch has been sent to the British delegates to the Peace Conference.

I have, &c.,
ACTON

[2] The communist revolution of April 1919.

### No. 36

*Note by Sir E. Crowe of a conversation in Paris with M. Orts*

[22/1/1/16483]

PARIS, *July 26, 1919*

M. Orts, the Belgian delegate, called today and lectured me for two hours on the duty of Great Britain to take the lead in the Committee for the

Revision of the 1839 Treaties in vindicating the claim of Belgium to obtain fresh security for her frontiers, in place of the old system of guaranteed neutrality.

M. Orts affected to treat all the questions of the regulation of navigation and of canals and waterways, as quite subsidiary issues, and criticized the choice of the British delegates on the Committee (Mr. Tufton and General Mance) as showing that England apparently did not realize that the main question to be considered was that of Belgian defence against a fresh German invasion.

I asked M. Orts what exactly he proposed. So far as I could gather from his involved statements, I understand that Belgium would like if possible to have in her favour a treaty on similar lines as that concluded between England, America, and France for the protection of France against Germany pending the growth into effectual maturity of the league of nations.

I suggested that I hardly thought the Committee was the right channel through which to negotiate so far reaching an agreement. None but the Five themselves were likely to feel competent to take it up. He warmly pleaded for not declaring the Committee incompetent to do so.

As an alternative, or as a complement, to such an agreement with the 3 Great Powers, Belgium desires an agreement with Holland for the joint defence of Limburg in case of a German attack in that region. I expressed some doubt whether the Dutch would agree to this, to which M. Orts replied that the Powers, and especially England, ought to use all their influence to make Holland accept.

He proceeded to say that unless the Commission gave satisfaction to Belgium on these questions of national defence, his instructions were to leave the conference.

All this is clearly not very encouraging.

I promised to consider the matter and to give such advice to Mr. Tufton as would make it clear that we were deeply interested in finding a practical remedy for the Belgian difficulties. But I did not conceal from M. Orts that he did not seem to me to be travelling on a road leading by easy stages to the goal he indicated as Belgium's minimum desiderata.

I presume we need not refuse in the Commission to go into the general question of the defence of Belgium's frontiers, since this problem undoubtedly arises out of the revision of the 1839 treaties.

We can show a generally sympathetic attitude towards Belgium and then wait upon events. The Committee meets on Tuesday.[1]

E. A. C.

[1] July 29, 1919.

## No. 37

### Mr. Waterlow (Paris) to Sir H. Stuart[1] (Coblenz)[2]

### No. 225 [109672/105194/1150 RH]

PARIS, *July 28, 1919*

Sir,

I have received your despatch, No. 219.0.2[3] of the 26th instant, covering a minute by your legal adviser in which is discussed the question whether the Agreement regarding the occupation of German territory west of the Rhine will come into force at the same time as the treaty of peace with Germany, or whether it can only come into force when the United States, France, Great Britain and Belgium have ratified the peace treaty.

2. This question was the subject of a discussion to-day on the Provisional Rhineland Committee, which the American member of the Commission asked should be treated as informal. There was general agreement that the Rhineland agreement would come into force at the same time as the peace treaty, and that, to that end, ratification of the agreement and the peace treaty by all the four powers concerned in the agreement was not necessary. The opinion was expressed that the problem of the position of, e.g., the American commissioner in the event of the peace treaty coming into force before ratification by the United States (a problem which arises in regard to other inter-allied commissions under the peace treaty) would in practice solve itself without difficulty.

3. I am submitting this correspondence to the legal adviser to the British peace delegation for his observations.[4]

I am, &c.,
S. P. WATERLOW

[1] Designated to be British High Commissioner on the Interallied Rhineland High Commission.

[2] A copy of this despatch was received in the Foreign Office on July 30, 1919.

[3] Not printed. This despatch was as indicated below. Sir H. Stuart stated therein, in particular, that he concluded from the minute of his legal adviser that 'the Rhineland Convention cannot come into force until the Treaty of Peace has been ratified by the United States, France, Great Britain and Belgium. . . . In your despatch No. 169 [not printed], dated July 1st, 1919, you informed me that it had been decided that the Convention governing the occupation of the Rhineland is to come into force at the same time as the Treaty of Peace. The situation does not seem to be entirely free from doubt, and I recommend that if possible the Treaty should be ratified by all four occupying Powers before the issue of the first Procès-Verbal.'

[4] In a short despatch, No. 234 of July 31, 1919 (copy received in Foreign Office, August 1), Mr. Waterlow transmitted to Sir H. Stuart the observations on this question of Mr. Malkin, legal adviser to the British Peace Delegation, and remarked that 'this opinion, which coincides with that expressed in my despatch under reference [No. 37], would appear to settle the matter'. Cf., further, Nos. 187 and 206.

No. 38

*Record of a meeting in Paris on July 28, 1919, of the Committee on Organization of the Reparation Commission*[1]

*No. 2 [Confidential/Germany/31]*

The meeting took place at 3 o'clock, with M. Loucheur in the Chair.

*Present:*

Mr. Dulles, Colonel Goodyear and Major Tyler (United States), Colonel Peel, Major Monfries and Mr. Dudley Ward (United Kingdom), M. Loucheur, Colonel Weyl and M. Jouasset (France), M. Maggiorino Ferraris and M. d'Amelio (Italy), Mr. [*sic*] Van den Ven, M. Delmer, Major Bemelmens, M. Perier (Belgium).

1. *Deliveries of Coal*

THE PRESIDENT proposed and the Committee agreed to take as basis of discussion the letter of Herr von Lersner (see Annex 1)[2] who as Plenipotentiary is alone competent to negotiate.

He considered that the supply of coal by Germany[3] should not be connected with that of the supply of minette from Lorraine, as the latter question should be settled directly between France and Germany.

MR. DULLES, United States, reserved the right to discuss this question in case M. Loucheur could not arrive at a solution with the Germans.

The question of Upper Silesia, as well as that of the provisioning of the countries of the East and the South-East of Germany was to be carefully studied with the Commission on the execution of the Treaty.[4]

THE PRESIDENT reminded the Meeting that in the course of a conversation with Herr von Lersner he insisted on the fact that the Treaty gave to France

---

[1] This committee had been appointed by the Allied Supreme Council on July 1, 1919: see Volume I, No. 1, minute 2, also No. 2, minute 3. At the first meeting of this committee, held in M. Loucheur's office at 4 p.m. on July 3, M. Loucheur, according to the brief record of this meeting, had 'informed the Committee that the Council of Five had considered it advisable to enter into negotiations with the Germans at once, concerning the application of the reparation clauses. It had decided that this should be undertaken by the Organisation Committee.... The following subjects can, it appears, be negotiated at once: (i) Reparations in kind, and provision of labour particularly to replace prisoners of war. (ii) Supplies in kind, stated in the Treaty. (iii) Requests by Germany for raw material.' The next record of these negotiations in the minutes of the Committee on Organization of the Reparation Commission is that in the minutes of the second meeting on July 28, as here printed.

[2] There appears to have been some confusion in the notation and filing of annexes to the minutes of the earlier meetings of the Committee on Organization of the Reparation Commission. Thus it would seem that no annex was appended to the file copy of the present minutes, but the annex 1 under reference was evidently that headed in the original as annex A to the minutes (not printed) of the third meeting. This annex is printed below as annex 1 to the present minutes.

[3] In accordance with articles 236 and 239 of the Treaty of Versailles.

[4] For this commission cf. Volume I, No. 1, minute 1.

priority on all deliveries up to 20,000,000 tons, and that a complementary supply of 23,000,000 tons (figure for 1923) had then to be examined by the Reparation Commission.

Consequently any solution in which at least these 20 million tons were not offered could not even be taken into consideration. He had emphasised the fact that no definite reply had been obtained for a fortnight except this document on coal, and he had pointed out to Herr von Lersner that this situation could not continue.

The President considered that the proposals contained in the German reply were unacceptable, and he proposed to substitute the following:—

Of a yearly production of 108 million tons, Germany would deliver 20 millions.

For an increase up to a total of 128 millions, Germany would supply 60% of the excess.

For any further increase, Germany would deliver 50%. To sum up:

For a production of 108 million tons, Germany would deliver 20 million tons.

For a production of 128 million tons, Germany would deliver 32 million tons.

For a production of 140 million tons, Germany would deliver 38 million tons.

For a production of 150 million tons, Germany would deliver 43 million tons.

The German production would be calculated per month.

The President was of the opinion that in three months' time the monthly production of Germany would reach 12 million tons, which, according to the above proportions, would allow the supply of $4\frac{1}{2}$ millions to Italy and 8 millions to Belgium.

The Organisation Committee should also take note that Germany had decided to deliver coal from now onwards, which should be deducted from future deliveries.

COLONEL GOODYEAR (United States) communicated the following information.

There is at present an arrangement between the Czecho-Slovaks and Germans concerning the exchange of lignite for coal.

The present annual requirements of Poland are 6 million tons of coal, and Germany is at present sending no supplies.

On the suggestion of COLONEL PEEL, United Kingdom, the coal experts withdrew to examine the figures which had been laid before the meeting and to propose a solution of the question.

On their return, COLONEL WEYL made the following proposals in the name of the American, French, Italian and Belgian experts, the opinion of the British expert being reserved.

Germany will supply 300,000 tons per month to Poland.

|  |  |  |  |  |
|---|---|---|---|---|
| ,, | ,, | 175,000 | ,, | ,, | Austria. |
| ,, | ,, | 75,000 | ,, | ,, | Czecho-Slovakia. |

61

THE PRESIDENT considered that the proposal of the Committee of Experts were acceptable as regards the South-East of Germany, which supplies lignite in compensation, but it must not be forgotten that there are obligations towards Italy and Belgium which should have priority over Poland.

In reply to an objection by M. d'Amelio (Italy) the President stated that if we have no right [to] impose absolutely a supply of coal by Germany to Poland, it could nevertheless be obtained by demanding from Germany an absolute supply of 30,000,000 tons and consenting to reduce this figure if Germany undertakes to send deliveries to Poland.

The President announced that France preserved all rights over the 20 million tons, for which it was entitled to priority, but that it was ready to assist Italy. He had studied an exchange of qualities with Belgium.

The American, British and Belgian Delegation[s], saw no objection to France assigning a part of the 20,000,000 tons to Italy. . . .[5]

ANNEX I TO No. 38[6]

Document 1

*Baron von Lersner to M. Loucheur*

[*Translation*]                                                     VERSAILLES, *July 24, 1919*

Your Excellency,

I have the honour to transmit herewith a memorandum by our Sub-Commission on Coal.

I venture to draw your attention to the fact that the production of coal in the month of July will probably rise to nearly 9 million tons. This would allow us from now onwards to deliver 16 million tons annually instead of 12 million.

If we are able to maintain the present state of affairs in Germany and if the Allies on their part assist us by the supply of foodstuffs, raw materials, &c., to increase our production, I am convinced that in the autumn we shall be able to deliver the twenty million tons of coal which you demand.

In consequence of the important conversation which I had the honour to have with your Excellency yesterday afternoon, I decided to leave this evening for Germany, in order to inform my Government to hasten the other deliveries also.

I hope to be back at Versailles on Tuesday, the 29th of this month.

I have, &c.

FREIHERR VON LERSNER

Document 2

*German Memorandum*

VERSAILLES, *July 24, 1919*

In the meeting of the 21st inst. the German Commission explained in detail the coal situation in Germany. It requested that discussions should

[5] The meeting passed to the consideration of other matters.          [6] Cf. note 2 above.

first take place on the question of how it would be possible to increase the German production and simplify the transport of coal. The Allied and Associated Governments refused to enter into these discussions and demanded a definite offer from Germany. Taking into consideration the fact that the Allied and Associated Governments have it in their power to compel Germany to deliver coal, the following proposition is made:—

(1) Of the present coal production of about 8·3 million tons per month, Germany, including Upper Silesia, will deliver 700,000 tons of coal and 225,000 tons of coke per month, the latter in exchange for minette in the proportion of 1 to 1/4, i.e. per year in coal . 12,000,000 tons.

(2) Of the excess of production up to 1 million tons per month, Germany will deliver 50% i.e. per year . 6,000,000 tons.

(3) Of any further excess of production up to a further million tons per month, Germany will deliver 25% i.e. per year . . . . . . . 3,000,000 tons.

21,000,000 tons.

In submitting this proposal, which the German Commission can only regard as being under compulsion, the National Coal Commissioner and the experts declare that they can take no responsibility for the consequences of its execution. They consider, on the other hand, that Germany cannot at the present time undertake the obligation of providing coal. They think that the execution of the proposal would involve serious disturbances in the economic life and the interior political situation of Germany, which is by no means assured.

The peace-time coal production in Germany, not including the Saar basin, was 173 million tons. It is at present 100 million tons. Of these 100 million tons, 82 millions are available for consumption after deduction of the amount required for the working of the mines themselves. German requirements calculated on the future extent of territory would normally be 136 million tons, thus only 60% of these requirements are at present covered. The delivery of 12 million tons to the Allied Governments would mean that only 70 million tons would be available for German requirements. Thus only 51·5 per cent of requirements would then be covered. The result would be that private houses and industry would suffer to a very great extent far beyond the serious distress which already exists at present. This distress is aggravated by the fact that works of public utility such as railways, gas, electricity and waterworks, must be supplied first, so that the great necessary restrictions are born almost exclusively by private houses and industry. Unemployment will assume enormous proportions owing to cessation of work in industries. All these circumstances would endanger the fulfilment of the obligations of reparation undertaken by Germany towards the Entente. It will not be possible to make up for the loss of coal by means of the German lignite mines, as at present these mines can already only cover 60%

approximately of existing requirements. Delivery must be made on the following essential conditions:—

(1) The coal of Upper Silesia and the occupied Territory is places [placed] at the disposal of the German Central Authorities.

(2) Germany will be under no obligation towards the Entente to deliver coal to the countries situated to the South-East and to the East of Germany, but remains entirely free in this matter.

(3) France continues to supply 100,000 tons of coal per month from the Saar basin to the occupied territory.

(4) The transport situation in Germany is sufficiently satisfactory to ensure the despatch of coal from the East to the West of Germany.

(5) In place of 100,000 tons of lignite briquettes may be delivered monthly.

(6) Current obligations shall begin to be counted 30 days after the demand in conformity with the Treaty; the quantities supplied by Germany before this date will be deducted from these deliveries.

(7) In order to render possible the establishment for the most difficult period of the winter of the new plan of distribution which has become necessary, the stipulations which have been made shall hold good till March 31st, 1920.

The German Government assumes that arrangements will later be made to incorporate in the above-mentioned quantities the coal required for the manufacture of materials for reconstruction and for the transport of such materials. It also assumes that the Allied and Associated Governments will grant all facilities for credit for foodstuffs for the mining districts and for the necessary materials for the exploitation of the mines.

## No. 39

### Record of a meeting in Paris of the Commission for the revision of the Treaties of 1839

No. 1 [Confidential/General/177/9]

*Procès-verbal No. 1. Séance du 29 juillet 1919*

La séance est ouverte à 10 heures 15 sous la présidence provisoire de M. Laroche.

*Sont présents:*

M. Fred K. Neilson (*États-Unis d'Amérique*); l'Honorable Charles Tufton et le Brigadier Général H. O. Mance (*Empire britannique*); MM. Laroche et Tirman (*France*); M. Marchetti-Ferrante et le Professeur Dionisio Anzilotti (*Italie*); le Général Y. Sato et le Professeur K. Hayashi (*Japon*); MM. Segers et Orts (*Belgique*); le Jonkheer R. de Marees Van Swinderen et le Professeur A. Struycken (*Pays-Bas*).

*Assistent également à la séance:*

Dr. Manley O. Hudson (*États-Unis d'Amérique*); M. de Saint-Quentin (*France*); M. Tani (*Japon*); M. Hostie (*Belgique*).

M. LAROCHE (*France*). Messieurs, j'ai l'honneur de vous souhaiter la bien-venue au nom du Gouvernement français, qui donne l'hospi-talité, dans l'Hôtel du Ministère des Affaires étrangères transformé en Hôtel de la Conférence de la Paix, aux Délégués désignés par leurs Gouvernements pour prendre part aux travaux de la Commission de révision des Traités de 1839.

*Constitution du bureau.*

Notre premier soin doit être de constituer notre bureau en désignant un président et un vice-président; quant au secrétariat, M. de Saint-Quentin représentera auprès de nous le Secrétariat général de la Conférence. Chaque Délégation aura la faculté d'amener avec elle des experts techniques.

Je vous demande donc de vouloir bien désigner un président.

M. TUFTON (*Empire britannique*). Je propose à la Commission de prier M. Laroche d'accepter la présidence; nul ne saurait être plus qualifié pour diriger nos discussions.

M. NEILSON (*États-Unis d'Amérique*). J'appuie la proposition qui vient d'être faite par le Délégué britannique.

M. MARCHETTI-FERRANTE (*Italie*). Je m'associe avec le plus grand plaisir à cette proposition.

M. LAROCHE. Messieurs, je vous remercie de cette marque de confiance dont vous voulez bien m'honorer.

Je vous demande maintenant de désigner un vice-président.

Puisque l'Angleterre est, avec la France, la seule grande Puissance repré-sentée ici qui ait signé les Traités de 1839, je crois que le premier Délégué britannique est tout qualifié pour recueillir vos suffrages et je vous propose de choisir comme vice-président de cette Commission l'Honorable Charles Tufton.

M. NEILSON (*États-Unis d'Amérique*). J'appuie cette proposition.

M. MARCHETTI-FERRANTE (*Italie*). Je suis également heureux de l'ap-puyer.

(*L'Honorable Charles Tufton est désigné comme vice-président.*)

LE PRÉSIDENT. Messieurs, la séance est ouverte.

Je crois devoir relire la décision du Conseil des Ministres des Affaires étrangères à laquelle nous devons d'être réunis. C'est en effet d'après cette décision, acceptée par les parties intéressées, que nous aurons à élaborer le programme de nos travaux.

*Programme de la Commission.*

'Les Puissances alliées et associées ayant reconnu nécessaire la révision des Traités de 1839, confient à une Commission comprenant les représentants des États-Unis, de l'Empire britannique, de la France, de l'Italie, du Japon, de la Belgique et des Pays-Bas, le soin d'étudier les mesures devant résulter de cette révision et de leur soumettre des propositions n'impliquant ni transfert de souveraineté territoriale, ni création de servitudes internationales.

'La Commission invitera la Belgique et la Hollande à présenter des formules communes en ce qui concerne les voies navigables, en s'inspirant des principes généraux adoptés par la Conférence de la Paix.'[1]

La meilleure procédure à suivre me paraît être que nous demandions successivement aux parties intéressées de vouloir bien nous exposer leur point de vue.

Il n'est pas nécessaire, je pense, de refaire un historique de la question: tout le monde ici sait ce que sont les Traités de 1839, bien que tous ne soient peut-être pas complètement d'accord sur la nature et sur la portée de ces actes.

Quoi qu'il en soit, le fait capital pour nous est le suivant: une atteinte a été portée à ces Traités par le fait de l'Allemagne qui, en 1914, a violé la neutralité belge; la garantie sur laquelle les Puissances signataires du Traité de 1839, ou du moins certaines d'entre elles, avaient cru fonder une des bases de la paix, en élevant une barrière entre les deux ennemies séculaires, la France et l'Allemagne, s'est trouvée inopérante; la situation de cette partie de l'Europe s'est ainsi trouvée modifiée au point de vue international.

Le Gouvernement belge ayant constaté que cette garantie à laquelle je viens de faire allusion était inopérante a demandé à être relevé de la neutralité perpétuelle qui lui avait été imposée en 1839. Cette demande a été accueillie et les Puissances alliées et associées ont reconnu nécessaire de procéder à une révision des Traités de 1839 qui comportaient la neutralité garantie de la Belgique.

Telle est, en quelques mots, l'origine des travaux que nous allons entreprendre. Le désir certain des grandes Puissances est que cette révision à laquelle nous allons collaborer — je ne dis pas procéder, cela ne dépend pas de nous, nous ne sommes qu'une Commission — soit faite en plein accord entre toutes les parties intéressées, spécialement entre la Belgique et la Hollande, qui sont les principales parties intéressées.

Nous serons donc très heureux si nous pouvons soit constater *de plano* cet accord, soit, au cas où certaines difficultés surgiraient, nous employer à le réaliser.

Notre premier point sera donc — et j'espère que la Commission sera de cet avis — de prier les deux parties en cause de nous exposer comment elles comprennent les conséquences de la suppression de la neutralité belge, entraînant révision des Traités de 1839.

Je demanderai auparavant si toutes les Délégations ici présentes, notamment les Délégations belge et hollandaise, ont eu connaissance de[s] documents qui paraissent nécessaires à l'intelligence de la situation actuelle, notamment du rapport qui avait été présenté au Conseil Suprême par la Commission des affaires belges. (*Voir Annexes ci-après*.)[2]

[1] For this decision of June 4, 1919, see *Papers relating to the Foreign Relations of the United States: the Paris Peace Conference 1919*, vol. iv, p. 801.

[2] These three annexes were: (i) the report (not here printed) of the Commission on Belgian Affairs, dated March 6, 1919, relative to the revision of the treaties of 1839; the final draft of this report, dated March 4 and identical with the text of March 6, is printed by D. H. Miller, *My Diary at the Paris Peace Conference* (New York, n.d.), vol. x, pp. 176 f.; (ii) minutes (not here printed) of meetings of the Council of Foreign Ministers on May 19, May 20, and

M. Van Swinderen (*Pays-Bas*). A cette question de M. le Président, je répondrai à la fois par oui et par non. Un extrait du rapport dont il s'agit a été communiqué, si ma mémoire ne me fait pas défaut, par M. Hymans à M. Van Karnebeek; le rapport entier cependant ne nous a pas été transmis officiellement par la Conférence.

Le Président. Ce rapport, étant destiné au Conseil Suprême, n'avait pu tout d'abord vous être communiqué officiellement. Mais, actuellement, la situation n'est plus la même; nous nous conformerons, bien entendu, dans nos conclusions, à la résolution adoptée par le Conseil Suprême le 4 juin 1919.[1] Mais nous avons intérêt à posséder tous les éléments de la discussion. Il est indispensable notamment que la Délégation hollandaise ait connaissance de ce rapport qui la renseignera sur l'état d'esprit qui a présidé à la constitution de la Commission.

M. Hudson (*États-Unis d'Amérique*). Est-ce que la meilleure procédure à suivre ne consisterait pas à demander au secrétariat de communiquer officiellement à cette Commission le rapport de la Commission belge et les documents indiquant les mesures qui ont pu être prises à la suite de ce rapport?

Le Président. Si je proposais de ne procéder ainsi qu'à l'égard de la Délégation hollandaise, c'est que je pensais que les autres Délégations devaient avoir déjà ces documents et rapport.

M. Hudson. Les différentes Délégations doivent avoir eu connaissance de ces documents. Mais si elles en recevaient officiellement communication, ainsi que je le propose, elles auraient toute liberté pour en faire état.

Le Président. S'il n'y a pas d'opposition, il sera fait comme le désire M. Hudson. (*Assentiment.*)

M. Van Swinderen. Je pense ne pas me tromper en comprenant que parmi les documents dont vient de parler le Délégué américain figureront les procès-verbaux des séances du Conseil des Ministres des Affaires étrangères.

Le Président. Le Secrétariat général communiquera aux Délégations les procès-verbaux des séances auxquelles ont assisté MM. Hymans et Van Karnebeek en même temps que le rapport de la Commission belge et les lettres échangées par le Conseil avec les Délégations.

M. Segers (*Belgique*). Vous venez de demander, Monsieur le Président, que chacune des deux parties fasse connaître son point de vue: la Belgique est heureuse de pouvoir déférer à ce désir. Elle considère, en effet, qu'étant, en somme, demanderesse en révision des Traités de 1839, elle a le devoir de dire clairement et tout de suite, au début même des travaux de cette Commission, quels sont les buts vers lesquels elle tend et les demandes qu'elle voudrait formuler. Elle considère cela comme un devoir de déférence

*Exposé général du point de vue belge.*

June 3, 1919; these minutes are printed in *Papers relating to the Foreign Relations of the United States: the Paris Peace Conference 1919*, vol. iv, pp. 729 f., 739 f., and 778 f. respectively; appended to the minutes of May 19 was a record of the hearing of M. Hymans before the Council of Ten on February 11, 1919, for which cf. ibid., vol. iii, pp. 957 f.; (iii) documents relative to the constitution of the present commission, as printed in annex III below.

vis-à-vis des membres de la Commission et, vis-à-vis des Pays-Bas, elle considère comme un devoir de loyauté de faire un exposé complet de ses demandes; j'ajouterai même — les éminents représentants du Gouvernement de la Reine[3] me permettront bien d'employer cette expression — que c'est aussi un devoir de bonne amitié vis-à-vis de nos voisins du Nord.

Lorsqu'il a comparu devant les cinq Ministres des Affaires étrangères,[4] en compagnie de M. le Ministre des Affaires étrangères de Hollande, M. Hymans, Ministre des Affaires étrangères de Belgique, a remis une note à son collègue des Pays-Bas indiquant nos principaux desiderata. Cette note est restée jusqu'ici sans réponse de la part du Gouvernement hollandais. Je m'empresse de dire qu'en ce qui concerne la question de l'Escaut, visée dans cette note, nous avons l'intention de formuler nos demandes dans un sens qui, je pense, agréera davantage au Gouvernement des Pays-Bas; en ce qui concerne la question du Limbourg et de la Meuse, on nous avait dit que la note n'était pas assez précise; nous avons l'intention, déférant au désir exprimé par M. le Président, en faisant l'exposé du point de vue belge, de préciser dans le détail tout ce que la Belgique demande.

Je voudrais donc faire l'exposé du point de vue belge, mais il me semble — cela résulte de la discussion qui vient d'avoir lieu — qu'il nous faut dire quelques mots sur la façon dont le problème se pose; il est nécessaire, je crois, que nous nous rendions compte exactement de ce que sont les Traités de 1839 et de l'esprit dans lequel doit se poursuivre la révision.

La décision du 4 juin 1919, qui fixe la compétence de la Commission, dit que celle-ci est chargée d'étudier les mesures qui doivent résulter de la révision des Traités et de soumettre des propositions au Conseil Suprême. Pour arrêter les mesures qui résultent de la révision des Traités, il est indispensable de savoir, non ce que sont les Traités — je présume que tous les Délégués les ont lus — mais quelles en sont les parties qu'il y a lieu actuellement de réviser.

A cet égard, je pense qu'il est utile de rappeler que les Traités de 1839 comprenaient une série de dispositions d'application immédiate, qui sont aujourd'hui devenues sans intérêt et dont nous n'aurons donc plus à nous occuper: ce sont les dispositions relatives, par exemple, au partage des dettes, à la qualité des sujets mixtes, aux propriétaires mixtes, aux pensions et aux traitements d'attente, etc. Il y a là toute une série de dispositions qui peuvent être exclues de notre examen.

D'autres dispositions sont demeurées en vigueur: ce sont celles dont nous poursuivons la révision. Je crois utile de dire tout le [de] suite qu'elles sont de trois espèces.

Il y a une première disposition qui vise l'indépendance de la Belgique et la neutralité obligatoire et perpétuelle que les Traités imposaient à notre pays. Pour ces dispositions, nous considérons que la révision est aujourd'hui un fait accompli. En effet, les grandes Puissances ont notifié à la Belgique, en reconnaissant son indépendance, qu'elle était libérée de cette neutralité

[3] The Government of the Netherlands.
[4] For the hearings of the Belgian and Netherland Foreign Ministers in the Council of Foreign Ministers on May 19, May 20, and June 3, 1919, cf. note 2 above.

perpétuelle et obligatoire. En comparaissant devant le Conseil des cinq Ministres des Affaires étrangères,[4] le très distingué représentant du Gouvernement des Pays-Bas a déclaré qu'il ne s'opposait nullement à cette révision. M. Hymans, Ministre des Affaires étrangères de Belgique, en a pris acte dans la séance du lendemain. Nous considérons donc que la révision est chose faite en ce qui concerne cet objet.

Une seconde disposition est soumise à révision. C'est celle de l'article 14 du Traité. Il vise le port d'Anvers et stipule qu'Anvers pourrait être un port de commerce, mais ne sera pas un port de guerre.

La Belgique, ayant reconquis la plénitude de sa souveraineté, doit pouvoir disposer de tous les attributs de cette souveraineté, au premier rang desquels se trouve le droit de disposer de son territoire, et par conséquent de ses ports, en temps de guerre comme en temps de paix. Elle pense donc que, logiquement, cet article 14 suit le sort de l'article 7 relatif à la neutralité.

Une troisième série de dispositions concerne les clauses relatives aux voies de communication, au régime des eaux, à tout ce qui est d'ordre économique dans le Traité. Remarquez qu'il ne s'agit pas seulement des clauses relatives aux voies navigables, mais aussi aux chemins de fer, aux routes, à l'écoulement des eaux, à la pêche, aux barrières douanières, etc. Ces dispositions visent également l'enclave de Baerle-Duc qui a continué à appartenir à la Belgique en territoire néerlandais. Mais ces clauses ne soulèvent pas seulement des intérêts d'ordre économique. Elles ont trait aux risques et aux inconvénients que vise le Traité au point de vue de la défense de la Belgique et pour la paix générale.

C'est de cette troisième catégorie de clauses que nous nous permettrons de nous occuper dans l'exposé d'ensemble que M. le Président a bien voulu nous prier de faire.

Restent enfin les clauses territoriales visées par les premiers articles des Traités. Elles sont relatives au Luxembourg et au Limbourg; je n'en parle pas en ce moment. Ce sont des questions réservées. Les portes demeurent entrebâillées.

J'ai cru constater tout à l'heure que certains Délégués n'ont pas eu le temps de prendre connaissance des documents qui constituent les antécédents de cette discussion. Je risquerais donc, en ne rappelant pas ce qui s'est passé jusqu'ici, de ne pas faire comprendre exactement ce que nous voulons. Je demande avant tout la permission de rappeler que la Commission des affaires belges, qui a été chargée de s'occuper de ces questions,[5] s'est inspirée, dans ses conclusions, de deux vérités.

La première de ces vérités, c'est que les Traités de 1839 n'ont pas été discutés entre la Hollande et la Belgique, qu'ils ne sont pas le fruit de négociations communes, mais le résultat d'un arbitrage des grandes Puissances. Ils ont été imposés à l'un et à l'autre des deux pays. C'est ce que rappelle le rapport de la Commission belge dans les termes que voici:

[5] For the terms of reference of the Commission on Belgian Affairs, constituted by the Council of Ten at the Peace Conference on February 12, 1919, v. op. cit., vol. iii, pp. 1006–7.

'De l'aveu même des Puissances garantes, les Traités de 1831–1839 ne sont pas le fruit d'une libre négociation entre la Hollande et la Belgique, mais d'un arbitrage qui leur a été dicté.

*a*) C'est entre les grandes Puissances, et non entre la Hollande et la Belgique, qu'ont été discutées et arrêtées les clauses diverses (limites territoriales, partage de dettes, voies navigables, neutralité garantie).

Il a fallu huit ans pour obtenir la ratification de la Hollande, une forte pression pour obtenir celle de la Belgique.

*b*) Dès le protocole du 20 décembre 1830,[6] il apparaissait que l'objet était de combiner l'indépendance future de la Belgique avec les stipulations des Traités, les intérêts et la sécurité des autres Puissances.

On insistait, dans ce protocole, sur les "décisions irrévocables", sur la "détermination immuable" des grandes Puissances.

*c*) En d'autres termes, c'est un intérêt extérieur à la Belgique et à la Hollande, un intérêt européen qui a inspiré les Traités de 1831–1839, et ces Traités n'expriment à aucun degré la *self-determination* de la Belgique et de la Hollande.'

C'est parce que ces Traités ont été imposés en 1839 à la Belgique et à la Hollande, c'est parce que les grandes Puissances en ont fait l'objet d'un arbitrage, que les grandes Puissances aujourd'hui croient avoir le droit d'intervenir et de défaire en partie ou de compléter ce qu'elles ont fait.

La première vérité dont s'est inspirée la Commission des affaires belges est donc que les Traités de 1831–39 ont été imposés aux deux pays; la seconde de ces vérités vise l'objet même de ces Traités.

Les Traités de 1839 ont eu volontairement, intentionnellement pour objet de rendre la Belgique faible, tant au point de vue stratégique qu'au point de vue économique. Ils ont été faits, ainsi que le dit le rapport de la Commission des affaires belges, *contre* la Belgique. Cela se trouve clairement exposé dans deux pages de ce rapport. Je ne vais pas les lire — je craindrais d'abuser des instants de la Commission — mais je demande instamment à tous les Délégués, quand ils auront le texte entre les mains, de bien vouloir y porter toute leur attention.

D'après les constatations de ce rapport, voici quelles furent les conséquences de cette décision en vertu de laquelle les Traités furent faits contre la Belgique.

La première conséquence fut que la Belgique, tout en étant déclarée indépendante, dut subir une humiliation, celle d'être déclarée perpétuellement neutre, parce qu'on présumait qu'elle ne devrait pas se défendre, les grandes Puissances garantissant sa défense éventuelle, et parce qu'on croyait qu'elle ne saurait pas se défendre.

La seconde conséquence fut que la Belgique, étant censée n'avoir pas à se défendre, se vit enlever le Limbourg. D'après l'article 3 du Traité, le Limbourg devient, en effet, une véritable monnaie de transaction; il est donné au roi de Hollande en échange d'une partie du Luxembourg. D'autre part, la Belgique n'obtient pas la Flandre zélandaise qu'elle réclamait: ainsi, elle

[6] Printed in *British and Foreign State Papers*, vol. xviii, pp. 749–50.

fut privée de ce qu'elle n'a cessé de considérer comme sa frontière naturelle: l'Escaut. Et elle est demeurée militairement exposée, découverte tant à l'Est qu'à l'Ouest.

La troisième conséquence de cette décision hostile à la Belgique, c'est que notre pays n'a reçu ni son libre accès à la mer, la liberté de l'Escaut dépendant, d'après les Traités, exclusivement du veto ou du bon vouloir de sa voisine du Nord, ni, d'autre part, l'accès normal vers son arrière-pays. Économiquement, elle est restée comprimée.

Chacun sait quel sort la guerre fit aux Traités de 1839. Deux pays, l'Allemagne et l'Autriche, ont trahi. Ils ont considéré les Traités comme des chiffons de papier. La Russie a abandonné la Belgique par l'accord de Brest-Litovsk. La France et la Grande-Bretagne sont demeurées fidèles à la parole donnée. La Belgique s'est défendue. La Hollande s'est déclarée neutre. Elle n'a formulé aucune protestation contre la violation des Traités.

Ici aussi, je vous demande la permission de vous faire toucher du doigt les conséquences qu'a entraînées pour la Belgique la violation des Traités.

Les prévisions de 1839 ont été totalement démenties par les faits.

La première conséquence, c'est que le bouclier que les Traités donnaient à la Belgique, c'est-à-dire la garantie des cinq Puissances, lui a fait défaut: la Belgique a été prise à la gorge par deux des nations qui avaient juré de la protéger.

La deuxième conséquence, c'est que la Belgique, dont on avait dit qu'elle ne devrait pas, qu'elle ne saurait pas se défendre, s'est défendue. Elle s'est défendue seule ou presque seule, pendant près de deux mois, d'abord devant Liége, puis devant Anvers, jusqu'au moment de l'Yser.

La troisième conséquence — et c'est celle que nous désirons surtout mettre en lumière — c'est que la Belgique s'est défendue dans les conditions les plus anormales et sans que le Traité de 1839 lui eût donné les moyens indispensables à cette défense.

En effet, le régime de l'Escaut a empêché le ravitaillement et la défense d'Anvers. Il nous a privés du secours de nos garants restés fidèles, la Hollande ayant purement et simplement fermé l'Escaut; le régime de la Flandre zélandaise a empêché de sauver près de 40,000 officiers et soldats belges qui n'ont pu se retirer par l'Escaut ou par le territoire qui le borde; ils n'ont pu regagner l'armée et ont dû se laisser interner en Hollande. A l'Est, d'autre part, la Belgique ne pouvant pas porter le gros de son armée à l'extrême frontière, dans la crainte d'être tournée par le Limbourg et de voir ses troupes prisonnières dans une souricière, n'y a porté qu'une portion de ses troupes et a dû se résigner à se défendre au centre du pays: en fait, et pratiquement, la Meuse n'a pas pu être efficacement tenue.

Aussi reconnaît-on unanimement aujourd'hui que le bouclier qui devait nous couvrir, la garantie des cinq Puissances, et qui est détruit par la guerre, ne peut plus être reconstitué. Dès lors, la Belgique, perdant cette protection que lui assuraient les Traités, doit obtenir une compensation. Elle ne peut pas rester, à l'avenir, exposée à l'Est et à l'Ouest, comme elle l'était quand a éclaté la guerre. Il y a donc lieu de remédier à son profit aux défauts des Traités de 1839, précisément — et j'y insiste d'une façon toute spéciale —

pour obvier à l'insuffisance de nos moyens de défense, maintenant que la garantie des Puissances a disparu.

Messieurs, tout le monde sait que la Belgique, en voyant le Traité déchiré par l'Allemagne, par l'Autriche et plus tard par la Russie, a été obligée de saisir de la révision de ces Traités ses garants restés fidèles. C'est à la suite de cette initiative de la Belgique, que le Conseil Suprême des Alliés a décidé de nommer la Commission des Affaires belges, et que celle-ci a fait le rapport dont j'ai parlé. Je ne lirai pas les conclusions de ce rapport, mais j'espère que les membres de la Commission qui ne les connaîtraient pas, voudront bien les lire dès qu'ils les recevront, parce qu'elles sont essentielles au point de vue de l'exposé d'ensemble que nous devons faire. Je me permets de rappeler que le Conseil Suprême des Cinq a adopté les conclusions de ce rapport. Celui-ci reste donc à la base des décisions à prendre par cette Commission. A la suite de cet arrêt, le Conseil Suprême a chargé les Ministres des Affaires étrangères des cinq grandes Puissances de s'occuper des problèmes de la révision et ce Comité des Cinq a alors rendu la sentence du 4 juin 1919 dont M. le Président a bien voulu donner lecture tout à l'heure.

Je ne discuterai pas, Messieurs, la portée exacte de cette sentence. C'est inutile, puisque pour être pratique, je vais conformément à la demande de M. le Président exposer dans son ensemble le point de vue belge. Nous verrons quelles sont les obligations inscrites dans les traités de 1839 et qui lient les Pays-Bas. Nous examinerons dans quelle mesure il est possible de modifier ces obligations.

Il me reste à dire, Messieurs, que le Gouvernement du Roi a adhéré à la décision du 4 juin 1919 dans des termes que je demande à rappeler. — M. le Ministre des Affaires étrangères de Belgique disait: 'Il est entendu dans notre pensée que la procédure indiquée ne peut avoir pour effet d'empêcher l'examen et l'adoption de toutes les mesures indispensables pour supprimer les risques et les inconvénients auxquels, selon les conclusions formulées par les Puissances le 8 mars dernier, le Traité de 1839 expose la Belgique et la paix générale, et pour faire garantir à la Belgique son libre développement économique aussi bien que son entière sécurité.'

Messieurs, je suis extrêmement soucieux de ne pas abuser des instants de la Commission. Cependant, la Belgique a un intérêt énorme à ce que tous les aspects du problème soient connus et à ce que la Commission sache dans quelles conditions ont été négociés les Traités de 1839, le rôle qu'y ont joué les grandes Puissances, les formes successives qu'ont revêtues les Traités, les protestations qu'ils ont soulevées en Belgique de la part du Gouvernement et du Parlement et les vives réclamations des populations arrachées à la Belgique. Je n'en dirai rien ici. Nous nous contenterons, Messieurs, d'envoyer à chacun de vous une note qui résume ces aspects du problème hollando-belge. Nous vous remett[r]ons en même temps les textes des Traités.

Cela dit, ne vous conviendrait-il pas, Monsieur le Président, et ne conviendrait-il pas à la Commission, pour m'éviter de scinder l'exposé d'ensemble que j'aurai à vous faire, de fixer une prochaine séance?

Le Président. Vous avez parfaitement raison.

M. Neilson (*États-Unis d'Amérique*). Les principes généraux ont été établis dans les réunions du Conseil des Ministres des Affaires étrangères où la Délégation belge a fait valoir son point de vue. Je crois que nous devons maintenant, pour nous conformer à notre mandat, prendre une connaissance aussi complète que possible des revendications formulées par la Belgique. Si la Délégation belge désire déposer certains documents sur le bureau, il vaudrait peut-être mieux que nous remettions la suite de la discussion à plus tard, de façon à nous donner le temps d'étudier ces documents.

*Programme et procédure de la Commission.*

Le Président. Je ne crois pas que la suggestion de M. Neilson réponde à la véritable pensée du premier Délégué belge. M. Segers désire ne pas aborder aujourd'hui l'exposé d'ensemble des revendications belges, parce qu'il voudrait le faire en une seule fois.

M. Segers (*Belgique*). Je vous remercie, Monsieur le Président, de rendre aussi parfaitement ma pensée. Je dois ajouter que tous les documents que l'on a distribués jusqu'ici ne pourraient pas donner une idée complète de nos revendications, parce que ce que j'aurai à dire ici dans un exposé d'ensemble comprendra des précisions qui ne se trouvent dans aucun des documents déjà remis. On a demandé à la Belgique de dire avec précision ce qu'elle désire. L'heure est venue, Messieurs, de mettre, à cet égard, les points sur les *i* — permettez-moi cette expression familière — de dire, d'une manière claire et complète, quel est, au sujet de chacune des questions qui nous préoccupe, l'objet de nos demandes. C'est ce que nous nous proposerons de faire à la séance que vous voudrez bien fixer.

Le Président. La demande de M. Segers me paraît tout à fait fondée, parce que ce dont nous avons besoin avant tout pour suivre les travaux de la Commission, c'est que chacune des parties expose très clairement et avec la plus grande précision la manière dont elle conçoit la révision des Traités de 1839. Je me rappelle avoir entendu à plusieurs reprises déclarer que les demandes belges manquaient de précision. Je crois que toutes les Délégations, à commencer par celle des Pays-Bas, auraient intérêt à les voir préciser, afin de pouvoir étudier dans quelle mesure il serait possible de les satisfaire. La meilleure procédure consisterait, me semble-t-il, à prier M. Segers de vouloir bien, en une seule fois comme il nous l'a dit, nous développer tout le programme belge; après quoi, je proposerai que nous demandions également à la Délégation hollandaise de nous faire connaître les vues générales qu'appelle, de sa part, l'exposé de ce programme. Quand nous aurons ainsi entendu chacune des deux parties, nous serons en mesure d'étudier les faits devant résulter de cette révision et de commencer l'étude des propositions belges.

En ce qui concerne les voies navigables, la résolution du Conseil des Ministres des Affaires étrangères prévoit qu'elles feront l'objet d'une étude spéciale. Mais il me paraît nécessaire à notre information que nous entendions d'abord un exposé complet de la question par chacune des parties et puissions ainsi nous rendre compte exactement de ce qu'elles veulent.

Nous savons bien que nous sommes chargés de la révision des Traités de 1839, mais les intéressés seuls peuvent nous dire comment ils comprennent cette révision. Nous pourrons ensuite nous prononcer en toute connaissance de cause sur les propositions que nous aurons finalement à soumettre au Conseil Suprême.

M. Neilson (*États-Unis d'Amérique*). Les Délégués belges et hollandais pourraient très bien formuler leurs propositions par écrit, mais s'ils désirent les développer oralement, nous sommes prêts à les entendre.

Le Président. Ce que nous pourrions faire, c'est inviter les deux Délégations à nous remettre un mémoire écrit, en laissant à chacune d'elles successivement la faculté de nous commenter ce mémoire. Nous aurions ainsi un document qui nous resterait. Mais, en même temps, je crois que nous avons tout intérêt à aller le plus au fond possible de cette affaire, à entendre tout ce que les intéressés pourront nous dire. Investis de la mission difficile de réviser une œuvre européenne, nous ne saurions trop faire la lumière, nous entourer de trop de renseignements, ni aller trop au fond des arguments de chaque partie.

J'appelle maintenant votre attention sur une question de procédure. En principe, la Belgique est demanderesse; c'est donc elle qui doit commencer à nous exposer par écrit et oralement ses demandes. Nous laisserons à la Délégation hollandaise le temps d'étudier ces demandes pour qu'elle nous présente à son tour ses vues par écrit et oralement.

M. Segers (*Belgique*). Je demanderai à pouvoir faire d'abord un exposé de la question à la Commission. Il me semble indispensable que chacune des parties puisse commencer par se faire entendre. Ce que j'ai dit aujourd'hui, je ne croyais pas avoir à le dire; mais j'ai constaté que plusieurs Délégués n'avaient pas encore reçu les documents essentiels qui se trouvent à la base de mon exposé. Il me paraissait donc que c'eût été faire œuvre incomplète que d'exposer l'objet de la révision des Traités avant que l'on sût dans quel esprit cette révision devait se poursuivre. L'exposé que je me propose de faire maintenant sera, je pense, à la base de tout ce qui se fera ultérieurement dans cette Commission. Nous commettrions une faute si pour chercher à gagner du temps — et nous en perdrions plutôt — chacune des parties ne commençait pas par dire quel est son point de vue au sujet de la révision. Après cela, je m'empresserai de déférer au désir exprimé par M. le Président. Nous entendons bien formuler nos conclusions par écrit et nous appuierons notre exposé d'un mémorandum en tenant compte des observations qui auraient éventuellement été faites par les membres de la Commission. Ce que nous devons faire, en effet, c'est une œuvre commune, et tous les jours vous devrez y avoir votre part comme les grandes Puissances ont eu leur part à l'œuvre de 1839.

M. Neilson (*États-Unis d'Amérique*). Nous sommes tout prêts à nous rendre au vœu exprimé par la Délégation belge. Je faisais une simple suggestion en disant qu'il serait souhaitable d'avoir une déclaration écrite. Mais je suis tout à fait d'accord pour que nous entendions un exposé oral des représentants des deux pays intéressés.

M. Tufton (*Empire britannique*). Je m'associe à cette proposition. Toutefois, je préférerais qu'avant la réunion où elles nous feront leur exposé oral, les deux Délégations principalement intéressées nous fassent parvenir un mémoire.

M. Segers. Si nous faisions l'exposé écrit avant l'exposé oral, celui-ci ne risque-t-il pas de devenir fastidieux, puisqu'il ne sera que la redite du premier? Je craindrais, en procédant ainsi, d'abuser des instants de la Commission. Or, je crois que l'exposé oral est tout à fait nécessaire, parce qu'il est de nature à provoquer plus utilement des observations.

M. Tufton. Je le crois aussi.

M. Segers. Je serai très heureux de pouvoir appuyer mon exposé oral d'un mémorandum, de façon qu'il reste à la Commission une base précise pour la discussion.

Je vous demande donc de vouloir bien me laisser un peu de latitude pour voir quelle sera pour moi la façon la plus pratique de procéder. Nous appuierons en tous cas l'exposé d'un mémorandum, pour qu'il reste des documents sur lesquels la Commission puisse s'appuyer.

Le Président. Les Délégations américaine et britannique sont déjà d'accord avec vous sur ce point.

M. Marchetti-Ferrante (*Italie*). Nous pensons également que nous avons tout intérêt, pour gagner du temps, à recevoir le plus tôt possible les documents qui nous permettront de suivre la question.

M. Van Swinderen (*Pays-Bas*). Je ne vois pas d'objection à cette façon de procéder. Je vous demanderai la permission de dire quelques mots avant que nous nous séparions.

Le Président. Avant de vous donner la parole, je veux bien préciser que la Commission est d'accord pour entendre, dans sa prochaine séance, l'exposé de M. Segers, qui s'efforcera de nous donner en même temps son mémorandum pour appuyer ses déclarations. (*Assentiment.*)

M. Van Swinderen. Je compte que la Délégation belge continuera, dans son exposé, à se maintenir sur les bases posées par la résolution du mois de juin. Toute autre attitude prolongerait inutilement la discussion et serait de plus inacceptable pour nous.

Le Président. Il est bien évident que les conclusions qui seront déposées par la Délégation belge et la Délégation hollandaise devront être absolument conformes aux résolutions de la Conférence. Mais je crois qu'il est dans l'intérêt de tout le monde que la plus grande lumière soit faite et que nous devons permettre aux deux Délégations d'apporter dans la discussion tous les arguments qu'elles voudront, sans réserve ni sous-entendu.

Je prendrai un exemple concret: il ne doit pas être question ici de transfert de souveraineté territoriale, c'est entendu; cependant, je crois que nous ne pourrions avoir conscience d'avoir rempli pleinement notre mandat si nous empêchions les Délégués belges de nous dire pourquoi la Belgique avait songé, à un moment donné, à des transferts de souveraineté, parce que cela peut expliquer certaines demandes belges. Je tiens à parler net pour qu'il n'y ait pas de malentendu de part ni d'autre.

Je me résume: conclusions strictement conformes à la résolution de la Conférence, mais toute liberté dans les explications préliminaires. Je crois que nous sommes bien d'accord sur ce principe: plus nous ferons la lumière, mieux cela vaudra.

M. Van Swinderen. Parfaitement, Monsieur le Président.

Le Président. Est-ce que la Délégation des Pays-Bas désire nous donner quelques explications?

M. Van Swinderen. Je ne voudrais pas quitter cette réunion sans dire l'impression que m'a faite le discours de M. Segers, discours non seulement éloquent, mais intéressant et important. Ce qui m'a frappé, Messieurs, c'est l'appel que l'honorable Ministre d'État a fait à la loyauté des deux parties principalement intéressées. Je tiens à dire à M. Segers que son appel à ces sentiments aura certainement chez nous l'écho le plus net. Il trouvera chez nous la même volonté d'arriver à un résultat satisfaisant pour les deux pays qui sont plus que jamais indiqués pour marcher la main dans la main. Je tiens à dire en terminant que la manière dont M. Segers a commencé cette discussion me donne le meilleur espoir que nos efforts communs seront couronnés de succès.

M. Segers (*Belgique*). Je tiens à remercier Monsieur le Ministre des paroles qu'il vient de prononcer et dans lesquelles j'espère voir un gage de conciliation. Nous aussi nous avons l'espoir de pouvoir nous entendre. Il est un proverbe néerlandais qui dit: 'T'best, is klare Wein schenken', 'Le mieux est de verser du vin clair'. Nous nous permettrons donc, en faisant notre exposé, de verser du vin clair; nous dirons très franchement ce que nous avons à dire, avec l'espoir d'être entendus.

M. Van Swinderen (*Pays-Bas*). Merci.

Le Président. Je suis très heureux des paroles qui viennent d'être prononcées; elles ne me surprennent point. Je crois que le meilleur gage de l'œuvre utile que nous pourrons peut-être accomplir ici sera l'accord entre les parties les plus directement intéressées, et je suis persuadé que nous l'atteindrons. J'ai la foi la plus complète dans la réussite de nos travaux. Les autres Puissances sont là non pas pour jouer un rôle d'arbitres, mais pour donner, le cas échéant, un avis ou un conseil et pour faciliter une entente que nous désirons tous. J'ai le ferme espoir que nous y arriverons. Si vous le voulez bien, nous terminerons aujourd'hui cette réunion sur cet espoir. Je vous demanderai donc quel jour vous voulez vous réunir pour entendre l'exposé de M. Segers.

M. Segers. Je crois savoir qu'il y a des membres de la Commission qui désirent disposer des jours de cette semaine et que la date de lundi prochain pourrait peut-être réunir l'agrément de tous. (*Assentiment.*)

Le séance est levée à 12 heures.

*Documents relatifs à la constitution de la Commission pour la révision des Traités de 1839*

### Document 1

PARIS, *4 juin 1919*

Monsieur le Président,
Monsieur le Ministre,

Le Conseil des Ministres des Affaires étrangères des principales Puissances alliées et associées a voté dans sa séance de ce jour une résolution relative à la constitution d'une Commission pour étudier les mesures devant résulter de la révision des Traités de 1839.

Je suis chargé de vous communiquer cette résolution et de vous exprimer l'espoir que le Gouvernement {belge / des Pays-Bas} voudra bien s'y associer.

J'ai l'honneur de vous communiquer ci-joint en deux exemplaires le texte de la résolution dont il s'agit.

Veuillez agréer, {Monsieur le Président, / Monsieur le Ministre,} les assurances de ma très haute considération.

Signé: S. Pichon

A Son Excellence Monsieur Hymans, Ministre des Affaires étrangères, Président de la Délégation belge.
A Son Excellence M. Van Karnebeek, Ministre des Affaires étrangères du Royaume des Pays-Bas.

*Annexe*

Les Puissances, ayant reconnu nécessaire la révision des Traités de 1839, confient à une Commission comprenant les Représentants des États-Unis d'Amérique, de l'Empire britannique, de la France, de l'Italie, du Japon, de la Belgique et de la Hollande, le soin d'étudier les mesures devant résulter de cette révision et de leur soumettre des propositions n'impliquant ni transfert de souveraineté territoriale, ni création de servitudes internationales.

La Commission invitera la Belgique et la Hollande à présenter des formules communes en ce qui concerne les voies navigables, en s'inspirant des principes généraux adoptés par la Conférence de la Paix.

### Document 2

DÉLÉGATION BELGE
N° d'ordre 814

PARIS, *le 14 juin 1919*

Monsieur le Ministre,

J'ai l'honneur de vous accuser réception de la lettre en date du 4 juin[8] par

---

[7] Cf. note 2 above.  [8] Document 1 above.

laquelle vous avez bien voulu me transmettre le texte d'une résolution votée par le Conseil des Ministres des Affaires étrangères des principales Puissances alliées et associées dans sa séance du même jour et relative à la constitution d'une Commission pour étudier les mesures devant résulter de la révision des Traités de 1839.

Vous m'exprimez en même temps l'espoir que le Gouvernement belge voudra s'associer à cette résolution.

En réponse à cette communication, j'ai l'honneur de vous faire connaître que le Gouvernement du Roi consent à adhérer à la résolution dont il s'agit. Mais il est bien entendu dans sa pensée que la procédure indiquée ne peut avoir pour effet d'empêcher l'examen et l'adoption de toutes les mesures indispensables pour supprimer les risques et les inconvénients auxquels, selon les conclusions formulées par les Puissances le 8 mars dernier,[9] les Traités de 1839 exposent la Belgique et la paix générale, et pour garantir à la Belgique son libre développement économique aussi bien que son entière sécurité.

Veuillez agréer, Monsieur le Ministre, les assurances de ma haute considération.

Signé: HYMANS

A Son Excellence Monsieur Pichon, Ministre des Affaires étrangères, Paris.

## Document 3

DÉLÉGATION BELGE
N° d'ordre 835

PARIS, *le 17 juin 1919*

Monsieur le Ministre,

Vous m'avez fait l'honneur de me communiquer la résolution prise le 4 juin[1] par les Ministres des Affaires étrangères des principales Puissances alliées et associées, aux termes de laquelle une Commission composée des représentants des États-Unis d'Amérique, de l'Empire britannique, de la France, de l'Italie, du Japon, de la Belgique et de la Hollande est chargée d'étudier les mesures devant résulter de la révision des Traités de 1839.

Je vous serais reconnaissant, Monsieur le Ministre, de hâter la constitution de cette Commission. Il importe, en effet, que la question de la révision des Traités de 1839, reçoive une solution aussi prompte que possible.

Le Gouvernement belge compte se faire représenter par deux Délégués: M. Orts, Ministre plénipotentiaire, Secrétaire général du département des Affaires étrangères, et M. Segers, Ministre d'État.

Veuillez agréer, Monsieur le Ministre, les assurances de ma haute considération.

Signé: HYMANS

A Son Excellence Monsieur Pichon, Ministre des Affaires étrangères, Paris.

[9] *v.* op. cit., vol. iv, pp. 270–1.

MINISTÈRE
DES AFFAIRES ÉTRANGÈRES
Direction politique n° 23750

LA HAYE, *le 19 juin 1919*

Monsieur le Ministre,

Par Votre lettre du 4 courant,[8] Vous avez bien voulu me transmettre au nom des Ministres des Affaires étrangères des principales Puissances alliées et associées le texte en deux exemplaires d'une résolution votée dans leur séance du même jour, relative à la question de la révision des Traités de 1839 et conçue en ces termes:

'Les Puissances, ayant reconnu nécessaire la révision des Traités de 1839, confient à une Commission comprenant les Représentants des États-Unis d'Amérique, de l'Empire britannique, de la France, de l'Italie, du Japon, de la Belgique et de la Hollande, le soin d'étudier les mesures devant résulter de cette révision et de leur soumettre des propositions n'impliquant ni transfert de souveraineté territoriale, ni création de servitudes internationales.

'La Commission invitera la Belgique et la Hollande à présenter des formules communes en ce qui concerne les voies navigables, en s'inspirant des principes généraux adoptés par la Conférence de la Paix.'

J'ai l'honneur de vous informer que, conformément à l'espoir que Vous avez bien voulu m'exprimer au nom de Vos collègues, le Gouvernement néerlandais est tout disposé à s'associer à cette résolution. Ce Gouvernement apprécie que la résolution adopte sans aucune réserve le point de vue du Gouvernement de la Reine d'après lequel la révision des Traités de 1839 ne pourra impliquer ni transfert de souveraineté territoriale, ni création de servitudes internationales. Il considère comme entendu que la résolution ne pourra être interprétée en tel sens qu'il en résulterait des mesures sur lesquelles la Belgique et les Pays-Bas ne seraient pas d'accord.

Veuillez agréer, Monsieur le Ministre, l'assurance renouvelée de ma très haute considération.

Signé: KARNEBEEK

A Son Excellence Monsieur S. Pichon, Ministre des Affaires étrangères de la République Française.

## Document 5

CONFÉRENCE DE LA PAIX

PARIS, *le 26 juin 1919*

Monsieur le Ministre,

J'ai l'honneur de vous accuser réception de votre lettre en date du 19 courant,[10] par laquelle vous voulez bien me faire savoir que le Gouvernement néerlandais est disposé à s'associer à la résolution votée le 4 juin par les Ministres des Affaires étrangères des principales Puissances alliées et associées au sujet de la révision des Traités de 1839.

Le Conseil des Ministres des Affaires étrangères, qui est heureux de prendre

[10] Document 4 above.

acte de cette déclaration,[11] tient toutefois à préciser son sentiment unanime sur un point de sa résolution précédente auquel Votre Excellence se réfère dans les termes suivants:

'Il (le Gouvernement de la Reine) considère comme entendu que la résolution ne pourra être interprétée en tel sens qu'il en résulterait des mesures sur lesquelles la Belgique et les Pays-Bas ne seraient pas d'accord.'

Les principales Puissances alliés et associées estiment, en effet, avec le Gouvernement néerlandais, que l'acte auquel aboutiront les travaux de la Commission devra représenter la volonté unanime et librement consentie de toutes les Puissances signataires. Toutefois, quand elles ont prié la Hollande et la Belgique de leur 'présenter des formules communes en ce qui concerne les voies navigables', elles n'ont pas voulu dire que le rôle de la Commission devrait se borner à enregistrer les solutions concertées entre les deux Etats. Quand bien même leurs intérêts propres ne leur feraient pas un devoir de prendre part, le cas échéant, à la discussion, elles ont un trop vif désir de voir se produire une entente entre la Hollande amie et la Belgique alliée pour s'interdire de chercher à concilier les divergences qui sépareraient ces deux Puissances.

Le Conseil des Ministres des Affaires étrangères a décidé, en outre, que la Commission comprendrait pour chacune des sept Puissances deux Délégués, experts techniques non compris, et qu'elle commencerait ses travaux dès que tous les Délégués seraient réunis à Paris. Je vous serais reconnaissant de bien vouloir me faire connaître les Représentants que le Gouvernement de la Reine aura cru devoir nommer, et de me faire informer de leur arrivée à Paris. Le choix du Gouvernement belge s'est porté sur MM. Orts, Ministre plénipotentiaire, Secrétaire général du Ministère des Affaires étrangères, et Segers, Ministre d'État.

Veuillez agréer, Monsieur le Ministre, les assurances de ma très haute considération.

Signé: S. PICHON

A Son Excellence le Jonkheer Van Karnebeek, Ministre des Affaires étrangères des Pays-Bas.

## Document 6

MINISTÈRE
DES AFFAIRES ÉTRANGÈRES
Direction politique n° 25898

LA HAYE, *le 7 juillet 1919*

Monsieur le Ministre,

J'ai l'honneur de Vous accuser réception de Votre lettre en date du 26 juin dernier[12] concernant la révision des Traités de 1839.

Je prends acte de ce que les principales Puissances alliées et associées estiment que le résultat auquel aboutiront les travaux de la Commission devra représenter la volonté unanime et librement consentie de toutes les Puissances signataires.

[11] Cf. op. cit., vol. iv, pp. 857–9.   [12] Document 5 above.

Je me permets d'ajouter que Messieurs le Jhr. R. de Marees van Swinderen, Envoyé extraordinaire et Ministre plénipotentiaire de Sa Majesté la Reine des Pays-Bas à Londres et le Professeur A. H. Struycken, Conseiller d'Etat, ont été désignés comme Délégués néerlandais. Ces Messieurs pourront se rendre à Paris à partir du 20 juillet au cas où la Commission se réunirait déjà ce mois-ci.

Veuillez agréer, Monsieur le Ministre, l'assurance renouvelée de ma très haute considération.

Signé: KARNEBEEK

A Son Excellence Monsieur Pichon, Ministre des Affaires étrangères de la République Française.[13]

[13] In the original document 7 (not printed) was a list of the members of the present commission, as given at the head of No. 39.

## No. 40

### Lord Kilmarnock (Copenhagen) to Earl Curzon (Received July 30)

### No. 1428 Telegraphic [109893/548/30]

COPENHAGEN, *July 29, 1919*

Reliable secret source reports

1. That Germans have made arrangements to maintain espionage and propaganda system in Schleswig after evacuation of their troops and officials.

Trusted agents of different political parties will be left behind and will work entirely independently of each other so that discovery of one such agent will not compromise others. Disturbances will be fostered.

2. In evacuation orders of General Command dated Schwerin July 16th it is laid down that leave will only be granted for participation in plebiscite to soldiers pledged to vote for Germany.

3. Military administrative officials and Bezirkssmmando [*sic*] at Flensborg are to remain on spot.

## No. 41

### M. Dutasta to Mr. Norman[1] (Paris. Received July 31)

### [477/2/9/16795]

PARIS, *le 31 juillet 1919*

Le Secrétariat Général de la Conférence de la Paix a l'honneur de faire tenir ci-joint au Secrétariat de la Délégation de l'Empire Britannique 10 exemplaires des notes suivantes:

1 e) Lettre à la Délégation allemande en date du 29/7/19 relative à l'exécution du Traité de Paix dans le Slesvig.

[1] Mr. H. Norman was at that time secretary of the British Peace Delegation.

2 e) Lettre[2] à Mr. Bernhoft,[3] en date du 29/7/19 relative aux ventes, par les Allemands de biens privés au Slesvig.

3 e) Lettre[2] à la Délégation allemande, de même date et sur le même sujet.

PARIS, *le 29 juillet 1919*

Monsieur le Président,

J'ai l'honneur de vous faire part de diverses observations que les Gouvernements alliés et associés désirent formuler en ce qui concerne l'application des articles du Traité de Paix du 28 juin 1919 relatifs au Slesvig.[4]

En premier lieu, le traité fixe, dans son article 109, la zone du Slesvig qui sera soumise au plébiscite et dispose que, dans un délai qui ne devra pas dépasser dix jours après la mise en vigueur du traité, les troupes et les autorités allemandes devront évacuer cette zone.

Bien qu'ils n'aient pas cru devoir répéter dans cette section du traité la stipulation expressément formulée pour d'autres zones de plébiscite, notamment au § 1 de l'annexe de l'article 88 et à l'article 95, les Gouvernements alliés et associés comptent que, jusqu'à ce que l'évacuation soit achevée, les troupes et les autorités allemandes s'abstiendront de toute réquisition en argent ou en nature et de toute mesure pouvant porter atteinte aux intérêts matériels du pays.

D'autre part, les Gouvernements alliés et associés considéreraient comme étant de nature à vicier le résultat du vote toute pression exercée par les autorités militaires et civiles allemandes sur les populations de la région limitrophe de la zone soumise au plébiscite. Ils croient devoir, à cet égard, appeler l'attention de la Délégation allemande sur les arrestations qui ont eu lieu dernièrement dans cette région pour des motifs politiques.

Veuillez agréer, etc.

CLEMENCEAU

[2] Not printed. Cf. Volume I, No. 12, appendix B.
[3] Danish Minister in Paris.          [4] Cf. Volume I, No. 12, minute 3 (*b*).

# No. 42

*Mr. Waterlow (Paris) to Earl Curzon (Received August 1)*

*No. 244 (Commercial)* [*110932/105194/1150 RH*]

PARIS, *July 31, 1919*

My Lord,

With reference to my despatch, No. 180 Commercial W.[1] of the 7th

[1] Not printed. Mr. Waterlow had stated in this despatch that he was enclosing a copy of despatch No. Lux 189 (not printed) of July 5, 1919, from Mr. Urwick of the British element of the Interallied Rhineland Commission 'as to the question of pooling, for the benefit of all the Allies, industrial information collected by the armies occupying German territory and by industrial missions sent out by the Allied Governments. . . . It will be perceived that the French representative on the Inter-allied Rhineland Commission refuses,

instant, I have the honour to transmit to Your Lordship herewith copy of a despatch, No. 220² of the 28th instant, from the British representative on the Inter-allied Rhineland Commission, asking whether he may offer to put all the industrial information collected in the British zone and by official commissioners into a common pool, provided that our allies are willing to take the same course as regards information collected by them.

2. I consider it most desirable that instructions should be sent to Sir Harold Stuart in the sense which he suggests, and I should be glad to learn at an early date whether I am authorised to do so.

I have, &c.,
S. P. WATERLOW

on a pretext which appears to me devoid of plausibility, to agree to the pooling of all the information collected. This attitude would probably be modified if Sir Harold Stuart were authorized to say that all information collected by the British authorities and by British Missions would be placed fully and frankly at the disposition of our allies.'
² Not printed. This short despatch was as indicated below: cf. also No. 69.

## No. 43

### Mr. Robertson (The Hague) to Earl Curzon (Received August 7)

### No. 209 [113091/9019/39]

THE HAGUE, August 1, 1919

My Lord,

Since the date of my despatch No. 175¹ of the 3rd July, I have noticed a perceptible hardening of Dutch opinion, both official and unofficial, in regard to the surrender of the ex-Kaiser. This hardening is due partly to the conviction that the Allies are not in agreement amongst themselves, partly to letters and articles in the English press, and partly to stories brought back by the Dutch Minister at London and others to the effect that considered opinion in Great Britain is practically unanimous against the trial, the Prime Minister and your Lordship being the only authorities of weight who are in favour of it. The general view appears to be that the Allies can produce no valid legal arguments which would convince the Dutch Government and public opinion, both now and in the future, that the Kaiser, who is in their opinion a political refugee in Dutch territory, should be handed over.

The Dutch Government comfort themselves with the thought that they will be on safe ground in adhering to purely legal arguments and precedents, or lack of precedents, but they will also mount a high horse of idealism and point out that it would not be consistent with their sense of honour, or with their self-respect, to hand over a refugee to his accusers merely because his surrender was demanded by a number of great States, a demand which would not be made if Holland were a formidable military Power.

¹ No. 6.

They are, I believe, convinced that responsibility for the war cannot be brought home to the Kaiser alone, and, as I have indicated before, they would not regard a trial as impartial if the tribunal were to consist merely of Allied judges, and if the evidence were confined to the limited period immediately preceding the war and failed to take into account previous history. The archives of all the countries involved in the war would—I have heard the view expressed—have to be produced and examined if it were intended that an unbiased verdict should be given.

I am, of course, not aware on what actual grounds the Allies propose to base their request for the surrender of the ex-Kaiser, but I venture to hope that the following suggestions may possibly be of use in the event of their not already having been considered.

Though it would, perhaps, not be easy to place upon the ex-Kaiser the sole onus of having brought about the war, I would suggest that there can be little doubt that in his capacity, not only as Sovereign of the German Empire, but as commander-in-chief of the German army and navy, he must himself personally have sanctioned the violation of the neutrality of Belgium and Luxemburg, and also the infamies that accompanied the invasion of Belgium, the bombardment of open cities, the submarine warfare and the sinking of hospital ships, the use of poisonous gases, and numerous other outrages, which were in direct violation of the Hague Conventions. To these conventions the Dutch put their signature in their own capital.

We could put it to them that the Allies feel convinced that an enlightened and humane people, like the Dutch, would be glad to do their share towards vindicating the sanctity of treaties, and would not be willing to grant asylum to any man, however highly placed, who was accused by the majority of the civilised world of grave crimes against international law and the laws of humanity.

It might be boldly stated to them that the Allies intend to create a precedent, and this statement might be accompanied by the suggestion that, if they prefer to take their stand upon pure technicalities and refuse to surrender the Kaiser on the ground that there is nothing in international law to provide for such a surrender, they will tacitly condone violations of solemn international instruments to which they themselves were parties, and must share with German statesmen the infamy of regarding such instruments as 'scraps of paper'. It would have seriously to be considered whether such a country was fit to become a member of the League of Nations.

As I have previously stated, it seems to me of great importance that the note should be actually signed by all the Allies, and not by the representative of one Power only on behalf of the others.

To my mind, the most serious objection that we shall have to meet will be that in regard to the constitution of the tribunal, and the Dutch will, I feel sure, insist that it would not be fair to hand the Kaiser over to be judged by his accusers only. The Peace Conference will no doubt have considered the probability of the trial being undertaken by the League of Nations. Should this be so and the idea have been rejected, I would venture again to suggest that it might be found expedient to associate a neutral judge, or neutral judges, with those of the principal Allied and Associated Powers.[2]

I have, &c.,

ARNOLD ROBERTSON

[2] The main considerations contained in the present despatch had, in general, been previously advanced by Mr. Robertson in two letters, of July 25 and 29 respectively, to Mr. Russell. In his letter of July 25 Mr. Robertson had stated, in particular: 'I hear also that the Dutch feel that if they surrender the Kaiser against their convictions they will go down to history as cowards. This appears to be a very genuine feeling and one that must be reckoned with. On the other hand they are very anxious not to put us against them in the Belgian question and they will hesitate before they flout us if we really show that we are determined to have the Kaiser and that we are actually backed by all our Allies. They are moreover uneasily aware of the fact that they are not very popular in Allied countries and we can, without browbeating them, point to the fact that their press was unfriendly during the war, during the Peace negotiations and after the Peace, and there were several occasions during the war when their neutrality appeared to have a distinct bias towards Germany. The above are suggestions as to the line that we might take in approaching the Dutch officially and unofficially, but I think it only right to add that I have not now much confidence in the result. They feel that we are far from sure of our own case, and that we are not by any means unanimous.' Mr. Robertson had further stated in his letter of July 29: 'I personally feel very strongly that the Kaiser ought not to be allowed to escape a trial. The difficulty is to get him before a Court and to convince the Dutch that they are doing the right thing in handing him over.'

No. 44

*Record of a meeting in London of the Supreme Economic Council*[1]

*No. XXIX [Confidential/General/128/2]*

The Supreme Economic Council held the First Session of its twenty-ninth Meeting on Friday, the 1st August, 1919, at 3 p.m., at the Colonial Office in London, and the Second Session of its twenty-ninth Meeting on Saturday, the 2nd August, at 10.30 a.m., at the India Office, under the Chairmanship of Lord Robert Cecil.

The Associated Governments were represented as follows:—

*America, United States of—*
  Mr. Hoover.
  Mr. J. Foster Dulles.

*British Empire—*
  Mr. Austin Chamberlain.
  Sir Auckland Geddes.
  Sir Joseph Maclay.
  Mr. G. H. Roberts.
  Mr. Cecil Harmsworth.

*France—*
  M. Clémentel.
  M. Vilgrain.
  M. Dupuy.
  M. Avenol.

*[France (cont.)]—*
  General Payot (representing Marshal Foch).

*Italy—*
  Signor Schanzer.
  Signor Marconi.
  Signor Salvatore Orlando.
  Commander Volpi.
  Professor Attolico.

*Belgium—*
  M. Jaspar.
  Colonel Theunis.
  Major Bemelmans.

[1] This document is printed op. cit., vol. x, pp. 489 f.

The following decision from the Supreme Council was reported:—

'*Resolved that the problems arising out of present difficulties of providing food, coal, and raw materials to Allied Powers should be submitted to the Supreme Economic Council for examination and report.*'[3]

## (a) Food

A memorandum from the French Delegation (259),[4] proposing that an organisation be maintained to ensure Inter-Allied or International co-operation in the co-ordination of national control of wheat, frozen meats, sugar, and other foodstuffs, was considered.

The French Delegates stated that the French Government was compelled for the time being to maintain control of certain foodstuffs, as, for example, wheat; that the British and other Governments were retaining this control, and that for these reasons they felt that co-operation in national buying would prevent an undue rise in the prices of essential foodstuffs. They elaborated their proposals suggesting that a Committee with representatives from the different Governments, including producing countries, should be entrusted with the determination of questions of general policy and with the collection and study of data, and that the Wheat Executive should be retained as a consultative body.

The British Delegates expressed general approval of the French proposals as outlined, on the understanding that each nation would provide its own shipping and finance.

The Italian Delegates stated that they were in favour of the French proposals, as in Italy it was still impossible to restore complete freedom. They emphasised, however, that the proposed organisation could be only consultative.

The Belgian Delegates also expressed approval of the French proposals, stating that in Belgium, too, some measure of economic control was still essential.

The American Delegates stated that, owing to the fact that the American Food Administration came to an end with the signature of Peace, and as they had no authority to act in this matter, they could not take any active part in the proposals laid down without instructions from Washington. They would like to present some features of the matter from purely an objective point of view.

It was true that there had been some degeneration in the world food supplies from the high prospects of two months ago, but the harvests of the world were, from every evidence, still large enough to take care of the world's necessities. Nevertheless, the margin of surplus was sufficiently narrow to create grave dangers of speculation and, in fact, the diminution of prospects,

---

[2] The preceding minutes recorded discussion of other matters.
[3] Decision of July 29, 1919: see Volume I, No. 22, minute 4.
[4] Appendix 259 below.

together with the general moral relaxation in the world, had already given rise to considerable speculation and profiteering, as evidenced in the advance of prices of Argentine, Australian, and Canadian wheat due to speculation within the last month or two. They were confident that any plan that would militate against speculation and profiteering would be received sympathetically by the American people.

There were, however, several points on the proposals which should receive consideration. In the first instance, combined buying, or even consultation on prices, practically meant to a considerable degree fixing of prices during the year. So great a domination of the world's food markets and the virtual fixing of prices which was possible under these arrangements would require the broadest statesmanship if it were to avoid the dangers which are inherent in these methods.

If prices are fixed there is a tendency to discourage production, unless those prices are fixed on an extremely liberal basis. Europe could not afford to have any diminution in production of the world's food supplies, for even a small percentage, such as 15 per cent., in Western Hemisphere wheat production would starve Europe.

They continued that there was also another phase to the matter, and that was that such arrangements necessarily violate the economic basis of normal food production, because all food is seasonal in its production, and the economic burden of carrying these seasonal supplies for distribution over the entire year is necessarily normally carried by the whole distribution trades, and if prices are to be determined the distribution trade will not be disposed to carry the surplus against an unknown fixation of prices by a powerful body whose action in any circumstances must necessarily be unknown to them. The economic result might quite well be that the trades would refuse to carry the surplus, and that prices in consequence would fall to a point below the cost of production, and if these methods were to be adopted it would be necessary to give consideration to the necessity of purchasing large stocks of food during the season of flush production with a view to their distribution at a later period. A case in point of this nature was that of the American fat products during the last winter, when certain of the Allied agencies held the view that advantage should be taken of the great momentary surplus unduly to break prices, and, had it not been for the intervention of the American Government, the production of fats would have been so discouraged as to have left Europe during the forthcoming year without one-half of her present available supplies.

Another feature bearing upon these proposed plans was the danger of creating in the minds of the producers in the Western Hemisphere the belief that a combination of buyers had been erected to dictate prices to the producer, the repercussions of which in financial and political issues would be most material.

Under these circumstances the American Delegates would strongly recommend to the Allied Governments that no plan of this character should be placed in action until it had been presented to the American Government in

Washington. If contracts could be re-established on a basis of co-operation with the United States, by which the inherent economic weaknesses of such plans were ameliorated, it might be constructive in the control of profiteering and speculation, but unless it had the support of the producer as well as of the consumer the gravest possible dangers would result as to the future of the world's food supplies.

The American Delegates believed that existing conditions of enlarged freedom in transportation and the much larger area of markets available to Europe during the next year than maintained during the war did not warrant the fixing of prices; they believed that price fixing and the control of speculation and profiteering were entirely different economic phenomena, and the latter would be handled without the necessity of entering upon the former. There was, of course, great conflict of view in these matters, but in any event the American Delegation felt that it should not, under the circumstances, enter upon these discussions, but that the plans formulated should be presented directly to the Government in Washington.

The British, French, Italian, and Belgian Delegates stated that their proposals presupposed American co-operation, and that, in the interests of all, there must be no combination of buyers pitted against a combination of producers.

It was agreed—

(1) That the British, French, Italian, and Belgian Delegation[s] should each appoint two representatives on a Committee to meet immediately and prepare a report for submission to the Supreme Council regarding the problems arising from the present difficulties of providing food for Europe.

(2) That before final adoption the scheme devised by this Committee should be placed before the United States Government with an invitation to co-operate.

### (b) Coal

1. The Council considered a memorandum presented by the Italian Delegates (260)[5] dealing with the coal situation in Italy.

The French Delegates pointed out that the facts stated in the Italian memorandum as to the quantity of coal supplied by Great Britain, and as to the consequences of the British dual price system, applied equally to France.

The British Delegates stated that the present estimate of the output of coal was below the requirements of their internal use and bunker consumption, and that, accordingly, it was impossible for Great Britain, at the present moment, to promise to ship any specified quantity of coal.

It was agreed—

That the Council should recommend to the Governments of coal-producing countries to take under careful consideration the urgent needs of coal expressed by the different Delegations, and especially by the Italian Delega-

[5] Appendix 260 below.

tion, in view of the extremely grave situation now menacing Italy as a result of the reduction of the importation of coal.

2. A memorandum submitted by the Director-General of Relief on the European Coal Situation (261)[6] was considered.

The American Delegates suggested that the Supreme Council should be asked to establish immediately a Coal Commission to undertake the co-ordination of the production and distribution of coal throughout Europe. The Reparation Commission for Germany, the Teschen Commission, the Plebiscite Commission for Silesia, and the different Commissions charged with matters of transport, should all be instructed to co-operate with this Coal Commission and assist in the work of the Coal Commission to the full extent of their powers.

The Council agreed, in principle, the recommendations made by the American Delegates, and each Delegation was asked to appoint a member upon a Coal Committee to meet in Paris on Monday August 4, to prepare a report and recommendation for the Supreme Council.

The Council further agreed, pending the decision of the Supreme Council, to recommend to the different Governments the urgent necessity of increasing the production and restraining and reducing the consumption of coal.

### (c) Raw Materials

It was agreed that a Raw Materials Committee, composed of one representative from each of the Governments, should prepare a report for submission to the Supreme Council.[7] . . . .[8]

### 293. Appointment of an International Statistical Committee

It was agreed that an International Statistical Committee, consisting of one representative of each country, should be constituted with a view to producing an international monthly bulletin of economic statistics on the lines of that recently issued by the British Department of the Supreme Economic Council. The Committee was to act in consultation with the Economic Section of the League of Nations' Secretariat, and the cost of producing the bulletin was to be borne on a basis to be agreed by the countries participating.

It was understood that the work of this Committee should eventually be taken over by the League of Nations.

### 294. Economic Co-operation after Peace

The British Delegates reported that their Government approved the recommendations made by the Committee on Policy of the Supreme Economic Council (see Minute 259)[9] and agreed, in principle, that the first session of

[6] Not printed. This memorandum was the statement which Mr. Hoover read to the Supreme Council on August 5, 1919, for which see Volume I, No. 28, minute 3.

[7] Note in official edition of original: 'Modified by the addition of the word "Economic" (see Minute 296 [No. 137]).'

[8] The meeting passed to the discussion of other matters.

[9] See No. 17.

the proposed International Economic Council should be held at Washington. They pointed out, however, that it might be impossible for the Cabinet Ministers now sitting as delegates to attend in person.

The French, Italian, and Belgian Delegates stated that their Governments had approved the recommendations in principle.

### 295. *Permanent Committee*

The British Delegates suggested that a small permanent committee should sit in London with the view to expediting the despatch of current business.

It was agreed—

(1) That a Permanent Committee composed of one representative from each of the Governments should sit in London.

(2) That this Committee should dispose of matters of routine or current business, referring to the full Council questions of great importance, or where obviously there was likely to be a difference of opinion.

### APPENDIX 259 TO No. 44

*Memorandum of the French Delegation concerning Inter-Allied Control of Foodstuffs*

1. It had been hoped that the restoration of peace would allow the different Allied and Associated Governments to suppress State control and the regulations set up during the war.

These national and Inter-Allied organisations were set up exclusively for war purposes, in order to ensure co-operation and mutual aid between nations with a view to defeating the enemy.

The maintenance of national control in peace time only has the effect of allowing certain countries to create for themselves a privileged economic situation compared with other countries.

This state of affairs is liable to create friction between countries, renders impossible any idea of international credits, and discourages work and production.

In principle, therefore, we must desire the speediest possible abolition of all such control.

2. It cannot however be doubted that the war is not yet completely over, that the supplies of some commodities are still less than requirements, that tonnage is insufficient to satisfy the demands made on it, and that commerce cannot fulfil its normal role of ensuring supplies.

States must therefore themselves for some time to come ensure the supply of their populations; but they must do so as a measure of liquidation of the state of war.

3. This being admitted, it is necessary that as long as these national controls last there should be Inter-Allied and even international co-operation, so as to avoid a competition between States which would be injurious both to their finances and to their mutual relations.

We therefore propose that an organisation should be maintained in order to co-ordinate national controls as regards wheat, frozen meat, sugar, and various foodstuffs in European countries.

E. V.

*July 30, 1919*

## Appendix 260 to No. 44

### *Coal Situation in Italy*

The Italian Delegation has very little to add to what has been repeatedly said regarding the coal situation in Italy. Suffice it to say that, incredible though it may seem, the situation is even worse than it was, and that everything points to a still worse time to come. The railway service is again being reduced, privately-owned coal is being commandeered, and, despite the fact that 500,000 men are already unemployed, strikes are being organised artificially in the most important coal-consuming industries in order to camouflage the situation.

The following features of the case deserve special consideration:

### I

Just recently England has decided to cut down her coal exports to Italy by 56 per cent.[10] and in almost equal measure, if not less, to France. Quite apart from the unpleasant effect of such drastic measures (for which, of course, many sound and good reasons can be found), when taken so suddenly and without any previous consultation with the importing countries, it is quite apparent that an equal reduction of exports to France and to Italy leads to quite unequal results, because while France imports only a supplement to her home production, Italy must import from abroad the whole of her coal requirements.

Futhermore, the longer voyage from America reacts in such a way as to make American coal more available to France than to Italy.

It is therefore only fair that the proportion of British coal to be exported to Italy should be increased as compared to that to be exported to France, so as to bring about an equal total deficiency in both countries.

### II

The system of the dual price, one for home consumption and one for export, which has been inaugurated in England, is working against the most vital interests of Italy. The difference between these two prices amounts to almost 30*s*. per ton. This difference is tantamount to a correspondingly increased import duty on goods of Italian origin imported into England, and to a corresponding protection of British industries as against Italian. In the case of Italy it works out more unfavourably than in the case of France, because of the above-mentioned fact that Italy must import from abroad the whole of her national coal requirements.

[10] Note in original: 'As a matter of fact, the monthly allowance of coal to Italy has been reduced from 750,000 tons to 330,000 tons.'

## III

The question of German coal for Italy, which was brought up in the last memorandum of the Italian Delegation (see letter from Professor B. Attolico to Lord Robert Cecil),[11] has been temporarily settled by a friendly understanding between Italy and France, whereby the latter leaves to Italy the import for the incoming month (5th August to 5th September) of 175,000 tons of German coal (which France will be unable to import herself owing to transport difficulties) such understanding to be renewed possibly for the next one or two months.

The Supreme Economic Council is requested to ratify this understanding and also to make a general ruling that until the Reparation Commission is in a position to handle this problem, whatever coal France is unable to draw for herself under the priority established by the Peace Treaty, is to be left to Italy.

## IV

It is, however, incumbent upon the Italian Delegation to point out that, in the course of time, the provisional measures stated under III will not be sufficient.

While the dual price system in England (mentioned under II) protects British industries, the low price of German coal, which is assured to France in priority under the Peace Terms, works automatically as a protection of French industries.

If all these conditions remain unchanged, Italy will be precluded altogether from competitive production, and, therefore, the revival of the economic life of Italy will be rendered impossible. It will be appreciated that Italy can only get on her feet again through work. Industrial work, of course, implies the possibility of profitable production, and just now manufacturers in Italy are beginning to realise that the cost of raw materials, plus freight, plus coal, plus wages, is such as not to allow of any competitive production for export purposes, while production for the home market is rendered so expensive that it reacts on the cost of living in a way to bring about the collapse of the whole economic organism of the country, which is dependent for its existence on low cost of living. Italians are known all over the world as very industrious and hard-working people; but if work is rendered impossible, then life also is impossible. The question is an extremely grave and far-reaching one.[12]

## V

Some of the facts above mentioned prove that the question of coal will necessarily remain for many months to come a matter of great international

[11] For this letter cf. *Papers relating to the Foreign Relations of the United States: the Paris Peace Conference 1919*, vol. x, pp. 349 f.

[12] Note in original: 'Steel and iron are also fundamental requirements for all countries. Scarce and dear coal reacts enormously on the Italian production of the same, which has never been so low as it is at present since 1915. On the other hand, supplies of cast-iron and steel are extremely difficult to obtain and Great Britain is unable to supply Italy with the minimum quantity we require from that country.'

concern, if anything like economic equality, such as will ensure fairly equal chances of working and producing, is to be secured and the foundations of peace maintained.

Those countries which are happy enough to possess coal, other important raw materials and freight, possess something on which not only their own life, but also the life of all other countries depends. Some limitation to the unlimited free use of these resources is necessary if world-life is to be assured.

In no other case, therefore, is international co-operation and mutual help—not mere consultation—so essential as in the case of coal.

B. ATTOLICO

*London, July 31, 1919*

## No. 45

### *Earl Curzon to Mr. Balfour (Paris)*

*No. 5188 [108156/25108/4]*

FOREIGN OFFICE, *August 2, 1919*

Sir,

With reference to your despatch, No. 1335,[1] of the 18th ultimo, I have the honour to inform you that on July 26th the Belgian Minister called on Sir Ronald Graham in connection with an incident which occurred at Malmédy, and left the annexed note[2] on the subject as well as an extract[3] from the Belgian Press.

It appears that the Belgian flag had been hoisted at the British base at Malmédy in honour of the national fête day. General Hyslop, the British officer in command, was absent at the time, but on his return expressed disapproval and ordered the Belgian flag to be publicly hauled down.

A copy of a telegram[4] from His Majesty's Ambassador at Brussels reporting the incident is also enclosed herewith.

Baron Moncheur said that such an incident, which would always be possible until the question of occupation by Belgian instead of British troops had been satisfactorily settled, would produce a deplorable effect throughout Belgium. He showed Sir Ronald Graham, in confidence, the text of instructions which he had received from the Belgian Government to request the recall of General Hyslop, but said that he did not propose to act upon them, and Sir Ronald expressed strong agreement with his attitude. He also told Sir Ronald privately that General Hyslop was alleged to have been on far too friendly terms with the German Landrath of the district.

[1] Not printed: see the fifth paragraph below.
[2] Not annexed to filed copy of original. This note of July 26, 1919, stated that the conduct of General Hyslop (see below) had caused a very painful impression, and reiterated the request that the British troops of occupation might be relieved by Belgian troops.
[3] Not annexed to filed copy.
[4] Not annexed to filed copy. This telegram, No. 131 of July 25, 1919 (received that day), briefly reported the incident described in the preceding paragraph.

Sir Ronald Graham read to Baron Moncheur the second paragraph of your despatch, No. 1335,[5] of the 18th ultimo, from which it appeared that the British Military Authorities were perfectly ready to evacuate the districts of Malmédy and to leave them to a Belgian occupying force, provided that the training camp and barracks of Elsenborn were retained for British use for the present, and that Marshal Foch had again recently been requested to give the necessary authority for this change of military control and occupation to be carried into effect.

Baron Moncheur expressed lively satisfaction, and said that there would be no difficulty about leaving the camp and barracks at Eksenborn [*sic*] for British use.

I also enclose a copy of a despatch[3] from Sir F. Villiers relative to the desirability of withdrawing the British troops from Malmédy.

I should be glad to be informed as soon as possible as to whether the necessary orders for the withdrawal of British troops from the Malmédy district have been given and carried out, and I would emphasize the importance of an early evacuation of the district.

I would request you, should you see no objection, to approach the French authorities again with a request that they will expedite the necessary action.

I have, &c.,
[(For Earl Curzon of Kedleston)
GERALD SPICER][6]

⁵ Not printed.
⁶ Signature supplied from files of the British Peace Delegation.

## No. 46

*Note from the Belgian Peace Delegation in Paris*[1]

[*Confidential/General/123/7*]

PARIS, *le 3 août 1919*

Conformément au désir exprimé au cours de la séance du 29 juillet,[2] la Délégation belge se permet d'envoyer à Messieurs les Membres de la Commission pour la Revision des Traités du 19 avril 1839 un *schéma* servant de base à l'exposé qu'elle se propose de faire à la séance du 4 août (1 annexe: une carte de la Belgique avec l'Escaut et la Meuse).[3]

La Délégation belge saurait gré aux Membres de la Commission de bien vouloir se munir de ces documents à la séance du 4 août.

La seconde partie de ce schéma relative aux clauses d'ordre politique sujettes à revision suivra incessamment.[4]

¹ The date of receipt in the British Delegation is uncertain but this document was first seen by Mr. Tufton on August 4 (cf. No. 47). The document has not been traced in the main files, and the present text is supplied from a supplementary collection of papers, probably made by Mr. Tufton.
² See No. 39.                                                    ³ Not annexed to filed copy.
⁴ The second part of this document is filed, and is printed below, together with the first part.

*Revision des Traités de 1839*

*Première Partie*

Clauses affectant les intérêts d'ordre économique.

Ces intérêts soulèvent trois questions

I. Celle de la liberté des communications de la Belgique avec la mer,
II. Celle de la liberté des communications de la Belgique avec son arrière-pays,
III. Celle de la liberté des communications de la Belgique par l'Escaut Oriental vers le Bas-Rhin.

## I

Liberté des communications avec la mer.
A. Par l'Escaut de et vers Anvers.
B. Par le Canal de Terneuzen et l'Escaut de et vers Gand.
C. Questions connexes.

## A
*Liberté de l'Escaut*

La Belgique n'a pas son libre accès à la mer.

Les Traités de 1839 ne consacrent pas cette liberté.

La Belgique avait cru obtenir la co-souveraineté du fleuve.

Le régime des Traités donne à la Hollande le droit de veto, sans sanction correspondante pour la Belgique.

Ce régime met en lumière 4 vérités essentielles:

### 1e Proposition

L'Escaut ne sert pas à la Hollande. Il ne sert qu'à la Belgique. Et cependant la Belgique n'a pas le droit d'en disposer librement (entraves au point de vue:

1) des travaux,
2) du balisage et de l'éclairage,
3) du pilotage,
4) des saisies judiciaires, du service sanitaire, de la télégraphie sans fil, des règlements de navigation, du charriage des glaces, des eaux territoriales et côtières.)

Inexécution des Traités.

### 2e Proposition

La Hollande n'a pas intérêt à maintenir la liberté de l'Escaut. Par ses ports, elle est le concurrent le plus direct d'Anvers.

Aussi 1) jusque 1814 n'a-t-elle pas cessé de ruiner Anvers.

2) Depuis 1814 elle a entendu garder l'Escaut dans sa dépendance. Il n'est pas admissible que la Belgique lui laisse la clef de sa porte.

### 3ᵉ Proposition

Les Traités de 1839 n'ont pas tenu compte d'un élément essentiel à la liberté effective de l'Escaut: c'est le développement progressif de la construction navale et la nécessité qui en résulte de transformer les voies d'accès vers les ports.

### 4ᵉ Proposition

Le danger pour Anvers de voir compromettre la liberté de l'Escaut s'est encore accru depuis la guerre. — Le péril allemand. — L'intérêt international.

### Conclusions

La Belgique doit avoir la maîtrise de l'Escaut, c'est-à-dire:

1. Le droit de faire exécuter par la Hollande, et aux frais de celle-ci sur la partie hollandaise du fleuve, tous les travaux nécessaires à la navigabilité du fleuve (pour répondre à tous les besoins de la navigation) et comme sanction, si la Hollande reste en défaut de les exécuter à première demande, le droit de les exécuter sans aucun retard en son lieu et place.

Au cas où la Belgique offrirait de payer les travaux, elle doit pouvoir les exécuter directement et sans entraves.

De même, elle devrait pouvoir exécuter les travaux à travers les terres riveraines du fleuve, pour autant que ces travaux soient rendus nécessaires pour les besoins de la navigation, et moyennant le payement d'une juste indemnité.

2. Les mêmes droits en ce qui concerne le balisage, l'éclairage et les bouées.

3. Le droit de faire usage des deux rives de l'Escaut dans toute la mesure nécessaire pour l'exécution de tous travaux.

4. Le droit d'exploiter et de régler les services accessoires sur l'Escaut (pilotage, télégraphie sans fil, règlements, etc.) de la façon que la Belgique juge la plus utile à la navigation.

5. D'autre part, la Hollande ne pourra exécuter sur les rives ou au delà, des travaux de nature à nuire à la conservation des passes ou à la navigabilité du fleuve.

### B

#### Liberté du canal de Terneuzen

Ce canal ne sert pratiquement qu'à desservir du trafic belge et à relier Gand à l'Escaut et à la mer.

Gand et le canal sont dans la dépendance de la Hollande.

Ils sont ainsi entravés dans leur développement. (Entraves à la liberté au point de vue:

1) des travaux. Dépenses relatives à ces travaux. — Pression et charges. — Inexécution des Traités.

2) des règlements,
3) du pilotage,
4) du transit,
5) des ensablements.)

### Conclusions

La Belgique payant, malgré les Traités, les travaux et l'entretien du canal devrait pouvoir exécuter ces travaux, les entretenir et les exploiter selon ses besoins.

A cette fin la solution logique serait qu'elle fût propriétaire du canal (construit par elle), de ses rives et de son embouchure, et qu'elle pût disposer librement des voies ferrées qui en sont le complément et dont l'exploitation est d'ailleurs assurée par des concessionnaires belges.

## C

### Questions connexes

*a) L'écoulement des eaux de la Flandre belge*

Obligation pour la Hollande d'assurer cet écoulement.
Obstacles apportés à l'exécution de ce devoir.
Plaintes de la Belgique.
Mesures prises pendant la guerre.

### Conclusions

L'écoulement des eaux de la Flandre belge n'étant pas assuré à travers la Flandre zélandaise conformément aux obligations que les traités imposent à la Hollande, la Belgique devrait pouvoir faire exécuter les ouvrages d'art et les travaux nécessaires à cet écoulement et en assurer la manœuvre, la Hollande devant s'abstenir de faire encore des travaux de nature à nuire à l'écoulement des eaux de la Flandre belge.

*b) les intérêts des pêcheurs*

La situation à Bouchoute. Le droit des pêcheurs belges.

## II

### Liberté des communications de la Belgique avec son arrière-pays

A. Vers le pays mosan
B. Vers le pays rhénan et mosellan
C. Questions connexes.

## A

### Vers le bassin de Liége et au delà
### (en Belgique et en France)

Voie suivie.
Entraves dans l'enclave de Maestricht.

## B

*Vers le Rhin et au delà*

La voie ferrée créée en 1873.

Nécessités actuelles : voie d'eau, voies ferrées, rapprochement avec le Limbourg cédé.

## C

*Questions connexes*

*a*) Nécessité d'agrandir les canaux belges. — Prises d'eau.

*b*) Canalisation de la Meuse.

### *Conclusions*

1. Il y a lieu de supprimer les entraves qui présente pour la navigation l'enclave de Maestricht, notamment en élargissant le canal et en laissant à la Belgique la gestion de ce tronçon.

2. Il y a lieu de créer, avec gestion par la Belgique, un canal Rhin–Meuse–Escaut par le Limbourg cédé et d'établir les voies ferrées et les raccordements nécessaires et de faire les arrangements ferroviaires nécessaires pour assurer à la Belgique la liberté et la rapidité de ses communications.

3. Il y a lieu d'assurer à la Belgique une prise d'eau à la Meuse, suffisante pour lui permettre d'améliorer ses voies d'eau conformément aux besoins de la navigation.

4. Il y a lieu, par un accord économique de lever la barrière que le Limbourg cédé forme entre la Belgique et son arrière-pays.

## III

*Liberté des communications de l'Escaut Occidental avec le Bas-Rhin*

Obligations des Pays-Bas.

Barrage du Sloe et de l'Escaut Oriental.

Compensations insuffisantes.

Droits de la Belgique.

### *Conclusions*

Création d'un canal Anvers–Moerdyck.

### *Deuxième Partie*

### Défense nationale

*La partie de la note relative à cet objet sera envoyée ultérieurement.*[4]

### *Deuxième Partie*

### Clauses d'ordre politique

I. *La neutralité perpétuelle obligatoire* (article VII).

Dès à présent, toutes les parties intéressées sont d'accord sur la nécessité de reviser cet article.

Il importe de ne pas se méprendre sur les motifs pour lesquels la Belgique a demandé la revision de l'article VII.

La neutralité a été établie non seulement contre la Belgique mais aussi pour la Belgique.

La disparition de la neutralité garantie crée à la Belgique un préjudice: elle affecte gravement sa sécurité.

II. *Port d'Anvers* (article XIV).

Origine de cette stipulation.

Elle n'a plus de justification. Elle crée une limitation de la souveraineté.

Conclusion: le but général de la revision étant de supprimer les entraves apportées à l'exercice de la souveraineté belge, l'article XIV suit le sort de l'article VII.

III. *Baerle-Duc* (enclave belge en territoire hollandais).

Cause de la survivance de cette enclave.

Inconvénients de la situation.

La Belgique convie la Hollande à négocier un arrangement équitable qui mettrait fin aux incidents et sauvegarderait les intérêts des habitants de l'enclave.

IV. *Les clauses territoriales et fluviales responsables du préjudice subi par la Belgique* (art. 1, 2, 3, 4, 5, 6. . . .[5])

A. Comment se pose le problème de la sécurité de la Belgique:

1°) l'indépendance et la neutralité de la Belgique étaient placées sous la garantie de toutes les Grandes Puissances de l'époque.

2°) jamais aucune nation n'a bénéficié d'une sécurité reposant sur une garantie conventionnelle aussi solide en apparence.

3°) l'octroi à la Belgique d'une garantie exceptionnelle trouvait sa justification: *a)* dans un interêt général; *b)* dans la débilité de la constitution territoriale que l'Europe lui avait imposée.

4°) le territoire belge présente l'aspect d'un triangle ouvert aux trois extrémités. Il n'a de limites politiques ni militaires nulle part. La neutralité garantie ayant disparu, la sécurité de la Belgique est compromise.

5°) la destinée de la Belgique est intimement liée à la possession et à la libre disposition de ses deux fleuves nationaux.

Elle ne dispose ni de la Meuse ni de l'Escaut.

B. La Meuse est une ligne politique et militaire dont la possession est la condition de l'indépendance de la Belgique.

1°) Par suite de quelle succession d'événements la Belgique a-t-elle perdu la ligne de la Meuse en perdant le Limbourg?

2°) L'œuvre de la politique prussienne.

3°) La perte de cette ligne ouvre à l'Allemagne une porte sur la Belgique et par la Belgique sur l'Europe Occidentale.

[5] Punctuation as in the original.

4°) Dans l'intérêt de la Belgique et dans l'intérêt général la trouée du Limbourg doit être fermée.

5°) Les Pays-Bas rempliraient le premier des devoirs internationaux en prenant des dispositions afin que leur territoire ne puisse servir de route d'invasion à des armées ennemies de la Belgique.

Sont-ils en mesure de remplir ce devoir?

C. La ligne de l'Escaut est la seconde ligne de défense de la Belgique: elle aussi couvre la côte de Flandre et indirectement la France.

1°) Cette ligne aussi est tournée.

2°) Origine de cette situation.

3°) Conséquence de la situation actuelle d'après l'expérience de la grande guerre.

D. L'Escaut est l'artère des communications de tout le Nord de la Belgique, y compris le pays mosan.

En temps de guerre, c'est par le Bas-Escaut que la Belgique doit recevoir approvisionnements et secours.

D'après le système de 1839 la Hollande se considère comme obligée d'ordonner la fermeture de l'Escaut en cas de menace de guerre, c'est-à-dire au moment précis où la liberté du fleuve importe essentiellement à la défense de la Belgique.

Conclusions:

1°) Meuse.

La Hollande est tenue de défendre le Limbourg, mais elle ne peut s'acquitter de ce devoir.

La Belgique pourrait défendre le Limbourg mais on ne peut lui imposer cette charge de la souveraineté si on ne lui restitue pas le Limbourg.

Reste une solution: assurer la défense de la Meuse limbourgeoise par la coopération des forces hollando-belges.

Les Pays-Bas s'engageraient vis-à-vis de la Belgique à défendre le Limbourg et à prendre en temps de paix les mesures nécessaires à cet effet.

Sur cette base, une convention militaire réglerait les conditions de la coopération des forces hollandaises et belges pour la défense de la Meuse, au cas où le Limbourg serait menacé.

2°) Escaut.

Principe: Au cas où la Belgique serait attaquée par une tierce Puissance le Royaume des Pays-Bas serait dispensé de faire respecter par la Belgique sa neutralité sur l'Escaut et dans la Flandre zélandaise, sans que cette attitude puisse être considérée par la Puissance ennemie de la Belgique comme un casus belli.

Application

a) La Belgique pourrait en temps de guerre se servir de l'Escaut pour le passage de ses navires de guerre et de ceux de ses alliés et pour tous transports de troupes, de munitions, d'approvisionnements et de prises.

*b*) La Belgique pourrait appuyer en temps de guerre sa défense sur tout le cours du Bas-Escaut.

Les détails techniques de ces solutions seraient à discuter entre les experts militaires des Puissances intéressées.

En résumé: la Belgique désire obtenir des sécurités et des garanties, en remplacement de celle que lui offrait le traité de 1839, qui la préservent des invasions et empêchent que son territoire continue dans l'avenir à servir de champ clos où se règlent les conflits européens.

Le traité de Paix apporte certaines garanties de sécurité à tous les peuples et le peuple belge les apprécie pleinement.

> Société des Nations,
> Réduction des armements imposée à l'Allemagne,
> Désarmement de la rive gauche du Rhin.

Ces garanties ne donnent pas à la Belgique la protection *immédiate* que requiert la position qu'elle occupe au point le plus exposé de l'Europe Occidentale et ne lui assurent pas la possibilité d'arrêter sur ses frontières mêmes la marche des invasions.

## No. 47

### Record of a meeting in Paris of the Commission for the revision of the Treaties of 1839

No. 2 [Confidential/General/177/9]

*Procès-verbal No. 2. Séance du 4 août 1919*

La séance est ouverte à 10 heures sous la présidence de M. Laroche, *Président.*

*Sont présents:*

M. Fred K. Neilson (*États-Unis d'Amérique*); l'Honorable Charles Tufton et le Brigadier Général H. O. Mance (*Empire britannique*); MM. Laroche et Tirman (*France*); M. Marchetti-Ferrante et le Professeur Dionisio Anzilotti (*Italie*); le Général Y. Sato et le Professeur K. Hayashi (*Japon*); MM. Segers et Orts (*Belgique*); le Jonkheer R. de Marees Van Swinderen et le Professeur A. Struycken (*Pays-Bas*).

*Assistent également à la séance:*

Le Major John S. Hunt (*États-Unis d'Amérique*); M. Bland (*Empire britannique*); M. de Saint-Quentin (*France*); M. Tani (*Japon*); MM. de Bassompierre et Hostie (*Belgique*); le Baron de Heeckeren (*Pays-Bas*).

Le Président. Je pense que chaque Délégation a bien reçu le dossier qui avait été préparé pour elle.

*Observations sur les documents distribués par le Secrétariat général.* M. Van Swinderen (*Pays-Bas*). Dans le dossier qui nous a été distribué, mon attention a été attirée par le résumé du discours de M. van Karnebeek.[1] Je crois qu'il y a eu là une erreur: le texte qui nous a été distribué n'est pas conforme aux paroles que M. le Ministre des Affaires étrangères a prononcées. Cette inexactitude me surprend d'autant plus que M. le Ministre a remis au Secrétariat la reproduction sténographique des paroles qu'il a prononcées: j'incline à croire que le Secrétariat, au lieu de se baser sur cette sténographie, a pris les notes qui ont été rédigées en séance et que M. Van Karnebeek a modifiées et corrigées. Je prie M. le Président de vouloir bien demander au Secrétariat de remplacer le compte-rendu qui nous a été remis par le véritable document authentique corrigé par M. le Ministre des Affaires étrangères de Hollande.

Le Président. Si la Délégation néerlandaise a des rectifications à faire, il lui est facile de se mettre en rapport avec le Secrétariat qui fera distribuer un texte revu par les intéressés et présentant tous les caractères d'authenticité.

M. Orts (*Belgique*). Puis-je vous demander, Monsieur le Président, si le discours ou plutôt l'exposé de M. Hymans qui nous a été distribué contient les corrections que M. Hymans a faites lui-même sur les notes qui lui ont été soumises.

M. de Saint-Quentin (*France*). Les procès-verbaux des séances des 19 et 20 mai[2] sont définitifs et contiennent les rectifications apportées par MM. les Ministres des Affaires étrangères de Belgique et des Pays-Bas. En ce qui concerne le procès-verbal du 3 juin,[2] j'ai lieu de croire qu'il reproduit exactement les paroles de M. Hymans qui était à Paris et qui a pu réviser ce qu'il a dit. Par contre, M. Van Karnebeek est reparti immédiatement pour les Pays-Bas et, lorsqu'il a fait parvenir ses rectifications trois semaines plus tard, la première édition du procès-verbal était déjà prête. Mais on a pris note de ces rectifications pour le procès-verbal définitif. Il est facile de faire distribuer aux membres de la Commission une épreuve de ce procès-verbal définitif en échange du texte qu'ils ont sous les yeux.

Le Président. Nous demandons donc aux Délégations de bien vouloir nous faire parvenir les observations qu'elles auraient à présenter sur les documents qui ont été distribués.

*Procédure de la Commission.* Cela dit, je rappelle que nous avons décidé d'entendre aujourd'hui l'exposé que doit faire M. le Premier Délégué de Belgique. Il est bien entendu — je tiens cependant à le répéter — qu'il ne s'agit ici que d'un exposé, à la suite duquel nous entendrons celui que croira devoir faire la Délégation néerlandaise. C'est seulement après avoir entendu les deux Délégations que la Commission aura à retenir des exposés ce qui l'intéresse au point de vue du programme qui lui a été tracé par la Conférence et pourra ainsi fixer l'ordre de ses travaux et la procédure qu'elle emploiera pour mener à bien la tâche qui lui a été confiée.

[1] This speech had been delivered before the Council of Foreign Ministers: see No. 39, note 4.      [2] See No. 39, note 4.

M. Van Swinderen (*Pays-Bas*). Monsieur le Président, je regrette d'avoir
encore à vous demander la parole avant que nous n'entendions

*Objections de la* M. le Délégué belge. Je voudrais, en effet, attirer l'attention
*Délégation* de la Commission sur les documents que la Délégation belge
*hollandaise.* a eu l'amabilité de nous faire parvenir hier pour nous faire
connaître 'les bases de l'exposé qu'elle se propose de faire'.[3]

Je regrette de devoir dire que je ne puis accepter ces bases et je me flatte
que les autres Délégations et le Président en premier lieu voudront bien
s'associer à notre manière de voir.

En nous séparant la dernière fois, nous avons dit que l'exposé annoncé par
M. Segers devrait tenir compte de la résolution prise au mois de juin par le
Conseil des Ministres des Affaires étrangères et nous avons même donné une
certaine élasticité à la règle qui était ainsi posée; cependant M. le Président
déclarait textuellement:

Il est évident que les conclusions qui seront déposées par les Délégations
belge et hollandaise devront être absolument conformes aux résolutions de
la Conférence.

Et il ajoutait:

Je me résume: conclusions strictement conformes à la résolution de la
Conférence, mais liberté dans les explications préliminaires.[4]

Or, dans le papier que nous a remis la Délégation belge, je vois qu'il s'agit
là d'un schéma 'servant de base à l'exposé qu'elle se propose de faire'.[3] Un
coup d'œil sur ce schéma montrera tout de suite que la Délégation belge ne
s'est pas conformée aux indications de M. le Président et que certaines de ses
conclusions contiennent des servitudes internationales indiscutables.

La Hollande a déclaré, par la voix de son Ministre des Affaires étrangères,
qu'elle prendrait part à la révision des Traités de 1839 à la condition formelle
qu'on ne soulèverait aucune question de cession de territoire ou de servitude
internationale; le Conseil des Cinq en ayant délibéré, a adopté le point de
vue hollandais. Dans ces conditions, le résumé remis par la Délégation belge
n'étant pas conforme à la décision du Conseil des Ministres des Affaires
étrangères, je vous prie, Monsieur le Président, de vouloir bien mettre aux
voix cette question préalable: est-il admissible, étant donnée la résolution
du 4 juin, qu'un exposé soit fait par la Délégation belge sur la base de ce
schéma? Et je déclare tout de suite que la réponse de la Délégation hollandaise sera négative.

M. Segers (*Belgique*). M. le Premier Délégué des Pays-Bas vient de nous
dire qu'il ne peut se déclarer d'accord au sujet du mémorandum que nous
avons envoyé aux membres de la Commission. Je lui en donne acte. Nous ne
demandons pas, en effet, qu'il accepte nos conclusions *de plano*. Si nous
étions d'accord d'avance sur les solutions proposées par la Belgique, il serait
inutile de nous réunir: nous n'aurions qu'à enregistrer cet accord.

Le Président a, au cours de la dernière séance, fixé très nettement les conditions dans lesquelles allait se poursuivre la discussion. Il a proposé que

[3] See No. 46. [4] See No. 39.

chacune des deux Délégations eût la pleine liberté d'expliquer d'une façon complète son point de vue, sans préjuger les conclusions à intervenir. Cette proposition a été admise. Puis, on a demandé, pour la clarté du débat, de remettre aux membres de la Commission un schéma leur permettant de suivre la discussion. Nous avons tenu à déférer à ce désir, non pas pour donner l'occasion de soulever une question préalable, mais dans un esprit de déférence pour la Commission et de conciliation envers les Pays-Bas. C'est uniquement pour qu'on suive la discussion, que nous avons envoyé le mémorandum.

M. le Premier Délégué des Pays-Bas a rappelé les conditions dans lesquelles le Ministre des Affaires étrangères de son pays a déclaré que la Hollande se ferait représenter ici. De mon côté, je me permets de rappeler que la Belgique, par l'organe du Ministre des Affaires étrangères, M. Hymans, a très nettement précisé les conditions dans lesquelles elle acquiesçait à la décision du 4 juin.[5] M. Hymans écrivait:

Il est entendu, dans notre pensée, que la procédure indiquée ne peut avoir pour effet d'empêcher l'examen et l'adoption de toutes les mesures indispensables pour supprimer les risques et les inconvénients auxquels, selon les conclusions formulées par les Puissances le 8 mars dernier, les Traités de 1839 exposent la Belgique et la paix générale, et pour garantir à la Belgique son libre développement économique aussi bien que son entière sécurité.[6]

Le moins que l'on puisse donc concéder à la Belgique est qu'elle expose dans une vue d'ensemble son point de vue. Allons-nous, comme on semble nous y convier, commencer par un débat sur la portée des mots 'servitude internationale' inscrits dans la décision du 4 juin? Si nous entrions dans cette voie, nous en aurions pour des heures. Je ne me refuse pas à examiner en son temps la portée exacte qu'il faut donner à cette décision, mais, pour pouvoir le faire en connaissance de cause, je crois qu'il est indispensable que nous commencions par exposer les faits, pour chercher ensuite, dans un esprit de conciliation réciproque, de quelle façon nous parviendrons le mieux à nous entendre.

Dans ces conditions, je pense que la question préalable doit être écartée, en raison de la décision déja intervenue. On a, en effet, décidé que chacune des deux Délégations ferait connaître son point de vue sans préjuger les solutions à intervenir. Je propose à la Commission de s'en tenir purement et simplement à cette décision.

Le Président. Je remercie les deux Délégations des observations qu'elles viennent de présenter. Je me permettrai de leur demander à toutes deux de vouloir bien me laisser, à titre de Président, juge de la portée qu'il convient de donner aux résolutions dont je suis l'auteur.

Dans mon esprit, cette résolution est absolument formelle. Il est évident que nous ne devons étudier ici que des conclusions conformes au programme qui nous a été donné par la Conférence; mais avant de savoir si ces conclu-

---

[5] See No. 39, note 1.
[6] See No. 39, annex III, document 2.

sions sont conformes à ce programme, il convient d'entendre les Délégations : nous ne pouvons pas nous prononcer avant.

M. Segers a parlé de servitude internationales.

Qu'est-ce qu'une servitude internationale?

Cela est fort difficile à définir et nous ne pourrons nous prononcer que lorsque nous aurons connu les demandes de la Belgique, et après avoir entendu également les objections que pourra présenter la Délégation néerlandaise : il ne s'agit pas, en ce moment, d'adopter des conclusions, mais seulement d'entendre un exposé des demandes de chacun. C'est seulement ensuite que nous verrons quelles sont les conclusions conformes à notre programme que nous aurons à retenir et je tiendrai la main à ce que ce programme ne soit pas dépassé. Toutes les Délégations, d'ailleurs, seront consultées et il ne pourra être passé à la discussion qu'à l'unanimité complète : par conséquent, la Délégation néerlandaise a toute garantie à cet égard. S'il en est ainsi, je ne crois pas que personne puisse faire d'objection ni se refuser à entendre l'exposé de la Délégation belge qui, je le répète, n'est qu'un exposé, et pas autre chose.

M. Van Swinderen (*Pays-Bas*). Je regrette de ne pouvoir au début de nos séances me rallier à la manière de voir de notre Président. M. Segers a donné lecture d'une lettre que je n'ai connue qu'il y a 8 jours, et que même le Gouvernement de La Haye a ignorée : s'il avait connu ce document de M. Hymans, reste à savoir si le Gouvernement des Pays-Bas se serait fait représenter ici.

Je constate à propos de cette lettre un détail, c'est que nous aussi, dans notre réponse à M. Pichon, nous avons fait une réserve à laquelle M. Pichon s'est donné la peine de répondre en disant qu'il était d'accord. Je ne trouve pas la réponse de M. Pichon à M. Hymans constatant également qu'il est d'accord : je n'ai eu connaissance de la lettre que la semaine dernière.

Quant à la question principale, celle qui est pour la Délégation des Pays-Bas de la première importance, nous considérons la résolution de juin comme notre code et c'est en vue de cette résolution que la Hollande s'est fait représenter ici.

Le Président. Nous sommes d'accord au fond : quand nous parlons de conditions ou de conclusions qui seront déposées et qui doivent être conformes aux résolutions de la Conférence, il s'agit bien entendu de conclusions qui seront retenues par la Commission. M. Segers dépose des conclusions : il les croit conformes aux résolution de la Conférence, c'est son avis, mais ce peut ne pas être le nôtre ; pour pouvoir juger si ces conclusions doivent être retenues, il faut que nous les connaissions ; elles ne pourront être considérées comme ayant été déposées si elles ne sont pas retenues.

Quant à la lettre de M. Hymans, elle est au dossier, mais elle n'a pas d'influence sur notre programme qui est tout entier dans les décisions du Conseil Suprême, et seulement là, décisions auxquelles je me tiens fermement et auxquelles ne sauraient porter atteinte les explications fournies par les Délégations belge et néerlandaise.

Dès lors, on ne peut donc considérer comme ayant un caractère officiel le schéma écrit demandé à la Délégation belge: la seule chose qui compte pour nous, ce sont les explications orales que fournira M. Segers, après lesquelles nous dirons ce que nous retenons de ces conclusions et ce que nous ne retenons pas. A cela se borne notre rôle. Mais il est impossible de dire d'avance à une Délégation: 'Ceci est conforme à notre programme, ou n'y est pas conforme'; ce serait alors la Délégation hollandaise seule qui prononcerait et non pas la Commission tout entière.

Je vous demande, en conséquence, de vouloir bien entendre l'exposé de M. Segers, qui ne sera pas discuté immédiatement, pas plus que ne le sera la réponse du Gouvernement néerlandais; c'est seulement après avoir entendu les explications de l'une et de l'autre Délégations et en les rapprochant, que nous ouvrirons le débat, pour savoir lesquelles des résolutions proposées doivent être retenues et discutées. Encore une fois, la Délégation hollandaise a voix au chapitre, et comme l'unanimité est nécessaire, elle a toute garantie à cet égard.

M. Van Swinderen (*Pays-Bas*). Vous dites, Monsieur le Président, que nous ne connaissons pas encore les conclusions de la Délégation belge: mais nous les connaissons, grâce à l'amabilité qu'on a eue de nous les envoyer. Il se peut que parmi nous quelques-uns n'aient pas encore eu le temps matériel d'en prendre connaissance; mais ce schéma est accompagné d'une lettre dans laquelle on dit qu'il servira de base à l'exposé qu'on se propose de faire. Cela revient à dire que nous connaissons cet exposé, et nous constatons que les conclusions sont diamétralement opposées aux résolutions de la Conférence.

Le Président. Si nous adoptions cette manière de voir, nous arriverions à écarter des conclusions et à nous prononcer sur le fond sans avoir entendu l'exposé préliminaire. C'est là une procédure absolument contraire à tout ce qui s'est fait jusqu'à présent. Je le répète, on ne comptera pour le procès-verbal et pour la discussion que ce qui aura été retenu par la Commission et rien d'autre: le reste sera considéré comme nul et non avenu. Mais encore faut-il que nous entendions l'exposé avant de nous prononcer. Si je mettais aux voix successivement les conclusions que la Délégation néerlandaise écarte, nous serions amenés à les discuter, c'est-à-dire à aborder le fond du débat, sans être complètement renseignés.

M. Van Swinderen. La Délégation hollandaise ne peut pas participer à des discussions qui, dès l'origine, partent d'une base erronée.

Le Président. Il ne s'agit pas en ce moment de discussion, mais seulement d'un exposé que va faire la Délégation belge.

M. Van Swinderen (*Pays-Bas*). La Délégation hollandaise insiste sur ce que certaines des conclusions de la Délégation belge ne sont pas conformes aux résolutions de la Conférence, et elle pose la question préalable. Il serait, peut-être, préférable, pour que tous les membres de la Commission puissent se prononcer en connaissance de cause, de renvoyer la suite de cette discussion à une prochaine séance, à cet après-midi par exemple: tout le monde connaîtrait ainsi tous les documents remis par la Délégation belge. Mais, dans les conditions actuelles, je ne puis pas continuer à prendre part aux délibérations.

M. Neilson (*États-Unis d'Amérique*). Je crois que pour résoudre la difficulté qui se présente, il suffit de rappeler les conditions qui ont présidé à l'envoi du schéma par la Délégation belge.

A la dernière séance,[4] lorsqu'on discutait de la procédure à suivre dans nos réunions, j'avais suggéré que les Délégations qui avaient à exposer leur point de vue le fissent, en partie du moins, par écrit. La Délégation belge a préféré faire un exposé oral et le Délégué britannique, M. Tufton, a été de cet avis. Mais il a pensé qu'il serait peut-être bon que la Délégation belge envoyât un schéma qui permettrait de suivre plus facilement l'exposé que M. Segers devait faire. Il ne faut donc pas considérer ce schéma comme la base de la discussion. La seule base de discussion que les États-Unis puissent admettre — et les États-Unis croient comprendre que c'est également la pensée des autres Délégations — c'est la résolution du Conseil Suprême. Je suis donc en grande partie d'accord avec M. le Président. J'estime que chaque Pays doit avoir la liberté la plus grande d'exposer son point de vue; ce sera ensuite à la Commission de décider quel exposé elle devra retenir.

Il est certain que le mémorandum sur lequel porte la difficulté n'est pas un document officiel. On pourrait même dire — et je pense que M. le Président sera de mon avis — qu'il ne fait pas partie des dossiers de cette Commission. Je pense que la Délégation belge ne verra aucun inconvénient à ce qu'on ne fasse pas de ce schéma une partie officielle du dossier de la Commission. C'est quelque chose d'officieux qui a été envoyé à l'avance, sur la suggestion d'un Délégué, pour permettre de suivre plus clairement l'exposé. J'espère par conséquent que, si la Délégation des Pays-Bas éprouvait quelque difficulté du fait de l'envoi de ce mémorandum, cette difficulté va disparaître pour elle si l'on considère que ce mémorandum n'a qu'un caractère officieux.

Le Président. Je voudrais prendre l'avis de chaque Délégation. Est-ce que la Délégation britannique a des observations à formuler à cet égard?

M. Tufton (*Empire britannique*). Je suis absolument d'accord avec M. le Délégué des États-Unis. Je dois ajouter que le mémorandum dont il est question ne m'est parvenu que ce matin; je n'ai pas encore eu le temps d'en prendre une connaissance approfondie, je n'ai pu y jeter qu'un rapide coup d'œil, mais ce rapide coup d'œil m'a permis de constater que le schéma contient des questions qu'il est du plus grand intérêt que la Commission connaisse, afin de pouvoir formuler un jugement. Il appartiendra à la Commission de décider ce qu'elle doit retenir ou ne pas retenir de l'exposé de la Délégation belge.

M. Marchetti-Ferrante (*Italie*). En m'associant à ce qui a été dit par M. le Président et par mes collègues, je voudrais faire observer que le mémorandum n'a pas été un acte spontané de la Délégation belge; il a été un acte de courtoisie pour lequel nous avons même dû insister. Si, par hasard, ce mémorandum ne nous avait pas été remis, que serait-il arrivé? C'est que M. le Premier Délégué néerlandais aurait peut-être interrompu M. le Premier Délégué belge pendant son exposé. Mais, puisque M. le Président et les Représentants de toutes les Délégations ont assuré M. le Délégué néerlandais que nous ne nous écarterions en quoi que ce soit les délibérations du Conseil Suprême, je propose à M. le Président de vouloir bien faire appel à l'esprit de conciliation de la Délégation néerlandaise, afin de ne pas soulever un incident sur cette question de pure procédure.

Le Général Sato (*Japon*). La Délégation japonaise est également d'accord avec la Délégation américaine. Pour étudier la révision de ce Traité, il faut entendre les exposés des deux Délégations. Je crois que le mémorandum qui a été préparé par la Délégation belge n'est que la base de l'exposé de M. Segers. La décision[5] du Conseil Suprême dit:

> ... de soumettre des propositions n'impliquant ni transfert de souveraineté, ni création de servitudes internationales.

Le mémorandum n'est pas la proposition que nous allons remettre au Conseil Suprême; par conséquent, il n'y aucun inconvénient à l'étudier.

Le Président. Je résume. L'opinion des cinq Délégations, américaine, britannique, française, italienne et japonaise, est la suivante: nous sommes en présence d'un document n'ayant aucun caractère officiel; c'est une simple communication faite pour notre commodité et qui, par conséquent, ne préjuge rien. Les cinq Délégations sont également d'avis que seules compteront les propositions qui seront retenues par la Commission, celle-ci s'en tenant exclusivement au programme qui lui a été tracé. Dans ces conditions, il y a intérêt à entendre la Délégation belge, tout au moins à titre de renseignement, pour connaître son point de vue, étant bien entendu que nous entendrons ensuite la Délégation néerlandaise qui nous dira ses objections. C'est après cela que sera fixé le programme de la Commission. C'est là, je crois, la procédure la plus pratique et celle qui réunit l'assentiment général. Est-ce que la Délégation néerlandaise a encore des objections à formuler?

M. Van Swinderen (*Pays-Bas*). Vous avez parfaitement raison en disant que ce schéma que nous devons à l'amabilité de la Délégation belge et pour lequel nous ne pouvons que lui être reconnaissants, est un document privé. Mais il ne faut pas oublier, Monsieur le Président, que ce schéma est accompagné d'une lettre officielle et que dans cette lettre il est dit que ce schéma servira de base à l'exposé à faire. Or, selon nous, cette base est absolument contraire à la ligne de conduite qui a été tracée pour cette Commission par la résolution du mois de juin. Il me serait très désagréable, Monsieur le Président, de faire naître un incident — le mot seul est déjà pénible à entendre — ou bien plus encore d'avoir l'air de vouloir faire de l'obstruction. Si je pouvais faire acte de conciliation, rien ne me plairait davantage. Pour cela je voudrais cependant, avant de continuer, car je prévois que cette difficulté se représentera sous une autre forme, recevoir de M. Segers et de la Délégation belge ici présente la déclaration formelle, qui pourra être insérée dans le procès-verbal, qu'elle se considérera, pour toutes les séances à venir, comme liée par la résolution du mois de juin et que M. Segers est personnellement d'avis que ce qu'il a écrit dans son résumé n'est pas contraire à l'esprit et à la lettre de cette résolution.

Le Président. Avant de donner la parole à la Délégation belge, je crois devoir rappeler encore une fois ici — et je suppose que c'est l'avis de tout le monde — que nous entendons nous en tenir au programme de la Commission. Mais, sur un sujet aussi délicat, il est bien difficile de prévoir d'avance ce que sera ce programme. Il est fort possible que certains membres de la Commission envisagent *a priori* que telle demande de la Délégation belge n'est pas une servitude internationale, alors qu'ils seront de l'avis contraire quand ils auront entendu les objections de la Délégation néerlandaise qui, j'en suis convaincu, est animée d'un esprit d'amitié envers la Belgique. Il est possible que la Délégation néerlandaise, qui est de bonne foi, s'aperçoive tout-à-coup que ce qu'elle considérait comme une servitude internationale n'en est en réalité pas une, moyennant certaines modifications. L'objet de cette Commission, c'est de tâcher d'arriver à éclaircir ces points de vue en prenant uniquement pour base les directives du Conseil Suprême. Nous abordons là des questions de fait, de discussion de demandes. Comment pouvons-nous discuter ces demandes avant d'en avoir officiellement connaissance? Et je ne dis pas seulement connaissance par un schéma, mais avec toutes les considérations dont elles doivent être entourées. Quand nous aurons entendu ces considérations — nous adjurons la Délégation néerlandaise de les écouter jusqu'au bout, quelle que soit son opinion, et je demanderai à la Délégation belge d'avoir la même attitude quand nous entendrons les objections que fera la Délégation néerlandaise — nous déciderons de notre programme qui devra être conforme aux résolutions de la Conférence. Il ne sera retenu ici, pour la discussion, que ce qui aura fait l'objet d'une unanimité absolue. Les points sur lesquels l'unanimité n'aura pas été faite seront portés à la connaissance du Conseil Suprême, comme nous l'avons fait pour plusieurs Commissions de la Conférence. Je dois mettre ce point en lumière, car ces Messieurs ne savent pas ce qui s'est passé ici. Il est bien entendu que rien ne pourra être fait dans cette Commission et présenté comme une proposition qui n'aura réuni l'unanimité. Rien en pourra être conclu comme accord que ce qui aura réuni l'agrément des deux parties. Comme il ne s'agit pas d'ennemis, heureusement, je ne vois pas comment un accord pourrait intervenir autrement que par consentement mutuel.

Je fais donc encore une fois appel — et je crois répondre en cela au sentiment de chacun — au désir d'être éclairés complètement qui nous anime tous, afin que nous entendions M. Segers d'un bout à l'autre. Je lui laisserai toute liberté de développer ses propositions, certain de n'entendre aucune phrase qui puisse, en quoi que ce soit, émouvoir la Délégation néerlandaise. De même, nous écouterons jusqu'au bout les explications que développera la Délégation néerlandaise. C'est ensuite que nous établirons notre programme d'un commun accord. Je ne saurais trop répéter que c'est seulement ce programme établi en commun qui pourra faire l'objet de discussions ici. Je crois que nous allons pouvoir passer à l'audition de l'exposé de M. Segers.

M. Neilson (*États-Unis d'Amérique*). Je regretterais que la Délégation des Pays-Bas pût penser que les États-Unis ne sont pas absolument avec le Gouvernement des Pays-Bas en ce qui concerne l'observation très stricte de la résolution qui a été prise par le Conseil Suprême. Mais, comme le Délégué japonais l'a expliqué très clairement, nous sommes ici pour étudier les faits et en discuter. Il ne s'agit pas en ce moment de propositions. Les propositions seront faites plus tard. Il est entendu que le mémorandum de la Délégation belge n'entre pas en ligne de compte pour la discussion. Dans ces conditions, est-ce que nous devons anticiper sur ce que va dire M. le Délégué belge? Evidemment, il sera très difficile, au cours de cette discussion, de se conformer strictement à la résolution. Nous ne pouvons guère astreindre les Délégués à des règles techniques telles que celles qui seraient applicables devant un tribunal judiciaire. Je suis d'accord avec M. le Président pour laisser aux Délégués qui ont à exposer leur point de vue la liberté de cette exposition, mais la Délégation des Pays-Bas peut être absolument assurée qu'il n'a jamais été question et qu'il n'est pas question actuellement de ne pas se conformer au programme qui a été fixé par le Conseil Suprême.

Le Président. Je crois que nous avons dit à peu près tout ce que nous avions à dire et M. Neilson vient de résumer notre pensée à tous. Comme l'a fait très heureusement observer M. le Général Sato, il n'y aura de propositions au Conseil Suprême que celles qui seront adoptées par la Commission. Par conséquent, le reste ne compte pas; ce sont des éléments d'information ou de renseignement. Donc, si comme je l'espère, M. le Délégué des Pays-Bas se rend compte de la fermeté avec laquelle tout le monde ici est résolu à s'en tenir aux décisions du Conseil Suprême, je pense que nous allons pouvoir passer à l'audition de l'exposé de M. le Délégué belge. Quand il aura terminé, nous entendrons la Délégation néerlandaise.

M. Van Swinderen (*Pays-Bas*). Je ne voudrais pas vous désapprouver en cela. Seulement, vous voudrez bien avouer que mon scepticisme, au point de vue de l'observation de la résolution de juin, a quelque raison d'être. Il me serait plus qu'agréable qu'après avoir entendu ces déclarations sympathiques de toutes les autres Délégations, M. Segers voulût bien dire qu'il se sentira lié, lui aussi, sans réserve par les déclarations qui sont à la base de la résolution du mois de juin. Cela serait à insérer dans le procès-verbal.

Le Président. Si cette déclaration doit aider à la discussion générale, je convierai très volontiers M. Segers à la faire mais je ferai remarquer très amicalement à M. le Délégué néerlandais qu'il paraît mettre quelque peu en doute l'autorité du Président et la bonne volonté des membres de la Commission; car enfin, il dépend essentiellement d'eux de faire tenir la discussion dans les règles qui lui sont imposées par le Conseil suprême. Aucune Délégation n'est maîtresse ici, c'est tout l'ensemble de la Commission qui statue. Cela dit, je suis persuadé que la Délégation belge n'aura aucune peine à faire cette déclaration et je donne la parole à M. Segers.

M. Segers (*Belgique*). Je suis très heureux de voir que le débat ne sera pas étranglé et que tout le monde est d'accord pour reconnaître que la Délégation belge, en ayant la possibilité de faire un exposé complet, ne fera jamais trop de lumière. D'autre part, je déclare très volontiers au Premier Délégué des Pays-Bas que si la Belgique n'avait pas pensé que le schéma qu'elle a déposé ainsi que les conclusions qui l'accompagnent sont conformes à la décision du Conseil Suprême du 8 mars[7] et à la sentence du Conseil des Cinq du 4 juin[5] qui l'a suivie, elle n'aurait pas déposé ces conclusions.

[7] See No. 39, note 9.

LE PRÉSIDENT. Par conséquent, ce qui reste, c'est une question d'appréciation dont la Commission seule est maîtresse et qui sera prise à l'unanimité. Nous revenons toujours au même débat; les intentions de tous ici sont les mêmes. Tout le monde est animé du désir de s'en tenir strictement à la résolution du Conseil Suprême qui est la base même et la raison d'être de notre Commission. Ce sera à la Commission, au cours des débats qui auront lieu, à éliminer tout ce qui ne cadrerait pas avec cette résolution. Elle le fera sans aucun doute. Je crois que nous pouvons passer à l'exposé de M. Segers.

M. SEGERS (*Belgique*). Messieurs, ainsi que j'ai eu l'honneur de vous le dire à la dernière séance,[4] il y a plusieurs ordres de dispositions à réviser dans le Traité de 1839. Celles dont je me propose de vous parler en ce moment ont trait aux intérêts économiques de la Belgique.

*Exposé de M. Segers.*

J'évite tout préambule et je m'empresse d'entrer au cœur même du sujet.

Trois questions préoccupent, d'une façon toute particulière, la Belgique. C'est d'abord celle de la liberté de nos communications avec la mer. C'est ensuite la question de la liberté de nos communications, par des voies vraiment modernes, avec notre arrière-pays. C'est enfin la question des communications par l'Escaut occidental vers le Bas-Rhin; c'est la question qu'on a appelée la question des eaux intermédiaires. Je compte vous parler tour à tour de chacune de ces trois questions.

La première est celle de la liberté de nos communications avec la mer. Elle soulève deux problèmes, le problème de l'Escaut et le problème du canal de Terneuzen. Je vais tout d'abord vous entretenir du problème de l'Escaut.

*Communications de la Belgique avec la mer. Escaut.*

Je crois, Messieurs, qu'il est permis de dire que la Belgique est peut-être le seul pays du monde qui n'a pas en ce moment son libre accès à la mer. Le Traité de 1839, en effet, ne consacre pas pleinement cette liberté. C'est l'article 9 du Traité qui est le siège de la matière que nous avons à examiner. Je crois qu'il est indispensable d'en lire avant tout les trois premiers paragraphes. Ils sont la base même de l'exposé que je compte vous faire.

Le paragraphe 1er de cet article 9 dispose:

> Les dispositions des articles 108 jusqu'à 117 inclusivement de l'Acte Général du Congrès de Vienne,[8] relatifs à la libre navigation des fleuves et rivières navigables, seront appliquées aux fleuves et rivières navigables qui séparent ou traversent à la fois le territoire belge et le territoire hollandais.

Les articles 108 jusqu'à 117 de l'Acte du Congrès de Vienne sont ceux qui concernent la navigation des rivières, la liberté de navigation, l'uniformité du système pour la perception des droits et le maintien de la police pour tout le cours de la rivière, les tarifs, les bureaux de perception, les droits de relâche,

[8] For this act of June 9, 1815, see *British and Foreign State Papers,* vol. ii, pp. 3 f.

les douanes, les règlements et les chemins de halage et l'exécution des travaux dans le lit de la rivière. C'est, Messieurs, ce dernier objet, inscrit dans l'article 113, que seul nous aurons à envisager dans l'Acte de Vienne. Je le lirai au moment où j'aurai à en aborder la discussion.

Le paragraphe 2 de l'article 9 dispose:

## § 2

En ce qui concerne spécialement la navigation de l'Escaut et de ses embouchures, il est convenu que le pilotage et le balisage, ainsi que la conservation des passes de l'Escaut en aval d'Anvers, seront soumis à une surveillance commune, et que cette surveillance commune sera exercée par des commissaires nommés à cet effet de part et d'autre. Des droits de pilotage modérés seront fixés d'un commun accord, et ces droits seront les mêmes pour les navires de toutes les nations.

En attendant, et jusqu'à ce que ces droits soient arrêtés, il ne pourra être perçu des droits de pilotage plus élevés que ceux qui ont été établis par le tarif de 1829, pour les bouches de la Meuse, depuis la pleine mer jusqu'à Helvœt, et de Helvœt jusqu'à Rotterdam, en proportion des distances. Il sera au choix de tout navire se rendant de la pleine mer en Belgique, ou de la Belgique en pleine mer par l'Escaut, de prendre tel pilote qu'il voudra; el il sera loisible, d'après cela, aux deux pays d'établir dans tout le cours de l'Escaut et à son embouchure, les services de pilotage qui seront jugés nécessaires pour fournir les pilotes. Tout ce qui est relatif à ces établissements sera déterminé par le règlement à intervenir, conformément au paragraphe 6 ci-après. Le service de ces établissements sera sous la surveillance commune mentionnée au commencement du présent paragraphe. Les deux Gouvernements s'engagent à conserver les passes navigables de l'Escaut et de ses embouchures, et à y placer et y entretenir les balises et les bouées nécessaires, chacun pour sa partie du fleuve.

Suit le troisième paragraphe. Il prévoit tout d'abord ce qui est relatif aux péages: j'aurai à en parler plus tard. Puis il dit:

## § 3

. Et, afin que lesdits navires ne puissent être assujettis à aucune visite ni à aucun retard ou entrave quelconque dans les rades hollandaises, soit en remontant l'Escaut de la pleine mer, soit en descendant l'Escaut pour se rendre en pleine mer, il est convenu que la perception du droit susmentionné aura lieu par les agents néerlandais à Anvers et à Terneuse. De même, les navires arrivant de la pleine mer, pour se rendre à Anvers par l'Escaut occidental, et venant d'endroits suspects sous le rapport sanitaire, auront la faculté de continuer leur route sans entrave ni retard, accompagnés d'un garde de santé, et de se rendre ainsi au lieu de leur destination. Les navires se rendant d'Anvers à Terneuse, et *vice-versa*, ou faisant dans le fleuve même le cabotage ou la pêche (ainsi que l'exercice de celle-ci sera réglé en conséquence du paragraphe 6 ci-après), ne seront assujettis à aucun droit.

Lorsque le Traité fut négocié, les négociateurs belges et le Parlement qui le ratifia pensaient qu'ils avaient assuré à la Belgique, non seulement la co-propriété, mais la co-souveraineté dans tout le cours du fleuve. Le rapporteur à la Chambre des Représentants du projet de loi approuvant le traité, Charles Rogier, s'exprimait en effet ainsi:

Le Traité organise sur des bases définitives et pratiques la liberté du fleuve restée jusque là à l'état de principe. Loin qu'il reconnaisse la souveraineté exclusive à la Hollande sur l'Escaut, il appelle de la manière la plus explicite la Belgique au partage de cette souveraineté.

De même, Nothomb, qui fut le Haut Commissaire du Gouvernement à Londres, défendant le traité à la Chambre belge, disait:

Cet acte renferme quatre dispositions spéciales.

Il cita les trois premières, puis il ajouta:

Ces trois dispositions ont paru tellement exorbitantes au Cabinet de La Haye qu'il a soutenu pendant sept années qu'il constitue une sorte de co-souveraineté au profit de la Belgique.

Et en effet, lorsqu'on analyse le mémoire des Plénipotentiaires hollandais du 14 décembre 1831,[9] on y lit que ces stipulations du Traité étaient, dans la pensée de la Hollande 'contraires au droit de souveraineté des Pays-Bas'. Aussi Nothomb s'exprime-t-il comme suit:

L'espèce de co-souveraineté que le Traité nous apporte sur tout le cours de l'Escaut occidental, comme si nous étions en possession d'une des rives du fleuve dans toute sa longueur . . .'

Le reste est ici sans intérêt.

Dans la pensée de la Belgique, et les publicistes belges ont fait écho à cette opinion, c'était bien ainsi, Messieurs, que les grandes Puissances avaient voulu régler la question. Elles n'ont pas donné à la Belgique la Flandre zélandaise, cette bande de territoire que les Hollandais appellent la Flandre des États, et qui se trouve entre la Belgique et le fleuve, mais elles ont voulu régler la question de l'Escaut comme si cette bande de territoire devait nous appartenir.

Les Hollandais ne protestèrent pas contre cette interprétation de Rogier et de Nothomb en 1839. Mais plus tard ils dirent que le mot 'co-souveraineté' n'était pas dans le texte du Traité, que ce texte était de stricte interprétation et que la souveraineté devait donc être réservée tout entière à la Hollande. La Belgique essaya parfois de soutenir la pensée de Rogier, mais elle dépendait, au point de vue de ses travaux, au point de vue de l'éclairage et du balisage de la rivière, au point de vue des accords à intervenir pour le pilotage, exclusivement du bon vouloir de la Hollande. Elle devait donc se montrer modeste. Elle ne pouvait guère trop insister. Aussi bien n'avait-elle pas le même intérêt qu'aujourd'hui. Elle comptait, en effet, sur l'Allemagne, dont les Compagnies de navigation avaient élu domicile à Anvers, aussi bien que sur la Grande-Bretagne, pour l'aider à faire respecter la liberté de l'Escaut.

[9] Printed in *Protocolso f Conferences in London relative to the Affairs of Belgium* (London 1832–3), part ii, pp. 5 f.

Le régime juridique du Traité de 1839 peut se résumer, vis-à-vis de la Belgique, en deux mots:

1° Tout dépend, spécialement en ce qui concerne les travaux, le balisage et l'éclairage, de la bonne volonté de la Hollande. Celle-ci a un véritable droit de veto.

2° Aucune sanction n'existe au profit de la Belgique. Il suffit que la Hollande trouve que la mesure ou le travail sollicités par la Belgique ne sont pas nécessaires pour que la Belgique soit désarmée.

Messieurs, laissez-moi vous le dire tout de suite, c'est ce droit de veto qui a toujours paru et qui paraît plus que jamais aujourd'hui exhorbitant aux yeux de la Belgique; nous le croyons inadmissible. Il a, en effet, pour conséquence de priver la Belgique de l'accès vraiment libre vers la mer. C'est là, ce qu'il y a lieu de modifier avant tout dans le Traité. Tout ce que je vais avoir à vous dire tendra à le démontrer.

Quand on lit le Traité et quand on jette les yeux sur la carte[10] que je me suis permis de vous faire distribuer, on fait immédiatement, Messieurs, quatre constatations. Une première constatation a trait à la destination et à l'usage de l'Escaut.

L'Escaut ne sert pas à la Hollande. Il ne sert qu'à la Belgique. Et cependant la Belgique n'a pas le droit d'en disposer librement. L'Escaut ne sert pas à la Hollande. Sert-il à Flessingue? Non. Flessingue se trouve sur la mer dans les bouches de l'Escaut. Que la rivière soit ou non ensablée, Flessingue n'en existerait pas moins sans la rivière. Sert-il à Terneuzen? Non. Terneuzen n'a de raison d'être que comme avant-port de Gand. Il ne sert en réalité — j'aurai l'occasion de vous le prouver tout à l'heure — que les intérêts belges. Or, en dehors de Terneuzen et de Flessingue, il n'y a pas un seul port maritime hollandais sur le fleuve. L'Escaut ne sert qu'à la Belgique. Il conduit par le canal de Terneuzen à Gand et à toute la région avec laquelle Gand se trouve en relations. Mais l'Escaut sert surtout à Anvers et, par Anvers, à la Belgique tout entière, car Anvers, en effet, est pratiquement le seul grand port d'accès du pays. Sur 16 millions 1/2 de tonnes que recevaient au total les ports belges en 1913, un million de tonnes allait à Gand. Un million était relatif au service de nos paquebots Ostende–Douvres; ils doivent donc être pratiquement défalqués au point de vue commercial. 333,000 tonnes à peine entraient à Zeebrugge et 13 millions 1/2 passaient par Anvers. C'est donc Anvers qui est, en réalité, notre seul grand port d'importation, d'exportation et de transit. Et cependant, Messieurs, aux termes du Traité, la Belgique ne peut pas user librement de l'Escaut, elle n'en peut disposer ni selon sa volonté, ni même suivant ses besoins essentiels et ses intérêts.

La situation peut se résumer de cette façon caractéristique: la Belgique n'a pas plus de droits sur la partie hollandaise de l'Escaut, où elle a tous les intérêts, que la Hollande n'a de droits sur la partie belge de l'Escaut où elle n'a aucun intérêt.

Ce Traité, d'après l'interprétation de la Hollande, ne donne à la Belgique que quelques droits de servitude vis-à-vis des Pays-Bas. Je n'examinerai pas

[10] See No. 46, note 3.

en ce moment quel est le caractère juridique de ces droits. Cela me conduirait trop loin. Sont-ce les [?des] servitudes internationales? Constituent-elles à ce titre un démembrement de la souveraineté ou un démembrement de la propriété? Ou sont-ce pour la Hollande, de simples obligations? C'est, Messieurs, ce que chacun de vous appréciera, lorsque je vous aurai indiqué ce que sont exactement les obligations que le Traité a imposées jusqu'ici à nos voisins.

Je résume ces obligations:

1° Engagement de la part de chaque Gouvernement, de conserver les passes navigables de l'Escaut et de ses embouchures et d'y placer et entretenir les balises et les bouées nécessaires, chacun sur sa partie du fleuve.

2° Service facultatif de pilotage.

3° Obligation de ne prélever que des droits de pilotage modérés fixés d'un commun accord.

4° Pour le pilotage, comme pour le balisage et l'entretien des passes dont nous venons de parler, surveillance commune exercée par des commissaires nommés de part et d'autre par les deux pays.

5° Droit réciproque de pêche.

6° Enfin, liberté de passage des navires. Ceux-ci ne seront assujettis à aucune visite, retard ou entraves, même au point de vue sanitaire.

Quelle est la signification de ces clauses? Elles consacrent ce que l'on pourrait appeler le régime du commun accord, c'est-à-dire que, si d'une part, il donne le droit de veto à la Hollande, d'autre part il consacre l'absence absolue de sanctions au profit de la Belgique. Et en voici la conséquence: soit que la Hollande n'exécute pas le Traité, soit que le Traité soit muet ou insuffisant, la Belgique rencontre sur l'Escaut des entraves qui lui enlèvent en fait la libre disposition du fleuve. Ces entraves, c'est un point capital que j'ai à mettre en lumière, je vais vous les indiquer. Trois d'entre elles présentent une gravité particulière. Six autres sont d'ordre accessoire. Je ne les signalerai que pour mémoire.

L'entrave la plus grave que la Belgique rencontre dans l'Escaut est relative aux travaux. Le Traité dit à cet égard que 'chaque Gouvernement s'engage à conserver les passes navigables sur sa partie du fleuve'.

Lorsque cette stipulation fut inscrite dans le Traité, les Pays-Bas paraissaient bons princes. En effet, l'Escaut comprend, sur la partie hollandaise, 63 kilomètres; il ne comprend que 22 kilomètres sur la partie belge. La Hollande avait donc l'air d'admettre qu'elle aurait à entretenir un chenal trois fois plus long que la section belge. Nous allons voir, Messieurs, ce qu'il en advint.

La Belgique interprète les mots 'conservation des passes' en ce sens que chaque Gouvernement s'engageait à conserver les passes navigables, non seulement telles que celles-ci existaient et se comportaient en 1839, mais d'après les besoins croissants de la navigation. La Belgique base cette interprétation sur le bon sens. Mais elle l'appuie aussi sur l'article 113 de l'Acte du Congrès de Vienne. Je vous ai dit tout à l'heure que le paragraphe 1er de l'article 9 prévoyait que les articles 108 à 117 de l'Acte du Congrès de Vienne seraient appliqués à l'Escaut. Or, cet article 113 dit que chaque Etat riverain se chargera de l'entretien des chemins de halage qui passent par son territoire et des travaux nécessaires pour la même étendue dans le lit de la rivière, pour ne faire éprouver aucun obstacle à la navigation. Cela signifie, Messieurs, à mon sens, que les passes doivent être en tout temps assez larges et assez profondes pour laisser passer tous les navires. Ne faire éprouver aucun obstacle à la navigation, et faire les travaux nécessaires à cette fin dans le lit du fleuve, cela ne peut avoir qu'une signification raisonnable, c'est que les Pays-Bas auront l'obligation de maintenir sur la partie hollandaise du fleuve le chenal assez profond et assez large pour que tous les navires puissent y passer, non seulement ceux qui existaient en 1839, mais les navires correspondant aux progrès de la construction navale.

La Hollande n'a guère admis pareille interprétation. Elle a toujours donné au mot 'conserver' le sens littéral le plus étroit. Elle a même, à certains moments, exprimé des réserves quant à l'obligation de maintenir toutes les passes aux profondeurs existant en 1839.

Laissez-moi vous dire maintenant, Messieurs, comment les choses se passent lorsqu'il y a lieu de faire exécuter des travaux.

Pratiquement, ce sont des commissaires nommés de part et d'autre par les deux Pays qui doivent surveiller la conservation des passes, mais:

1° Les réunions de ces commissaires n'ont lieu que quatre fois par an. C'est une source de lenteurs déplorables dans l'exécution de mesures qui, en général, ne souffrent ni retard, ni atermoiement.

2° Pour toutes les mesures, éclairage, balisage, pilotage, conservation des passes il faut l'assentiment unanime des commissaires. Et les commissaires néerlandais ont toujours interprété leur mission en ce sens que leur intervention doit se limiter à ce qui concerne l'entretien du chenal existant.

3° En fait, l'intérêt de la Hollande n'étant pas de favoriser l'amélioration de ces services dont la navigation vers les ports belges est seule à tirer profit, la Hollande, le plus souvent, oppose aux demandes belges une attitude, sinon obstructionniste, tout au moins passive. Et lorsque les commissaires se sont déclarés unanimement d'accord au sujet d'une demande introduite par la Belgique, le dernier mot n'est pas dit. La situation est alors la suivante:

1° Aucun travail ne peut être entrepris sans le consentement des Pays-Bas;

2° La Hollande seule règle les conditions du travail;

3° La Belgique en supporte tous les frais.

Incontestablement, en lisant le Traité, on constate que les frais de ces travaux devraient être supportés par la Hollande. Tout au moins, le sens le plus restrictif que l'on puisse donner au Traité, c'est que cette obligation s'étend aux travaux de conservation des passes. Pourquoi la Belgique a-t-elle payé tous les frais relatifs à ces travaux? Mais, pour une raison très simple: parce que la Hollande, grâce à son droit de veto, peut en refuser l'exécution. Dès lors, si la Belgique n'avait pas offert de les payer, les travaux n'auraient vraisemblablement pas été exécutés. C'est la nécessité absolue de ne laisser compromettre à aucun moment l'accès du port d'Anvers qui nous a décidés au payement. Ce droit d'appréciation absolu de la Hollande, c'est pour nous la lutte du pot de terre contre le pot de fer. Et c'est dans le même esprit, c'est pour les raisons que je viens d'indiquer, que les Conventions qui ont été successivement faites entre la Hollande et la Belgique depuis 1839, et qui ont dû être consenties par la Belgique dans le cadre des Traités euxmêmes, ont été autant de concessions succlaessives de part de la Belgique. La Belgique considère qu'en les faisant elle a le plus souvent cédé au droit du plus fort.

Messieurs, je viens de dire que lorsque la Belgique demandait l'exécution d'un travail dans l'Escaut, la Hollande répondait par des atermoiements et des lenteurs. Je regrette de devoir employer des termes qui peuvent peut-être paraître un peu sévères; je préférerais n'avoir ici qu'à tresser des couronnes à la Hollande, mais je suis convaincu que les distingués Représentants des Pays-Bas, tout comme les membres de la Commission, seront les premiers à désirer que nous exposions ici avec beaucoup de loyauté et de franchise les plaintes que nous croyons devoir formuler.

Je voudrais donc, Messieurs, pour ne pas me borner à des affirmations imprécises, prendre sur le vif quelques exemples. Il s'agit ici d'une matière délicate dans laquelle je n'aimerais pas à improviser. Je vais donc vous faire part de ce qu'ont noté à ce sujet nos services techniques.

Un premier exemple remonte à 1893:

Je crains que la Commission ne comprenne pas mes explications si je ne déroule pas sous ses yeux une carte complète de l'Escaut.[II]

Voici la mer et l'entrée de la rade; voilà Flessingue. Vous voyez partout les feux et les directions qu'ils indiquent le long de l'Escaut. De Flessingue on se dirige, en suivant la direction des feux, vers Borssele. Les passes navigables sont indiquées en bleu; les bancs de sable sont indiqués en jaune. De Borssele on va, toujours en suivant les indications des feux, vers Terneuzen, par un chenal qui passe, vous le voyez, entre des bancs de sable. Sans cesse la rivière va d'une rive concave vers une rive convexe. Le thalweg se rétrécit en passant d'une rive vers l'autre et des seuils se forment aux points d'inflexion. De Terneuzen, le chenal va, toujours en passant entre des bancs de sable, vers Hausweert, puis, par le Zuidergat, le long des bancs de Walsoorden, puis, par une passe étroite vers le coude accentué de Bath. A Walsoorden un épi considérable s'avance dans la rivière; les courants tendent, en le rencontrant, à divaguer vers le large; les navires, poussés à suivre la direction des courants, risquent ainsi de se jeter sur le banc de Walsoorden. C'est une passe extrêmement délicate. Elle a sans cesse varié. La passe de Bath aussi s'est modifiée. De Bath, la passe, en traversant la frontière va, cette fois en Belgique, vers Liefkenshoek, puis vers le coude de Kruisschans, puis vers La Perle et Sainte-Marie, et de là, par le Krankeloon, vers la rade d'Anvers. C'est ici qu'avant la guerre la Belgique avait décidé de faire d'importants travaux. Un bassin canal doit aller du coude du Kruisschans vers deux nouvelles darses récemment construites. Des deux côtés de ce canal, on pourra créer de nombreux bassins. Le cours de la rivière sera rectifié, ainsi que l'indique la carte, en amont de Sainte-Marie.

J'en arrive maintenant aux exemples que j'ai annoncés.

[II] Not appended to the present document.

Un premier exemple remonte donc à 1893 :

Un relèvement de fond important s'était produit sur le seuil du Zuidegat en aval de Walsoorden. L'autorisation fut demandée au Gouvernement des Pays-Bas de pouvoir procéder aux dragages nécessaires, étant entendu que la Belgique payerait . . .[12]

C'était, à mon sens, la Hollande qui aurait dû payer ces travaux, mais la Belgique proposait de les payer de crainte qu'ils ne pussent être faits rapidement.

Les Pays-Bas y consentent, mais il mettent comme condition qu'eux seuls feront les sondages, établiront le cahier des charges des travaux et mettront ceux-ci en adjudication.

Vers la fin de juin 1894 seulement, le cahier des charges fut prêt. Il restait à procéder à l'adjudication, lorsqu'on s'aperçut qu'une amélioration notable s'était produite au seuil sous l'action des courants naturels. Le dragage était inutile.

La Belgique, évidemment, renonça aux travaux, mais pendant près d'un an la navigation avait eu gravement à souffrir de cette situation à laquelle la Belgique aurait pu remédier en quelques semaines si elle avait pu agir librement.

Voici, Messieurs, le second exemple qui remonte au début de novembre 1905. Cette fois, c'est la passe de Bath qui s'ensabla d'une façon continue et progressive au point de ne plus présenter que 4 à 5 mètres d'eau sous marée basse. Cet état de choses était encore aggravé par le coude prononcé que forme le fleuve en cet endroit. Il présentait de sérieuses entraves à la navigation et menaçait même de couper tout au moins partiellement les communications entre Anvers et la mer. Il fallait agir vite. Les entrepreneurs des travaux du fleuve pour la partie belge se trouvaient être de nationalité hollandaise. Ils avaient déclaré à l'Ingénieur en chef des Ponts et Chaussées d'Anvers qu'aucune autorisation ne leur était nécessaire, en leur qualité de Hollandais, pour enlever des sables dans la rivière, à condition que ce fût à 500 mètres au moins des rives. Ils entamèrent les travaux. Mais la Hollande immédiatement protesta. Elle fit interrompre les travaux, arguant qu'il ne fallait pas confondre un enlèvement de sable avec un dragage proprement dit, et que la Belgique avait à se soumettre à la formalité de la demande officielle d'autorisation de draguer. La demande fut donc introduite et l'autorisation fut accordée, mais moyennant des conditions qui devaient rendre les travaux extrêmement onéreux et fort longs. Il était stipulé notamment que ceux-ci seraient interrompus à chaque marée, de trois heures avant à trois heures après mer haute et que le matériel, à chaque interruption, serait enlevé de la passe. Néanmoins on drague, mais, tout comme au seuil du Zuidergat, un nouveau changement se produit dans les fonds, nécessitant une orientation nouvelle des travaux. Une nouvelle autorisation fut nécessaire et un mois s'écoula avant qu'elle ne fût obtenue.

En juin 1906, le Gouvernement de La Haye fait enfin savoir qu'il consent à ce que les dragages soient prolongés une heure à chaque marée, mais qu'il lui est impossible de céder sur tous les autres points. Ces divers incidents

[12] Punctuation as in original.

avaient duré neuf mois, pendant lesquels les travaux, interrompus à différentes reprises et exécutés dans des conditions de rendement exécrables, avaient coûté très cher à la Belgique.

Voilà deux exemples. En voici deux autres. En 1907 à Valkenisse, et en 1913 à Bath, de semblables incidents se produisent et les restrictions mises aux conditions du fleuve deviennent de plus en plus draconiennes. Il n'est même plus permis de draguer entre le coucher et le lever du soleil, et de plus, les suceuses ne peuvent plus stationner dans les passes que de 3 heures avant mer basse jusqu'à l'heure après. Il y a donc huit heures d'interruption de travail par marée, et si l'on considère que pendant l'hiver les journées sont très courtes, on constate qu'il est des jours où les dragages sont pratiquement impossibles. Tel est le cas lorsque la mer haute tombe aux environs de 13 heures. Des centaines de milliers de francs ont donc été gaspillés en pure perte, non seulement à cause du caractère onéreux des dragages effectués dans de semblables conditions, mais encore parce qu'un dragage, pour être efficace, doit être énergique et continu, faute de quoi les apports risquent de combler pendant les suspensions du travail les passes creusées par la drague.

Messieurs, lorsque nous protestons, on nous dit simplement que ces travaux de dragage gènent la navigation et que la présence des suceuses dans la passe présente des dangers de collision. C'est évident, mais il n'est pas possible de faire des travaux sans que les suceuses soient dans le chenal. Voilà une rivière qui ne sert pas à la Hollande et qui ne sert qu'à la Belgique. Elle ne dessert que des ports belges et des intérêts belges. Nous prions donc nos voisins du Nord de nous laisser juges de nos intérêts et de nous laisser exécuter les travaux conformément à ce que nous jugeons le plus raisonnable, le plus pratique et le plus propice à la navigation.

Voilà les faits lorsqu'il s'agit de travaux de conservation de la passe. Mais, que dirais-je lorsqu'il s'agit de travaux d'amélioration de la rivière? Ici aussi, pour éviter qu'on nous reproche de demeurer dans le vague, je veux donner un exemple. Il est relatif à l'épi de Walsoorden. Le voici tel que le notent nos services techniques:

A Walsoorden, un épi puissant s'avance fort loin dans la passe navigable. Il apporte une grande perturbation dans le régime du fleuve, dévie les courants de marée vers le large et constitue, pour ce motif, un véritable danger pour les grands navires qui sont toujours exposés à être jetés sur les bancs de Walsoorden. De nombreuses plaintes ont été formulées à ce sujet, notamment par la Red Star Line. Ils ont été portés à la connaissance du Gouvernement des Pays-Bas par la voie diplomatique. Mais rien n'a été fait. L'administration néerlandaise s'est bornée à répondre par l'organe de ses commissaires à la Commission permanente de surveillance, que la situation actuelle qui dure depuis plus de 20 ans, je crois, n'était que provisoire et s'améliorerait probablement à bref délai sous l'action naturelle des courant[s] de marée. En attendant, la navigation continue à être gênée et le sera de plus en plus, les dimensions des navires allant sans cesse en augmentant.

Evidemment, messieurs, avec des réponses dilatoires comme celle-là, on empêche ou on peut empêcher tous les travaux.

Les navires augmentent sans cesse de dimensions. Si l'on n'apporte pas des modifications au régime du fleuve, si on ne nous permet pas de faire les travaux que nécessitent les progrès de la construction navale, on aboutira tout simplement à faire du port d'Anvers un port de second ordre. J'y insisterai d'ailleurs plus tard.

Au point de vue des travaux, la Belgique a deux autres plaintes à formuler.

Voici la première: la Belgique se plaint qu'en ce qui concerne le relèvement des épaves, l'administration hollandaise a une tendance à se dérober. Je ne citerai, à titre d'exemple que le cas du *Carenia*, en 1906, qui continua à obstruer la passe de Bath. Le cas est encore présent à la mémoire de tous les Belges.

La seconde plainte est relative aux travaux que fait la Hollande derrière ses digues maîtresses. Sans se mettre d'accord avec la Belgique, la Hollande exécute des travaux de colmatage, d'exhaussement de fond, d'endiguement, de coupure, qui peuvent influencer la navigabilité du fleuve. Or, le fleuve, ne l'oublions pas, ne sert de voie d'accès qu'à la Belgique. Nous demandons que lorsque la Hollande entend exécuter des travaux de ce genre, elle se mette, au préalable, d'accord avec nous.

LE PRÉSIDENT. Je crois que l'heure nous oblige à renvoyer à une prochaine séance la suite du très intéressant exposé de M. Segers.

Quel jour la Commission veut-elle se réunir?

. . .[12] On propose mardi 5 août à 16 heures 30. (*Assentiment.*) Il en est ainsi décidé.

La séance est levée à 13 heures.

# No. 48

*Record of a meeting in Paris of the Commission for the revision of the Treaties of 1839*

*No. 3* [*Confidential/General/177/9*]

*Procès-verbal No. 3. Séance du 5 août 1919*

La séance est ouverte à 16 heures 30 sous la présidence de M. Laroche, *Président.*

*Sont présents:*

M. Fred K. Neilson (*États-Unis d'Amérique*); l'Honorable Charles Tufton et le Brigadier Général H. O. Mance (*Empire britannique*); MM. Laroche et Tirman (*France*); M. Marchetti-Ferrante et le Professeur Dionisio Anzilotti (*Italie*); le Général Y. Sato et le Professeur K. Hayashi (*Japon*); MM. Segers et Orts (*Belgique*); le Jonkheer R. de Marees Van Swinderen et le Professeur A. Struycken (*Pays-Bas*).

*Assistent également à la séance:*

Le Colonel S. D. Embick (*États-Unis d'Amérique*); le Lieutenant-Colonel Twiss et M. G. N. M. Bland (*Empire britannique*); le Lieut<sup>t</sup>-Colonel Réquin et M. de Saint-Quentin (*France*); M. Tani (*Japon*); MM. de Bassompierre et Hostie (*Belgique*); le Baron de Heeckeren (*Pays-Bas*).

LE PRÉSIDENT. La parole est à M. Segers pour continuer son exposé.

M. SEGERS (*Belgique*). J'ai eu l'honneur de vous dire hier[1] que la Belgique rencontrait de graves entraves sur l'Escaut, qui la privaient en fait de la libre disposition du fleuve. J'ai montré que la première de ces entraves était relative aux travaux.

*Suite de l'exposé de M. Segers. Escaut.*

La deuxième entrave dont nous avons à nous plaindre est relative au balisage et à l'éclairage de la rivière. L'article 9 du Traité stipule que 'chaque Gouvernement s'engage à placer et à entretenir les balises et les bouées nécessaires, chacun sur sa partie du fleuve'; et comme pour la passe, la balisage est soumis à la surveillance commune des deux pays.

Ici aussi, Messieurs, il est important de signaler la situation faite à la Belgique en raison du droit de veto des Pays-Bas. Depuis 1839, tous les frais d'érection des feux, bouées et balises, tous les frais d'entretien des feux, bouées et balises, et tous les frais relatifs au personnel, c'est-à-dire les salaires des agents préposés au service de ces engins, sont restés à la charge exclusive de la Belgique. Au cours des dernières années, la Belgique a été amenée à faire de ce chef plus de quatre millions de francs de dépenses. S'il n'y avait là qu'une question de frais, la Belgique passerait aisément condamnation, mais ici, comme pour les travaux à exécuter dans la passe, la Belgique n'a pas une suffisante liberté de mouvement. Souvent d'ailleurs, lorsque la Belgique demande l'exécution d'un travail relatif au balisage ou à l'éclairage, les Pays-Bas exercent sur le Gouvernement belge — je ne voudrais employer aucun mot qui fût de nature le moins du monde à froisser la susceptibilité de nos voisins du Nord — disons exercent une pression. Et de là:

1. La Belgique a dû passer par toutes les exigences financières de la Hollande.

2. La Belgique a dû consentir à ce qu'en cas de guerre, même lorsqu'il s'agirait d'une guerre dans laquelle elle ne serait pas impliquée, l'usage de l'Escaut demeurât gravement entravé et cela pendant une période indéterminée.

3. Quand la Belgique voulut, à ses frais bien entendu, donner aux grands navires, par l'éclairage au moyen de bouées lumineuses, la possibilité de remonter ou de redescendre l'Escaut la nuit et de gagner ainsi une marée, la Hollande fit opposition à ce projet, voulant contraindre la Belgique, par voie de compensation, à renoncer à certaines dispositions de la Convention du 20 mai 1843.[2] Il s'agissait, en l'espèce, de l'article 50 de cette Convention, que la Hollande avait intérêt à voir disparaître et qui n'avait aucun rapport avec l'objet en discussion. En 1904, la Convention finit par être signée, mais

[1] See No. 47.
[2] See *British and Foreign State Papers*, vol. xxxvii, p. 1248.

avec des retards considérables. Il avait fallu dix années de négociations pour la faire aboutir.

La Hollande devrait, aux termes du Traité, payer le placement et l'entretien des balises et bouées. La Belgique, toutefois, est disposée à en supporter les frais, mais elle demande à pouvoir, dans ce cas, faire les travaux à sa guise et d'après ses besoins. Elle le demande, parce que la question de l'éclairage du fleuve est une question essentielle. Elle le demande, aussi, parce qu'en matière d'éclairage les progrès peuvent être rapides et qu'il n'est pas possible que la Belgique demeure à la discrétion de son voisin.

La troisième entrave que rencontre la Belgique sur l'Escaut est relative au pilotage. En matière de pilotage, il y a lieu de distinguer ce qui regarde les services du pilotage et ce qui concerne les droits.

Je ne m'attarderai pas à vous parler des services du pilotage. La règle fixée dans le Traité est très claire. Le pilotage est facultatif, c'est-à-dire que tous les navires peuvent prendre tel pilote qu'il[s] désirent, en remontant ou en descendant la rivière. En fait, pratiquement, le pilotage est établi uniquement pour les besoins de la Belgique. Il ne sert qu'aux ports et au commerce belges. Cependant, il existe deux services concurrents. C'est le droit de la Hollande de maintenir son service, mais puisque nous cherchons à régler ici toutes les questions relatives à l'Escaut dans un esprit de conciliation, je crois avoir le devoir de signaler que cette concurrence de deux services rivaux entraîne de graves inconvénients.

Et d'abord, elle entraîne des frais considérables. Au lieu d'avoir un bateau-pilote à l'entrée de la rade, les deux pays se font la concurrence au moyen de goélettes. Chacun d'eux a été ainsi amené à devoir mettre en ligne plusieurs de ces bateaux. Ceux-ci se portent en mer au-devant des navires pour offrir les services de leurs pilotes.

Ce régime de la concurrence présente des dangers. Aux termes des accords qui existaient entre les deux Pays avant la guerre, la Belgique ne pouvait guère se servir de canots à moteur pour la relève des pilotes à Flessingue. Cette relève se faisait au moyen de barques à rames, ce qui a entraîné de nombreux accidents.

Le troisième inconvénient, c'est la rivalité que crée la concurrence entre les services, et je dois en signaler malheureusement un exemple récent. A cause des champs de mines posées dans l'Escaut, les goélettes ont dû être remplacées récemment par des bateaux-pilotes à vapeur. Les Hollandais ont utilisé à cet effet les bateaux du port de Rotterdam. Les Belges, pris à l'improviste et épuisés quant au matériel par quatre années de guerre, n'ont pu affréter en Hollande que des remorqueurs plus ou moins appropriés pour faire face tant bien que mal à leurs obligations. Les Belges ont ainsi été mis en état d'infériorité par le fait de la guerre, et la lutte, au lieu de rester courtoise, a malheureusement été marquée par des incidents assez violents entre les agents des deux Services et par des manifestations hostiles de la population de Flessingue. Ce sont là des inconvénients auxquels il y aurait lieu, en révisant le Traité, de chercher à remédier. Et puisque le service du pilotage de l'Escaut ne sert en fait qu'à la Belgique, nous suggérons au

Gouvernement de La Haye de bien vouloir examiner s'il n'estimerait pas logique et sage d'abandonner la gestion de ce Service à la Belgique.

Mais la question des droits de pilotage présente pour la Belgique un intérêt plus considérable. Le tarif est, en moyenne, trois et même quatre fois plus onéreux pour Anvers que pour Rotterdam. La Belgique est d'avis que ce n'est pas là l'esprit du Traité. Le Traité dit que 'des droits de pilotage modérés seront fixés d'un commun accord', et il ajoute 'qu'en attendant il n'y aura pas de droits plus élevés que ceux établis par le tarif de 1829 pour les bouches de la Meuse, en proportion des distances'.

Les mots 'en attendant' prouvent suffisamment que l'intention des deux parties était de réduire les tarifs. Mais lorsque les plénipotentiaires eurent rédigé le Traité et que l'on alla voir ce que disait ce tarif de 1829, on constata qu'il n'existait pas. Il n'y avait donc pratiquement rien de positivement prévu dans le Traité. La Belgique alors accepta un tarif provisoire, mais dans la pensée que si la Hollande réduisait ses tarifs, elle bénéficierait des mêmes réductions. La Hollande abaissa ultérieurement ses tarifs et la Belgique dut maintenir les siens. D'autre part, la Hollande a transporté sa station de pilotage de Hellevoetsluis à Maassluis. En 1839, la vieille Meuse s'étant ensablée, on entrait à Rotterdam par le chenal qui passe en face d'Hellevoetsluis et la station de pilotage hollandaise se trouvait à Hellevoet. Plus tard, lorsque sous l'inspiration de l'ingénieur Caland on eût construit le Nieuwe Waterweg, la Hollande transporta sa station de pilotage de Hellevoet à Maassluis. Elle la rapprocha ainsi de Rotterdam. Il en résulta une réduction des droits de pilotage. Nous pensons qu'il faut en tenir compte, et réduire de même les tarifs belges. Nous pensons, en outre, que la proportionnalité des distances n'est plus une base qui puisse servir à la fixation des tarifs. Cette base était admissible en 1839, à l'époque où les voiliers mettaient un long temps à remonter l'Escaut. Aujourd'hui que les navires à vapeur remontent la rivière en 4, 5 ou 6 heures, la seule base admissible nous semble être le type des navires. Nous demandons que cette disposition soit révisée.

Pour ne donner qu'un exemple, je dirai que pour un navire de 5,500 tonnes on payait, pour aller de Flessingue à Anvers, 208 francs, tandis que pour aller de Hellevoetsluis à Rotterdam on ne payait que 86 fr. 77. Pour aller de Maassluis à Rotterdam, on ne paye plus que 52 fr. 06.

Messieurs, les autres entraves que la Belgique rencontre sur l'Escaut sont d'ordre accessoire. Je ne veux les citer que pour mémoire.

1. Saisie judiciaire. L'article 9 du Traité dit que les navires 'ne seront assujettis à aucune visite ni à aucun retard ou entrave'. Mais l'article ne vise pas expressément les saisies par ordonnance du pouvoir judiciaire. La Hollande en a profité pour envoyer des huissiers néerlandais à bord des navires, en vertu de mandats de juges hollandais et pour pratiquer des saisies. Cette violation — car nous estimons que c'est une violation des Traités parce que, si on peut saisir les navires dans les ports, il n'est pas admissible, aux termes du Traité, qu'on pratique ces saisies en cours de route — ces violations du Traité ont été sanctionnées par les tribunaux hollandais. Ce fut le cas du *Phénix* en 1875, le cas du *Neptune* de Brême, le cas du *Minerva*.

2. Service sanitaire. L'article 9 stipule que toute détention est interdite, même en matière de police sanitaire. La faculté de continuer la route sans entrave ni retard doit exister pour tous les navires qui remontent le fleuve. Or, les autorités hollandaises ont, à diverses reprises, exercé une pression pour que les commissaires refusent des pilotes à des navires qu'ils considéraient comme suspects.

3. Télégraphie sans fil. Le Traité, ici, est muet. La Hollande en a profité pour défendre aux navires de communiquer avec tout poste autre que celui de Scheveningue, les postes belges les plus voisins, notamment le poste d'Anvers, étant systématiquement exclus.

4. Règlement de navigation. Ici encore, le Traité est muet. Aussi, les Pays-Bas ont-ils édicté les règlements sans se mettre d'accord avec la Belgique, alors que cependant ces règlements ne devaient pratiquement servir qu'à la navigation vers les ports belges. Nous ne nous en plaindrions pas si ces règlements n'étaient pas à la fois surannés et insuffisants.

5. Charriage des glaces. Ici encore, le Traité ne dit rien. Mais nous avons constaté une ingérence fâcheuse des commissaires hollandais lorsqu'il a fallu interrompre ou reprendre le service du pilotage par suite du charriage des glaces ou du mauvais temps.

6. Une dernière entrave est relative aux eaux territoriales et côtières.

Depuis soixante-dix ans, la Hollande, à plusieurs reprises, a élevé certaines prétentions sur une partie de nos eaux littorales.

D'après la Belgique, la souveraineté et la juridiction des Pays-Bas finissent à l'Ouest de la ligne prolongeant en mer le dernier secteur de la frontière terrestre hollando-belge.

A l'Ouest de cette ligne, se prolonge le courant de l'Escaut, qui y forme la passe maritime des Wielingen. Cette passe, qui est en fait une des embouchures de l'Escaut, se trouve en partie dans les trois milles de la côte belge, en partie au delà vers la haute mer.

La Hollande a, je le répète, émis parfois sur la partie des Wielingen, qui est au delà de la limite des eaux néerlandaises et qui s'étend sur une longueur de 18 kilomètres environ depuis le Zwijn jusqu'en face de Blankenberghe, des prétentions qui tendaient à contester l'exercice par la Belgique de ses droits les plus naturels.

Elle fondait ces prétentions sur le fait que depuis 1839 la Hollande avait continué à entretenir les bouées placées dans les Wielingen.

Lorsque la Belgique construisit le port de Zeebrugge, les autorités hollandaises allèrent jusqu'à vouloir intervenir au sujet du dragage et faire des objections concernant l'établissement d'une station de pilotes belges. La Belgique ne s'inclina pas devant ces prétentions inouïes et la Hollande finit par céder, mais elle fit des réserves.

Depuis 1914, la Hollande a adopté une attitude plus conforme à ses droits. Tout le monde sait que pendant l'occupation de la Belgique par les Allemands, ceux-ci utilisèrent Zeebrugge comme base navale et que toute l'étendue des eaux littorales belges servit aux opérations de guerre navale sans que les Pays-Bas élevassent aucune objection, comme c'eût été leur devoir si une partie de ces eaux eût été soumise à leur juridiction.

Lors de l'attaque mémorable du môle de Zeebrugge[3] notamment et des combats dans les eaux contiguës des Wielingen qui étaient précisément celles sur lesquelles précédemment la Hollande avait élevé certaines revendications, de même que lors du combat qui, en 1915, coûta aux Alliés la perte du *Makri*, la Hollande ne fit entendre aucune protestation.

Nous pensons que la question est ainsi vidée. Nous en avons déduit que la Hollande avait renoncé à faire valoir des droits sur ce que nous considérons comme nos eaux. Mais les faits n'en prouvent pas moins que la Hollande a émis plusieurs fois pendant soixante-dix ans, vis-à-vis de la Belgique, des prétentions qui n'étaient pas légitimes et que, vis-à-vis des grandes Puissances pendant la guerre, elle n'a pas cru pouvoir s'y tenir.

Messieurs, je tire la conclusion de ma première constatation. L'Escaut ne sert pas à la Hollande; il ne sert qu'à la Belgique; et cependant la Belgique n'y rencontre que des entraves. Or, pour qu'elle puisse jouir de ce qu'elle croit être son droit naturel, c'est-à-dire la libre communication avec la mer, la Belgique demande que ces entraves disparaissent. Elle réclame la maîtrise du fleuve. Elle demande à cette fin que tous les travaux nécessaires à la rivière soient toujours immédiatement exécutés. Elle demande que les travaux relatifs à l'éclairage et au balisage le soient de même sans délai, et elle réclame la liberté effective au point de vue des autres services accessoires de la rivière. Je supplie les Puissances qui sont ici représentées de bien vouloir se mettre un moment aux lieu et place de la Belgique. Je crois, Messieurs, que dans aucun pays du monde on ne constate une situation analogue à celle qui existe sur l'Escaut et sur les deux rives du fleuve qui est notre seule grande voie de communication vers Anvers. Si, par exemple, la voie d'accès du port de Londres était soumise au régime de l'Escaut, si les deux rives de la Tamise appartenaient à une autre Nation et si la Grande-Bretagne ne pouvait pas librement exécuter dans le chenal qui conduit à son grand port tous les travaux qu'elle jugerait utile, ni l'éclairer à sa convenance, cette situation ne durerait pas huit jours. Si en France, la Seine, du Havre à Rouen, appartenait avec ses rives à un autre Etat, et si une autre Puissance intervenait pour autoriser les travaux éventuellement nécessaires dans la rivière et pour l'éclairage de la voie d'eau, cette situation ne durerait pas un mois. Et cependant, Messieurs, la France peut décharger ses marchandises dans l'estuaire, au Havre. Nous savons qu'elle a plus de 64 ports de mer. Elle en a plus de 400 en y comprenant les ports de pêche. La Grande-Bretagne, de son côté, a des ports tout le long de ses côtes. Et la Belgique n'a en fait et pratiquement qu'un port qui l'alimente, c'est le port d'Anvers vers lequel conduit ce fleuve dont les deux rives appartiennent à un autre État et où aucun travail ne peut se faire, ni un travail d'entretien dans la rivière, ni un travail relatif à l'éclairage sans l'autorisation et le bon vouloir de cet État.

[3] A British naval attack had been made against the mole at Zeebrugge on April 23, 1918.

Ces observations, Messieurs, m'amènent à la seconde constatation que je voulais faire. La Hollande n'a aucun intérêt à maintenir la liberté de l'Escaut. Par ses ports, et spécialement par Rotterdam et Amsterdam, elle est le concurrent le plus direct d'Anvers. Aussi, jusqu'en 1814, n'a-t-elle pas cessé de poursuivre la ruine de ce port. Depuis 1814, elle a gardé barre sur l'Escaut et sur Anvers. Or, la Belgique pense qu'il n'est pas admissible qu'elle laisse à son concurrent le plus direct la clef de sa porte. Je dis, Messieurs, que jusqu'en 1814 la Hollande n'a point cessé de poursuivre la ruine d'Anvers. Je ne ferai pas d'histoire, cela me conduirait trop loin, mais je manquerais à tous mes devoirs vis-à-vis de mon pays si je ne rappelais pas ici deux dates. Une d'entre elles remonte bien haut dans l'histoire: c'est 1323. Je la rappelle, parce que c'est depuis cette date qu'a commencé la lutte constante livrée par les Pays-Bas contre nos ports. C'est le moment où Louis de Nevers, comte de Flandre, donne en fief à Guillaume de Bavière les îles de Zélande. Les Zélandais, j'entends parler des Zélandais de la rive droite, se mirent à poursuivre la ruine de Bruges. On sait que Bruges, jusque dans le cours du xvᵉ siècle, fut extrêmement florissante. On l'appelait la Venise du Nord et Guicciardini raconte qu'on y faisait en 15 jours plus d'affaires qu'à Venise en un an. Les Zélandais parvinrent à provoquer l'envasement du Zwijn, la voie d'eau qui conduisait de Bruges vers la mer et peu après, la Venise du Nord devint Bruges la Morte. Le commerce se transporta à Anvers et depuis ce jour ce fut la ruine d'Anvers qui fut poursuivie. Elle fut consacrée en 1648 — c'est la seconde date que j'ai le devoir de rappeler — par le Traité de Munster.

Je crois pouvoir dire qu'aucun Belge ne se rappelle cette date sans un serrement de cœur. Le Traité de Munster contenait une disposition disant: 'Les rivières de l'Escaut comme aussi les canaux de Sas, Zwijn et autres bouches de mer y aboutissant seront tenues closes du côté desdits seigneurs États-Généraux.' Ce Traité fut peut-être l'acte le plus abominable au point de vue économique que l'on ait enregistré dans les annales de l'histoire. D'un trait de plume il fit d'Anvers, qui était le port le plus florissant du continent, une 'mare à grenouilles'. De 130,000 habitants, ce qui était énorme pour l'époque, la population tomba à 30,000 âmes. Ce fut, Messieurs, l'assassinat économique de la Belgique. Je le sais, un acte de ce genre ne serait plus possible aujourd'hui. La France qui eut le grand mérite d'être la première à proclamer la liberté de l'Escaut,[4] la Grande-Bretagne qui désire la liberté de transit à travers les fleuves à caractère international, les États-Unis qui veulent que chaque nation ait son libre accès à la mer, se révolteraient avec nous. Mais, ce que nous devons signaler, c'est qu'aujourd'hui encore il reste des vestiges de cette politique de Munster. C'est le Traité de Munster qui donna à la Hollande la Flandre zélandaise, cette bande de territoire qui nous sépare de l'Escaut que nous avons toujours considéré comme notre frontière naturelle, celle que nous a donnée la nature. La Hollande voulait la Flandre zélandaise, qui devait cependant demeurer isolée par un bras de mer du pays auquel on l'incorporait, pour être maîtresse

---

[4] In 1792: see below.

du Bas Escaut et tuer Anvers. Elle l'exigeait aussi pour que ce territoire formât une barrière entre la Hollande et la Belgique, c'est-à-dire entre la Hollande, et l'Espagne et l'Autriche dont les Souverains régnaient sur nos provinces.

En 1715, cette situation fut confirmée par un Traité qui porte précisément le nom de 'Traité de la Barrière' et qui en même temps permettait aux Hollandais d'entretenir des troupes dans nos villes. Elle fut confirmée à nouveau par le Traité de Fontainebleau en 1785. Ce qui nous inquiète, c'est que la barrière est toujours là.

Tout le monde sait que ce fut la France qui, en 1792, mit fin à la situation que je viens de signaler. Elle proclama la liberté de l'Escaut.

Il convient de dire, pour être exact, que la même idée avait préoccupé la Grande-Bretagne, puisque Lord Keith, Ambassadeur britannique à Vienne, avait soufflé à Joseph II l'idée de libérer l'Escaut. Joseph II s'était même rendu en Belgique dans cette intention. Mais son attention se porta bientôt ailleurs, il sacrifia son projet à ses intérêts, et ce fut en 1792 le Comité provisoire de la République française qui décréta l'affranchissement de l'Escaut et de la Meuse:

'La gêne, disait-il, et les entraves apportées à la navigation sur l'Escaut et sur la Meuse sont contraires aux principes fondamentaux du droit naturel; le cours des fleuves est la propriété commune et inaliénable de tous les pays arrosés par leurs eaux et ne peut être occupé exclusivement par une seule nation au détriment d'une autre nation riveraine.'

Lorsqu'en 1814 la Belgique fut réunie à la Hollande, on était en droit de croire que cette lutte aurait pris fin. Il n'en fut rien. En 1817, alors que la Belgique et les Provinces Unies formaient un seul royaume, alors que dans ce royaume les deux anciennes nations rivales étaient devenues deux sœurs jumelles, la Hollande essaya de replacer l'Escaut sous un régime défavorable. Le Gouvernement d'Amsterdam rétablit le 'tol', ancien péage du moyen âge et supprimé depuis Munster. Ce ne fut que grâce à l'intervention des grandes Puissances signataires de l'Acte final du Congrès de Vienne, unissant leurs protestations à celles d'Anvers, que, par décret du 10 avril 1817, ce 'tol' fut aboli.

En 1830, deux faits méritent d'être signalés. Voici le premier. Le roi Guillaume, en levant le blocus de la Belgique, n'en ferma pas moins brutalement l'Escaut, prétendant qu'il avait le droit, toujours en vertu de cet odieux Traité de Munster, de le tenir clos même en temps de paix.

Le second fait, qui est bien près de nous, car il s'est prolongé bien au delà de 1839, c'est que, sous prétexte des frais qu'allaient occasionner à la Hollande l'entretien des passes et le balisage de la rivière, il fut établi un droit de péage sur l'Escaut contre la Belgique et au profit des Pays-Bas. Anvers était une fois de plus handicapé au profit de Rotterdam. Ce droit de péage fut jugé à ce point inopportun que les grandes Puissances intervinrent une fois de plus, en 1863, pour aider la Belgique à le racheter. Il le fut pour une somme de 17 millions de florins.

C'est ainsi que nous arrivons en 1839.

La lutte est-elle terminée? Oui et non . . . .[5] Nous n'en sommes plus évidemment aux façons brutales du Traité de Munster. Nous n'en sommes plus à la tentative de 1830 et à la fermeture de la rivière. Mais les survivances de cette époque de domination n'ont pas complètement disparu. Je crois vous avoir prouvé que la Hollande a entendu garder barre sur l'Escaut et sur Anvers. Elle a maintenu son droit de veto. Le vieil antagonisme commercial se manifeste encore dans l'exécution ou plutôt dans l'inexécution du Traité. La dépendance de l'Escaut vis-à-vis des Pays-Bas est restée pour beaucoup de Hollandais un véritable dogme de la politique néerlandaise.

Eh bien, nous tenons à le dire franchement à nos voisins du Nord, nous le disons dans le désir très sincère de nous rapprocher d'eux: ce qu'il faut pour que nos relations deviennent vraiment et pleinement cordiales c'est la disparition de cet ancien vestige du Traité de Munster. Il faut mettre fin une bonne fois à ce que nous considérons comme une politique de subordination.

Nous pensons qu'il n'est ni logique, ni raisonnable, ni conforme au bon sens et à la justice qu'on mette la clef de notre maison aux mains de notre concurrent le plus direct. Celui-ci a essayé de nous ruiner pendant cinq cents ans. Il nous a effectivement ruinés pendant cent soixante ans. Il continue encore à vouloir nous imposer ce que je viens d'appeler une politique de subordination.

Permettez-moi une comparaison familière. En ayant Anvers nous sommes en possession de la bouteille, mais nous n'avons pas le goulot, et celui-ci est aux mains de celui qui, précisément, a intérêt à la boucher. Nous avons un entrepôt magnifique qui peut recevoir toutes les marchandises du monde, un palais de commerce: le port d'Anvers, mais nous n'en avons ni le couloir d'accès, ni la porte d'entrée. Ceux-ci sont aux mains d'un portier qui est précisément notre rival.

Je tire les conclusions de cette deuxième constatation. Ou bien la Hollande devrait exécuter tous les travaux, en les payant, mais avec une sanction au profit de la Belgique: c'est-à-dire que si ces travaux n'étaient pas immédiatement exécutés, la Belgique devrait pouvoir les exécuter en son lieu et place.

Ou bien la Belgique devrait pouvoir exécuter purement et simplement les travaux qu'elle paye.

Une solution qui ne serait pas admissible consisterait à réserver à la Hollande le droit de faire ou de ne pas faire selon son bon plaisir. Ce qui nous est indispensable, c'est la sécurité pour l'avenir. Sinon, il ne serait pas permis de considérer la liberté du fleuve comme effective. Celle-ci serait illusoire.

Il va sans dire que, pour l'exécution des travaux, il est indispensable de pouvoir faire usage des deux rives de la rivière, dans la limite nécessaire à cette exécution.

La solution qui, dès 1830, a paru la plus logique aux Belges — je me contente de l'indiquer en passant — c'est la cession, ou plutôt *Question de la Flandre zélandaise.* la rétrocession de la Flandre zélandaise. Je dis qu'elle a paru la plus logique, et cela pour trois raisons.

D'abord, parce qu'elle nous eût donné une plus grande liberté de mouve-

---

[5] Punctuation as in original.

ment; en nous attribuant la rive gauche du fleuve, on nous eût rendu ce que nous considérions comme notre frontière naturelle, et on nous eût facilité les travaux dans la rivière. Ensuite, parce qu'on eût supprimé la barrière dont je parlais tout à l'heure, vestige de la politique ancienne de ruine que j'ai dénoncée. Enfin — il est bien permis de le dire — parce que ce territoire est séparé économiquement de la Hollande et vit en réalité de la vie belge.

Je me propose, pour ne pas abuser des instants de la Commission, d'annexer au procès-verbal de cette séance une note dans laquelle j'analyse l'activité économique de la Flandre zélandaise (*Voir Annexe ci-apres*).[6] Elle indique le caractère vraiment belge de ce territoire. J'en dégage simplement en ce moment quelques conclusions essentielles:

1. L'existence économique de la Flandre zélandaise dépend de la Belgique.
2. La Belgique est le seul débouché appréciable de la Flandre zélandaise (abstraction faite du transit de et vers la France).
3. Les industries vivent du canal que nous avons construit.
4. Le rattachement économique de la Flandre zélandaise permettrait seul l'essor d'un pays stationnaire, d'où la population émigre et où sévit la contrebande.

Mais si la Flandre zélandaise n'est pas rétrocédée à la Belgique, tout au moins devons-nous être les maîtres des travaux de toute nature dans l'Escaut.

Le sort du port d'Anvers est à ce prix. Certes, Anvers s'est développé au cours du dernier siècle; mais nous pensons qu'Anvers eût pu se développer davantage.

D'après le relevé de la 'Staats-Commissie in zake den toegang tot Nederland door het Noordzeekanaal',[7] nous constatons qu'en 1880, Anvers avait le double environ du tonnage de Rotterdam. En 1900, Rotterdam rattrape Anvers. En 1914, Rotterdam devance Anvers.

Vous constaterez que ces progrès coïncident précisément avec ceux de la construction des grands navires. Les progrès de la construction navale entraînent comme conséquence la nécessité d'améliorer les voies d'accès vers les ports, et ces améliorations exigent qu'on ne rencontre aucune entrave dans l'exécution des travaux.

Ceci m'amène à ma troisième constatation. Elle est d'ordre technique. Nous y attachons une grande importance.

Le Traité de 1839 n'a pas tenu compte d'un élément essentiel à la liberté effective de l'Escaut: c'est le développement progressif de la construction navale et la nécessité qui en résulte de transformer les voies d'accès aux ports.

Le Traité de 1839 impose à chaque pays la conservation des passes navigables. Pourquoi n'a-t-il pas été au-delà? Parce que ces passes, telles qu'elles étaient et se comportaient en 1839, suffisaient évidemment aux

---

[6] Not printed.
[7] 'State Commission on the access to the Netherlands through the North Sea Canal.'

besoins des navires de toute espèce. Elles étaient jugées suffisantes non seulement au passage des navires qui existaient en 1839, mais aux plus grands navires dont on pouvait alors prévoir la construction dans l'avenir.

Mais depuis lors, toutes les prévisions ont été dépassées en matière de constructions navales. Les dimensions des navires n'ont pas cessé de progresser, surtout au cours de ces 30 dernières années. Les navires sont devenus de plus en plus longs, de plus en plus larges; leur tirant d'eau est de plus en plus fort. On met en ligne des unités de 250 mètres de longueur, d'une largeur et d'une profondeur correspondantes. Il en résulte que les voies d'accès vers les ports doivent être sans cesse approfondies et élargies. On doit avoir le moyen de faire sans désemparer, d'une façon continue, des travaux d'amélioration. Ces travaux sont surtout indispensables dans un fleuve comme l'Escaut, qui, je me permettais de vous le montrer à la séance d'hier, est un fleuve sinusoïdal, où le thalweg passe sans cesse d'une rive concave vers une rive convexe, où en passant d'une rive à l'autre, le chenal se rétrécit et où aux points d'inflexion se forment des seuils.

Il est donc nécessaire d'élargir la passe souvent trop étroite, et de draguer les seuils. La drague doit pouvoir opérer sans cesse. Aussi faut-il que la nation qui doit pouvoir se servir de pareille voie d'accès vers ses ports, ait la plus grande liberté d'action. Elle doit avoir une extrême facilité de mouvement, un droit absolu d'appréciation. Il faut que les travaux puissent se faire vite et bien.

Ces nécessités sont d'autant plus impérieuses pour notre pays, que la Belgique doit entrer dans une voie nouvelle. Peu de temps avant la guerre elle venait de décider de très grands travaux dans la partie belge de la rivière. En rade d'Anvers, il avait été décidé que l'on construirait une nouvelle écluse au Kruisschans. Elle avait été adjugée. L'ordre d'exécution était donné. La construction de 2,000 mètres de murs de quai était mise en adjudication. La construction d'une grande partie du bassin-canal entre le Kruisschans et les deux nouvelles darses qui ont été récemment construites était sur le point d'être adjugée. On commençait les expropriations pour l'amélioration du cours de l'Escaut entre Anvers et le Kruisschans. Tous ces travaux, nous avons décidé de les faire dans le but de recevoir des navires beaucoup plus grands que ceux qui peuvent entrer à Anvers aujourd'hui. Les nouveaux quais seront fondés à une profondeur suffisante, pour permettre à marée basse l'accostage de bateaux de 12 mètres de tirant d'eau. Pour que ces navires puissent arriver à Anvers et en repartir sans être gênés dans leur marche par les sujétions dues à la marée, il faudra nécessairement améliorer aussi l'Escaut en aval du Kruisschans sur le territoire hollandais. Tous les travaux que nous réaliserons devant Anvers deviendraient inutiles si nous ne pouvions faire des travaux correspondants sur la partie hollandaise du fleuve.

Un Français de marque va vous le dire avec moi. C'est l'Inspecteur général des Ponts et Chaussées de France, M. de Joly, avec lequel j'avais l'honneur de siéger il y a une dizaine d'années à la Commission de l'Escaut. Avec l'autorité qui s'attache à sa compétence toute spéciale, il signalait cet aspect si important du problème de l'Escaut. Je me permets de vous rappeler ses paroles. Elles sont caractéristiques au point de vue qui nous occupe.

La multiplication des navires de 200 à 250 mètres est certaine. Ils ont été jusqu'à présent exceptionnels; ils vont devenir de construction courante et Anvers doit se préparer à les recevoir.

Sinon, dans un avenir prochain, 20 ans au moins, ce sera pour son port sinon la décadence, du moins la déchéance. Le jour où telle ou telle des lignes régulières qui le fréquentent l'abandonnera, faute de pouvoir y mener ses grands navires sans trop de risques et de pertes de temps, Anvers pourra rester un très grand port; mais il ne sera plus le port qu'il est aujourd'hui. Rotterdam avec son chenal à très faibles courbures de 33 kilomètres de long, dont l'amélioration mécanique est aisée, recevra demain les navires de 10 mètres et plus qui hésiteront jusqu'à nouvel ordre à fréquenter Anvers.

Je considère pour ma part comme indispensable d'y toucher de toutes manières et je crois qu'après avoir grandi et prospéré en tirant parti d'une situation naturelle exceptionnelle, Anvers est condamné à entreprendre non seulement l'amélioration de l'Escaut en aval de sa rade actuelle, mais l'amélioration en amont, puis viendront des travaux dans la partie hollandaise de son cours, puis des dragages sur les Wielingen, etc.

Si j'étais Anversois, je considérerais qu'il n'y a pas un moment à perdre.

Mais, Messieurs, si nous voulons demeurer à la hauteur des progrès, il est possible — je ne dis pas qu'il soit certain, je dis qu'il est possible — que des travaux deviennent de même nécessaires à travers les polders hollandais. Il se peut que l'on n'ait pas seulement à faire des travaux dans la rivière, qu'on n'ait pas seulement à lécher les rives de la partie hollandaise du fleuve, mais que l'on doive peut-être même couper à travers les polders qui longent les rives actuelles. Pour le dire, je m'appuie sur l'autorité de M. Welcker, Inspecteur général en chef du Waterstaat. Il a parfaitement mis en lumière que, sans le Nieuwe Waterweg qui est une voie purement artificielle, Rotterdam n'existerait plus. Ces derniers jours, j'avais sous les yeux un article récent, très documenté, d'un autre Hollandais distingué, M. van Kieffeler, publié dans l'*Economisch-statistische Berichten*, sous le titre: 'Uitgevoerde en voorgenomen verbeteringen van onze scheepvaartwegen'.[8]

L'auteur indique l'amélioration qui a été apportée aux voies d'accès vers les ports de son pays. Il met en lumière cette vérité qu'aujourd'hui la question de la prospérité des ports est presque exclusivement une question d'amélioration des voies d'accès. Pour Amsterdam, il montre que tour à tour, en 1863, puis en 1883, puis en 1899, puis en 1909, on a, à tout instant, dû décréter de nouveaux travaux d'agrandissement dans les voies donnant accès au port. Il signale que, pendant la guerre, les Hollandais ont pris des mesures — et nous les en félicitons — pour améliorer les voies d'eau vers Amsterdam. Parlant de Rotterdam, il signale que quatre fois on a dû modifier l'accès de la mer vers le port. D'abord, on entrait à Rotterdam par le bras de Meuse

---

[8] 'Executed and contemplated improvements in our shipping routes.'

appelé Brielsche Maas. Puis, cette voie s'étant ensablée, on y alla par le Goereeschezeegat, où on accédait, après un long détour, par le Botlek, le Dortschekil et le Haringvliet. Puis en 1827–1829, on dut construire un canal à travers l'île de Voorne, reliant le Botleck à Hellevoetsluis. Puis enfin, en 1858, sous l'inspiration du grand ingénieur Caland, on décida de créer le Nieuwe Waterweg, une voie artificielle, de Rotterdam à Hoek van Holland. Et ce canal lui-même dut sans cesse être amélioré. En 1863, on décide de lui donner une profondeur de 7 mètres; en 1896, de 8 mètres; de 1897 à 1907, de nouveaux travaux lui donnent 1 mètre de plus. En 1908, une loi décide de faire des travaux qui, achevés en 1919, donnèrent une passe de 8 m. 50 de profondeur à marée basse et 10 mètres à marée haute. En 1917, pendant la guerre, une loi prévoit la nécessité de porter la profondeur à 12 m. 50 à marée haute à l'embouchure de [? du] canal, à 11 m. 50 dans le canal proprement dit. Et déjà, on prévoit la nécessité de porter la profondeur de la passe à 12 m. 50 à marée haute dans le canal et à 13 m. 50 dans son embouchure.

Voilà ce qu'on est obligé de faire ailleurs. Comment pourrait-on dire après cela qu'il ne sera peut-être pas nécessaire d'apporter à certain moment des modifications radicales au chenal de l'Escaut pour aller de la mer à Anvers, et même peut-être de couper à travers les polders, pour créer là aussi sur une partie de l'Escaut une voie artificielle? Il faut se rendre compte des travaux incessants d'entretien et d'amélioration que nécessite un fleuve de ce genre, pour se convaincre de l'extrême mobilité de son chenal.

Laissez-moi vous dire simplement ce qui s'est passé, faute de dragages, sur quelques-uns des points de la passe pendant la guerre. En 1914, nous avions 7 mètres et 8 mètres de profondeur à marée basse. Nous les avions sur de grandes largeurs. Nous n'avons plus 7 mètres aujourd'hui que sur des largeurs réduites. Et sur la plupart des points nous n'avons plus les 8 mètres que nous trouvions sur de grandes largeurs avant la guerre.

Voici d'ailleurs le tableau:

| Indication des seuils | Largeur des passes | | | |
|---|---|---|---|---|
| | entre courbes de — 7.00 | | entre courbes de — 8.00 | |
| | En 1914 | En 1919 | En 1914 | En 1919 |
| | mètres | mètres | mètres | mètres |
| Krankeloon . . . . . | 275 | 120 | 250 | 0 |
| La Perle . . . . . | 300 | 170 | ,, | ,, |
| Lillo . . . . . . | 340 | 300 | 235 | 0 |
| Frédéric . . . . . | 235 | 200 | 135 | 0 |
| Sauwliet . . . . . | 325 | 70 | 130 | 0 |
| Bath . . . . . . | 300 | 220 | 225 | 130 |

Voilà comment une rivière de ce genre se transforme, faute de travaux, en un temps réduit. Permettez-moi maintenant, Messieurs, de mettre sous vos yeux la carte des dragages[9] qui ont été opérés au cours de ces dernières

9 Not appended to this document.

années dans l'Escaut; vous verrez combien ces dragages ont été importants. Vous constaterez qu'ils ont été constants.

Voici la rade d'Anvers. Voici la première catégorie de dragages. On dut draguer dans toute la largeur du thalweg pour maintenir la passe. Voici la seconde catégorie de travaux, puis la troisième, la quatrième, la cinquième, la sixième, la septième, la huitième.

Voyez combien chacun de ces travaux est important. . .[5] Si on ne les avait pas exécutés, la passe se fût ensablée. Ici l'on passe sur territoire hollandais. Voilà trois catégories de travaux extrêmement importants, à Bath et à Walsoorden. Ils étaient indispensables. Vous constatez ainsi qu'on ne peut se passer de travailler au lit du fleuve dans la partie néerlandaise. Et maintenant, je me permets de mettre sous vos yeux la carte[9] que j'ai déroulée déjà avant-hier devant vous. Elle montre que les passes de Bath et de Walsoorden sur territoire néerlandais sont précisément des plus précaires. Rien ne nous dit que si l'une de ces passes s'ensablait, il ne serait pas nécessaire de couper un nouveau lit à travers des polders qui s'étendent ici, soit à droite, soit à gauche du fleuve. Il a été question jadis de créer entre le Kruisschans et Anvers, un travail appelé 'grande coupure'. Ce travail qui devait être exécuté à travers les polders d'Oorderen et d'Anstruweel aurait remplacé le vieil Escaut. En fait, on va y substituer un bassin-canal qui part de ce point du coude de Kruisschans et qui doit retrouver ici les darses construites au cours de la guerre. Nous ferons ce travail précisément pour éviter les passes sinueuses dans cette partie de la rivière. Rien ne dit qu'il n'arrivera pas un moment où la passe s'ensablant sur le secteur hollandais, il ne sera pas de même nécessaire, soit de mordre dans l'une des rives pour mieux fixer le chenal, soit même de couper résolument dans les terres, de façon à agrandir les courbes, en créant un chenal en partie artificiel. Je vous ai dit à l'instant combien les passes hollandaises de Bath et Walsoorden sont susceptibles de variations. Voici un atlas qui montre ce qu'étaient ces passes en 1800. Voyez comme on passait aisément par la passe de Waerden ver[s] Bath. Vous constatez combien le chenal y était bien fixé. En 1862 — voyez la carte[9] — ce chenal s'est ensablé. On passe alors, mais avec difficulté, par le Zuidergat, vers Walsoorden. La passe est étroite à l'Est du Brouwer Plaat. En 1879, l'ensablement constaté sur la carte de 1879 [sic] au Nord-Est du banc de Valkenisse a grandi. On passe toujours par le Zuidergat. En 1892, la partie ensablée s'étend encore. Mais voyez combien le passage par le Zuidergat, au Nord de la Plaat van Ossenisse, est devenu plus difficile. Qui dit qu'un jour, si le chenal s'ensablait en cet endroit, il ne faudrait pas faire une coupure soit sur la rive droite entre Bath et Hansweert, soit sur la rive gauche, à travers les polders de Walsoorden et Ossenisse? Pareils travaux se font maintenant couramment partout. Rien ne prouve que nous ne soyons pas amenés à faire des travaux du même genre pour garder notre accès à Anvers.

J'en conclus que si nous suivions à la lettre le Traité de 1839, c'est-à-dire que si nous nous bornions — c'est l'interprétation donnée par la Hollande — à faire simplement les travaux d'entretien, Anvers serait infailliblement voué à devenir un port de deuxième ordre. C'est la déchéance. Or personne ne soutiendra que pareille déchéance soit conciliable avec le principe consacré, sous la haute autorité de M. le Président Wilson, et admis aujourd'hui par le monde entier, du droit pour chaque nation d'avoir son libre accès à la mer. Ce principe ne veut pas dire que la Belgique doit avoir accès à la mer avec les voiliers de 1839. Il signifie, pour autant bien entendu que l'art de l'ingénieur puisse donner aux voies d'accès des profondeurs et des largeurs suffisantes, que l'accès doit être possible de la mer à Anvers et d'Anvers à la mer pour les plus grands navires, en tenant compte des progrès constants de la construction navale.

Messieurs, je tiens à vous signaler que ce que la Belgique réclame aujourd'hui, c'est exactement ce que réclamaient avec tant de raison les États-Unis il y a cent ans. A cette époque, les États-Unis n'étaient pas propriétaires des bouches de leur grand fleuve, le fleuve-père, le Mississipi. Vous savez en effet que le Mississipi appartenait à l'Espagne, propriétaire de la Louisiane. L'Espagne céda ce pays à la France. En 1800, Livingston fut envoyé à Paris, avec mission de racheter la Nouvelle-Orléans, de façon à rendre les États-Unis maîtres des bouches du Mississipi. Le diplomate qui, à Paris, avait rencontré le grand Monroë, n'hésita pas, d'accord avec lui et quoiqu'il n'eût pour mission que de négocier l'achat de la Nouvelle-Orléans, d'acheter pour 15,000,000 dollars la Louisiane tout entière. Les États-Unis devinrent propriétaires du grand fleuve. Et je ne crains pas de dire que les États-Unis, et Jefferson, le grand ami de la France, seraient allés, s'ils n'avaient pu acquérir à l'amiable les bouches de leur fleuve, jusqu'à s'en rendre maîtres par la force. Je me permettrai d'envoyer à chacun des membres de la Commission une notice au sujet de la question du Mississipi. Elle est frappante au point de vue des analogies qu'elle présente avec la question de l'Escaut.

Je conclus, Messieurs, en ce qui concerne cette troisième constatation. Les travaux à exécuter sur l'Escaut ne doivent pas être seulement des travaux d'entretien. Nous devons pouvoir y exécuter aussi des travaux d'amélioration. Et si les besoins de la navigation l'exigent, il doit nous être permis de faire les travaux de transformation du fleuve quand même ceux-ci devraient passer à travers les polders riverains. Il va sans dire que si nous étions amenés à devoir exécuter des travaux de ce genre, ils ne pourraient l'être qu'en suivant les règles des lois de l'expropriation pour cause d'utilité publique du pays sur le territoire duquel se trouvent les terres à exproprier. Des travaux de ce genre peuvent parfaitement se faire, tout en maintenant la pleine souveraineté du pays dont le territoire serait ainsi amputé.

Le Président. Je me permets de vous arrêter ici, parce que vous avez achevé une des parties de votre exposé et que je ne voudrais pas vous interrompre au milieu d'un raisonnement. Si vous le voulez bien, nous pourrons remettre la suite de votre discours à la prochaine séance qui pourrait avoir lieu jeudi à 10 heures. Croyez-vous que vous pourrez finir en une seule fois?

M. Segers (*Belgique*). Je le pense, Monsieur le Président. Mon collègue, M. Orts, aura, après cela, à donner quelques explications au point de vue politique.

Le Président. — La prochaine séance aura donc lieu jeudi, 6 [7] août, à 10 heures. (*Assentiment.*)

La séance est levée à 18 heures 40.

## No. 49

*Mr. Balfour (Paris) to Sir C. Marling (Copenhagen)*

*No. 12 Telegraphic [475/1/1/17031]*

PARIS, *August 5, 1919*

Schleswig Plebiscite.

In reply to a request by the Danish Government for the despatch of warships to Flensborg the Supreme Council informed the Danish Minister here on August 3rd that in the opinion of the Council the British warship now present in Danish waters, together with a French warship at present on its way there, should be sufficient to maintain order.[1]

This reply was drafted by the Council under the erroneous impression that there was already a British warship in Danish waters. The real situation is that British warships are frequently passing through Danish waters in connection with operations in the Baltic and a French warship is on her way there. Further, in the opinion of the Council, the Allied and Associated Powers must abide by the terms of the Treaty with Germany and consequently can take no action at present.

If the Danish Government approach you on the subject you should reply that no change can be made in the previous arrangements.

[1] See Volume I, No. 26, note 5.

## No. 50

*Mr. Balfour (Paris) to Earl Curzon (Received August 6)*

*No. 1236 Telegraphic: by bag [112710/25108/4]*

PARIS, *August 5, 1919*

Sir F. Villiers' telegram No. 131[1] of July 25. Not having seen previous reports, I am not able to judge of merits of this particular Belgian complaint. But I cannot too strongly impress upon you importance of our avoiding anything that could lend colour to allegation that we do not show Belgium that consideration which is due to her as our Ally. We are unfortunately not in a position to meet Belgian views on a number of large questions of policy. It is all the more important that we should go out of our way to respect her susceptibilities in minor matters.

[1] Not printed. See No. 45, note 4.

*Prima facie* the reported action of General Hyslop would seem to want a good deal of explanation.

I understand that the withdrawal of British force from Malmédy and the occupation of the district by Belgian troops has been definitely approved and arranged. I share Sir F. Villiers' opinion that it is highly desirable to carry out the arrangement with the least possible delay.

## No. 51

*Mr. Balfour (Paris) to Earl Curzon (Received August 6)*

*No. 1241 Telegraphic [112714/25108/4]*

PARIS, *August 6, 1919*

Your despatch No. 5188[1] August 2nd.

Marshal Foch issued orders on August 4th for handing over to Belgians of Malmédy area. These instructions were telegraphed to General Robertson on August 5th; he will take immediate steps, in agreement with Belgian command, to evacuate area, but will continue to use Elsenborn training camp.

[1] No. 45.

## No. 52

*Earl Curzon to Mr. Balfour (Paris)*

*No. 1065 Telegraphic [113417/50557/39]*

FOREIGN OFFICE, *August 7, 1919*

My immediately preceding telegram.[1]

Following from Mr. Hughes, Durban,[2] to Secretary of State for Colonies (begins)

Your telegram of July 23rd.[3]

Propose to lay treaty of peace before Parliament for ratification (ends).[4]

[1] Not printed. This telegram of even date transmitted the text of the telegram of August 4, 1919, from the Governor-General of Canada to Lord Milner, printed in Canadian Sessional Paper, 1919, No. 41j (see No. 29, note 3), p. 12.

[2] Mr. Hughes, Prime Minister of Australia, had arrived at Durban on his return voyage from the Peace Conference at Paris to Australia.

[3] See No. 29, note 3.

[4] For the corresponding reply of August 6, from the Government of South Africa, and Lord Milner's answer thereto, cf. Lord Milner's telegram of August 12 to the Governor-General of Canada, printed loc. cit.

# No. 53

*Record of a meeting in Paris of the Commission for the revision of the Treaties of 1839*

No. 4 [*Confidential/General/177/9*]

*Procès-verbal No. 4. Séance du 7 août 1919*

La séance est ouverte à 10 heures sous la présidence de M. Laroche, *Président*.

*Sont présents:*

M. Fred K. Neilson (*États-Unis d'Amérique*); l'Honorable Charles Tufton et le Brigadier Général H. O. Mance (*Empire britannique*); MM. Laroche et Tirman (*France*); M. Marchetti-Ferrante et le Professeur Dionisio Anzilotti (*Italie*); le Général Y. Sato et le Professeur K. Hayashi (*Japon*); MM. Segers et Orts (*Belgique*); le Jonkheer R. de Marees Van Swinderen et le Professeur A. Struycken (*Pays-Bas*).

*Assistent également à la séance:*

Le Major John S. Hunt (*États-Unis d'Amérique*); le Lieut^t-Colonel Twiss et M. G. N. M. Bland (*Empire britannique*); le Lieut^t-Colonel Réquin et M. de Saint-Quentin (*France*); M. Tani (*Japon*); MM. de Bassompierre et Hostie (*Belgique*); le Baron de Heeckeren (*Pays-Bas*).

Le Président. La parole est à M. Segers, pour continuer son exposé.

M. Segers (*Belgique*). Messieurs, lorsque, avant-hier, j'ai interrompu mon exposé de la question de l'Escaut,[1] il me restait à faire une
*Suite de l'exposé* dernière constatation. Elle est une conséquence de la guerre.
*de M. Segers.* Je l'appellerai l'argument allemand.
*Escaut.*     Le danger pour Anvers de voir la liberté de l'Escaut compromise a encore augmenté depuis la guerre.

Avant la guerre, la Belgique avait deux gardiens de la liberté de l'Escaut: la Grande-Bretagne et l'Allemagne. La Grande-Bretagne avait environ 44 p. 100 du tonnage total du port d'Anvers; mais ses navires étaient surtout des 'tramps', des navires vagabonds, qui peuvent trouver asile, au besoin, dans un autre port. L'Allemagne n'avait que 36 p. 100 environ de ce même tonnage; mais 24 p. 100 de notre tonnage total étaient représentés par des lignes régulières allemandes: la 'Hamburg America Linie', le 'Norddeutscher Lloyd', la 'Australische Gesellschaft', la 'Dämpschifft', la 'Neptune Linie', etc., etc., qui avaient à Anvers leur port d'attache et leur domicile. C'était donc surtout l'Allemagne qui avait intérêt, avant la guerre, à ce que l'Escaut restât libre. Mais aujourd'hui la situation s'est totalement modifiée. Beaucoup de ces lignes allemandes ont émigré ou se préparent à émigrer vers Rotterdam. Le port d'Anvers devient ainsi le concurrent des lignes allemandes installées à Rotterdam.

[1] See No. 48.

137

Ce n'est donc plus seulement la Hollande, c'est l'Allemagne, rivale d'Anvers à Rotterdam, qui a désormais intérêt à compromettre le sort de notre port et sa voie d'accès, l'Escaut.

Or, nous connaissons les procédés allemands. Nous savons depuis la guerre l'absence absolue de scrupule de cette nation de proie. Aussi la Belgique éprouve-t-elle une réelle anxiété en songeant à la pression que l'Allemagne pourrait être amenée à exercer sur nos voisins du Nord.

Non pas que ceux-ci se laisseraient impressionner au point de ruiner Anvers, en coulant par exemple un transatlantique dans la passe. Mais nous craignons que sous l'influence de l'Allemagne les Pays-Bas, loin de réduire les entraves sur le fleuve, répondent au contraire à nos demandes par des nouvelles tergiversations et des atermoiements, qui compromettraient le développement d'Anvers et en feraient finalement un port de second ordre.

J'ai la conviction profonde que la Hollande ne se laisserait aller à commettre aucun acte, si minime fût-il, dans un esprit d'hostilité vis-à-vis des Alliés; mais j'ai aussi la certitude que l'Allemagne mettra tout en œuvre pour exercer contre nous son influence sur la Hollande. Cette influence s'est déjà manifestée pendant la guerre. C'est grâce à cette pression que la Hollande a été amenée à participer au ravitaillement le l'empire allemand. C'est grâce à cette pression qu'elle a livré passage aux sables et aux graviers qui transitaient par son territoire dans un but manifeste de guerre. On sait que cette attitude de la Hollande a amené l'intervention de la Grande-Bretagne, et que l'honorable M. Balfour dut lui rappeler que, signataire des traités de 1839, sa neutralité l'obligeait à des devoirs spéciaux.[2] C'est enfin grâce à cette pression que la Hollande consentit à laisser passer à travers le Limbourg, après l'armistice, 80,000 soldats allemands. Ceux qui ont assisté aux séances du Conseil des Cinq, au cours desquelles on entendit les Ministres des Affaires étrangères de Hollande et de Belgique, se souviennent de l'interruption de M. Lansing, disant que si le passage de ces 80,000 Allemands en armes avait été possible à travers le Limbourg, c'est parce que l'Allemagne était la plus forte et la Hollande la plus faible.[3] L'Allemagne sera toujours la plus forte. La nation allemande est toujours debout. L'unité allemande n'est pas détruite. L'Allemagne se reconstitue au point de vue économique. Les Alliés l'aident à se refaire, ne fût-ce que pour lui donner le moyen de payer ses dettes de guerre.

L'Etat allemand aura toujours plus de 80 millions d'habitants, sans compter l'Autriche allemande qui se rapproche de la Prusse. La Belgique craint donc — je le dis avec une véritable anxiété — que, par intérêt, l'Allemagne fasse sentir sa pression sur la Hollande contre l'Escaut, et que, par rancune, elle cherche à se venger de la Belgique sur Anvers.

Ce n'est donc pas seulement pour régler une fois pour toutes notre situation

[2] See Cd. 8915 of 1918: *Further correspondence respecting the transit traffic across Holland of materials susceptible of employment as military supplies.*

[3] See the record of the meeting of the Council of Foreign Ministers on May 19, 1919, in *Papers relating to the Foreign Relations of the United States: the Paris Peace Conference 1919*, vol. iv, p. 732.

avec la Hollande, c'est aussi par défiance vis-à-vis de l'Allemagne — je n'hésite pas à le dire — que nous demandons le verrou de notre porte.

Vous connaissez le mot du Maréchal Foch, rentrant d'Allemagne: 'Je n'avais pas peur des voleurs, mais tout de même, chaque soir, je fermais ma porte à clef.' Nous, Messieurs, disons-le franchement, nous avons peur des voleurs. Nous craignons l'action néfaste de l'Allemagne à Rotterdam. Et nous réclamons la clef de notre porte.

En vous demandant la clef de notre porte, je défends un intérêt belge, c'est évident, mais je défends aussi un intérêt international. L'Escaut sert au passage des navires et au transit des marchandises du monde entier. Si Anvers risque de déchoir, si la Belgique court le danger d'être paralysée dans son essor, faute d'avoir une entière liberté sur l'Escaut, il va sans dire qu'il est de l'intérêt du monde entier de mettre un terme à cette situation illogique.

Je me résume donc en ce qui concerne l'Escaut. Toutes les idées ici s'enchaînent. Elles forment un tout:

I. L'Escaut ne sert pas à la Hollande, c'est un fleuve essentiellement belge, servant à Anvers, à Gand, à la Belgique. Or, la Belgique n'en a pas la libre disposition.

II. La Hollande n'a aucun intérêt à sauvegarder la liberté du fleuve. Au contraire, puisque Anvers est le concurrent immédiat de ses ports et particulièrement de Rotterdam. Elle a essayé, dans le passé, de ruiner Anvers. Elle a fermé l'Escaut. Dans le présent, elle a interprété les Traités dans le sens le plus étroit. Elle est restée en défaut d'accomplir certaines de ses obligations. Son droit de veto nous met dans la nécessité de supporter toutes les charges. Il peut rendre illusoires les droits stipulés à notre profit dans le Traité.

III. La Hollande ne peut méconnaître que le Traité de 1839 n'a pas pu prévoir les progrès de la construction navale et les exigences nouvelles de la navigation. Celles-ci nécessitent l'exécution de travaux d'amélioration dans le fleuve, et imposeront peut-être un jour la création, au moins partielle, d'un nouveau chenal d'accès.

IV. La Hollande, en demeurant simplement passive, peut ruiner l'Escaut et Anvers. Il faut à cet égard redouter la pression de l'Allemagne. Anvers étant au carrefour de l'Europe, c'est le monde entier qui a intérêt à la liberté de l'Escaut.

Je conclus que c'est dans son intérêt, mais aussi dans l'intérêt du monde entier que, s'appuyant sur l'équité et la logique, la Belgique demande la liberté effective de ses communications avec la mer.

Il lui faut à cette fin la maîtrise de l'Escaut, c'est-à-dire:

I. Le droit de faire exécuter par la Hollande, et aux frais de celle-ci, tous les travaux nécessaires à la navigabilité et, comme sanction, si la Hollande reste en défaut de les exécuter, le droit de les faire sans retard en son lieu et place.

II. Le droit d'exécuter directement et sans entraves tous les travaux, au cas où elle offrirait de les payer.

III. Les mêmes droits pour les balisages, l'éclairage et les bouées.

IV. Le droit de faire usage des deux rives dans toute la mesure où c'est nécessaire pour l'exécution de tous les travaux. (Ceci est conforme, laissez-moi le dire en passant, au droit qui a été reconnu si légitimement, par le Traité de paix, à la France au regard de l'Allemagne sur le Rhin.)

V. Le droit d'exploiter et de régler les services accessoires sur l'Escaut (pilotage, service sanitaire, T.S.F.,[4] etc.) de la façon qu'elle jugera le plus utile à la navigation.

VI. La Hollande, d'autre part, ne peut pas avoir le droit d'exécuter des travaux à l'extérieur des digues maîtresses s'ils sont de nature à nuire à la navigabilité.

Je viens, en ce qui concerne l'Escaut, de préciser les desiderata, qui avaient déjà été énoncés dans le mémoire remis par M. Hymans au Conseil des Cinq. En n'insistant pas pour obtenir les attributs de la souveraineté que nous réclamions antérieurement et en ne demandant que l'attribution de droits qui ne se traduisent que par de simples limitations de l'usage de sa souveraineté par la Hollande, vous constaterez, Messieurs, que nous avons cherché à préciser nos demandes dans un sens qui, je le pense, sera de nature à agréer davantage au Gouvernement de la Reine.

La question de la liberté de nos communications avec la mer soulève un autre problème, celui du canal de Terneuzen.

*Canal de Terneuzen.* Permettez-moi de faire tout d'abord une constatation de fait. Le canal de Terneuzen a été construit en 1823, c'est-à-dire avant le Traité dont nous discutons la révision. Il a été élargi et approfondi en 1870, amélioré en 1879 et surtout en 1895 et 1902. Sa longueur est de 32 kilomètres, dont 17 kilomètres en Belgique et 15 kilomètres en Hollande. Il ne sert, en fait, qu'à la Belgique, à Gand, ville importante de 200,000 habitants et aux régions situées au delà, y compris le Nord de la France, à Malines et autres villes belges qui ont accès à la Flandre. Quant à Terneuzen, c'est en réalité l'avant-port de Gand. Ce n'est pas un port proprement dit. C'est le canal lui-même qui sert de port sur toute sa longueur depuis la frontière belge jusqu'à l'Escaut. Terneuzen n'existe, pour ainsi dire, en tant que port, que par le fait que la Belgique l'a fait bénéficier jusqu'ici de la plupart de ses tarifs de ports de mer. Pratiquement d'ailleurs, Terneuzen est un port insignifiant. Il est sans activité commerciale et industrielle notable. En 1913, il n'y est entré que 415 navires de mer.

Terneuzen est donc un véritable port belge. En dehors du trafic de et vers la Belgique, il est exclusivement alimenté par les importations et les exportations des usines franco-belges, — il y en a une vingtaine — situées le long du canal.

D'après les renseignements du pilotage belge, il est entré à Terneuzen, en 1913, au total 330,000 tonnes de marchandises, dont 120,000 tonnes de charbon destinées à l'usine à coke de Sluiskil, et 200,000 tonnes à destination de la Belgique. Ajoutez-y 57 navires chargés de bois. La Belgique ayant importé 80,000 tonnes de bois, on doit présumer qu'elles proviennent de ces navires.

[4] i.e. wireless.

A la sortie, la même statistique nous apprend que l'exportation de Terneuzen a été de 113,095 tonnes venant de Belgique et de 2,000 tonnes indigènes.

Vous voyez donc que le port de Terneuzen et toute la Flandre zélandaise ont un caractère nettement belge. Il serait dès lors normal, équitable, logique que la gestion de ce port fût confiée à la Belgique.

En ce qui concerne le canal de Terneuzen, l'article 10 du Traité de 1839 stipule:

> L'usage des canaux qui traversent à la fois les deux pays continuera d'être libre et commun à leurs habitants. Il est entendu qu'ils en jouiront réciproquement et aux mêmes conditions, et qu'il ne sera perçu sur la navigation desdits canaux que des droits modérés.

Voyons ce qu'on a fait de cette égalité de conditions et de cette jouissance réciproque. Mettons aussi en lumière, en même temps, les inconvénients que présente ce régime pour la Belgique. Ceux-ci se manifestent en ce qui concerne les travaux, les règlements, le pilotage, le transit, les ensablements dans l'avant port. Mais c'est surtout au point de vue des travaux que nous rencontrons des entraves. Les travaux déjà exécutés ne présentent aucune uniformité. . .[5] Ils sont insuffisants sur la partie hollandaise du canal. Ainsi, en ce qui concerne la cuvette même du canal, la largeur à la flottaison est de 97 mètres en territoire belge et de 67 mètres seulement en territoire hollandais. La largeur au plafond est de 50 mètres en Belgique, de 24 mètres en Hollande. Au passage des ponts, la passe navigable a 26 mètres de largeur en Belgique à Langerbrugge, à Terdonck et à Zelzaete et 15 et 26 mètres à Sluiskil en Hollande. Elle a 18 mètres à Terneuzen (écluse). Les mêmes différences se constatent pour les écluses: à Sas de Gand, la grande écluse a 200 mètres de longueur, 26 mètres de largeur, 9 mètres 50 de profondeur; la grande écluse de Terneuzen a 140 mètres de long, 18 mètres de large, 8 mètres 35 de profondeur. La petite écluse, sur le bras occidental, y a 90 mètres de longueur, 12 mètres de largeur, 5 mètres 60 de profondeur aux hautes marées, alors que la petite écluse sur la section belge a 110 mètres, 12 mètres et 6 mètres 65. Aussi, aux termes d'une décision du Gouvernement de la Reine est-il défendu de passer par la nouvelle écluse de Terneuzen et de naviguer sur le canal, avec des navires de plus de 140 mètres de long, 17 mètres de large et 8 mètres de tirant d'eau.

Je ne recherche pas les causes des diversités de profils et des variations de profondeur, de longueur et de largeur. Je constate les faits.

Ceci dit, voyons comment se présente la situation pour la Belgique lorsqu'elle désire voir exécuter un travail sur la partie néerlandaise du canal.

Lorsque nous demandons l'exécution d'un travail, il faut: 1° Des pourparlers diplomatiques; 2° Une convention; 3° L'exécution du travail doit être confiée au Waterstaat; 4° Les frais d'exécution doivent être payés par l'État belge; 5° Les frais d'entretien et du personnel sont à la charge de la Belgique.

[5] Punctuation as in original.

Vous saisissez les conséquences de ce régime.

D'une part, les sacrifices que fait la Belgique sur sa section du canal peuvent demeurer inutiles et sans effet, si la Hollande n'exécute pas des travaux correspondants sur sa section; d'autre part, la Hollande, ayant ici comme pour l'Escaut un droit de veto, peut refuser toute amélioration et ainsi faire obstacle à tout développement du port de Gand.

C'est ce régime de dépendance, que nous avons déjà constaté sur l'Escaut, que la Belgique voudrait voir modifier aussi sur le canal de Terneuzen.

En fait et pratiquement, la Belgique a-t-elle des griefs à articuler?

Sans aucun doute.

En ce qui concerne spécialement les dépenses, la Belgique paye et les travaux et les frais d'entretien et le personnel. Or, l'article 10 du Traité oblige à la 'réciprocité'. Il impose les mêmes conditions de part et d'autre. Cette clause signifie, à mon sens, que chacun des deux pays doit supporter, tout au moins en ce qui concerne l'entretien, les frais sur sa section de canal.

Mais il y a mieux. L'article 9, § 3, stipule vis-à-vis de la Hollande, l'obligation d'entretenir le canal:

> Il sera perçu par le Gouvernement des Pays-Bas sur la navigation de l'Escaut et de ses embouchures un droit unique de 1 fr. 50 par tonneau, savoir 1 fr. 12 pour les navires qui, arrivant de la pleine mer, remonteront l'Escaut occidental pour se rendre en Belgique par l'Escaut ou par le canal de Terneuzen, et 0 fr. 38 par tonneau des navires qui arrivant de la Belgique par l'Escaut ou le canal de Terneuzen descendront l'Escaut occidental pour se rendre dans la pleine mer.

Cet article prévoit donc un droit unique pour les navires, qu'ils remontent l'Escaut jusqu'à Anvers ou qu'ils ne le remontent que jusqu'à Terneuzen, c'est-à-dire qu'ils fassent 18 lieues ou qu'ils ne parcourent que 4 lieues dans le fleuve. De même le droit est unique, soit que les navires descendent le fleuve depuis Anvers ou qu'ils le descendent depuis Terneuzen. Pourquoi le droit demeure-t-il le même dans les deux cas?

C'est un de nos plénipotentiaires au Congrès de Londres[6] qui va nous répondre. Dans sa note du 14 avril 1839, M. Van de Weyer disait:

> La Hollande percevant le droit dans son intégralité y trouve le dédommagement de l'entretien du canal, que la Belgique de son côté entretient de la frontière hollandaise à Gand, sans percevoir de droits, le péage étant unique. La Belgique se plaît à déclarer que c'est dans ce sens qu'elle entend de sa part et de la part du Gouvernement néerlandais l'exécution de cette disposition. Entendre autrement l'article 9 serait exiger, pour un trajet de 4 lieues, une somme aussi forte que pour un trajet de dix-huit.

Il résulte de cela que le péage doit couvrir tous les frais de l'entretien du canal sur le territoire zélandais. Or le péage existe encore virtuellement, puisque le capital de la rente a été versé. L'obligation d'entretenir le canal subsiste donc aussi. En fait, la Belgique a payé 40 millions de francs pour la construction du canal, soit 20 millions pour la partie hollandaise et 20 millions

---

[6] 1830–2 and 1838–9.

pour la partie belge. Elle a payé 20 millions pour les installations maritimes de Terneuzen, le chenal d'accès, l'avant-port et les écluses. Et, en plus, elle paye 95,000 florins par an pour l'entretien du canal, c'est-à-dire la presque totalité de la dépense qui est prévue pour 113,000 florins au budget néerlandais de 1919. Cette somme annuelle de 95,000 florins, elle n'a été amenée à en accepter la charge que grâce à des pressions successives de la Hollande auxquelles nous avons dû céder sous peine de ne rien obtenir du tout. Ce qu'il faudrait, c'est adopter un régime qui mette fin, une bonne fois, à ces pressions.

Ces procédés, j'ai le devoir de les mettre en lumière. Ils sont d'autant plus inadmissibles qu'en 1839, en plus du péage, on nous avait imposé, dans la reprise de la dette, une rente annuelle de 600,000 florins pour les avantages commerciaux que nous concédait la Hollande, avantages qui, suivant M. de Theux, Ministre des Affaires étrangères et de l'Intérieur (mars 1839), 'étaient représentatifs des avantages que le gouvernement néerlandais accorde à la Belgique tant pour la navigation des eaux intérieures de la Hollande que pour la facilité qui nous était laissée d'ouvrir une route nouvelle dans le Limbourg et pour le libre transit de cette province sur la route existant.'

Cela n'empêcha pas que par le Traité du 5 novembre 1842[7] (art. 23) on mit supplémentairement à notre charge 'une somme annuelle fixée à 25,000 florins pendant le temps qui s'écoulera entre la date du présent Traité et le moment où tous les ouvrages mentionnés dans le paragraphe 6 de l'article 20 seront complètement en état de satisfaire à leur destination et à 50,000 florins à partir de cette date'.

Quand les besoins de Gand nous imposèrent impérieusement l'agrandissement du canal nous eûmes à négocier avec les Pays-Bas.

Une Commission mixte d'étude fût constituée en 1870. Après deux ans de travaux, les délégués néerlandais déclarèrent officiellement que le Gouvernement hollandais imposait comme condition *sine qua non* de son adhésion aux mesures d'amélioration le retrait des tarifs différentiels existant sur les chemins de fer belges au détriment de Terneuzen. C'était, en d'autres mots, mettre toute l'organisation des chemins de fer belges au service d'un port hollandais.

Les négociations furent suspendues pendant un certain temps. Reprises en 1874 à cause du mouvement populaire à Gand on aboutit à la Convention du 24 juin 1874;[8] mais celle-ci fut rejetée par la Chambre des Représentants le 24 mai 1876 à cause de l'article 11. Cet article stipulait: 'Le Gouvernement belge s'engage à appliquer sur toutes les voies ferrées de l'État qu'il exploite tous les tarifs différentiels d'exportation, d'importation ou de transit en vigueur ou qui pourraient être décrétés dans l'avenir en faveur de transports provenant des ports belges les plus favorisés ou ayant ces ports pour destination, aux transports provenant du port de Terneuzen ou ayant ce port pour destination.' Cette clause engageait indéfiniment l'avenir. Aussi la Belgique avait-elle en 1876 essayé de la réduire à 15 ans, mais la Hollande avait en

---

[7] Printed in *British and Foreign State Papers*, vol. xxxi, pp. 815 f.

[8] Cf. A. de Busschere, *Code de traités et arrangements internationalux intéressant la Belgique* (Brussels, 1896–7), vol. ii, p. 376, note 1.

échange imposé la reprise de l'exploitation par la Belgique d'une partie du réseau ferré liégeois-limbourgeois et le rachat de la concession de l'autre partie.

Les négociations furent reprises en 1879.

Dix ans avaient été perdus par suite des exigences des Pays-Bas.

Enfin la Convention du 21 [? 31] octobre 1879, ratifiée le 28 août [? avril] 1880,[9] mit fin aux pourparlers. La clause de faveur au profit de Terneuzen a disparu, de même que celle qui est relative au chemin de fer liégeois-limbourgeois. Mais la Belgique se voit forcée, pour déférer au désir des Pays-Bas, de racheter la ligne Anvers–Moerdyck et l'embranchement de Roozendael-Breda.

L'article 8 met tous les frais de la construction nouvelle en territoire hollandais à la charge de la Belgique.

L'article 10 accorde aux Pays-Bas pour frais d'entretien 59,000 florins de rente par an.

En 1895, on doit agrandir encore le canal. La convention passée à ce sujet stipule (29 juin 1895)[10] la construction d'une nouvelle écluse à Terneuzen et de nouveaux agrandissements.

Encore une fois, toutes les dépenses sont à la charge de la Belgique.

La rente annuelle pour frais d'entretien est portée à 92,000 florins.

Enfin, en 1902, un nouvel accord modifie dans le sens d'une extension les travaux en cours.

Les frais des travaux sont mis à notre charge. La rente annuelle est portée à 90,500 florins. De plus, nous sommes forcés d'accepter le payement des dépenses spéciales qui résulteront de la manœuvre mécanique de l'écluse et de l'éclairage électrique des ouvrages en terrain zélandais. Nous devons nous engager à payer les traitements du personnel hollandais, de la manœuvre de l'écluse et de l'éclairage.

En résumé, en 1839, la Hollande s'engage à entretenir le canal de façon à ce qu'il puisse servir à la navigation. Elle reçoit de ce chef: 1° une rente annuelle de 600,000 florins;

2° un péage — bientôt capitalisé et racheté.

En 1914, nous avons construit en territoire hollandais et à nos frais un pont et un canal, et nous payons tous les frais d'entretien.

En dehors des travaux à exécuter sur le canal, nous rencontrons d'autres entraves.

1° *Règlements*. — La vitesse n'est pas la même dans les deux Sections. Elle est de 150 à 300 mètres par minute en territoire belge; elle n'est que de 150 à 250 mètres en territoire néerlandais. Cette différence, due à la réduction de la section en Hollande, est une source d'ennuis, de retards et d'erreurs possibles pour les capitaines.

Le balisage n'est pas le même en Belgique et en Hollande. En territoire hollandaise, il n'existe pas de balisage proprement dit. On n'éclaire que les ouvrages d'art à Sas-de-Gand, à Sluiskil et à Terneuzen. En amont de Langerbrugge, les feux sont verts. Ils sont blancs en aval.

Les signaux de brume font défaut. L'association des intérêts maritimes de

---

[9] *v.* op. cit. vol. ii, p. 376.  [10] Ibid. vol. ii, p. 585.

Gand a fait en 1912 des démarches auprès de l'administration de la marine pour obtenir des signaux de brume à Terneuzen, afin d'éviter les dangers et les lenteurs de la navigation entre Flessingue et Terneuzen. La marine hollandaise a répondu qu'un signal phonique ne se justifiait pas. Et cependant il existe à Flessingue et à Nieuwsluis.

On a de même demandé que le service du pilotage de Terneuzen télégraphiât au bureau du port de Gand le tirant d'eau des steamers et voiliers calant plus de 20 pieds, afin de permettre aux autorités du port de prendre les mesures appropriées. Vaine demande. Ceci ne prouve-t-il pas que, même pour des questions de détail, la Belgique ne peut guère obtenir satisfaction?

2° *Pilotage.* — Toutes les observations que j'ai faites au sujet des droits de pilotage, en vous parlant de l'Escaut, trouvent ici leur place, *mutatis mutandis.* Les armateurs ont réclamé en vain la réduction des droits.

3° *Transit.* — Des navires naviguent en transit de Gand à Anvers, et réciproquement. Ils sont soumis à des déclarations douanières à Sas-de-Gand. Ces formalités occasionnent des retards. Elles empêchent parfois les bateaux d'avoir la marée à Terneuzen. Le 20 janvier 1906, on demanda au Ministère des Finances de La Haye de supprimer ces formalités. Il ne fut répondu que le 21 janvier 1907. La réponse n'accordait aucune satisfaction. La Hollande consentait à quelques concessions pour les navires naviguant sur lest, alors que les navires chargés offraient seuls ici de l'intérêt. Il ne fut même pas admis que les navires pourraient remplir les formalités à Terneuzen.

4° *Ensablements dans l'avant-port.* — Tout récemment encore un steamer américain, le *Millinocket,* s'est échoué, parce que le Waterstaat avait réduit les dragages. Des faits de ce genre, même lorsqu'on parvient à relever le navire, sont de nature à nuire à la réputation du port de Gand et de la voie d'accès qui y conduit.

Je tire les conclusions de ces constatations.

Gand et les régions en communication avec Gand sont, tout comme le canal, sous la dépendance de la Hollande. Celle-ci a un véritable droit de veto. Ils sont ainsi entravés dans leur développement.

La Belgique paye les travaux, les frais d'entretien et le personnel, alors qu'il serait raisonnable et conforme au Traité que la Hollande payât au moins les frais d'entretien de sa section. La Belgique subit des pressions et supporte les charges. Et le canal n'en reste pas moins aux mains des Pays-Bas.

La Belgique veut bien supporter les dépenses, mais elle devrait dans ce cas pouvoir exécuter les travaux selon ses besoins.

Ici, comme pour l'Escaut, la solution la plus logique avait paru la rétrocession à la Belgique de la Flandre zélandaise. Mais il existe une autre solution pratique. Elle consisterait à mettre la Belgique en possession du canal qu'elle a construit, de ses rives, de ses embouchures et des chemins de fer qui sont le prolongement du canal et dont l'exploitation est d'ailleurs aux mains des concessionnaires belges.

Remarquez bien que cette solution n'implique pas le transfert de la souveraineté néerlandaise, ni même des attributs de la souveraineté. La Belgique demande à être propriétaire du canal comme quelqu'un qui aurait construit une maison demande à être propriétaire du sol, comme une société concessionnaire d'un chemin de fer ou d'une voie d'eau, demande — cela se fait dans tous les pays du monde — à être propriétaire de l'ouvrage qu'elle a construit. Cette solution serait de nature à écarter toutes difficultés dans l'avenir.

Nous pensons que la demande ainsi formulée est modérée et nous espérons que nos voisins du Nord y acquiesceront.

Sur cette question du canal de Terneuzen se greffe celle de l'écoulement des eaux de la Flandre belge vers l'Escaut.

L'article 8 du Traité de 1839 dispose 'que l'écoulement des eaux des Flandres sera réglé entre la Belgique et la Hollande d'après les stipulations arrêtées à cet égard dans l'article 6 du Traité définitif, conclu entre S.M. l'empereur d'Allemagne et les États Généraux, le 8 novembre 1785; et, conformément audit article, des commissaires, nommés de part et d'autre, s'entendront sur l'application des dispositions qu'il consacre'.

Le Traité du 8 novembre 1785 est le Traité de Fontainebleau.

Je me borne à signaler que ce fut la Convention du 20 mai 1843 qui détermina les ouvrages d'art et les écluses qui devaient servir en Flandre zélandaise à l'écoulement des eaux de la Flandre belge. J'ai ici la carte de ces ouvrages. J'en compte 160 devant servir à assurer l'écoulement des eaux à l'Est du canal et 240 à l'Ouest.

Les réclamations que fait à ce sujet la Belgique sont des plus sérieuses. Elle se plaint d'abord de ce que les colmatages faits en Flandre zélandaise empêchent l'écoulement des eaux de la Flandre belge qui, en raison des travaux exécutés en territoire hollandais, se trouve ainsi en contrebas, et dont les eaux ne parviennent plus à s'écouler vers l'Escaut. Cette situation a pour conséquence d'entraîner chaque année dans la Flandre belge des inondations qui constituent de véritables désastres. En outre, les envasements et les ensablements du polder Braeckman et les endiguements successifs nuisent à l'évacuation des eaux.

La Belgique se plaint aussi de ce que la manœuvre des écluses de décharge est mal faite par les Hollandais.

Elle se plaint, enfin, de ce que la Hollande se soit réservé le droit de fermer les écluses de Sas de Gand, prétendûment pour éviter que des eaux polluées n'entrent dans le canal. De ce fait, la Hollande fait courir à Gand des dangers d'inondation.

Qu'a-t-on fait pour remédier à cette situation?

En 1890, on a nommé une commission hollando-belge; elle a dressé un programme de travaux; puis elle ne s'est plus réunie de 1908 à 1912, malgré les sollicitations de la Belgique. Elle ne s'est réunie à nouveau que peu de temps avant la guerre, mais elle n'a pas abouti.

Au cours de la guerre, la Hollande a fait un travail à Bouchoute. Elle a substitué un petit port au havre et creusé un canal d'écoulement des eaux vers les eaux profondes de l'Escaut.

Elle nous a mis là devant un fait accompli. J'ose espérer que ce travail préservera des inondations une partie de la région belge. Mais il ne s'agit là que d'un travail isolé. N'oublions pas que l'on n'a rien fait en ce qui concerne les autres écluses et ouvrages d'art. En fait, la situation dans son ensemble reste toujours ce qu'elle était avant la guerre. En réalité, cette question de travaux remonte à 1635. Or, pratiquement, l'écoulement des eaux de la Flandre belge n'est pas assuré par la Flandre zélandaise. Chaque année les inondations se reproduisent. Cette situation n'est plus tolérable.

Nous concluons qu'il y a lieu de permettre à la Belgique de faire aux frais de la Hollande, puisque celle-ci n'exécute pas ses obligations, les canaux et les écluses nécessaires à l'écoulement de ses eaux. La Belgique doit en avoir la manœuvre. Il faut aussi que la Hollande renonce à faire en Flandre zélandaise des travaux de nature à nuire à l'écoulement des eaux belges.

J'avais l'intention de dire un mot des intérêts des pêcheurs à Bouchoute. Mais je présume que cette question est résolue depuis la guerre. La Hollande a créé le port dont je viens de parler. Je suppose que les pêcheurs auront désormais le droit de débarquer le produit de leurs pêches sur les quais de ce port et seront ainsi dispensés de l'obligation de se rendre à Philippine. Ils auront ainsi le droit d'introduire par l'endroit qui a leur préférence le produit de leur pêche en Belgique.

Je ferais sans doute injure à la Hollande en mettant en doute ses intentions à cet égard, et je me reprocherais d'y insister.

Je voudrais maintenant, Messieurs, vous entretenir de la liberté de nos communications avec notre arrière-pays.

*Communications de la Belgique avec l'arrière-pays.* Notre arrière-pays, c'est d'abord le pays mosan; c'est le bassin de Liège et les régions situées au delà. On y va d'Anvers par le canal de la Campine, par le dernier tronçon du canal de Bois-le-Duc à Maestricht et par le canal de Maestricht à Liège.

Notre arrière-pays, c'est ensuite le pays rhénan et le pays mosellan, surtout vers Ruhrort, centre de l'activité économique du Rhin.

Nous sommes coupés du pays de Liège par l'enclave de Maestricht. Lorsqu'on regarde la carte, on ne peut manquer d'être frappé par la situation anormale que présente cette enclave. Maestricht est une véritable tête de pont sur la Meuse. L'enclave est un épi qui s'avance sur notre territoire. Elle forme comme un véritable éperon.

Si bien qu'il est permis de dire que les Pays-Bas, maîtres du trafic maritime d'Anvers grâce à la possession de l'Escaut, sont également pour une part énorme maîtres du trafic intérieur du port grâce à la possession de Maestricht.

Cette situation a justifié des plaintes nombreuses de la part de la Belgique. Un voyage de Liège à Anvers, qui comprend un parcours de 155 kilomètres, prend douze jours pour un bateau isolé et 15 jours pour un train de bateaux. Or, la traversée de Maestricht à elle seule dure au moins deux jours, généralement 8 jours et quelquefois davantage.

Une note de nos services techniques signale qu'à la fin du mois de mai dernier près de 110 bateaux stationnaient à la douane néerlandaise, et huit jours étaient nécessaires à un bateau pour franchir l'enclave de Maestricht. Pourquoi ces lenteurs? A cause des entraves que rencontre la navigation.

Il y a trois écluses et un tunnel. Les croisements ne sont pas possibles en plusieurs endroits, tant la section du canal est rétrécie. Le halage est difficile. On a substitué la traction par hommes à la traction chevaline. Il n'y a pas de halage sous les ponts et dans le tunnel sous les anciennes fortifications. Les formalités de la douane sont trop longues. On y subit quatre opérations successives.

En dehors des entraves que l'on subit dans la traversée de Maestricht, on en rencontre dans le reste de l'enclave, sur les 8 kilomètres de canal situés en aval et en amont de la ville en territoire néerlandais. La Belgique n'y a ni le contrôle sur l'exécution des travaux, ni le contrôle sur le personnel.

Il y a lieu de supprimer ces sujétions et ces retards, qui paralysent les communications d'Anvers avec le pays mosan.

Comment y remédier? Une solution saute à tous les yeux, c'est la plus simple: la rétrocession à la Belgique du Limbourg ou tout au moins celle de l'enclave de Maestricht. Je ne prouverai pas en ce moment qu'on pourrait la justifier par des raisons historiques, économiques et politiques autant que par des motifs de sécurité nationale. Mais il y en a une autre. Elle consisterait à élargir le canal dans la traversée de Maestricht. La Hollande vient précisément d'inaugurer un canal dans le but d'échapper à Leyden aux difficultés du genre de celles que nous rencontrons à Maestricht. Le trajet y était encombré, difficile, coupé de ponts et, par conséquent, de longue durée. La Hollande a construit un canal destiné à faciliter les relations entre Amsterdam, La Haye et Rotterdam, qui contourne la ville de Leyde à l'Est et relie le Schie au vieux Rhin. On devrait s'inspirer de cet exemple pour améliorer la traversée de Maestricht.

D'autre part, il conviendrait de laisser à la Belgique le contrôle sur les travaux et sur le personnel et la gestion de ce tronçon du canal qui seul nous sépare d'une partie importante de notre arrière-pays.

D'autre part, nous sommes coupés du pays rhénan par le Limbourg cédé. Celui-ci nous empêche de créer les voies d'eau et les lignes de chemins de fer que nous jugeons nécessaires.

Le Traité de 1839 nous donnait le droit d'établir une voie de communication à travers le Limbourg. L'article 12 stipulait à ce sujet:

> Dans le cas où il aurait été construit en Belgique une nouvelle route, ou creusé un nouveau canal, qui aboutirait à la Meuse vis-à-vis du canton hollandais de Sittard, alors il serait loisible à la Belgique de demander à la Hollande, qui ne s'y refuserait pas dans cette supposition, que ladite route ou ledit canal fussent prolongés d'après le même plan, entièrement aux frais et dépens de la Belgique, par le canton de Sittard jusqu'aux frontières de l'Allemagne. Cette route ou ce canal qui ne pourraient servir que de communication commerciale, seraient construits, au choix de la Hollande, soit par des ingénieurs et ouvriers que la Belgique obtiendrait l'autorisation d'employer à cet effet, dans le canton de Sittard, soit par des ingénieurs et ouvriers que la Hollande fournirait, et qui exécuteraient, aux frais de la Belgique, les travaux convenus, le tout sans charge aucune pour

la Hollande et sans préjudice de ses droits de souveraineté exclusifs sur le territoire que traverserait la route ou le canal en question.

Les deux parties fixeraient, d'un commun accord, le montant et le mode de perception des droits et péages qui seraient prélevés sur cette même route ou canal.

En 1873, la Belgique a fait usage de la faculté que lui réservait cet article et, d'accord avec la Hollande, elle a fait la ligne de chemin de fer qui, d'Anvers, va vers Ruremonde et Gladbach. La Hollande s'est empressée de déclarer et de faire inscrire dans la Convention que le droit que nous donnait ainsi l'article 12 du Traité de 1839 était épuisé.

Cette thèse était alors défendable. En effet, en 1873, les chemins de fer seuls comptaient comme moyen pratique de communication avec le Rhin. Le Ministre Malou disait à la Chambre: 'La navigation de la Belgique vers le Rhin par les eaux intermédiaires est devenue insignifiante. La Belgique a eu en moyenne de 1865 à 1872, 44 bateaux entrés d'Allemagne et 88 bateaux sortis vers l'Allemagne.' Et Malou conclut: 'Le seul objet, l'objet principal, je pourrais dire en présence des faits, l'objet unique de la disposition de l'article XII du Traité c'est le passage d'une route ou d'un chemin de fer par le Limbourg hollandais.'

Il serait injuste de taxer, comme on serait tenté de le faire, les hommes d'État belges de l'époque de défaut de prévoyance. La même impression se dégage de la lecture du livre classique de Ysselstein sur Rotterdam.

Mais depuis lors, la situation s'est totalement modifiée. Il est indispensable aujourd'hui de créer des voies d'eau pour nos communications avec le Rhin.

C'est évidemment de l'Allemagne que partit le mouvement de renaissance du Rhin.

En 1875, la ville de Crefeld chargea l'ingénieur Henket de faire un projet de canal Anvers–Crefeld.

En 1877, le Gouvernement prussien soumit au Landtag un mémoire sur les voies d'eau existantes en Prusse, leur amélioration et leur extension. La première voie d'eau artificielle préconisée fut le canal Anvers–Ruhrort. L'évolution économique avait continué depuis 1873 à déplacer le centre économique de la Rhénanie vers le Nord jusqu'à ce qu'il se fût fixé à l'embouchure de la Ruhr, où il se trouve encore à présent, malgré le développement rapide de la vallée de la Lippe et l'avenir du district de la rive gauche.

En 1882, des négociations s'ouvrirent à Crefeld entre le Gouvernement allemand et le Gouvernement néerlandais qui, dans l'entretemps, avait proposé sans succès à la deuxième Chambre l'achèvement du Noordervaart (rejeté à une voix de majorité).

Les délégués néerlandais ne firent pas au projet une opposition de principe. Ils signèrent même un protocole déclarant que la nécessité indispensable du canal était reconnue et constatée unanimement par tous les délégués, mais ils firent des objections financières en déclarant qu'ils estimaient que le maximum de charge que le Gouvernement pouvait assumer était les deux tiers du coût du tronçon néerlandais. Ces délibérations aboutirent à un projet de traité à soumettre aux deux Gouvernements.

Il semble que ce projet n'ait pas été soumis, aux Pays-Bas, à une délibération du pouvoir législatif. Mais il paraît bien que ce fut la conception nouvelle, surgie en 1878–79, d'un canal Rhin–Ems–Weser–Elbe qui provoqua un changement d'orientation dans la politique fluviale et maritime de la Prusse.

L'orientation nouvelle vers la protection des ports nationaux est allée croissant jusqu'en 1914 malgré l'opposition de plus en plus vive de l'Allemagne de l'Ouest et du Sud.

Depuis, ont successivement vu le jour, grâce à l'initiative des villes de Crefeld, München-Gladbach et Aix-la-Chapelle, les projets Hendrick, Valentin et Schneider.

Entre temps la protection des ports nationaux et particulièrement du port prussien de Emden s'est affirmée dans la formule d'une embouchure allemande du Rhin.

A la séance du 8 mars 1914 de la Chambre des Députés de Prusse, le député König fit une interpellation en faveur du projet Hendrick modernisé.

Le Ministre des Travaux publics fit allusion à l'existence d'autres projets et notamment du projet Schneider, et termina, aux applaudissements des conservateurs et des nationaux-libéraux, par une allusion en faveur de l'embouchure allemande du Rhin.

Le 15 juin 1914, le 'Verein deutscher Rheinmündung' se réunissait à Francfort, et il fut annoncé que M. Helmershausen, promoteur du projet Schneider, avait été chargé de faire l'étude officielle des projets d'embouchure allemande du Rhin, projets qui se trouvèrent ainsi pris en considération.

M. Van Kieffeler, dans un article que j'ai signalé déjà:[1] 'Uitgevoerde en voorgenomen verbeteringen van onze scheepvaartwegen' publié dans l'*Economisch-statistische Berichten*, établit que la Hollande a décidé d'apporter de grandes améliorations aux voies d'accès d'Amsterdam au Rhin.

Même pendant la guerre, en 1915 et en 1916, les pouvoirs publics ont avisé aux travaux à exécuter.

M. Van Kieffeler dit: 'Une fois ces travaux terminés, une voie navigable splendide, d'une largeur et d'une profondeur suffisant à tous les besoins de la navigation intérieure, reliera, par la nouvelle Meuse, qui a elle-même presque sur toute sa très grande largeur une profondeur de 6 mètres 5 à marée basse, Rotterdam au Rhin allemand. Ce résultat aura été obtenu à peu de frais relativement. En tout état de cause, la dépense est largement justifiée, si l'on considère l'importance énorme qu'avait atteinte le trafic du Rhin avant la guerre.'

Le tableau ci-dessous donne en tonnes de 1,000 kgr. la signification de ce trafic en 1890, 1900 et 1910.

| | Avec Rotterdam. | Avec le reste de la Hollande. | Avec la Belgique. | Total. |
|---|---|---|---|---|
| 1890 . . . . | 2,582,791 | 2,071,579 | 1,165,456 | 5,829,826 [sic] |
| 1900 . . . . | 7,845,544 | 2,631,036 | 2,605,632 | 13,082,212 |
| 1910 . . . . | 17,663,521 | 3,936,174 | 7,727,219 | 29,326,914 |

Si j'avais à justifier la nécessité où nous sommes de créer des communications par eau avec le Rhin, je me contenterais de citer un chiffre: sur 33 millions de tonnes à l'entrée à Rotterdam et à Anvers réunis, 19 millions de tonnes vont vers le Rhin.

Aussi la Belgique réclame-t-elle la possibilité de creuser une nouvelle voie d'eau vers le Rhin. Et je me permets de signaler en passant que la création d'une voie d'eau Rhin–Meuse se ferait sans doute aussi dans l'intérêt de la Hollande, car le grand danger pour celle-ci, c'est de voir établir l'embouchure allemande du Rhin à Emden.

Aussi la Hollande ne peut-elle pas s'étonner de voir la Belgique se préoccuper de son côté de développer ses voies d'accès au Rhin.

Nous espérons bien d'ailleurs que notre voix trouvera de l'écho en Hollande. Déjà en 1912, le Ministre du Waterstaat Regout, prononça une parole qui nous fut particulièrement agréable.

Dans une brochure qui a été largement distribuée par les Hollandais et qui traîne un peu partout, *Vers l'apaisement hollando-belge*, nous retrouvons au milieu de beaucoup d'erreurs, cette parole que je voudrais rappeler:

> Si un pays comme la Belgique doit, par nécessité, se servir d'une partie du territoire néerlandais pour l'établissement de la voie de communication d'Anvers avec l'Allemagne, le Gouvernement hollandais, se plaçant à un point de vue élevé, ne doit pas se servir de cette circonstance fortuite pour barrer la route à la Belgique.

Voilà une sage parole, qui je l'espère recevra son exécution.

Que sera la voie d'eau que nous demandons?

Il est évident que n'ayant pas pu en faire une étude sur le terrain nous ne pouvons en préciser les détails. Je signale seulement que le tracé devrait autant que possible partir de l'aval de Duisbourg-Ruhrort, et traverser le territoire néerlandais, en restant au Sud d'une ligne figurée sur une carte que j'aurai soin de faire remettre aux membres de la Commission.

Le Traité de Paix imposé à l'Allemagne réserve à la Belgique le droit pendant 25 ans, de faire construire une voie d'eau à grande section, avec prise d'eau au Rhin, d'après nos plans et nos tracés. C'est là la voie d'eau nouvelle qui devrait passer par le Limbourg néerlandais. Et puisqu'elle servira à nous mettre en communication avec notre arrière-pays, il faudrait que la gestion en fût laissée à la Belgique.

Nos relations avec notre hinterland exigent, en outre, des chemins de fer. Nous demandons de pouvoir les établir d'après nos besoins, par exemple le long de la voie d'eau dont je viens de parler et d'en avoir l'exploitation. Il nous faut au plus tôt un certain nombre de travaux et d'embranchements figurés sur la carte dont je ferai remettre un exemplaire à chacun des membres de la Commission. Ils sont d'ailleurs de peu d'importance. Des arrangements devront intervenir entre la Hollande et nous au sujet de la vitesse et des tarifs, de façon à rendre effective la liberté de nos communications avec notre arrière-pays.

D'autre part, nous souhaitons voir se produire, entre la Hollande et la

Belgique, un accord économique au sujet du Limbourg de façon, tout en donnant à cette province son plein épanouissement, à supprimer pour nous l'entrave des formalités douanières, la barrière que forme le Limbourg entre nous et notre arrière-pays.

Je ne développerai pas cette idée en ce moment. Je me réserve d'y revenir s'il en est besoin et de préciser ma pensée à ce sujet.[11]

La Belgique a un troisième grief à articuler: tant pour aller vers le Rhin que vers Liège, nous devons pouvoir mettre nos canaux d'Anvers à la Meuse à grande section, de manière à y recevoir les plus grands bateaux rhénans.

Or, nous ne le pouvons pas faute de prises d'eau suffisantes à la Meuse. Et pourtant l'eau existe. Cette eau nécessaire à l'alimentation de nos canaux, nous la puisons dans l'enclave de Maestricht. . . .[5]

M. Van Swinderen (*Pays-Bas*). Voulez-vous me permettre de vous interrompre? Vous parlez de l'enclave de Maestricht: s'agit-il véritablement d'une enclave, analogue par exemple, à celle de Baerle-Nassau?

M. Segers (*Belgique*). Je ne voudrais pas discuter ici sur une question de mots: nous avons l'habitude de nous servir de cette expression 'enclave de Maestricht', pour désigner cette partie du territoire du Limbourg qui forme un saillant en Belgique, qui constitue en véritable éperon sur notre territoire et qui forme solution de continuité entre la Belgique et tout le pays mosan.

Le Président. Ce n'est d'ailleurs pas, à proprement parler, une enclave: personne n'a pu s'y tromper. Le mot 'éperon' serait plus exact; tout le monde sait que ce territoire de Maestricht et du Limbourg est rattaché à la Hollande.

M. Segers. Nous prenons actuellement à la Meuse à Maestricht selon les saisons, 8 m³, 6 m³ 500 ou 4 m³ d'eau à la seconde. Ces quantités sont insuffisantes, surtout en été, non seulement pour nous permettre d'élargir nos canaux, mais encore pour nos irrigations en Campine.

Une Commission hollando-belge a été nommée jadis pour étudier la canalisation de la Meuse mitoyenne. Elle a conclu à l'unanimité qu'on pourrait sans inconvénient prendre à Maestricht 17 m³ 5 d'eau. Nous les demandons.

Il y a mieux: en tablant sur un débit de la Meuse de 40 m³ par seconde, en amont de Maestricht, et en eaux très basses, et en envisageant l'éventualité d'un débit de 10 m³ 100 nécessaire à la navigation sur la Meuse, on pourrait, sans inconvénient, prendre à Maestricht les 17 m³ 500 dont je viens de parler, plus 1 m³ 500 au Jeer, pour les besoins hollandais, et il resterait encore une réserve de 11 m³ inutilisée.

Nous demandons, toujours dans le but de pouvoir aménager et élargir nos canaux, à partager ce débit complémentaire avec la Hollande.

Les Pays-Bas, de leur côté, nous demanderont sans doute la canalisation de la Meuse mitoyenne. Ils la désirent de Visé à Boxmeer, où la navigation par

[11] The views of the Belgian Government upon this subject were accordingly developed in detail in a memorandum circulated by the Belgian Peace Delegation in Paris on September 13, 1919. This memorandum (not printed) was entitled: 'Exposé justifiant les raisons d'un rapprochement économique entre la Belgique et le Limbourg méridional.'

courant devient libre. La Belgique a toujours soutenu que la canalisation de la Meuse mitoyenne lui serait préjudiciable, parce qu'elle drainerait le trafic de son arrière-pays, de Liège, vers Rotterdam, et parce qu'elle lui imposerait des travaux de normalisation entre Liège et Maestricht en vue de l'écoulement des crues et de la navigation.

La Belgique, néanmoins, est absolument disposée — il est à peine nécessaire que je le dise — à examiner cette question dans le désir de donner satisfaction à la Hollande. Elle a toujours soutenu que si on canalisait la Meuse, il fallait qu'on se mît d'accord au préalable au sujet des compensations.

Ces compensations ont été indiquées dans une lettre du Ministre des Affaires étrangères de Belgique à son collègue de La Haye avant la guerre, ce qui prouve que nos griefs existaient à cette époque et que nous tâchions d'en obtenir réparation. Je suis donc convaincu que, de ce côté, il ne pourra y avoir de difficultés.

Je résume donc mes conclusions. Nous demandons la suppression des entraves à M[a]estricht en amont et en aval; le creusement d'une voie d'eau vers le Rhin; les chemins de fer nécessaires à nos communications avec notre arrière-pays; un rapprochement économique avec le Limbourg; et une prise d'eau à la Meuse suffisante pour nous permettre de développer nos canaux comme il convient.

J'en aurais fini, Messieurs, si je n'avais à vous demander encore quelques minutes d'attention pour dire un dernier mot de nos communications par les eaux intermédiaires, c'est-à-dire de nos *Communications de* communications de l'Escaut occidental vers le Bas Rhin. *l'Escaut occidental* *avec le Rhin.* Le Traité de 1839 fixe nos droits à cet égard dans les paragraphes 4, 5 et 8 de l'article 9.

Je ne vous lirai pas le paragraphe 4 relatif aux péages: il est en ce moment sans objet. Mais le paragraphe 5 est à retenir:

Il est également convenu que la navigation des eaux intermédiaires entre l'Escaut et le Rhin, pour arriver d'Anvers au Rhin, et vice versa, restera réciproquement libre. . .[5]

Et le paragraphe 8 explique ce qu'il faut entendre par cette liberté:

Si des événements naturels ou des travaux d'art venaient par la suite à rendre impraticables les voies de navigation indiquées au présent article, le Gouvernement des Pays-Bas assignera à la navigation belge d'autres voies aussi sûres et aussi bonnes et commodes, en remplacement desdites voies de navigation devenues impraticables.

La jonction entre l'Escaut occidental et le delta des embouchures de la Meuse était assurée, en 1839, par deux voies: d'abord par le Sloe, entre l'île de Walcheren et celle de Sud-Beveland, et ensuite par l'Escaut oriental, à l'Est de l'île de Sud-Beveland.

En 1846, les Pays-Bas concédèrent la construction d'un chemin de fer partant de Flessingue, franchissant *le* Sloe et le barrant brutalement, traversant l'île de Sud-Beveland, puis barrant l'Escaut oriental, et se dirigeant ensuite vers Bergen op Zoom et Rosendael. On jeta là, en réalité, en travers des deux bras du fleuve, deux murailles de Chine.

Le Gouvernement belge protesta, parce qu'il n'avait pas été consulté et surtout à cause de la nature des travaux. L'incident fut grave. Il menaça d'amener une rupture des relations diplomatiques. La correspondance dura tant que durèrent les travaux, pendant vingt ans. La Hollande n'en continua pas moins à les exécuter et, quand ils furent terminés, en 1867, la Belgique ne put qu'adresser à ses voisins du Nord cette protestation:

> La fermeture forcée de l'Escaut oriental a produit sur l'esprit du Cabinet de Bruxelles la plus pénible impression, et c'est avec un profond regret qu'il a reçu la confirmation officielle d'un fait contre la simple éventualité duquel il n'a pas cessé de s'élever. L'événement n'ayant pas répondu à l'espoir de trouver une base d'entente, le Gouvernement du Roi renouvelle ses protestations et ses réserves en laissant au Cabinet de La Haye la responsabilité des conséquences de l'acte qu'il est à la veille d'accomplir.

Les Pays-Bas savaient qu'aux termes du Traité, ils devaient remplacer les deux bras de l'Escaut qu'ils supprimaient par des voies 'aussi sûres, aussi bonnes et aussi commodes', et ils s'étaient mis en devoir de construire le canal qui traverse l'île de Walcheren, de Flessingue à Veere, et le canal de Hansweert à Wemeldinge, à travers l'île du Sud Beveland. Ce dernier canal, qui en fait remplace les anciens passages, a une longueur de 7750 mètres.

Or, la Belgique soutient que l'ancienne voie de communication par l'Escaut oriental était plus commode que le canal. Elle était totalement libre d'obstacles, tandis que le canal a des écluses et compte quatre ponts, dont le pont du chemin de fer à Veere, qui est presque toujours fermé et devant lequel les bateliers perdent un temps considérable. Les ports d'entrée de Hansweert et Wemeldinge sont d'ailleurs mal choisis. Ils se trouvent au fond d'une étendue d'eau très large, où agit un violent courant, à angle droit avec l'entrée des musoirs; les naufrages y sont fréquents; les manœuvres difficiles; les pertes de temps considérables; la douane y est tatillonne; on perd deux heures à Hansweert en formalités. L'ancienne voie permettait aux bateaux de s'aider des courants. Elle offrait des ancrages abrités. Elle permettait le passage des plus grands bateaux, tandis que l'ouverture de l'avant-port actuel est insuffisante; les écluses sont trop petites pour certains bateaux rhénans; le canal est étriqué et encombré; il ne répond pas aux besoins de la navigation.

La Belgique dit encore que la voie nouvelle est moins sûre que l'ancienne, car elle oblige de descendre les passes de Bath et de Walsoorden, où la navigation est intense et la mer souvent mauvaise.

La Belgique ajoute que la voie actuelle est moins bonne que l'ancien bras, parce qu'elle est plus longue et que, par conséquent, les frets s'en ressentent.

Et la Belgique demande une voie 'aussi sûre, aussi bonne et aussi commode', comme le lui promettait le Traité.

Il est possible de lui donner satisfaction.

Une solution radicale consisterait à lui rendre la voie ancienne. Mais la Belgique comprend combien il est difficile de supprimer la ligne de chemin de fer de Flessingue à Rozendael. D'ailleurs, des ensablements se sont produits devant les barrages. Il faut donc chercher une autre solution.

On pourrait certes moderniser le canal, le mieux exploiter. La Hollande a construit une nouvelle écluse à Hansweert. Elle a décidé la création d'une nouvelle écluse à Wemeldinge. Elle pourrait en activer l'achèvement. Elle peut de même surélever le pont du chemin de fer à Vleke, élargir le canal de façon à y livrer passage aux grands bateaux rhénans, simplifier les formalités douanières, par exemple en adoptant le plombage comme on le fait déjà fréquemment pour les chemins de fer; elle peut laisser un certain contrôle à la Belgique sur l'exploitation du canal.

Mais même en prenant toutes ces mesures, il n'en demeurerait pas moins acquis que le canal avec des ponts et des écluses constituera une voie moins bonne, moins sûre et moins commode que l'ancien bras.

Une autre solution se présente, la meilleure, qui consiste à construire un canal d'Anvers au Moerdijk. Cette voie répondrait à ce que nous sommes en droit d'attendre du Traité de 1839. Elle permettrait aux Pays-Bas de ne pas surélever le pont de Vleke qui est déjà construit sur talus. Elle servirait les intérêts de la Hollande aussi bien que ceux de la Belgique.

En effet, d'après les statistiques néerlandaises, on constate qu'il est passé, en 1913, par Hansweert 27,153 bateaux hollandais, 16,952 bateaux belges et 2,891 bateaux allemands, c'est-à-dire 57 p. 100 de bateliers hollandais, 36 p. 100 de bateliers belges et 7 p. 100 de bateliers allemands. Dans ces conditions, nous avons intérêt, les uns et les autres, à créer cette nouvelle voie qui doit faciliter l'accès de l'Escaut occidental vers Rotterdam et le Bas Rhin.

Je viens, Messieurs, de vous exposer, dans une vue d'ensemble, les demandes que la Belgique formule au point de vue de ses communications avec la mer, avec son arrière-pays, et, par l'Escaut occidental, vers le Bas Rhin.

Permettez-moi d'y ajouter une observation.

Le distingué Représentant du Gouvernement de la Reine, à deux reprises différentes, au cours des séances précédentes, est revenue sur la portée de la décision du 4 juin dernier en ce qui concerne les servitudes internationales. Je veux me contenter de préciser à cet égard deux idées.

Voici la première. Je n'ai pas cherché à définir le caractère juridique des obligations qui étaient imposées à la Hollande par le Traité de 1839 et des droits que ce Traité réserve à la Belgique. J'ai voulu que chacun des membres de la Commission pût les apprécier personnellement et leur donner leur qualification. Mais ce que vous aurez tous pu constater, c'est que les droits que nous demandons dans les conclusions formulées à chacun des trois points de vue que j'ai développés, sont exactement du même ordre et de la même nature juridique que ceux qui sont inscrits déjà à notre profit dans le Traité de 1839.

A cette idée j'en ajoute une autre. Tous ces droits peuvent être concédés à la Belgique sans transfert de souveraineté de la part des Pays-Bas, et par conséquent, sans constituer ce que la décision du 4 juin appelle 'les servitudes internationales'.

En faisant cet exposé je ne me suis placé qu'au point de vue économique. Mais, j'ai à peine besoin de le dire, nous avons une préoccupation qui l'emporte de beaucoup sur les questions d'ordre matériel: ce sont les préoccupations d'ordre politique, celles qui concernent la défense et la sécurité de notre pays. Mon collègue, M. Orts, se chargera de vous faire connaître, à cet égard, notre point de vue. J'ai l'espoir qu'après que vous l'aurez entendu vous aurez la conviction que, là aussi, nos demandes peuvent être accueillies.

Si elles ne l'étaient pas, je n'hésiterais pas à dire que la Belgique, tout en étant sortie victorieuse de la guerre, en continuant à se trouver tant au point de vue de son développement économique, qu'au point de vue de sa sécurité dans la dépendance d'un de ses voisins, ne pourrait pas se considérer comme un pays sûr de ses destinées, et comme une nation jouissant de la plénitude de sa liberté.

LE PRÉSIDENT. Il est peut-être un peu tard pour que M. Orts commence son exposé qui risquerait de se trouver coupé dans son développement, faute de temps.

Voulez-vous que nous nous ajournions à demain matin pour entendre M. Orts? (*Assentiment.*)

En conséquence, la prochaine réunion est fixée au vendredi 8 juillet [août], à 10 heures.

La séance est levée à 12 heures 15.

# No. 54

*Record of a meeting in Paris of the Commission for the revision of the Treaties of 1839*

No. 5 [*Confidential*/*General*/*177*/*9*]

*Procès-verbal No. 5. Séance du 8 août 1919*

La séance est ouverte à 10 heures sous la présidence de M. Laroche, *Président.*

*Sont présents:*

M. Fred K. Neilson (*États-Unis d'Amérique*); l'Honorable Charles Tufton et le Général H. O. Mance (*Empire britannique*); MM. Laroche et Tirman (*France*); M. Marchetti-Ferrante et le Professeur Dionisio Anzilotti (*Italie*); le Professeur K. Hayashi et le Colonel Nagai (*Japon*); MM. Segers et Orts (*Belgique*); le Jonkheer de Marees Van Swinderen et le Professeur Struycken (*Pays-Bas*).

*Assistent également à la séance:*

Le Colonel Embick (*États-Unis d'Amérique*); Le Lieut<sup>t</sup>-Colonel Twiss et M. Bland (*Empire britannique*); le Lieut<sup>t</sup>-Colonel Réquin et M. de Saint-Quentin (*France*); le Major Mazzolini (*Italie*); M. de Bassompierre, le Lieut<sup>t</sup>-Colonel Galet et M. Hostie (*Belgique*); le Colonel Van Tuinen, le Capitaine de Vaisseau Surie et le Baron de Heeckeren (*Pays-Bas*).

LE PRÉSIDENT. La parole est à M. Orts.

M. ORTS (*Belgique*). Messieurs, avant d'aborder le problème de la sécurité de la Belgique, je suis obligé de revenir un instant seulement sur la question de la neutralité perpétuelle obligatoire dont on a déjà parlé ici à plusieurs reprises.

*Exposé de M. Orts.*

La neutralité perpétuelle obligatoire de la Belgique résulte, comme vous le savez, de la combinaison de l'article 7 du Traité hollando-belge du 19 avril 1839 et d'une clause qui se trouve insérée dans les Traités, en date du même jour, entre la Belgique et les cinq grandes Puissances et entre les Pays-Bas et les cinq grandes Puissances.[1]

*Art. VII du Traité hollando-belge de 1839. La neutralité perpétuelle.*

L'article 7 du Traité hollando-belge porte:

La Belgique, dans les limites indiquées aux articles 1, 2 et 4, formera un État indépendant et perpétuellement neutre. Elle sera tenue d'observer cette même neutralité vis-à-vis de tous les États.

Et les Traités entre les grandes Puissances, la Belgique et la Hollande placent cet article, comme tous les autres articles du Traité hollando-belge, sous la garantie des Puissances.

Vous remarquerez de suite que la clause de neutralité crée des obligations, d'une part aux grandes Puissances, d'autre part à la Belgique. Cette dernière s'engage à observer la neutralité vis-à-vis de tous les États.

Le 8 mars, le Conseil Suprême des Alliés a adopté les conclusions du rapport de la Commission des Affaires belges,[2] portant que l'un des buts de la revision est de dégager la Belgique de la limitation de souveraineté que lui avaient imposée les Traités de 1839.

Le 19 mai, lors des débats qui ont eu lieu ici, le Ministre des Affaires étrangères des Pays-Bas a dit: 'En ce qui concerne la neutralité, le Gouvernement hollandais ne veut d'aucune façon s'opposer au désir de la Belgique.'[3] L'accord, sur ce point, est donc complet entre la Belgique, la Hollande et les principales Puissances alliées et associées qui prennent part à la revision des Traités, comme le directoire des grandes Puissances de l'époque a procédé en 1831 et 1839 à l'élaboration de ces Traités.

Voilà donc une question réglée. Mais il est nécessaire de bien marquer

---

[1] For these treaties cf. No. 13, note 3.
[2] See No. 39, note 9.
[3] See *Papers relating to the Foreign Relations of the United States: the Paris Peace Conference 1919*, vol. iv, p. 734.

les circonstances dans lesquelles la Belgique a été amenée à en saisir les Puissances. Je me suis rendu compte, en effet, qu'il régnait, dans certains cercles, un malentendu à cet égard: l'on a cru parfois que la Belgique considérait la neutralité comme une charge et qu'en la dégageant de cette obligation on lui accordait un véritable avantage.

Dans un mémorandum que le Gouvernement belge adressa aux Puissances alliées au mois de septembre 1918, les motifs pour lesquels la Belgique demande la disparition de la clause de neutralité sont clairement établis. On y lit:

> Le retour au système de la neutralité obligatoire établie par le Traité de 1839 impliquerait le renouvellement de la garantie de l'Allemagne. Quelle autorité et quelle confiance la Belgique attacherait-elle à la répétition d'un engagement qui a été brutalement et cyniquement violé? Elle n'y verrait désormais qu'une promesse dérisoire, une illusoire et vaine apparence. Au surplus, les événements qui se sont déroulés depuis le 2 août 1914 ne rendent plus possible, en fait, le rétablissement du *statu quo* juridique de 1839. Il faciliterait une perpétuelle intrusion de l'Allemagne dans la vie intérieure de la nation. L'ennemi, l'envahisseur, l'occupant de la veille ne manquerait pas de surveiller avec un soin jaloux l'exécution des obligations qu'il aurait imposées au pays et soumettrait celui-ci à un régime de contrôle et d'investigation que l'opinion publique ne supporterait pas et qui engendrerait de graves difficultés.......[4] Pour sauvegarder, après le rétablissement de la paix, l'indépendance du pays, le Gouvernement belge compte avant tout sur la volonté de la nation qui lui inspirera les sacrifices nécessaires et sur l'intérêt permanent des Puissances alliées à l'existence d'une Belgique libre et forte. Il se réserve, au surplus, de réclamer *des garanties additionnelles*.

La Belgique n'a donc pas demandé la suppression de la neutralité. En se fondant sur des raisons d'ordre politique et moral, elle a simplement demandé que la neutralité ne soit pas *rétablie*. La disparition de la neutralité belge n'est pas due à l'initiative de la Belgique, mais au fait de l'Allemagne, qui, le 2 août 1914, a détruit le statut qui établissait la neutralité permanente de notre Pays.

Comme il est dit dans le rapport de la Commission des Affaires belges (*Voir Annexe I au procès-verbal 1*),[5] la neutralité a été établie, non seulement contre la Belgique, mais aussi pour la Belgique. Lorsque cette clause parut pour la première fois dans les Bases de séparation du 27 janvier 1831,[6] elle fut mal accueillie en Belgique. Le peuple belge et le Congrès national y virent une limitation de la souveraineté, le prix du sacrifice de territoires que l'on prétendait imposer au Pays, en un mot, une humiliation qui plaçait la Belgique sur un pied d'infériorité vis-à-vis de l'ensemble des États et vis-à-vis des Puissances secondaires de l'Europe. C'était un statut d'exception.

[4] Punctuation as in original extract.
[5] See No. 39, note 2.
[6] See *Protocols of Conferences in London relative to the Affairs of Belgium*, part i, pp. 41 f.

Par la suite, l'opinion publique se modifia et le Gouvernement belge s'employa à provoquer ce revirement. Après la conclusion du Traité de 1839, il se trouva dans la situation où se trouvent en ce moment beaucoup de Gouvernements: il fut obligé de défendre devant le Parlement le Traité que sa diplomatie n'avait pu éviter, le Traité qu'il avait dénoncé lui-même comme insuffisant, comme ne garantissant ni la sécurité, ni le développement économique de la Belgique. Alors, pour faire accepter ce Traité par le Pays, il en exalta les mérites.

Au cours du débat sur la neutralité au Congrès national, le comte Félix de Mérode résumait comme suit l'argument capital invoqué en faveur de ce s[t]atut:

> On nous assure la neutralité, c'est-à-dire qu'aucune Puissance n'aura le droit de nous entraîner dans les guerres qu'il lui plaira d'entreprendre et que notre territoire si souvent ravagé ne servira plus de champ de bataille européen.

Perspective séduisante pour une génération qui avait vu se dérouler sur notre sol les mêlées de Fleurus, de Jemmapes, de Ligny, des Quatre-Bras, de Waterloo, et qui gardait encore le souvenir de toutes les guerres dont la Belgique avait été le théâtre au XVIIIᵉ siècle.

C'est ainsi, Messieurs, que le peuple s'habitua à considérer la neutralité comme la principale, je dirai presque l'unique sécurité de notre pays, et à voir dans cette clause des Traités de 1839, le palladium de notre indépendance. A part quelques esprits sceptiques, ou prévoyants, qui doutaient de l'efficacité que présenterait cette garantie au moment critique, on peut dire qu'à la veille de la guerre il ne se trouvait personne en Belgique qui contestât le mérite de la neutralité. Lorsque le Parlement discuta des lois militaires, le Gouvernement s'entendit parfois opposer qu'en armant et en préparant sa défense, la Belgique faisait injure aux Puissances qui avaient garanti sa neutralité, parce qu'elle paraissait suspecter leurs intentions et douter de leur parole.

Telle était la confiance que l'on fondait dans la garantie des Puissances et, en vérité, si la neutralité avait effectivement couvert le pays en 1914, il ne se trouverait aujourd'hui aucun Belge pour faire le procès de la neutralité.

Vous voyez donc que notre peuple était aussi attaché à la neutralité que le peuple suisse y reste encore attaché à présent. Le peuple belge avait le droit de croire à la vertu de la neutralité; il l'avait payée d'un prix trop élevé pour lui dénier toute valeur. Il pensait que la neutralité avait été établie *pour* la Belgique.

En la perdant, la Belgique a subi un dommage. Elle a subi un double dommage dans cette guerre. D'abord un dommage dans l'ordre matériel et moral. Ce sont les souffrances de sa population, les pertes d'hommes par la guerre et les fusillades, les destructions. Dans la mesure où cela a été possible, la Belgique a obtenu, par le Traité de paix avec l'Allemagne, la réparation de cet ordre de dommages.

Mais la Belgique a subi aussi un autre dommage qui affecte son patrimoine politique si je puis dire, par la perte de la garantie sur laquelle a reposé, pendant quatre-vingts ans, sa sécurité extérieure. Pour cette perte, elle demande et croit avoir droit également à des réparations.

En répondant, le 24 décembre 1917, au message pontifical du mois d'août précédent,[7] le Gouvernement belge exprima le désir de la Belgique de ne plus être tenue par l'obligation de la neutralité et il annonça en même temps son intention de demander à la paix des sécurités et des garanties nouvelles. La même idée est exprimée dans le mémorandum de septembre 1918 dont je viens de vous lire les extraits.

Il s'en dégage que, dans la pensée du Gouvernement belge, la disparition de la neutralité détruite par l'Allemagne n'a cessé d'impliquer la nécessité de garanties nouvelles, à défaut de quoi l'indépendance de la Belgique serait, à la suite d'une guerre où elle compte parmi les vainqueurs, moins assurée que dans les conditions que lui avait faites en 1839 un traité de défaite.

Je passe à l'article 14 du Traité hollando-belge:

*Art. XIV. Anvers exclusivement port de commerce.*     Le port d'Anvers, conformément aux stipulations de l'article 15 du Traité de Paris du 30 mars [? mai] 1814,[8] continuera d'être uniquement un port de commerce.

Quelle est l'origine de cette stipulation? Cette disposition se trouve déjà dans les bases de séparation du 27 janvier 1831. Quelle en est la portée? A-t-on voulu dire que le port d'Anvers doit être dépourvu de tous moyens de défense militaire, ou signifie-t-elle simplement qu'Anvers, tout en conservant la possibilité d'être fortifié, ne pourra, cependant, devenir un port de guerre?

On se souvient que Napoléon Ier avait fait d'Anvers un puissant arsenal, une base navale. Quand les événements assurèrent la main-mise des Alliés sur les provinces des Pays-Bas en 1814, provinces qui, dans leur pensée, étaient destinées à constituer désormais un rempart vis-à-vis de la France, les troupes anglaises et prussiennes prirent possession de la ville et bientôt se manifesta chez les Alliés le désir de détruire l'arsenal que le régime napoléonien avait laissé à Anvers. C'est ainsi qu'une disposition fut insérée dans le premier Traité de Paris,[9] aux termes de laquelle dorénavant le port d'Anvers devait être uniquement un port de commerce. C'est l'article 15 du Traité de Paris. Il fut ensuite procédé au partage des navires de guerre et des chantiers qui existaient à Anvers. Il fut décidé qu'on détruirait tous les ouvrages qui avaient servi à donner au port son caractère militaire et qu'on conserverait ceux destinés à la défense de la place. Une Commission s'acquitta de ce travail.

On voit quel était le but poursuivi. Pendant toute la durée du Royaume des Pays-Bas, Anvers ne fut pas un port de guerre et cependant elle resta une place d'armes. Depuis l'indépendance de la Belgique, Anvers est devenue la

---

[7] See Cmd. 261 of 1919: *The Peace Proposals made by His Holiness the Pope to the Belligerent Powers on August 1, 1917, and Correspondence relative thereto.*

[8] Cf. note 9 below.

[9] Treaty of May 30, 1814: see *British and Foreign State Papers*, vol. i, pp. 151 f.

principale place de guerre de notre pays et aussi longtemps que la Belgique entretint une marine militaire, ses navires y entrèrent et en sortirent librement et y trouvèrent souvent leur port d'attache.

La Belgique, Puissance essentiellement pacifique et militairement faible, ne peut prêter au soupçon de faire servir ses ports nationaux à des desseins agressifs contre un autre État. Dans ces conditions, on peut considérer l'article 14 des Traités de 1839 comme une de ces dispositions dont ces Traités offrent d'autres exemples et qui demeurent comme une survivance de situations disparues.

La stipulation contenue dans l'article 14 constitue une limitation à la souveraineté et, à ce titre, la Belgique considère qu'elle suit le sort de l'article 7.

J'ai à vous parler maintenant, Messieurs, de Baerle-Duc. Baerle-Duc est une petite enclave belge de 1400 habitants, située à quelque *Question de* distance de la frontière, au Nord de la province d'Anvers, et *Baerle-Duc.* qu'entoure de toutes parts le territoire hollandais; elle est étroitement enchevêtrée dans la commune hollandaise de Baerle-Nassau. L'existence de cette enclave remonte au XIIIᵉ siècle. Il y a des situations qui se prolongent. Déjà, au XVIIIᵉ siècle, elle avait fait l'objet de négociations entre le Gouvernement des Provinces belges et le Gouvernement des Provinces Unies. Les bases de séparation — je franchis ici rapidement les années — annexées au protocole de la Conférence de Londres du 20 janvier 1831,[10] contiennent un article 4 ainsi conçu:

Comme il résulterait des bases proposées dans les articles 1 et 2 que la Hollande et la Belgique possèderaient des enclaves sur leurs territoires respectifs, il sera effectué par les soins des cinq Cours tels échanges et arrangements entre les deux pays qui leur assureraient l'avantage réciproque d'une entière contiguité de possession, d'une libre communication entre les villes et places comprises sur [dans] leurs frontières.

Le Traité des dix-huit articles,[11] au contraire, stipulait des échanges de territoires *à l'amiable entre la Hollande et la Belgique* pour supprimer toutes les enclaves; mais dans les vingt-quatre articles,[12] les Puissances désespérant de voir la Belgique et la Hollande s'entendre directement sur quoi que ce soit, revinrent à la méthode qui consistait à partager d'autorité les territoires entre les deux parties et à assigner à chacune ceux qui devaient lui revenir. Il semble qu'elles oublièrent l'enclave de Baerle-Duc. Des commissaires furent nommés pour procéder à la délimitation des territoires belges et hollandais et quand ils arrivèrent à la hauteur de Baerle-Duc, ils se trouvèrent en présence d'une situation qu'ils étaient dans l'impossibilité de résoudre, parce qu'on ne l'avait pas prévue. L'affaire en est toujours restée au même point. La description de la frontière faite par ces commissaires en 1843 constate une 'interruption de frontière' sur une distance de 36 kilomètres à ce point. De

[10] See *Protocols of Conferences in London relative to the Affairs of Belgium*, part i, p. 39.
[11] For these articles of June, 1831, *v.* ibid., part i, p. 83.
[12] These articles of October 14, 1831, are printed ibid., part i, pp. 174–81.

ce côté donc, le Traité de 1839 n'a pas reçu d'application. C'est ainsi que la situation antérieure s'est prolongée et que s'est maintenue sur la frontière septentrionale de la Belgique non seulement cette enclave de Baerle-Duc, mais, dirai-je, presque un archipel d'enclaves:

Vous voyez sur la carte, d'abord une enclave belge, une sorte de cap qui s'avance en territoire hollandais, puis une demi-enclave hollandaise, puis une demi-enclave belge, puis encore une demi-enclave hollandaise en territoire belge au milieu de laquelle se trouve plantée la véritable enclave que constitue en territoire hollandais la commune belge de Baerle-Duc. Il y a ainsi un déploiement de frontière entre la Belgique et la Hollande qui atteint sur ce parcours 120 kilomètres et qui, si on y substituait une frontière rationnelle, logique, serait diminué de moitié, pour la plus grande convenance des deux parties.

Messieurs, vous voyez que c'est une très petite affaire. Cependant, la situation de Baerle-Duc a fait périodiquement l'objet, entre la Belgique et la Hollande, d'interminables et vaines négociations, notamment de 1875 à 1893, lorsque les deux pays firent des tentatives louables pour en finir avec ce problème épineux. On imagine, en effet, les perpétuels conflits, les incessantes difficultés auxquels donne lieu ce singulier enchevêtrement de deux villages soumis à des États différents.

Avant la guerre, spécialement depuis 1906, la franchise douanière dont les habitants de Baerle-Duc avaient joui de tout temps disparut, le Gouvernement des Pays-Bas ayant établi un poste frontière entre Baerle-Duc et la frontière belge et soumis les habitants de Baerle-Duc à un contrôle permanent et vexatoire.

Pendant la guerre, la situation de Baerle-Duc a créé un état de choses assez aigu entre les deux pays. Par sa position, l'enclave échappa à l'occupation ennemie; elle fut la seule partie du territoire belge, avec celle que gardaient les Armées rangées sur l'Yser, qui ne fut pas occupée par les Allemands. Baerle-Duc fut un centre très actif de la vie nationale belge. Il en résulta des frictions avec les autorités hollandaises. Le Gouvernement néerlandais établit une censure des plus sévères qui s'exerça sur la poste belge. Je crois même me souvenir qu'un courrier belge fut saisi. La libre circulation des routes, garantie par le Traité de 1842, subit de nouvelles entraves. Les Hollandais firent opposition à l'établissement, dans Baerle-Duc, d'un poste de douanes belge et même au libre exercice de l'action de la police belge pour faire observer les lois interdisant le commerce avec l'ennemi.

C'est surtout l'érection d'un poste de télégraphie sans fil dans l'enclave de Baerle-Duc qui suscita le mécontentement des autorités hollandaises, bien que, comme l'a établi le regretté M. Renault[13] dans une consultation datée du 26 janvier 1916:

La Belgique a purement et simplement usé de son droit en établissant un poste de télégraphie sans fil sur le territoire de Baerle-Duc. Elle n'a fait par là aucun grief aux Pays-Bas et ceux-ci ne peuvent prétendre que le

[13] M. Louis Renault, a prominent French international lawyer (died 1918).

fonctionnement de ce poste est une atteinte à leur neutralité que pourraient leur reprocher les autorités allemandes.

Néanmoins, les Hollandais se livrèrent à toutes sortes de manœuvres pour entraver le fonctionnement de ce poste.

D'après les rapports que possède le Gouvernement belge, ils tentèrent de prendre contact avec les fils reliant la station de télégraphie sans fil au bureau de poste de Baerle-Duc. Ils firent l'impossible pour empêcher l'entrée dans l'enclave de Baerle-Duc du charbon, de l'huile et de toutes les matières nécessaires au fonctionnement du poste de télégraphie sans fil. Finalement, on entoura l'agglomération de Baerle-Duc d'un réseau hermétiquement clos de fils barbelés. Le ravitaillement de la population en fut sérieusement entravé. Je trouve aussi dans des notes les détails suivants:

> Le chocolat et les bonbons enveloppés dans du papier dit: 'papier d'argent' sont refusés, parce que ce papier pourrait servir à l'installation de la télégraphie sans fil. Les boissons spiritueuses, même de faible degré, sont refusées parce que l'alcool pourrait servir à la télégraphie sans fil, de même que les bougies, le charbon, la moutarde, parce qu'elle contient de l'huile qui pourrait servir à la télégraphie sans fil. . . . .[4]

Je n'insiste pas.

En résumé, on frappait Baerle-Duc de prohibitions spéciales concernant des objets dont la Hollande autorisait, à la même époque, l'exportation en Allemagne. Le Gouvernement hollandais outrepassait ainsi ses droits et M. Renault n'hésitait pas, dans une seconde consultation, que lui avait demandée le Gouvernement belge, au sujet du refus de la Hollande de faire passer des caisses de pétrole destinées aux habitants de Baerle-Duc, à déclarer que ce fait constituait un 'acte arbitraire des autorités néerlandaises qui n'est pas justifié par le droit des gens'.

Messieurs, il est difficile de dicter une solution pour régler une situation qui a traversé ainsi les âges. Et comme au demeurant cette question, encore qu'elle trouve sa source dans une application incomplète du Traité de 1839, n'est cependant pas d'intérêt général, je me demande si nous ne devrions pas profiter de l'occasion qui nous réunit ici pour faire une dernière tentative, afin de la régler entre le Gouvernement belge et le Gouvernement hollandais.

Évidemment, on aurait pu songer à la régler par certains transferts de souveraineté qui n'auraient pas affecté sensiblement les intérêts particuliers et auraient respecté les sentiments des populations, mais puisque cette solution est exclue, nous pourrions peut-être en trouver une autre qui donnerait satisfaction à ces populations, les rétabliraient dans les droits que les conventions antérieures leur avaient données et leur feraient des conditions de vie possible. C'est là ma conclusion pour cette question de Baerle-Duc.

LE PRÉSIDENT. Je noterai en passant que si les transferts de souveraineté sont sévèrement exclus des travaux de la Commission, ils peuvent cependant être réglés en dehors de nous par un arrangement entre le Gouvernement belge et le Gouvernement hollandais.

M. Orts (*Belgique*). J'en viens ainsi, Messieurs, à un problème d'une gravité particulière; c'est celui de la sécurité de la Belgique.

*Clauses territoriales et fluviales.* Chacun de vous possède à présent un rapport de la Commission des Affaires belges[5] et a pris la peine de l'étudier. Je prendrai donc ce rapport comme guide dans l'exposé que je vais vous faire et puisque au surplus ce document, combiné avec la résolution du 4 juin, reflète l'opinion et exprime les conclusions de vos Gouvernements, il vous offre une base incontestée et des points de ralliement sur lesquels nous pourrons appuyer les développements nécessaires.

Les trois Traités négociés contre la Belgique, dit le rapport de la Commission des Affaires belges, n'ont apporté à la Belgique aucune des garanties qu'ils lui avaient promises, ils ont réduit gravement par leurs clauses territoriales et fluviales ses possibilités de défense et portent, pour une large part, la responsabilité du préjudice qu'elle a subi.

Ces considérations ont déterminé l'adoption par le Conseil Suprême du cinquième point des conclusions de 5 [8] mars[2] qui assigne comme but à la revision des Traités de 'supprimer, tant pour la Belgique que pour la paix générale, les risques et les inconvénients divers résultant des Traités.'

Les risques, ce sont les dangers auxquels la Belgique reste exposée par suite de la diminution de ses possibilités de défense. Ces risques sont dus surtout aux clauses territoriales; des clauses fluviales dérivent plus particulièrement les inconvénients graves apportés au développement économique de la Belgique, comme il ressort de l'exposé que vous a fait dans une précédente séance mon honorable collègue, M. Segers.

Les clauses territoriales ont réduit gravement les possibilités de défense de la Belgique. Elles sont contenues dans les articles 1 à 6 du Traité hollando-belge. L'article 2 vise la cession par la Belgique d'une partie du Luxembourg. Nous n'aurons pas à nous en occuper. Le Grand-Duché de Luxembourg a vu modifier son statut international par un autre Traité, en 1867,[14] dont le Traité de Versailles prévoit d'ailleurs la revision, car l'édifice érigé en 1839 croule jusque dans ses annexes; tant il est vrai qu'il ne s'accorde plus avec le nouvel état politique de l'Europe issu de la guerre, ni avec les conceptions actuelles de l'indépendance des devoirs réciproques et de la solidarité des peuples.

Si je vous convie à examiner les clauses territoriales de ces Traités, c'est parce que le Conseil Suprême les a désignées spécialement à votre attention en les dénonçant comme étant la cause principale des calamités qui se sont abattues sur notre Pays.

Notre président, inspiré par le souci d'impartialité qui l'anime, n'a-t-il point dit que 'dans l'intérêt même de la discussion, il ne doit y avoir ni réserve, ni sous-entendu; il faut que chacun puisse dire tout ce qu'il croit nécessaire pour justifier ses résolutions'?[15] Et n'est-il pas d'une bonne technique dans la discussion, de remonter à la source du mal pour en déterminer l'étendue et en trouver plus sûrement le remède?

[14] *v.* op. cit., vol. lvii, pp. 32 f.      [15] Cf. No. 39.

Le 3 janvier 1831, alors que la Conférence de Londres n'avait pas encore inventé la neutralité permanente qui devait donner à la Belgique la couverture juridique indispensable en présence des mutilations qu'on voulait lui imposer, le Gouvernement belge résumait comme suit ses revendications, dans une note adressée aux commissaires de la Conférence de Londres:

Il paraîtra sans doute *impossible* que la Belgique constitue un État indépendant sans la garantie immédiate de la liberté de l'Escaut, de la possession de la rive gauche de ce fleuve, de la province de Limbourg en entier et du Grand-Duché de Luxembourg.[16]

Rapprochez cette déclaration du rapport de la Commission des Affaires belges: 'Tout ce que, en échange d'une garantie inopérante, les Traités de 1839 avaient enlevé à la Belgique lui a manqué gravement. Le régime de l'Escaut a empêché la défense et le ravitaillement d'Anvers, le Luxembourg a servi de place d'armes à l'Allemagne, la Meuse n'a pu être efficacement tenue, le Limbourg hollandais a soustrait une partie des armées allemandes aux prises des Alliés.'

Ce rapprochement donne un air de prophétie à l'avertissement que le Gouvernement belge de 1831 adressa à la Conférence de Londres.

Voyons, Messieurs, comment se pose le problème de la sécurité belge. L'indépendance et la neutralité de la Belgique ont été placées en 1839 sous la garantie de toutes les Puissances de l'époque. Jamais aucune nation n'a bénéficié d'une sécurité reposant sur une base aussi solide en apparence. En effet, les cinq grandes Puissances signataires du Traité de 1839 représentaient toute l'Europe et elles s'obligeaient toutes, chacune pour son compte, non seulement à respecter la neutralité, l'indépendance et l'intégrité du territoire belge, mais à la faire respecter par leurs co-signataires. Parmi ces Puissances, se trouvaient les trois grandes Puissances immédiatement voisines de la Belgique, les seules qui auraient pu pratiquement porter atteinte à cette indépendance et à cette neutralité. Le quatrième voisin de la Belgique — les Pays-Bas — reconnaissait cette neutralité.

Jamais donc aucun peuple n'a bénéficié d'une sécurité aussi solidement établie. L'octroi à la Belgique d'une garantie exceptionnelle était justifié; elle trouvait sa justification à la fois dans un intérêt général européen et dans la débilité de la constitution territoriale que l'Europe venait d'imposer à la Belgique.

Je ne vais pas ici me livrer à de grands développements historiques pour montrer que l'intérêt général de l'Europe était attaché au maintien de l'indépendance et de l'existence des provinces belges. Il suffit de se rappeler que chaque fois qu'une grande Puissance a mis la main sur la Belgique, une réaction s'est produite en Europe, des coalitions se sont nouées, parce que la situation respective des Puissances était immédiatement atteinte dès que l'une d'elles dominait ce point essentiel, ce centre nerveux politique qu'est la Belgique, et dont l'importance ne peut être comparée à aucun autre point de l'Europe. C'est ainsi que toutes les coalitions se sont nouées lorsque Louis

[16] *v.* op. cit. vol. xviii, p. 758.

XIV menaça la Belgique, lorsque Napoléon mit la main sur la Belgique; et en 1914, dès que l'Allemagne porta atteinte à la Belgique, l'Empire britannique se leva, non seulement — je crois pouvoir le dire — parce qu'il était tenu par des obligations conventionnelles à défendre la Belgique, mais aussi parce que sa sécurité, sa situation dans le monde, se trouvaient compromises. Et en 1917, lorsque l'Allemagne fit des ouvertures de paix par voie indirecte, la première objection qu'on lui fit, c'est qu'elle n'avait fait aucune déclaration de nature à rassurer le monde au sujet de l'avenir qu'elle comptait réserver à la Belgique. Ceci montre l'importance du problème belge par rapport aux intérêts généraux de l'Europe et du monde.

J'ai dit que l'octroi à la Belgique de cette garantie exceptionnelle trouvait aussi sa justification dans la débilité de la constitution territoriale que l'Europe lui avait assignée, car je ne suppose pas que l'on conteste encore ici que les trois Traités de 1839 ensemble et dans toutes leurs clauses forment un tout indivisible. La preuve en a été fournie par les développements juridiques contenus dans le rapport de la Commission d'enquête et avant elle par la Conférence de Londres elle-même. L'intention des parties est un élément essentiel d'interprétation des conventions et, dans l'espèce, les parties, c'est-à-dire la Conférence de Londres, ont exprimé leur intention avec une clarté parfaite dans une note en date du 25 [15] octobre 1831 adressée aux plénipotentiaires belges et hollandais accompagnant l'envoi des vingt-quatre articles.[12] On y trouve cette phrase:

Les soussignés observeront que les articles en question forment un ensemble et n'admettent pas de séparation.

Voilà l'intention des parties. Je ne vais donc pas ouvrir une discussion sur ce point. Ce sera, je pense, inutile.

Je suis d'assez près ici le schéma qui vous a été remis:
'Le territoire belge présente l'aspect d'un triangle ouvert à trois extrémités, il n'a de limites politiques ni militaires nulle part.'[17] Cette phrase est de l'un des hommes d'État les plus remarquables que la République ait produits, issu d'ailleurs d'une famille émigrée de Maestricht comme tant d'autres familles belges, après que le Traité de 1839 eut livré cette ville à la Hollande. Je l'emprunte à un mémoire d'Émile Banning où abondent les preuves d'une connaissance remarquable des problèmes européens et d'une surprenante prescience des événements dont l'Europe et la Belgique en particulier allaient être le théâtre plus de 15 ans après la mort d'Émile Banning.

'Le pays, écrivait-il, vers 1880 ou 1881, est ouvert aux trois extrémités du triangle qu'il forme, il n'a de limites politiques ni militaires nulle part.'

En effet, Messieurs, regardez la carte. Voyez au Nord-Ouest la Flandre zélandaise qui sépare le territoire belge de cette frontière politique et militaire qu'est l'Escaut; au Sud-Est, le Grand-Duché de Luxembourg enlevé à la Belgique en 1839 avec les positions militaires qui gardaient la frontière politique que constituent la Moselle et derrière la Moselle, la Meuse; enfin

[17] See enclosure in No. 46.

au Nord-Est du triangle, le Limbourg enlevé à la Belgique par le même Traité de 1839 et qui garde la Meuse moyenne.

Banning n'était pas un adversaire de la neutralité. A vrai dire, il doutait du respect qu'au moment critique notre statut international imposerait à l'Allemagne, mais il rattachait d'autant plus fermement ses espérances à la protection que nous offrait la garantie des Puissances qu'il était convaincu de l'impossibilité de défendre un territoire amputé de ses éléments essentiels. Je vous convie, Messieurs, à lire ses *Considérations politiques sur la défense de la Meuse*, cela me dispensera de longs développements et rien mieux que cette œuvre magistrale, écrite de 1881 à 1886 dans la sérénité d'une ère de paix profonde, ne vous montrera la gravité, pour notre pays, des solutions dont chacun de vous va prendre sa part de responsabilité.

La destinée de la Belgique est intimement liée à la possession et à la libre disposition de ses deux fleuves nationaux. Or la Belgique ne dispose ni de la Meuse, ni de l'Escaut. M. Segers vous a montré dans quelle mesure notre indépendance économique en est affectée. Je vais essayer de vous faire voir que le fait de ne disposer ni de l'Escaut, ni de la Meuse, constitue une menace permanente pour ce pays et l'expose à toutes les catastrophes.

La Meuse constitue une ligne politique et militaire dont la possession est la condition de l'indépendance de la Belgique. Elle est restée belge jusqu'en 1839 sur tout son parcours depuis la frontière française jusqu'au nord de Venloo. Elle traverse trois de nos vieilles provinces: Namur, Liége et le Limbourg. Nous allons voir par suite de quelle succession d'événements la Belgique a perdu la ligne de la Meuse en perdant le Limbourg en 1839.

Je ne voudrais pas entrer ici dans de longs détails historiques. Les origines de cette situation ont déjà été exposées dans des débats précédents dont vous possédez les comptes rendus. Cependant je ne puis pas ne pas y revenir aujourd'hui. La plupart d'entre vous n'ont pas suivi ces débats; il faut donc que je leur donne un fil qui leur permette de suivre notre argumentation. Au surplus, Messieurs, je suis convaincu que vous attachez tous une grande importance à dégager les origines historiques des problèmes de la politique contemporaine. Si on négligeait ces origines, on risquerait de faire une œuvre artificielle, contraire aux traditions des peuples, une œuvre qui n'aurait aucune racine dans le passé, qui, par suite, manquerait de solidité. Je vais cependant être bref.

Le premier Traité de Paris du 30 mai 1814 stipulait dans son article 6 que la Hollande, placée sous la souveraineté de la Maison d'Orange, recevrait un agrandissement de territoire. Un article secret stipulait que cet agrandissement comprendrait toute la partie de la Belgique située sur la rive gauche de la Meuse. La Convention militaire du 31 mai 1814 confia l'occupation de la rive gauche de la Meuse aux armées anglo-hollandaises et l'occupation de la rive droite aux armées prussiennes.[18] Le Traité de Vienne du 31 mai 1814 [1815][19] reconnut *'jure gentium'* le Royaume des Pays-Bas constitué par la

[18] For arrangements concerning this occupation, cf. A. de Busschere, *Code de Traités et arrangements internationaux intéressant la Belgique*, vol. i, pp. 9–11.

[19] See *British and Foreign State Papers*, vol. ii, pp. 136 f. and 385 f.

réunion de la Belgique et de la Hollande ; il fixa ses frontières, tant sur la rive droite que sur la rive gauche de la Meuse, suivant le tracé qu'elles présentaient au xviiie siècle. A l'exception de quelques cantons cédés à la Prusse, le Limbourg tout entier fit partie du Royaume des Pays-Bas.

Les dispositions du Traité de Vienne furent reprises dans l'Acte final du Congrès de Vienne du 9 juin 1815. Ces deux textes font du Prince d'Orange-Nassau, non seulement le Roi des Pays-Bas, mais un Grand-Duc de Luxembourg et un membre de la Confédération Germanique. Ici, nous arrivons de suite aux origines de la situation dont nous avons à nous occuper.

Le Prince d'Orange possédait en Allemagne des biens patrimoniaux, les quatre petites principautés de Siegen, Dietz, Dillenburg et Hadamar, qui lui donnaient le droit de faire partie de la Confédération germanique. Le Congrès de Vienne partagea ces possessions héréditaires du prince d'Orange entre la Prusse et le Duché de Nassau. Pour trouver une compensation au Prince d'Orange, on eut recours à une fiction. On détacha de la Belgique le Luxembourg, cette ancienne province belge liée indissolublement à travers l'histoire aux autres provinces belges. On créa artificiellement un Grand-Duché de Luxembourg qu'on donna au Prince d'Orange et on le fit entrer dans la Confédération Germanique. De la sorte, le Prince d'Orange retrouvait aux frais de la Belgique une superficie et une population sensiblement égales à celles de ses principautés allemandes et il restait un prince allemand. Voilà pour le Luxembourg.

Le Limbourg, qui devait suivre en 1839 le sort du Luxembourg, est une autre vieille province belge. Pendant les dix ans que dura le Royaume des Pays-Bas, il fut considéré comme province belge. On a déjà dit que la loi constitutionnelle du Royaume des Pays-Bas, œuvre néerlandaise, assignait le même nombre de représentants aux provinces méridionales belges et aux provinces septentrionales hollandaises, encore que la population de la Belgique fût supérieure à celle de la Hollande. Or, les députés du Limbourg aux États généraux de la Haye furent toujours comptés comme députés belges. Ainsi, on reconnaissait à La Haye que le Limbourg était province belge et il en fut ainsi jusqu'à la dissolution du Royaume des Pays-Bas en 1830.

Quand éclata la Révolution de 1830, le Limbourg entier se souleva, y compris la ville de Venloo, qui était la principale des enclaves hollandaises dans le Limbourg. La place de Maëstricht resta au pouvoir des autorités hollandaises, grâce à l'énergie de son Gouverneur et en dépit des efforts de sa population dont les députés furent parmi les plus acharnés à défendre la nationalité belge de la province. Cependant, Maëstricht constituait une enclave historique dans le Limbourg, puisque les Provinces Unies en avaient de longtemps exercé la co-souveraineté. Le Luxembourg lui aussi prit sa part dans la révolution belge comme le Limbourg.

Lorsque les cinq grandes Puissances se réunirent à Londres pour régler les conditions de la séparation de la Belgique et de la Hollande, diverses solutions furent successivement proposées. La première est consignée dans le protocole du 27 janvier 1831 :[6] la Hollande se serait composée des territoires qui faisaient partie des Provinces Unies en 1790. La Belgique aurait été formée de tout le reste du Royaume des Pays-Bas. Le Luxembourg, cependant, en était excepté; il était conservé au Roi-Grand Duc et continuait à faire partie de la Confédération Germanique. Le Congrès national belge ayant refusé de souscrire à ces propositions qui amputaient la Belgique d'une de ses provinces, un nouvel arrangement fut envisagé dans le projet des 18 articles du 21 juin 1831.[11] Les limites de 1790 étaient maintenues comme base de partage, mais le Luxembourg était réservé pour une négociation ultérieure et une lettre de Lord Ponsonby[20] laissait espérer qu'il resterait à la Belgique. Ces deux instruments conservaient à la Belgique la majeure partie du Limbourg; la Hollande gardait les quelques enclaves qu'elle y possédait en 1790, la co-souveraineté de Maëstricht, Venloo et divers pays de généralité, mais les enclaves belges, existant à la même époque sur le territoire des Provinces Unies, revenaient à la Belgique. L'échange explicitement prévu de ces territoires permettait de compter sur la conservation à la Belgique du Limbourg tout entier.

Arrivent les événement[s] du mois d'août 1831. Le Roi de Hollande envahit la Belgique. L'armée belge subit un échec à Louvain et le Traité des 24 articles,[12] survenant deux mois plus tard, impose un traité beaucoup plus défavorable. La Belgique ne reçoit plus que la partie wallonne du Luxembourg: le reste du Grand-Duché est conservé au Roi des Pays-Bas et continue à faire partie de la Confédération Germanique. Mais 'à titre d'indemnité territoriale' pour la perte, si l'on peut dire, de la partie du Luxembourg laissée à la Belgique, le Roi des Pays-Bas reçoit la partie de la province de Limbourg située sur la rive droite de la Meuse.

Sept ans après, le Roi des Pays-Bas acceptait le traité et finalement, le 19 avril 1839, furent conclus les Traités qui séparaient définitivement de la Belgique le Luxembourg et le Limbourg d'outre-Meuse. La partie cédée du Limbourg fut érigée en duché et entra, à l'exception des places de Venloo et de Maëstricht rattachées directement au Royaume des Pays-Bas, dans la Confédération germanique à titre de compensation pour la perte que la Confédération et le prince d'Orange avaient faite dans le Limbourg wallon que l'on laissait à la Belgique.

La cession de la moitié du Limbourg au Roi des Pays-Bas par les Traités de 1839 — et c'est là-dessus que je voulais attirer votre attention — s'explique donc par trois facteurs essentiels:

1° Le désir du Roi-Grand-Duc de recevoir, en guise d'indemnité, pour la perte de la moitié du Luxembourg, un territoire d'une superficie et d'une population sensiblement égales;

2° Le désir des Puissances allemandes, la Prusse et l'Autriche, soutenues par la Russie, de faire récupérer à l'armée de la Confédération Germanique un contingent militaire égal à celui que lui fournissaient les 150,000 habitants du Luxembourg wallon;

3° Le désir des mêmes Puissances allemandes d'occuper la ligne de la

[20] British representative on special mission to Belgium, 1830–1.

Meuse moyenne, position militaire qui, comme je vais vous le montrer tout à l'heure, assurait la maîtrise de la Belgique.

En résumé, le Limbourg d'outre-Meuse a été enlevé à la Belgique et est devenu hollandais, parce que, à la fin du xviiie siècle, le Prince d'Orange possédait quelque part en Allemagne, en Westphalie ou en Hesse, certains domaines héréditaires convoités par le Roi de Prusse, parce que le Roi de Prusse estimait devoir une compensation au Prince d'Orange, compensation que ce dernier aurait acceptée aussi bien dans le Grand-Duché de Berg ou ailleurs en Allemagne, pour autant qu'elle lui donnât la même superficie et le même nombre d'âmes, c'est-à-dire le même nombre de contribuables. Ces âmes et cette superficie, le Prince les trouva dans le Luxembourg aux frais de la Belgique. Enfin, en 1839, les mêmes idées prévalant encore dans les rapports entre souverains, le Prince d'Orange restitua à la Belgique une partie du Luxembourg peuplée de 149,000 âmes contre une partie du Limbourg belge peuplée de 147,000 âmes. Le compte y était.

C'est ainsi que le Limbourg, province belge dans son ensemble, est entré dans l'État hollandais, héritier du Prince d'Orange.

Il y a évidemment, dans toutes ces combinaisons, quelque chose qui heurte la conscience moderne et on ne peut s'empêcher de se demander ce que pensaient ces 'âmes' du trafic dont elles étaient l'objet. Eh bien! Messieurs, ces 'âmes' avaient véritablement une âme. Elles firent entendre le cri de protestation que leur inspirait l'indéfectible attachement à la patrie belge. Le Parlement de Bruxelles en retentit, les pétitions des communes luxembourgeoises et limbourgeoises affluèrent et la représentation nationale éprouva l'amertume d'entendre leurs reproches véhéments. Au moment de passer au vote sur le Traité de 1839, un député des provinces cédées, parlant en leur nom commun, s'écria:

> Non! 380,000 fois non, au nom de 380,000 Belges que vous sacrifiez à la peur!

Ce cri a retenti chez nous à travers les générations. Les Puissances restèrent sourdes à la clameur de ces populations. Les Limbourgeois passèrent sous la domination étrangère sans que jamais on songeât à les consulter.

Ceci m'amène, Messieurs, à vous donner quelques explications sur un aspect moral de la question qui nous occupe.

J'ai retenu une phrase que notre président a prononcée dans notre première séance. 'Nous pourrions avoir des remords de conscience, a dit M. Laroche, si nous empêchions les délégués belges de nous dire pourquoi les Belges avaient songé à un moment donné à des transferts de souveraineté, parce que cela peut expliquer certaines de leurs demandes qui ne portent pas là-dessus.'[15]

Je suis heureux de profiter de l'invitation de notre président pour essayer de dissiper certaines préventions qui ont nui à la cause que je défends ici.

Il est exact qu'une partie de l'opinion belge aspire à voir le Limbourg rentrer dans la patrie belge. Mais, Messieurs, il faut bien vous rendre compte que le Limbourg n'est pas un pays étranger pour la Belgique et que le Limbourgeois n'est pas un étranger parmi nous. En vertu d'une loi renouvelée périodiquement depuis 1839, les Limbourgeois acquièrent la nationalité belge par une simple déclaration et sans devoir se soumettre aux formalités ordinaires de la naturalisation. Un grand nombre d'entre eux ont profité de cette faveur, qui s'étend également aux Luxembourgeois. C'est pour cela qu'ils se retrouvent en grand nombre dans notre communauté nationale, où ils conservent, eux et leurs descendants, le souvenir de leur petite patrie d'origine.

Le Limbourg a donné à la Belgique des citoyens illustres. Henri de Brouckère, député de Ruremonde en 1839, fut une des grandes figures de la politique belge; le philosophe Ubaghs était Limbourgeois; Van Beneden, un savant universel, était Limbourgeois, de même que notre grand chimiste Minckelers. Notre poète André Van Hasselt était natif de Maëstricht; le général Brialmont, le célèbre constructeur des forts de la Meuse, était natif de Venloo, c'est-à-dire Limbourgeois. Nombre de citoyens belges qui se sont illustrés dans tous les domaines de l'esprit, des arts et des sciences étaient nés Limbourgeois et leurs descendants, accrus chaque année de nouveaux éléments de même origine, peuplent encore aujourd'hui nos Universités, notre barreau, nos administrations et occupent dans le commerce et l'industrie des situations souvent éminentes. Ils ont entretenu dans la masse du peuple belge le souvenir de la séparation qui leur fut imposée jadis.

La situation économique qui prévaut dans le Limbourg a contribué à développer ces liens. Voyez ce territoire enserré entre deux frontières, deux barrières douanières qui, à certains endroits, se rapprochent à 7 kilomètres, en contact avec les Pays-Bas seulement par son extrême Nord.

Vous imaginez aisément la situation dans laquelle se trouvent les habitants d'un pays ainsi constitué. Cette situation est éminemment propice au développement des relations économiques entre le Limbourg et la Belgique. Il se conçoit, d'autre part, que ce pays ne puisse se développer qu'avec de grandes difficultés. Maëstricht, admirablement placée entre le bassin houiller belge de la Campine et le bassin houiller du Limbourg, ainsi enserrée dans d'étroites limites — 1,200 toises à compter des glacis extérieurs de la place, comme dit le Traité de 1839 — ne comptait encore que 38,000 habitants en 1913.

Eh bien! Messieurs, les intérêts raisonnent, les sentiments se précipitent. Lorsque les uns et les autres se conjuguent pour conduire dans une même voie, l'individu subit des entraînements. Ceci n'est pas une des moindres difficultés du problème qui se pose devant vous et doit nous inciter à lui donner une solution équitable et définitive.

On a adressé à cette partie de l'opinion belge qui aspire à voir le Limbourg réuni à la Belgique et par extension à tout le peuple belge, le reproche de céder à un sentiment impérialiste et égoïste. Ce peuple ne mérite point pareil reproche. Nul plus que lui n'est respectueux du droit et de la liberté d'autrui. Aucun peuple ne répugne davantage à l'idée d'imposer sa volonté à un autre peuple. Il a trop souffert lui-même de l'arbitraire pour n'en avoir pas conçu l'horreur. S'il est des Belges qui se sont émus des sentiments d'attachement à la Belgique qui, après 80 ans de séparation, persistent chez de nombreux Limbourgeois, ces Belges obéissent à un sentiment que vous pouvez considérer comme n'étant pas politique, mais qui, vous en conviendrez, est assurément respectable.

C'est ce que je voulais vous dire, car il est nécessaire de dissiper, dans l'intérêt de la réputation du nom belge, une atmosphère qui n'a sans doute pas pénétré dans cette salle mais qui, dans certains milieux, continue à envelopper ce débat.

Je vous ai exposé, Messieurs, dans quelles conditions le Limbourg d'outre-Meuse est passé sous la souveraineté de la Hollande. Le fait est le résultat d'une double influence: les intérêts du Prince d'Orange et la politique prussienne. J'arrive ici à un point intéressant.

L'histoire des années 1814 et 1815 est particulièrement caractéristique quant aux efforts de la Prusse pour occuper et conserver la ligne de la Meuse.

La politique du Gouvernement britannique tendait, en 1814, à assurer au Royaume des Pays-Bas une forte frontière à l'Est de la Meuse, voire même jusqu'au Rhin. Le mémoire de Lord Castlereagh aux Puissances alliées du 15 février 1814[21] indiquait une ligne allant de Maëstricht à Cologne en passant par Aix-la-Chapelle et Düren. Toute la région au Nord de cette ligne aurait été réunie au Royaume. Portez cette ligne sur la carte et vous lirez la pensée de Lord Castlereagh qui était de protéger contre la Prusse la Meuse limbourgeoise considérée comme le point faible du nouveau Royaume des Pays-Bas. Le 20 février, Lord Castlereagh écrivait à Lord Clancarty[22] que la Prusse avait des prétentions sur tout le pays entre le Rhin et la Meuse, d'un fleuve à l'autre. Du conflit des deux politiques, sortit une solution mixte, acceptée par le mémoire de Lord Castlereagh du 28 janvier 1815:[23]

Le Royaume des Pays-Bas n'atteindra pas le Rhin; par contre, la Prusse sera tenue à une certaine distance de la Meuse. C'est la ligne frontière qui sera déterminée par le Traité de Vienne du 30 [31] mai 1815.[18]

Donc, solution mixte, transaction entre la politique britannique et la politique prussienne.

Les efforts de la Prusse pour obtenir et conserver l'occupation et l'administration de la région mosane n'ont pas été moins caractéristiques que les manœuvres de sa diplomatie en ce qui concerne les frontières des Pays-Bas. Ce sont deux aspects d'une même politique.

Dès le 12 janvier 1814, par la Convention de Bâle,[24] il est décidé qu'un Prussien, le conseiller Sack, sera nommé gouverneur général du Bas-Rhin avec les départements de la Meuse-Inférieure (Limbourg) et de l'Ourthe (Liège). Par conséquent, la Meuse moyenne est dans son ressort.

La Convention militaire de Paris du 31 mai 1814 confie à la Prusse l'occupation de la région entre Meuse, Rhin et Moselle.[17]

Vous voyez donc, au moment où se forme le Royaume des Pays-Bas, une

[21] v. op. cit., vol. i, p. 119.
[22] H.M. Ambassador to the Netherlands and a British plenipotentiary at the Congress of Vienna.     [23] v. op. cit., vol. ii, p. 613.
[24] Text in G. F. de Martens, *Nouveau recueil de traités* (Göttingen 1817), vol. i, pp. 638 f.

combinaison des efforts de la diplomatie et de l'administration prussiennes tendant à mettre la Meuse entre les mains de la Prusse.

En même temps que la Prusse multipliait ses tentatives pour prendre pied sur la Meuse limbourgeoise, elle s'approchait du fleuve au Sud. Vous avez vu que par l'Acte général du Congrès de Vienne, le Luxembourg, détaché de la Belgique, avait été rattaché à la Confédération Germanique. Par le Luxembourg, la frontière de la Confédération Germanique arrivait à une journée de marche des passages de la Meuse de Givet et de Sedan et une garnison prussienne s'installait à Luxembourg.

La seconde étape de la marche de la Prusse vers la Meuse fut franchie en 1839: la Confédération Germanique doit renoncer au Luxembourg wallon, tout en conservant la place de Luxembourg qui domine tout le pays. En revanche, la Confédération acquiert dans le Limbourg une valeur autrement importante.

Cette fois, le but de la politique prussienne est atteint: la Prusse atteint la Meuse moyenne.

Je vous montrerai dans un instant que la dissolution de la Confédération Germanique survenue en 1866 n'a pas privé complètement la Prusse du bénéfice des Traités de 1839, puisque la configuration territoriale et l'isolement du Limbourg en interdisent la défense. Le Limbourg constitue une sorte de zone ouverte par laquelle l'Allemagne peut, à tout moment, se saisir sans opposition des passages de la Meuse. La perte de la ligne de la Meuse ouvre à l'Allemagne une porte sur la Belgique et, par la Belgique, sur toute l'Europe occidentale. La persévérance que la Prusse a mise à gagner la Meuse témoigne de l'importance qu'elle attache à cet avantage. Je laisserai aux experts militaires le soin de vous démontrer l'importance stratégique exceptionnelle de la ligne de la Meuse. Je ne veux pas m'aventurer dans ce domaine qui échappe à ma compétence, mais il est cependant des vérités générales qu'un peu de réflexion et d'observation font apparaître à tous les yeux, même à ceux du profane que je suis en matière militaire.

De tout temps, la Meuse fut, après le Rhin, la barrière de la France et de la Belgique contre l'Allemagne. En effet, ce fleuve sépare deux régions très distinctes. Sur sa rive droite, s'étend un pays accidenté, boisé, très coupé, impropre aux mouvements des armées qui ne peuvent s'y déployer. Sur sa rive gauche, le pays est découvert, propre aux manœuvres des masses, et immédiatement après s'ouvrent les vallées de la Sambre, de l'Oise et de l'Aisne, qui furent de tous temps les grandes routes d'invasion de la Germanie vers la France. Chaque fois qu'en un point quelconque de son cours l'Allemand a franchi la Meuse, la France a été en danger.

La Meuse est aussi la ligne de défense de la Belgique contre un adversaire de l'Est. Cette ligne forcée, aucun obstacle naturel ne s'oppose plus, jusqu'à l'Escaut, à la marche de l'envahisseur. Entre la Meuse et l'Escaut s'étend la région la plus peuplée, la plus riche de la Belgique; c'est le cœur du pays. Quand le Général Jomini[25] a dit: 'Qui tient la Meuse tient la Belgique', il

[25] General Jomini (1779–1869) of the French army was the author of important military treatises.

exprimait une vérité permanente et il nous a donné un avertissement redoutable. Permettez-moi, Messieurs, d'attirer ici votre attention sur une révélation toute récente qui prouve, mieux encore que tous les raisonnements, l'importance que la Meuse présente comme élément de sécurité de la Belgique.

On vient de publier, devant l'Assemblée de Weimar, les échanges de vues qui eurent lieu dans le sein du Gouvernement allemand en 1917, à la suite de la réponse du Gouvernement britannique au message pontifical, dans laquelle l'Allemagne crut trouver l'occasion d'entrer en négociations.[26] On a publié une correspondance entre le Chancelier de l'époque, Michaëlis, et les grandes autorités militaires, Hindenburg et Ludendorff. Le 12 septembre 1917, Michaëlis rendant compte au Grand Etat-Major du Conseil de la Couronne qui s'était tenu les jours précédents, s'exprimait en ces termes:

J'ai admis comme postulat de la Direction suprême de l'Armée que, à votre avis, il faut maintenir à tout prix que vous exigiez tous deux pour la protection de notre industrie à l'Ouest, en première ligne *Liège*.

A quoi Hindenburg répondit le 15 septembre qu'il admettait l'abandon de la côte des Flandres quoique l'opinion allemande dût en ressentir un coup très rude, mais, ajouta-t-il:

Je ne puis pas m'imaginer qu'il nous soit possible de quitter *Liège* dans un délai déterminé quelconque et fixé par le Traité.

Et Ludendorff de son côté déclarait sans ambages:

Nous devons conserver solidement entre nos mains un territoire des deux côtés de la *Meuse* et au Sud jusqu'à l'Ourthe.

Souvenez-vous, Messieurs, qu'en septembre 1917 l'Allemagne et ses Alliés sentaient venir l'épuisement. Ils voyaient le moment où il faudrait passer par les conditions de l'Entente. Les rêves de conquête étaient évanouis. L'Allemagne était prête à abandonner la côte de Flandre, à laquelle elle attachait le prix que vous savez. Elle était prête à renoncer à la Belgique, mais il y a une chose qu'elle ne voulait pas abandonner, c'était la Meuse. Pourquoi? Parce que, par la Meuse, elle savait qu'à tout moment elle pouvait remettre la main sur la Belgique et sur la côte de Flandre.

La possession de la Meuse est un élément de domination pour l'Allemagne. La possibilité seulement de posséder la Meuse à sa volonté constitue pour l'Allemagne un moyen de domination.

On ne pourrait exprimer plus clairement, par ces citations que je viens de vous lire, l'importance que la Meuse présente au point de vue de la défense de la Belgique.

L'Europe connaîtra-t-elle encore des guerres? Notre génération a-t-elle vu la dernière guerre? On pourrait épiloguer là-dessus à l'infini. Nous n'en avons pas le loisir. L'homme d'État doit prévoir la guerre pour prévenir les occasions de conflits. S'il néglige ce devoir, il s'expose à provoquer lui-même

[26] See Volume I, No. 25, note 1.

la guerre. Les hommes d'État qui ont établi le Traité de Paix avec l'Alle-magne ont prévu la guerre et ils se sont attachés à réduire les causes de friction entre les nations, à supprimer les tentations que pourraient éprouver les peuples imbus de l'esprit de domination à abuser encore de leur force. Le but essentiel de leur œuvre de prédilection fut de prévenir les conflits en imposant aux adversaires le temps de la réflexion, en laissant aux médiateurs un délai pour exercer leur action conciliatrice et en organisant l'action ré-pressive qui atteindra l'État en rupture de Pacte de la Société des Nations.

Les statuts de la Société des Nations montrent que ses auteurs sont per-suadés que le progrès des mœurs, l'exemple terrifiant des conséquences de la guerre inscrites sur le sol de l'Europe entière, ne permettent pas encore d'escompter que la sagesse de tous les peuples les préservera, dans l'avenir, de la folie guerrière. Le Gouvernement belge a le devoir de tenir compte de l'éventualité d'une guerre. Après les épreuves qu'il a subies, notre pays ne lui pardonnerait pas d'avoir négligé de faire tout ce qui est en son pouvoir pour écarter désormais la guerre de notre sol ou pour nous donner tout au moins des chances de l'écarter. Or, dans le cas d'une nouvelle guerre, où l'Allemagne se précipiterait à nouveau sur la France, nous pensons que la Belgique serait plus que jamais exposée à l'invasion si une protection spéciale ne lui permettait pas de détourner d'elle le fléau, ou d'y résister.

Le Traité de paix, en effet, a donné à la France des frontières infiniment plus fortes et plus sûres que celles qu'avait laissées à la France vaincue le Traité de Francfort.[27] Et je n'ai pas besoin de vous dire, Messieurs, que le peuple belge est le premier à se féliciter de cette heureuse conséquence de la guerre. Voyez cette frontière: au Sud, elle est appuyée sur le Rhin, puis se présente le massif du Hardt, un autre obstacle à la marche des Allemands. Plus au Nord, la trouée de Lorraine offre une route aux invasions; encore est-elle fermée par Metz et Thionville, places de guerre de premier ordre que l'Allemagne a été contrainte de léguer à la France. Je crois que c'est le Président Wilson qui a eu ce mot: 'La frontière de la France est la frontière de la liberté.' Et on a déjà dit que la frontière belge est le prolongement de la frontière de la liberté.

Messieurs, représentez-vous cette longue ligne-frontière comme une digue opposée au flot germanique. Une pression s'exerce-t-elle sur cette digue, en quel point se produira la rupture?

C'est une loi physique que la rupture se produit au point de moindre résistance. Ce point de moindre résistance est sur la Meuse moyenne.

Je vous ai déjà dit l'importance de la ligne de la Meuse. Descendez-en le cours sur la carte et vous la voyez partout jalonnée de places fortes: Toul qui, sans être sur la Meuse, est une place mosane, Verdun, Givet, Namur, Liége. Tous les passages sont gardés par des positions fortifiées devant lesquelles les armées se déployant face à l'Est trouveraient de solides points d'appui. Mais, au Nord de Liége, à partir du point où la Meuse borde le Limbourg, elle cesse d'être défendue. Maëstricht est démantelée. Plus loin, encore au Nord,

[27] The Franco-Prussian Treaty of 1871: text in *British and Foreign State Papers*, vol. lxii, pp. 77 f.

aucun des passages de la Meuse n'est défendu. Tout le Limbourg est découvert et, non seulement on n'y trouve pas un point d'appui, mais en temps de guerre il n'y a plus d'armée qui couvre ce territoire.

Voyons ce qu'il s'est passé en 1914. En temps de paix, la Hollande entretient dans le Limbourg des garnisons. En 1914, aussitôt la menace de guerre, toutes les garnisons échelonnées dans le Limbourg, de Maëstricht à Venloo, furent retirées. Le 1ᵉʳ août 1914, si nos renseignements sont exacts, il restait un seul bataillon à Maëstricht. A ce moment, les Allemands opéraient des débarquements à Heinsberg et à Geilenkirchen, immédiatement derrière le Limbourg. Le général Leman, commandant la place de Liége, ayant reçu avis du débarquement des troupes allemandes, tenta, le 3 août, de se mettre en communication avec le commandant de Maëstricht. Par l'intermédiaire du bourgmestre de Maëstricht, il lui fit demander si le passage de la Meuse serait défendu au cas où les Allemands se présenteraient à Maëstricht. La réponse fut négative et on lui fit savoir que l'intention des autorités militaires hollandaises était d'évacuer complètement le Limbourg. Ainsi, au moment critique, à l'instant précis où l'Allemagne allait se ruer sur la Belgique, les routes du Limbourg s'ouvraient toutes larges à ses armées.

L'Allemagne, il est vrai, n'a pas envahi le Limbourg. Mais, je vais vous dire dans un instant les conséquences qu'eurent, pour la Belgique, en août 1914, l'évacuation du Limbourg par les forces hollandaises. Notez bien, Messieurs, que je n'incrimine nullement les Pays-Bas. Les dispositions que les Pays-Bas ont prises dans le Limbourg en 1914 n'étaient aucunement inspirées par une pensée hostile à la Belgique. Je songe encore moins à une collusion préalable entre les Pays-Bas et l'Allemagne, c'est bien entendu. Les Pays-Bas se trouvent dans l'impossibilité de défendre le Limbourg. Ce territoire, nos experts militaires vous le démontreront, par le peu de profondeur qu'il présente, par l'impossibilité de se ménager des lignes de retraite, constitue une véritable souricière et toutes les troupes qui y seraient maintenues en temps de guerre seraient fatalement vouées à la capture. Je crois qu'on ne contestera pas cela du point de vue hollandais.

On a dit, du côté hollandais, que si le Limbourg avait été envahi, la Hollande serait entrée dans la guerre. Messieurs, je ne ferai pas à un peuple aussi énergique que le peuple hollandais, l'injure de supposer que si le cœur de son pays était envahi il ne recourrait pas aux armes. Je voudrais exclure de mon discours tout ce qu'il pourrait y avoir d'irritant, mais cependant il y a des choses que je dois dire. Nous ne pouvons pas oublier avec quelle facilité le Limbourg s'est ouvert en 1918 devant les armées allemandes en retraite au lendemain de l'armistice. C'est, en tout temps, un acte grave que de laisser passer une armée sur son territoire et nous avons toujours pensé que jamais le Gouvernement hollandais n'aurait permis à une armée allemande de traverser par exemple le Brabant septentrional. Il ne paraît pas avoir attaché la même importance à la présence de forces étrangères dans cet appendice du territoire néerlandais que constitue le Limbourg.

Nous nous souvenons aussi de l'affaire des sables et graviers, de la facilité que l'Allemagne obtint de faire transporter par la Hollande ces matériaux qui, d'après des rapports hollandais, auraient servi à des usages civils et dont une enquête officielle entreprise en Belgique depuis l'armistice n'a guère découvert de traces sur nos routes, tandis qu'ils se retrouvaient dans les centaines de kilomètres de tranchées allemandes et dans tous les ouvrages bétonnés qui couvrent encore la Belgique à l'heure actuelle. Nous croyons qu'il y a eu là, malgré l'énergie que la Hollande apporte généralement à défendre ses droits, certaines défaillances. Elles sont peut-être excusables.

Comme le plénipotentiaire belge soulignait que le jour même où le Gouvernement néerlandais autorisait les Allemands à traverser le Limbourg sans les interner, le même Gouvernement invoquait vis-à-vis de la Belgique les règlements de La Haye pour refuser la libération des internés belges en Hollande, M. Lansing fit observer que la différence de traitement entre la Belgique et l'Allemagne réside dans le fait que l'Allemagne avait eu la force de s'imposer, tandis que la Belgique n'avait pas le moyen de se faire écouter.

Remarquez aussi que, pour donner son plein effet, une violation du Limbourg par l'Allemagne ne doit pas se prolonger pendant plus de deux ou trois fois vingt-quatre heures. Il suffit qu'une force allemande passe par le Limbourg pour que toutes les défenses belges de la Meuse tombent. Il faut reconnaître que le jour où l'événement se produirait, le peuple néerlandais ferait preuve d'une grandeur d'âme exceptionnelle s'il consentait à se jeter dans la guerre, non pas pour défendre le sol natal, mais pour châtier un voisin qui, dans une province excentrique, aurait violé son territoire en le faisant servir, sur une distance de quelques kilomètres, à une manœuvre st[r]atégique. L'armée hollandaise devrait sortir du territoire national pour châtier cet agresseur.

En 1914, le fait seul que le Limbourg ne pouvait être défendu livra d'un seul coup tout l'Est de la Belgique à l'envahisseur. Le vide militaire dans le Limbourg faisait que la ligne de la Meuse belge était virtuellement tournée, puisqu'il ne dépendait que de l'ennemi que d'un instant à l'autre elle le fût effectivement. La Belgique ne put aventurer qu'une trentaine de mille hommes sur la ligne de la Meuse et le gros de son armée, sous peine d'être tourné par le Limbourg hollandais, dut être concentré sur la ligne de la Gette, immédiatement au Nord-Est de Bruxelles. Aussitôt que la résistance des troupes de couverture de la Meuse fut vaincue, le flot des envahisseurs put se répandre impunément jusqu'au centre du pays.

Ainsi, la Belgique se trouve dans cette situation extraordinaire que, par le fait qu'une province lui a été enlevée jadis dans les conditions que je vous ai dites, il lui est désormais impossible de se défendre, ni sur ses frontières, ni sur la ligne de défense naturelle qui couvre le centre de son pays. Dans ces conditions, toute attaque dirigée contre la Belgique implique pour celle-ci une guerre de destruction. La Belgique ne peut pas se défendre victorieusement parce que si, en définitive, elle arrive à maintenir son indépendance, c'est au prix de pertes irréparables. Je ne crois pas qu'il y ait d'autres pays qui se trouvent devant une pareille situation. Il est des sacrifices qu'un peuple n'accomplit pas deux fois.

Le Traité de Paix a imposé à l'Allemagne la reconnaissance des modifications qui seront apportées aux Traités de 1839. Si notre œuvre laissait subsister la situation actuelle dans le Limbourg, avec les possibilités qu'elle offre à l'Allemagne de mettre à tout moment la main sur la Meuse et sur la Belgique, vous auriez laissé à l'ennemi vaincu le principal avantage que lui a acquis, contre la Belgique alliée et amie, la politique mosane de la Prusse au début du xix<sup>e</sup> siècle.

La Hollande accomplirait le premier des devoirs internationaux si elle assurait la défense locale de son territoire dans le Limbourg. Interdire que son territoire ne serve à une agression contre un voisin constitue pour tout État un devoir international. Il semble qu'en accomplissant ce devoir, la Hollande se maintiendrait dans l'esprit de la Société des Nations.

L'article 10 du pacte de la Société des Nations stipule que les membres de la Société s'engagent à respecter et à maintenir contre toute agression extérieure l'intégrité territoriale et l'indépendance politique de tous les membres de la Société. Je pense que dans le cas qui nous occupe, dans cette situation très exceptionnelle que je viens de vous définir, il n'y a pas, pour le pays voisin de la Belgique, un meilleur moyen de s'acquitter de cet engagement qui prendra effet du jour où il entrera dans la Société des Nations, que de prévenir, par des mesures appropriées, une violation de son territoire qui entraînerait pour la Belgique les conséquences que je viens de vous dire.

Je serais très reconnaissant à Monsieur le Président s'il voulait bien suspendre maintenant la séance et renvoyer la suite de mon exposé à notre prochaine réunion. Je me sens un peu fatigué. Demain, je pourrai continuer par la question de l'Escaut et présenter les conclusions.

LE PRÉSIDENT. Je propose que nous nous réunissions demain à 17 heures 15. (*Assentiment.*)

La séance est levée à 12 heures.

## No. 55

### *Mr. Robertson (The Hague) to Earl Curzon (Received August 8)*

*No. 1357 Telegraphic [113809/11763/4]*

THE HAGUE, *August 8, 1919*

I notice opinion here is becoming increasingly nervous in regard to negotiations with Belgium at Paris. Rumour is spreading that France supports full claims of Belgium which if granted would compensate latter for loss of Luxemburg to France.[1] We were looked upon as supporters of Dutch case but it seems feared that we are veering round on account of German Emperor question.

Dutch fears are of course likely to be played upon by Germans who are here in large numbers all over country and many of whom are taking houses for long terms at Hague and elsewhere.

[1] For the question of Luxemburg at that time see H. W. V. Temperley, *A History of the Peace Conference of Paris* (London, 1920), vol. ii, pp. 184–9.

## No. 56

### Mr. Balfour (Paris) to Earl Curzon (Received August 9)

#### No. 1553 [114091/4232/18]

PARIS, August 8, 1919

My Lord,

1. Sir George Grahame was so good as to furnish me with a copy of his despatch to Your Lordship, No. 713[1] of the 20th ultimo, transmitting an article from the *Figaro* in regard to the Rhenish Republic.[2]

2. I learn from the Military Section of the Delegation that the following information has been received in this connection from the Army of the Rhine:—

'Outwardly there is no change in the situation, and no attempt is being made openly to push matters on. Under the surface, however, a good deal is being done in the way of political discussions among and between the various parties; these discussions appear to be local and independent, and are not much influenced by the spreading of the movement in the French area.

'The attitude of the parties is as follows:—

'(a) The Majority Socialists, as before are dead against the movement.

'(b) The Centre Part[y] are unanimously in favour of it.

'(c) The Independent Socialists, mainly owing to their hostility to the Majority Socialists, are in favour of the movement on general principles. As they do not consider their party yet to be strong enough to become the governing party in an independent state, they are in favour of postponing the movement for the present. As soon as they feel themselves strong enough, however, it is anticipated that they will come out as a body in favour of the movement, and endeavour to establish themselves as the leading part[y] of an autonomous state.

'The opinion of the General Staff, Army of the Rhine, is that, taking all parties into consideration, about 60% of the people in the British area are in favour of the movement, the crux of the situation being the increasing strength and influence of the Independent Socialists.'

3. I am sending a copy of this despatch to Sir George Grahame.

I am, &c.,<br>(For Mr. Balfour)<br>EYRE A. CROWE

---

[1] Not printed.
[2] i.e. the prospects of establishing an independent Rhenish Republic: see below.

## No. 57

*Sir H. Rumbold (Berne) to Mr. Balfour (Paris)*

*No. 33 [427/1/4/17283]*

BERNE, *August 8, 1919*

Sir,

I have the honour to report that I called on the Minister for Foreign Affairs yesterday on my return from leave of absence and spoke to him about the prospects of Switzerland joining the League of Nations.

His Excellency stated that the message which the Federal Council were preparing for the two chambers of the Swiss Parliament proposing that an article should be added to the Constitution providing for the adherence of Switzerland to the League (see my telegram No. 244[1] of August 5) was almost ready. The Chambers would meet on September 9th and would decide separately whether to accept the proposal contained in the message. If they did so, that proposal would be referred to a plebiscite.

Monsieur Calonder had little doubt as regards the attitude of the Chambers to the message of the Federal Council. He stated that French and Italian Switzerland would be solid in favour of Switzerland joining the League of Nations whilst there would be a large majority in German-Switzerland in the same sense.

He said that, up to two months ago, the attitude of the German-Swiss press on the subject had been due to an incorrect appreciation of the situation. That press had harped on the fact that the right of self-determination for nations had been violated in the case of the southern Tyrolese. The German-Swiss could not understand this. Monsieur Calonder had pointed out to representatives of the German-Swiss press that it was not possible to solve every question of nationality in the most ideal manner after a war of such magnitude. He had succeeded in bringing all his colleagues and many of the German-Swiss round to his point of view.

In the improbable event of the Chambers declining to agree to the proposal contained in the Federal message, he would resign as he felt that he had so identified himself with the question of Switzerland joining the League of Nations that he could not properly remain in office should Parliament reject the proposal.

I have forwarded a copy of this despatch to the Foreign Office.

I have, &c.,

HORACE RUMBOLD

[1] Not printed.

## No. 58

*Record of a meeting in Paris of the Commission for the revision of the Treaties of 1839*

No. 6 [*Confidential/General/177/9*]

*Procès-verbal No. 6. Séance du 9 août 1919*

La séance est ouverte à 17 heures 15 sous la présidence de M. Laroche, *Président*.

*Sont présents:*

M. Fred K. Neilson (*États-Unis d'Amérique*); l'Honorable Charles Tufton et le Général H. O. Mance (*Empire britannique*); MM. Laroche et Tirman (*France*); M. Marchetti Ferrante et le Professeur Dionisio Anzilotti (*Italie*); le Professeur K. Hayashi et le Colonel Nagai (*Japon*); MM. Segers et Orts (*Belgique*); le Jonkheer de Marees van Swinderen et le Professeur A. Struycken (*Pays-Bas*).

*Assistent également à la séance:*

Le Capitaine de vaisseau Fuller et le Lieut^t-Colonel Twiss (*Empire britannique*); le Capitaine de vaisseau Le Vavasseur, le Lieut^t-Colonel Réquin et M. de Saint-Quentin (*France*); le Major Mazzolini et le Capitaine de corvette Ruspoli (*Italie*); M. Tani (*Japon*); M. de Bassompierre, le Lieut^t-Colonel Galet et M. Hostie (*Belgique*); le Colonel Van Tuinen, le Capitaine de vaisseau Surie et le Baron de Heeckeren (*Pays-Bas*).

Le Président. La parole est à M. Orts pour la suite de son exposé.

M. Orts. Je vous ai exposé hier[1] la question de la Meuse. Je voudrais vous parler aujourd'hui de la question de l'Escaut. Nous continuons ainsi à suivre les grandes lignes du schéma[2] qui vous a été remis avant-hier soir.

*Suite de l'exposé de M. Orts.*
*Question de l'Escaut.*

La ligne de l'Escaut est la seconde ligne de défense de la Belgique; elle aussi couvre la côte de Flandre et, indirectement, la France. Cette ligne aussi est tournée. Voyons d'abord quelle est l'origine de cette situation.

Je ne vous dirai plus de quelle façon la Flandre zélandaise fut détachée de la Belgique en 1648, pour être réunie à nouveau, de 1795 à 1814, à la Flandre belge, qui se trouvait alors sous la domination française.

Dès le début de la révolution de 1830, les Belges réclamèrent cette bande de territoire. Le protocole du 4 novembre 1830[3] qui stipulait un armistice, précisait que les troupes belges et hollandaises devaient se retirer derrière la ligne qui séparait, au *30 mai 1814*, les provinces hollandaises et les provinces

---

[1] See No. 54.
[2] Enclosure in No. 46.
[3] Text in *Protocols of Conferences in London relative to the Affairs of Belgium*, part i, pp. 8–9.

belges. Or, au 30 mai 1814, la Flandre zélandaise faisait partie de ces dernières, car elle ne cessa d'être rattachée à la Flandre belge après 1795 que par l'effet d'une loi hollandaise du 20 juillet 1814. En vertu du protocole du 4 novembre 1830, la Flandre zélandaise devait donc être occupée par les Belges, comme ceux-ci le demandèrent dans une note du 27 du même mois. Néanmoins la Conférence de Londres estima que le Traité de 1795 devait être considéré comme une manifestation de force dont il ne fallait pas tenir compte.

Les Belges avaient, au surplus, d'autres raisons que l'existence du traité de 1795 pour revendiquer la Flandre zélandaise. Ils affirmèrent, dans les notes remises par eux le 3 janvier 1831 aux commissaires de la Conférence, à Bruxelles, et le 6 du même mois à Lord Palmerston,[4] que, sans la possession de la rive gauche de l'Escaut, l'indépendance même de la Belgique serait compromise, parce que la conservation de ce territoire était nécessaire à sa *défense* et à sa *prospérité*.

Néanmoins, la Conférence de Londres montrant, sur ce point, un aveuglement obstiné, traça les limites de la Belgique et de la Hollande, dans les Bases de séparation de janvier 1831, de manière à refuser la Flandre zélandaise à la Belgique. Elle proclama, en effet, que tout ce qui appartenait aux Provinces-Unies en 1790 resterait aux Pays-Bas. C'était une façon de donner la Flandre zélandaise à la Hollande.

Le Traité du 30 [? 20] novembre 1815[5] et celui du 19 avril 1839[6] contiennent une formule nouvelle. Ils stipulent que la Belgique possédera la Flandre orientale et la Flandre occidentale dans les limites qu'elles avaient en 1815; encore une fois cette formule nous enlevait la Flandre zélandaise, puisque celle-ci avait été rattachée au Royaume des Pays-Bas le 20 juillet 1814. Cependant, les Belges étaient si convaincus que la possession de la Flandre zélandaise était vitale pour eux, qu'ils renouvelèrent leurs efforts pendant la période qui s'écoula depuis 1831 jusqu'à la signature du Traité final en 1839. Ils sentaient instinctivement que tous les arrangement destinés à leur garantir la libre navigation de l'Escaut, ce qu'ils croyaient être, comme vous l'a dit M. Segers, la co-souveraineté de l'Escaut, serait incomplet, précaire et, par conséquent, peu satisfaisant si la possession d'une rive du fleuve ne leur assurait effectivement cette co-souveraineté.

M. Segers vous a dit la situation que le régime actuel de l'Escaut fait à la Belgique, considérée au point de vue de ses intérêts économiques. Quel est le régime de l'Escaut en temps de guerre?

L'Escaut, à partir d'un point en aval d'Anvers, coule entre deux rives hollandaises et la Hollande a soutenu avec succès que la libre navigation de l'Escaut ne mettait pas obstacle à ce qu'elle prît sur le fleuve toutes les mesures de sécurité qu'elle jugerait unilatéralement nécessaires à la sauvegarde de sa neutralité en temps de guerre, y compris, dès l'instant où il y a menace de guerre, le déplacement ou la destruction des balises, bouées, signaux et feux

[4] British Secretary of State for Foreign Affairs, 1830–41.
[5] Cf. *British and Foreign State Papers*, vol. iii, pp. 280 f.
[6] Cf. No. 13, note 3.

qui rendent la navigation possible. C'est ce qu'elle a fait au début d'août 1914.

La Belgique a dû accepter cette manière de voir qui a été consacrée par plusieurs conventions.

Il en résulte qu'en temps de paix la Belgique possède sur l'Escaut les droits de participation à l'administration du fleuve, que lui donne l'article 9 du Traité de 1839, dans la mesure et avec les conséquences dans l'application que vous a exposées mon honorable collègue, mais qu'en temps de guerre elle ne possède plus sur le fleuve aucun droit, si ce n'est en théorie celui de libre navigation commerciale qui, en pratique, est entravé.

Au point de vue de la défense, l'Escaut ne relie pas Anvers à la mer en temps de guerre; Anvers, coincée [sic] entre le fleuve et la frontière hollandaise toute proche, est une place forte pratiquement sans communications avec la partie occidentale du pays et l'étranger, dès qu'elle est assaillie par l'Est et par le Sud. Il est probable que jamais un camp retranché n'eût été construit en cet endroit si, lorsque sa construction fut décidée, on avait pu prévoir que l'interprétation, par les Hollandais, des Traités de 1839 et des devoirs de la neutralité hollandaise auraient eu pour effet de couper, en temps de guerre, toutes les communications d'Anvers avec la mer.

Je viens de vous indiquer sommairement la théorie hollandaise quant aux devoirs de la neutralité dans l'Escaut, telle qu'elle ressort des actes du Gouvernement hollandais et de nombreuses déclarations et études dont cette question a fait l'objet en Hollande.

Cependant, au mois d'août 1914, au lendemain du jour où l'Allemagne adressa son ultimatum à la Belgique, le Gouvernement néerlandais parut disposé à se départir de la rigidité de ces principes. Le fait que je vais vous révéler est tout à l'honneur du Gouvernement néerlandais. Le Gouvernement belge l'a tenu jusqu'à ce jour rigoureusement secret, parce qu'il a voulu éviter que la révélation d'une initiative généreuse de nos voisins du Nord pût fournir à l'Allemagne le prétexte d'un grief contre la Hollande. Mais cinq ans ont passé. L'Allemagne a actuellement d'autres soucis. Les procès-verbaux de nos réunions ne reçoivent d'ailleurs aucune publicité. Enfin, le fait dont je vais vous entretenir présente, dans les circonstances actuelles, un intérêt particulier, puisqu'il pourrait conduire à la solution de l'une des questions les plus importantes que soulève la révision des Traités de 1839.

C'est ainsi que je suis amené à mettre la Commission au courant de certaines ouvertures relatives à l'Escaut faites le 4 août 1914 par le Ministre des Affaires étrangères des Pays-Bas, M. le Jonkheer Loudon, au Ministre de Belgique à La Haye.

Le 4 août 1914, l'Angleterre n'était pas encore belligérante; elle n'avait déclaré la guerre à aucune Puissance; elle n'avait pas pris position au regard du conflit franco-allemand. L'hypothèse où elle resterait neutre n'était pas encore exclue par des faits acquis. Dans l'après-midi de ce jour, notre Ministre à La Haye fit savoir au Ministre des Affaires étrangères à Bruxelles que le Ministre des Affaires étrangères des Pays-Bas voulait savoir si la Belgique désirait que l'entrée de l'Escaut fût laissée libre à une flotte anglaise qui voudrait venir au secours de la Belgique dont la neutralité serait violée, ou si la Belgique préférait que l'Escaut fût fermé pour toute flotte qui voudrait y entrer. Le Ministre ajoutait qu'il allait de soi que l'accès du fleuve serait interdit à une flotte venant en *ennemie* de la Belgique. Il désirait être informé aussitôt que possible des pourparlers que nous pourrions avoir à ce sujet avec le Gouvernement britannique.

Le 5 août, le Ministre des Affaires étrangères de Belgique télégraphia à son représentant à La Haye que la Belgique avait fait appel aux Puissances garantes de sa neutralité pour protéger son indépendance et l'intégrité de son territoire, que des négociations allaient être entamées pour concerter l'action commune et que le Gouvernement néerlandais serait tenu au courant des points qui l'intéresseraient. Il exprima en même temps les remerciements du Gouvernement belge pour les bonnes dispositions dont témoignait la proposition du Gouvernement hollandaise.

Mais, dans l'entre-temps, la face des choses s'était modifiée. L'Angleterre était devenue belligérante et dès 10 heures du matin, le 5 août, le Ministre des Affaires étrangères des Pays-Bas avait demandé au Ministre de Belgique s'il n'avait pas encore de réponse à la question qu'on lui avait posée la veille. Apprenant que le Ministre de Belgique n'était pas encore en mesure de lui répondre, le Ministre hollandais en exprima tous ses regrets parce que la situation avait changé. 'L'Angleterre est devenue belligérante, lui dit-il; laisser passer une flotte britannique serait permettre la violation de la neutralité des Pays-Bas à moins d'une convention spéciale entre les belligérants.'

Il résulte de ce que je viens de vous rapporter que le Gouvernement néerlandais au début de la guerre envisageait comme parfaitement admissible qu'une flotte d'une Puissance garante de l'indépendance belge vînt à Anvers aussi longtemps que cette Puissance n'était pas belligérante elle-même, et que le Cabinet de La Haye n'écartait même pas l'hypothèse où la Puissance garante étant belligérante, sa flotte fût encore venue à Anvers, mais en ce cas moyennant accord entre belligérants; l'Escaut serait resté fermé aux ennemis de la Belgique en toute hypothèse.

En d'autres termes, les devoirs de la neutralité n'eussent point fait obstacle à l'usage de l'Escaut par la Belgique et ses alliés; ils eussent continué à obliger la Hollande de défendre l'accès de l'Escaut aux ennemis de la Belgique.

Les faits dont je viens de vous faire part me donnent l'espoir qu'une solution du problème militaire et naval de l'Escaut pourrait être réalisée sans trop de difficulté.

Je vous disais que l'Escaut, seconde ligne de défense de la Belgique comme la Meuse, est tournée. Voyons quelles sont les conséquence[s] de cette situation, d'après l'expérience de la dernière guerre. Ici, Messieurs, je vais passer très rapidement, parce qu'il s'agit de faits qui sont encore présents à tous les esprits.

En 1914, la position d'Anvers, avec l'armée belge à laquelle elle fournissait son appui, placée comme elle l'était sur le flanc des armées allemandes en marche vers la France, avait une double mission: contrarier l'avance de l'aile droite ennemie, c'est-à-dire de l'aile marchante de l'armée d'invasion qui se dirigeait vers la Marne, et protéger toute la partie occidentale du territoire belge. En fait, aussi longtemps qu'Anvers resta entre nos mains, les Flandres échappèrent à l'étreinte de l'ennemi. Ce ne fut qu'après la chute d'Anvers que les Allemands atteignirent Ostende, et, à Ostende, la côte de la mer du Nord dont ils devaient faire l'usage que nous savons dans la guerre impitoyable qu'ils menèrent sur toutes les mers du monde contre les paquebots et les navires de commerce de toutes les Puissances, y compris les neutres.

D'autre part, l'activité dont l'armée belge fit preuve, en livrant, à la fin d'août et au commencement de septembre 1914, de rudes combats, au sud d'Anvers, ne fut pas sans influence sur l'issue des opérations allemandes qui devaient trouver leur dénouement à la première bataille de la Marne.

En 1914, la position d'Anvers et l'armée d'Anvers remplirent donc, en partie, la mission naturelle qui leur était assignée, dans l'intérêt de la cause commune; mais ils ne la remplirent que pendant un cours [sic] laps de temps, pendant le deuxième mois de la guerre, et ils ne purent soutenir leur rôle aussi longtemps qu'il eût été désirable pour exercer une influence décisive sur la guerre. Cette influence, en d'autres circonstances, pourrait être plus importante comme je vais vous le démontrer.

Dans les derniers jours de septembre 1914, Anvers est attaqué par le Sud et par l'Est. Coupée de toute communication par le Nord du fait de la neutralité que la Hollande maintenait sur le bas Escaut, l'armée d'Anvers ne pouvait maintenir qu'un contact précaire avec les forces alliées par l'Ouest et dès l'instant où ce contact menaça d'être rompu, c'est-à-dire au début d'octobre, l'armée belge fut exposée à être capturée tout entière dans Anvers.

Exposée à perdre ainsi la seule ligne de retraite qui s'ouvrît encore à elle, ne disposant pas, par suite du voisinage immédiat de la frontière hollandaise, des positions naturelles qui s'offrent entre Anvers et la mer, l'armée belge fut obligée d'effectuer une retraite pénible qui la conduisit, en octobre 1914, sur la ligne de l'Yser, où elle entra pour la première fois en contact avec les armées alliées. Retraite pénible, en effet, car elle nous coûta des pertes considérables; plus de 30,000 hommes, le quart de ce qui restait de l'armée belge à ce moment, et la majeure partie de l'effectif des brigades navales britanniques qui étaient venues au secours d'Anvers, ne purent se dégager à temps. Acculées à la frontière néerlandaise, ne pouvant se servir de l'Escaut, ces troupes durent mettre bas les armes. Elle furent internées en Hollande où elles demeurèrent jusqu'à l'armistice.

Pour limiter le champ des hypothèses quand on raisonne de la situation à laquelle la Belgique aurait à faire face dans l'éventualité d'une nouvelle guerre européenne, il importe de se représenter les conflits entre les États dans le cadre où ils sont placés désormais par le pacte de la Société des Nations. Le pacte de la Société des Nations prévoit deux sortes de guerres: les guerres licites, si l'on peut dire; et celles qui, au regard du pacte, sont une atteinte à la loi des nations, et, par suite, considérées comme illicites.

Pour qu'une guerre soit licite, il faut que le différend ait préalablement été soumis à l'examen du Conseil de la Société des Nations ou des arbitres, que le rapport n'ait pas été adopté à l'unanimité moins les parties intéressées, ou que la décision unanime du Conseil ou la sentence arbitrale n'ait pas été acceptée par la partie attaquée, que trois mois se soient écoulés depuis la publication du rapport ou de la sentence arbitrale.

Quant aux guerres illicites, ce sont toutes celles entreprises sans qu'il y ait eu arbitrage ou examen de différend par le Conseil de la Société des Nations, ou sans que les trois mois se soient écoulés depuis l'avis du Conseil ou de la sentence arbitrale, ou encore lorsque la partie attaquée avait déclaré accepter cette sentence ou l'avis du Conseil rendu à l'unanimité.

Je vous demande la permission, Messieurs, d'édifier mon raisonnement sur la seule hypothèse d'une guerre illicite dont la Belgique n'aurait pas pris l'initiative. Nous n'imaginons pas un seul instant, en effet, que la Belgique se livre à une agression contre l'Allemagne, ni qu'elle refuse de déférer un conflit avec cette Puissance au Conseil de la Société des Nations, c'est-à-dire à une juridiction à laquelle toutes les Puissances et, en particulier les petits pays, s'apprêtent à donner leur confiance entière. Quelle serait, dans l'hypothèse envisagée, c'est-à-dire dans le cas d'une guerre illicite que lui ferait l'Allemagne, le rôle que la Belgique devrait assigner à ses forces nationales?

Ce rôle serait pratiquement identique à celui que ces forces remplirent en 1914. En 1914, l'armée belge retarda l'invasion, contraria la marche des armées allemandes, afin de couvrir aussi longtemps que possible le territoire national et de ménager, en même temps, aux Puissances garantes le temps d'intervenir à ses côtés. Remplacez les Puissances garantes par les membres de la Société des Nations et vous définirez exactement le rôle qui serait réservé à l'armée belge dans le cas d'une nouvelle agression dirigée contre elle, ou, dans l'éventualité plus probable d'une attaque dirigée contre la France, à travers le territoire belge.

Je vous ai montré hier le rôle que remplirait dans cette hypothèse la ligne de la Meuse. Je voudrais à présent faire apparaître clairement à vos yeux que si la ligne de la Meuse venait à être forcée, la possession de la ligne de l'Escaut serait indispensable pour permettre à l'armée belge de couvrir une partie du territoire national et de remplir, dans les conditions prévues par le jeu normal du pacte de la Société des Nations, le rôle qui lui serait dévolu dans l'intérêt général.

Messieurs, vous me voyez ici extrêmement hésitant. S'il est relativement aisé, pour qui n'est pas familiarisé avec la science militaire, de démontrer l'importance de la ligne défensive de la Meuse et l'impossibilité où se trouve la Belgique, par suite de la situation qui lui a été faite par le Traité de 1839, de défendre cette ligne, il est infiniment plus difficile de faire la démonstration des mêmes vérités, quand il s'agit de l'Escaut. Si je m'y essayais, je craindrais de ne pas y réussir. Je laisserai ce soin à nos conseillers militaires, auxquels vous permettrez certainement d'exposer la question à vos propres experts militaires et de la traiter devant eux dans tous les détails. Qu'il me soit permis cependant de poser le problème devant vous, tout en vous priant de ne pas former votre conviction d'après mes seules explications.

Il s'agit de démontrer:

1° Que l'armée belge pour s'acquitter de sa mission doit pouvoir tenir dans le réduit que la nature a formé à l'Ouest d'Anvers, entre Anvers, l'Escaut et la mer;

2° Que la Belgique a besoin de la liberté de l'Escaut, aussi bien pour la défense de toute cette position de l'Escaut, que pour la défense de la position de la Meuse.

Si la position de la Meuse est importante comme couvrant le Nord et le centre du pays, celle de l'Escaut doit être maintenue à tout prix par l'armée belge pour lui permettre de demeurer sur le territoire national. Si vous portez les yeux sur la carte, vous verrez que la nature a dessiné dans le Nord-Ouest de la Belgique, une position extrêmement forte, certains disent inexpugnable à la condition d'être tenue par des forces suffisantes; cette position est marquée par tout le cours de l'Escaut, depuis la mer, en passant par Anvers, et elle se prolonge au Sud, par des lignes successives qui sont d'abord la Dendre, le cours moyen de l'Escaut ensuite, et enfin le système des canaux, qui de l'Escaut conduisent à la côte de Flandre, notamment dans la direction d'Ostende. Retirée dans ce réduit, l'armée belge peut jouer le rôle qui lui serait dévolu dans une nouvelle guerre, à savoir: 1° De rester constamment sur le flanc de la route séculaire des invasions de la Germanie vers la France, de telle façon — et ici je parle surtout pour messieurs les conseillers militaires présents — que l'attaque ennemie ne soit jamais enveloppante, mais soit au contraire toujours enveloppée;

3° De conserver la région où est entreposé, en tout temps, le gros de ses ressources.

Cette région, par son réseau fluvial et par les inondations que l'on peut tendre, se prête parfaitement à une défense prolongée. Tant que le réduit est tenu, la côte de Flandre est également tenue.

Mais pour que l'armée belge ne coure pas à sa perte en se maintenant ainsi sur le flanc d'une armée allemande marchant vers la mer ou vers la France, il est nécessaire qu'elle dispose sur ses derrières d'un système de communications. Ce système, la nature le lui offre; il est formé par le bas Escaut et les cours d'eau et canaux qui en dépendent.

Au surplus, que l'armée belge se trouve sur la Meuse face à l'Est, ou retirée face au Sud, comme en 1914, sur le Démer, les deux Nèthes et le Rupel, ou sur l'Escaut même ou dans le réduit que je viens de vous dessiner, c'est toujours l'Escaut complété par les canaux qui reste sa communication naturelle. Ces canaux seront, suivant le cas, ceux d'Anvers à la Meuse, d'Anvers à Hasselt, d'Anvers à Louvain et d'Anvers à Bruxelles; puis ceux de la rive gauche de l'Escaut, notamment le canal de Gand à Terneuzen.

Le système de communications formé par l'Escaut et les canaux qui y aboutissent est le meilleur, parce qu'il présente le plus grand débit et qu'il est le plus protégé. Or, il se trouve que l'artère principale de ce système de communications est coupée à sa base, puisqu'en temps de guerre, au moment décisif où se joue l'existence de la Belgique, l'Escaut lui est fermé.

Avec l'Escaut fermé, il est en toutes circonstances dangereux pour l'armée belge de remplir le rôle que je viens d'exposer.

Je le répète, Messieurs, je ne voudrais pas que vous vous formiez une opinion d'après les indications très sommaires que je viens de vous donner. Ce que je vous en ai dit, c'est uniquement dans le dessein d'éveiller votre attention et de vous montrer les grandes lignes de cette question.

Le Traité de Paix a apporté certaines garanties à tous les peuples.

*Garanties données par le Traité de Paix à la Belgique.*
Nous avons tout d'abord celles qui résultent de la création de la Société des Nations.

Je vous ai parlé tout à l'heure des guerres illicites comme étant les seules où nous puissions prévoir que notre pays pourrait être un jour engagé. Dans le cas de guerre illicite, l'intervention de la Société des Nations en faveur de celui de ses membres qui est l'objet d'une agression, doit se produire avec le maximum de force. L'agresseur est à considérer '*ipso facto*' comme ayant commis un acte de guerre vis-à-vis de tous les membres de la Société des Nations. Ceux-ci s'engagent à rompre immédiatement avec lui toutes relations commerciales et financières et à interdire les rapports de leurs nationaux avec ceux de l'État en rupture de Pacte. En ce cas, le Conseil de la Société des Nations a le devoir de recommander aux divers Gouvernements intéressés les effectifs militaires ou navals par lesquels les membres de la Société contribueront respectivement aux forces armées destinées à faire respecter les engagements de la Société.

Les membres de la Société conviennent de se prêter un mutuel appui dans l'application des mesures économiques et financières à prendre en vertu du Pacte, pour réduire au minimum les pertes et les inconvénients qui peuvent en résulter. Ils se prêtent également un mutuel appui pour résister à toutes mesures spéciales dirigées contre l'un d'eux par l'État en rupture de Pacte. Ils prennent les dispositions nécessaires pour faciliter le passage à travers leur territoire des forces de tout membre de la Société qui participe à une action commune pour faire respecter les engagements de la Société.

Messieurs, nous n'hésitons pas à dire que notre pays, comme tous les autres, trouve dans le Pacte de la Société des Nations une garantie précieuse. Mais s'il paraît certain que l'intervention de la Société des Nations s'exerçant suivant les modes que je viens de rappeler amènera presque fatalement le châtiment de celui qui aura rompu le Pacte, il n'en est pas moins évident que l'intervention des forces de la Société sera nécessairement lente. Or, en cas de rupture du Pacte de la Société des Nations par l'Allemagne, la Belgique est exposée à une invasion soudaine, accomplie en quelques heures. Par conséquent, un pays comme la Belgique ne peut pas trouver dans le Pacte de la Société des Nations la protection *immédiate* dont il a besoin, en raison de sa situation particulièrement exposée.

Une autre garantie que tous les peuples trouvent dans le Traité de Paix est celle que fournit la démilitarisation de l'Allemagne. Mais la réduction des armements, nous l'espérons bien, sera générale.

Dans tous les pays, l'opinion publique tendra à imposer une réduction des prestations et des dépenses militaires, et la Belgique espère ne pas se voir obligée, pour assurer sa sécurité dans la position particulièrement exposée où elle est vis-à-vis de l'Allemagne, de faire un effort militaire exceptionnel, de payer une prime d'assurance plus élevée que d'autres peuples.

Une troisième garantie vient du désarmement de la rive gauche du Rhin. Cette garantie, Messieurs, que je n'entends pas déprécier non plus, n'est pas aussi efficace pour la Belgique que pour la France. Portez encore les yeux sur la carte et vous verrez que la frontière française se trouve, à la hauteur de la trouée de Lorraine, à une distance de 114 kilomètres du Rhin. Plus haut, à la hauteur de Maëstricht, la distance qui sépare la Meuse du Rhin n'est plus que de 90 kilomètres, et plus au Nord encore, dans l'alignement de la frontière Nord de la Belgique, au Sud de Ruremonde et de Düsseldorff, il n'y a plus entre le Rhin et la Meuse qu'une distance de 62 kilomètres, c'est-à-dire la moitié de celle qui sépare, à la hauteur de Bingen, le Rhin de la nouvelle frontière de France aux approches de Thionville.

J'en conclus que la protection qu'offre à la Belgique cette zone désarmée est deux fois moins grande que la protection qu'elle fournit à la France. Nos conseillers militaires vous prouveront, d'après l'expérience de la guerre, qu'avec les moyens de transport actuels il suffirait de quatre heures à une division allemande pour se porter du Rhin à Maëstricht.

Si elle avait à franchir, en outre, la zone désarmée de 50 kilomètres sur la rive droite du Rhin, il lui suffirait encore de huit heures pour atteindre la Meuse luxembourgeoise et se saisir des ponts de Maëstricht et de Maëseyck.

Je viens de vous parler, Messieurs, de la Société des Nations, des garanties qui résultent de la réduction des forces militaires de l'Allemagne et de celles que nous procure le désarmement de la rive gauche du Rhin. Je me suis permis de vous dire que ces dispositions du Traité de Paix ne nous donnent pas une entière sécurité, n'apaisent pas complètement nos appréhensions. Vous savez qu'elles n'ont pas davantage paru suffisantes à la France qui a obtenu des États-Unis et de l'Angleterre une garantie spéciale, une promesse d'intervention, qui subsistera aussi longtemps que le Conseil de la Société des Nations n'aura pas reconnu que la protection que cette dernière offre par elle-même garantit efficacement la France. La Grande-Bretagne et les États-Unis ont donc estimé que la Société des Nations, le désarmement de la rive gauche du Rhin, la limitation des armements de l'Allemagne n'offrent pas à la France une protection suffisante, et le Président Wilson, si j'en crois les dépêches, vient de déclarer au Congrès que la promesse d'assistance donnée à la France était pour celle-ci une garantie indispensable.

Messieurs, je vous ai montré que, étant donné le renforcement de la frontière française, la Belgique est actuellement plus menacée que la France, qu'elle attire en quelque sorte l'agression allemande comme le clocher attire la foudre. Je suis donc fondé à dire que les garanties qui n'ont pas été jugées suffisantes pour la France ne sont pas suffisantes pour protéger la Belgique.

En tout cas, elles ne donnent pas à la Belgique la protection immédiate qu'exige sa position particulièrement exposée.

J'en arrive aux conclusions. Je n'en dirai guère plus que ce *Conclusions.* qu'il y a dans le schéma[2] que vous avez sous les yeux.

Pour la Meuse, nous posons une première proposition, à savoir que la Hollande est tenue de défendre le Limbourg, mais nous constatons que la Hollande ne peut s'acquitter de ce devoir. La Belgique pourrait défendre le Limbourg si le Limbourg était encore une province belge, mais on ne peut lui imposer cette charge de la souveraineté si on ne lui restitue pas le Limbourg.

Il reste une solution: celle qui consisterait à assurer la défense de la Meuse limbourgeoise par la coopération des forces hollando-belges. Les Pays-Bas s'engageraient, vis-à-vis de la Belgique, à défendre le Limbourg et à prendre dès le temps de paix les mesures nécessaires à cet effet. Cet engagement serait formellement stipulé par un acte qu'on entourerait des garanties nécessaires et sur cette base, une convention militaire, qui pourrait être modifiée suivant les exigences du moment, réglerait les conditions de la coopération des forces hollando-belges pour la défense de la Meuse, au cas où le Limbourg serait menacé.

Nos propositions seront développées en temps et lieu par nos experts militaires. Je tiens à le dire ici pour Messieurs les Délégués hollandais, afin qu'ils n'aient aucune arrière-pensée, que d'après ce système il n'y aurait pas de troupes belges en territoire limbourgeois en temps de paix. La coopération ne s'établirait qu'au moment où le territoire limbourgeois serait menacé.

Pour l'Escaut, nous avons posé comme principe qu'au cas où la Belgique serait attaquée par une tierce Puissance, le Royaume des Pays-Bas serait dispensé, par le Traité à conclure en remplacement du Traité de 1839, de faire respecter sa neutralité par la Belgique sur l'Escaut et dans la Flandre zélandaise, sans que cette attitude pût être considérée par la Puissance ennemie de la Belgique comme un *casus belli*.

Voici les applications du principe:

*a.* La Belgique pourra, en temps de guerre, comme en temps de paix, se servir de l'Escaut pour le passage de ses navires de guerre et de ceux de ses Alliés et pour tous transports de troupes, de munitions, d'approvisionnements et de prises. Il ne pourra être fait usage du fleuve contre la Belgique et ses Alliés;

*b.* En temps de guerre, la Belgique pourra appuyer sa défense sur tout le cours du Bas-Escaut. Ici encore, je précise: il n'y aurait, en temps de paix, aucune force belge sur le territoire hollandais.

Les détails techniques de ces solutions doivent être étudiés; ils l'ont été de notre côté. Je vous proposerai qu'ils soient examinés et discutés entre les experts militaires de toutes les Puissances intéressées, c'est-à-dire des Puissances qui ont reconnu nécessaire la révision des Traités de 1839.

La Délégation belge, Messieurs, vous a exposé, avec une profusion de détails qui n'ont pas lassé votre patience, si j'en juge par l'attention soutenue que vous avez bien voulu nous accorder, les entraves apportées au développement économique de la Belgique et l'impossibilité où elle se trouve de préserver son territoire des invasions, par suite des clauses territoriales et fluviales des traités de 1839. Nous vous avons montré notre pays enserré entre les deux branches de la tenaille constituée, d'une part par le Limbourg, par la Flandre zélandaise et l'Escaut, d'autre part. D'où est née cette situation? D'un Traité bientôt centenaire, dont toutes les dispositions furent inspirées, soit par des intérêts dynastiques, soit par la politique agressive de la Prusse aujourd'hui vaincue et châtiée, ou encore par les dernières influences qu'exerçaient en 1830, sur l'esprit des gouvernants hollandais, les traditions d'une politique de contrôle sur les provinces belges, politique qui, d'après ce que nous a affirmé M. Van Karnebeek, est depuis longtemps abandonnée.

Les Traités à la révision desquels nous collaborons, sont surannés. Dans leurs origines et dans leurs prescriptions, tout heurte la conscience et la morale politique modernes.

La tâche assignée aux représentants de la Belgique est entre toutes lourde et malaisée, je n'ai pas besoin de vous le dire: ils se sont appliqués à trouver des solutions qui ne sortent pas du cadre de la résolution de 4 juin,[7] tout en restant dans les limites qui ne sauraient être franchies qu'au prix de la méconnaissance absolue des conclusions adoptées par les Puissances le 8 mars.[8]

Nous vous laissons le soin d'apprécier la modération des solutions que nous avons formulées. Nous pensons, étant donnée la gravité des considérations dont vous avez entendu l'exposé, que nous avons poussé cette modération jusqu'aux extrêmes limites. Nous nous sommes attachés à éviter, dans nos propositions, tout ce qui aurait pu froisser l'amour-propre national, légitime, de nos voisins du Nord. Pour ce qui regarde celles de nos propositions qui tendent à mieux garantir l'inviolabilité de notre territoire, nous avons cherché à les présenter dans une forme que la conscience hollandaise ne puisse repousser. D'une façon générale, nous nous sommes inspirés des principes mêmes de la Conférence de la paix et spécialement de l'esprit de solidarité entre les peuples et d'entre-aide internationale dans lequel a été conçu le Pacte de la Société des Nations.

Lorsque vous y regarderez de près, vous remarquerez que nos propositions ont pour objet d'organiser l'intervention, sur ce point si menacé de l'Europe qu'est la Belgique, des forces des pays associés les plus voisins. Elles tendent à rendre effectifs les articles 10 et 16 du Pacte de la Société des Nations.

Nos propositions, lorsqu'elles seront connues, donneront-elles satisfaction au peuple belge? Nous voulons l'espérer. Si elles sont acceptées, nous avons confiance qu'à la réflexion il y trouvera des motifs de satisfaction. Nous croyons qu'un règlement sur les bases que nous avons indiquées amènerait l'apaisement des esprits et assurerait le maintien de relations cordiales entre deux Nations que rien n'aurait jamais divisées sans les iniquités de l'acte fatal de 1839.

Les fautes politiques ont des répercussions lointaines. Nous vous avons indiqué les moyens de réparer l'erreur de 1839. Si ces moyens ne devaient

[7] See No. 39, note 1.
[8] See No. 39, note 9.

pas être admis, il ne nous resterait plus qu'à constater la faillite de notre entreprise et l'impossibilité d'un révision effective des Traités de 1839.

Il appartiendrait alors aux Puissances d'aviser aux moyens de dénouer la situation, car la révision des Traités de 1839, ne l'oublions pas, Messieurs, a été demandée, non seulement par la Belgique, mais aussi par toutes les Puissances qui ont reconnu cette révision nécessaire et elle a été jugée nécessaire non seulement dans l'intérêt de la Belgique, mais dans l'intérêt de la paix générale.

Le Président. Messieurs, je remercie M. Orts et M. Segers de l'exposé si complet qu'ils ont bien voulu nous faire. Avant de donner la parole à la Délégation néerlandaise, pour qu'elle nous fasse connaître à son tour son point de vue, je crois que nous pourrions tout de suite régler une question qui nous permettrait de travailler en attendant cette réponse. Tout à l'heure, dans son exposé, M. Orts a dit que les questions militaires devaient faire l'objet d'un exposé technique. Il me semble donc que nous pourrions nommer tout de suite une Sous-Commission composée de nos experts navals et militaires. Cette Sous-Commission pourrait travailler de la façon suivante : elle entendrait les explications des Délégués militaires belges et chaque Délégation pourrait prendre ensuite l'avis de ses propres experts militaires et navals. Nous déblaierions ainsi le terrain sur ce point particulier. Cela ne nous empêcherait pas d'entendre pendant ce temps l'exposé de la Délégation néerlandaise qui profiterait même de cette procédure pour la partie militaire ou les renseignements techniques qu'elle aurait à nous donner.

M. van Swinderen (*Pays-Bas*). Je ne voudrais pas m'opposer formellement à cette procédure. Je veux bien que la Délégation belge ait des conversations avec les experts militaires des autres Puissances, mais il faudrait qu'il soit bien spécifié que ces conversations ne donneraient pas lieu à discussion.

Le Président. Il est bien évident que vos experts assisteront également à cette Sous-Commission où les Délégués militaires belges exposeraient à vos Conseillers militaires comme aux nôtres la partie technique que M. Orts n'a pas voulu aborder.

*Création d'une Sous-Commission militaire et navale.*

Nous n'aurions, nous, à connaître que des conclusions de chaque Délégation, y compris la vôtre. Cela nous dispenserait d'entrer dans le détail des considérations techniques que nous ne sommes peut-être pas particulièrement qualifiés pour apprécier. Nous aurons, chacun pour nous, la conclusion de nos experts, mais ceux-ci n'auront pas à prendre de conclusions délibérées en commun. Quand la Délégation hollandaise aura répondu, si elle jugeait utile de faire préciser par ses conseillers militaires des points techniques, ce serait son droit et nous verrions alors s'il y aurait lieu de réunir à nouveau la Sous-Commission militaire.

M. van Swinderen. Dans ces conditions, je suis d'accord.

M. Orts (*Belgique*). Si j'ai bien compris M. Van Swinderen, il désire que notre expert militaire explique ici son point de vue.

Le Président. Il s'agit simplement, si j'ose risquer la comparaison, de filtrer, pour les Délégués politiques, les conclusions militaires des experts belges. Nos experts entendront les experts belges et chacun d'eux devra mettre à notre portée les explications qu'il aura reçues. Mais il est bien entendu qu'il n'y aura pas de discussion dans cette Sous-Commission; il y aura seulement un exposé. Je crois que cela est de nature à vous donner satisfaction; c'est dans l'intérêt de tout le monde. Nous aurons ainsi une compréhension plus rapide du problème.

M. van Swinderen (*Pays-Bas*). La question reviendra ensuite devant la Commission?

Le Président. Oui, et cet exposé pourra être utilisé par les Délégués hollandais dans leur réponse.

J'ajoute que je suis d'autant plus disposé à entrer dans cette voie — et la Délégation hollandaise me comprendra facilement — que la France, en particulier, n'est pas tout à fait désintéressée au sujet d'un problème de ce genre et que nous aurons probablement à demander à nos experts militaires ce qu'ils pensent du problème ainsi posé. Nos conseillers ne pourront pas discuter; c'est nous qui discuterons quand nous serons munis de tous les renseignements nécessaires.

M. van Swinderen. Est-ce qu'un rapport sera fait à la Commission?

Le Président. La Sous-Commission sera pourvue d'un secrétaire, d'un interprète et d'un sténographe, de façon que chaque Délégation puisse avoir le compte rendu complet de ce qui aura été dit. Mais elle ne présentera pas de rapport, puisqu'elle n'a pas de conclusions à déposer.

M. Neilson (*États-Unis d'Amérique*). Les experts navals et militaires devront-ils simplement demander aux délégués belges ce qu'ils pensent de la question?

Le Président. Pour moi, les délégués militaires et navals qui assisteront à cette conférence devront se faire exposer complètement le point de vue belge; ils pourront poser aux représentants belges des questions sur les problèmes stratégiques, leur faire des objections s'ils désirent avoir des précisions sur quelque point technique. Mais ils n'auront pas d'avis à fournir.

M. Marchetti Ferrante (*Italie*). Vous entendez que l'exposé de la Délégation hollandaise sera renvoyé jusqu'à ce que la Sous-Commission militaire ait terminé ses travaux?

Le Président. Les travaux de la Sous-Commission ne se prolongeront pas, puisqu'elle ne devra pas délibérer, discuter, ni présenter des conclusions. Chaque délégué technique, je le répète, fera connaître à sa propre Délégation ce qui lui aura été exposé par les experts belges, en le mettant, si j'ose dire, à la portée de nos faibles intelligences en matière militaire (*Sourires*). En outre, il y aura un compte rendu sténographié qui sera donné à tout le monde et chacun de nous pourra demander à ses experts des explications sur tel ou tel point du compte rendu.

M. Segers (*Belgique*). Éventuellement, on pourra y revenir ici?

Le Président. Parfaitement.

M. Segers. Est-ce que les experts militaires néerlandais ont l'intention de faire entendre aussi leur point de vue dans cette Sous-Commission?

LE PRÉSIDENT. Pas cette fois-ci. Mais quand la Délégation néerlandaise aura entendu les explications des experts belges, si elle estime à son tour devoir faire connaître son point de vue, elle pourra faire entendre ces experts militaires devant la Sous-Commission dans les mêmes conditions que la Délégation belge.

M. SEGERS (*Belgique*). Les Délégués politiques des deux Puissances spécialement intéressées dans la question pourront-ils assister aux séances de la Sous-Commission?

LE PRÉSIDENT. Je ne suis pas de cet avis, parce que cela dégénérerait en discussion et nous n'aurions pas besoin, dans ce cas, de faire une Sous-Commission spéciale; nous n'aurions qu'à entendre les experts belges en Commission. Quand les experts belges auront fait leur exposé devant la Sous-Commission, cela ne vous empêchera pas vous-mêmes plus tard, quand nous discuterons en séance plénière, de fournir les explications que vous voudrez.

M. SEGERS. Cela me donne satisfaction.

LE PRÉSIDENT. D'après ce que nous disent nos experts militaires, il suffira d'une seule séance pour épuiser le sujet. La réunion de la Sous-Commission pourrait avoir lieu par exemple mardi[9] matin, à 10 heures, si tout le monde est d'accord. (*Assentiment.*)

LE PRÉSIDENT. Dans ces conditions, quand pensez-vous, Monsieur Van Swinderen, pouvoir commencer votre exposé?

M. VAN SWINDEREN (*Pays-Bas*). Cela est très difficile à dire. Nous devons, en effet, exposer nos vues sur le Traité, mais nous devons également tenir compte du très intéressant exposé de la Délégation belge et nous n'avons pas encore les procès-verbaux des séances. Voulez-vous nous témoigner une grande marque de confiance en nous laissant la faculté de vous avertir du moment où nous serons prêts? En tout cas, nous pouvons vous assurer que nous ferons toute la diligence possible.

LE PRÉSIDENT. Quand croyez-vous être en mesure de nous fixer une date?

M. VAN SWINDEREN. Jeudi ou vendredi prochain,[10] mais j'espère que la Délégation belge voudra bien nous accorder un délai d'une semaine avant que nous ne prenions séance. En effet, quand nous nous sommes réunis pour la première fois, il était à présumer que son exposé était tout prêt. Elle a cependant demandé huit jours avant de commencer à se faire entendre. Au contraire, en ce qui nous concerne, nous devons tout préparer.

M. SEGERS. Est-ce que M. Van Swinderen me permettra une observation? Nous devons évidemment laisser à la Délégation néerlandaise tout le temps qu'elle désire pour répondre. C'est un acte de déférence auquel nous ne songeons pas le moins du monde à nous soustraire. Mais je tiens cependant à faire observer que nous n'avons pas demandé huit jours pour faire notre exposé. J'étais disposé à revenir le lendemain pour le continuer, mais comme nous avions distribué un certain nombre de documents, les membres de la Commission devaient pouvoir les examiner, afin de nous éviter de consacrer une séance entière à la lecture de ces documents. Nous avons estimé qu'il

[9] August 12, 1919.        [10] August 14 or 15.

était plus sage de permettre l'examen du Traité et du rapport de la Commission des Affaires belges avant de passer à l'exposé. Je vous rappelle aussi que nous avons été tous d'accord sur ce délai.

Ce que nous demandons, Monsieur le Président, ce n'est pas qu'on ne laisse pas à la Délégation néerlandaise le délai qu'elle désire, mais qu'on ne nous garde pas l'arme au pied pendant plusieurs jours. Nous voudrions qu'on fixât une date, pour que nous puissions prendre nos dispositions.

LE PRÉSIDENT. Est-ce que M. Van Swinderen peut nous fixer une date approximative?

M. VAN SWINDEREN (*Pays-Bas*). Un des premiers jours de la semaine prochaine.

M. SEGERS (*Belgique*). Puis-je faire une suggestion à nos collègues néerlandais? Nous sommes nombreux à cette Commission et beaucoup de membres sont très occupés; ils vont prendre des engagements pour les dates qui vont suivre. Ne pourrait-on pas fixer la date du 20 août à 10 heures, par exemple, pour l'exposé de M. Van Swinderen, étant entendu que si les protocoles ne lui sont pas parvenus à temps, la Délégation néerlandaise pourra demander une prolongation de délai?

M. VAN SWINDEREN. J'accepte cette proposition.

Je peux ajouter que je crois pouvoir dire que je n'abuserai pas de la patience de la Commission. L'exposé néerlandais demandera une séance ou, au plus, deux.

La séance est levée à 19 heure[s].

## No. 59

### *Mr. Balfour (Paris) to Earl Curzon (Received August 11)*

### *No. 1571* [*114617/2333/30*]

PARIS, *August 9, 1919*

My Lord,

I have read with much interest Your Lordship's despatch No. 5223[1] of the 6th instant, (106518/W30), transmitting copy of a despatch to His Majesty's Chargé d'Affaires at Stockholm,[2] reporting a conversation with the Swedish Minister on the subject of Spitsbergen.

2. The views of the Swedish Government have not yet been submitted to the Committee of the Conference which is now considering the future of these islands, but Count Wrangel, who has now returned to Paris, called at the Astoria yesterday to inform me that the Swedish Memorandum had been received in Paris and would shortly be available.

3. Count Wrangel said much the same thing as regards giving a mandate to Norway as he appears to have said to Your Lordship, but it was explained to him that, in my view, Spitsbergen was in an exceptional position in that it had been hitherto a 'no-man's land'. There was, for instance, no Government there at present which required assistance from outside, there was no

[1] This formal covering despatch is not printed: see below.  [2] No. 27.

native population to speak of, and unless some form of sovereignty was conferred there would be no authority who could give titles to property. Any form of mandate which could be conceived would not, in these circumstances, differ in any material respects from giving full sovereignty over the group, subject to adequate safeguards assuring equality of treatment to all persons interested, and complete protection of existing rights.

4. Count Wrangel was told that opinion in the Committee of the Conference was decidedly in favour of a Treaty being concluded between all the countries interested in those islands, on an equal footing, and not merely of a Treaty between the five principal Allied and Associated Powers on the one hand and Norway on the other. If this view should be maintained, when the Committee had received and considered the observations of all the Powers interested, Sweden would be invited to become a party to the Treaty in question, and would have ample opportunity of considering the terms thereof.

5. Count Wrangel did not appear to disagree with what he was told, and did not advance any arguments in favour of a mandate for Spitzbergen being given to Norway, rather than full sovereignty.

I am, &c.,

(for Mr. Balfour)

Eyre A. Crowe

## No. 60

### *Letter from Mr. Knatchbull-Hugessen[1] to Mr. Tufton (Paris)*

*Unnumbered [115821/2333/30]*

FOREIGN OFFICE, *August 9, 1919*

Dear Tufton,

*Spitzbergen*

Graham has asked me to write and say that Lord Curzon is very anxious that the British representatives on the Spitzbergen Commission will commit themselves to nothing at the moment.

The memorandum which we promised you in our despatch No. 4866[2] and in which we are communicating our views as to the Spitzbergen settlement has, I am afraid, been somewhat delayed. It is now being printed and, on Lord Curzon's instructions, is going to be put before the Cabinet. He will let you know the Cabinet decision as soon as possible but in the meanwhile Lord Curzon is anxious that you should not commit yourselves.

There is much public interest in the Spitzbergen question in this country and we are anxious to be able to show that the British case, and in particular the interest of the British companies, has received full consideration and is being safeguarded. As you know we are constantly receiving applications from representatives of British companies to place their views before the Spitzbergen Commission in Paris. On Mr. Balfour's instructions we have

---

[1] A second secretary in the Foreign Office.     [2] Not printed: see No. 65, note 2.

refused all these offers at present but this makes it all the more important to show that the interests in question have been protected, otherwise there may be a serious outcry here.

Yours ever,<br>HUGHE KNATCHBULL-HUGESSEN

## No. 61

*Lord Kilmarnock (Copenhagen) to Earl Curzon (Received August 16)*

No. 225 [116912/548/30]

COPENHAGEN, August 10, 1919

My Lord,

I have the honour to transmit to Your Lordship herewith, a Memorandum drawn up by Sir Charles Marling giving an account of an interview he has had with a deputation of officials, merchants and landowners from the 2nd and 3rd Zones in Slesvig.

I have, &c.,<br>KILMARNOCK

ENCLOSURE IN NO. 61

Memorandum

A deputation of officials, merchants and landowners from the second and third Slesvig Zones, headed by Lieutenant-Colonel With, recently head of the Military Intelligence section of the Danish Staff, called at the Legation this morning. Those members who represented the 2nd. Zone urged very strongly the view that unless the 3rd. Zone were evacuated the German Authorities there would be able to exercise such a degree of intimidation that a free and fair plebiscite would be impossible. Frau Jessen of Flensborg who spoke first on their behalf said that as soon as it was known that under the final form of the Treaty of Peace the evacuation of the 3rd. Zone was not required, the Germans in Flensborg had begun to 'raise their heads' again and a campaign of agitation and intimidation was now in full swing in that town. Herr Paulsen, Merchant, of Flensborg who spoke later said in support that quite recently a sum of 200,000 Marks had been sent to Flensborg to establish a system of agents all over the 1st. and 2nd. zones whose duty it was to report on those who were showing activity in Danish interests; Herr Paulsen was, however, unable to give me the names of the persons who were conducting this campaign. He went on to say that persecution and requisitioning were frequent, but when asked if requisitioning was more severe than in other parts of Germany he could only say that it was of the same type as that which was taking place on the borders of Poland and had been practised in Alsace-Lorraine.

The members of the Deputation from the 3rd. Zone urged the right of that Zone to decide their own fate. The arguments in support of this view were earnestly and forcibly put by Mr. Cornelius Petersen of Ejderstedt, and

Mr. Thomsen, lately a member of the National Assembly at Weimar. I need not repeat these arguments with which His Majesty's Government is, of course familiar, but the protest of the Deputation against the deprivation of the 3rd. Zone of this right at the instance of the Danish Government deserves mention.

Before withdrawing, the Deputation asked what hope there was of their views and wishes receiving attention, and to what authority they should appeal to secure this. Would it be possible for the Plebiscite Commission to take any action? I said that now that the Definitive Treaty had been signed it must obviously be a matter of the gravest difficulty to get it modified, and clearly the only authority which could do it was the conclave of the Allies in Paris. Herr Thomsen observed here that the French Minister had advised them to apply to the Danish Government, to which I replied that the elimination of the 3rd. Zone from the Treaty had been done by the Conference in deference to the prudential views of the Danish Government and that if the Deputation could induce the Danish Government to modify their views, it would, of course, have weight with the Conference, but it was clear that only the Conference itself could take action, and as I had already remarked this was a matter of great difficulty and I could not see any real prospect of success.

As for the Plebiscite Commission, it was, of course, powerless. Officially it had not even cognizance of the 3rd. Zone, and the most that it could do would be, at the termination of its work, to express the opinion, if facts brought to its notice warranted it, that owing to the improper action of the German Authorities in the districts bordering the area of the Plebiscite, the Plebiscite had not been held under absolutely fair and free conditions.

## No. 62

### Earl Curzon to Mr. Lindsay (Washington)

### No. [1]563 Telegraphic [Waterlow Papers/4][1]

FOREIGN OFFICE, *August 11, 1919*

Acting on instructions of Council of Heads of States,[2] Mr. Wilson being present, Supreme Economic Council prepared scheme for establishing an International Economic Council pending constitution of League of Nations.[3]

Great Britain, France, Italy and Belgium have signified adherence[4] but Mr. Hoover who telegraphed to President direct is without instructions.

[1] This telegram is supplied from the personal papers of Sir S. Waterlow in the archives of the British Delegation to the Peace Conference. The telegram is untraced in the main archives of the Foreign Office, but a copy has been located in the archives of H.M. Embassy at Washington (Washington Archives/F.O. 115/2513). On that copy (received in Washington on August 12) Mr. Lindsay recorded in an undated note: 'Spoke to Lansing. He didn't know, & asked me to write him about it.' Mr. Lindsay accordingly addressed a letter, No. 603 dated August 15, 1919, to Mr. Lansing in conformity with the terms of the telegram. No further correspondence on this subject has been traced.

[2] See No. 3, note 8.      [3] See No. 17.      [4] See No. 44.

First Council meeting projected on or before September 15th at Washington. Please make unofficial enquiries as to Government's views on scheme and secure if possible early decision.

## No. 63

*Mr. Balfour (Paris) to Earl Curzon (Received August 12)*

*No. 1579 [115083/4187/4]*

PARIS, *August 11, 1919*

My Lord,

I have the honour to inform Your Lordship that M. de Bassompierre, a member of the Belgian delegation, called upon Sir Eyre Crowe on the 6th instant and gave him the attached copy of a note addressed to M. Clemenceau by the Luxemburg Minister for Foreign Affairs.[1]

2. M. de Bassompierre said that the Belgian delegation proposed to remind M. Clemenceau of his declaration[2] that he had never intended to convey to the Luxemburg Government that there should be a tripartite economic arrangement attaching Luxemburg to both France and Belgium, and of his undertaking to dissipate the misunderstanding under which the Luxemburg Government were apparently labouring on this point.

3. The Belgian delegation intended to suggest to M. Clemenceau that they felt that they could not oppose the taking of the plebiscite on the dynastic question,[3] but that a plebiscite on the economic question *now* would in their opinion not be right. The discussions between Luxemburg and Belgium had proceeded a certain distance, and no doubt similar discussions with France had also taken place, but nothing of this was known to, or understood by the people of Luxemburg, whose vote taken by plebiscite at this moment would therefore be given in ignorance of the real situation.

4. M. de Bassompierre expressed the hope that Belgium might count upon British support in this matter. Sir E. Crowe said that he could express no definite opinion on the question raised without reference to myself, but that he felt sure that I would continue to give the most sympathetic consideration to the wishes of the Belgian Government in relation to Luxemburg.

5. I have always been, and still am, in favour of a union of some sort—the closer the better—between Luxemburg and Belgium. I feel some hesitation, however, in regard to the particular request of the Belgians to defer the economic plebiscite, for it is possible that there may be truth in the contention of the Luxemburg Government that the prolongation of the period of transition is ruining the country.

I am, &c.,

(for Mr. Balfour)

EYRE A. CROWE

[1] A copy of this note had been addressed to Mr. Balfour by the Luxemburg Foreign Minister on July 31, 1919. This communication was forwarded by H.M. Legation at the Hague to the Foreign Office where it was received on August 13.

[2] Untraced in Foreign Office archives.   [3] Cf. No. 55, note 1.

*M. Reuter to M. Clemenceau*

*Copie*

GOUVERNEMENT

AFFAIRES ÉTRANGÈRES

LUXEMBOURG, *le 29 juillet 1919*

Monsieur le Président,

Au mois de mai écoulé le Conseil Suprême de la Conférence de la Paix a exprimé au Gouvernement Grand-Ducal le désir de voir différer l'exécution de la loi instituant le referendum sur la double question de l'organisation politique et de l'orientation économique du Grand-Duché de Luxembourg.

Le même désir a été réitéré par Monsieur le Président de la Conférence au cours de l'audience accordée par le Conseil Suprême à la Délégation luxembourgeoise.[4]

Jusqu'à ce jour la Chambre des Députés et le Gouvernement luxembourgeois ont déféré au vœu que la Conférence de la Paix avait formulé dans un but d'intérêt général.

Toutefois le régime provisoire qui est le résultat de cette situation a créé dans le pays un état d'incertitude qui va s'aggravant de jour en jour et dont les effets n'ont pas tardé à se faire sentir d'une façon désastreuse dans tous les domaines de la vie publique et de la vie économique.

A défaut de relations économiques normales avec les pays voisins l'industrie et le commerce sont paralysés dans leur activité et le cours du change subit fatalement l'influence néfaste de cet état de choses.

L'industrie qui est privée de matières premières et de débouchés n'est plus en mesure d'offrir un travail rémunérateur à des milliers d'ouvriers malgré tous les sacrifices qu'elle s'impose.

En présence du malaise général l'opinion publique aussi bien que le Parlement poussent le Gouvernement à faire aboutir dans le plus bref délai la question de l'Union Economique à conclure par le Grand-Duché avec les pays voisins de l'Entente.

Les déclarations de Monsieur le Président de la Conférence de la Paix ont ouvert au Luxembourg la perspective d'une alliance économique simultanée avec la France et la Belgique.

Jusqu'à l'heure actuelle ce projet, qui répond aux aspirations du peuple luxembourgeois, n'a pas reçu d'autres suites et les démarches entreprises par le Gouvernement luxembourgeois en faveur de l'union à trois, semblent se heurter à des difficultés jusqu'ici insurmontables.

Dans ces circonstances le Gouvernement se voit acculé à la nécessité de chercher une issue à la situation pénible dans laquelle le pays se débat.

Il est convaincu que tout retard ultérieur serait de nature à entraîner les conséquences les plus graves dont il ne lui est pas possible d'assumer la responsabilité.

---

[4] The Luxemburg delegation had been heard by the Council of Four on May 28, 1919: see *Papers relating to the Foreign Relations of the United States: the Paris Peace Conference 1919*, vol. vi, pp. 93 f.

L'exécution de la loi sur le referendum s'impose donc au Gouvernement comme un devoir inéluctable et l'opinion publique réclame cette mesure avec une insistance d'autant plus marquée que le message de la Conférence de la Paix transmis au Gouvernement par l'intermédiare du Général Smith[5] avait assigné à l'ajournement comme terme extrême la signature des préliminaires de Paix.

Le Gouvernement Grand-Ducal puise dans les déclarations rassurantes qui lui ont été faites par le Conseil Suprême la confiance que le résultat de la consultation populaire trouvera l'agrément des Puissances et mettra fin à l'isolement du Grand-Duché par la conclusion des traités économiques auxquels le pays aspire.

Le Gouvernement Grand-Ducal réitère enfin très respectueusement la requête qu'il a eu l'honneur de formuler oralement lors de sa réception par le Conseil Suprême et tendant à la mise en vigueur immédiate des clauses économiques du traité de Paix qui imposent à l'Allemagne, à titre transitoire l'entrée libre de certains produits luxembourgeois ainsi que la fourniture de matières premières à l'industrie du Grand-Duché.

A l'heure qu'il est la fermeture de la frontière allemande a plongé la viticulture du pays dans une crise qui, pour peu qu'elle se prolonge se transformera en catastrophe.

Le Gouvernement Grand-Ducal implore les Puissances de requérir l'application des clauses afférentes qu'elles ont bien voulu stipuler dans l'intérêt du Luxembourg.

Le petit peuple luxembourgeois qui doit aux Puissances alliées et associées la libération de son territoire et le rétablissement de son indépendance, ose espérer que son appel pressant sera entendu de ses protecteurs et que grâce à leur appui il parviendra à surmonter les difficultés de l'heure présente.

Je prie, etc.

REUTER

[5] American General stationed in Luxemburg: cf. op. cit., vol. v, p. 862.

## No. 64

*Record of a meeting in Paris of the Military and Naval Subcommission of the Commission for the revision of the Treaties of 1839*

*No. 1* [*Confidential/General/177/9*]

*Procès-verbal No. 1. Séance du 12 août 1919*

La séance est ouverte à 10 heures, sous la présidence du Capitaine de vaisseau Le Vavasseur.

*Sont présents:*

Le Colonel Embick (*États-Unis d'Amérique*); le Capitaine de vaisseau Fuller, le Lieut^t-Colonel Twiss et le Lieut^t-Commander Capehart (*Empire britannique*) ; le Capitaine de vaisseau Le Vavasseur, le Lieut^t-Colonel Réquin et M. Carteron (*France*) ; le Major Pergolani et le Capitaine de corvette Ruspoli (*Italie*) ; le Colonel Nagai (*Japon*) ; M. de Bassompierre, le Lieut^t-Colonel Galet, M. Hostie et le Major Van Egroo (*Belgique*) ; le Colonel Van Tuinen ; le Capitaine de vaisseau Surie et le Lieut^t-Colonel De Quay (*Pays-Bas*).

Le Président. La séance est ouverte.

*Exposé du Lieut^t-Colonel Galet.*
La parole est à M. le Lieutenant-Colonel Galet, chargé par le Gouvernement belge d'exposer les vues de la Belgique au point de vue militaire concernant la révision des Traités de 1839.

*Défense de la Belgique.*
Le Lieut^t-Colonel Galet (*Belgique*). Messieurs, la Belgique a fait la guerre de 1914 sur la base des Traités de 1839, par conséquent sur une base établie 75 ans auparavant ; la prochaine guerre générale se fera sur la base des Traités et conventions que l'on élabore ici. Ce n'est donc pas le moment actuel que nous avons en vue en parlant de la défense de la Belgique ; nous sommes persuadés que, pendant un temps plus ou moins long, nous n'avons rien à redouter. Mais l'Allemagne n'est pas rompue : elle forme toujours, à nos frontières, le bloc germanique compact et la cohésion qui y subsiste, malgré les terribles épreuves qu'elle subit, prouve que le sentiment national y est solide et que l'Allemagne constitue encore, pour l'avenir, un danger.

C'est donc en nous reportant à la prochaine guerre, que nous allons examiner la question de la défense de la Belgique.

Nous allons exposer devant vous l'importance de deux petites régions du Nord de la Belgique, celle de la Meuse et celle de l'Escaut, la première, celle de la Meuse pour arrêter une offensive allemande à son début ; la seconde, celle de l'Escaut, pour la vaincre après ses premiers succès, si l'Allemagne en a, comme en 1914.

*Meuse.*
Nous examinons d'abord la première position : celle de la Meuse.

La position de la Meuse est celle sur laquelle il faut résister pour préserver le pays belge de l'invasion. Le Limbourg hollandais se trouve sur cette position de défense. Nous pensons que l'armée hollandaise ne peut défendre cette province contre une grosse attaque.

D'ailleurs, dans bien des cas, la Hollande n'aurait pas le temps d'arriver sur la Meuse, dans le Limbourg, par suite de la proximité des positions à défendre de la frontière allemande. C'est d'Anvers et de Bruxelles que les voies ferrées conduisent rapidement dans le Limbourg hollandais.

Nous ne demandons pas à la Hollande de défendre le Limbourg, parce que cela lui est impossible ; nous lui demandons, en cas de violation des frontières de cette province, de prolonger notre gauche et de concourir avec nous à la défense commune.

Notez que la défense de la Meuse, dans cette partie de son cours, est capitale pour la Belgique. Si la Meuse est forcée, c'est de nouveau l'invasion. Or, nous sortons de l'invasion, nous savons ce qu'elle nous a couté.

Nous allons montrer que la Meuse, dans le Limbourg, est la partie faible de la ligne franco-belge.

Le traité actuel donne à la ligne française, de Bâle à Luxembourg, une très grande solidité: il double les Vosges par le Rhin et il double les places de la Meuse par celles de la Moselle. Or, avec la frontière de 1914, simplement avec les Vosges et les places de la Meuse, les Allemands reculèrent devant une attaque de la France par l'Est, à cause précisément de la puissance de cette frontière.

Sur huit armées que les Allemands mirent en action sur le théâtre de l'Ouest, six armées passèrent par la Belgique, y compris l'armée que nous avons accrochée à Anvers: à plus forte raison est-il à craindre qu'il en soit ainsi dans l'avenir. Or, le Traité actuel a renforcé considérablement la partie du mur qui était déjà très solide et que les Allemands n'ont pas osé attaquer et il n'a pas touché à sa partie branlante.

Il faut donc prendre des mesures pour remédier à la faiblesse de la ligne, et surtout il faut les prendre dans le Limbourg hollandais, parce que c'est le point faible de la défense belge.

La difficulté de la défense dans le Limbourg hollandais provient du fait que l'assiette de la position se trouve sur deux territoires: la ligne principale qui court le long du fleuve est coupée sur sa partie la plus exposée, Maëstricht, par une enclave de 8 kilomètres, et la zone de couverture de cette position, est tout entière en territoire hollandais.

De ce fait, les garnisons du temps de paix sont hollandaises, le gros de l'armée qui doit défendre la position est belge. Le rôle des garnisons du temps de paix est de dévoiler toute surprise, d'exécuter les destructions nécessaires destinées à retarder l'ennemi et de donner le temps du déploiement sur la Meuse au gros de l'armée. Or, la Meuse, dans cette partie de son cours, est un nid à surprises.

Il est à peine besoin de rappeler que la guerre de 1914 a débuté par une attaque de la Meuse par surprise au point situé le plus au Nord du front d'attaque.

Il suffit de jeter les yeux sur la carte pour voir que c'est au Nord que la Meuse se trouve le plus près de la frontière allemande; plus on avance vers le Nord, plus la Meuse est proche de la frontière allemande et, par suite, plus le danger de surprise y est grand.

L'État-Major allemand, dans une brochure intitulée *Liège*, écrivait:

'La possession rapide de Liège (la Meuse) était la condition indispensable à une campagne victorieuse dans l'Ouest.'

En effet, une fois la Meuse franchie, les armées allemandes ne trouvent plus jusqu'à Paris un seul cours d'eau digne de ce nom, coulant perpendiculairement à la direction de leur mouvement.

Or, c'est par le Limbourg hollandais que les Allemands peuvent atteindre le plus rapidement la Meuse; d'où une première conclusion: nécessité dans le Limbourg hollandais, d'une forte garde permanente, de fortes garnisons pendant les années de tension.

Cette garde, nous ne pouvons pas la monter, nous ne sommes pas dans notre territoire.

Le Traité de Paix actuel oblige les Allemands à reculer leurs garnisons à 50 kilomètres au delà du Rhin et à n'avoir pas de fortifications dans cette zone. La garantie fournie par le recul des garnisons n'est pas efficace contre les surprises.

Il suffit, en effet, pour s'en convaincre, d'examiner les conditions dans lesquelles s'est faite la surprise de la Meuse en 1914, sur Liège. Cette surprise a été exécutée par l'armée de Von Emmich forte de 80,000 hommes. Cette armée était massée à nos frontières le 3 août, c'est-à-dire le deuxième jour de la mobilisation: elle se composait en grande partie de troupes situées au delà de la zone des 50 kilomètres, savoir: du IXe corps (Slesvig-Holstein), du VIIe corps (Munster), du IIIe corps (Berlin), du IVe corps (Magdebourg), du Xe corps (Hanovre), du XIe corps (Cassel).

Voilà donc un premier point; cette région du Limbourg et de la Meuse est un nid à surprises; d'où la nécessité, dans les moments de tension, d'y avoir une forte garde permanente.

Il y a un second moyen efficace de faire échouer les surprises, c'est l'emploi de la fortification.

En 1914, sans les forts de Liège, la surprise allemande réussissait; grâce aux forts de Liège, elle a échoué.

Nous savons que les canons de 420 ne sont pas les armes de la surprise; la surprise doit aller vite; par conséquent, le gros matériel ne convient pas.

Il faudrait donc fortifier la ligne de la Meuse, dans le Limbourg, aux points essentiels, et notamment à Maëstricht.

A Maëstricht aboutissent de nombreuses routes et chemins de fer venant de l'Est; de même que Liège et Namur, cette ville fut autrefois une place importante. Or, actuellement, Maëstricht est sans défense permanente.

Quelle est la raison de cette situation?

Les ressources qu'un État peut consacrer à sa défense sont nécessairement limitées, surtout celles d'un petit État; dès lors, il ne fortifie que les points essentiels: il pourvoit d'abord à sa propre défense, cela est très naturel.

Or, Maëstricht n'intéressait que la défense belge et de plus la Belgique était neutre, toutes les Puissances s'étant obligées à ne pas y porter la guerre. Donc, Maëstricht ne devait pas être fortifié.

Mais s'il est très compréhensible que jusqu'à présent Maëstricht ait été une ville ouverte, la situation change. La Belgique n'est plus neutre et on peut dire alors que Maëstricht est, pour la défense de la Meuse, un point de plus grande importance que Liège et Namur.

On ne fait pas la guerre sans chemins de fer; or, les chemins de fer qui aboutissent à Liège et à Namur peuvent être rapidement et profondément détruits par suite du relief tourmenté du terrain entre la Meuse et la frontière allemande, devant Liège et Namur. Dans le Limbourg, au contraire, le relief du sol s'abaisse, la vallée de la Meuse s'élargit. Sur les lignes de chemins de fer qui aboutissent à Maëstricht, on ne trouve plus un ouvrage d'art important, la ligne peut être réparée rapidement; au contraire, au passage de la Meuse, à Liège, il faut pour racheter des différences de niveau des ponts très élevés.

Par conséquent, au point de vue des communications, nous tenons Maëstricht pour plus important que Liège et que Namur.

La crainte d'un débouché allemand par Maëstricht a d'ailleurs été une préoccupation constante pour les autorités militaires belges, et, en 1914, il eût été imprudent de pousser toute l'armée belge sur Liège, malgré les assurances données par l'Allemagne à la Hollande qu'elle ne violerait pas le territoire néerlandais, alors que la première armée allemande débarquait derrière le Limbourg hollandais: l'armée belge aurait pu ainsi se laisser couper du Nord du pays.

En résumé, la Meuse dans le Limbourg est un point très faible dans la ligne générale; c'est un nid à surprises; il faut, dans une période de tension, y prendre ses précautions par de fortes garnisons et par la fortification.

*Escaut.*       Nous passons maintenant à l'Escaut.

Nous avons dit que la Meuse était importante pour arrêter une offensive venant de l'Est à ses débuts, pour préserver le pays de l'invasion; mais il peut arriver des circonstances où, comme en 1914, l'attaque sur la Meuse soit tellement puissante que nous ne puissions pas y résister. Ne pouvant pas préserver le pays de l'invasion, nous devons, comme en 1914, songer à sauver son indépendance.

En ce qui nous concerne, nous estimons qu'il y a encore, dans l'avenir, bien des hypothèses possibles dans lesquelles ces circonstances pourraient se réaliser.

C'est en nous plaçant dans cette éventualité où nous ne pourrions pas tenir sur [l]a Meuse, où il faudrait de nouveau songer à sauver l'indépendance du pays, que nous allons examiner la question de l'Escaut.

La défense de la Belgique n'est pas exclusivement belge, c'est une question mondiale, parce que la Belgique, et aussi la Hollande se trouvent au centre de gravité de la civilisation.

La défense de l'Escaut, telle qu'elle est réglée par les Traités de 1839, présente deux inconvénients: d'une part, la défense belge peut être privée de ses communications par le fleuve; d'autre part, elle ne peut accéder au fleuve à cause de la présence de la Flandre néerlandaise entre l'Escaut et le territoire belge.

La fermeture de l'Escaut, en temps de guerre, est une grande cause de faiblesse pour la défense belge. C'est toujours dans cette région du Nord de notre pays que les ressources de la Belgique seront principalement accumulées, parce qu'Anvers est le grand entrepôt de la Belgique.

C'est là une des raisons pour lesquelles la Belgique a établi dans cette région le réduit de sa défense; mais il y en a une autre, c'est pour nous permettre de ne jamais céder le Nord, de tenir toujours le flanc.

Tenir le flanc Nord a été le principe de notre défense en 1914; nous n'avons jamais lâché aux Allemands le flanc extérieur.

La liberté de l'Escaut est nécessaire à l'arrivée rapide des secours et particulièrement des secours britanniques.

En 1914, l'armée britannique a débarqué à Boulogne et dans les ports de la Manche d'où elle a été transportée par chemins de fer vers Maubeuge;

ses communications ont été longues et dangereuses une fois que l'attaque allemande s'est développée et elle a été obligée de les changer.

Dans une prochaine guerre, c'est en Belgique que les premiers secours britanniques devraient arriver: avec l'Escaut libre, l'armée britannique peut débarquer à Anvers où elle se trouve en quelque sorte à pied d'œuvre et d'où elle serait dirigée sur la Meuse en face du Limbourg, si cette ligne de la Meuse tient encore.

Voilà pour le début de la guerre.

Au cours de la guerre, nous trouvons, dans la campagne de 1914, des exemples où, pour des échanges de forces entre les différentes parties du front, l'Escaut aurait pu jouer un grand rôle.

L'attaque d'Anvers débute le 27 septembre; le 30, nous avons la conviction d'avoir devant nous des forces très accrues et le Gouvernement belge adresse aux Gouvernements britannique et français une demande urgente de renforts. L'Angleterre avait des troupes disponibles, notamment la division navale et la 7e division. Il manquait aussi à Anvers de la grosse artillerie.

La Grande Bretagne pouvait nous en offrir, mais ni troupes ni canons ne pouvaient utiliser l'Escaut et la 7e division et la division navale qui durent être débarquées à la côte arrivèrent trop tard et ne purent que protéger la retraite.

Un troisième cas s'est présenté, en 1914, où l'Escaut aurait pu nous être très utile.

Le 29 septembre, le commandement décide l'évacuation de la base d'Anvers, afin de rendre l'armée libre.

On dispose de huit jours pour cette opération, ce qui est un temps raisonnable, mais on ne peut employer qu'une ligne de chemin de fer et pendant la nuit seulement, parce qu'elle est battue, pendant le jour, par l'artillerie ennemie.

Le résultat fut que les Allemands firent à Anvers un butin considérable. La Hollande autorisa la sortie des vivres d'Anvers — et, ceci est tout à son honneur — mais le commandement ne pouvait tabler avec certitude sur la liberté de l'Escaut; il ne pouvait pas faire d'avance un plan d'évacuation, de sorte que l'évacuation ne fut pas méthodique.

La partie Nord de la ligne Escaut–Dendre est très forte à cause de l'importance du fleuve et des inondations, mais la partie Sud, formée par la Dendre, est faible. Si la Dendre est forcée, nous retirons la droite, successivement derrière l'Escaut, derrière la Lys et enfin vers la mer. De sorte qu'il peut arriver que l'Escaut soit entouré par l'Est et le Sud, depuis Gand jusqu'à la frontière hollandaise en passant par devant Anvers.

Cette partie de notre territoire, qu'il est très important de tenir pour posséder le flanc toujours et pour couvrir la côte, est le réduit national. Voici les inconvénients de ce réduit de la Belgique.

Il manque de profondeur du Nord au Sud et il manque en même temps de communications.

Qu'on se représente l'armée belge ou une partie de cette armée dans ce réduit: du Nord au Sud, il n'y a qu'une distance de 20 kilomètres, parfois réduite à 15 kilomètres, c'est la portée des canons de 150 que les armées possèdent toujours en grande quantité.

Avec la Flandre zélandaise, la profondeur atteint 35 kilomètres; on peut encore tirer à cette distance avec des pièces à longue portée comme celles qui ont tiré sur Dunkerque, mais ces pièces sont toujours en très petit nombre, leur approvisionnement est très difficile et il n'y a guère à craindre une interruption de communications. La Flandre zélandaise nous est donc nécessaire pour donner de vrais cantonnements de repos à nos troupes, pour y établir nos hôpitaux, nos magasins, nos établissements dans une sécurité relative.

Ce réduit auquel nous nous accrochons et que nous pouvons tenir parce qu'il est très fort, présente un second inconvénient: actuellement, il n'a pas de communications, puisque nous ne possédons pas l'Escaut.

Avec l'Escaut libre, nous aurions donc non-seulement de bonnes communications, mais des communications échappant aux feux de l'ennemi; l'armée pourrait s'approvisionner, se renforcer, et même s'échapper tout entière par l'Escaut si son sort se trouvait compromis dans le réduit.

Il est important de se tenir toujours sur le flanc Nord d'une invasion allemande très puissante. On peut le faire sans danger si l'Escaut est libre et si on peut accéder au fleuve.

La route naturelle des invasions germaniques a comme axe les vallées de la Meuse, de la Sambre, de l'Oise.

Le rôle de l'armée belge consiste à rester toujours sur le flanc de cette route séculaire d'invasion, à ne jamais lâcher le flanc, afin que l'attaque ennemie ne soit jamais enveloppante, mais au contraire, reste toujours enveloppée; à conserver cette région basse du Nord si forte militairement et, pour cela, à maintenir constamment sa gauche en cédant sa droite, si cela est nécessaire.

Avant la guerre, les Allemands avaient compris l'importance d'avoir leur flanc droit dégagé.

Dans son rapport de 1913, cité par M. Barthou,[1] le colonel Ludendorf écrivait au nom de l'état-major de Berlin:

> Dans une prochaine guerre européenne, il faudra aussi que les petits États soient contraints de nous suivre ou soient domptés. Dans certaines conditions, leurs armées et leurs places fortes peuvent être rapidement vaincues ou neutralisées, ce qui pourrait être vraisemblablement le cas pour la Belgique et la Hollande . . .[2] afin d'interdire à notre ennemie de l'Ouest un territoire qui pourrait lui servir de base d'opérations dans notre flanc.

Les Allemands, dans leur invasion, ont deux flancs: le flanc Sud, appuyé à la Suisse, n'est pas l'aile marchante et ce flanc ne sera pas découvert durant l'invasion; ils n'ont qu'un flanc à protéger, le flanc Nord. C'est pourquoi ils attachaient tant d'importance dans leur campagne de 1914 à nous rabattre vers le Sud.

[1] In the report of August 6, 1919, of the Peace Commission of the French Chamber of Deputies: see L. Barthou, *Le Traité de Paix* (Paris, 1919), p. 11.

[2] Punctuation as in original extract.

Le 18 août 1914, notre armée était en position sur la Gette : dès le matin, nous sommes en contact avec les I$^{re}$ et II$^e$ armées allemandes que commandait von Bülow. L'état-major allemand a publié que von Bülow avait pour mission de battre et de détacher d'Anvers l'armée belge.

Mais pour que l'armée belge ne courre [*sic*] pas à sa perte en se maintenant ainsi sur le flanc de l'attaque, il est nécessaire qu'elle dispose sur ses derrières d'un bon système de communications. Ce système est formé par l'Escaut et par les communications qui mènent à la rive gauche du fleuve.

Maîtresse de ses mouvements en Flandre zélandaise et sur l'Escaut, l'armée belge, en se maintenant sur le flanc de la grande route d'invasion, peut prolonger sans crainte sa résistance dans cette région basse si favorable à la défense car, si les circonstances le comportent, l'évacuation de ses ressources et son propre embarquement sont toujours assurés.

Avec l'Escaut fermé, au contraire, elle risque d'être acculée à la frontière zélandaise, de perdre les ressources qui sont dans le Nord et de devoir déposer les armes.

Ce qui s'est passé en 1914 est à méditer :

L'armée belge reste sur le flanc de l'invasion allemande jusqu'au 9 octobre et elle se trouvait encore sur la Nethe, à 150 kilomètres de l'Yser, lorsque, dans le relèvement vers le Nord de la ligne principale, l'ennemi atteignait déjà Cassel et Ypres.

La retraite belge fut heureuse, mais l'opération était risquée, surtout parce qu'elle entraînait l'intervention, pour sa protection, de troupes appartenant à trois commandements distincts.

Lors de la reddition d'Anvers, près de 40,000 hommes durent déposer les armes à la frontière zélandaise. Si l'Escaut avait été libre, si les communications avec le fleuve avaient existé à travers la Flandre zélandaise, au lieu de la captivité, c'était le salut pour ces hommes que l'on embarquait à Terneuse, par exemple.

*Conclusions.* En ce qui concerne l'Escaut, la Belgique demande la liberté du fleuve pour elle et la liberté, en cas de guerre, de faire servir la Flandre zélandaise à sa défense. C'est une charge qui pourra amener la guerre en Flandre zélandaise, mais il n'y a là que 60,000 ou 70,000 habitants que l'on pourra évacuer sur la rive Nord du fleuve.

En ce qui concerne le Limbourg, nous demandons qu'une convention militaire entre la Belgique et la Hollande détermine, pour le temps de guerre, les points principaux suivants :

les secteurs de défense des deux armées ;

le commandement des garnisons hollandaises du Limbourg en face du secteur belge ;

le moment où les troupes belges pourraient entrer dans le Limbourg ;

le régime des réquisitions, logements, etc. ;

Qu'en temps de paix la Hollande entretienne dans le Limbourg des garnisons suffisantes ;

Qu'elle fortifie les points essentiels de la ligne, afin de donner à l'armée belge le temps d'arriver sur la Meuse ;

Qu'elle prépare les destructions et prenne toutes les mesures pour dévoiler et faire échouer toute surprise.

Cette solution de la défense du Limbourg, point très exposé et faible des frontières générales, est-elle bonne? L'avenir le dira. En tout cas, nous n'en voyons pas d'autres, étant donné les conditions dans lesquelles le problème est posé.

Le point de soudure de deux armées est toujours un point faible, mais ici la soudure se trouve au point le plus exposé et cette soudure se fait non pas bout à bout, mais par superposition. Nous voulons donc signaler ici les inconvénients que peut présenter la collaboration d'armées de nationalités différentes à la défense d'un même secteur.

Nous recherchons de bons rapports entre la Belgique et la Hollande et particulièrement entre les deux armées, car leurs intérêts sont communs. L'indépendance des deux nations a été menacée par l'agression allemande; c'est pourquoi nous voulons signaler, à propos de la défense du Limbourg, tous les inconvénients qui se présentent et qui pourraient altérer les bons rapports, afin de mieux aider à les conserver.

Sur l'Escaut, pas de difficultés d'ordre moral: les Belges seraient au Sud, les Hollandais au Nord.

Sur la Meuse, au contraire, on trouve la superposition des deux armées dans le Limbourg, et il importe de définir, dès le temps de paix, leurs tâches respectives.

De 1839 à 1914, notre pays était neutre, tous les États voisins s'obligeaient à ne pas y porter les armes, et cette neutralité constituait la protection du Limbourg, comme du reste du pays; à partir de maintenant, cette neutralité n'existe plus: le Limbourg n'est plus protégé; l'armée hollandaise va assumer dans le Limbourg une tâche nouvelle, délicate, qui, dans les années de tension, exigera un important déploiement de forces, difficilement compréhensible pour l'opinion publique. Cette tâche est toute d'honneur pour l'armée hollandaise puisqu'elle est au point de contact, mais elle implique aussi de grandes responsabilités. Elle consiste à monter la garde en face d'un ennemi guerrier et sans scrupules, sur un front d'attaque de 60 kilomètres, afin d'éviter à un pays voisin et ami toute surprise, de lui permettre d'effectuer le déploiement de son armée derrière la Meuse, et de détourner de lui si possible les maux de l'invasion.

De notre côté, notre devoir sera de faciliter à l'armée hollandaise sa mission difficile, en accélérant notre déploiement dans toute la mesure du possible.

Le Président. Je vous remercie de l'intéressant exposé que vous venez de faire. Quelqu'un désire-t-il poser des questions à M. le Représentant militaire belge?

Le Capitaine de vaisseau Fuller (*Empire britannique*). Est-ce que la Belgique demande l'accès de l'Escaut pour ses troupes et ses munitions en temps de paix aussi bien qu'en temps de guerre?

Le Lieut^t-Colonel Galet (*Belgique*). Je pense que oui: la liberté de l'Escaut au profit de la Belgique en temps de paix comme en temps de guerre. Pour pouvoir user de la liberté de l'Escaut en temps de guerre, il faut que notre personnel militaire maritime soit habitué au fleuve et le connaisse. Si on ne nous donnait cette liberté qu'en temps de guerre, il faudrait des reconnaissances, etc.

C'est donc oui, la liberté du fleuve en temps de paix comme en temps de guerre.

LE CAPITAINE DE VAISSEAU FULLER. Est-ce que vous voulez avoir l'usage de la Zélande seulement en temps de guerre?

LE LIEUT-COLONEL GALET. Seulement en temps de guerre; nous ne voulons avoir aucun soldat belge en territoire néerlandais en temps de paix; nous considérerions que ce serait une offense à la dignité de nos voisins; ni dans le Limbourg, ni dans la Flandre zélandaise, aucune troupe belge en temps de paix.

LE PRÉSIDENT. Je donne maintenant la parole à la Délégation néerlandaise pour exposer le point de vue du Gouvernement de la Reine sur cette question.

LE COLONEL VAN TUINEN (Pays-Bas). J'ai écouté avec le plus grand intérêt l'exposé qui vient d'être fait au nom du Gouvernement belge; cet exposé m'a paru tellement clair que je n'ai aucune question à poser.

Mais j'ai des instructions et, aux termes de ces instructions, il nous a été défendu d'exposer aucune opinion au nom du Gouvernement hollandais.

LE PRÉSIDENT. Dans ces conditions, nous n'avons plus qu'à lever la séance.

La séance est levée à 11 heures 10.[3]

[3] The Military Section of the British Peace Delegation composed an unsigned memorandum, dated August 13, 1919, and entitled 'Summary of Belgian Case for Revision of 1839 Treaty from Military Point of View'. The first paragraph of this memorandum read as follows: 'The Belgians base their case on the probability of a future offensive against the Western Powers by Germany, possibly in alliance with Russia, Austria and Hungary. The argument is that Russia, Austria and Hungary have practically no sea frontier, and that therefore these States will remain discontented and will wish to improve their position. Germany is also unlikely to continue to accept the existing situation, so that an alliance between these four Powers is well within the realms of probability. The Belgian idea is to prove that Germany, with or without Allies, will be certain in a future war to move through Belgium and probably through Holland as well.' The remaining five paragraphs of this memorandum contained a factual summary of the statement made by Colonel Galet, as recorded above.

## No. 65

*Earl Curzon to Mr. Balfour (Paris)*

*No. 5368 [427/3/1/17959]*

FOREIGN OFFICE, *August 12, 1919*

Earl Curzon of Kedleston presents his compliments to the Secretary of State for Foreign Affairs, and has the honour to transmit herewith copy of the undermentioned paper.

| Name and Date. | Subject. |
| --- | --- |
| Memorandum circulated to the Cabinet containing draft of a despatch to Mr. Balfour. | Spitsbergen. |

*August 9, 1919*

*Spitsbergen*

Inasmuch as the policy proposed in the accompanying draft despatch to Mr. Balfour is likely (as indeed would be any policy on the subject) to be made the subject of some controversy, I would like to be assured that it has the approval of the Cabinet.

CURZON OF KEDLESTON

ENCLOSURE 2 IN NO. 65

FOREIGN OFFICE, *August* ,[1] *1919*

Sir,

In my despatch No. 4866[2] of the 21st ultimo I had the honour to forward to you a memorandum[3] drawn up in this Department in regard to Spitsbergen. Since that date I have devoted some consideration to the various possible forms of settlement of this question, especially from the point of view of His Majesty's Government.

It appears that there are three possible methods of settlement which could be applied to the problem. (1) Annexation by some Power. (2) Internationalisation or condominium. (3) A mandate under the League of Nations.

With regard to the first solution, there exists, as you are already aware, a certain party in this country which favours annexation by Great Britain. For various reasons, however, this solution cannot be entertained, and I do not propose to deal further with the arguments bearing upon it.

The only other Power which could lay any apparently reasonable claim to annexation would appear to be Norway. There is, however, no doubt that such a solution would give rise to a violent outburst of British public opinion, which has become deeply interested in these islands, where British commercial interests already occupy a very predominant position, and which would regard this manner of dealing with the question as a betrayal of these interests. Such a solution of the question is therefore, in my opinion, impracticable.

2. As regards a settlement by internationalisation or condominium, I would remind you that the Powers represented at the Spitsbergen Conference in 1914 had under consideration the administration of the island by a Commissioner under the control of a Commission composed of representatives of Russia, Sweden, and Norway, to sit in the capital of the President of the

[1] Omission in original.

[2] Not printed. This short covering despatch transmitted a background memorandum on Spitzbergen and explained that it was 'intended, with its enclosures, to set forth the present position as regards that island. . . . A further [i.e. the present] memorandum is also being drawn up, and will be forwarded to you shortly, which will deal more especially with the political aspects of the question and the merits of the different solutions of the question of sovereignty.'

[3] Not printed: see note 2 above.

Commission. At the moment when the labours of the Commission were interrupted by the war, this scheme was on the point of breaking down owing to the insistence of Germany upon representation. The memory of this attitude on the part of Germany led the Allied Powers more recently (1918) to agree that in any future arrangements for the island, if Germany claimed representation, Great Britain and France should also be represented, in order to counterbalance any possible combination between Germany and Russia to out-vote Norway.

It is claimed in favour of a condominium that it would carry out more closely than any other scheme the settlement proposed in 1914; that Germany could now be ruled out altogether and representation only granted to the Powers actually interested; that the island would be neutralised and the members of the condominium would give a joint guarantee against its use as a naval base; and that it would possibly prove more agreeable to Sweden than the other alternative, while British mining interests would more easily be protected against objectionable foreign laws.

On the other hand, consideration was given to this form of Government in connection with the problem of the future administration of the German colonies. As a result, this method of Government has been universally discarded in favour of the mandatory system. Previous attempts at internationalisation or condomin[i]um have, with scarcely an exception, proved unsuccessful, and have been abandoned. In Crete and in Egypt the system has been superseded by historical development, while in the New Hebrides and Samoa it has been a complete and admitted failure. In a country like Spitsbergen, where the conflicting claims of various commercial companies already form the subject of somewhat acrimonious controversy, government by condominium on which several countries would be represented with equal powers and where none could claim a predominant voice might easily tend to aggravate the situation. Moreover, this solution would not fulfil the conditions set forth by the Admiralty (of which you have already been informed in the memorandum referred to),[4] because there would exist no force at the immediate disposal of the guaranteeing Powers to prevent one powerful nation from seizing the island in order to use it as a naval base. On the other hand, the argument may be used that it would be easier for Great Britain than for any other Power to forestall an attempt to make a naval base on these islands, since Great Britain, being one of the guaranteeing Powers, could take quicker action than if prior consultation with the League of Nations under the next ensuing alternative were necessary.

3. The third solution by which the islands would be placed under a mandate would be more in accordance with the principles of the League of Nations than either of the other alternatives. It would not be desirable for His Majesty's Government to put forward a claim of their own to such a mandate, nor would it be advisable from the point of view of British interests for a mandate to be granted to any other Great Power. If, therefore, a man-

[4] Not printed: see note 2 above. This memorandum referred to the letter of July 4, 1919, from the Admiralty, for which see No. 74.

date is given, Norway seems to be the only suitable country which could receive it. It is also apparent that, as a point of practical politics, it might be advantageous for His Majesty's Government to support this solution. In the first place, they would thus secure a useful lever and a strong claim for obtaining a satisfactory solution of British claims and protection for British interests. Secondly, the claims of Norway to some consideration in view of her attitude during the war, in particular as regards the services of the Norwegian Mercantile Marine in the Allied cause, have already been brought to my notice. To support Norway's claim to a mandate in Spitsbergen would be an excellent method of making some return from this point of view. Thirdly, for general political reasons it would appear desirable for His Majesty's Government to support this solution, partly from the point of view of friendly Anglo-Norwegian relations, the importance of which has been amply illustrated during the war, and partly in order in some measure to correct the impression, which undoubtedly prevails abroad, that His Majesty's Government have already secured immense advantages and privileges themselves by being given mandates in other parts of the world.

For the above reasons I am disposed to think that the attitude of the British members of the Spitsbergen Commission might well be to support the grant to Norway of a mandate over the islands.

With regard to the interests of British companies, it appears to me [to] be essential that those companies mainly concerned should be given every opportunity of laying their views before the British members of the Commission. I therefore propose to invite such companies to send representatives to Paris forthwith[5] to explain the position in regard to their claims.[6]

[5] In a further despatch, No. 5408 of August 14, 1919, to Mr. Balfour, Lord Curzon stated: 'Although the Committee may not desire to hear the representatives of individual companies owning property in Spitsbergen it seems to me advisable that these representatives should be permitted to state their case fully to the British representative on the Committee. In the event of this not being done and of an unpopular decision being reached by the Conference I apprehend that considerable feeling may be evoked in this country when it becomes known that the representatives of British interests in Spitsbergen have been denied the opportunity of laying their views before the Committee.'

[6] Annexed to this memorandum in the original was a copy (not printed) of the background memorandum referred to in note 2 above.

## No. 66

*Letter from Mr. Tufton (Paris) to Mr. Knatchbull-Hugessen*
*(Received August 14)*

*Unnumbered [116056/2333/30]*

PARIS, *August 13, 1919*

Dear Hugessen,

With reference to your letter of 9th August[1] about Spitsbergen, Mr. Balfour desires me to say that all British interests in these islands are being fully

[1] No. 60.

safeguarded, and that the situation now is entirely different to what it was last year as the Norwegians have been able to obtain the consent of all the other Great Powers to establish her sovereignty over Spitsbergen. This attitude has been fully brought out in the discussions which have already taken place in the Committee of the Conference.

Under these circumstances Mr. Balfour does not think it possible for Great Britain alone to oppose Norway, particularly having regard to the friendly attitude of Norway during the war.

There is some ground for believing that the public interest taken in England in Spitsbergen is mainly due to due to [sic] the advertising activity of certain very little-reputable undertakings, the position and standing of which are, Mr. Balfour understands, well but unfavourably known to the Board of Trade, but in any case the rights, actual and future, of any British companies are being fully reserved.

I hope to be able to send you in a few days a rough draft of a Treaty dealing with the future of Spitsbergen as has been evolved from the discussions hitherto in the Committee of the Conference.

Sincerely yours,<br>CHARLES TUFTON

### No. 67

### *Mr. Balfour (Paris) to Sir C. Marling (Copenhagen)*

#### *No. 13 Telegraphic [475/1/1/17754]*

PARIS, August 13, 1919

*Schleswig.*

Your telegram No. 1419[1] and despatch No. 221[2] to F.O.

The question of the evacuation of the third zone has been fully considered and definitely decided by the Conference. It cannot be re-opened.[3]

---

[1] No. 34.          [2] Not printed. Cf. No. 61.
[3] This telegram was repeated to the Foreign Office as No. 1264.

### No. 68

### *Mr. Balfour (Paris) to Earl Curzon (Received August 14)*

#### *No. 1609 [116063/548/30]*

PARIS, August 13, 1919

Mr. Balfour presents his compliments to Lord Curzon, and transmits herewith 5 copies of the under-mentioned paper.

| *Name and Date.* | *Subject.* |
|---|---|
| German Delegation No. 3. August 10. (Copy also sent to Copenhagen) | Schleswig Question. |

*Baron von Lersner to M. Clemenceau*

*Translation*

VERSAILLES, *10th August, 1919*

No. 3.

Sir,

I have the honour to acknowledge the receipt of Your Excellency's Note of 29th July, 1919,[1] concerning Slesvig and venture to make the following remarks in this connexion:—

Although in the chapter on Slesvig in the Treaty of Peace there are no provisions similar to that of §1 of the Annex to Article 88 and of Article 95 quoted in the above-mentioned Note, the German Government declares that in the plebiscite area of Slesvig it has ordered no requisitions in money or in kind or taken other measures injurious to the economic interests of the country. It has, moreover, no intention of taking such measures. For its only desire is to convince the population of the district of North Slesvig that up to the last moment the German Government has left nothing undone to further the economic prosperity of the plebiscite area, as far as lies within its power.

Fiscal and other measures to which the German Government have been compelled to resort in recent times are not directed against the settled population of North Slesvig, but against the large number of persons from outside evading taxation, who have gathered together in the plebiscite area from all parts of Germany in order to effect transfers of wealth and property.

With regard to German territories which border on the plebiscite zone, Germany herself, in the interests of future good relations with her neighbouring State, attaches importance to an unbiassed and impartial plebiscite in North Slesvig. It is therefore the aim of the German Government to avoid anything of a political nature which might influence national passions in the plebiscite area.

I remain, &c.,

FREIHERR VON LERSNER

[1] Enclosure in No. 41.

## No. 69

*Earl Curzon to Mr. Waterlow (Paris)*

*No. 110932/X/1150 [110932/105194/1150RH]*

FOREIGN OFFICE, *August 13, 1919*

Sir,

1. I have to acknowledge the receipt of your despatch No. 244[1] of July 31st in regard to the pooling of information collected by the Allied Missions in Germany.

[1] No. 42.

2. I transmit to you herewith a copy of a memorandum received from the Department of Overseas Trade,[2] containing that Department's observations on your despatch No. 180[3] and also a copy of correspondence[4] with the Ministry of Munitions, to which reference is made in the memorandum,[2] together with a copy of the answer,[4] which I have caused to be sent to the Department of Overseas Trade, expressing my views upon the question.

3. The despatch from Coblenz, Lux 220,[5] of which a copy was enclosed in your despatch under reference, appears to include the information collected by the missions sent out by the Department of Overseas Trade within the terms 'information collected by the Armies of Occupation'. I should be glad to have your opinion whether the reports of those missions can without doubt be brought within the terms used in your note[6] for the Sub-Committee on Germany[7] of June 3rd, where the words used are 'all the industrial information collected by the Economic Sections'.

I am, &c.[8]

[2] Not printed. In this memorandum of July 29, 1919, the Department of Overseas Trade signified its 'dissent from the proposal to pool information. . . . It would appear that the French Government have already refused to pool information collected by them.'

[3] Not printed: see No. 42, note 1.

[4] Not appended to filed copy of original.

[5] Not printed: see No. 42, note 2.            [6] Not printed.

[7] A subcommittee of the Supreme Economic Council.

[8] Signature lacking on filed copy of original.

## No. 70

*Mr. Balfour (Paris) to Earl Curzon (Received August 14)*

*No. 1268 Telegraphic [116243/105194/1150RH]*

PARIS, *August 14, 1919*

Following from Waterlow 226.

(? Sir) H. Stuart asks me to represent to Your Lordship great political importance of question which we understand is now under discussion between French Government and His Majesty's Government, whether British forces should continue to occupy Cologne and Bridgehead. French are anxious to secure such re-distribution of armies of occupation as will give them occupation of this district, which is most important centre of influence and information in occupied territory from industrial, commercial, and political point of view.

Result will inevitably be seriously prejudicial to our prestige and reduce British influence to minimum, which, in view of French policy in occupied territory, we cannot but contemplate with grave misgiving.

We expect to meet Army Council in Cologne on Monday,[1] and trust final decision may not be taken until our views have been heard.

I have mentioned matter to Sir E. Crowe, who prefers that I should refer it direct to Your Lordship.

[1] August 18, 1919.

## No. 71

*Mr. Balfour (Paris) to Earl Curzon (Received August 15)*

*No. 1270 Telegraphic [116571/105194/1150RH]*

PARIS, *August 14, 1919*

Following for Sir Auc[k]land Geddes,[1] Board of Trade, from Wise,[2] Supreme Economic Council, Paris.

Z 219. Understand proposal under consideration between British and French Military Authorities for transference of Cologne area to French Military occupation. Consider this would be most unfortunate from point of view of British trade with Germany since French occupation will certainly make British trade much more difficult. Suggest you should represent this point to Churchill[3] who I understand leaves for Cologne on Saturday.[4] Stuart, British High Commissioner of Rhineland High Commission, strongly recommends this opinion from a general political as well as from a commercial point of view.[5]

[1] President of the Board of Trade.
[2] A British representative on the Supreme Economic Council.
[3] Secretary of State for War and Air.
[4] August 16, 1919.
[5] Copies of this telegram were remitted forthwith by the Foreign Office to the private secretaries of Sir Auckland Geddes and of Mr. Churchill.

## No. 72

*Sir H. Rumbold (Berne) to Earl Curzon (Received August 18)*

*No. 498 [117458/58017/43]*

BERNE, *August 14, 1919*

My Lord,

With reference to Lord Acton's despatch No. 383[1] of July 3, I have the honour to inform Your Lordship that the movement in the Vorarlberg in favour of an union with Switzerland appears to be gaining in strength.

On the 10th instant many meetings were held all over the Vorarlberg which resulted in a resolution of protest against the Vienna Government who are accused of trying to set aside the right of self-determination in so far as the inhabitants of the Vorarlberg are concerned. It was also decided to address a direct appeal to the Swiss people in favour of the union of the Vorarlberg with Switzerland.

In this appeal, which was handed over to the Vorarlberg Government, the population of Vorarlberg refer to the right of self-determination and point out their strong wish for an union with Switzerland. They express their joy

[1] No. 9.

217

that their desire to become Swiss subjects has been favourably received by many Swiss and hope that arrangements may be made for negotiations between the Vorarlberg Government and the Swiss Confederation. They then state that the Vienna Government insist on refusing to acknowledge the right of self-determination in the case of the Vorarlberg and decline to lay the question before the conference at St. Germain.[2] In these circumstances they appeal to Switzerland for help and hope that they may find such support in Switzerland as will enable them to secure the right of disposing of their own destinies.

Over a hundred Vorarlberg communities have sent a joint telegram to the Swiss Federal Council in which they express their dissatisfaction with the attitude of the Vienna Government and ask the Swiss and the Federal Government to assist them in enabling the Vorarlberg to send a representative to St. Germain.

The *Bund* has published a long article on the Vorarlberg question in which the above appeal is dealt with. The article points out that so far Swiss opinion has been in favour of a policy of waiting until German Austria had given the Vorarlberg full liberty of action. After mentioning that the Swiss Confederation, as at present constituted, had developed on the basis of the right of self-determination, the article points out that from a geographical point of view the Vorarlberg belongs to Switzerland and that too much importance should not be attached to any religious and political objections against the projected Union. The decisive factor for Switzerland should lie in the fact that the appeal of the Vorarlberg is one for the right of self-determination. Such an appeal, the article continues, cannot be left unanswered. As the Vorarlberg people of their own free will have asked for union with Switzerland there is no reason for the Swiss to refuse to admit them to the Confederation and the question should be looked at from a democratic point of view and be decided in accordance with democratic ideals.

I have, &c.,
HORACE RUMBOLD

P.S. According to press reports amounting to a communiqué the Federal Council does not feel inclined to undertake any steps in Paris in favour of the Vorarlberg claims with regard to the right of self-determination. In the opinion of the Federal Council representatives of the Vorarlberg should apply direct to Monsieur Clemenceau, as any steps taken by the Swiss Government might be interpreted as a wish for aggrandisement on the side of Switzerland.

H. R.

[2] The Austrian Peace Delegation was then resident at St. Germain-en-Laye.

## No. 73

*Mr. Balfour (Paris) to Earl Curzon (Received August 15)*

*No. 1273 Telegraphic [116658/2333/30]*

PARIS, *August 15, 1919*

Your despatch No. 5368.[1]

Spitzbergen.

Please await receipt of despatch from me before addressing me as you propose.

[1] No. 65.

## No. 74

*Earl Curzon to Mr. Balfour (Paris)*

*No. 5377 [98820/2333/30]*

FOREIGN OFFICE, *August 15, 1919*

Sir,

I have the honour to transmit herewith copies of correspondence as marked in the margin[1] relative to the strategical aspects of Spitsbergen.

You will observe that in their letter of July 4th[1] the Admiralty state that in their opinion some of the harbours on the West Coast of Spitsbergen might be developed in such a way as to threaten British naval interests, and that they therefore consider that the Island should be neutralised and administered by an International Commission.

I should be glad if the views of the Admiralty on this subject could be borne in mind by the British Delegates in any negotiations which may take place with regard to the future status of Spitsbergen.

I have, &c.,

[(For Earl Curzon of Kedleston)
GERALD SPICER][2]

[1] Not printed: see below, also No. 78.
[2] Signature supplied from the files of the British Peace Delegation.

## No. 75

*Note by Mr. Tufton of a conversation with the Norwegian Minister in Paris*

*[427/3/1/17319]*

[PARIS,] *August 16, 1919*

The Norwegian Minister in Paris came to see me this morning to talk about Spitzbergen. He had seen a telegram from his Government, saying that the Swedish Government had communicated to them the Swedish communication[1] sent to the Committee of the Peace Conference in Paris, and whilst

[1] Not printed: see below.

219

fully recognising the moderate tone of that Memo., the Norwegian Government regretted to see that Sweden suggested a satisfactory solution of the question could be reached by giving Norway a Mandate over Spitzbergen. The object of the Norwegian Minister's visit was to tell me that such a solution would be entirely unacceptable to Norway, who would probably refuse to take Spitzbergen on any such terms. Count Wedel knew that members of the Spitzbergen Committee were in favour of giving sovereignty to Norway, and he hoped that the Swedish recommendation would not be taken too seriously.

I made the personal suggestion to him that the Norwegian Minister in London should make similar representations to Lord Curzon at the Foreign Office, as I thought that might possibly help the Norwegian case. Count Wedel said he would do this at once.

C. TUFTON

## No. 76

*Letter from Mr. Balfour (Paris) to Earl Curzon (Received August 20)*[1]

*Unnumbered [118279/2333/30]*

PARIS, August 17, 1919

My dear George,

Spitzbergen

I enclose an elaborate despatch[2] upon this subject, which I have not drafted, but with the general terms of which I concur.

My point of view can be put in a nutshell.—

1. I do not see that this question has much to do with the Peace Conference; but my colleagues were anxious to deal with it, and probably it can be more easily dealt with by us than by any other machinery.

2. I doubt whether the Island is going to be of any value to anybody,—not because I have any particular reason to doubt the reality of the various minerals which it is alleged to contain, but because the months of the year in which working is possible are extremely few, and the cost of labour will, I conceive, be prohibitive. I believe the Americans and the Dutch—two nations well qualified to form an opinion on business matters—have both got rid of the interests in the Island which they once possessed; but this is more or less gossip, and I may be wrong.

3. I have never heard anybody say a good word for the English company which is permitting these enterprises [*sic*]. It has a very bad reputation among those best qualified to form an opinion.

4. I think, speaking personally, I would prefer that the Island should be under the League of Nations; but we are throwing, in connection with the

---

[1] The date is that of entry upon the files of the Foreign Office.
[2] Enclosure 1 below.

Peace, an ever-growing burden upon that body, and I think they might complain not unreasonably of this new and gratuitous addition to their labours.

5. The Norwegians have contrived to persuade all the other Powers that the proper course is for Norway to become the owner of the Island. We should certainly become very unpopular in Norway if our single opposition were to defeat the scheme. Of all the Neutrals in the War, Norway was the best disposed towards us; and, in spite of her weakness, she did us good service. I should be sorry to lose a friend whose friendship displayed itself in our moments of trial as well as in our moments of success; and I really cannot conceive that we should gain anything substantial by standing out on this subject against all the world excepting Sweden—a Power to whom we certainly owe no sort of thanks or gratitude.

For these reasons I am disposed to concentrate our efforts upon seeing that any Mining rights we possess shall be protected, and that we obtain our full share of future concessions. If, however, the Cabinet, after having considered all the pros and cons, think otherwise, please let me know.

I ought perhaps to point out that the amount of trouble the administration of Spitzbergen would throw upon the League of Nations is not negligible; for they will presumably have to import policemen and magistrates, to build houses for them, and to devise a system of taxation by which they can be paid for.

Yours ever,

Arthur James Balfour

Enclosure 1 in No. 76

*Mr. Balfour (Paris) to Earl Curzon*

*No. 1646*

PARIS, *August 19* [*sic*], *1919*

My Lord,

I have received Your Lordship's despatch No. 5368[3] of August 12th forwarding the draft of a despatch which you propose to address to me on the subject of the future of Spitzbergen, and for which the approval of the Cabinet is sought.

2. The passage in the fourth paragraph of the draft in which it is stated that 'a violent outburst of public opinion' would arise in the event of His Majesty's Government consenting to recognise the sovereignty of Norway over these islands, is causing me some anxiety and embarrassment. I regret that a solution on these lines should appear to Your Lordship impracticable, and I would fain hope that this view may on further consideration appear unduly pessimistic. I find it in fact difficult to believe that a settlement which fully recognised and guaranteed all British rights, both those already existing

[3] No. 65.

and those that may be required[4] in future, could possibly create so unreasonable an impression on the British public, of which only a small portion is likely to have any knowledge of the Spitsbergen problem, or any practical interest in its solution.

3. I am under the impression,[5] based on the recollections of members of my present staff now here who were at the time actually dealing with the question at the Foreign Office, that before the assembly of the Spitsbergen conference of 1914 the chief if not the only reason which prevented His Majesty's Government from favouring the annexation of the island to Norway was the known opposition of the other interested Powers which rendered it impossible at that time to get such a solution accepted.

4. When the question was re-examined at the Foreign Office during the autumn of last year for the purpose of determining the attitude to be taken up by His Majesty's Government at the Peace Conference, it was believed that the opposing tendencies of the several Powers still subsisted, and it was in view of the situation so understood that the solution of a Norwegian mandate under the League of Nations was advocated as the line of least resistance.

5. The situation has, however, now altogether changed. Norway has succeeded in persuading all the other Powers that the simplest, cleanest and most satisfactory settlement consists in placing the island under her sovereignty. Both Russia—so far as the various Russian groups and political associations represented in Paris may be allowed to speak for Russia— Denmark and the United States of America have expressed themselves in favour of the Norwegian claim, which is also warmly supported by France, Italy and Japan. Even Sweden has not—nor is expected to make—any really serious opposition, although she has intimated that the course she prefers is a Norwegian mandate.

6. It was in these circumstances that I decided not to allow our country alone to stand forth as the opponent of a settlement which met with practically unanimous assent, and which has much to recommend it on its merits. I accordingly instructed our representative on the committee of the Conference dealing with this question to concentrate his efforts on securing all necessary guarantees for the maintenance and legitimate development of all British rights. Our efforts in this direction have met, and are meeting, with the readiest response, and I have no doubt that the draft convention now being prepared by the Committee will be found to give every satisfaction in this respect.

7. I hope you will agree, and the Cabinet approve, that provided all our legitimate requirements are amply and firmly secured by the convention, it would be not only unnecessary as well as ungracious, but would be bad policy for us to incur the odium of thwarting the not unreasonable and on the whole

4 Amended to 'acquired' on filed copy.
5 Note on filed copy by Sir R. Graham: 'I have had this verified by the Library & there seems to be no foundation for the impression at all. The question of Norwegian sovereignty never arose in 1914. R. G.25/8.'

modest ambitions of a State which during the war has done much to deserve our gratitude, and of upsetting a reasonable arrangement with a friendly Government for the sake of an apprehended movement of public opinion in England which I fear may prove on closer analysis to be rather the result of an artificial agitation by interested parties than the genuine expression of national feeling. It is unfortunately notorious that some of the British companies having interests in Spitsbergen were promoted, and have conducted their operations, in circumstances not deserving to be measured by the highest standards; and I understand that considerable doubt has been expressed from time to time by the Board of Trade as to the amount of support which it would be desirable, or even proper, for His Majesty's Government to give to some of the promoters in these concerns. Nevertheless I need hardly assure Your Lordship that the recognition of any definite régime in Spitsbergen by His Majesty's Government will be made unequivocally dependent on the complete safeguarding of all British rights and well-established claims.

8. I transmit herewith the preliminary draft[6] of the treaty as tentatively drawn up in the committee of the Conference, the general lines of which I have provisionally approved, although minor amendments will no doubt have to be made in some respects. An explanatory memorandum by Mr. Tufton[7] accompanies the draft. Although His Majesty's Government are, of course, not finally committed to anything not actually passed by the Supreme Council, the matter has reached a stage when a reversal of the British attitude in the face of the unanimous recommendation of the other Powers will not merely cause great inconvenience and delay at a time when the Conference is working at high pressure to get through its programme, but will in all probability lead to a complete deadlock, with the result that no settlement at all will be arrived at, a result which I feel sure is to be deprecated in every way.

10 [sic]. I would add that I have no means of compelling the committee of the Conference or the Council of Five, contrary to the established practice to listen to the verbal explanations of private individuals interested in the commercial development of Spitsbergen, and I cannot undertake that if representatives of the British companies are sent out to Paris as Your Lordship proposes should be done, that they will obtain a hearing. The proper course to adopt, is, in my opinion, for the British interests concerned to make their representations to Your Lordship, and for such conditions to be inserted in the proposed treaty as will protect their legitimate interests. I have no hesitation in stating that, in my opinion, the establishment of Norwegian sovereignty over Spitsbergen constitutes no hindrance to British interests receiving all the consideration which can rightly be claimed for them.

I am, &c.,

(for Mr. Balfour)

EYRE A. CROWE

---

[6] Not printed. Cf. enclosure 2 below.
[7] Enclosure 2 below.

## Memorandum by Mr. Tufton

PARIS, *August 14th, 1919*

I submit herewith the text of a draft convention[6] on the subject of the future of Spitzbergen. This text is the outcome of the labours of the Spitzbergen Committee up to date, but it should be noted that none of the interested Neutral Powers except Norway have yet been heard by the Committee; both the Russians and the Swedes have put in memoranda,[8] many of the points in which are already covered by the present text of the Treaty.

The Treaty is drawn up to recognise the complete Sovereignty of Norway over the islands and all the signatory powers are treated as being on an absolute equality.

*Article 1* defines the territories in question without any mention of territorial waters as the Admiralty representatives desired all mention of territorial waters to be omitted.

*Article 2* is designed to protect the fauna and flora of Spitzbergen which has suffered abnormally from the depredations of hunters of all nationalities.

*Article 3* is designed to provide for complete equality for all signatory Powers and their nationals in all that relates to commerce, industry and shipping. It is perhaps too much compressed and will possibly have to be expanded into two or three separate articles. This is I think a matter for the Board of Trade to consider in London, and if you agree, I propose to send a copy privately to Mr. Fountain[9] for his observations.

*Article 4* deals with wireless telegraphy, and whilst recognising the right of Norway, if she obtains sovereignty over Spitzbergen, to reserve one or more particular stations for international correspondence, provides that persons or companies shall have the right to use their own wireless installations for their own purposes. Our companies have already one or two stations, and the Swedish Companies also.

*Article 5* provides for the establishment of an international meteorological station to which the Admiralty and the Air Ministry attach importance.

*Article 6* is perhaps the most important for British interests. It recognises the validity of all acquired rights, and as regards claims to land, it lays down in an Annex the procedure to be followed.

All claims must be submitted with full details within a short specified period to an arbitrator, who, it is proposed, shall be selected by the Government of Denmark from the ranks of eminent Danish lawyers. The idea of requesting the Danish Government to nominate the arbitrator whose preliminary duties will be merely to sort out the contested from the uncontested claims, emanated from the Italian Delegate on the Committee who pointed out that the selection of such a person would go far to inspire confidence in

---

[8] See annex to No. 24, and No. 75, note 1, respectively.
[9] An Assistant Secretary in the Board of Trade.

Norway and Sweden, and he thought in England also. The original British proposal was that the preliminary arbitrator to verify the claims should be selected by the President of the United States, but both Mr. Malkin, who was present at this meeting, and I myself saw no objection to the Italian proposal and we agreed to embody it in our scheme. This Danish arbitrator, (who will be described during his preliminary function as 'Commissioner'), will prepare a statement showing precisely those claims which in his opinion should be recognised at once, and the Norwegian Government will be obliged to take necessary steps to confer on those claimants a valid title to their property.

Claims which the Commissioner does not recommend will then come before a Court of Arbitration, consisting of the Danish Commissioner, who will be President of the Court, and arbitrators nominated by Governments whose nationals possess claims in Spitzbergen.

Certain rules for the guidance of the Tribunal in arriving at their decisions have been laid down. The expenses of the Tribunal will be provided by all claimants depositing sums in proportion to the area of land claimed, an arrangement which will, it is hoped, have the advantage of excluding exorbitant and unreasonable claims which cannot be substantiated.

*Article 7* is designed to provide that in future all nationals of the High Contracting Parties will be on a footing of absolute equality in all that relates to the acquisition, enjoyment and exercise of the rights of ownership of property in Spitzbergen. A special provision has been inserted whereby expropriation may only be resorted to on grounds of public utility and after full compensation, because the Norwegians have intimated to the Committee that they would like the right to expropriate for other purposes as well, but the Committee does not think this just or equitable.

*Article 8* obliges Norway to draw up and submit for the approval of the signatory powers mining regulations for Spitsbergen, and the Treaty will not come into force until these regulations have been approved.

*Article 9* is designed for the demilitarisation of the islands, although a loophole is left to Norway to use them for military purposes if the League of Nations decides that it is necessary for any particular purpose.

*Article 10* provides for the accession of other powers than signatories and for the ratification, and provides that both the English and French texts will be authentic.

I would propose, with your concurrence, to send this draft Convention to the Foreign Office asking them to submit their observations upon it to Mr. Balfour with the least possible delay. I would also propose to circulate it to the Naval, Military and Air Sections of the Delegation here for their observations also.

No provision has yet been made in the Treaty stipulating that taxation raised in Spitzbergen shall only be applied for the needs of the Islands, and it is possible that stipulations should be made providing for the right of sending Consular Officers there.

# No. 77

## Earl Curzon to Mr. Ovey (Christiania)

### No. 111 [118251/2333/30]

FOREIGN OFFICE, *August 18, 1919*

Sir,

The Norwegian Minister called upon me this afternoon, and raised the question of the future of Spitzbergen. He informed me, as I already knew, that the Committee appointed by the Peace Conference to deal with the question had reported in favour of handing the islands over to the sovereignty of Norway. On the other hand, he told me, what I did not know, namely: that the Swedish Government had submitted a lengthy case suggesting that Norway should be made the mandatory under the League of Nations, and not the sovereign owner. He asked me whether His Majesty's Government would support the Norwegian attitude.

I replied that, though I had been somewhat surprised at the Peace Conference taking up the case at all, inasmuch as it did not seem to me to arise, either directly or indirectly, out of the war, yet as the Conference were dealing with the matter, I assumed that the decision would rest with them. In other words, it would be for Mr. Balfour rather than for myself to represent British policy in the matter. It might therefore be that I should have no voice or interest in the subject at all. On the other hand, if the Minister desired my own opinion, and that of the Foreign Office, I could not conceal from him the fact that we should prefer the mandatory to the sovereign solution. There were, I said, powerful and very vocal interests in this country, which were deeply concerned in the fate of the islands: considerable mercantile interests were involved, frequent questions were put in Parliament, the matter excited a good deal of public interest, and I could not help thinking that a proposal to hand the islands over entirely to Norway would provoke a good deal more criticism and even opposition in this country than a proposal to give to Norway a mandate under the League of Nations. Although the actual nature of the various mandates had not yet been finally determined, and although no mandate had yet been put into practical operation, the world in general was now familiar with the idea of mandates as the sequel to territorial acquisitions made in the war, and much less excitement and ill-will were caused by such a solution than by the proposal of ownership in its extreme form. I suggested to M. Vogt that Norway, in her own interests, might do well not to resist the idea of a mandate, if by so doing she could conciliate powerful neighbours or possible rivals.

He replied by referring me to the case submitted by Sweden, which, he said, bristled with all sorts of restrictions to be placed upon the mandatory Power: restrictions so far reaching and irksome that it was doubtful whether his country would not prefer to refuse the mandate altogether rather than submit to them. Not having seen the statement in question, I could not argue this point, but I promised to make myself acquainted as soon as I could with the case put forward by Sweden.

The Minister then proceeded to state, with some force, reasons in favour of giving Norway sovereignty over Spitzbergen. He dwelt upon the great services which Norway had rendered to the Allied cause during the war; on the number of her fishing and shipping population whose lives had been lost; on her ownership of the islands in centuries past; and on the predominant commercial interests which she now enjoyed in Spitzbergen.

When I remarked that this was not the view taken by the British Companies who were interested in the islands, M. Vogt said that, in the opinion of the Norwegian and Swedish geologists, the iron ore mountains alleged to belong to British Companies or Syndicates were in the nature of a sham, and that the iron ore either did not exist or was valueless. As regards the coal deposits, much the larger share of them were already owned and worked by Norwegians. The inhabitants were exclusively Norwegian. In these circumstances, he thought that the sovereignty should be Norwegian also.

I said that it did not seem to me likely that a mandatory Power, operating under the League of Nations, would be seriously interfered with, if the mandate were exercised in a just and considerate way; and that, in the majority of cases, mandatory authority would not be very widely separated from sovereignty. If ever there was, I argued, a case in which interests were identical and sovereignty seemed obvious, it was the case of German South-West Africa; and yet the South African Commonwealth had been content to accept a mandate for that territory. Why should not Norway be willing to do the same in the case of Spitzbergen?

The Minister continued to harp upon the unreasonableness of the Swedish proposals, and I undertook to look at these before forming a final opinion on the point.

I am, &c.,
CURZON OF KEDLESTON

## No. 78

*Mr. Balfour (Paris) to Earl Curzon (Received August 20)*

*No. 1644 [118277/2333/30]*

PARIS, *August 19, 1919*

My Lord,

I have received Your Lordship's despatch No. 5377[1] of August 15th (98820/W/30), forwarding for my information correspondence with the Admiralty as regards the future of Spitsbergen.

2. There is no question of Spitsbergen being allotted to any Great Power, which is the contingency contemplated in the Admiralty letter of July 4th last, and the proposal to administer the Islands by an International Commission is now recognised by all competent authorities to be as objectionable as it seems impracticable.

3. I have already been kept fully informed of the views of the Lords

[1] No. 74.

Commissioners of the Admiralty by the Naval Section of this Delegation, and Your Lordship will see from my despatch No. 1646[2] forwarding copies of a suggested treaty, that provision has been made in Article 9 for the demilitarisation of Spitsbergen.

I am, &c.,

(For Mr. Balfour)

EYRE A. CROWE

[2] Enclosure 1 in No. 76.

## No. 79

### *Sir H. Rumbold (Berne) to Mr. Balfour (Paris)*

### *No. 38* [*427/1/4/17283*]

BERNE, *August 20, 1919*

Sir,

In continuation of my despatch No. 36[1] of the 16th instant, I have the honour to transmit to you herewith a series of articles[2] from the *Gazette de Lausanne* giving a very full version of the message of the Federal Council to the Swiss Parliament.

I would venture to draw your attention to one or two passages of this message which examine from various standpoints the situation in connection with the projected adherence of Switzerland to the League.

In a passage which discusses social questions the Federal Council observe that the fact that if Switzerland did not adhere to the League of Nations she would not be able to adhere to the international labour convention, is of lesser importance. Nothing need prevent Switzerland from developing her own labour legislation. On the other hand, she would abandon the initiative she has always hitherto taken in the matter of international protection of labour and she would lose her influence in that domain. It is therefore morally incumbent on her to co-operate in such labour legislation.

A further passage deals with the relations of Switzerland towards other

[1] Not printed. This despatch contained 'a brief summary' of the message of the Swiss Federal Council referred to below. This summary stated, in particular: 'The message states that Switzerland will be able to join the League without having to abandon her neutrality, which is recognised by certain articles of the Paris Covenant. Satisfaction is expressed that Geneva will be the seat of the League of Nations. As regards the Central Powers, the message points out that it would be in the interest of Switzerland, as well as in the interest of the League itself, that the Central Powers should become members of the League as soon as possible. A prolonged exclusion might lead to conflicts and separate alliances which would be in contradiction to the ideas and aims of the Paris Covenant. Although the League of Nations should in time lead to a reduction of armaments, the Swiss Commission for national defence is of opinion that a strong army should be maintained. In their opinion it would be a mistake to consider the accession to the League as a sufficient guarantee for the maintenance of Swiss independence, while on the other hand a strong Swiss Army would inspire the League of Nations with confidence in the strength of any Swiss armed resistance that might become necessary.'

[2] Not printed.

states and especially states which are actually excluded from the League. Such relations will differ according to whether the countries in question aspire to enter the League or combine more or less closely against the policy of the League. In the first case, the fact that Switzerland is a member of the League would not prejudice her relations with states remaining outside of the League. She could on the contrary, thanks to the relations she has maintained with those states, serve as a link between them and the League. In the other hypothesis Switzerland would be in an equally difficult position whether or not she were a member of the League for if, after having adhered to the League of Nations Switzerland had to admit that the League is giving up its mission of pacification, Switzerland would be obliged to consider whether she could continue to be a member of the League. But the Federal Council are imbued with the hope that this situation which would be painful for Switzerland will not be realized.

It is clear that the foregoing passage is a direct appeal to those Swiss who by reason of their pro-German sentiments or because Germany and Austria are at present to be excluded from the League are opposed to the adherence of Switzerland to the League.

The Federal Council count on the fact that in the near future the League of Nations will become really universal. If this were not to be the case, the germs of dissolution would, sooner or later, develop within it. The independence of Switzerland would then be threatened not owing to the danger of a particular orientation of her policy but by the general insecurity which would be the inevitable result of the return of anarchy in international relations. In their concluding observations the Federal Council sum up as follows the question of whether or not Switzerland should adhere to the League:

The Swiss people cannot remain indifferent at a moment when the nations are called upon to create a new and better international organisation. If events prove the sceptics and the pessimists to be right, if the League of Nations should degenerate into a simple alliance of powers aiming at domination, or if it should one day recognise its impotence and disappear, those who at first had little confidence in the League would be able to sneer at the optimists. But what would the latter have lost? The hope of something better.

On the other hand let it be admitted that the organisation which Switzerland is called upon to enter develops with time into an universal confederation in conformity with the ideal sought. In what situation would the Swiss people find themselves if, owing to a narrow-mindedness, they had let slip the opportunity now offered to them to join a cause which is that of humanity, and the pursuit of which is in conformity with the principles which are at the base of the Swiss state?

I have forwarded a copy of this despatch to the Foreign Office.

I have, &c.,

HORACE RUMBOLD

## No. 80

*Mr. Robertson (The Hague) to Earl Curzon (Received August 23)*

*No. 226* [*119919/119919/18*]

THE HAGUE, *August 20, 1919*

My Lord,

I have the honour to report that it is announced in the press that the former Emperor of Germany has purchased the Estate of Huize Doorn at Doorn which belongs to the Labouchère family, and that he will shortly take up his residence there. It is also announced that the former Duke and Duchess of Brunswick have taken a house at The Hague which they will occupy in October, the Duchess of Brunswick having spent some weeks already at Scheveningen. I know of several other prominent Germans who propose to settle in The Hague, some of them having already arrived, and others who will do so in the near future. Official statistics, published weekly, show that there are over 40,000 Germans residing in Holland at the present moment.

The danger of Holland becoming a centre of German monarchical and militarist intrigue and a source of suspicion to the Allied Powers is, I believe, causing some uneasiness in Dutch circles generally.

I have, &c.,

ARNOLD ROBERTSON

## No. 81

*Record of a meeting in Paris of the Commission for the revision of the Treaties of 1839*

*No. 7* [*Confidential/General/177/9*]

*Procès-verbal No. 7. Séance du 20 août 1919*

La séance est ouverte à 10 heures sous la présidence de M. Laroche, *Président.*

*Sont présents:*

M. Fred K. Neilson (*États-Unis d'Amérique*); l'Hon. Charles Tufton et le Général H. O. Mance (*Empire britannique*); MM. Laroche et Tirman (*France*); M. Marchetti-Ferrante et le Professeur Dionisio Anzilotti (*Italie*); le Professeur K. Hayashi et le Colonel Nagai (*Japon*); MM. Segers et Orts (*Belgique*); le Jonkheer R. de Marees Van Swinderen et le Professeur A. Struycken (*Pays-Bas*).

*Assistent également à la séance:*

Le Lieutenant Kilpatrick (*États-Unis d'Amérique*); le Capitaine de vaisseau Fuller, le Lieut^t-Colonel Twiss et le Capitaine de frégate Macnamara (*Empire britannique*); le Capitaine de vaisseau Le Vavasseur, le Lieut^t-Colonel Réquin et M. de Saint-Quentin (*France*); le Capitaine de corvette Ruspoli et le Major Pergolani (*Italie*); M. Tani (*Japon*); MM. de Bassompierre et Hostie (*Belgique*); le Baron de Heeckeren (*Pays-Bas*).

LE PRÉSIDENT. La parole est à M. Van Swinderen pour faire l'exposé du point de vue hollandais.

*Exposé de*
*M. Van*
*Swinderen.*

M. VAN SWINDEREN (*Pays-Bas*). Messieurs, je voudrais commencer l'exposé que la Délégation néerlandaise va avoir l'honneur de développer devant vous au sujet de ses vues sur la révision des Traités de 1839, en récapitulant encore notre programme de travail, soit: formuler des propositions éventuelles qui n'incluent ni transfert de territoire, ni servitudes internationales et inviter les Gouvernements belge et néerlandais à trouver des formules communes pour les questions fluviales. Je voudrais également encore faire ressortir que notre Commission est née d'une initiative du Conseil des Ministres des Affaires étrangères[1] et ne tire son autorité que de ce Conseil-là et du fait que les Gouvernements néerlandais et belge se sont associés à cette résolution.

Je suis forcé de faire cette courte préface vu que la Délégation néerlandaise a le regret de ne pouvoir se rallier à l'opinion de M. Segers, à savoir que les conclusions proposées par lui ne dépasseraient pas les limites prescrites. Une grande partie de ce qu'il a proposé consiste en servitudes internationales que les Pays-Bas n'accepteront jamais, mais, en ce qui concerne le transfert de territoires, l'attitude que prend la Délégation belge ne saurait non plus nous satisfaire. Il est vrai que les conclusions ne contiennent plus un pareil transfert, mais les Pays-Bas sont justifiés à demander plus; il faut qu'ils puissent compter qu'à l'avenir également, le Gouvernement belge s'abstiendra de pareilles prétentions. Et pouvons-nous être rassurés à cet égard? Dans notre première séance, M. Segers a dit: 'Restent enfin les clauses territoriales visées par les premiers articles des Traités. Elles sont relatives au Luxembourg et au Limbourg; je n'en parle pas *en ce moment*. Ce sont des questions réservées. *Les portes demeurent entrebâillées.*'[2]

Le Gouvernement belge veut-il dire par ces mots qu'il se réserve d'y revenir ultérieurement? Si tel est le cas, il est à craindre qu'une pareille réserve, ouvertement prononcée, ne soit un obstacle sérieux à l'heureuse conclusion des délibérations de cette Commission. Il faut qu'une porte soit ouverte ou fermée. Le seul motif qui a amené le Gouvernement des Pays-Bas à participer à ces délibérations est son ferme désir de resserrer, dans les limites du possible, ses relations avec le peuple belge. Or, du moment que non seulement le peuple néerlandais est maintenu dans un état de nervosité continuelle par une forte campagne annexionniste de la presse belge, mais que de plus le Gouvernement belge manifeste son intention d'agir dans le même sens, après qu'une Convention aurait été conclue à l'issue de cette Conférence, les bonnes relations entre les deux peuples seront troublées pour tout de bon, et cela en dépit de tous les résultats obtenus ici et de toutes les concessions que le Gouvernement néerlandais sera prêt à faire. Le peuple néerlandais ne saurait vivre en bonne amitié aux côtés d'un peuple qui

---

[1] Cf. No. 39, note 1.        [2] See No. 39.

complote sans cesse une atteinte à ses droits souverains. Il se peut cependant que M. Segers n'ait pas voulu dire ce que je regrette d'avoir dû lire au sujet de ses paroles, dont le sens, lorsqu'il les a prononcées, m'avait échappé, je l'avoue: dans ce cas, j'espère qu'il voudra bien me rassurer; le profit qu'en tireront les délibérations ultérieures sera inappréciable. En tout cas, nous sommes forcés de déclarer de notre côté, que toutes les concessions que nous serons prêts à faire seront subordonnées à la condition qu'il soit renoncé à toute demande territoriale ultérieure.

Quant à l'organe dont notre Commission détient son autorité, j'attire l'attention sur le fait que les protocoles de nos réunions mentionnent à plusieurs reprises le Conseil suprême là où il ne devrait être question que du Conseil des Ministres des Affaires étrangères, que nous avons l'habitude d'appeler le Conseil des Cinq. Un exemple assez frappant de cette erreur se trouve à la première page de ces protocoles qui a été ajoutée par la suite; je signale également le fait qu'en haut de chaque protocole on voit imprimé: Conférence des Préliminaires de Paix. Nos réunions ne font pas partie de la Conférence de la Paix; nous sommes réunis ici comme représentants des États intéressés à la révision des Traités de 1839, et ce caractère doit être observé autant dans la forme que dans le fond.

Cela dit et constaté, nous pouvons aborder de suite notre thèse dans l'exposé de laquelle nous tiendrons compte naturellement des propositions contenues dans le rapport qui nous a été lu la semaine dernière par nos distingués collègues belges.[3]

LE PRÉSIDENT. Je reconnais qu'en effet il y a inexactitude matérielle à dire que la résolution qui a été prise l'a été par le Conseil Suprême. Ce qui explique cette erreur c'est que, depuis le départ de M. Lloyd George et du Président Wilson,[4] le Conseil Suprême s'est presque confondu avec le Conseil des Ministres des Affaires étrangères. D'autre part, comme le Conseil des Ministres des Affaires étrangères n'est lui-même qu'une Délégation du Conseil Suprême, cette erreur n'a pas en fait une très grande portée.

En ce qui concerne les mots 'Conférence des Préliminaires de Paix', il est évident que nous ne nous occupons pas ici des Préliminaires de paix. Cependant, nous sommes ici parce qu'il y a une Conférence, que cette Conférence a été saisie de la question et que la question elle-même dérive d'un rapport qui a été fait et adopté par la Commission des Affaires belges. Ce rapport était relatif à des points qui touchaient à la paix. Tous nos organismes, toutes les Délégations qui sont ici du côté allié, dérivent de la Conférence. Ce n'est pas en tant que Conférence des Préliminaires de paix qu'ils s'occupent de ces questions, mais c'est en tant que Conférence réunie à Paris pour la paix. Si vous le voulez, on pourrait faire cette distinction qui répondrait plus justement à l'état de choses que vous signalez. De plus, nos timbres étaient faits et nous ne pouvions pas les refaire. C'est un côté matériel de la question qu'il faut également considérer.

3 See Nos. 39, 47, 48, 53, 54, 58.
4 Mr. Lloyd George and President Wilson had left Paris after the signature of the Treaty of Versailles on June 28, 1919.

M. Van Swinderen (*Pays-Bas*). Je suis de votre avis qu'il vaut mieux éviter une discussion sur ce sujet. Seulement, j'ai voulu que cette observation figurât au procès-verbal, afin qu'on puisse connaître le point de vue du Gouvernement hollandais.

Le Président. C'est entendu: il n'y a aucun doute que vous n'êtes pas ici pour participer à une Conférence sur les Préliminaires de Paix, mais à une Conférence qui découle elle-même du fait qu'on s'est réuni à Paris, parce qu'il y a eu la guerre.

M. Van Swinderen. Nous nous ferons un devoir de formuler nos vues en des termes inspirés par l'idée élevée qui préside au travail qu'on a bien voulu nous confier: consolider l'harmonie entre les Nations belge et néerlandaise pour qu'elles puissent s'acquitter au mieux de la noble tâche que la Providence leur a assignée, en les plaçant à un endroit du globe où la Paix entre les peuples vers laquelle nous aspirons tous offre tant de risques d'être troublée; nous tâcherons de faire de plus en plus de nos deux peuples 'understanding souls', des âmes qui se comprennent, guidées par la vérité que tout comprendre, c'est tout pardonner. Messieurs les Délégués belges ont bien voulu nous assurer qu'ils sont inspirés des mêmes sentiments et M. Segers a dit notamment que faire un exposé complet de ses demandes était considéré par lui comme un devoir de bonne amitié vis-à-vis de ses voisins du Nord.

Je ne veux cependant pas vous dissimuler, Messieurs, que je ne puis me soustraire à l'impression très vive en moi que M. Segers a été moins heureux dans le choix des moyens quand, au lieu *Réfutation des* de se borner à nous démontrer ce que, à son avis, le Traité *critiques adressées* de 1839 avait de défectueux, il s'est laissé aller à mettre ici *au Gouvernement* le Gouvernement des Pays-Bas en posture d'accusé. Je *néerlandais par la* regrette que M. Segers, à ce propos, ne se soit pas inspiré des *Délégation belge.* pensées de S.E. M. Hymans qui, dans la séance du 20 mai, disait: 'Dans l'exposé que j'ai fait hier, je n'ai pas fait le procès du Gouvernement hollandais, mais celui du régime que nous ont imposé les Traités de 1839. Je n'ai pas reproché au Gouvernement hollandais d'user des droits que lui donnent ces Traités, mais j'ai dénoncé le Traité lui-même.'[5] Je crois pouvoir supposer qu'animé des bonnes intentions qu'il nous assure, le distingué Délégué belge se rendra compte que, s'il s'était abstenu de mettre le Gouvernement des Pays-Bas en cause, il aurait considérablement élevé le niveau de son exposé. Loin de s'en tenir à cela, M. Segers nous a développé sa thèse suivant laquelle le régime de 1839 déjà fort critiquable en lui-même avait eu pour la Belgique des conséquences doublement funestes par la manière dont le Gouvernement des Pays-Bas avait cru devoir l'appliquer. Et il l'a fait dans un acte d'accusation de longueur considérable, résumant les fautes des Pays-Bas et les incriminant ni plus ni moins que d'obstructionnisme, de passivité, de tergiversations et même de non-exécution des Traités et exposant ces méfaits devant l'aréopage des grandes Puissances représentées par les membres distingués qui siègent autour de cette table.

J'ai trop de confiance dans l'esprit éclairé de vous tous, Messieurs, pour

⁵ Cf. No. 39, note 4.

que je ne soie pas persuadé que vous avez tous senti que ce procédé que M. Hymans avait désapprouvé, n'est au fond pas tout à fait à sa place ici et fausse le caractère de nos travaux; outre cela, le caractère peu fondé de la plupart des plaintes saute aux yeux et je pourrais les passer sous silence, n'eût été le risque de compromettre la dignité de mon Gouvernement qui, je le répète, se trouve représenté pour coopérer ici à la révision des Traités de 1839, mais non comme accusé. Je veux cependant faire acte de déférence vis-à-vis de notre accusateur et prendre, par-ci, par-là, des points dans son réquisitoire pour vous prouver que ses assertions ne tiennent pas debout.

Je choisirai trois exemples:

*Premier exemple*: M. Segers accuse entre autres le Gouvernement néerlandais d'avoir donné, pour l'exécution du Traité de 1839 et plus particulièrement en ce qui concerne l'obligation concernant la conservation des passes, une interprétation complètement fausse du Traité, en limitant cette obligation à la conservation des passes existantes en 1839, se soustrayant ainsi à l'obligation de les modifier, à ses frais, pour les faire répondre aux besoins toujours croissants de la navigation. Et il ajoute que la Belgique, comme étant la plus faible, aurait accepté cette interprétation.

Cette représentation est absolument inexacte. L'interprétation étroite est la seule exacte et a toujours été reconnue comme telle du côté belge.

Ceci résulte directement des règlements basés sur le Traité de 1839.

L'article 3 du règlement provisoire du 23 octobre 1839 décrit la tâche de la Commission de surveillance commune en ce qui concerne la conservation des passes, mais il n'y est fait nulle mention de la surveillance de la profondeur des passes. Il n'y est question que de bouées et de balises. L'article 7 prescrit de faire le relevé de l'état des bouées et balises telles qu'elles existent à cette époque; cet article ne parle pas d'un relevé des profondeurs existant alors.

Il en est de même dans les règlements ultérieurs.

Aussi n'y a-t-il jamais eu d'experts de voies d'eau dans la Commission commune.

Quelle est la cause de cette interprétation restreinte?

Personne ne songeait en 1839 à des travaux d'approfondissement; la profondeur de l'Escaut était alors très grande par rapport au tirant d'eau des navires. M. Segers lui-même a dit le 5 août (page 80):[6] 'Le Traité de 1839 impose à chaque pays la conservation des passes navigables. Pourquoi n'a-t-il pas été au delà? Parce que ces passes, telles qu'elles étaient et se comportaient en 1839, suffisaient évidemment aux besoins des navires de toute espèce. Elles étaient jugées suffisantes, non seulement au passage des navires qui existaient en 1839, mais aux plus grands navires dont on pouvait alors prévoir la construction dans l'avenir'.

Que telle ait toujours été, et jusque dans les temps les plus rapprochés, l'interprétation du Gouvernement belge, deux citations vous le prouveront:

1° Le 2 octobre 1893, le Baron Guillaume, ministre de Belgique à La Haye, écrivit au Ministre des Affaires étrangères des Pays-Bas, M. Van Tienhoven, pour demander la coopération du Gouvernement néerlandais

[6] pp. 129–30.

en vue du dragage du seuil du Zuidergat: 'La dépense à résulter de ces travaux incombera à la Belgique; la passe du Zuidergat a été conservée, en effet, à la profondeur qu'elle avait à l'époque du Traité de 1839 et il s'agit d'un travail d'amélioration rendu nécessaire par les besoins croissants de la navigation maritime.'

2° M. Hymans a dit dans son discours du 20 mai 1919: 'D'autre part, le Traité de 1839 n'a prévu que la conservation des passes et n'a pas envisagé d'améliorations, d'agrandissements et de rectifications. . .[7] Nous sommes donc exposés dans l'avenir à de graves dangers, car la Hollande, se basant sur les Traités de 1839, peut refuser ces travaux, afin de ne pas laisser concurrencer Rotterdam'.[5]

Je crois que ces deux citations ne nous laissent plus de doute sur les vues du Gouvernement belge.

*Deuxième exemple.* La largeur du canal Gand–Terneuzen est de 97 mètres sur le territoire belge et de 67 mètres sur le territoire néerlandais, donc beaucoup plus étroite. M. Segers dit, relativement à cette différence: 'Je ne recherche pas les causes de cette diversité dans les différents chiffres que je viens de citer: je constate simplement.' Je crois que cette manière d'argumenter est peu conforme à la loyauté que M. Segers avait promise. Car il est évident que M. Segers cite ces détails pour les représenter comme un grief contre les Pays-Bas et créer cette atmosphère de méfiance contre la Hollande qu'il croit profitable à sa cause. Qu'il ait évité ensuite de nous en faire connaître les causes s'explique par le fait que la différence de largeur est due entièrement aux Belges qui, eux-mêmes, n'ont pas voulu de plus grande largeur.

La largeur n'a jamais été déterminée autrement que de plein concert entre les deux pays. En ce qui concerne l'écluse à Sas de Terneuzen, on a même insisté, du côté néerlandais, lors des négociations, pour prendre des dimensions aussi larges que possible, parce qu'en les faisant plus restreintes, la nécessité de construire une écluse plus grande apparaîtrait plus vite.

Au début, jusqu'en 1901, on avait adopté, tant pour la partie néerlandaise que pour la partie belge, un profil de 350 mètres carrés avec une largeur de fond de 20 mètres sur la partie néerlandaise et 19 m. 50 sur la partie belge, et une largeur de niveau respectivement de 67 mètres et de 67 m. 50.

A la fin de 1901, lorsque les travaux étaient déjà en voie d'exécution, la Belgique proposa de donner un profil plus étendu au canal et d'agrandir les dimensions des travaux d'art. Il fut donné suite à cette proposition par la Convention de 1902, où il fut stipulé que le profil du canal aux Pays-Bas aurait une moyenne de 420 mètres carrés et que la largeur de fond serait de 24 mètres. Plus tard, on donna au canal en Belgique une largeur de fond de 50 mètres; pour la partie néerlandaise, il n'en fut jamais question. Apparemment, le profil en Belgique a pu être élargi parce que les travaux en Belgique n'étaient en ce temps probablement pas encore tellement avancés qu'une modification importante des dimensions eût rencontré des obstacles sérieux.

[7] Punctuation as in original extract.

La différence dans la vitesse maximum est en rapport avec la différence de largeur. La Belgique n'a jamais fait aucune objection contre le règlement néerlandais.

*Troisième exemple.* — Retards dans le canal Liége–Maëstricht dus à des formalités de la douane néerlandaise.

M. Segers dit que le trajet à travers notre pays dure généralement huit jours et que, fin mai, environ 110 navires se trouvaient arrêtés devant la douane néerlandaise.

Qu'il y ait du retard ici, cela va de soi. Il va également de soi que durant la guerre et encore à présent, par suite des prohibitions de sortie, la situation est pire qu'en temps normal. Y a-t-il un pays au monde où les formalités douanières ne causent pas de retard?

Vous verrez du reste que les fautes et omissions sont dues aux Belges eux-mêmes.

Il s'agit ici de transit; c'est pourquoi, en règle générale, la mise sous scellés est requise. Depuis, on y a renoncé en ce qui concerne les bateaux de bois. Même les chargements sur le pont des navires peuvent être mis sous scellés. Lorsque les bateaux sont organisés en vue de la mise sous scellés, le retard ne dépasse pas de 20 à 60 minutes. Les entrées et sorties des navires se font également le dimanche.

Pourquoi alors arrive-t-il parfois que des bateaux soient obligés de s'arrêter plus longtemps? C'est, ou bien parce qu'ils se refusent à s'organiser de façon à pouvoir être mis sous scellés, ou bien parce qu'ils ne sont pas encore en possession d'un permis de sortie du Gouvernement belge. Le 30 juillet dernier, pas moins de quarante bateaux attendaient ce permis, quelques-uns depuis plus de huit jours.

De même, il arrive fréquemment que des bateaux soient obligés de s'arrêter entre Maëstricht et Smeermaes (Belgique), parce que, à ce dernier endroit, on doit attendre trop longtemps. De plus, les bateliers sont obligés d'attendre à Maëstricht le visa des passeports par le Consulat de Belgique.

Un examen des archives à partir de 1900 n'a pas permis de trouver trace d'une seule plainte. Jusqu'en 1914, il n'y en a jamais eu.

Il ne me serait guère difficile de réfuter l'une après l'autre les accusations que M. Segers a jugé à propos de prononcer et qui sont toutes basées sur des données inexactes. Je me bornerai à constater qu'il est inexact:

que les Pays-Bas dressent les cahiers des charges pour les travaux à entreprendre sur l'Escaut et le canal Gand–Terneuzen aux frais de la Belgique sans consultation préalable du Gouvernement belge;

que les Pays-Bas seraient obligés, en vertu du Traité, de payer tous les feux sur la partie néerlandaise de l'Escaut;

que les Pays-Bas établissent les règlements de navigation sans consulter le Gouvernement belge;

que la Belgique paye les bouées sur l'Escaut néerlandais;

que le délai d'exécution des travaux de dragage soit imputable à l'Administration néerlandaise;

que l'écoulement défectueux des eaux des Flandres — à propos duquel jamais une plainte n'est parvenue au Gouvernement néerlandais — serait causé par les travaux d'art néerlandais;

que l'échouage d'un navire américain dans le port de Terneuzen aurait été causé par la négligence des autorités néerlandaises, etc., etc.

Nous sommes en Hollande loin de vouloir prétendre que notre Administration est parfaite — du reste une Administration parfaite constituerait une contradiction *in adjectis* — mais il faut que je proteste contre l'insinuation, faite de [? du] côté belge, que l'Administration néerlandaise aurait nui, en tout ce qui concerne l'exécution des Traités de 1839, aux intérêts belges, soit intentionnellement, soit par négligence.

Un conflit sérieux concernant le régime de l'Escaut ne s'est produit qu'une seule fois à propos du barrage de l'Escaut oriental et l'exposé que je me permettrai de vous en faire vous prouvera que le tort n'était pas du côté néerlandais.

*Barrage de l'Escaut oriental.* — Ainsi que M. Segers l'a exposé, les Pays-Bas étaient obligés, en vertu de l'article 9 du Traité de 1839, lorsque les voies de communication entre l'Escaut et le Rhin deviendraient impraticables par suite d'événements naturels ou de travaux d'art, d'indiquer d'autres voies aussi sûres et aussi bonnes et commodes en remplacement.

Il existait en 1839 deux de ces voies de communication, l'une par le Sloe entre Walcheren et le Beveland méridional, et l'autre par l'Escaut oriental.

Le Gouvernement néerlandais décida de barrer ces deux voies dans l'intérêt de la construction d'une ligne ferrée vers Flessingue. Il était entièrement autorisé à agir de la sorte, à condition de faire le nécessaire pour assurer d'autres voies de communication aussi sûres et bonnes. C'est pourquoi, il s'est résolu à construire un canal à travers le Beveland méridional. Le Gouvernement belge protesta énergiquement contre cette mesure et fit demander l'avis de divers experts. Je n'entrerai pas dans les détails de cette question. Le Gouvernement néerlandais a persisté dans son opinion, à savoir que la solution qu'il avait proposée était non seulement conforme aux stipulations de l'article 9 du Traité, mais réaliserait même une voie de communication bien meilleure que la voie existante; il a fait exécuter les travaux, qui furent achevés en 1867.

Que dit maintenant M. Segers? La nouvelle voie de communication serait beaucoup moins bonne que l'ancienne et les Pays-Bas n'auraient donc pas exécuté l'obligation qui leur incombe en vertu du Traité, ce qui causerait un dommage sérieux à la navigation belge. Cela est inexact et M. Segers est-il loyal en s'efforçant de mener campagne ainsi contre les Pays-Bas?

Je n'entre pas dans les détails des obstacles multiples et sérieux que présentait pour la navigation l'ancienne voie de communication; je demande seulement votre attention sur les faits suivants:

1º Le 15 octobre 1866, le canal du Beveland méridional fut ouvert à la navigation, alors que l'ancienne passe était encore ouverte, de sorte que les bateliers étaient entièrement libres de choisir leur voie. Ceci dura jusqu'au 1er mars 1867. Eh bien, pendant ce temps, 4,783 navires avec un tonnage de 293,827 tonnes, ont passé par le canal, tandis qu'il n'est passé que 1,058 navires avec un tonnage de 74,253 tonnes par le Kreekrak, l'ancienne voie de navigation;

2° Le Baron Guillaume, une des plus grandes autorités belges en matière de droit relatif à l'Escaut, écrit dans son œuvre: *L'Escaut depuis 1830* (1902, tome II, p. 80): 'Trente-cinq ans se sont écoulés depuis la conclusion des travaux de barrage. Il est aujourd'hui loyal de reconnaître que nos craintes ne se sont pas réalisées quant à la navigabilité de l'Escaut maritime. Si quelques modifications ont été constatées dans le lit du fleuve, elles ne sont pas dommageables, elles pourraient d'ailleurs résulter à la rigueur d'autres faits que de celui de l'interruption de la navigation sur l'Escaut oriental et le Sloe. Quelques ingénieurs soutiennent même que les travaux terminés en 1867 eurent une influence bienfaisante sur certaines passes de notre grand fleuve. La question n'a plus donné lieu d'ailleurs entre les deux Gouvernements, qu'à des correspondances d'un caractère purement administratif, sur lesquelles nous jugeons superflu d'insister.'

Il trouve que pour l'avenir le canal n'est pas assez large, mais qu'il 'a suffi jusqu'ici aux besoins de la navigation'.

3° Le 27 mars 1914, le Baron Fallon écrit, au nom du Gouvernement de Belgique, à notre Ministre des Affaires étrangères pour l'entretenir des améliorations qu'il y aurait lieu d'apporter au canal en vue du développement de trafic auquel il fallait s'attendre: 'On peut dire, en effet, que le canal modernisé et débarrassé des dernières entraves qu'il présente à la navigation sera la voie d'intérieur la meilleure et la plus économique parmi celles que l'on pourrait projeter entre les ports néerlandais, belges et rhénans.'

Ces faits ne suffisent-ils pas à démontrer que le Gouvernement néerlandais en 1867, bien loin d'entraver la navigation belge, prit au contraire une mesure des plus favorables à cette navigation? Et convient-il à M. Segers d'en tirer des conclusions tendant à prouver combien le Gouvernement néerlandais néglige de tenir compte des intérêts de la Belgique? Certes, le canal est loin d'être parfaitement en rapport avec les exigences actuelles de la navigation; différents travaux sont encore envisagés; quelques-uns ont déjà été exécutés; l'exécution de quelques autres a été différée par suite de la guerre, mais, dans un temps assez peu éloigné, ceux-ci aussi seront achevés. Peut-être qu'alors aussi le Gouvernement belge donnera la préférence à une voie de communication entièrement nouvelle entre Anvers et le Moerdyk, sur laquelle je reviendrai tout à l'heure. Mais je récuse M. Segers lorsqu'il ose arguer encore du barrage de l'Escaut oriental dans son acte d'accusation contre le Gouvernement néerlandais.

Ce que je viens d'exposer au sujet des griefs administratifs, Messieurs, s'applique dans la même mesure aux reproches que la Délégation belge croit pouvoir nous faire dans le domaine de la politique. M. Segers a parlé dans son rapport de 'faiblesse', M. Orts de 'défaillances' dans nos relations avec l'Allemagne. Là aussi, autant en ce qui concerne le Limbourg que l'Escaut, le Gouvernement des Pays-Bas ne s'est jamais écarté de la ligne droite que lui prescrivait sa neutralité. Nous nous refusons pour cette raison d'entendre parler ici de la question du sable et du gravier, de nos exportations vers l'Allemagne, de la station de télégraphie sans fil à Baerle-Duc, du passage de troupes allemandes par le Limbourg en 1918, etc.

Les règles du droit de neutralité ne sont pas si précises qu'une différence d'opinion doive être exclue sur ce qu'elles exigent, *in concreto*, surtout lorsqu'il s'agit d'une guerre comme la dernière et pour un pays de situation géographique si spéciale que les Pays-Bas, mais ce que nous ne pouvons admettre, c'est que la Délégation belge vienne ici faire un exposé dont la tendance apparente est de suggérer à son auditoire que le Gouvernement des Pays-Bas ne se serait pas toujours efforcé, de bonne foi, d'observer aussi strictement que possible ses devoirs de neutralité. La ligne de conduite correcte que le Gouvernement néerlandais a suivie durant la guerre a souvent causé de sérieux préjudices à sa propre population, qu'il a même eu peine à sauver de la famine.

Elle lui a valu des reproches des deux parties belligérantes, mais cela ne l'a guère empêché de persévérer jusqu'au bout dans son attitude.

Comme les reproches faits par la Délégation belge au Gouvernement des Pays-Bas concernent également l'attitude prise par ce dernier au commencement de la guerre à l'égard de l'Escaut et des Wielingen, je me permets de signaler à votre attention la lettre de M. Davignon[8] au Ministre de Belgique à La Haye du 12 août 1914 et dont ce dernier a bien voulu donner copie au Ministère des Affaires étrangères à La Haye.

Voici cette lettre:

*Bruxelles, le 12 août 1914*

Légation de Belgique

Monsieur le Baron,

Les mesures que le Gouvernement des Pays-Bas a arrêtées après nous les avoir communiquées au préalable pour défendre la neutralité de la partie néerlandaise de l'Escaut occidental et son embouchure, peuvent se résumer comme suit:

Le balisage de guerre a été établi et des mines ont été placées. La navigation commerciale est assurée dès l'aube et tant qu'il fait clair par les pilotes hollandais exclusivement depuis la mer jusqu'à Hansweert, par des pilotes belges exclusivement depuis Hansweert jusqu'à la frontière belge et à Anvers.

Ces mesures constituent des dérogations au régime établi par les Traités de 1839 et de 1843, mais elles sont justifiées en temps de guerre par le droit de conservation des Pays-Bas et par le devoir du Gouvernement néerlandais de faire respecter la neutralité du Royaume. Il va de soi qu'elles revêtent un caractère essentiellement temporaire et qu'elles seront supprimées aussitôt que les circonstances qui les auront motivées auront cessé d'exister.

Ainsi que vous l'avez dit à M. le Ministre des Affaires étrangères des Pays-Bas, les questions relatives à l'inévitable préjudice causé au pilotage belge par le fait du régime de guerre seront examinées plus tard.

[8] Belgian Minister for Foreign Affairs in 1914.

Je ne doute pas que le Gouvernement des Pays-Bas se montre disposé à examiner avec bienveillance la possibilité de trouver un correctif à la situation actuelle à cet égard.

En ce qui concerne la partie de la passe de Wielingen qui se trouve, soit dans la mer littorale belge, soit en face de cette mer, nous n'avons pu consentir, vu les nécessités de la navigation sur notre côte, à enlever les bateaux-phares *Wielingen* et *Wandelaar*, et le Gouvernement de la Reine a bien voulu rétablir les bouées qu'il avait déjà fait enlever dans les parages de ces bateaux-feu.

Enfin l'assurance nous a été donnée que la navigation était parfaitement sûre dans toute notre mer littorale et que le danger résultant de la présence de mines à l'embouchure de l'Escaut ne pourrait commencer à exister qu'à partir d'une ligne droite tirée de notre extrême frontière zélandaise vers la mer du Nord.

Je suis heureux de constater que le règlement de toutes ces questions s'est fait dans un esprit de parfaite entente entre les Gouvernements intéressés. J'y ai vu la preuve des sentiments d'amitié pour la Belgique qui vous ont été exprimés plusieurs fois par M. le Ministre des Affaires étrangères depuis le commencement de la crise que nous traversons. C'est pourquoi je vous ai prié d'offrir nos sincères remerciements au Gouvernement néerlandais. Je vous prie de les lui réitérer. Vous voudrez bien donner lecture de la présente dépêche à M. le Jonkheer Loudon et en laisser copie à Son Excellence si Elle en exprime le désir.

Signé: J. Davignon

En vérité un son de cloche, Messieurs, dont nous chercherions en vain l'écho dans les philippiques si déplacées de MM. Segers et Orts.

Dans ce qui précède, je me suis borné à protester contre le procédé de la Délégation belge qui consiste à accabler ici de reproches le Gouvernement des Pays-Bas à propos de la manière dont il aurait appliqué le régime incriminé des Traités de 1839; reste maintenant à examiner d'un peu près le régime même.

Messieurs, à entendre les distingués Délégués belges, on aurait de la peine à croire qu'ils sont les représentants d'un des pays les plus prospères du globe, petit de superficie, mais grand par le rang qu'il occupe parmi les centres industriels et commerçants du monde entier. Je fais naturellement abstraction des conditions anormales, hélas, dans lesquelles ce pays se trouve temporairement placé, par suite de la lutte sanglante, mais Dieu soit loué, et je le dis de tout mon cœur, de la lutte glorieuse qu'il a dû et pu soutenir durant quatre ans contre un ennemi formidable. Du reste, la Délégation belge même ne fait entrer la guerre pour rien dans le tableau si sombre qu'elle nous trace de son beau pays. Ce n'est pas depuis 1914 que Bruges aurait pour ainsi dire perdu toute activité, que Gand serait entravée dans son élan commercial et qu'Anvers reculerait de plus en plus pour tomber bientôt au niveau d'un port de second ordre. Ce n'est pas non plus depuis 1914 que la Belgique, pays sans accès à la mer comme aiment à nous le faire entendre ses Délégués, et cela bien qu'Ostende se glorifie d'être la 'Reine des Plages', doit être rangée dans la catégorie des Pays comme la Suisse, la Tchéco-slovaquie ou la Bolivie.

Non, c'est le 'régime' de l'Escaut qui est responsable de cette catastrophe nationale, cet Escaut qui, par les droits de la nature même, devrait, selon les savants orateurs, constituer la frontière entre la Belgique et les Pays-Bas. Comme si les frontières des pays pouvaient être tracées d'après des principes rigides dans les cabinets des diplomates et si elles n'étaient pas au contraire le produit de l'histoire et du développement du droit positif! Nous trouvons des lignes capricieuses et arbitraires partout. Les Belges parlent de l'enclave de Maëstricht, mais la frontière entière entre nos deux pays ne se compose que de pareilles enclaves. En apparence, toute frontière peut être irrationnelle, car l'histoire et le droit imposent leur raison propre.

Et il en est ainsi pour les frontières actuelles de la Hollande, tout comme partout ailleurs. Elles comprennent l'ancien territoire indépendant, le patrimoine du peuple néerlandais, qui l'a gagné par ses propres forces et dans ce patrimoine sont inclus la Flandre zélandaise tout autant que le Limbourg. Le peuple belge s'est battu pour son indépendance et la liberté de l'Europe et la Hollande salue ces actes avec une juste admiration. Mais le peuple hollandais n'a pas fait moins, Messieurs; il a dû gagner son indépendance au prix de son sang dans des luttes dont vous connaissez tous la ténacité et l'endurance; que sous ce rapport le peuple néerlandais n'ait pas de meilleur titre que le peuple belge, soit, mais il est en tous cas son doyen. Et ce sont ces droits que les Puissances ont scrupuleusement voulu respecter en 1830–1839 en se refusant d'en disposer de force en faveur du nouvel État qui allait être formé.

La Délégation belge a parlé plusieurs fois d'un Limbourg 'cédé', d'une 'rétrocession' de la Flandre zélandaise, etc. Elle aurait dû s'abstenir, selon nous, de pareilles expressions trompeuses. Ni la Flandre zélandaise, ni le Limbourg n'ont jamais fait partie en droit de la Belgique, ni des ci-devant Pays-Bas autrichiens. M. Orts fait erreur quand il se figure que la Flandre zélandaise n'était pas encore retournée le 30 mai 1814 aux Pays-Bas; le 14 février 1814, la souveraineté néerlandaise y fut proclamée, le 18 février la garnison française de Sas de Gand se rendit, et les dernières troupes françaises quittèrent le pays le 5 mai. Veut-on que je prouve jusqu'à quel point l'âme de la population en ces jours fut néerlandaise, tout autant qu'en 1830 et de nos jours, malgré la proximité du territoire de la Flandre belge, je n'aurais qu'à citer M. Raepsaet, membre belge de la Commission chargée en 1815 d'élaborer un projet de Constitution pour le Royaume-Uni. Il nous dit que les membres belges s'abstinrent de voter un projet tendant à rattacher la Flandre zélandaise à la province de Flandre au lieu de la province de Zélande pour le motif qu'ils pourraient être désavoués par les habitants. Et quant au Limbourg, une petite partie seulement de cette province actuelle faisait partie des Pays-Bas autrichiens et c'est cette partie que la Belgique a cédée en 1839 en échange d'une partie du Luxembourg qui revenait au roi Guillaume I<sup>er</sup> en compensation des pays de Nassau qu'il avait cédés. Je suis d'accord avec ceux qui disent que de pareils échanges de territoires ne répondent pas aux conceptions modernes de notre époque. Il faut cependant juger les faits d'après l'époque à laquelle ils se sont passés. Mais c'est exactement en raison de cette conception moderne qui n'admet pas qu'on dispose d'un territoire contrairement à la conviction du peuple qui l'habite, que les Pays-Bas se sont opposés dès le commencement par un *non possumus* inébranlable à toute tentative de leur arracher une partie quelconque de leur territoire, même si on leur offrait, en échange, aux dépens de l'Allemagne, un accroissement de territoire ailleurs, car nous savons que notre population entière se sent néerlandaise d'une façon si intense et si convaincue qu'elle ne voudrait passer pour rien au monde à un autre Etat.

C'est pour cette raison aussi que le plaidoyer pathétique de M. Orts en faveur de la population de Limbourg en 1839 n'a pas fait sur nous la moindre impression, parce qu'il ne s'agit pas du peuple limbourgeois de 1839, mais de celui de 1919, qui se sent néerlandais en chair et en os et manifeste ses sentiments de jour en jour de la manière la plus imposante. Voilà les raisons aussi, Messieurs, pour lesquelles le peuple néerlandais se sent de plus en plus irrité de ce que, malgré que les Pays-Bas aient déclaré qu'ils ne veulent pas entendre parler d'une cession de territoire, malgré que les Puissances aient endossé cette déclaration de la manière la plus formelle, une campagne annexionniste obstinée est néanmoins conduite en Belgique par une partie de la presse et par d'autres organes de l'opinion publique, comme si de rien n'était. C'est la raison aussi, Messieurs, pour laquelle nous avons été peinés du fait que M. Seger[s] ait déclaré lors de notre première réunion, que, quoique la Délégation belge ne demandât pas de cession de territoire, elle tenait néanmoins la porte entrebâillée dans ce but. De cette manière-là, Messieurs, nous n'atteindrons jamais au but que cette conférence se propose, le rétablissement de la confiance réciproque, de l'amitié entre les deux peuples si étroitement liés.

Et les considérations qui s'appliquent au domaine terrestre valent également pour le domaine fluvial.

Un coup d'œil sur la carte de notre pays et surtout un regard rétrospectif dans le passé, vous prouvera la vérité de la légende géographique, que Dieu a créé le monde entier à l'exception de la Hollande qui s'est créée elle-même. Les Néerlandais ont su cultiver ces deltas d'embouchures, arrachés graduellement à la mer, au point d'en faire ce que j'ai entendu décrire une fois en Amérique comme 'les jardins de Neptune'. Ce jardin, Messieurs, se compose de plates-bandes, de lacs et d'étangs, formant un tout un et indissoluble; en céder la plus petite parcelle au profit de la navigation des pays voisins mettrait notre raison d'être nationale en jeu; ce serait un premier pas sur une pente funeste qui entraînerait trop facilement à une décomposition de l'ensemble. Les flaques d'eau sont pour un pays comme le nôtre aussi importantes que la terre ferme et la prétention suivant laquelle le pays riverain de la partie supérieure d'un fleuve pourrait faire valoir des droits de souveraineté ou de quasi-souveraineté sur les parties inférieures est inadmissible. Aujourd'hui, ce serait la Belgique qui réclamerait l'Escaut, demain l'Allemagne en ferait autant pour le Rhin et ce serait fini, absolument fini, de l'indépendance souveraine de notre pays. Les intérêts de ces régions situées en amont du fleuve sont garanties par le droit fluvial international tel qu'il s'est développé depuis plus d'un siècle. Si ce droit a besoin d'être élargi en vue de conditions spéciales entre la Belgique et les Pays-Bas, soit, pourvu que soit maintenu le principe que chacun garde la souveraineté sur son territoire et que, par conséquent, la Belgique ne doit pas s'emparer de droits souverains néerlandais sur des eaux néerlandaises sous prétexte des intérêts de sa navigation.

Et, Messieurs, en toute conscience, peut-on dire et à plus forte raison encore contester, en fait, que ces règles du droit international fluvial, amendées encore comme elles l'ont été par les Traités de 1839 en faveur de la Belgique, aient empêché le commerce et l'industrie belges de prendre cet essor qui de nos jours lui donne de si justes titres à notre admiration? Le sort de Bruges, que l'éloquent orateur M. Segers nous décrivait comme ayant été autrefois la Venise du Nord, n'a-t-il pas été partagé par sa marraine même qui, tout attrayante qu'elle soit restée jusqu'à nos jours, n'est certes plus la puissante métropole de la Méditerranée qu'elle fut du temps des doges, comme sa rivale Gênes?

N'est-ce pas le sort de tant d'autres ports et centres commerciaux d'être victimes des vicissitudes des relations commerciales et n'avons-nous pas dans notre propre pays toute une série de villes jadis florissantes et qui doivent à la plume d'un auteur français, cet élégant écrivain Henri Havard, le surnom actuel de 'villes mortes du Zuiderzee'? M. Segers se plaît à mettre la décadence des villes flamandes sur le compte de la politique systématique d'oppression des provinces du Nord; je serai le dernier à nier que cette politique y a été pour quelque chose, quoiqu'il ne faille pas oublier non plus la rivalité existante entre les villes flamandes elles-mêmes et que prouve l'existence à côté de Bruges de la ville de Gand, que notre collègue belge nous décrit si justement comme 'la ville importante comptant 200,000 habitants'. Mais là où je ne pourrai suivre les Délégués belges, c'est dans les causes qu'ils croient pouvoir en inférer en nous faisant croire que cette rivalité historique du Nord et du Sud se perpétuerait de nos jours, facilitée par le régime des Traités de 1839. Là, Messieurs, je crois que M. Segers commet une erreur indiscutable. La politique économique des Pays-Bas, de nos jours, est la plus libérale du monde. Le libre échange, l'encouragement des communications internationales et du commerce d'échange en sont les principes, et la prospérité énorme d'Anvers qui jusqu'en 1914, donc après 75 ans de souffrance sous le régime incriminé, devançait encore Rotterdam, en est bien la preuve éclatante. Le mercantilisme des siècles passés qui ne poursuivait que la prospérité du pays au détriment des pays environnants a fini d'exister en Hollande tout autant qu'ailleurs et ne renaîtra plus. Nous sommes convaincus, au contraire, que la prospérité de la Belgique constitue la meilleure garantie pour la prospérité de la Hollande.

Aussi suis-je heureux de constater que parmi les exemples que M. Segers nous a cités pour faire ressortir les entraves à la navigation de l'Escaut — exemples qui, comme je me suis permis de le démontrer déjà, ne sont pas

243

justes — il n'y en a pas un seul qui prouve une politique économique néerlandaise dirigée systématiquement contre la Belgique; ce ne sont que des symptômes de cette maladie administrative cosmopolite et internationale qu'on a l'habitude d'illustrer par un petit ruban rouge, dit le *red tape*. Permettez-moi de souligner à ce propos encore le fait que le canal d'Anvers au Rhin, que l'on aime à regarder en Belgique comme fatal dans l'avenir pour Rotterdam, pronostic qui trouve des partisans en Hollande aussi, fut néanmoins recommandé au Parlement néerlandais, dans les termes que vous connaissez, par mon regretté ami le Ministre Regout.

En ce qui concerne les aperçus pessimistes que la Délégation belge a cru devoir nous faire entendre à propos des obstacles apportés au développement commercial d'Anvers par le régime de 1839, je m'abstiendrai de vous énumérer ici les statistiques qui pourraient en tout cas prouver ce qu'il y a de peu fondé dans ce pessimisme. Je veux me borner à vous citer ici les paroles suivantes d'un rapport de la Chambre de Commerce d'Anvers pour l'année 1911: 'La Hollande continue ses relations cordiales et mutuellement favorables avec nous', et dans une autre publication officielle belge: *Le tableau général du commerce de la Belgique avec les pays étrangers*, publication du Ministère des Finances, nous lisons: 'La distance d'Anvers à la mer est de 88 kilomètres; à 18 kilomètres de la ville, l'Escaut offre l'aspect d'un bras de mer. Les navires du plus fort tonnage le remontent sans difficultés jusqu'aux quais d'Anvers où ils peuvent accoster sans alléger.'

Ai-je eu raison, Messieurs, de dire qu'en traçant le sombre tableau du présent et de l'avenir de la Belgique, les Délégués belges ont pris sur leur palette des couleurs peu aptes à reproduire une image fidèle de la réalité? Aussi, quand je les entends parler de leurs villes mortes ou agonisantes, de leur commerce et de leur industrie perpétuellement menacées d'une fin proche, toujours victimes en cela de ce bourreau néerlandais, l'Escaut, je ne puis me retenir de leur adresser les paroles du poète: 'Les gens que vous tuez se portent assez bien.'

*La révision des Traités de 1839. Le régime du Port d'Anvers.*

Mais, non contente du 'bien', la Belgique désire encore le 'mieux' et demande à cet effet la révision des Traités de 1839. Parmi les motifs invoqués par elle dans ce but, il y en a deux dont une juste appréciation m'échappe et dont la Belgique est le meilleur juge elle-même: la neutralité et la clause concernant le port d'Anvers. La dernière est une clause introduite en 1814 par les Puissances et conservée à leur demande dans le Traité de 1839. Si ces Puissances ne s'opposent pas à sa suppression, celle-ci ne rencontrera certes aucune objection de notre part.

*La neutralité perpétuelle de la Belgique.*

Pour la neutralité également, comme du reste M. Van Karnebeek l'avait déjà dit, la Hollande n'a aucune objection à formuler. Ce n'est pas à nous d'en faire ressortir le pour et le contre. Elle fut créée dans le temps également dans l'intérêt des Pays-Bas, mais si la Belgique désire en être libérée, nous n'aurions aucun motif de nous y opposer. On est cependant enclin à déduire de la suppression de la neutralité une conséquence contre laquelle il est de notre devoir de protester énergiquement: que la suppression de la neutralité soit un avantage ou un désavantage pour la Belgique, on ne devra jamais en déduire des conséquences au détriment des Pays-Bas.

A ce propos, qu'il me soit permis de dire que c'est une grande erreur de vouloir représenter la neutralité garantie comme une espèce de compensation pour d'autres droits qu'on retenait à la Belgique. Les grandes Puissances, tout en favorisant les désirs séparatistes de la Belgique, ont cependant, dès le premier jour, admis en principe que la ci-devant République des Provinces-Unies des Pays-Bas resterait intacte et n'aurait à subir aucun sacrifice territorial en vue de garantir l'indépendance du nouvel État. La Conférence de Londres n'hésita pas à flétrir, dans les termes les plus sévères, la demande avancée par les Belges d'un agrandissement de leur territoire au détriment de l'État souverain du Nord. Je cite, des Protocoles de la Conférence, les passages suivants, qui vraiment restent pleins d'actualité:

> Il était à prévoir que la première ardeur d'une indépendance naissante tendrait à franchir les justes bornes des Traités et des obligations qui en dérivent. . . .[7]

> Assurément, les Cours ne sortaient ni des bornes de la justice et de l'équité, ni des règles d'une saine politique lorsque, en adoptant impartialement les limites qui séparaient la Belgique de la Hollande avant leur réunion, elles ne refusaient aux Belges que le pouvoir d'envahir: ce pouvoir, elles l'ont rejeté, parce qu'elles le considèrent comme subversif de la paix et de l'ordre social. . . .[7]

> Du reste, tout ce que la Belgique pouvait désirer, elle l'a obtenu: séparation d'avec la Hollande, indépendance, sûreté extérieure, garantie de son territoire et de sa neutralité, libre navigation des fleuves qui lui servent de débouchés et paisible jouissance de ses libertés nationales. Tels sont les arrangements auxquels la protestation belge oppose le dessein, publiquement avoué, de ne respecter ni les possessions, ni les droits des États limitrophes.

Et Lord Ponsonby ajoutait à cette réprimande énergique:

> Pas un pouce de terrain hollandais ne sera laissé à la Belgique, à moins qu'elle n'ait vaincu l'Europe.

En relisant Descamps, ce savant auteur belge, dont le livre *La neutralité de la Belgique* fait autorité dans la matière, vous trouverez clairement confirmé que personne à la Conférence ne songeait à faire un rapprochement entre la neutralité et la question territoriale; nous lisons dans le livre mentionné: 'la neutralité ne fut pas la pierre d'achoppement dans la discussion; admise assez promptement par les Puissances au cours des discussions, elle est plutôt restée à l'arrière-plan, pendant que se débattaient bruyamment, autour du tapis vert, les questions territoriales, financières et commerciales soulevées par la séparation des deux pays.'

Les paroles de Lord Ponsonby citées plus haut montrent, Messieurs, que ce n'était nullement la Prusse seule, comme aime à nous le faire croire

M. Orts, qui contrecarrait les exigences belges. J'ose dire même que tout ce que M. Orts allègue au sujet des influences prussiennes dans les années 1830–1839, dans le but de maintenir la Belgique faible et d'étendre l'influence allemande jusqu'à la Meuse, est dénué de toute base historique. La Prusse ne s'est certainement pas montrée hostile à la Belgique à la Conférence de Londres; une faute d'impression dans les mémoires de Talleyrand, où on lit: 'Prussiens' au lieu de 'Puissances', a donné naissance à certaines fables que tout historien sérieux récusera. Du reste, en entendant M. Orts parler de cette situation prédominante qu'aurait occupée la diplomatie allemande dans les années dont il s'agit, du rôle prépondérant qu'elle aurait joué sur l'échiquier international dans ces jours, j'ai vu se dresser devant moi l'ombre imposante de Lord Palmerston comme s'il voulait dire: 'Et moi donc, n'ai-je été pour rien dans la destinée du monde durant les dernières décades de la première moitié du dix-neuvième siècle? Les Prussiens ne tremblèrent-ils pas devant moi comme l'indiquait un petit dicton rimé très populaire alors en Allemagne: "Hat der Teufel einen Sohn, ist das sicher Palmerston".'[9]

Mais revenons au rapprochement entre la neutralité garantie et les frontières fixées. Comme je me suis permis de le dire déjà, l'idée de ce rapprochement est absolument fausse et de plus inutile. Sans avoir le territoire qu'elle convoite maintenant, la Belgique serait parfaitement à même de veiller avec succès à son indépendance; ses autorités militaires se plaçaient elles-même à ce point de vue, nous en avons pour preuves les grands et superbes travaux de défense que le génie du Général de Brialmont avait su créer tant à Liége qu'à Anvers, car nous ne voulons pas un seul moment faire au Gouvernement et au peuple belges le tort de croire qu'ils auraient voté des crédits considérables pour ces travaux, tout en doutant de leur efficacité. Aussi la dernière guerre n'a-t-elle en rien diminué la force de ce raisonnement. Le peuple belge a su défendre son sol natal avec un héroïsme qui fait l'admiration du monde entier; qu'il ait dû néanmoins céder son pays temporairement à l'envahisseur la cause en est aux forces supérieures de ce dernier.

Mais la Belgique demande, outre la suppression de la neutralité et la modification du statut d'Anvers, d'autres changements aux *Le régime des* Traités de 1839. Elle désire notamment une révision des *voies navigables.* dispositions de caractère économique qui règlent les questions fluviales entre elle et les Pays-Bas.

La Hollande a été d'avis que ces questions-là devraient se régler, s'il y avait lieu de le faire, entre nos deux pays directement; et les grandes Puissances, dans leur résolution du mois de juin, se sont ralliées à ce point de vue en ce sens qu'elles ont décrété qu'en vérité ce seraient les deux Gouvernements en question qui devraient chercher des formules communes, pour saisir ensuite notre Commission des résultats obtenus.

Comment expliquer, Messieurs, ce désir de la Belgique de réviser le régime fluvial de 1839, quoique ce régime jusqu'à la guerre n'ait jamais donné lieu à des plaintes et n'ait jamais été une entrave quelconque au développement

[9] 'If the Devil has a son, it is surely Palmerston.'

commerical de la Belgique? Je ne pourrais mieux illustrer cette absence de plaintes que par le fait suivant. Il existait en Belgique et en Hollande depuis des années déjà une commission hollando-belge dans laquelle siégeaient des deux côtés les hommes d'État les plus éminents des deux pays. Nous y trouvons ainsi parmi les membres belges le Ministre d'État M. Beernaert et le Ministre de la Justice M. Carton de Wiart, tandis que la Hollande y fut représentée entre autres par le Ministre de la Justice actuel, ancien Président du Conseil, M. Heemskerk et par feu M. Tydeman, le chef du parti des libéraux modérés au Parlement. J'en passe et des meilleurs. La Commission se réunissait périodiquement dans les deux pays et le but était de resserrer de plus en plus les liens entre les deux nations par un échange de vues sur toute matière qui pourrait contribuer à ce but. La prépondérance des hommes politiques parmi les membres constituait une garantie de plus en faveur du bon accueil que les propositions éventuelles de la Commission trouveraient auprès des Gouvernements et Parlements respectifs.

Peut-on se figurer un organe plus indiqué pour aplanir toute friction existante ou naissante et doit-on conclure, en ayant entendu la série des griefs exposés devant nous par les Délégués belges, que cette Commission a prouvé son incompétence et qu'elle n'a pas été à la hauteur de sa tâche? Bien loin de là, Messieurs; la vérité est que jamais un seul membre belge n'a saisi la Commission d'une seule plainte de la nature de celles que nous ont énumérées nos honorables collègues belges et qui pourtant, résultant des iniquités du Traité de 1839, ont à leurs yeux un caractère si grave que M. Orts les représente comme les seules qui aient troublé les relations hollando-belges. Je parle en connaissance des faits; j'ai été lié assez intimement aux travaux de la Commission et je puis vous assurer que la plupart du temps elle en était à chercher du travail, de sérieux différends faisant défaut. Aussi il me semble qu'il faudrait chercher les motifs de ce réquisitoire: 1° dans l'amour-propre de la Belgique, qui aimerait pouvoir réclamer des Pays-Bas, à titre de droit, ce que maintenant elle a à lui demander et 2° le manque de confiance dans l'attitude de la Hollande à l'avenir. Je ne veux pas en dire plus: une période de souffrances prolongées, couronnée par la victoire enivrante de la bonne cause explique, en grande partie, ce qui, dans des conditions normales, semblerait incroyable. Aussi, convaincus que la Belgique ne saurait puiser dans le passé un motif quelconque soit d'obtenir des modifications, soit de soumettre cette affaire aux Puissances, nous avons vaincu toute hésitation à venir ici, inspirés par un désir de bon voisinage et dans l'intention sérieuse d'aller au devant de la Belgique autant qu'il nous est possible. Nous ne pourrions cependant lui donner pleine et entière satisfaction sur tous ses désirs:

1° Les demandes belges visent encore en substance un transfert inadmissible de souveraineté territoriale, motivé par des raisons économiques. Comme j'avais l'honneur de vous le faire remarquer déjà, un pays formé de deltas comme le nôtre doit observer sous ce rapport la plus grande prudence, au risque de perdre bientôt son entière indépendance. Cette configuration de notre pays, et ici je m'adresse particulièrement à mon distingué collègue belge M. Orts, qui voudra peut-être bien se souvenir d'une conversation que j'ai eue autrefois avec lui à ce sujet, cette configuration de notre pays, ces deltas et embouchures de rivières nous défendent de nous écarter dans cette matière, *in concreto*, en faveur de la Belgique, des principes généraux qui, *in abstracto*, comme il voulait bien en convenir, nous défendraient certainement d'en faire autant au profit d'un pays quelconque;

2° Ces demandes, comme j'avais déjà l'honneur de le faire observer, dépassent sous plusieurs rapports, autant dans leur caractère que dans leur étendue, les limites de la résolution du 4 juin, pour autant que des servitudes internationales indiscutables y sont incluses. Il est vrai que les limites de cette notion sont plus ou moins vagues, mais ceci n'empêche pas qu'*omnium consensu* plusieurs des demandes formulées soient comprises dans cette notion.

3° Les desiderata belges ne tiennent compte que des intérêts belges, perdant complètement de vue qu'à part cela, il existe encore des intérêts néerlandais qui ne pourraient pas être subordonnés à ceux de nos frères du Sud. Les Pays-Bas ont, particulièrement en ce qui concerne l'Escaut et le canal Gand–Terneuzen, de grands intérêts économiques et politiques, des intérêts relatifs à la navigation et à l'industrie nationales et internationales qui sont susceptibles de se développer encore considérablement, des intérêts également en ce qui concerne la protection des rives, l'écoulement des eaux, la pêche, etc., des intérêts aussi qui regardent la défense militaire du pays.

Dans ces réserves, je ne vois cependant rien qui puisse mettre en péril le résultat des pourparlers entre nos deux Gouvernements conformément à la résolution du 4 juin.

Mon Gouvernement ne voudrait pas anticiper sur cet important travail; cependant, je suis autorisé dès maintenant à annoncer que les Pays-Bas sont disposés à examiner avec la Belgique la question d'une extension du régime en vigueur, en vue d'une Administration commune de l'Escaut pour la navigation marchande, afin que l'Escaut réponde toujours aux besoins croissants de la navigation. Conformément à ce que le Ministre du Waterstaat a déclaré déjà à la seconde Chambre en 1912, les Pays-Bas ne font pas objection en principe non plus à l'établissement d'une jonction Escaut–Meuse–Rhin, pourvu qu'un arrangement soit pris en vue de raccorder convenablement le canal à la voie navigable sur territoire néerlandais. Une petite observation entre parenthèses. La conviction avec laquelle M. Segers plaide en faveur de cette communication de son pays avec l'Allemagne nous montre qu'il a confiance dans la reprise des relations commerciales de la Belgique avec l'Allemagne. Je l'espère et je ne doute même pas qu'il ait raison; mais que reste-t-il alors de cette haine allemande qui à Rotterdam lui inspire de si vives craintes pour Anvers? Le Gouvernement néerlandais ne veut pas que le territoire néerlandais soit un obstacle à la création de voies de communication que la Belgique juge nécessaires au développement de sa vie économique. Pour cette raison, la création d'un canal Anvers–Moerdyck ne rencontrera également pas d'objection de principe. Enfin, les Pays-Bas sont disposés à apporter sur le territoire néerlandais l'amélioration, si elle est demandée, du canal Gand–Terneuzen, à condition que les frais en soient supportés en très grande partie par la Belgique et qu'il soit remédié à quelques inconvénients résultant pour les Pays-Bas de la situation actuelle.

En échange de ces concessions, les Pays-Bas se sentent justifiés à demander la coopération de la Belgique en vue d'une solution satisfaisante à leur égard de la question des communications par voies navigables au Limbourg y compris une amélioration de la communication par voie navigable entre Maëstricht et Liége qui ferait l'objet d'un accord ultérieur. Cette coopération est également demandée pour régler d'une façon satisfaisante pour les Pays-Bas l'écoulement des eaux d'irrigation de la Campine par le territoire néerlandais.

Le Gouvernement de la Reine, dès que l'invitation prévue dans notre programme lui parviendra, ne tardera pas à se mettre de suite en contact avec le Cabinet de Bruxelles, afin d'élaborer sans tarder un système pratique qui permette de trouver les formules qui, tout en ménageant cet élément subtil de la souveraineté néerlandaise, sauront offrir une solution qui tienne compte des intérêts des deux pays, sans subordonner l'un à l'autre.

*Baerle-Duc.*   J'arrive à la question de Baerle-Duc.

Comme Messieurs les Délégués belges ne l'ignorent certainement pas, un Traité fut conclu en 1892[10] basé sur un échange réciproque de territoire. Le rapport provisoire du Parlement néerlandais était favorable, mais en Belgique le Parlement ne se prononça pas et l'affaire en resta là. En 1909, les Pays-Bas ont fait de nouveaux efforts auxquels le Gouvernement belge a répondu en 1911 que tout arrangement, visant une autre solution que la cession à la Belgique de la bande de territoire séparant Baerle-Duc de la frontière belge, serait repoussé.

Le Gouvernement néerlandais est tout à fait disposé à collaborer à de nouveaux efforts. La question de Baerle-Duc — enclave qui se présente comme un archipel ou, Messieurs (excusez cette comparaison par trop familière peut-être), comme une tranche de gruyère — est si compliquée qu'on a tout droit de s'étonner qu'elle n'ait pas donné lieu pendant la guerre à de plus graves difficultés qu'elle n'a en vérité soulevées. Si la Belgique dit qu'il faut en finir avec une pareille situation, la Hollande est tout à fait de cet avis et de sa part on ne rencontrera pas de difficultés; certes la Hollande ne se prévaudra pas de la clause du non-transfert de territoire pour s'opposer à une solution raisonnable.

Nous arrivons à la question militaire.

*La défense du*   La Belgique désirerait un arrangement militaire assurant la
*Limbourg.*   défense de la province du Limbourg et la question se présente
pour la Hollande sous cette forme-ci: la Belgique et les Pays-Bas ont chacune d'elles leur propre système de défense. Peut-on trouver dans l'exposé belge des motifs pour nous convaincre que les Pays-Bas devraient se décider à subordonner leur système de défense, en ce qui concerne une partie de leur territoire, au système belge? Cette conviction, nous ne l'avons pas obtenue. Que nous a démontré cette guerre? Que l'action des troupes

---

[10] Printed by A. de Busschere, op. cit., vol. i, pp. 264 f.

allemandes a été considérablement ralentie par le fait qu'ils avaient à ménager la neutralité du Limbourg. Plus la porte d'invasion est étroite, plus la défense est facile. Or, une alliance comme celle que nous proposent les experts belges aurait fait perdre cet avantage tant à la Belgique qu'aux Pays-Bas. Voilà donc déjà un désavantage positif.

Que deviendrait la situation dans le cas où notre neutralité ne serait pas respectée?

Supposons qu'une alliance ait été conclue; notre défense alors doit être liée non seulement à celle de Maëstricht, mais à celle de la ligne entière de la Meuse au Limbourg et même jusqu'à sa première jonction avec le Waal; par conséquent, des renforts considérables seraient nécessaires aux dépens des forces mobiles proprement dites.

Sans alliance, les Pays-Bas seraient libres dans leur système de défense, liberté correspondant à leur système de politique internationale qui pour eux est devenue traditionnelle; ils n'abandonneront cependant jamais la défense locale de leur territoire, pas plus qu'en 1914 où les garnisons de temps de paix furent remplacées par celles de temps de guerre, plus fortes que les garnisons retirées.

On fera sauter de plus les ponts de la Meuse et l'ennemi aura à compter avec l'armée de campagne néerlandaise qu'il trouvera sur son flanc dans la Province du Brabant Septentrional. Les événements de 1914 ont prouvé avec quelle célérité cette armée s'est trouvée sur place. M. Orts a cru devoir exprimer des doutes sur l'étendue du territoire que nous avons l'intention de défendre. Il a bien voulu nous faire l'honneur de ne pas douter de nos intentions de défendre en tout cas le cœur du pays, mais il a montré plus qu'un scepticisme passager en ce qui concerne les parties plus excentriques.

Il a même, plus ou moins à l'appui de ses doutes, mentionné une information téléphonique que le Général Léman aurait reçue dans les tout premiers jours du mois d'août 1914 du Colonel commandant la garnison de Maëstricht et disant que la Meuse à Maëstricht ne serait pas défendue et que même tout le Limbourg serait évacué.

Je suis à même d'assurer à M. Orts qu'une pareille information qui, du reste, aurait été absolument contraire aux instructions, n'a jamais été donnée. Que M. Orts ne s'alarme pas. La résistance opposée dans toutes nos régions excentriques, et notamment aussi au Limbourg, à toute violation de neutralité sera toujours proportionnée et subordonnée à notre système de défense général, mais je peux assurer avec le plus de solennité possible que toute violation de son territoire à n'importe quel endroit des frontières du Royaume sera toujours considérée par le Gouvernement des Pays-Bas comme un *casus belli* immédiat. J'ai été tout particulièrement chargé par le Gouvernement de la Reine de faire cette déclaration formelle; si, ce que j'ai la plus grande peine à supposer, il y avait encore des personnes qui hésiteraient à accorder foi entière et complète à mes paroles, je pourrais seulement souligner l'inutilité de continuer des discussions avec elles. Que celles-là veuillent cependant bien se rendre compte que du moment où la parole du Gouvernement néerlandais sur l'observation de ses obligations internationales est accueillie avec méfiance de leur part, une alliance formelle n'aurait également pas de raison d'être.

En ce qui concerne l'Escaut, la proposition belge crée une servitude in-discutable, ce qui en exclut, dès le commencement déjà, l'acceptation. Mais, de plus, elle créerait une situation de droit si anormale que, en fait, l'ennemi ne voudra jamais la reconnaître, même s'il s'y est engagé dans un traité antérieur; notre attitude serait stigmatisée comme une flagrante violation de la neutra-lité et nous serions de suite entraînés dans la guerre. Cette proposition ne vise à rien moins qu'à mettre notre territoire à la disposition d'un des belli-gérants pour y commettre des actes de guerre. Sans souligner ce qu'il y a d'humiliant pour les Pays-Bas dans un pareil état de choses, je constate seule-ment le fait que, par suite de la situation ainsi créée, la Hollande serait entraînée dans chaque guerre que la Belgique aurait à faire.

*La défense de l'Escaut.*

Pour la Belgique elle-même, cette situation ne constituerait nullement un avantage positif. Elle perdrait *de facto* les bénéfices d'un Escaut fermé qui pourra être de grande importance pour sa défense, tout comme cela a été le cas durant la grande guerre.

Messieurs, j'aborde ici un terrain où nous devrons des deux côtés nous mouvoir avec précaution et où une grande discrétion nous est imposée dans nos paroles, vu que nous disposons, M. Orts en sa qualité de Secrétaire général du Ministère des Affaires étrangères belge, moi en celle de Ministre des Pays-Bas à Londres, d'une connaissance de faits qui, pour la plupart, ne sont pas encore entrés dans le domaine public et qui, par là, ont un caractère confidentiel.

Nous avons entendu M. Orts parler du régime que le Gouvernement néerlandais applique à l'Escaut, c'est-à-dire le régime de l'Escaut fermé, comme si cette conception de nos droits et obligations sur ce fleuve avait été une vraie surprise pour le Gouvernement belge, qui, s'il avait pu en avoir connaissance d'avance, se serait probablement abstenu de construire à Anvers un camp retranché.

Mais, Messieurs, qu'il me soit permis de vous laisser juges, s'il est admis-sible un seul moment que les autorités militaires et navales belges aient pris une décision sur un point si important de la défense du pays sans s'être renseignés préalablement sur un détail qui dominait pour ainsi dire tout leur système, l'usage à faire de l'Escaut. Et vraiment, ils n'auraient eu aucune peine à s'éclairer à ce sujet, la Hollande n'ayant jamais laissé le moindre doute persister à cet égard. Personnellement, j'ai un certain droit à me poser ici en témoin: durant les cinq années et demie, de 1908 à 1913, où j'ai eu l'honneur d'être à la tête du Ministère des Affaires étrangères à La Haye et de diriger la politique étrangère des Pays-Bas, j'ai eu maintes conversations avec les distingués représentants du Royaume de Belgique, tant avec feu le Baron Guillaume qu'avec le Baron Fallon, sur cette question de l'Escaut.

Devrai-je signaler aussi à M. Orts les polémiques, je dirais presque inter-minables, qui eurent lieu du temps où on commençait à parler de la forti-fication de Flessingue, entre le Général den Beer Poortugael de notre côté et le professeur Nijs et bien d'autres du côté belge, et qui ont enrichi la littérature de l'Escaut de bon nombre de volumes?

Mais si vraiment le Gouvernement belge a ignoré le point de vue néerlandais, je peux lui assurer que tel n'était pas le cas pour ses Alliés. Le Cabinet de Londres en tout cas a non seulement parfaitement connu les vues du Gouvernement néerlandais, mais n'y a jamais fait la moindre opposition ni avant, ni après la déclaration de guerre. Le Gouvernement néerlandais n'a jamais été dans la nécessité d'opposer un refus à une demande d'envoi de troupes de secours à la Belgique par la voie de l'Escaut, pour la bonne raison que le Secrétaire d'État du Royaume britannique m'avait assuré *proprio motu*, dès les premiers jours du mois d'août 1914, que les Alliés respecteraient l'inviolabilité de l'Escaut, pourvu que le Gouvernement de la Reine tînt ce fleuve ouvert aux navires de commerce.[11] C'est ce qu'il a fait durant toute la guerre, sauf certaines restrictions, du reste prévues par les conventions, en ce qui concerne la navigation de nuit.

Puisse ce que je viens de dire mettre fin à la légende selon laquelle l'Angleterre aurait été prête à envoyer dès la première heure des troupes à Anvers par l'Escaut et le Gouvernement néerlandais l'en aurait empêchée.

Bien loin d'avoir été nuisible aux intérêts belges, la fermeture de l'Escaut lui a valu de très grands avantages; seul, le strict et consciencieux maintien de sa thèse que violer l'Escaut serait violer la neutralité néerlandaise, a permis au Gouvernement des Pays-Bas d'empêcher que, durant leur occupation d'Anvers, les Allemands ne fissent de la partie hollandaise du fleuve et de son embouchure une base de leurs opérations navales.

Les considérations développées ci-dessus se placent dans le cadre de l'ancien droit des gens. Mais la Ligue des Nations, qui inaugure un nouveau droit, doit nous faire envisager ce qui précède d'un point de vue différent auquel la Délégation belge ne rend pas justice entière.

Qu'arrivera-t-il lorsqu'un État quelconque déclarera la guerre à la Belgique contrairement à la Ligue des Nations? L'article 16 déclare qu'un tel État aura commis *ipso facto* un acte de guerre envers tous les membres de la Ligue des Nations qui n'ont qu'à rompre de suite toutes les relations avec lui. De plus, ils devront prendre les mesures nécessaires pour rendre possible le transit par leur territoire des forces militaires de tous les membres de la Ligue qui voudraient venir en aide à la Belgique. Le texte français parle de 'faciliter', l'anglais de 'afford' et la traduction allemande de 'ermöglichen'. L'Escaut est ouvert aux Alliés qui viennent aider la Belgique; et non seulement l'Escaut, mais également le reste de notre territoire. L'Angleterre peut ainsi de suite entrer dans l'Escaut et le remonter, pour venir en aide à la Belgique sans avoir besoin d'attendre la décision ou l'avis du Conseil; c'est un état de choses qui résulte *ipso jure* du fait de la guerre illicite.

On raisonne ainsi: la France n'a pas cru pouvoir se contenter de cela, mais a conclu une alliance défensive avec l'Angleterre et l'Amérique pour le cas d'une attaque non provoquée de l'Allemagne. Qu'en résulte-t-il? Que la France a changé en obligation, à l'égard de deux puissants États, la faculté

[11] Cf. *The Times*, August 11, 1914.

accordée par la Ligue des Nations à ses membres de venir en aide à un membre menacé. A ce point de vue elle complétait une lacune existant dans la Ligue des Nations. Il est à présumer que la Belgique en profitera également, vu qu'une attaque ne sera pas dirigée contre la Belgique seule. En tout cas, l'analogie seule devrait déjà amener la Belgique à conclure elle aussi une pareille alliance avec ses puissants Alliés. Les Belges cependant désirent tout autre chose: ils veulent inclure d'une façon très anormale le territoire néerlandais dans leur système de défense, tout en [? ne] touchant pas à la neutralité des Pays-Bas. Cela est inadmissible.

Messieurs, je touche à la fin. Je n'ai pas suivi nos honorables Collègues dans tous les détails de leur exposé, n'en voyant ni la nécessité, ni l'opportunité. Mais malgré cela, je me flatte d'avoir réussi à vous donner un aperçu précis des vues du Gouvernement néerlandais sur la révision des Traités de 1839 et sur la méthode de procéder.

*Conclusion.*

Il s'agit de procéder cependant avec précaution. Le ciel qui s'étend au-dessus de nos deux pays est encore couvert et l'opinion publique est irritée des deux côtés de la frontière. Que tous nos efforts tendent donc à rétablir la confiance mutuelle! Durant presque un siècle entier nous avons vécu en paix et amitié parfaite; nos Souverains ont trouvé à plusieurs reprises l'occasion de proclamer devant leurs peuples l'amitié profonde qui les unit, nos hommes d'Etat ont saisi maintes occasions pour témoigner de leur sympathie réciproque, les peuples mêmes ont été jetés durant cette guerre atroce dans les bras l'un de l'autre; le peuple néerlandais n'en comprendrait que moins pourquoi, cette guerre finie, tout d'un coup cette harmonie devrait être troublée. Tous ses désirs vont à un rétablissement complet des bonnes relations d'antan et si cela ne peut s'accomplir qu'à force de sacrifices, il est tout prêt à en faire. Mais que le peuple belge lui aussi se rende compte que les souffrances et les sacrifices qu'il a endurés pour sa liberté et pour le principe de l'indépendance des petits Etats, doivent le détourner de tout ce qui peut avoir même l'apparence de vouloir toucher, à son profit, à l'indépendance des Pays-Bas.

Messieurs, vous aurez remarqué une certaine hésitation de la part de notre Gouvernement à laisser les grandes Puissances s'occuper des affaires qui ne regardent que notre pays et la Belgique seuls. Ne croyez pas que la méfiance l'ait inspiré; au contraire, nous avons toute raison d'avoir confiance dans les intentions des Puissances qui nous ont convoqués ici. Elle ne s'explique que par les traits mêmes de notre caractère national. Durant des siècles, nous nous sommes battus pour notre indépendance, pour notre individualité dans la communauté des Nations; c'est pourquoi nous n'aimons pas qu'on s'occupe de ce que nous considérons comme étant nos affaires à nous. Et c'est pour ce même motif que nous avons dit à mainte reprise au Gouvernement belge: vous allez être délivré maintenant des dernières entraves à votre souveraineté, précieux patrimoine de 1830; gardez-vous de l'entraver à nouveau en invoquant les Puissances comme arbitres dans toutes sortes d'affaires que dans le passé nous avons toujours réussi à arranger entre nous. Respectez de bonne foi les droits souverains des Pays-Bas et vous les trouverez prêts à toute concession raisonnable.

Nous ne sommes nullement jaloux de votre prospérité économique, au contraire, nous savons que nous [? ne] pouvons qu'en profiter; nous espérons que vous êtes animés des mêmes sentiments à notre égard, auquel cas nous ne doutons pas de la possibilité de nous entendre sur tout ce qui peut aider à notre vie économique.

Puisse l'exposé que nous avons fait renforcer en vous ces sentiments et éveiller auprès des Délégués des autres Puissances la conviction de sa sincérité.

LE PRÉSIDENT. Je remercie vivement M. Van Swinderen de son très intéressant exposé. Nous sommes donc maintenant en présence du point de vue de la Délégation belge et du point de vue de la Délégation néerlandaise. Il nous reste, Messieurs, à aboutir à des solutions pratiques.

*Procédure ultérieure de la négociation.*

Je retiens des deux exposés que, comme on pouvait s'y attendre, nous ne nous trouvons pas en présence d'une unanimité absolue sur tous les points envisagés. Cependant, j'aperçois des éléments d'accord et je crois fermement que nous sommes sur la bonne voie; des solutions répondant en pratique aux desiderata de la Belgique peuvent être trouvées ici grâce à la bonne volonté des Pays-Bas et je suis persuadé qu'on va arriver à un accord complet sur la question. Ce qui est essentiel, c'est que nous arrivions à trouver un régime qui réponde au désir légitime de la Belgique et qui réponde aussi à cette idée — je me permets de le rappeler — que les Traités de 1839 sont responsables de certains faits qui ont troublé nos amis belges. Je crois qu'une révision s'impose sur certains points et que cette révision doit être faite d'un commun accord entre les deux parties. Il faut saisir l'occasion qui se présente aujourd'hui, parce que des règlements de ce genre deviennent caducs pour certaines parties par le fait même que le temps s'écoule et que les conditions changent.

Il me paraît que, du point de vue plus spécial des voies navigables, les deux parties peuvent arriver à trouver des solutions qui pourront leur donner satisfaction sinon complètement, du moins dans une large mesure. Je demanderai donc, puisque le Conseil des Ministres des Affaires étrangères a prévu une procédure spéciale, si les Délégations belge et hollandaise sont disposées à entrer en contact direct pour se communiquer leurs vues, prenant, au besoin, les instructions de leurs Gouvernements, et à nous donner, dans un délai qui serait aussi court que possible, sinon un accord complet, du moins un projet de formules qui pourrait être présenté utilement d'abord à la Commission et porté ensuite au Conseil des Ministres des Affaires étrangères. Ce projet serait examiné de nouveau avec les Gouvernements intéressés.

En ce qui concerne les autres questions, je crois qu'il y aurait intérêt à ce que la Commission étudie d'un peu près et en les rapprochant les deux exposés. Nous aurions besoin, pour cela, d'un peu de temps. Je ne crois pas froisser ni les Délégués belges, ni les Délégués hollandais en demandant que les Délégués des Puissances alliées et associées puissent examiner en témoins moins directement intéressés et non pas en juges, puisque nous ne sommes pas un tribunal ni des arbitres, quelles sont les formules qui pourraient être soumises aux intéressés. Il y aurait peut-être de cette façon matière à un accord profitable. Si les Délégations belge et hollandaise voulaient bien accueillir cette suggestion, je serais très heureux de pouvoir envisager immédiatement une procédure à cet égard.

M. SEGERS (*Belgique*). En ce qui concerne les voies navigables, j'ai entendu que M. Van Swinderen proposait que le Cabinet de La Haye et le Cabinet de Bruxelles prennent contact pour chercher à établir des formules communes. Je ne sais si cela répond à l'intention que vient de manifester à l'instant M. le Président. Je ne suppose pas qu'il entre dans les intentions de M. le Délégué hollandais de dessaisir la Commission. Je serais très désireux d'être fixé à cet égard.

M. VAN SWINDEREN (*Pays-Bas*). Je réponds d'abord à M. Segers. Ainsi que je l'ai dit dans mon exposé, j'ai compris que notre Commission se mettrait en relations avec les Gouvernements belge et néerlandais, par l'organe du Ministère des Affaires étrangères à Paris ou de toute autre façon et prierait les deux Gouvernements de se mettre d'accord sur les formules. Une correspondance entre La Haye et Bruxelles s'ensuivrait probablement.

En réponse à Monsieur le Président, je dirai que je ne me sens pas suffisamment autorisé à entamer des discussions avec nos collègues belges sur des questions techniques et des questions fluviales. Il me semble superflu de commencer ces discussions ici. Je crois, au contraire, que nous devrions permettre aux Gouvernements de La Haye et de Bruxelles de prendre contact pour leur permettre de donner à cette question tout le développement qu'elle comporte. Nous ne la soustrairions pas à la compétence de cette Commission puisque, dès que les deux Gouvernements seraient tombés d'accord, elle reviendrait devant nous pour être examinée avant d'être transmise au Conseil des Ministres des Affaires étrangères.

LE PRÉSIDENT. Dans l'esprit des auteurs de la résolution, il n'y a aucun doute que les formules qui sont demandées par la Commission aux deux Gouvernements doivent être présentées ici même et par conséquent élaborées au sein de la Commission. Si les Délégués ont besoin de s'entourer d'experts, ils peuvent les faire venir. Il ne s'agit pas ici de rédiger un Traité détaillé, ce qui demanderait beaucoup de temps et nous entraînerait trop loin, mais d'établir des lignes directrices sur lesquelles les deux Délégations pourraient se mettre d'accord. Il est bien évident que si le Gouvernement hollandais cherchait à se mettre d'accord par correspondance avec le Gouvernement de Bruxelles, il devrait avoir recours à des experts techniques: nous gagnerions beaucoup de temps si ces experts pouvaient venir s'aboucher ici avec les experts belges. Les uns et les autres pourraient alors concerter et présenter très rapidement des formules qui, sur nos suggestions, seraient susceptibles d'être modifiées ou arrangées. Je crois que c'est dans cet ordre d'idées que nous devrions entrer pour répondre au vœu du Conseil qui a créé la Commission.

Je me permets, à ce propos, d'appeler l'attention de M. Van Swinderen sur les deux paragraphes de la résolution du 4 juin. L'un est la conséquence de l'autre. La Commission a une mission générale dans laquelle sont incluses les voies navigables. Mais pour ces voies navigables, on indique qu'au lieu de discuter sur ces questions, on invitera la Belgique et la Hollande — entendez la Délégation belge et la Délégation hollandaise — à se mettre d'accord sur cette procédure.

M. Struycken (*Pays-Bas*). Notre Gouvernement a compris la procédure dans le sens indiqué par M. Van Swinderen.

Le Président. Je ne vois pas très bien quelle difficulté il y aurait pour vous à envoyer ici des experts pour traiter ces questions qui ne sont pas plus compliquées ni plus délicates que les autres.

M. Van Swinderen (*Pays-Bas*). Pas plus délicates, mais plus compliquées.

Le Président. Ce que nous vous demandons, c'est de nous apporter ici des formules qui impliquent un accord de principe. Si on veut entrer dans les détails, cela va demander des semaines et peut-être des mois. Ce que nous voulons apporter au Conseil des Ministres, ce n'est pas l'accord complet et signé. Nous voulons lui dire. 'Nous avons pu arriver à constater, dans la Commission, qu'il est possible aux Délégations belge et hollandaise de tomber d'accord sur le règlement des questions de l'Escaut, accord qui comprendrait tel et tel principe. Nous vous demandons si tout le monde est bien d'avis que cela constitue la révision des Traités de 1839 et si on peut, en conséquence, engager les deux Gouvernements à conclure un accord dans ce sens.'

M. Van Swinderen. Monsieur le Président, je crois que pour arriver à une solution il faudrait d'abord — et je crains que nous ne soyons pas tout à fait d'accord là-dessus — commencer par bien définir ce qu'on entend par 'présenter des formules communes'. Chez nous, à La Haye, l'idée est qu'il ne s'agit pas seulement de principes, ainsi que j'ai eu l'honneur de les présenter dans mon exposé, mais qu'on entend par ces formules communes un arrangement complet sur tous ces sujets. Et alors, j'arrive à la seconde question. Cet arrangement ne peut pas se faire ici, parce que nous aurons une foule de détails compliqués et locaux à régler ou à prendre en considération. L'idée de mon Gouvernement est qu'on ne pourra pas arriver à une solution positive sans que les experts aient été sur place. Leurs réunions auraient lieu à La Haye, Bruxelles ou un autre lieu, peu importe. Les experts feraient un projet de Traité qu'ils nous remettraient plus tard. En tout cas, je ne suis pas autorisé à dire que je me rallie à votre proposition qui consiste à faire venir les experts ici pour trancher les questions pendantes.

Le Président. Nous ne pouvons pas nous engager dans des négociations diplomatiques ordinaires. Ce n'est pas cela que demande le Conseil des Ministres. Nous sommes chargés ici d'étudier des mesures; nous ne sommes pas chargés de conclure un Traité. Il faut que nous amenions les experts à s'aboucher ici et à déclarer qu'ils voient pour la Belgique et pour les Pays-Bas la possibilité de régler telle et telle question d'une certaine manière; on entrerait dans les détails un peu plus que vous ne l'avez fait et nous aurions ainsi un schéma d'accord qui serait présenté au Conseil. Celui-ci examinerait alors si cela correspond bien à l'idée de révision des Traités de 1839.

C'est pourquoi, avant d'entrer dans une discussion aussi prolongée que celle que vous proposez, qui aboutirait à rendre inutile tout le reste de la négociation, puisque l'accord serait conclu, nous demandons au contraire une étude de la question un peu plus approfondie que ne l'a donnée votre exposé, afin de voir comment il serait possible de rapprocher les deux points de vue et dans quelle mesure ils peuvent se traduire par des accords pratiques. Cela peut et doit être fait ici. Je comprends très bien qu'avant d'être définitivement conclus, des accords de ce genre doivent comporter des expertises sur les lieux et d'autres études, mais ce que nous demandons seulement, c'est une étude un peu plus approfondie pour aboutir à présenter au Conseil des Ministres des conclusions sur la nature, l'étendue, la modalité et les principes des accords qu'on peut envisager. Nous dirions par exemple: la Belgique et la Hollande sont disposées à conclure un accord pour l'établissement d'un canal entre la Meuse et le Rhin; elles estiment qu'une convention pourrait intervenir à ce sujet si elle reposait sur telle base. On entrerait ici dans quelques détails, mais sans aller très loin. Nous verrions d'abord si une entente est possible et nous aborderions ensuite un projet réduit aux grandes lignes.

M. VAN SWINDEREN (*Pays-Bas*). Tout ce que je peux vous dire, c'est que je soumettrai votre proposition à mon Gouvernement qui, ainsi que je vous l'ai dit, n'envisage pas la question sous le même point de vue que vous.

LE PRÉSIDENT. Je suis, comme vous, d'avis qu'il faut régler les détails sur place. Mais la Délégation belge a établi un programme, vous avez établi le vôtre. Voyons comment ils peuvent se concilier. Je suis persuadé que c'est possible. Il y a, dans votre exposé, des éléments qui sont de nature à donner satisfaction à la Belgique.

Vous nous avez posé des principes très larges et très intéressants, mais vous reconnaissez vous-mêmes qu'ils doivent être approfondis. Pour cela, amenez des techniciens qui entreront dans quelques précisions sans pousser toutefois jusqu'aux détails d'un accord complet.

M. STRUYCKEN (*Pays-Bas*). Ce n'est pas possible. Pour le canal de la Meuse au Rhin, par exemple, il y a une quantité de détails à régler sur place. Il faut d'abord arrêter la zone du canal; puis il y a la question des frais, etc. . .[12]

LE PRÉSIDENT. On peut déjà poser certains principes, dire qu'on peut construire ce canal, voir tout de suite s'il y a matière à un accord entre les deux parties.

M. STRUYCKEN (*Pays-Bas*). On ne peut pas être partie dans la question de construction d'un canal si on n'est pas d'accord sur la direction de ce canal. Pour cela, il y a toute une étude à faire et il faut entrer dans les détails, c'est-à-dire se rendre sur place. En réalité, on n'est d'accord que quand il y [? a] accord complet sur les détails.

[12] Punctuation as in original.

Le Président. Il faut tout de même que nous disions au Conseil par exemple: nous avons reconnu que la Belgique et la Hollande sont disposées à s'entendre au sujet du canal de la Meuse au Rhin dont les principes généraux seront les suivants, si telles conditions sont réalisées. Le Conseil nous fera savoir si cela le satisfait. Nous inviterons alors les deux parties à entrer en négociations pour conclure complètement cet accord et le pousser jusqu'au bout. Si on veut apporter au Conseil l'accord complètement fait, on ne voit plus très bien ce que nous faisons ici.

M. Van Swinderen (*Pays-Bas*). Ce que M. Struycken a voulu dire, c'est que nous avons d'un côté les principes généraux que j'ai eu l'honneur d'exposer, et de l'autre un projet tout à fait élaboré. Vous croyez, Monsieur le Président, qu'il y aurait une troisième catégorie intermédiaire, mais nous ne pensons pas que ce moyen terme puisse exister. Je ne sais pas quelle est l'opinion de la Délégation belge, mais je ne crois pas que nous soyons prêts maintenant à trancher cette question. Je crois qu'il serait préférable que nous nous séparions pendant quelque temps. Les experts belges et hollandais travailleraient sur place, en tenant compte de tous les détails, et élaboreraient des projets de Traité qu'on remettrait plus tard au Conseil comme le résultat du travail qui aurait été fait.

Le Président. Permettez-moi de vous faire remarquer que lorsqu'on fait une entreprise publique, il y a, à côté du devis détaillé, un devis général qu'on établit pour savoir dans quelle voie on s'orientera. C'est ce devis général que nous vous demandons. Il faut que nous puissions dire au Conseil: oui, il y a matière à entente et cette entente nous paraît pouvoir porter sur les points suivants. A l'heure actuelle, ce que nous pouvons dire, c'est que nous avons l'impression qu'une entente est possible, mais que nous ne pouvons pas arriver à la déterminer. La formule commune ne comporte pas l'accord définitif et détaillé. Elle consiste à dire que nous sommes d'avis que le régime des voies navigables de l'Escaut peut revêtir tel caractère, peut porter sur tel ou tel point.

M. Segers (*Belgique*). Mon opinion se traduit par une très grosse déception. Je me demande pourquoi on ne peut pas déférer au désir si sagement exprimé par M. le Président. Il répond incontestablement à la décision du 4 juin, dont les Délégués néerlandais se sont si souvent réclamés. La décision du 4 juin dit que pour le fond, la Commission ne pourra pas être dessaisie. Elle reste compétente. Quant à la forme, elle prévoit que la Délégation belge et la Délégation néerlandaise seront invitées par la Commission à chercher à se mettre d'accord sur des formules communes.

M. Van Swinderen. Pardon! On ne dit pas les Délégations, mais la Belgique et la Hollande.

Le Président. Sur ce point, je vous assure qu'il faut bien entendre qu'il s'agit des Délégations, parce que vous comprenez que la Commission n'a pas qualité pour inviter deux Etats; ce sont les Gouvernements alliés qui pourraient le faire.

M. Segers (*Belgique*). J'avais compris la procédure comme il suit: après que chacun de nous aurait fait l'exposé complet de son point de vue, la Commission aurait invité les deux États, dans la personne de leurs Délégués nommés et accrédités à cette fin à la Commission, à s'entendre entre eux pour chercher et présenter des formules communes. Puis, les Délégués se seraient rencontrés à Paris, se faisant réciproquement aider de leurs techniciens pour qui ces questions ne sont pas nouvelles. Je ne crois pas qu'on puisse nous demander d'entrer ici dans les détails. Qu'on songe donc aux clauses qui figurent dans les Traités de 1839. Il a fallu neuf années pour aboutir et on peut constater que ces clauses de principe tiennent en trois ou quatre lignes. La clause relative au passage à travers le Limbourg tient en dix lignes : c'est l'Article 14. La clause relative à l'usage des canaux tient en quatre lignes. Voilà les formules communes. On prévoit dans le Traité de 1839 que, pour le détail, les deux pays se mettront d'accord. Au point de vue qui nous occupe, les principes peuvent être élaborés en quelques séances, avec le concours de nos techniciens. Pour faire de bonne besogne, les Délégués des deux pays devront donc se réunir à Paris et chercher à se mettre d'accord en mettant leurs techniciens en présence tout en suivant eux-mêmes les travaux. Si nous aboutissons à des formules communes, nous les présenterons à la Commission. Si, au contraire, nous n'aboutissons pas, nous saisirons la Commission de l'état de nos pourparlers. S'il appert de nos échanges de vues que des détails plus circonstanciés doivent être envisagés, la Commission décidera. Mais, dès maintenant, faisons un effort de bonne volonté et rencontrons-nous.

M. Van Swinderen (*Pays-Bas*). Je répète que les instructions que j'ai reçues ne me permettent pas de dire que je m'associe à la proposition de M. Segers. Tout ce que je peux faire, c'est d'en référer à mon Gouvernement. Je lui ferai connaître l'intéressant plaidoyer que M. Segers vient de faire en faveur de la proposition de M. le Président.

Le Président. Je me permets d'appeler votre attention sur la tâche qui est dévolue à la Commission. La Commission doit étudier des mesures. Encore une fois, nous ne sommes pas chargés d'élaborer pour le moment un Traité. Si nous avions été chargés de cette tâche, cela me paraîtrait aliéner votre liberté beaucoup plus encore. Nous sommes uniquement chargés de faire une étude, de voir ce qui est possible dans le sens de la révision des Traités de 1839. Nous vous demandons simplement cette étude un peu plus approfondie pour nous permettre d'arriver à nous faire une opinion. Nous vous prions aussi d'insister auprès de votre Gouvernement pour qu'il vous autorise à vous faire assister à Paris de Délégués techniques. Je suis persuadé qu'une étude un peu plus creusée, sans être tout à fait approfondie, nous montrera la possibilité de nous orienter vers tel ou tel accord. Pendant ce temps, si vous le permettez, nous, les Délégués des autres Puissances, nous procéderons à une étude analogue pour les questions qui ne sont pas soumises à l'étude commune, de telle façon que nous puissions vous donner également notre opinion sur les exposés très intéressants que nous avons entendus et sur ce que nous pensons qu'il faudrait faire à cet égard. Dans cette étude, nous nous entourerons également de techniciens.

M. Segers (*Belgique*). Tout ceci est très intéressant en ce qui concerne les questions économiques et la procédure. Mais nous devons présenter une observation à laquelle nous attachons une importance beaucoup plus grande; elle est relative à la défense de notre pays. Nous avons suivi avec le plus grand intérêt et avec la plus grande attention l'exposé fait par M. Van Swinderen, mais nous n'y avons trouvé aucune solution relative au problème qui intéresse la sécurité de la Belgique. Je voudrais demander à M. le Délégué des Pays-Bas si nous devons en conclure que son Gouvernement rejette les solutions relatives à ces problèmes.

M. Van Swinderen (*Pays-Bas*). Je peux répondre à M. Segers que j'ai indiqué dans mon exposé les raisons pour lesquelles le Gouvernement hollandais ne peut pas s'associer aux solutions militaires, tant pour le Limbourg que pour l'Escaut, proposées par la Délégation belge.

M. Segers. Est-ce que la Délégation néerlandaise a d'autres propositions à suggérer à cet égard?

M. Van Swinderen. Non!

M. Segers (*Belgique*). Tout le monde comprendra que la réponse que nous fait M. le Délégué néerlandais est de nature à nous causer une grande désillusion. Nous ne pourrions pas partager l'optimisme qui a été exprimé tout à l'heure si la Délégation hollandaise et le Gouvernement des Pays-Bas continuent à ignorer le problème de la sécurité de la Belgique. Nous pensons avec le Conseil Suprême que la question de la révision des Traités s'impose au point de vue de la paix générale autant qu'au point de vue belge. Nous ne pouvons pas nous contenter à cet égard d'un procès-verbal de carence. Nous ne pourrions pas nous résigner à négocier les questions d'ordre économique si l'on fait table rase de tout ce qui touche à l'objet essentiel de notre demande, c'est-à-dire la sécurité de notre pays, qui est d'ailleurs aussi la sécurité d'autres pays intéressés à ce que la Belgique puisse leur servir éventuellement de bouclier. Il y a entre nous une divergence formelle et, dans ces conditions, je crois devoir dire ici que je serai obligé d'en référer à mon Gouvernement et de lui demander ses instructions. Il serait peut-être bon que nous puissions prendre date. Nous vous apporterons alors la réponse de notre Gouvernement.

Le Président. Je vous demanderai, Monsieur Segers, d'attendre pour cela le résultat de la délibération d'ailleurs tout officieuse que nous demanderons aux Délégués des principales Puissances alliées d'avoir avec nous.

La Commission est chargée d'étudier des mesures. Nous sommes en présence de deux thèses tout à fait contradictoires. Nous pourrions continuer néanmoins le débat, mais cela ne nous avancerait pas beaucoup, car la discussion serait difficile. Mais les Puissances non directement intéressées peuvent avoir intérêt à étudier les deux points de vue pour se rendre compte si, dans une certaine mesure, il ne leur serait pas possible de suggérer quelque solution en ce qui concerne la révision des Traités de 1839. Si on devait se contenter d'enregistrer le point de vue hollandais et le point de vue belge, ce ne serait pas la peine que nous soyons là. C'est pourquoi je vous demande de nous laisser quelque liberté pour que nous étudiions les deux thèses en présence et que nous disions à notre tour — et j'insiste particulièrement sur ce point — non pas notre sentence, mais notre avis.

M. SEGERS (*Belgique*). Je crains que la Délégation néerlandaise n'ait pas compris toute notre pensée. Il serait peut-être bon que je la précise.

LE PRÉSIDENT. Ne prolongez pas cette polémique, Monsieur Segers. Je demande qu'on s'en tienne à la procédure proposée. J'insiste pour que la Délégation hollandaise veuille bien demander à son Gouvernement d'entrer dans nos vues et je demande à la Délégation belge de vouloir bien en faire autant.

M. SEGERS. Je défère volontiers à ce désir, mais il nous sera impossible de discuter les questions d'ordre économique si la question essentielle relative à la sécurité de la Belgique n'est pas tranchée.

LE PRÉSIDENT. Il n'est pas question de les discuter ici.

M. SEGERS. Je tiens simplement à faire observer que nous ne pourrons discuter l'accessoire, si l'on ferme la porte à nos demandes principales.

LE PRÉSIDENT. Nous attendons la réponse de la Délégation néerlandaise, il n'est pas question d'engager la discussion sur quoi que ce soit en ce moment. Chacun de nous va se recueillir. On peut discuter l'ensemble des questions, car nous ne nous interdisons pas d'étudier nous-mêmes la question des voies navigables, par exemple. Nous attendons votre formule commune, mais encore faut-il que nous puissions étudier nous-mêmes ce point. Quand nous aurons la réponse du Gouvernement néerlandais, nous pourrons alors nous réunir et exprimer, au cours des débats qui se produiront, notre opinion sur ces questions.

M. SEGERS. MM. les Délégués des Pays-Bas ont dit que nous ne nous en étions pas tenus à la décision du 4 juin et que nous réclamions des servitudes internationales. Nous n'avons pas eu l'occasion de nous expliquer à ce sujet. Je n'insiste pas pour leur répondre, mais je tiens à faire observer qu'il serait facile de prouver que toutes nos demandes rentrent dans le cadre de la décision du 4 juin et qu'aucune d'elles ne constitue des servitudes internationales.

LE PRÉSIDENT. C'est entendu! Mais, en ce moment il y a mieux à faire que de continuer cette discussion qui ne nous mènerait à rien. Nous allons donc nous ajourner jusqu'à nouvel ordre. Quand la Délégation néerlandaise m'aura fait connaître la réponse de son Gouvernement, je vous demanderai de vous réunir. Pendant ce temps, nous allons nous réunir entre nous pour examiner les questions contenues dans les deux exposés. Nous avons en effet besoin d'échanger nos impressions à ce sujet. J'ai laissé, sans jamais les interrompre, les deux parties exposer leur point de vue avec la plus entière liberté. Restons sur l'impression des deux exposés. Ne prolongeons pas la discussion par des répliques qui pourraient continuer pendant des mois. Quand nous aurons la réponse hollandaise, nous vous convoquerons à nouveau et nous pourrons alors vous faire part de nos impressions à tous sur les deux exposés si intéressants qui nous ont été faits.

Je vais demander aux Délégués des cinq principales Puissances à quel

*Réunion des Délégués des grandes Puissances.*

moment ils désirent se réunir. Ce sera une réunion des Délégations et non une réunion officielle de la Commission.

On propose le vendredi 22 août à 10 heures. (*Assentiment.*)
Il en est ainsi décidé.

La séance est levée à 13 heures.[13]

[13] The Belgian Delegation, in a note dated at Paris, September 9, 1919, further commented upon M. van Swinderen's above-recorded speech to the Commission for the revision of the Treaties of 1839. This Belgian note of September 9 read as follows:

'L'interruption des travaux de la Commission pour la revision des Traités de 1839, n'a pas permis à la Délégation belge de faire connaître son sentiment au sujet de l'exposé du point de vue néerlandais présenté par M. van Swinderen à la séance du 20 août dernier.

'La Délégation belge a estimé que la dignité du pays qu'elle représente, aussi bien que le souci des intérêts dont elle a la charge, l'obligent à relever certaines expressions dont s'est servi le premier délégué néerlandais et à rectifier les erreurs de fait essentielles ainsi que l'interprétation abusive de textes, que renferme l'exposé hollandais.

'La Délégation belge ne peut dissimuler la fâcheuse impression que lui a laissée la vivacité du ton adopté par M. van Swinderen. Elle estime que lorsqu'il a mis en question la loyauté de certaines parties de l'exposé belge et a parlé des "philippiques si déplacées de MM. Segers et Orts", M. van Swinderen s'est exprimé dans des termes qui ne correspondent nullement à la modération dont est empreint l'exposé des revendications belges.

'Ce langage n'amènera pas la Délégation belge à se départir, en ce qui la concerne, des règles habituelles de la courtoisie ni à troubler la sérénité dans laquelle il convient que se déroulent ces débats.

'Une seconde observation d'une portée générale vise la méthode de discussion adoptée par la Délégation néerlandaise:

'Celle-ci "refuse d'entendre parler" de certaines questions qui présentent une étroite connexité avec le problème soumis aux délibérations de la Commission. Par ailleurs, son exposé abonde en affirmations et en dénégations que n'étaye aucune preuve. Il néglige les précisions et passe sous silence la plupart des griefs formulés par la Délégation belge.

'L'adoption d'une semblable tactique exclut toute discussion systématique susceptible d'éclairer le débat.

'M. van Swinderen a commencé par affirmer qu'une grande partie des propositions formulées par M. Segers consistait en servitudes internationales que les Pays-Bas ne pourraient accepter.

'Une note remise aux délégués alliés et néerlandais a déjà rencontré cette thèse.

'La Délégation belge a fourni de nombreux exemples des risques et des inconvénients que présentent pour la Belgique les clauses des Traités de 1839 relatives aux voies navigables.

'Elle constate que l'exposé néerlandais ne discute point la plupart de ces griefs. Afin de prouver que les assertions de la Délégation belge ne "tiennent pas debout" M. van Swinderen s'est borné à choisir trois exemples.

'Le premier exemple est relatif à la conservation des passes de l'Escaut.

'M. van Swinderen nous dit que "l'explication étroite du Traité de 1839 est la seule exacte". Il affirme donc encore aujourd'hui que les Pays-Bas ne sont pas tenus d'améliorer ou de laisser améliorer l'Escaut occidental.

'C'est bien là l'un des points essentiels que les délégués belges ont voulu mettre en lumière. Il en résulte clairement que puisque dans l'interprétation des Pays-Bas la Belgique n'a pas le droit d'améliorer les passes de l'Escaut, le port d'Anvers est exposé à la déchéance.

'Le deuxième exemple est relatif au canal Gand–Terneuzen. M. van Swinderen a cru opportun de dire ce qui suit:

' "Je crois que cette manière d'argumenter est peu conforme à la loyauté que M. Segers avait promise. Car il est évident que M. Segers cite ces détails pour les représenter comme un grief contre les Pays-Bas et créer cette atmosphère de méfiance contre la Hollande qu'il croit profitable à sa cause. Qu'il ait évité ensuite de nous en faire connaître les causes s'explique par le fait que la différence de largeur est due entièrement aux Belges qui, eux-mêmes, n'ont pas voulu de plus grande largeur''.

'M. van Swinderen se trompe lorsqu'il croit que le défaut d'unité dans les dimensions de ce canal avait été mis en lumière pour "créer une atmosphère de méfiance contre la Hollande''. Dans les cas, malheureusement nombreux, où les inconvénients du régime de 1839 sont imputables au fait des Pays-Bas la Délégation belge ne l'a pas insinué; elle l'a dit. Si elle avait évité d'incriminer ici la Hollande c'est qu'elle estimait qu'en l'espèce les conséquences défavorables qu'il était de son devoir de signaler étaient dues avant tout à la situation même des frontières et que la responsabilité du Gouvernement néerlandais étant atténuée, la modération rendait désirable de ne pas lui faire de grief. Mais en présence des explications tendancieuses fournies à la Commission par la Délégation néerlandaise, il est de son devoir de mettre les choses au point.

'Il est exact que jusqu'au moment où fut conclue la convention de 1902 les deux Gouvernements se trouvèrent d'accord sur la largeur uniforme de 24 mètres au plafond, projetée pour l'ensemble de la voie d'eau.

'Mais après que la convention eût été ratifiée, les Travaux Publics belges se ravisèrent et demandèrent de porter cette largeur à 50 m. Quoique la certitude fût acquise d'avoir tous les terrains nécessaires à cet effet, le Ministre néerlandais du Waterstaat refusa . . . [sic] en raison de difficultés avec la Belgique au sujet de l'entrée du bétail néerlandais.

'Le troisième exemple est relatif au canal Liége–Maestricht. Nous devons nous y arrêter quelque peu, car il est caractéristique, à la fois de la mentalité apportée par la Hollande à ces débats et de ses méthodes de travail.

'La Délégation belge avait montré les sujétions et les retards qui paralysent les communications avec le pays mosan en raison de la traversée de Maestricht laquelle dure généralement 8 jours et non 5 jours comme M. van Swinderen le fait dire à la Délégation belge et qui sont dûs à la fois à une situation contraire au bon sens, et au fait des Pays-Bas.

'Elle avait indiqué les remèdes.

'Que fait la Délégation néerlandaise? Elle ne conteste pas les sujétions et les retards. Mais elle reste muette au sujet des remèdes et s'attache minutieusement à créer, à petites touches, l'impression qu'il n'y aurait aucune mauvaise volonté du côté néerlandais; qu'il y aurait par contre négligence dans les services d'exécution et exagération dans l'exposé des griefs du côté belge.

'La Délégation belge croit indispensable à sa cause de suivre la Délégation néerlandaise dans ces détails.

'Une enquête sur place a confirmé que c'était bien par le fait de la douane néerlandaise que, fin mai 1919, environ 160 navires se trouvaient arrêtés. La même enquête a révélé une amélioration sensible, depuis le mois passé, de la situation coutumière.

'La douane néerlandaise apporte parfois jusqu'à 80 plombs sur une embarcation! Lorsque les bateaux sont chargés en partie on exige qu'ils soient bâchés pour pouvoir les plomber. La dispense de plombage pour les bateaux chargés de bois, dont parle M. van Swinderen a été rapportée depuis le 1er mai 1919. Par contre ce n'est que depuis le 22 juin de cette année que les entrées et les sorties ont été autorisées le dimanche. On le voit, tout cela est essentiellement précaire.

' "Pourquoi arrive-t-il parfois, se demande M. van Swinderen, que des bateaux soient obligés de s'arrêter plus longtemps? C'est ou bien parce qu'ils se refusent à s'organiser de façon à pouvoir être mis sous scellés ou bien parce qu'ils ne sont pas encore en possession d'un permis de sortie.

' "Le 30 juillet dernier pas moins de 40 bateaux attendaient ce permis, quelques-uns depuis plus de 8 jours''.

'La première allégation vise un cas exceptionnel dont M. van Swinderen parle comme si c'était un cas habituel. En effet depuis l'armistice quelques bateaux français qui n'étaient pas organisés en vue du plombage ont été employés à la navigation par le territoire de Maestricht. Ils ont subi des retards. Le receveur de Petit Lanaye (en amont de l'enclave) a eu soin d'ailleurs de prévenir les intéressés. Ce n'est évidemment pas seulement de cas exceptionnels de ce genre que nous avons lieu de nous plaindre. Quant au second fait cité par M. van Swinderen (relatif aux 40 bateaux) il est représenté de façon tendancieuse et inexacte : Des charbons belges avaient été achetés par une firme néerlandaise (Veldhuizen d'Amsterdam). Comme cette firme n'avait pas de licence d'exportation, les bateaux ont été retenus sans que leur présence ait, en quoi que ce soit, ralenti le trafic. Il ne s'agissait point là de formalités de transport. Il s'agissait uniquement de savoir si les acheteurs recevraient ou non la permission nécessaire pour se fournir de charbons en Belgique. La question a si peu de rapports avec celle qui nous occupe, que l'on se demande comment ceux qui ont documenté M. van Swinderen ont pu s'y tromper.

'La Belgique, qui y a tout intérêt, facilite par tous les moyens qui sont actuellement en son pouvoir, le passage par Maestricht. Mais les seules solutions adéquates sont celles qui ont été précédemment indiquées par la Délégation belge.

'Après avoir cité ces trois exemples et comptant sans doute sur l'effet moral que, dans sa pensée, ils étaient destinés à produire sur les autres Délégations, M. van Swinderen se borne pour le surplus à une demi-douzaine de dénégations dont nous ne dirons qu'un mot.

'*Cahiers des charges.*

'La Délégation belge n'a pas affirmé que les cahiers des charges soient dressés pour l'Escaut sans consultation préalable de la Belgique mais elle a dit que les conditions auxquelles les travaux devaient être exécutés étaient draconniennes [*sic*] et que ces conditions lui étaient imposées par les Pays-Bas.

'*Entretien des feux.*

'M. van Swinderen conteste que les Pays-Bas soient tenus en vertu du Traité de supporter les frais de l'entretien des balises et bouées lumineuses de l'Escaut. Il suffit de lire le texte pour se convaincre de son erreur: "Les deux Gouvernements s'engagent à . . . entretenir les balises et bouées nécessaires, chacun pour sa partie du fleuve". Les Pays-Bas soutiendraient-ils qu'il n'est pas devenu nécessaire de rendre possible la navigation de nuit?

'*Règlements de navigation.* Le 26 avril 1918, les autorités néerlandaises allaient jusqu'à interdire toute navigation dans les bouches de l'Escaut sans même porter le fait officiellement à la connaissance du Gouvernement belge.

'*Entretien des bouées.* Les Pays-Bas contestent que la Belgique paie les bouées sur l'Escaut néerlandais.

'La Belgique ne paie pas les bouées ordinaires mais elle paie les bouées lumineuses qui absorbent la presque totalité des frais d'entretien.

'*Délais dans les dragages.* Les Pays-Bas contestent que ces délais leur soient imputables.

'Cette dénégation générale répondant aux affirmations précises et circonstanciées de la Délégation belge est trop vague pour que l'on puisse utilement rouvrir le débat sur ce point.

'*Ecoulement des eaux de Flandres.*

'Les Pays-Bas disent d'abord qu'aucune plainte ne leur est jamais parvenue à ce propos. C'est précisément à la suite de ces plaintes répétées qu'a été constituée en 1890 une Commission hollando-belge avec les résultats que l'on sait. Depuis lors des plaintes continuelles n'ont cessé d'être formulées tant auprès de la Commission elle-même qu'au sein du Parlement belge.

'Ils contestent ensuite que les travaux d'art néerlandais aient été cause de l'écoulement défectueux de ces eaux. Ici encore la dénégation est trop vague pour que l'on puisse utilement rouvrir le débat.

'*Echouement du Millinocket.*

'Les Pays-Bas contestent leur responsabilité de ce chef. L'on ne peut pourtant pas dénier que si ce navire s'est échoué c'est parce que l'avant-port n'avait pas été entretenu à la profondeur voulue.

'M. van Swinderen s'étend ensuite très longuement sur le conflit que fit naître entre les 2 pays le barrage de l'Escaut Oriental. Il admet que le canal de Zuid Beveland est "loin d'être parfait en rapport avec les exigences actuelles de la navigation".

'Mais il cherche à prouver que l'Escaut oriental était encore plus mauvais.

'Il n'apporte d'autre argument que des statistiques de 1867 autour desquelles toute discussion serait oiseuse à défaut d'une connaissance suffisante des faits de l'époque.

'D'ailleurs ces chiffres importent peu. Depuis 1846, les Pays-Bas avaient décidé de barrer l'Escaut Oriental. Il est à tout le moins vraisemblable que dans ces conditions rien n'avait été fait pendant 20 années non seulement pour améliorer les passes de l'Escaut Oriental d'après les besoins de la navigation mais même pour les entretenir.

'Quel que pût être l'état de l'Escaut Oriental en 1867 et quelles que pussent être les causes de cet état, toujours est-il que, si cette voie d'eau n'avait pas été barrée elle eût pu être rendue accessible au moyen de dragages aux plus grands bateaux d'intérieur par tout état de marée.

'Pour le surplus l'argumentation belge demeure entière.

'C'est en vain, en effet que M. van Swinderen appelle à son secours l'autorité du Baron Guillaume.

'Le passage qu'il cite est relatif à la navigabilité de l'Escaut *Occidental* et par conséquent manifestement irrelevant; il l'est d'une façon si évidente, que l'on se demande comment M. van Swinderen a bien pu s'y tromper.

'L'étonnement redouble lorsque l'on compare la citation avec le contexte. Le Baron Guillaume continue en effet:

' "Le canal du Sud Beveland n'offre pas — il est vrai — toutes les facilités de navigation que l'on se plaisait à trouver dans la branche orientale de l'Escaut. Nous avons eu l'occasion de signaler plus haut les quelques inconvénients de cette nouvelle voie, — augmentation de la longueur du parcours, sujétions nombreuses résultant de l'usage d'un canal à écluses — mais il est un autre point sur lequel nous désirons nous arrêter un instant. Cette voie de communication n'est pas assez large; si elle a suffi jusqu'ici aux besoins de la navigation, il est aisé de prévoir le moment où il n'en sera plus ainsi." Et l'auteur conclut à la nécessité d'une voie d'eau directe Anvers–Rhin qui constituerait le couronnement de notre indépendance commerciale tout en témoignant des sentiments de loyale fraternité qui unissent la Belgique et la Hollande. . . [*sic*].

'Le dernier argument de M. van Swinderen est une lettre du 27 mars 1914 écrite par M. le Baron Fallon, Ministre de Belgique à La Haye, au Gouvernement néerlandais. L'objet de cette lettre était de prier le Gouvernement de la Reine de bien vouloir mettre le canal de Sud-Beveland "en rapport avec les exigences actuelles de la navigation". Des espoirs y sont exprimés quant à la valeur économique de cette voie modernisée, que le Gouvernement belge ne partage plus.

'Le désir d'obtenir l'exécution de mesures immédiates n'était peut-être pas entièrement étranger à l'optimisme dont il y est fait preuve.

'Il importe de combiner cette lettre avec celle qui a été adressée à M. le Jonkheer de Weede, Ministre des Pays-Bas à Bruxelles, sous la date du 16 février 1914 et dans laquelle le Gouvernement belge demande à nouveau que le Gouvernement néerlandais consentît à prêter éventuellement son concours pour l'établissement de communications par eau reliant Anvers au Rhin en traversant la vallée de la Meuse par le territoire néerlandais.

'La réalité objective se trouve excellemment exposée dans le passage suivant de l'auteur néerlandais van Kieffeler ("Ui[t]gevoerde en voorgenomen verbeteringen van onze Scheepvaartwegen" — *Economisch-statistische Berichten* . . . [*sic*]).

'C'est à cet auteur que M. van Swinderen semble avoir emprunté la statistique de 1867. Il est donc bon de faire connaître de façon plus complète la pensée de cet auteur. Celui-ci dit:

' "Les bateaux d'intérieur à destination d'Anvers sont, lors de leur passage dans les larges fleuves zélandais, très exposés aux dangers du gros temps. La navigation d'Anvers vers l'hinterland rhénan éprouve de ce fait de sérieux inconvénients. D'autre part, la distance d'Anvers au Rhin étant beaucoup plus considérable que celle de Rotterdam au Rhin ([Note in original]: Alors que la distance réelle d'Anvers à Duisbourg-Ruhrort est exactement la même que la distance réelle de Rotterdam à ce même point) et le passage des bateaux à Hansweert les astreignant à des formalités douanières on conçoit que le trafic rhénan accorde la préférence au port hollandais."

'Le premier délégué hollandais n'a pas retenu de l'exposé belge la conviction que les Pays-Bas devraient subordonner leur système de défense, en ce qui concerne une partie de leur territoire, au système belge.

265

'Ces motifs ont cependant été clairement indiqués: ils ont déterminé le Conseil Suprême des Alliés à proclamer la nécessité de la revision des Traités de 1839.

'L'attitude adoptée par la Délégation néerlandaise implique le refus de prendre en considération l'un des buts assignés à la revision, à savoir la suppression, tant pour la Belgique que pour la paix générale, des risques résultant des Traités de 1839.

'La justification des demandes formulées par la Belgique dans l'intérêt de sa défense a été développée dans une note de la Délégation belge en date du 24 août [see No. 91].

' "Nous nous refusons, a dit M. van Swinderen, d'entendre parler ici de la question du sable et du gravier, de nos exportations vers l'Allemagne, de la station de télégraphie sans fil à Baerle-Duc, du passage de troupes allemandes par le Limbourg en 1918."

'Le rappel de certains actes du Gouvernement néerlandais qui portèrent préjudice aux intérêts de la Belgique et à la cause des Alliés en général, justifie la nécessité où se trouve la Belgique de se prémunir par des accords précis contre les conséquences de la pression que dans le cas d'une nouvelle guerre l'Allemagne pourrait encore être tentée d'exercer sur les Pays-Bas.

'En évoquant le souvenir de ces incidents la Délégation belge s'est donc maintenue dans le cadre de la discussion et le droit d'en tirer les arguments utiles à la défense de sa thèse ne saurait lui être contesté.

'Le premier délégué néerlandais a demandé ce que le premier délégué belge a voulu dire lorsque, faisant allusion aux clauses territoriales des Traités de 1839, il s'est exprimé dans les termes suivants: "Je n'en parle pas *en ce moment*; ce sont des questions réservées, *les portes demeurent entrebâillées*."

'La question de M. van Swinderen oblige la Délégation belge à s'en référer, une fois de plus, aux conclusions du rapport de la Commission des affaires belges et à lui rappeler que le Conseil Suprême des Alliés a proclamé la nécessité de reviser les Traités de 1839 dans *l'ensemble* de leurs clauses.

'Le Gouvernement belge aurait été pleinement justifié à demander que le préjudice que, de l'avis du Conseil Suprême, la Belgique a subi du fait des clauses *territoriales* fût réparé par l'adoption de clauses nouvelles offrant les garanties que les Traités de 1839 ne lui ont pas apportées.

'Une semblable revendication se fût appuyée à la fois sur des raisons d'ordre historique, d'ordre politique, d'ordre économique et de sécurité nationale. Elles ont été exposées aux différents stades de ces débats. Il est vrai que la Hollande a conquis sur les eaux une grande partie de son territoire et c'est là sans doute l'origine de la légende géographique qu'a rappelée le premier délégué hollandais, mais elle a ensuite au cours des âges pris sur ses voisins du Sud d'autres territoires, dans le but d'assurer, à leur détriment, sa sécurité ou son développement économique. La Délégation belge est prête, s'il était encore nécessaire, à réfuter par des arguments péremptoires l'erreur historique où verse M. van Swinderen lorsqu'il affirme que jamais la Flandre zélandaise ni le Limbourg n'ont fait partie de la Belgique ni des Pays-Bas autrichiens.

'Malgré ces raisons, par esprit de conciliation et pour déférer au désir des Puissances, la Belgique a recherché d'autres solutions. Elle [? a] assumé la tâche de les formuler dans des termes concrets. Elle propose que les Pays-Bas concluent avec la Belgique une convention *militaire* qui lui donne ses apaisements en ce qui concerne la protection de ses frontières et une convention *économique* assurant la liberté de ses communications par le Limbourg avec son arrière-pays, par l'Escaut avec la mer.

'En dehors des solutions territoriales, l'adoption de sa proposition est la seule, aux yeux de la Belgique, qui permette d'atteindre le but qu'elle-même et le concert des Puissances se sont assigné. Si elle était écartée, si malgré la modération de la Belgique, le Gouvernement des Pays-Bas repoussait la seule solution permettant une revision effective des traités tout en laissant intactes les frontières données à la Hollande par les Puissances en 1839 au détriment et malgré les protestations de la Belgique, celle-ci devrait, dans l'intérêt de sa conservation et au nom du droit que les Puissances lui ont reconnu, reprendre toute sa liberté. La question resterait alors ouverte.

'Par contre, la Délégation belge tient à le déclarer, les "portes" seront fermées le jour où sera conclu un accord donnant à la Belgique le minimum de satisfactions dont sa modération l'engage à se contenter.

'Une convention nouvelle, librement consentie par la Belgique, deviendrait la loi des parties et nul ne pourrait lui prêter l'intention de ne point faire honneur à ses engagements.'

## No. 82

*Sir F. Villiers (Brussels) to Earl Curzon (Received August 21)*

*No. 143 Telegraphic [119128/11763/4]*

BRUSSELS, *August 21, 1919*

Minister for Foreign Affairs asked me to call this afternoon and made following statement.

Negotiations for revision of Treaty of 1839 appeared to be progressing favourably until yesterday when Dutch Delegates in submitting their case made a communication which was curt, uncompromising and uncourteous.

The Netherlands Government were ready, if Belgian Government so requested, to discuss various questions relating to navigable waterways, but would not deal with any political or military considerations.

Monsieur Hymans understands that representatives of Powers are meeting to-day [*sic*], without presence of Belgian and Dutch Delegates, in order to consider situation thus created. His Excellency asked me to telegraph at once explaining that if Dutch point of view were maintained this would amount to a complete reversal[1] for Belgian Policy, and produce so great an effect on public opinion, more especially after moderate language used in chamber, that Belgian Government might be compelled to withdraw from negotiations.

Repeated to Paris.

[1] Amended to 'reverse' on filed copy.

## No. 83

*Mr. Robertson (The Hague) to Earl Curzon (Received August 21)*

*No. 1377 Telegraphic [119129/11763/4]*

THE HAGUE, *August 21, 1919*

My despatch No. 225.[1]

I hear on good authority a copy of memorandum of Belgian Minister for Foreign Affairs to Belgian General Headquarters relating to propaganda in

[1] Note on filed copy: 'Not yet received'. This despatch of August 19, 1919 (received August 22: not printed) enclosed a text of the memorandum referred to below, as printed in the *Nieuwe Rotterdamsche Courant*, together with comment upon it in that journal. The printed text of the memorandum read as follows:

'Ministère des Affaires étrangères.
' Direction P.
'No. 4246.

'Note confidentielle pour le G. Q. G.

'. . . . En ce moment tout agent belge dans le Limbourg hollandais doit aider dans la mesure de ses forces à préparer le retour de cette province à la mère-patrie, ne pas négliger une

Limburg was sent by a Flemish Officer on Headquarters Staff to Flemish Committee here and published by latter as well as communicated to Netherlands Minister for Foreign Affairs. It has created most unpleasant sensation.

Strong article which is I understand inspired appeared in last night's *New Rotterdam Courant*. It comments bitterly on perfidy of Belgian Government in carrying on official and underhand campaign in Dutch territory at a time when negotiations were proceeding in Paris for a revision of Treaty of 1839 which should involve no change of frontier.

Memorandum, says article, 'seems an example of such gross perfidy, such despicable cowardice that unless memorandum signatories [*sic*] and date prove to be fictitious Paris negotiations will run grave risk of coming to a deadlock'.

General opinion appears to be that negotiations [? at][2] Paris are now futile so long as Hymans remains Minis[ter][2] for Foreign Affairs.

occasion de montrer aux Limbourgeois que leur intérêt est du coté de la Belgique, encourager sans indiscrétion les Limbourgeois qui se montrent nos partisans, ceux qui le sont secrètement et ceux qui pourraient le devenir.

'Ils doivent marquer par l'aide la plus empressée qu'ils donneront, à ceux-ci, la différence qu'ils feront entre Limbourgeois et Hollandais. Ils doivent témoigner chaque jour, à chaque occasion utile, leur reconnaissance aux Limbourgeois pour leurs bienfaits envers les réfugiés belges. . . .

'Il faut qu'en ce moment les Belges du Limbourg donnent l'impression d'être confiants dans le bon résultat au point de vue des négociations entamées avec la Hollande pour la révision der [des] traités de 1839 et le règlement des questions de l'Escaut et de la Meuse; qu'ils se montrent très sûrs de l'appui que nous donnera l'Entente et de son efficacité.

'Il ne faut pas faire trop de propagande directe; la laisser faire par les Limbourgeois, — qu'ils laissent entendre que, si le Limbourg redevient belge, il restera ou redeviendra Limbourgeois, qu'il ne sera pas joint à une autre province, qu'on n'y implantera pas la langue française, que le catholicisme y sera aussi protégé que sous le régime hollandais; l'anticléricalisme n'est pas de mise dans cette région, au contraire. . . .

'3 juillet 1919.

'Le Ministre
(s.) P. Hymans.'

Punctuation above as in original printed text. For the question of the validity of this text, cf. Nos. 86 and 90, note 2.

[2] The text here is torn.

## No. 84

*Mr. Waterlow (Coblenz)[1] to Earl Curzon (Received August 23)*

*Unnumbered [120099/105194/1150 RH]*

COBLENZ, *August 21, 1919*

My Lord,

Having gathered from various sources that the French authorities were looking forward with some confidence to the early substitution of French for British troops in Cologne and the surrounding district, I ventured, before I

[1] Mr. Waterlow was on a visit to the Rhineland: see below.

left Paris, to telegraph to Your Lordship a short statement of the reasons why it seems undesirable that the French should be placed in occupation of Cologne, and to express the hope that no decision would be taken in this matter until the British representative on the Inter-Allied Rhineland Commission had had an opportunity of discussing it with the Army Council, who were about to visit Cologne.[2]

2. Sir Harold Stuart and myself proceeded to Cologne on the 18th instant and had an interview with the Secretary of State for War and the Chief of the Imperial General Staff. Both Mr. Churchill and Sir H. Wilson said that they were most strongly opposed to any proposal that the French should take over the occupation of Cologne. I would suggest that, if this is the settled policy of H.M. Government, it might be well that steps should be taken not only to leave no illusions on the subject in the mind of the French High Command, but to convey a definite intimation to the French Government themselves. It is already widely believed in Cologne that the French are about to occupy the city. The belief is unsettling, for there can be no doubt that the substitution of French for British troops would be distasteful to the population; and there will be a constant recurrence of anxiety caused by similar rumours, unless the French Government know that it is useless to propagate them, because any proposal for the evacuation of Cologne will be unfavourably regarded by H.M. Government.

3. In this connection I have the honour to enclose copy of a memorandum by Sir Harold Stuart which sets out the reasons why the retention of Cologne in the British Zone of Occupation is desirable from the interallied as well as from the purely British point of view.

I have, &c.,

S. P. WATERLOW

## ENCLOSURE IN No. 84

### *Memorandum*

1. The French argument, by which they seek to show that Cologne should be handed over to them, is understood to be as follows. 'Under the agreement signed at Versailles, troops in the occupied territory may not be billeted, but must be quartered in barracks. Consequently, barrack accommodation being limited, barracks, wherever they exist, must be used to their full capacity. The British are not keeping a sufficient force in the occupied territory to fill the barracks available at Cologne. Therefore they should go to a smaller place and be replaced by the French in the interests of economy of distribution.'

2. This argument would be difficult to resist if the facts were as stated. But they are not. In the first place, there is barrack accommodation in Cologne proper for no more than some 8,700 troops, and for some 2,100 in the quarter of the town which lies on the right bank of the Rhine. In the second place, it is proposed to allow the Germans to have a small force—say

300 to 400 men—of quasi-military police to be employed in suppressing civil tumults, thus avoiding any necessity for using our own troops; and these men will need barrack accommodation. In the third place, it will surely be possible for H.M. Government, having regard to the great interests at stake, to provide for a slight increase in our force without doing undue violence to the announcement made in Parliament that the British troops are to be reduced to a strong brigade. These are technical military questions; but they should be decided in the light of the larger political and commercial considerations involved, which are set out in the following paragraphs.

3. Cologne is the most important place in the Occupied Territory. By far the largest city in point of population, it is the capital of the great industrial area, the hub of the financial interests and the most influential political centre. Our occupation of Cologne, by giving us valuable prestige, has enabled us to exercise a wholesome controlling influence in administration and political matters. If we leave Cologne, and the French take our place, we shall lose this influence and the French will gain it. Holding Mayence in the South, they will not only dominate Rhenish Hesse and the Palatinate, but will also be in a position to make use of the commercial and financial interests of Wiesbaden and Frankfort. If, in addition, they occupy Cologne in the North, together with Trèves (now evacuated by the Americans) on the West, and with the practical command of the Belgian zone, including Aachen and Crefeld, the French will be supreme throughout the Occupied Territory, the British being confined to Bonn (which is purely a University town), while the Americans are penned up in Coblenz with the French closely hemming them in on all sides. The consequence of this must inevitably be to stultify the aims which the Associated Powers intended to attain by means of the agreement of Versailles: namely the placing of supreme power and responsibility during the occupation in the hands of a body which shall be (1) genuinely interallied in character and (2) civilian.

4. In the first place, French occupation of Cologne would rob the Inter-Allied Rhineland High Commission of any real interallied character. That result would follow, not merely from the enchancement [*sic*] of French prestige, but for the following practical reason also. Administrative power and effective intervention in matters of policy always depend upon full and unbiassed information. A British Commissioner with no independent sources of information at his disposal would be like a blind and deaf man. With Cologne held by the French he loses his eyes and ears; and consequently, if his Government wish him to oppose, or even only to temper and control the trend of French policy (as may well be the case in economic questions or in the matter of French political schemes for a Rhineland Republic, for buffer states, &c.), he cannot carry out his instructions effectively. His acts must be feeble and groping, if he acts at all, but he will usually, from lack of knowledge, be compelled passively to register French decisions. In either event he will be spoon-fed by the French and British credit and British influence must suffer. Under such conditions, it is a question whether it would not be better that the British and American members should withdraw altogether from the

Commission. Nominally responsible, but in fact almost powerless to control or influence, their position may well become intolerable before long, and that not merely personally, but from the point of view of H.M. Government and of the United States Government, who, after assuming a joint responsibility under the agreement, will find themselves tied to the chariot-wheels of French policy towards Germany in economic as well as in political matters.

5. But there is more. The result of giving up Cologne to the French will mean not merely that the occupation ceases to be genuinely interallied but that, sooner or later, it becomes military, thus vitiating the whole spirit of the agreement of Versailles. If the British Commissioner, having lost Cologne, becomes a cipher, it will be very difficult to prevent the French Commissioner in co-operation with the French high command and supported by his Belgian colleague from governing the territory by methods of martial law, whether open or disguised, (a position which the French Commissioner's casting vote will enable him readily to assume,) whenever it suits their views to do so. The Germans will not be slow to take advantage of this to divide the Allies by appealing to public opinion in Great Britain and America. Such an appeal might, in view of the terms of the agreement and in view of the strength of anti-militarist feeling among the Anglo-Saxon democracies, easily have unfortunate consequences, both domestic and interallied, on which it is unnecessary to dwell here.

6. So much for the interallied aspect of our abandonment of Cologne. While that aspect necessarily comes first, the purely British interests involved should not be overlooked. French occupation of Cologne, (since, as explained above, Cologne is the key to the Rhineland), will mean a serious drag on the revival of British trade with the whole of the occupied territory and with the rest of Germany. It is largely through Cologne that we hope to reorganize Anglo-German commercial and financial relations when Europe returns to economic stability. That hope will be dashed and we shall lose the benefit of the work already done in that direction. With Cologne in their hands, our rivals will have the power to exploit the economic life of the occupied territory to their own advantage. Can it be doubted that they will also have the will?

7. Finally, the British occupation of Cologne is the direct consequence of the advance of our armies from the positions on which they stood when they broke the enemy's resistance, so that physical possession of the Rhine at this point remains for the man in the street the visible sign of the part played by the British soldier in the war. Returning soldiers form no inconsiderable and a very energetic part of the electorate, and it is an interesting speculation how public opinion would be affected, were we to give up Cologne and retire to the obscurity of so insignificant a town as Bonn. The Americans have successfully resisted pressure which has been applied to oust them from Coblenz: we shall greatly strengthen the Anglo-American influence if we are equally firm in opposing the French attempts to displace us in Cologne.

HAROLD STUART

*Coblenz, August 21, 1919.*

# No. 85

*Record of a meeting in Paris on August 21, 1919, of the Committee on Organization of the Reparation Commission*

## No. 6 [Confidential/Germany/31]

Meeting opened at 3 p.m., M. Loucheur in the Chair.

*Present:*

Mr. Dulles, Mr. Dresel (U.S.A.), Col. Peel (Great Britain), M. Loucheur, M. Mauclère, M. Cheysson (France), Sig. d'Amelio, Sig. Ferraris (Italy), Col. Theunis, Major Bemelmans (Belgium).

... 3.[1] *Draft Reply to the Germans on Coal through Holland.*

M. LOUCHEUR informed the Committee that the Germans had lately displayed an evident reluctance on the coal question. On the basis of the Versailles agreement regarding anticipated deliveries[2] he had sent Major Aron to Essen to arrange for immediate despatch to begin. This officer had returned the previous day and had informed him that the Chairman of the Kohlen Syndikat had again raised numerous questions which had already been dealt with by the Committee (F.O.B. prices, fixation of total deliveries up to the 1st May 1920, &c.,) and had demanded their solution as a preliminary to any deliveries. M. Loucheur had immediately sent Col. Weyl to Versailles to inform Herr von Lersner that such methods of working could not continue. The Allied and the Associated Powers had just discussed the question of the Left Bank of the Rhine[3] with the Germans in a very liberal spirit; further rulings on this point had been demanded by Germany: Herr Bergmann, Chairman of the German Reparations Commission, who had just arrived at Versailles, asked to have the question of mineral supplies settled and to open up discussions regarding prisoners. It had been replied that none of these questions could be raised before that of coal had been settled in a satisfactory manner.

Herr Bergmann had appeared to be very impressed and had immediately telegraphed to Berlin. Further, Herr von Lersner had just requested an interview with M. Loucheur, who proposed to grant this and to inform the German Delegation in the name of the Committee that the Committee while remaining disposed to conciliation as to the practical methods of applying the Treaty terms was determined not to depart from a strict application of these terms and that no anticipatory conversation could be permitted on any question so long as the Germans had not carried out the engagements which they had undertaken with respect to coal.

The members of the Committee expressed their agreement with the Chairman's point of view. . . .[1]

---

[1] The remainder of these minutes related to other matters.

[2] Cf. Annex V to Part VIII of the Treaty of Versailles.

[3] For this question, see Volume I, No. 15, minute 2 and appendix A, and No. 73, appendices A and B.

# No. 86

*Record of a meeting in Paris of the Delegates of the Great Powers on the Commission for the revision of the Treaties of 1839*

## No. 1 [Confidential/General/177/9]

### Procès-verbal No. 1. Séance du 22 août 1919

La séance est ouverte à 10 heures, sous la présidence de M. Laroche, *Président de la Commission pour la révision des Traités de 1839.*

*Sont présents:*

M. Fred K. Neilson (*États-Unis d'Amérique*); l'Hon. Charles Tufton et le Colonel Henniker (*Empire britannique*); MM. Laroche et Tirman (*France*); le Professeur Dionisio Anzilotti (*Italie*); le Professeur K. Hayashi et le Colonel Nagai (*Japon*).

*Assistent également à la séance:*

Le Capitaine de vaisseau Fuller, le Lieut^t^-Colonel Twiss et le Capitaine de frégate Macnamara (*Empire britannique*); le Capitaine de vaisseau Le Vavasseur, le Lieut^t^-Colonel Réquin et M. de Saint-Quentin (*France*); le Capitaine de corvette Ruspoli (*Italie*); M. Tani (*Japon*).

LE PRÉSIDENT. J'ai reçu la visite de M. Segers qui venait m'entretenir d'une lettre dont la presse hollandaise fait état. Cette lettre aurait été adressée par M. Hymans le 3 juillet pour faciliter le voyage des personnes chargées de la propagande belge dans le Limbourg.[1] M. Segers a dit à M. Van Swinderen ce que M. Hymans avait déjà dit au Ministre des Pays-Bas à Bruxelles, à savoir que la lettre était apocryphe ou plutôt tronquée, parce qu'on y avait omis un passage spécifiant que les émissaires belges devaient avoir le respect de l'ordre établi.

*Entretien du Président avec M. Segers.*

En outre, la lettre en question n'a pas été écrite le 3 juillet comme l'a dit la presse, mais le 20 mai, c'est-à-dire avant la décision des Puissances qui exclut toutes les prétentions territoriales de la Belgique. Ce fait dégage complètement la bonne foi du Gouvernement belge.

J'ai profité de l'occasion pour représenter à M. Segers qu'il aurait tout intérêt à faire une déclaration rassurant complètement le Gouvernement hollandais sur la renonciation du Gouvernement belge à toute prétention territoriale belge en cas d'arrangement. M. Segers m'a dit qu'il n'avait aucune difficulté à faire cette déclaration et qu'il saisirait l'occasion d'une prochaine séance pour cela. D'après lui, le Gouvernement belge avait vu dans une rectification territoriale un moyen possible de régler les questions de défense nationale qui le préoccupent, mais serait prêt, s'il obtenait satisfaction d'une autre manière, à faire une declaration excluant de la manière la plus formelle pour l'avenir, toute prétention territoriale de la part de la

[1] See No. 83, note 1.

Belgique. J'ai répondu au premier Délégué belge que j'étais certain qu'une déclaration de ce genre serait de nature à faciliter les négociations avec le Gouvernement hollandais au point de vue des sécurités militaires que les Puissances pourraient juger nécessaire d'obtenir de la part de la Hollande.

Cette déclaration de M. Segers me paraît très importante, parce qu'elle nous met plus à l'aise pour discuter entre nous les questions *Garanties* dont il s'agit. Ainsi que je l'ai dit l'autre jour dans la séance *militaires de-* plénière (*Voir page 169*),[2] les grandes Puissances ont, à leur *mandées par la* tour, un avis à exprimer, après que les Belges et les Hollan-*Belgique.* dais ont exprimé le leur. Je n'ai pas besoin de rappeler ici que la question des Traités de 1839 n'intéresse pas seulement la Belgique. Je dirai même qu'elle est, au premier chef, une question d'intérêt général, attendu que, comme l'a dit très justement M. Van Swinderen dans une précédente séance,[3] si la Belgique est attaquée, ce n'est pas comme Belgique qu'elle sera attaquée, mais comme objectif intermédiaire pour atteindre une autre Puissance. C'est ce qui s'est passé en 1914 et se passerait dans toutes les hypothèses, y compris l'hypothèse absolument invraisemblable où la France voudrait attaquer l'Allemagne. Les principales Puissances alliées sont donc la garantie de la Paix européenne puisque, même dans la Ligue des Nations, c'est sur elles que repose la sauvegarde de la Paix en Europe. C'est, ainsi que l'a dit très justement le Président Wilson à la Roumanie dans une séance plénière restée fameuse,[4] le motif pour lequel les grandes Puissances ne peuvent pas se désintéresser de ce qui se passe chez les petites, puisque ce sont elles qui ont la responsabilité de la sauvegarde de la Paix.

Si la Belgique était attaquée, il y aurait deux ou trois grandes Puissances qui se trouveraient immédiatement engagées; elles ont donc bien quelque droit d'examiner comment la question se poserait pour elles au point de vue militaire. C'est pourquoi, si vous n'y voyez pas d'objection, je vais d'abord donner la parole au représentant militaire français. (*Assentiment.*)

Le Lieut^t-Colonel Réquin (*France*). Messieurs, la Délégation belge nous a exposé les garanties militaires qu'elle estimait indispensables à la défense de la Belgique[5] et elle s'est efforcée d'établir — ce qui n'était d'ailleurs pas à démontrer — que la défense de la Belgique intéressait toutes les Puissances occidentales, en particulier la France et l'Angleterre.

Je crois que, dans l'examen par les grandes Puissances des garanties que la Belgique demande, il faut se placer à un point de vue très général. La révision du Traité de 1839, en effet, doit être faite en fonction de la situation nouvelle qui va être créée dans le monde par la Société des Nations. Or, la Belgique en fait partie. La Hollande est invitée à y entrer et il semble, d'après l'exposé de M. Van Swinderen, qu'elle a l'intention, dès à présent, d'y adhérer.

C'est donc dans le cadre de la Société des Nations et en tenant compte des

---

[2] p. 261.                                                                           [3] See No. 81.

[4] Plenary session of the Peace Conference on May 31, 1919: see *Papers relating to the Foreign Relations of the United States: the Paris Peace Conference 1919*, vol. iii, pp. 394 f.

[5] See No. 64.

obligations militaires que le Pacte impose à ses membres, qu'il nous faut examiner les garanties que la Belgique demande.

Ces garanties visent, d'une part, la défense de la Meuse: c'est la question du Limbourg; d'autre part, la défense de l'Escaut: c'est la question de la liberté du fleuve et de l'utilisation du territoire de la Zélande hollandaise en cas de guerre.

Pour simplifier le problème, j'envisage d'abord le problème de la défense de l'Escaut. Les garanties que la Belgique demande à ce sujet lui seront données par les obligations mêmes du Pacte de la Ligue des Nations, ainsi que le fait observer M. Van Swinderen dans son exposé.[3] En effet, ou bien la Belgique et la Hollande, membres l'une et l'autre de la Société des Nations, seront impliquées dans une action commune contre une tierce Puissance, ou bien elles seront impliquées dans un conflit qui les mettrait aux prises l'une contre l'autre. Dans le premier cas, les Articles 16 et 17 du Pacte les obligent à se faciliter réciproquement le passage de leurs troupes sur leur territoire respectif et cette clause vise aussi bien l'Escaut que la Zélande hollandaise ou que le Limbourg.

Dans le second cas, on ne voit pas quelle serait l'utilité d'un accord qui serait nécessairement rompu par les armes. Tel est, du moins, le principe qui me paraît résulter du texte même du Pacte de la Société des Nations.

Il est évident que les modalités d'application que comporte ce principe en ce qui concerne les passages de troupes et l'utilisation des deux territoires réciproques, pourront faire l'objet d'un examen par la Commission militaire permanente qui doit être formée en vertu de l'Article 9 du Pacte de la Société des Nations. Mais on ne peut pas mettre en doute que le principe posé par les Articles 16 et 17 que je viens de viser sera appliqué.

Il est ainsi permis de conclure qu'en ce qui concerne l'Escaut, si l'entrée de la Hollande dans la Société des Nations avait précédé la révision du Traité de 1839, la question d'une garantie militaire spéciale à envisager pour la Belgique ne se poserait pas devant cette Commission. C'est également ce qui me paraît résulter d'un certain passage de l'exposé de M. Van Swinderen.[3]

En est-il de même, Messieurs, pour la question du Limbourg? Et le Pacte de la Société des Nations, en admettant que la Hollande et la Belgique y soient parties toutes deux, résout-il la question des garanties demandées par la Belgique? Je crois que nous pouvons répondre: non. En effet, les grandes Puissances alliées et associées ont estimé nécessaire de prendre, en fonction sans doute de la Société des Nations qui doit les approuver, mais pour une période encore indéterminée, des garanties militaires spéciales vis-à-vis d'une Puissance, l'Allemagne, qui ne peut être admise actuellement dans la Société des Nations. L'occupation d'une partie du territoire allemand par des forces alliées et associées a été décidée, non seulement comme garantie des réparations dues par l'Allemagne, mais aussi comme sécurité militaire indispensable aux Puissances occidentales. Ce double but est clairement indiqué dans le Traité de Paix.

Si, pour des raisons autres que des raisons militaires, les Puissances alliées et associées ont envisagé un retrait progressif de leur occupation militaire après cinq ans et après dix ans, il est essentiel de noter que dans le choix des lignes successives d'évacuation, lesdites Puissances ont tenu compte de considérations militaires, au premier rang desquelles l'obligation jusqu'à la 15e année de couvrir à la fois la Belgique, le Luxembourg et la France, dont la défense éventuelle contre l'Allemagne ne constitue qu'un seul front. C'est ainsi que la limite d'occupation interalliée, à partir de la 10e année et jusqu'à la 15e année, emprunte, dans sa partie orientale, la frontière stratégique militaire que l'État-Major belge avait proposée à défaut d'autres garanties et que les experts militaires à la Commission des Affaires belges avaient jugée comme la meilleure ligne stratégique protégeant la frontière politique de la Belgique dans la partie comprise entre la Belgique et le Luxembourg.

Le Traité de Paix, d'autre part, prévoit que si au bout de quinze ans les garanties militaires ne sont pas suffisantes, l'occupation du territoire rhénan pourra être prolongée pendant le temps nécessaire à l'obtention de ces garanties.

Quelle occupation, Messieurs? Au minimum la dernière, c'est-à-dire précisément celle qui est jalonnée par la ligne que je viens de vous indiquer, couvrant à la fois la Belgique, le Luxembourg et la France.

Si donc les Puissances alliées et associées ont envisagé ainsi l'éventualité de se défendre sur cette ligne générale, elles ne peuvent pas être indifférentes à la faiblesse que créerait dans leur flanc gauche la situation, je ne dis pas du Limbourg non défendu, puisque M. Van Swinderen nous a donné la certitude que la Hollande le défendrait comme elle défendrait toute parcelle de son territoire, mais du Limbourg militairement non défendable. Il suffit, en effet, de jeter les yeux sur la carte pour voir que le Limbourg méridional constituant une sorte de poche d'environ 40 kilomètres de profondeur avec 7 kilomètres d'ouverture, n'est pas militairement défendable par la Hollande seule contre un ennemi venant de l'Est. Les communications de cette région avec la Hollande sont absolument précaires, parce que exposées à être coupées en quelques heures par une attaque des Allemands dans la région de Sittar. Si donc la défense purement hollandaise du Limbourg ne recevait aucune aide extérieure, elle aboutirait tout simplement à la perte ou à la capture de ses défenseurs.

Les Puissances occupantes du territoire rhénan ont donc un intérêt commun à établir, le cas échéant, une liaison entre la défense du Limbourg que la Hollande se déclare décidée à assurer et celle de ce front minimum sur lequel elles ont résolu de maintenir leurs troupes aussi longtemps que les garanties contre une agression allemande ne seront pas jugées suffisantes.

Tel me paraît être l'intérêt actuel des grandes Puissances dans cette question du Limbourg que, contrairement à ce que nous avons vu pour l'Escaut, l'admission de la Hollande dans la Société des Nations ne résout pas *ipso facto*.

Messieurs, en constatant d'une part que le point de vue belge et le point de vue hollandais sur les questions de garanties militaires paraissent difficiles à concilier et que, d'autre part, ainsi que nous venons de le voir, les grandes

Puissances ont un intérêt évident à se préoccuper de la question de la défense du Limbourg et à la régler, je me permets de suggérer la solution suivante qui me paraîtrait rentrer dans l'esprit des dispositions déjà prises par les grandes Puissances pour assurer leur sécurité vis-à-vis de l'Allemagne. Si la Hollande a d'ores et déjà l'intention d'adhérer à la Société des Nations, les grandes Puissances alliées et associées occupantes du territoire rhénan pourraient peut-être lui proposer, aussi longtemps du moins que l'Allemagne ne sera pas admise dans ladite Société, de lier la défense du Limbourg à l'action éventuelle commune desdites grandes Puissances par un accord qui, au même titre que les Traités d'alliance de la France avec l'Angleterre et avec l'Amérique, serait soumis à l'approbation de la Société des Nations et qui vaudrait pour la même période que ces traités eux-mêmes.

Puisque la Hollande veut défendre le Limbourg, même dans des conditions stratégiques éminemment défavorables, puisque M. Van Swinderen a parlé de sacrifices nécessaires pour arriver à l'apaisement des deux opinions publiques hollandaise et belge, ce ne serait certainement pas demander beaucoup au Gouvernement des Pays-Bas qu'un accord qui lui permettrait de défendre le Limbourg avec la certitude, cette fois, de le conserver et qui apporterait aux grandes Puissances un témoignage appréciable de solidarité de la part de la Hollande et, au point de vue de l'opinion belge, un élément essentiel d'apaisement.

Si le Gouvernement hollandais refusait, les grandes Puissances auraient vraisemblablement à compléter, par des mesures militaires préventives, les garanties déjà prises pour assurer l'inviolabilité du territoire belge en toute hypothèse. Mais elles seraient, d'autre part, fondées à tirer du refus de la Hollande telles conclusions qu'elles jugeraient devoir en retenir pour le présent et pour l'avenir. C'est sur ce terrain qu'il me paraît possible de trouver un moyen de conciliation. Voilà comment je vois la question au point de vue général. Je crois qu'il faut d'abord l'envisager ainsi avant d'entrer dans les détails techniques qui ne nous avanceraient à rien.

Le Président. Je remercie beaucoup le Colonel Réquin de ses explications et je demande au Délégué militaire britannique de vouloir bien nous faire connaître son point de vue.

Le Lieutᵗ-Colonel Twiss (*Empire britannique*). Messieurs, il me semble que le danger qui est couru par la Belgique n'est pas un danger pressant. Pour le moment, en effet, l'Allemagne est incapable d'agir et elle le sera sans doute pendant longtemps encore. Le danger me paraît donc être surtout pour l'époque où l'Allemagne aura pu s'armer de nouveau et, peut-être, conclure avec la Russie une alliance qui pourra donner naissance à une Société rivale de la Société des Nations. Ce danger ne peut cependant pas se produire avant une vingtaine ou une trentaine d'années.

La solution française envisage surtout la question du point de vue présent; elle ne la traite pas du point de vue qui me préoccupe le plus, celui de l'avenir.

La Hollande a fait deux déclarations que je retiens:

1° Elle déclare qu'elle est disposée à entretenir des troupes dans le Limbourg et à établir des travaux de fortification dans ce pays. Il me semble qu'elle donne par là satisfaction au désir de la Belgique et qu'elle calme ses inquiétudes;

2° Elle déclare que si la frontière du Limbourg est violée, cela constituera pour elle un *casus belli* immédiat. Par conséquent, je trouve que la question de l'Escaut est liée à celle du Limbourg, puisque, dès qu'il y aura violation de la frontière du Limbourg, la Hollande entrera en guerre. L'Escaut redeviendrait donc libre pour la Belgique. Ce sont là deux fortes garanties, si on a confiance en la Hollande, et je ne pense pas qu'on ne puisse pas avoir confiance en elle.

En cas d'attaque de la part de l'Allemagne, la Hollande, étant membre de la Société des Nations, aurait nécessairement à suivre les autres membres de la Société des Nations dans leur action contre l'Allemagne. Par conséquent, l'Escaut se trouverait naturellement ouvert.

De plus, le fait que la frontière française a été remontée vers le Nord en suivant le Rhin rend de plus en plus nécessaire à l'Allemagne une attaque sur le Limbourg. De plus en plus l'Allemagne sera conduite à violer la frontière du Limbourg, c'est-à-dire à obliger la Hollande à faire la guerre.

Je trouve que, bien que l'existence de la Société des Nations offre des probabilités de garanties, elle n'en donne pas la certitude; il y aurait nécessité à donner à la Belgique des garanties de sécurité en dehors de celles qui sont offertes par la Société des Nations.

Le Capitaine de vaisseau Fuller (*Empire britannique*). Ces garanties spéciales sont d'autant plus nécessaires qu'il faut envisager le cas où l'Allemagne ne ferait pas partie de la Société des Nations et où elle créerait une sorte de Société rivale ennemie, avec le concours de la Russie par exemple.

Le Président. Est-ce qu'au point de vue maritime la Délégation britannique estime que les déclarations de la Hollande lui donnent satisfaction?

Le Capitaine de vaisseau Fuller. Nous estimons que les garanties qui sont données par le régime actuel de l'Escaut sont les meilleures possibles.

Le Président. Oui, les garanties données par le régime actuel de l'Escaut.

*Question de l'Escaut.* Mais il faut nous entendre. Le régime actuel, c'est la neutralité de l'Escaut. Or, les Belges demandent que cette neutralité cesse et qu'Anvers devienne un port de guerre. Il y a deux faces de la question: la face guerre et la face paix, autrement dit le règlement accidentel et le règlement permanent.

Au point de vue accidentel, c'est-à-dire de la guerre, il semble bien qu'on ait satisfaction, puisque la Hollande a déclaré que faisant partie de la Société des Nations, si la Belgique est attaquée, elle lui viendra en aide et que l'Escaut sera ouvert aux Alliés qui viendront aider la Belgique et, non seulement l'Escaut, mais le reste du territoire.

Mais les Belges ont posé une autre question, celle de savoir si Anvers ne pourra pas devenir port de guerre, même en temps de paix. En d'autres termes, la Belgique voulant avoir une marine de guerre — c'est tout à fait son droit, rien ne peut s'y opposer — veut pouvoir se servir d'Anvers comme port de guerre. Cela est accepté par la Hollande. Alors, je demande aux Délégués de la Grande-Bretagne ce qu'ils pensent de cette question au point de vue du surcroît de garantie que cela peut offrir et au point de vue des inconvénients éventuels que cela peut présenter.

M. le Délégué britannique a dit tout à l'heure que le régime actuel était celui qui paraissait le mieux répondre aux intérêts généraux. Mais, d'un autre côté, il y a un point sur lequel j'attire votre attention. Les Hollandais nous ont dit formellement que si les Puissances ne s'opposent pas à l'abolition de la clause concernant le port d'Anvers, ils ne s'y opposeraient pas non plus. La question a ainsi pour nous deux aspects : un aspect naval et un aspect politique. Je demande l'avis de la Délégation britannique au point de vue naval sans dissimuler que, au point de vue politique, si l'abolition de cette clause n'est pas admise, ce sont les Puissances qui en porteront toute la responsabilité vis-à-vis de la Belgique. Cette abolition dépend d'elles seules, il leur sera bien difficile de la refuser à leur Alliée.

Le Capitaine de vaisseau Fuller. A l'heure actuelle, les bâtiments de guerre peuvent et doivent recevoir de la Hollande la permission de passer dans les eaux hollandaises pour pénétrer à Anvers. Je ne vois pas comment ce régime pourrait être changé, puisque les eaux sont entièrement hollandaises. La permission de la Hollande reste nécessaire.

De plus, Anvers est actuellement fortifiée ; elle l'était avant la guerre. Nous ne voyons pas quelle modification amènerait un régime nouveau.

Le Président. Est-ce que l'autorisation d'aller à Anvers était donnée aux navires de guerre, avant 1914 ?

Le Capitaine de vaisseau Fuller (*Empire britannique*). Oui, pendant le temps de paix.

S'il y avait eu une marine de guerre belge, les Hollandais lui auraient donné, en temps de paix, la permission de pénétrer dans l'Escaut, eaux hollandaises. C'est la déclaration qu'a faite la Délégation hollandaise l'autre jour, si je ne me trompe.

M. Neilson (*États-Unis d'Amérique*). Je demanderai au Délégué britannique de bien vouloir compléter ses explications sur certains des points qu'il a abordés. La Délégation néerlandaise a déclaré que toute violation du Limbourg par des forces militaires ennemies serait regardée comme un *casus belli*. Si la Hollande devenait belligérante, la question de la neutralité de l'Escaut soumis à la juridiction des Pays-Bas ne se poserait pas. Mais il semble que la Belgique désire que l'Escaut soit ouvert pendant n'importe quelle guerre dans laquelle la Belgique serait engagée, même si la Hollande était en paix. Apparemment, il y a des guerres auxquelles la Hollande peut ne pas se sentir obligée de prendre part, pour se conformer aux obligations de la Ligue des Nations. Une demande belge tendant à se servir de l'Escaut pour des opérations de guerre dans de telles circonstances serait, au point de vue légal, semblable à la requête faite par l'Allemagne en 1914 de passer par la Belgique. S'il est entendu que le fleuve ne peut pas rester ouvert pendant une guerre à laquelle la Hollande ne prend pas part, alors les questions qu'il nous reste à considérer sont la défense du Limbourg et les questions dites 'économiques' relatives à l'Escaut et à certains canaux.

Bien qu'on ait suggéré la possibilité de faire un arrangement pour permettre le passage des vaisseaux de guerre belges dans l'Escaut en temps de paix, une telle permission ne semble pas avoir une grande valeur pour la Belgique du moment que le fleuve ne pourrait pas être employé pour des opérations militaires en temps de guerre.

Le Président. En réalité, comme M. Neilson vient de le faire remarquer, il y a deux questions. La première est la question de la clause de l'article 14 du Traité de 1839 qui impose à la Belgique une servitude internationale. Cette servitude est la suivante: Anvers ne sera qu'un port de commerce. La Belgique demande qu'Anvers puisse devenir port de guerre et la Hollande nous a déclaré de la façon la plus formelle qu'elle n'y faisait pas d'objection. Voilà pour Anvers proprement dit.

Reste le passage des navires d'Anvers à la mer. Cette question devient celle de la neutralité militaire de l'Escaut. Cela suppose que la Hollande, ayant consenti à ce qu'Anvers devienne un port de guerre, autorisera par cela même en temps de paix le passage des navires de guerre belges dans les eaux de l'Escaut. Cela ne fait pas de doute, parce que dans le cas contraire l'assentiment que la Hollande donne serait absolument sans effet. On ne fait pas un port de guerre pour y construire des bateaux qui ne sortiront jamais. Si on admet que la Hollande, dans le cas d'une guerre à laquelle elle ne participera pas, garde le droit d'interdire à la marine de guerre belge l'entrée et la sortie d'Anvers, cette marine, qui devra son existence et son développement aux facilités que lui aura offertes Anvers pendant le temps de paix, pourra gagner la haute mer avant la déclaration de guerre et prendre pour bases les ports belges de la côte ou aller se fondre dans une armée navale alliée. La question présente donc un réel intérêt, non seulement pour l'amour-propre national de la Belgique, mais pour la défense de ce pays et pour la cause alliée en général.

Enfin la Hollande elle-même, si elle participait à la guerre, trouverait, à Anvers, un port admirablement abrité pour ses navires.

Il est possible, si la Hollande veut interdire l'usage du port d'Anvers pendant la guerre, qu'on ne soit pas décidé à passer outre et que les Belges ne donnent pas suite à leur idée de faire d'Anvers un port de guerre, mais il est possible tout de même qu'ils l'utilisent et, dans ce cas, l'utilité de ce port sera celle que je viens de vous expliquer. Cette utilité ne peut pas être sans intérêt pour nous. Je voudrais donc qu'on traite cette question indépendamment de celle de la neutralité de l'Escaut, c'est-à-dire qu'on puisse examiner ici ce qui est accordé aux Belges par les Hollandais, à savoir le droit d'avoir à Anvers un port de guerre dont l'accès leur sera ouvert en temps de paix et en temps de guerre, si la Hollande participait à une guerre où les Belges se trouveraient engagés.

M. Neilson (*États-Unis d'Amérique*). Je ne pensais pas spécialement à la question de l'emploi du fleuve par des vaisseaux de guerre en temps de paix. Évidemment, la Belgique désire que le fleuve soit ouvert en temps de guerre et considère cette question comme très importante. Il semble néanmoins que ce serait une violation du droit international pour la Hollande que de permettre des actes de guerre dans le territoire soumis à sa juridiction. La question est donc très difficile.

Le Président. En principe, je suis tout à fait de l'avis de M. Neilson. Au point de vue pratique, j'aurais peut-être fait une réserve si la Grande-Bretagne qui, au point de vue maritime est le défenseur naturel de la Belgique, avait estimé qu'une modification du régime actuel était nécessaire. J'ai entendu tout à l'heure le premier Délégué naval anglais nous dire qu'au contraire il voyait dans le maintien du régime actuel la meilleure protection pour la Belgique au cas où la Hollande ne participerait pas à une guerre. Par conséquent, je crois que nous sommes d'accord, au moins en ce qui concerne la Délégation américaine et la Délégation française, pour trouver qu'il n'y a pas lieu de modifier le régime militaire de l'Escaut. Nous serions d'ailleurs dans l'impossibilité de faire accepter par la Hollande une clause de ce genre.

Le Capitaine de vaisseau Fuller (*Empire britannique*). Je comprends, Monsieur le Président, que votre déclaration ne concerne pas seulement l'Escaut, mais aussi le territoire de la Zélande.

Le Président. J'allais justement vous demander votre avis sur ce point, car vous n'aviez pas fini de nous exposer vos vues sur la question navale.

Le Capitaine de vaisseau Fuller. J'estime que le régime de l'Escaut et de la Zélande doit être maintenu tel qu'il existe maintenant en temps de paix. Ce régime me paraît le plus avantageux. La Belgique demande à pouvoir utiliser l'Escaut et la Zélande, dans le cas où elle serait engagée dans une guerre où la Hollande serait intéressée. L'avantage serait réel au début de la guerre, mais combien de temps durerait-il, avec l'intensité que prendra certainement l'action des sous-marins?

Déjà, pendant la guerre qui va finir, nous avons éprouvé les plus grandes difficultés pour conserver les communications entre l'Angleterre et la France dans la partie la plus étroite de la Manche. Il serait impossible dans une prochaine guerre de maintenir une ligne de communications depuis les ports anglais jusqu'à l'embouchure de l'Escaut.

De plus, dans une guerre où l'Allemagne et la Russie seraient engagées, nous donnerions à l'Allemagne la possibilité de mettre la main sur Anvers, ce qui serait une grande gêne pour nous.

Le Capitaine de vaisseau Le Vavasseur (*France*). Au point de vue naval, il est indiscutable que si, au cours de cette dernière guerre, les Allemands avaient pu utiliser l'Escaut, la situation eût été beaucoup plus désavantageuse pour les Alliés qu'elle ne l'a été, avec les bases médiocres que possédaient les Allemands à Ostende et Zeebrugge.

Le Lieut$^{\text{t}}$-Colonel Twiss (*Empire britannique*). Au point de vue militaire, je dois déclarer que je partage entièrement l'avis de notre expert naval. Nous ne désirons aucune modification au régime de l'Escaut et de la Zélande.

M. Neilson (*États-Unis d'Amérique*). Le point de vue de la Délégation britannique est en harmonie avec le droit international. Cependant, la Belgique semble désirer que l'Escaut soit ouvert en temps de guerre, même si la Hollande était en paix. En supposant que l'opinion britannique prévaille, les questions qui resteraient à considérer seraient, d'une part, celle de la défense du Limbourg et, d'autre part, certaines questions économiques.

Le Président. Les Délégations italienne et japonaise ont-elles des observations à formuler au point de vue militaire et au point de vue naval?

Le Capitaine de corvette Ruspoli (*Italie*). Nous sommes d'accord avec la Délégation britannique.

Le Colonel Nagai (*Japon*). Nous partageons le point de vue de la Délégation britannique.

Le Président. Je vais, si vous le voulez bien, résumer notre discussion, afin de voir si nous sommes bien d'accord sur la manière dont la question est posée.

Au point de vue naval, la question se pose de la manière suivante. Les Belges ont demandé, d'une part l'abolition de la servitude qui oblige Anvers à n'être qu'un port de commerce, d'autre part, l'utilisation de l'Escaut par la marine de guerre belge, même en temps de guerre, et alors que la Hollande ne serait pas belligérante, ainsi que l'utilisation de la Flandre zélandaise pour appuyer cette défense.

Les Délégations se trouvent unanimes ici pour estimer qu'il n'est pas possible de demander à la Hollande, sous peine de s'écarter complètement du texte de la résolution du 4 juin et d'arriver à la rupture des négociations, de consentir à ce que l'Escaut et la Flandre zélandaise soient utilisés militairement par la Belgique dans une guerre à laquelle la Hollande ne participerait pas. J'ajoute à toutes les raisons qui viennent d'être dites une raison d'ordre pratique; comment serait-il matériellement possible qu'un fleuve pût être le théâtre de batailles — batailles dont celles qui viennent d'avoir lieu nous permettent de prévoir l'intensité — alors que l'État riverain resterait neutre? Je ne vois pas la possibilité de résoudre cette question, sinon en déclarant que la Hollande devrait dans tous les cas entrer dans la guerre.

Voilà pour cette première question de l'Escaut sur laquelle, je crois, nous sommes tous unanimes.

M. Tufton (*Empire britannique*). On peut ajouter que ce ne serait pas un avantage pour la Belgique.

Le Président. Je suis de votre avis. Après ce qui a été dit par les Délégués britannique et français, il me paraît évident qu'une modification du *statu quo* ne serait pas un avantage pour la Belgique; ce serait, au contraire, de nature à lui nuire, toujours dans l'hypothèse d'une guerre à laquelle la Hollande ne participerait pas. Par conséquent, vis-à-vis de la Belgique elle-même, nous sommes fondés à justifier cette décision.

Reste la question de l'Article 14 du Traité de 1839. Je ne vous cacherai pas, Messieurs, que j'estime pour ma part impossible de ne pas donner satisfaction à la Belgique sur ce point, puisque la Hollande elle-même a déclaré que si les Puissances abrogeaient cette clause, elle n'y ferait pas d'objection. Il importera d'ailleurs, en rédigeant l'article qui abolira l'Article 14, de préciser la portée exacte de cette abolition qui ne doit pas comporter une modification au statut de l'Escaut en temps de guerre.

Mais il importera également de faire ressortir à la Belgique les avantages que cette abolition peut présenter pour elle. Il me semble, raisonnant simplement au point de vue politique, sinon au point de vue naval qui n'est pas de ma compétence, que cette clause présente une réelle importance pour la Belgique. D'autre part, en tant qu'elle abroge la seconde servitude internationale imposée en 1839, elle est conforme à l'esprit qui a motivé la revision des Traités de 1839. D'autre part, elle permet à la Belgique d'organiser et d'abriter sa marine de guerre en temps de paix.

En temps de guerre, elle lui laisse la possibilité, si elle ne se laisse pas embouteiller à la déclaration de guerre, de faire passer ses navires dans les ports de la côte ou bien, puisque, en dehors d'une guerre belgo-hollandaise, elle ne sera jamais seule, de faire passer sa marine chez ses Alliés. Enfin la Hollande, dans le cas où elle participerait à la guerre, profiterait elle-même du port abrité qu'offrirait Anvers.

M. Tirman me suggère un autre argument en faveur de la suppression de cette clause. C'est précisément le cas où la Hollande, agissant dans les conditions prévues par l'Article 16, entrerait en guerre aux côtés de la Belgique. Dans ce cas surtout, Anvers pourrait être un port de guerre très précieux pour la Ligue des Nations.

Le Capitaine de vaisseau Fuller (*Empire britannique*). Je demanderai qu'on définisse exactement ce qu'on entend par 'port de guerre'.

Le Président. C'est le droit d'établir un arsenal et une base navale, de construire des vaisseaux de guerre et de les entretenir, toutes choses que l'Angleterre fait à Portsmouth et la France à Toulon, mais que la Belgique n'avait pas le droit de faire à Anvers sous le régime de la neutralité.

Le Capitaine de vaisseau Le Vavasseur (*France*). Je crois qu'il faut définir le port de guerre comme un port qui sert de base aux forces navales. Par conséquent, on ne peut pas appeler port de guerre un port qui est simplement défendu par des fortifications. Beaucoup de ports de commerce, Le Havre, Marseille, etc. et même Anvers, puisqu'on en parle, sont défendus. En stipulant qu'Anvers devait rester port de commerce, on a voulu dire qu'Anvers ne pouvait pas être la base de forces navales de guerre.

Il est d'ailleurs certain que le fait d'avoir une base navale, sans accès à la mer, ne répond pas à grand'chose.

M. Tirman (*France*). Sauf dans le cas de la violation du territoire belge où l'Article 16 du Pacte de la Ligue des Nations joue.

Le Capitaine de vaisseau Le Vavasseur (*France*). Nous n'avons que des avantages à donner une satisfaction morale à la Belgique qui désire beaucoup faire d'Anvers un port de guerre. En outre, dans l'hypothèse émise par M. Tirman, les Puissances faisant partie de la Ligue des Nations auraient grand intérêt à trouver à Anvers un port de guerre. Mais il est bien certain qu'au point de vue militaire et naval, Anvers comme port de guerre ne représentera rien pour la Belgique, parce que l'Escaut ne pourra pas être utilisé dans le cas d'une guerre non générale.

Un cas que nous devons envisager ici et qui ne doit pas être perdu de vue, c'est celui d'une guerre entre la Belgique et la Hollande.

Le Président. L'Article 14 joue évidemment en faveur de la Hollande. Aussi, le fait d'avoir des cuirassés belges à Anvers peut être fort désagréable à la Hollande en cas de guerre avec la Belgique. Mais notre conscience est tout à fait libérée à cet égard, puisque nous venons de voir que la Hollande consent.

Le Capitaine de vaisseau Le Vavasseur. Si la Belgique veut vraiment organiser une marine, elle ne peut pas se contenter du seul port d'Anvers.

Elle doit avoir des communications par canaux, adaptés aux types de navires qu'elle emploiera. Elle pourra ainsi passer d'Anvers à la mer soit par Bruges et Zeebrugge, soit par Ostende.

Le Président. Au point de vue naval, vous permettrez à un profane de faire une remarque à cet égard. La Belgique a de très mauvais ports. Elle aménagera difficilement des ports de guerre sur la côte. Mais le fait d'avoir à Anvers un bon port et d'y trouver toutes les installations nécessaires à la construction et à l'entretien des navires de tous types, ouvriers, docks, bassins, etc. . .,[6] lui permettra en temps de paix de développer sa marine de guerre en vue de la guerre.

Le Capitaine de vaisseau Le Vavasseur. Il ne faut cependant pas oublier que cet outillage doit être fait uniquement dans le but de la guerre et proportionné aux besoins de la flotte de guerre. Or, les ressources financières de la Belgique ne lui permettront d'avoir que quelques bâtiments. Dans ces conditions, elle ne peut pas avoir à Anvers de base complète de réparation et des docks qui seraient trop développés en temps de paix et inutilisables en temps de guerre. Le rôle d'une marine de guerre belge, au cours d'une guerre, ne sera un appoint sérieux ni pour la Grande-Bretagne, ni pour nous.

Le Président. Vous oubliez toujours le cas d'une guerre où la Société des Nations intervient. Il n'est tout de même pas indifférent pour la Société des Nations d'avoir en ces moments-là à Anvers un grand port maritime. En tout cas, je ne crois pas que cela présente des inconvénients, du moment que la Hollande l'accepte. Pour tout dire, je ne vois pas pour nous la possibilité de refuser ces satisfactions à la Belgique, tout en réservant la neutralité de l'Escaut dans une guerre où la Hollande ne serait pas belligérante.

Je passe maintenant à la question du Limbourg. La Délégation française et la Délégation britannique l'ont étudiée à des points de vue

*Question du Limbourg.*

un peu différents. Au fond, je ne retiens que la conclusion qui est la même dans les deux cas: c'est qu'il serait nécessaire de faire une entente ayant pour objet le Limbourg.

En effet, si on me dit d'une part que la Délégation française pense au présent et que l'Allemagne n'est pas redoutable actuellement, je demande alors à quoi sert l'alliance prévue entre la France et les États-Unis d'une part, entre la France et l'Angleterre d'autre part, car ces alliances visent bien le présent. Si cette précaution est bonne pour la France, en mon âme et conscience, je ne peux pas trouver qu'elle soit superflue pour la Belgique. Je crois donc qu'il y a quelque chose à faire pour la Belgique.

Je veux bien admettre que l'Allemagne est épuisée, et qu'il y a des raisons de croire qu'elle en a pour très longtemps avant de se reprendre. Cependant, personne au monde ne peut en être sûr. Le Maréchal Foch nous a dit l'autre

<hr>

[6] Punctuation as in original.

jour que l'Allemagne a encore 800,000 hommes sous les armes et qu'elle cherche à les organiser.[7]

Nous nous trouvons en présence d'hypothèses tout à fait contradictoires. La Russie peut se ressaisir dans dix ans, ou même plus tôt. On a dit que gouverner c'est prévoir. Quand on veut gouverner le monde entier, au point de vue de la paix, il faut prévoir la guerre. Nous commençons à prendre des précautions comme si le péril devait recommencer à être visible demain, même en supposant que ceci ne se fasse qu'au moment où la Société des Nations fonctionnera. Comme l'a fait remarquer la Délégation britannique, il se peut parfaitement que la Société des Nations trouve en face d'elle une société rivale. Ce cas se présente dans la vie économique qui prend de plus en plus une importance considérable dans le monde. Il ne doit pas être négligé non plus dans les prévisions politiques. On ne voit pas pourquoi les États ne feraient pas comme dans l'industrie où, en face d'un grand trust, on fonde un trust rival. En ce moment-ci, nous devons envisager l'hypothèse d'une guerre entre ces deux sociétés rivales et concentrer spécialement notre attention sur ce petit coin. Tout le monde reconnaît que les Belges ont raison d'affirmer que le redressement et l'amélioration mêmes de la frontière française concentreront de plus en plus l'attaque sur le point le plus faible, vraisemblablement le Limbourg. On ne peut pas s'arrêter un seul instant à l'hypothèse d'une neutralité hollandaise non garantie qui arrêterait l'Allemagne, puisque cette Puissance n'a pas reculé devant la neutralité de la Belgique qui était cependant garantie. L'hypothèse même que nous visons est celle d'une attaque dirigée contre la Société des Nations tout entière.

Donc, on attaque le Limbourg. Or, la question se posera toujours de la même façon. J'admets que les Hollandais le défendent. Comme le dit le Colonel Réquin, qui me paraît avoir trouvé une excellente formule, il s'agit de savoir non pas si le Limbourg sera militairement défendu, mais si le Limbourg est militairement défendable. A cela on répond que la Hollande entrera immédiatement dans la Société des Nations. C'est très vrai, mais je demande s'il serait contraire à l'esprit même de la Société des Nations de faire pour le Limbourg en particulier une étude et même de prendre des précautions préliminaires, alors qu'on a prévu cette étude et ces précautions pour la France, l'Angleterre et les États-Unis. Il ne serait pas impossible de prévoir un arrangement quelconque sous une forme à trouver qui, sans obliger la Hollande à entrer dans la guerre, organiserait par avance la défense du Limbourg pour le cas où la Hollande entrerait dans la guerre. Je ne vois pas en quoi la neutralité de la Hollande serait mise en cause par le fait qu'elle pourrait consentir d'avance à entrer en relations avec l'État-Major belge, par exemple pour organiser la défense du Limbourg, d'accord avec la Belgique au cas où le Limbourg serait attaqué. Je pose la question au point de vue politique. Je demanderai l'avis des autres Délégations à la fois au point de vue politique et au point de vue militaire. Je commencerai par demander l'avis de mes experts, car je me suis peut-être beaucoup aventuré.

[7] See Volume I, No. 25, minute 2.

Je suis mû ici avant tout par deux sentiments, d'abord par un sentiment très naturel qui est celui de chercher à protéger mon propre pays, en protégeant la Belgique et ensuite par le désir de faire quelque chose pour l'opinion belge. La Belgique est sous le coup du crime dont elle a été la victime. On l'a prise à la gorge alort [alors] qu'elle croyait avoir toutes les sûretés. N'ayant plus de sûreté dans la neutralité, elle a rejeté la neutralité et elle cherche d'autres sûretés. Nous ne pouvons les lui donner au détriment de l'indépendance d'un autre État. Nous ne pouvons pas non plus les lui donner, sous la forme d'une servitude imposée à un autre État. Mais ne pouvons-nous pas loyalement demander à cet autre État de venir en aide à la Belgique? Il nous promet d'avance de se défendre si son territoire est violé. Nous voulons un peu plus: sans presser la Hollande de conclure une alliance avec la Belgique, nous lui demanderons de prévoir à l'avance l'exécution de ce qu'elle est résolue à exécuter. C'est un devoir des Puissances vis-à-vis de la Belgique.

Si nous ne faisons pas tout au moins une tentative dans ce sens vis-à-vis des Hollandais qui, d'un autre côté, ne peuvent pas refuser de s'y prêter sans marquer la plus mauvaise volonté, puisqu'il n'est pas question de leur imposer une obligation ou une servitude, nous aurons manqué à nos devoirs envers un peuple qui est, en ce moment-ci, profondément inquiet. Nous aurons, au lieu d'aider à la paix, créé un très grave état d'esprit, qui poussera la Belgique, comme l'a déclaré M. Segers, à refuser d'entrer dans les arrangements économiques indispensables. Elle se tiendra à part et créera dans l'Europe un foyer dangereux de mécontentement. On ne sait pas comment peuvent finir de pareilles situations entre deux petits peuples surexcités et décidés à tout plutôt que de s'accorder.

Le Lieut<sup>t</sup>-Colonel Réquin (*France*). Pour répondre à une objection de mon collègue britannique, je voudrais insister en disant que les garanties militaires prises par les grandes Puissances alliées et associées peuvent comporter des modalités temporaires, mais visent néanmoins à l'établissement d'une sécurité permanente, attendu que leur permanence doit être assurée dans l'avenir, soit par le caractère efficace de la Société des Nations quand elle sera reconnue, si elle l'est, soit par la prolongation de la garantie physique (occupation) combinée avec les alliances militaires de la France avec la Grande-Bretagne et avec l'Amérique. La formule est peut-être compliquée, mais l'idée est certainement très nette; c'est celle d'une garantie militaire à rendre permanente sous une forme ou sous une autre.

D'autre part, dans les discussions d'ordre militaire qui ont précédé l'établissement de ces garanties, jamais la sécurité de la Belgique n'a été écartée de ces discussions. Ces discussions ont abouti à des alliances entre l'Amérique, l'Angleterre et la France. Mais en fait, dans l'argumentation militaire qui a été apportée devant le Conseil Suprême, on a toujours envisagé qu'il s'agissait d'assurer la défense du territoire belge aussi bien que du territoire français. Les grandes Puissances ont tenu compte de la sécurité belge dans la fixation d'une ligne d'occupation minima. Elles sont intéressées à s'occuper du Limbourg et à chercher à y organiser cette défense, que ce soit par un accord entre la Belgique et la Hollande — j'aimerais qu'il en soit ainsi pour l'opinion belge — que ce soit par un accord entre la Belgique et les grandes Puissances qui occupent le territoire rhénan.

M. le Président a dit que c'était pour les grandes Puissances un devoir. Je le crois aussi car, en définitive, l'idée qui a dominé tous les débats sur les garanties militaires est qu'il ne s'agit pas de gagner une nouvelle guerre, mais de la prévenir et, avant tout, de prévenir cette chose irréparable: l'invasion et la destruction du territoire d'une Puissance membre de la Société des Nations.

Il est donc de l'intérêt des grandes Puissances et de leur devoir d'envisager la question du Limbourg. J'ai suggéré tout à l'heure une idée, pensant qu'un accord entre les grandes Puissances et la Hollande pourrait être plus facile à obtenir de la Hollande, plus conforme à l'esprit général qui a présidé à la Conférence de la Paix, peut-être plus logique que ce qui a déjà été fait par les grandes Puissances. Mais c'est une question de modalité. Le but est celui que je viens de rappeler.

LE PRÉSIDENT. Je crois que ce matin nous sommes arrivés au bout de notre tâche, parce que, si nous entamions un autre sujet, il nous conduirait peut-être un peu loin. Nous devons renvoyer à une autre séance l'échange de nos propositions respectives sur la seconde partie des demandes de la Belgique, sur la question des canaux.

Je désirerais beaucoup que les Délégués techniques militaires et navals de chaque Délégation se réunissent entre eux et nous proposent quelques solutions. Je ne leur demande pas d'arriver à une *Création d'un* solution unanime, mais au contraire, de nous présenter *Sous-Comité* deux ou plusieurs solutions de la question limbourgeoise, *militaire et naval.* qui est, je crois, la seule en suspens. Nous pourrions examiner ici ces propositions. Nous serons ensuite obligés de les soumettre au Conseil Suprême avant d'en parler aux Belges et aux Hollandais, car c'est une question beaucoup trop grave pour que nous puissions prendre sur nous d'en faire l'objet de propositions à ces deux peuples.

Il ne nous sera pas interdit d'indiquer au Conseil Suprême la solution que nous préférons, mais nous devrons lui en soumettre plusieurs, car peut-être voudra-t-il consulter d'autres experts qui ne seront certainement pas plus qualifiés que les nôtres, mais qui lui paraîtront avoir une autorité plus grande.

Je proposerai à nos experts militaires et navals de se réunir lundi prochain 27 [25] à 10 heures. (*Assentiment.*)

Quant à la Commission, je crois qu'elle devrait, de son côté, aborder immédiatement l'examen des questions économiques. Elle pourrait, si personne n'y fait d'objection, se réunir le lundi 27 [25] à 16 heures. (*Assentiment.*)

La séance est levée à 12 heures 20.

# No. 87

## Sir R. Rodd (Rome) to Earl Curzon (Received August 29)

### No. 355 [122362/731/22]

ROME, *August 22, 1919*

My Lord,

I have the honour to report the substance of a long and interesting conversation which I had this evening with the President of the Council, whom I had not seen since my approaching departure[1] was made known to him.

Signor Nitti began by saying amiable things to me which it would be superfluous to refer to if it were not that they confirm what he has constantly repeated to me for the last two years, namely, that it is indispensable that Italy should retain the friendship of Great Britain, and that explanations and avoidance of misunderstandings are so much more easy when conditions of personal friendship exist between those whose duty is to deal with international affairs. He said that he had intended on coming into office to take me entirely into confidence and base all his policy on a frank and loyal understanding, and now I, whom he knew intimately, had done him the bad turn of abandoning him. Had he had any previous intimation of this he would have appealed to the Prime Minister to make no change for the present. I assured Signor Nitti that, while I could claim to be a sincere friend of Italy, that was in no way peculiar to my own personality, and that I was sure he could count on the same cordial relations with my successor. I had always intended to ask to be relieved after the war was over, and it had only come in any case a few months sooner as a result of my being invited to go with the Commission to Egypt.

He said he had hoped to be able to pay a visit to England, but that must be postponed for the present, as he had put off the reassembly of the Chamber till the 3rd of September, by which time he trusted affairs in Paris would be so far advanced as to enable Signor Tittoni to come back and give an account of the results of his negotiations to Parliament.[2] He thought the situation at Paris had so far matured that this should be quite possible. He did not offer any criticisms as to the attitude of the Allies, but gave me some clue as to what was in his mind by his reference to what he described as 'quel benedetto uomo', that blessed man, Sonnino.

The war had been in the main the result of the opposition of the German to the Slav. Sonnino broke with the German and then proceeded to quarrel with the Slav. There remained the Anglo-Saxons, and so strong was his inveterate habit of incompatibility with anyone, that he had ended by quarrelling with the Anglo-Saxon also. What could be done with such a temperament? It was the same in internal affairs. He had denounced the Socialists, he had proscribed the Giolittians,[3] and he had made himself

[1] Sir R. Rodd had been designated to serve on Lord Milner's Mission to Egypt.

[2] For Signor Tittoni's speech of September 27, 1919, in the Italian Chamber of Deputies, cf. Volume IV, No. 18, note 8.

[3] Followers of Signor Giolitti, formerly Italian prime minister: cf. No. 119.

odious to the Vatican. After all one must rest on something in this world; if you knocked every prop away and endeavoured to carry affairs on in isolation, you must come to grief. His own policy had been quite the opposite. There were certain elements among the extreme Socialists who were nothing more than Bolsheviks. These he intended to fight with all the means at his disposal. They were dangerous. He had not announced beforehand his intentions, but he had imprisoned, and, for the matter of that, shot down a much greater number than many who had been described as reactionaries, and the country had approved his action. There had been a dangerous moment even here in Rome, when the endeavour was made to obtain possession of the fort where the hand grenades and bombs were stored. A band of desperate characters had meant to attack his office, and the Chamber and the Allied Embassies. He had arrested them all, some sixty in number, and they were all in prison. At the same time he had conciliated all the moderate elements among the Socialists, and had held out hopes to several of the best of them of entering the Government which he contemplated forming after the coming elections. They would become very much like the Labour members in England, and would be useful in the administration. He now held the Chamber completely in hand. The country, which had not been favourable to him when he took over office, was also entirely on his side, and he thought he could claim that, as compared with other Allied countries, Italy offered the prospect of greater relative internal quiet.

I observed that, while I remembered his saying to me nearly two years ago that Giolitti was politically dead, we had had a moment of preoccupation when he was forming his Government at seeing so many former followers of Giolitti called to office. As I have already stated in a former despatch,[4] I was myself perhaps unduly alarmed by these selections and to some extent influenced against my own judgment by the verdict of my French colleague, who has, I think, always underestimated Nitti's great capacity and has rather anticipated hostility from him than endeavoured to enlist his goodwill. This was perhaps inevitable, as Nitti is no doubt rather prejudiced in his attitude towards France, while I believe in the sincerity of his conviction that England and Italy must work together. Signor Nitti said it was something of a *cliché* in political discussions to magnify the influence of Giolitti, which really no longer existed. He had been at the head of Italian political life for twelve years, and a large number of the most active figures in public affairs had been Ministers in his various administrations. This did not, however, in the least imply that they wished to bring him back into power, and he was in reality morally and politically dead. The new electoral law has brought about his interment. There had been an attempt on the part of his friend Peano to stem the tide by an amendment which would have perpetuated a remnant of the old Giolittian methods, but it had been defeated.

As with the Socialists so also with the Church. Sonnino's policy has been utterly wrong. The priests were an influence in the country. In Great Britain no politician could afford to indispose the whole mass of the Anglican

4 Not printed.

clergy. It was a factor to be reckoned with. I might be surprised to hear that Cardinals frequently visited him in his private house. He had established excellent relations with them, and had just asked for and obtained the Grand Cordon of the Order of St. Maurice and St. Lazarus for the Cardinal Archbishop of Pisa, who was delighted to have it. I asked if this had not got him into trouble with the Pope, and he replied that it had met with no difficulty whatever. Externally it might be opportune to maintain the appearance of duality, but he had his agents, one of whom, Signor Conti, he actually specified, who acted as intermediaries when there was anything to be done, and all now proceeded quite smoothly.

He then gave me a copy of a circular which he was issuing to the prefects, and which will be published to-morrow, setting forth the critical conditions of this country, and indeed of all European countries, after the war, and calling on all classes to co-operate, to abandon class wars and the preferment of impossible claims; and he said that he had great confidence that the people, who were tired of the present atmosphere of agitation, would respond to the call. Though he had felt bound to tell them the truth about the situation which was grave, he nevertheless now believed that if there were no further set-back Italy would be able to surmount her financial crisis, and would perhaps recover a relative stability even more quickly than other Allied countries.

Finally, he told me in great confidence that he had obtained a good deal of evidence of communication between the extremists of the Socialist group here who were responsible for the Bolshevik attitude of the *Avanti*, and the Soviets in Hungary and Russia. As soon as the chain of evidence was complete he should strike and make certain sensational arrests of the ring-leaders. I was able, having your Lordship's authority, to inform him of the contents of the enclosure of your despatch No. 418[5] of the 31st of July, to add a rather important link to this chain of evidence, and he said he would be most grateful if we could furnish him with any other evidence of correspondence between Italian extremists and Hungarian or Russian Bolsheviks. The danger was common to us all, because if the poison infected any one of the three Allied countries, it would spread to the others.

It is possible that many of the rumours of Italian intrigues in Hungary may be due to these manœuvres of the Italian anarchist or Bolshevik group, and that there has not been due discrimination as to the real character of the 'Italians' responsible for them.

I have, &c.,

RENNELL RODD

[5] Not printed. This formal covering despatch transmitted to Rome a copy of the following text of an intercepted message of July 14, 1919, 'from Foreign Ministry, Budapest, to Rakovski at Kiev': 'For Balabaroff. The International "Jugend" Congress has been convoked for August 17th at Vienna. It may however be held in Moscow on the date mentioned. In any case please send delegates as soon as possible to Vienna. Thanks to the (?)Italian party their invitation to demonstrations in Entente lands in favour of Russia and Hungary will be a *fait accompli* in a week. Italy will (?)yield, France will follow. England will demonstrate; (?) Allies' position is not yet defined. Please send at once for *Avanti* your full report on the military and economic position of the Ukraine. Greetings from Lazzare (in) serrati [*sic*]. *Au revoir* in Rome. Signed Schweide.'

## No. 88

*Letter from Mr. Tufton (Paris) to Mr. Knatchbull-Hugessen*
*(Received August 26)*

*Unnumbered* [*120613/2333/30*]

PARIS, *August 23, 1919*

Dear Hugessen,

With reference to your despatch No. 5553,[1] transmitting a copy of a despatch to Christiania[2] regarding a conversation with the Norwegian Minister on August 18th, it may be as well to point out that the Committee of the Peace Conference has not yet reported to the Supreme Council in favour of handing Spitsbergen over to Norway as stated by M. Vogt.

Lord Curzon had not of course seen Mr. Balfour's despatch on the subject of Spitsbergen[3] before talking to the Norwegian Minister, but it is interesting to see that he admitted that there would be no very wide distinction between sovereignty and a Mandate.

I may add for your information that the Swedish representatives were heard by the Committee to-day, and did not raise any serious objections to a settlement on the lines which the Committee will probably propose.

Yours ever,
CHARLES TUFTON

[1] This formal covering despatch of August 20, 1919, is not printed: see below.
[2] No. 77.  [3] Enclosure 1 in No. 76.

## No. 89

*Record of a meeting of the Central Territorial Committee of the Peace Conference at Paris*

*No. 22* [*Confidential/General/177/5*]

*Procès-verbal No. 22. Séance du 23 août 1919*

La séance est ouverte sous la présidence provisoire de M. A. C. Coolidge.

*Sont présents:*

M. A. C. Coolidge (*États-Unis d'Amérique*); M. A. Leeper (*Empire Britannique*); M. Aubert et ensuite M. Laroche (*France*); Comte Vannutelli Rey (*Italie*); M. S. Kato (*Japon*).

LE PRÉSIDENT expose que le Comité a été convoqué pour étudier les différentes questions que le Conseil suprême, dans sa séance du 19 août, a décidé de soumettre à son examen. (*Voir* Annexe n° 1.)[1]

La première question est celle du Vorarlberg.

[1] Not printed. This annex contained the French text of the resolution printed in Volume I, No. 37, appendix C (cf. Volume I, No. 37, minute 3).

M. Leeper (*Empire britannique*) donne lecture d'un télégramme des habitants du Vorarlberg qui demandent l'union de cette province avec la Suisse. (*Voir* Annexe II.)

Que doit faire la Conférence? Peut-elle imposer ce changement de frontière à l'Autriche? Quant à lui, il lui paraît qu'elle doit se borner à déclarer qu'elle ne veut pas s'opposer à la réalisation d'un vœu populaire.

En ce qui concerne le rattachement, en soi il semble justifié au point de vue ethnique, géographique et économique.

L'empêcher pourrait amener le Vorarlberg à se tourner vers l'Allemagne.

Le Comte Vannutelli Rey (*Italie*) fait observer que la Suisse n'est pas unanime à désirer le rattachement du Vorarlberg: si les impérialistes, les germanophiles, les catholiques et les militaires le souhaitent, par contre les milieux financiers et industriels, les protestants et en général les habitants de la Suisse romande n'en sont pas partisans.

D'autre part, le rattachement du Vorarlberg à la Suisse aurait l'inconvénient de renforcer l'élément allemand en Suisse qui comprendrait ainsi un nouveau canton.

M. Aubert (*France*) reconnaît que la question est délicate: au point de vue politique, en effet, comment concilier l'attitude de protection, d'encouragement à vivre indépendant que la Conférence a prise à l'égard de l'Autriche avec une politique qui favoriserait le détachement du Vorarlberg sans même connaître précisément la volonté de la Suisse?

La Délégation française n'est pas disposée à imposer ce sacrifice à l'Autriche.

M. S. Kato (*Japon*) n'a pas d'objection au rattachement du Vorarlberg à la Suisse si tel est le vœu des populations, mais il craint qu'il en résulte une aggravation des conditions de paix imposées à l'Autriche.

Le Président expose qu'il a fait faire une enquête sur place par le Major Martins.

Il croit bien que la principale raison du Vorarlberg pour désirer son rattachement à la Suisse est une raison d'intérêt. Cependant au point de vue géographique cette province se rattache évidemment à la Suisse. C'est avec la Suisse qu'elle a ses relations les plus étroites: beaucoup de ses paysans travaillent pour l'industrie d'Apenzell et de Saint-Gall.

Il est vrai que dans la région de Bregenz, la population est surtout en rapports d'affaires avec l'Allemagne.

Là est le danger: le rattachement du Vorarlberg à l'Allemagne serait d'autant plus fâcheux, qu'ainsi le territoire allemand s'étendrait sur la rive droite du Rhin.

Dans ces conditions, il estime utile de faire quelque chose.

M. Aubert (*France*) rappelle que l'Allemagne s'est engagée à ne rien entreprendre pour détacher à son profit des territoires autrichiens — Article 80 du Traité avec l'Allemagne. (*Voir* Annexe III.[2])

Quant à lui il estime sage que la Conférence ne prenne pas d'initiative, la Suisse n'ayant pas cru devoir en prendre.

[2] Not printed. This annex contained the French text of article 80 of the Treaty of Versailles.

M. Laroche (*France*) fait observer combien l'attitude de la Suisse est prudente. En Suisse, la population est loin d'être unanime à souhaiter le rattachement du Vorarlberg. Aussi le Conseil fédéral ne veut pas prendre l'initiative de demander le rattachement. Il veut plutôt se laisser forcer la main. Si plus tard nous reprochons à la Suisse d'être trop allemande, elle aura beau jeu à nous répondre que c'est nous qui avons renforcé l'élément allemand en Suisse par l'adjonction du Vorarlberg.

Après un échange d'observations auquel prennent part tous les Délégués et d'où il ressort:

1° Que la Conférence ne doit pas apparaître comme exerçant une pression quelconque en faveur du rattachement du Vorarlberg à la Suisse;

2° Que la Conférence doit en dernière analyse remettre la solution de la question à la Ligue des Nations;

3° Que la Conférence ne doit prendre en la matière aucune décision portant atteinte au territoire qu'elle a reconnu à l'Autriche;

La Commission, à l'unanimité, décide de soumettre à la Conférence le texte de la recommandation figurant à l'Annexe IV.[3]

2°
*Liechtenstein.* Les Délégués estiment qu'il n'y a pas lieu de faire une recommandation spéciale en ce qui concerne Liechtenstein.

En effet, si le Vorarlberg est rattaché à la Suisse, le Liechtenstein, qui se réclame de sa neutralité pendant la guerre, pour être protégé aujourd'hui, se trouvera doublement protégé par le fait qu'il deviendra une enclave dans un pays neutre. Si ses habitants manifestent également le désir de devenir Suisses et si la Confédération accueille leurs vœux, il appartiendra à la Société des Nations de trancher la question. . . .[4]

## Annex II to No. 89

### *Télégramme des Représentants du Vorarlberg*

Le 3 novembre, le Vorarlberg faisant usage de la souveraineté retrouvée s'est proclamé indépendant; le 11 mai, par un plébiscite régulier et à une majorité écrasante, il a chargé son Gouvernement de négocier avec la Suisse, pour obtenir son admission dans la Confédération suisse, à laquelle le peuple du Vorarlberg se sent étroitement lié par la géographie, la race, la liberté. Malheureusement, le Délégué du Vorarlberg Dr. Ender qui s'était rendu à Saint-Germain sur l'invitation du Gouvernement de l'Autriche, s'est vu interdire par le Chef de la Délégation autrichienne de traduire devant la Conférence les revendications légitimes et l'inébranlable volonté de ses commettants. Nous protestons ici solennellement contre un procédé qui prive le Vorarlberg de tout moyen régulier de faire entendre sa voix et nous déclarons au nom du peuple unanime, que nous ne reconnaissons pas à la

[3] Not printed. This annex contained the French text cited by M. Berthelot at the meeting of the Supreme Council on August 29, 1919, and printed in Volume I, No. 46, minute 8: *v.* ibid for the decision of the Supreme Council in the matter.

[4] The meeting passed to the discussion of other matters.

Délégation autrichienne le droit moral de représenter le peuple du Vorarlberg.

Jusqu'à ce que notre Délégué Dr. Ender puisse traduire lui-même la volonté de ses commettants, le peuple du Vorarlberg a affirmé dans de nombreuses assemblées la volonté de se séparer de l'Autriche pour se réunir avec la Suisse. Les soussignés, convaincus que la force de ses résolutions a échappé jusqu'ici à la Conférence de la Paix, ont respectueusement sollicité l'autorisation de se rendre à Paris, afin de l'exposer aux Puissances alliées et associées. Le texte entier de leurs revendications a été communiqué aux Représentants italien, anglais, américain accrédités à Berne, en les priant de l'envoyer à la Délégation italienne, anglaise, américaine de la Paix et nous vous prions respectueusement de vouloir bien aider le peuple du Vorarlberg dans sa lutte pour son bon droit.

## No. 90

### Mr. Balfour (Paris) to Earl Curzon (Received August 23)

### No. 1294 Telegraphic [120126/11763/4]

PARIS, *August 23, 1919*

Following sent today to Brussels No. 13.

Brussels telegram No. 143.[1]

Committee of Conference has held eight meetings six of which were occupied by Belgians in setting out their case whilst reply of Dutch only took about two hours. Manner of Dutch Delegate was somewhat curt but representatives on Committee of five principal Allied and Associated Powers do not think Dutch will refuse to discuss military considerations as Belgians seemed to anticipate.

There is apparently a good deal of propaganda going on in both Holland and Belgium in Press and elsewhere which may (? very) likely embitter relations and (? on this account) Dutch representatives have been urged privately by French and ourselves to do their best to calm public opinion.[2]

[1] No. 82.

[2] In this connexion Mr. Balfour further stated in his telegram No. 1298 of August 25, 1919, by bag to the Foreign Office (received August 26), with particular reference to No. 83: 'I have not personally seen article in *New Rotterdam Courant* but Secretary General of Belgian Foreign Office told me that date of memorandum had been falsified to make it appear as though written after Peace Conference had decided that no transfers of territory could be countenanced. Real date of document was, I think he said, May 20th, whereas it had been represented as having been sent out on July 3rd.' (Sir F. Villiers had further reported in Brussels telegram No. 147 of August 24, 1919—received that day: 'The document was not signed by the Minister for Foreign Affairs who was absent in Paris.' See, further, No. 129.) Mr. Balfour continued, in his telegram No. 1298: 'Dutch Minister in London was spoken to on the subject by Chairman of Dutch-Belgian Committee of Conference now considering revision of 1839 Treaties, and admitted there must be some misunderstanding. All this propaganda on both sides is most unfortunate at present time, and we and the French have urged Belgian[s] and Dutch here to refrain as much as possible from exciting public opinion about question which we firmly believe can be settled in manner satisfactory to both parties.'

Dutch are being pressed to send their experts on waterways to Paris to enter into relations with Belgian experts and representatives of five principal Allied and Associated Powers are considering various methods of giving satisfaction to Belgium in the matter of national defence.

## No. 91

*Note from the Belgian Delegates on the Commission for the revision of the Treaties of 1839 to the Delegates of the Principal Allied and Associated Powers*

No. 1078 [Confidential/Belgium/10]

PARIS, *le 24 août 1919*

La Délégation belge à la Commission pour la revision des Traités de 1839 a l'honneur de faire parvenir à Messieurs les Délégués des Principales Puissances alliées et associées la note ci-jointe relative aux questions que motive le problème de la défense de la Belgique.

### ENCLOSURE I IN No. 91

PARIS, *le 24 août 1919*

Dans l'éventualité d'une nouvelle agression de l'Allemagne contre la Belgique la position des Pays-Bas au regard du conflit leur serait dictée par les principes généraux du droit des gens combinés avec les prescriptions du Pacte de la Société des Nations.

Deux hypothèses sont à considérer, à savoir:

*Première hypothèse:*

*Le territoire hollandais est violé par l'ennemi,* sur un point quelconque, en même temps que le territoire belge.

Dans ce cas les Pays-Bas sont entraînés dans la lutte avec la totalité de leurs forces, aux côtés de la Belgique. C'est cette éventualité qui est à la base de l'arrangement militaire que la Belgique demande à conclure avec la Hollande.

Les deux armées combattent côte à côte sur la Meuse d'abord, sur la ligne d'eau ensuite si c'est nécessaire.

Deux armées alliées se donnent des facilités sur leurs territoires respectifs. Dans l'espèce, la Hollande donne à la Belgique l'usage de l'Escaut et la liberté de mouvement dans la Flandre zélandaise; il n'y a là rien qui puisse porter ombrage aux Pays-Bas.

*Deuxième hypothèse:*

*Le territoire hollandais n'est pas violé,* la Belgique est seule attaquée.

A titre de membre de la Société des Nations, la Hollande devient alors encore puissance belligérante aux côtés de la Belgique.

C'est la conséquence de l'article 16 du Pacte: 'Si un membre de la Société recourt à la guerre contrairement aux articles 12, 13, ou 15, il est *ipso facto* considéré *comme ayant commis un acte de guerre contre tous les autres membres* de la Société.'

Les obligations de la Hollande sont alors moins étendues que dans le premier cas, elle ne paraît pas tenue d'entrer dans la lutte avec la totalité de ses forces. En effet, d'après le même article, 'en ce cas, le Conseil a le devoir de recommander aux divers Gouvernements intéressés les effectifs militaires ou navals, par lesquels les Membres de la Société contribueront respectivement aux forces armées destinées à faire respecter les engagements de la Société.'

Parmi les autres obligations qui s'imposeraient à la Hollande dans la même hypothèse, il y a celle que stipule l'article 16, *in fine*:

'Ils (les membres de la Société) prennent les dispositions nécessaires pour faciliter le passage à travers leur territoire des forces de tout membre de la Société qui participe à une action commune pour faire respecter les engagements de la Société.'

C'est par application de cette clause que la Belgique demande la liberté de l'Escaut et la liberté des mouvements de son armée en Flandre zélandaise.

Les propositions belges tendent à rendre effectives les prescriptions des articles 10 et 16 et à préparer leur jeu immédiat comme il serait nécessaire dans ce cas particulier, une attaque allemande contre la Belgique devant se développer avec une rapidité foudroyante. Le bénéfice de son initiative serait acquis à l'agresseur et la Belgique serait envahie jusqu'au cœur de son territoire, s'il fallait attendre l'accomplissement de la procédure préalable à l'intervention effective des Etats associés telle que la prévoit le Pacte de la Société des Nations.

Les propositions belges, conçues dans l'esprit du Pacte et dans le dessein d'assurer le maintien de la paix, conduisent à ces engagements internationaux, à ces ententes régionales, qui aux termes de l'article 21 du Pacte sont compatibles avec ses dispositions.

<h2 style="text-align:center">ENCLOSURE 2 IN NO. 91</h2>

*Objections formulées dans l'exposé hollandais du 20 août 1919.[1] Leur réfutation*

### I. Ligne de la Meuse

L'arrangement militaire demandé par la Belgique vise le cas où le Limbourg hollandais serait violé.

A cette éventualité, correspond la déclaration que M. Van Swinderen a faite au nom du Gouvernement des Pays-Bas à la séance du 20 août, à savoir:

'que toute violation du territoire (néerlandais) n'importe à quel endroit des frontières du Royaume sera toujours considérée par le Gouvernement des Pays-Bas comme un *casus belli* immédiat.'

[1] See No. 81.

Le territoire hollandais étant violé, les deux armées auraient une tâche commune. Leurs opérations devraient donc être liées.

L'armée des Pays-Bas, a dit M. Van Swinderen, ferait sur la Meuse une défense locale 'si peu [*sic*]¹ que cela a été fait en 1914' — c'est-à-dire, si nous comprenons bien, avec les forces qui auraient été préposées à cette défense –1914 — et elle ferait sauter les ponts.

On sait que les experts militaires belges estiment qu'une défense locale du Limbourg d'outre-Meuse ne pourrait être tentée dans les conditions actuelles et que tous les renseignements sur l'état des forces hollandaises, en août 1914, établissent qu'elles y étaient à ce point réduites qu'elles n'auraient pu retarder d'une façon appréciable la marche d'un envahisseur.

Quoi qu'il en soit, le système de défense indiqué par le Délégué hollandais implique l'abandon de toute la ligne de la Meuse par l'armée néerlandaise et il entraîne l'impossibilité de la défense de la même ligne par l'armée belge dont le flanc se trouverait immédiatement découvert.

En effet, si l'armée belge pour avoir son flanc couvert liait son système de défense à celui des Pays-Bas — dont le gros des forces se concentrerait dans le Brabant septentrional (région Tilburg-Hertogenbosch) d'après la déclaration du premier Délégué hollandais — elle ne pourrait se porter au delà de la région avancée d'Anvers.

Cela reviendrait en réalité à décider de prime abord qu'on ne tentera même pas la défense de la Meuse, qu'on se bornera à la défense de l'Escaut, dont la grande ligne d'eau hollandaise forme le prolongement.

On livrerait ainsi d'emblée à l'ennemi tout l'Est et le Centre de la Belgique, avec les grandes villes de Liège, de Bruxelles et d'Anvers. C'est la confirmation de l'exposé fait par la Délégation belge.

M. Van Swinderen a dit: 'La Belgique et les Pays-Bas ont chacun leur propre système de défense. *Peut-on trouver dans l'exposé belge des motifs pour nous convaincre que les Pays-Bas devraient subordonner leur système de défense*, en ce qui concerne une partie de leur territoire au système belge? Cette conviction nous ne l'avons pas obtenue.'

Cette affirmation tendrait à faire croire que la Délégation néerlandaise ne tient pas compte de la décision adoptée par le Conseil Suprême dans sa séance du 8 mars,² d'après laquelle le but général de la revision est '. . .³ de supprimer tant pour la Belgique que pour la paix générale les risques et inconvénients divers résultant des traités de 1839'.

C'est cependant sur la base de cette décision que le Conseil Suprême a invité le Gouvernement néerlandais, le 13 mars, à participer à la revision des traités, invitation que les Pays-Bas ont acceptée le 4 avril.

Les motifs qui doivent décider les Pays-Bas à modifier leur système de défense, dans l'intérêt de la Belgique et de la paix générale, sont développés dans le rapport de la Commission des Affaires belges qui inspira la décision du 8 mars et notamment dans la constatation enregistrée dans ledit rapport que les traités de 1839 par leurs clauses territoriales et fluviales ont réduit

² See No. 39, note 9.
³ Punctuation as in original quotation.

gravement les possibilités de défense de la Belgique et portent pour une large part la responsabilité du préjudice qu'elle a subi.

'Sans alliance, les Pays-Bas seraient libres dans leur système de défense, liberté correspondant à leur système de politique internationale qui pour eux est traditionnelle.'

Mais si le Limbourg est violé, les deux pays sont alliés et s'ils veulent que leur défense soit efficace, ils doivent la concerter, la lier. Ils sont si près de l'ennemi commun, la configuration des frontières qui se recouvrent dans le Limbourg est telle, que si des accords ne sont pas pris d'avance, la défense échouera.

Lorsqu'on lutte en commun, on abdique au profit de la cause commune une partie de sa liberté. Pendant ces 5 années de guerre, de luttes communes avec la France et l'Angleterre, l'armée belge s'est souvent pliée à cette règle générale.

Toute violation des frontières hollandaises en n'importe quel endroit serait, dit-on, un *casus belli*, et cependant on refuserait de conclure un accord qui doit, dans cette éventualité, coordonner l'action des deux armées, afin qu'elles se prêtent un mutuel appui.

En réalité les lignes belges de la Meuse et de l'Escaut ne sont pas isolées; la ligne belge de la Meuse se prolonge par la Meuse hollandaise, la ligne belge de l'Escaut se prolonge par la grande ligne d'eau hollandaise.

Les principales villes néerlandaises, Amsterdam, La Haye, Rotterdam sont derrière la deuxième ligne. Les principales villes belges se trouvent entre les deux lignes.

La Belgique demande à la Hollande de reporter sa défense sur la Meuse, non seulement par une défense locale, mais avec toutes ses forces, et de préparer cette défense en fortifiant la Meuse.

Toute action commune est faite de concessions réciproques. Comment les secours des Grandes Puissances associées auraient-ils le temps d'arriver si les deux états ne défendaient pas toutes les lignes de résistance que présentent leurs territoires?

La Délégation hollandaise invoque l'exemple du [? de] 1914 pour dire que l'alliance aurait constitué un désavantage. Mais dans ce cas l'alliance n'existait pas, puisque le Limbourg ne fut pas violé; il n'y avait donc aucun désavantage.

## II. L'Escaut

C'est en se plaçant dans le cadre de la Société des Nations qu'on trouve, sans nuire au principe de la souveraineté des Pays-Bas, la solution des questions qui se rapportent à la défense de l'Escaut, à savoir la liberté du fleuve au profit de . . .[4]

[4] The remainder of this note is missing from the copy in Foreign Office archives.

## No. 92

### *Memorandum by Earl Curzon on Spitzbergen*[1]

### [*118279/2333/30*]

FOREIGN OFFICE, *August 25, 1919*

On the 9th instant I circulated to my colleagues a note on the subject of the island of Spitsbergen. A copy of this note was sent to the Peace Delegation in Paris.[2] On the 16th August I received a telegram[3] from Mr. Balfour asking me to suspend further action pending the receipt of a despatch from him on the subject. (Enclosure A.)[4] I now circulate this despatch together with a copy of my previous note, for convenience of reference. (Enclosure B).[5]

It will be seen that matters have progressed so fast in Paris that we are placed in a somewhat delicate position. All the other Allied and Associated Powers, with a vicarious generosity, as they themselves have no interests in Spitsbergen, are prepared to give Norway full sovereignty over the island instead of, as I had proposed and should have preferred, a mandate under the League of Nations. The fact that Sweden, the only other Power besides Norway and ourselves which has interests in Spitsbergen, also favours a mandate as against annexation to Norway, does not materially alter the situation. If, therefore, we alone at the Peace Conference withstand Norway's claims, we are faced with the prospect of incurring the resentment of the Norwegians, a people with whom we desire to maintain the most cordial relations and to whom we are under a serious debt of gratitude for services rendered during the war. Nor is it at all certain that our opposition to Norwegian sovereignty would prevail against the unanimous opinion of the other Allied and Associated Powers in Paris.

In the circumstances, and subject to anything which my colleagues at the Admiralty, War Office, and Board of Trade may have to say, I advise that we should agree to the course proposed by Mr. Balfour on the clear understanding that British rights, interests, and claims, both actual and prospective, are completely safeguarded. The draft Convention[6] seems, on the face of it, to be well devised for their due protection. But certain articles, notably Article 7, may require further explanation, and the mining regulations foreshadowed under Article 8 must be subjected to very careful scrutiny.

I think we should be prepared, if we agree in this course, for a considerable amount of criticism in the press, no doubt mainly inspired from interested quarters but nevertheless not altogether negligible, for what will be represented as an abandonment of British interests. This criticism will in the future be enhanced should the deposits of iron ore in the island prove to

[1] This memorandum was circulated to the Cabinet.
[2] See No. 65.                                                          [3] No. 73.
[4] Not printed. This enclosure contained the despatch printed as enclosure 1 in No. 76.
[5] Not printed. This enclosure contained the documents printed as enclosures 1 and 2 in No. 65.                                     [6] See No. 76, note 6 and enclosure 2.

be as rich as is claimed by the British prospectors, although the outlook on this head is at present uncertain. It was with a view to forestalling and deflecting such criticism that I had suggested to the Peace Delegation that representatives of the British companies interested in the Spitsbergen should proceed to Paris to lay their case before our representative on the Spitsbergen Commission and explain to him what precautions and safeguards they considered to be necessary. This proposal has not met with approval in Paris, and I, therefore, propose to consult here in London the British interests concerned.

I should add that from what the Norwegian Minister here has said, it seems not impossible that the Norwegian Government may decline to accept the sovereignty over Spitsbergen if the regulations and conditions which the Peace Conference lay down appear to them to restrict unduly the sovereign rights of Norway over the island.

Curzon of Kedleston

## No. 93

*Record of a meeting in Paris of the Military and Naval Subcommittee of the Delegations of the Great Powers on the Commission for the revision of the Treaties of 1839*

*No. 1 [Confidential/General/177/9]*

*Procès-verbal No. 1. Séance du 25 août 1919*

La séance est ouverte à 10 heures, sous la présidence du Capitaine de vaisseau Le Vavasseur.

*Sont présents:*

Le Colonel Embick (*États-Unis d'Amérique*); le Lieut$^t$-Colonel Twiss et le Capitaine de frégate Macnamara (*Empire britannique*); le Capitaine de vaisseau Le Vavasseur, le Lieut$^t$-Colonel Réquin et M. de Saint-Quentin (*France*); le Capitaine de corvette Ruspoli et le Major Pergolani (*Italie*); le Colonel Nagai (*Japon*).

Le Président. Les Délégations ont décidé que leurs experts militaires et navals se réuniraient pour examiner toutes les solutions que l'on pourrait présenter au choix de la Conférence. (*Voir page 390.*)[1] Le Colonel Réquin va nous communiquer les résultats de l'étude à laquelle il s'est livré. Je serai ensuite heureux de donner la parole aux Délégués qui auraient d'autres solutions à nous proposer, car nous devons chercher de multiples solutions.

Le Lieut$^t$-Colonel Réquin (*France*). A la dernière séance, tous les Délégués étaient tombés d'accord sur ce point qu'il n'y avait pas lieu de modifier le régime de la fermeture de l'Escaut au cas d'une guerre où la Hollande resterait neutre, qu'il n'y avait rien à modifier au régime actuel de la Flandre hollandaise et qu'il convenait d'abolir l'Article 14 du Traité de 1839.

*Questions de la Flandre et de l'Escaut.*

[1] p. 287.

On a donné différentes raisons de ces deux opinions. Le Président nous a demandé de présenter des propositions en les justifiant. J'ai donc résumé d'après le procès-verbal de la dernière discussion les arguments qui avaient été donnés et si vous le voulez, je vais vous soumettre un texte que nous présenterions à la Commission. Mon collègue britannique en a, je crois, un autre. Plus nous en aurons, et mieux nous répondrons au désir de la Commission.

Voici ce que je vous proposerai pour la question de l'Escaut de la Flandre zélandaise d'après le procès-verbal de la dernière discussion:

La Sous-Commission militaire et navale des Puissances alliées et associées a examiné la demande de la Délégation belge tendant à obtenir le droit d'utiliser l'Escaut et la Flandre zélandaise pour les besoins de la défense de la Belgique en temps de guerre.

La Commission a considéré:

A. Que si la Hollande fait partie de la Société des Nations.

1° Les Articles 16 et 17 du Pacte donnent satisfaction à la demande belge en cas de guerre provoquée soit par un État en rupture de pacte, soit par un État extérieur à la Société;

2° Toute Convention préalable serait sans valeur si on envisageait un conflit mettant aux prises la Belgique et la Hollande à l'intérieur de la Société puisque la question serait réglée par les armes.

B. Si la Hollande ne faisait pas partie de ladite Société, dans tous les cas où la Hollande n'entrerait pas aux côtés de la Belgique, c'est encore dans la fermeture de l'Escaut aux marines militaires belligérantes que la Belgique trouverait la meilleure garantie contre les entreprises maritimes de l'adversaire, ainsi que l'a établi l'expérience de la dernière guerre.

La Sous-Commission émet donc l'avis:

*A.* Qu'il n'y a pas lieu d'envisager l'utilisation par la Belgique du territoire de la Flandre hollandaise pour sa défense propre en temps de guerre.

*B.* Qu'il n'y a pas lieu de modifier la disposition en vertu de laquelle l'Escaut reste fermé en temps de guerre à toute marine belligérante, étant bien entendu que si la Hollande fait partie de la Société des Nations, les Articles 16 et 17 du Pacte jouant pour l'Escaut comme pour toutes autres parties du territoire des membres de la Société, donnent précisément satisfaction à la Belgique dans le cas seulement visé par elle, celui d'une agression de l'Allemagne contre la Société des Nations.

Le Président. Cela répond-il tout à fait à ce qu'on nous demandait? M. Laroche insistait beaucoup pour qu'on lui proposât d'autres solutions si on en trouvait.

Le Lieut<sup>t</sup>-Colonel Réquin (*France*). Personne n'en a entrevu d'autres.

Le Major Pergolani (*Italie*). Cette solution me paraît la meilleure.

*Question du Port d'Anvers.* Le Lieut<sup>t</sup>-Colonel Réquin. Nous pouvons examiner maintenant la question d'Anvers sur laquelle tout le monde était d'accord l'autre jour.

La Sous-Commission militaire et navale des Puissances alliées et associées a examiné la demande de la Délégation belge tendant à l'a olition de l'Article 14 du Traité de 1839 qui a interdit de faire d'Anvers un port de guerre.

Elle a considéré les avantages qui pourraient en résulter même en tenant compte de la fermeture de l'Escaut aux belligérants dans une guerre où la Hollande resterait neutre.

Il lui est apparu que le droit de faire d'Anvers un port de guerre:

A. Au point de vue belge,

1° donnerait au peuple belge une satisfaction morale que les Puissances ne peuvent lui refuser, puisque le Délégué hollandais lui-même a déclaré que si les grandes Puissances étaient consentantes, la Hollande ne ferait aucune objection à l'abolition de l'Article 14;

2° permettrait à la Belgique d'avoir une base d'opérations maritimes utilisable dans une guerre où la Hollande serait impliquée aux côtés de la Belgique;

3° faciliterait dans tous les cas la constitution en temps de paix d'une marine de guerre belge dont les unités, en cas de conflit n'impliquant pas l'ouverture de l'Escaut aux belligérants, pourraient sortir d'Anvers avant la déclaration de guerre pour se joindre aux marines alliées ou pourraient passer d'Anvers dans la Mer du Nord par des communications intérieures (Bruges, Zeebrugge et Ostende.)

B. Au point de vue général, donnerait à la Société des Nations une base navale utile en cas de conflit imposant à la Hollande, membre de la susdite Société, les obligations prévues aux Articles 16 et 17 du Pacte.

En conséquence, la Sous-Commission est d'avis que l'Article 14 du Traité de 1839 peut être aboli.

LE PRÉSIDENT. Quelqu'un a-t-il des observations à présenter?

LE CAPITAINE DE FRÉGATE MACNAMARA (*Empire britannique*). Nous devons faire une réserve sur ce point, n'ayant pas reçu d'instructions de notre Gouvernement, sur la question de l'Article 14.

LE LIEUT^T-COLONEL RÉQUIN (*France*). La question sera donc réservée pour la Délégation britannique.

LE CAPITAINE DE FRÉGATE MACNAMARA. Si les instructions sont favorables, votre proposition sera complètement acceptable pour le Gouvernement britannique.

LE LIEUT^T-COLONEL RÉQUIN. Nous pouvons dire que le Délégué britannique accepte ce texte sous réserve que les instructions de son Gouvernement soient conformes.

LE CAPITAINE DE FRÉGATE MACNAMARA. Je préfère une réserve complète.

LE COLONEL EMBICK (*États-Unis d'Amérique*). Je ne vois pas d'objection de principe à la proposition que vient de faire le Délégué français. Mais, en attendant que le Délégué britannique ait ses instructions définitives, je préfère aussi réserver mon acceptation.

LE LIEUT^T-COLONEL RÉQUIN. Il serait peut-être préférable de renvoyer l'examen de cette proposition jusqu'à ce que nous ayons reçu les instructions du Gouvernement britannique et du Gouvernement américain. Tout ce que nous pourrions faire aujourd'hui serait prématuré. (*Assentiment.*)

Le Lieut<sup>t</sup>-Colonel Réquin. Il nous reste à examiner la question du Limbourg. Une seule opinion avait été émise quant au fond, à savoir que l'intérêt et le devoir des grandes Puissances sont de s'efforcer de régler cette question de la défense du Limbourg dans l'intérêt de la Belgique d'abord et dans l'intérêt général des garanties mêmes que les grandes Puissances ont prises vis-à-vis de l'Allemagne.

*Question du Limbourg.*

Comme le Délégué des États-Unis était absent l'autre jour, je me permets de résumer pour lui la discussion.

Le Délégué des Pays-Bas nous a dit: 'la Hollande défendra le Limbourg: elle y mettra des garnisons qui résisteront sur place; elle coupera les ponts de la Meuse si c'est nécessaire.'

Cette déclaration ne renferme pas toute la question parce que, si la Hollande veut défendre le Limbourg, cela ne prouve pas que le Limbourg soit défendable. Nous avons tous reconnu, en étudiant la question, qu'il n'était pas possible de défendre le Limbourg avec des troupes hollandaises ayant leurs communications par la Hollande. Le Limbourg forme une espèce de poche, d'ouverture très étroite, et peut être coupé par une attaque allemande. Militairement, il n'est pas possible de défendre le Limbourg face à l'Est autrement qu'avec des troupes ayant leurs communications vers l'Ouest, c'est-à-dire en Belgique, que ces troupes soient belges ou hollando-belges, peu importe leur nationalité. Le bon sens indique cela.

Cela ressort de la déclaration même du Délégué hollandais qui nous dit: 'on détruira les ponts'. Qu'est-ce que cela signifie? Cela signifie-t-il avant que les troupes les aient utilisés ou après qu'elles les auront utilisés? Si les troupes hollandaises détruisent les ponts de la Meuse avant de s'en servir, pour se replier, elles ne pourront se replier que sur la Hollande et elles seront prises; si elles le font après s'en être servies, elles seront prises en Belgique.

Vous voyez donc qu'il faut un arrangement quelconque avec la Belgique; en partant de cette constatation que le Limbourg n'était pas militairement défendable dans les conditions qu'envisageait M. Van Swinderen, nous avons constaté que les grandes Puissances avaient l'intérêt et le devoir de se préoccuper de sa défense, car elles ont estimé nécessaire de prendre des garanties nécessaires en territoire occupé pour une période à déterminer, aussi longtemps qu'on n'aura pas d'assurance contre un retour offensif de l'Allemagne. Elles ont cru que c'était leur devoir, parce qu'en définitive, l'idée qui avait dominé tout le débat des garanties militaires avait été de prévenir une nouvelle guerre et surtout de prévenir cet événement irréparable qu'un territoire allié, qu'il soit belge ou français, fût envahi.

Pour atteindre ce but, on nous demande de proposer non pas nécessairement une, mais plusieurs solutions. C'est là-dessus que je vais vous demander votre avis.

A titre d'indication, j'en vois deux possibles: je vois que les grandes Puissances pourraient inviter la Hollande à conclure un arrangement avec la Belgique à ce sujet, dans l'esprit du Pacte de la Société des Nations, mais pour apporter une garantie supplémentaire qui n'existe pas, aussi longtemps que la Société des Nations n'a pas fait la preuve de son efficacité.

J'envisage également pour les grandes Puissances une autre solution qui consisterait à inviter la Hollande à lier la défense du Limbourg à leur système commun de défense, au système général des garanties qu'ils ont prises contre l'Allemagne.

Il me semble qu'on peut ramener les solutions à ces deux types-là, ou un arrangement entre la Belgique et la Hollande, fait sous l'inspiration des grandes Puissances, ou un arrangement entre la Hollande ou [? et] les grandes Puissances elles-mêmes.

Il y a un point délicat: en demandant ceci à la Hollande on semble vouloir l'amener à prendre parti, à prendre en quelque sorte des mesures préventives contre l'Allemagne. Mais si on étudie la question de plus près, nous voyons que la Hollande nous dit dans ce cas-là: 'Je défendrai le Limbourg, si l'Allemagne viole le Limbourg.' Nous pouvons ajouter que ce sera dans des conditions tout à fait mauvaises; c'est un arrangement qui est conclu en visant uniquement le cas où le Limbourg serait violé par l'Allemagne, que cet arrangement soit fait par la Belgique ou par les grandes Puissances. C'est en somme également à l'avantage de la Hollande. C'est lui permettre d'assurer cette défense dans des conditions victorieuses, au lieu de l'assurer dans des conditions déplorables.

Tous les Délégués sont-ils d'accord sur cette question à laquelle les grandes Puissances sont intéressées à faire quelque chose?

Le Colonel Embick (*États-Unis d'Amérique*). La question est si intimement liée à celle du Pacte de la Société des Nations que je me demande si mon Gouvernement désire que je la discute. J'essaierai d'obtenir des instructions de la Délégation américaine cet après-midi.

Le Lieut^T-Colonel Réquin (*France*). La Délégation britannique a-t-elle les instructions nécessaires pour discuter la question?

Le Lieut^T-Colonel Twiss (*Empire britannique*). Oui. Je crois que vos solutions et les nôtres sont à peu près les mêmes. Nous sommes d'accord sur ce point que nous devons essayer de conclure un arrangement.

Le Lieut^T-Colonel Réquin. Vers quelle solution pencheriez-vous? Préféreriez-vous l'arrangement direct entre la Belgique et la Hollande, sur l'invitation des grandes Puissances, ou l'arrangement entre la Hollande et les grandes Puissances?

Le Lieut^T-Colonel Twiss. N'est-ce pas une affaire plutôt politique que militaire? Je n'ai pas songé à la manière de traiter la question.

Le Lieut^T-Colonel Réquin. La Commission serait tout de même heureuse qu'on lui indiquât plusieurs solutions.

Le Lieut^T-Colonel Twiss. Quelles solutions proposez-vous?

Le Lieut^T-Colonel Réquin. Dans le premier cas, la Hollande et la Belgique feraient un arrangement entre elles, pour que la défense du Limbourg soit liée à la défense de la Meuse.

Dans le second cas, les Puissances alliées et associées, considérant qu'elles sont très directement intéressées à cette affaire, parce que, ayant choisi une ligne pour s'y défendre éventuellement, elles ont le droit de regarder ce qui va se passer sur leur gauche, inviteraient le Gouvernement hollandais à relier la défense du Limbourg à ce système général.

Quelle que soit la solution, elle se traduira toujours pratiquement par un accord militaire entre états-majors. Seulement, je me demande — notez que je ne suis pas certain de ce que je dis là — si, en invitant la Hollande à lier sa défense à notre système général de défense, ce ne serait pas agir davantage dans l'esprit de la Conférence de la Paix qui a reconnu qu'avant d'obtenir de la Société des Nations des garanties certaines, un certain nombre de garanties militaires étaient à prendre. Si les grandes Puissances ont choisi ce front que vous connaissez tous, pour l'occuper pendant cinq ans, elles se sont bien préoccupées d'avoir à s'y défendre. Cela était fait dans l'éventualité d'une nouvelle agression de l'Allemagne.

Du moment que les grandes Puissances admettent qu'elles peuvent avoir à se défendre sur ce front-là, il faut bien qu'elles se préoccupent de ce qui peut se passer à l'extrême gauche où le territoire hollandais devient, par rapport à la défense commune, quelque chose d'analogue à ce qu'était la Belgique en 1914. C'est le territoire relativement ouvert et sans défense, que l'Allemagne, si elle se décidait à violer tous ses engagements, pourrait très sérieusement tenter de violer.

C'est, à mon avis, le point de vue auquel les Puissances occupantes du territoire rhénan ont le droit de se placer. Je veux dire par là que cette défense du Limbourg intéresse autant, sinon plus, les grandes Puissances, que la Belgique elle-même. Les grandes Puissances ont véritablement le devoir d'empêcher absolument que les territoires belges ne soient violés.

Le Colonel Embick (*États-Unis d'Amérique*). Dans quelle mesure ce Traité aurait-il plus de force pour lier les Puissances intéressées que le Pacte de la Ligue des Nations?

Le Lieut.-Colonel Réquin (*France*). C'est que cet arrangement éventuel avec la Hollande pour la défense du Limbourg serait le complément des garanties que les grandes Puissances ont estimé nécessaire de prendre, jusqu'au moment où la Ligue des Nations sera reconnue efficace, si elle est reconnue efficace.

La question du Limbourg n'est pas résolue *ipso facto*, parce que la Hollande entre dans la Ligue des Nations, pas plus que la défense de la frontière de la France n'a été résolue *ipso facto*, parce que la Ligue des Nations a été constituée. Toutes les grandes Puissances sont tombées d'accord sur ceci que le danger était trop grave, trop éminent [imminent], trop rapproché, que la Ligue des Nations avait une expérience à faire, qu'elle n'existait même pas encore, que les peuples qui venaient de souffrir ne pouvaient pas lui faire confiance, avant de juger de son efficacité. Pour toutes ces raisons, elles ont jugé nécessaire de prendre un ensemble de garanties formant un tout indivisible et constitué partie par le Traité de Paix, partie par les alliances. Cet ensemble indivisible est, comme vous le savez, la démilitarisation d'une partie du territoire allemand, le désarmement de l'Allemagne, l'occupation pendant un certain nombre d'années, qui peut être prolongé, et les alliances. Dans la pratique, ces garanties militaires sur le terrain se traduisent par une garantie physique qui est l'occupation minimum d'une certaine ligne pendant quinze ans. Nous voyons qu'il n'est pas indifférent aux puissances alliées et associées que cette ligne soit ou ne soit pas tournée.

Le Lieut.-Colonel Twiss (*Empire britannique*). Je propose que nous examinions en gros les conditions de l'arrangement, mais que nous laissions à la Commission le soin de décider si l'arrangement sera fait par la Hollande et la Belgique entre elles ou sur la suggestion des grandes Puissances, entre les grandes Puissances et la Belgique d'une part, et la Hollande d'autre part.

Le Lieut.-Colonel Réquin. Je partage tout à fait l'avis du Délégué britannique. Chacun de nous peut communiquer son opinion à sa Délégation quant à la question politique. Seulement, j'insiste pour que nous ne nous contentions pas de dire que la défense du Limbourg est très importante. Il faut que nous envisagions le point de vue militaire et je demanderai, pour ma part, qu'on précise bien l'intérêt des grandes Puissances. Ainsi que je vous l'indiquais tout à l'heure, les grandes Puissances qui occupent le territoire rhénan ne peuvent pas se désintéresser de la bataille qu'elles pourraient avoir à y livrer et des conditions purement tactiques de cette bataille.

A ce point de vue-là uniquement, la situation générale des grandes Puissances occupantes peut être rappelée.

Le Délégué du Japon a-t-il des observations à présenter à ce sujet?

Le Colonel Nagai (*Japon*). La question me paraissant toucher directement au problème militaire des alliances franco-britannique et franco-américaine auxquelles le Japon ne prend aucune part, nous préférons laisser les Puissances intéressées rechercher une solution sans intervenir nous-mêmes dans la discussion.

Cependant, au point de vue purement militaire, s'il était possible aux Puissances intéressées et aux Pays-Bas de prendre quelques mesures en vue d'améliorer la faible situation stratégique de la région du Limbourg contre une agression formidable venant de l'Est comme celle dont la Belgique a été la victime en 1914, ce serait une nouvelle garantie pour la paix européenne et, par conséquent, nous ne saurions que nous en féliciter pour la paix générale du monde.

Le Lieut.-Colonel Réquin (*France*). Quel est l'avis du Délégué italien?

Le Major Pergolani (*Italie*). Nous pensons qu'on doit chercher à défendre le Limbourg. C'est nécessaire pour la défense générale en cas d'agression de la part de l'Allemagne. Nous pensons aussi que c'est une question qui doit être réglée par nos Représentants diplomatiques. On doit chercher à conclure des accords entre la Ligue des Nations et la Hollande à cet effet.

Le Lieut.-Colonel Réquin. Je crois que tout le monde est d'accord sur l'intérêt général que présente la question envisagée du point de vue purement militaire. Puisque nous devons attendre que la Délégation britannique ait certaines instructions de son Gouvernement au sujet d'Anvers et puisque la

Délégation américaine attend également des instructions, je vous proposerai d'avoir une nouvelle réunion, par exemple demain.

Le Lieut<sup>t</sup>-Colonel Twiss (*Empire britannique*). Nous approuvons complètement votre texte sous cette réserve.

Le Lieut<sup>t</sup>-Colonel Réquin. Cela signifie simplement que si ces instructions sont ce que vous pouvez croire, nous serons très vite d'accord.

Le Lieut<sup>t</sup>-Colonel Twiss. C'est une affaire de deux minutes.

Le Lieut<sup>t</sup>-Colonel Réquin. Le Délégué américain croit-il qu'il puisse avoir des instructions au sujet de la question d'Anvers?

Le Colonel Embick (*États-Unis d'Amérique*). Je l'espère.

Le Lieut<sup>t</sup>-Colonel Twiss. Nous pourrions, je pense, employer la procédure suivante. Nous pourrions dire qu'il nous paraît très nécessaire, au point de vue militaire, qu'un arrangement ait lieu entre la Hollande et la Belgique; que nous voyons deux manières d'assurer cet arrangement: 1° l'arrangement pourrait être fait entre la Belgique et la Hollande; 2° les Puissances pourraient faire cet arrangement. Nous pourrions ajouter que la Sous-Commission militaire ne se sent pas suffisamment qualifiée pour faire un choix. Nous proposerions les deux solutions à la Commission en demandant aux Délégués politiques de faire le choix que nous ne voulons pas faire.

Le Colonel Embick. Je me demande s'il est sage, de la part de la Sous-Commission ou de la Commission, de proposer une alliance dans le sein de la Ligue des Nations. Les alliances qui ont été faites fournissent actuellement matière à une opposition contre le Pacte.

Le Lieut<sup>t</sup>-Colonel Twiss. Ma proposition était de conclure un arrangement dans le cas où la Hollande ne ferait pas partie de la Ligue des Nations. Si la Hollande et la Belgique étaient toutes deux membres de la Ligue, elles se devraient assistance mutuelle et la question serait réglée. Je n'envisageais que le deuxième cas quand je parlais des solutions que je préconisais, c'est-à-dire celui où la Hollande ne ferait pas partie de la Ligue des Nations.

Le Lieut<sup>t</sup>-Colonel Réquin (*France*). Vous dites que si la Hollande et la Belgique font toutes deux parties de la Société des Nations, la question est tranchée par le Pacte. J'étais tout à fait d'accord sur ce point que la question de l'Escaut, de la Zélande, etc., c'est-à-dire de l'utilisation des deux territoires, était réglée *ipso facto* par le Pacte. Mais là, on ne peut pas tout à fait en dire autant; sans doute, le Pacte oblige bien les membres de la Société à se prêter un mutuel appui; j'ajoute que la Commission militaire permanente qui devrait être constituée par la Société des Nations en vertu de l'article 9, aurait précisément à émettre un avis au sujet des accords militaires à conclure entre membres de ladite Société. Cependant, je vous fais remarquer que le Délégué hollandais a dit: 'Nous défendrons le Limbourg, localement, comme nous défendrons localement toute partie de notre territoire. Nous ne laisserons pas insulter notre drapeau.' Cela ne changera pas le système de la défense de la Hollande. Nous le connaissons tous: c'est la Hollande maritime enfermée dans ses inondations. M. Van Swinderen a ajouté que si cette défense n'avait pas de succès, que si les troupes allemandes s'avançaient, elles auraient sur leurs flancs l'armée hollandaise concentrée dans le Brabant.

Cela indique bien que la Hollande n'a nullement l'intention de changer son système de défense, ni, par la suite, de défendre le Limbourg autrement que par le sacrifice de quelques petites garnisons.

Or, pour la Belgique, pour les Alliés, le Limbourg, c'est le front, c'est la première ligne. L'attaque se produirait là en quelques jours, si elle se produisait. Nous ne pouvons pas par conséquent attendre si nous voulons obtenir des garanties efficaces. Nous ne pouvons pas attendre que des arrangements soient faits au sein de la Société des Nations. Ces arrangements me paraissent très aléatoires. Il faudrait faire en quelque sorte d'avance le travail de cette Commission militaire permanente, qui n'est pas nommée et dont on ne paraît pas se préoccuper beaucoup. Il y a là une question dont l'urgence ne peut pas échapper. D'après la résolution du Conseil Suprême, nous devons examiner la révision des Traités de 1839 dans le but de supprimer, tant pour la Belgique que pour la paix générale, les risques et inconvénients divers résultant des Traités de 1839. C'est là précisément un risque résultant de ces Traités.

Je crois que, même en tenant compte de l'admission de la Hollande dans la Société des Nations, il y a quelque chose à faire pour appliquer à la défense du Limbourg les obligations extrêmement générales du Pacte de la Société.

D'autre part, au cas où la Hollande ne serait pas membre de la Société, je me demande si le fait de lui proposer de lier la défense du Limbourg, qu'elle se déclare décidée à défendre, à la défense belge ou à la défense des Alliés, dans la seule éventualité de la violation du Limbourg, si ce fait constitue une alliance. Je pose la question de savoir si on peut vraiment appeler cela une alliance.

Pour conclure, je vous proposerai, si vous le voulez bien, de préparer chacun pour notre prochaine réunion une courte résolution au sujet du Limbourg, en indiquant, comme l'a fait tout à l'heure le Délégué britannique, l'importance de la défense de ce pays au point de vue militaire, sans entrer dans aucune solution d'ordre politique. Ainsi, nous répondrons exactement au mandat qui nous a été donné. On nous a demandé de rédiger des propositions concernant le Limbourg. Cela n'engage en rien les Gouvernements, qui pourront apprécier s'il y a quelque chose à faire, ou si la Société des Nations suffit.

*Note du Colonel Twiss.* Le Lieut.-Colonel Twiss (*Empire britannique*). J'ai exposé mes idées personnelles sur la question dans une note dont je donnerai lecture, si la Commission y trouve un intérêt. (*Assentiment.*)

### Conventions militaires entre la Hollande et la Belgique

Il est reconnu que la conclusion de certains arrangements militaires entre la Belgique et la Hollande est dans l'intérêt mutuel de ces pays et dans l'intérêt de la paix du monde.

Deux principales questions doivent être considérées:
1° La question de l'Escaut et de la Flandre hollandaise;
2° La question de la Meuse et la question du Limbourg.

En ce qui concerne la première question, deux cas doivent être examinés :

1° La Hollande et la Belgique sont toutes les deux membres de la Société des Nations. Dans ce cas-là, la Hollande est obligée de venir en aide à la Belgique. L'Escaut serait utilisable pour des forces armées de la Belgique et d'autres membres de la Société des Nations. La Flandre hollandaise pourrait être utilisée par la Belgique et ses Alliés.

2° Si la Belgique et la Hollande ne sont pas membres de la Ligue des Nations, aucun changement n'est proposé au régime existant. On ne considère pas comme désirable, soit de demander à la Hollande d'internationaliser l'Escaut, soit d'accorder à la Belgique des privilèges spéciaux pour le temps de guerre ou d'inviter la Hollande à permettre à la Belgique d'employer la Flandre hollandaise en temps de guerre.

En ce qui regarde la seconde question, il est clair qu'il est de la plus grande importance pour la Belgique de pouvoir tenir la ligne de la Meuse contre l'Allemagne, afin de gagner du temps pour que ses Alliés viennent à son secours et pour empêcher l'ennemi d'entrer dans son pays comme il l'a fait en 1914.

En considérant une offensive allemande contre cette région comme faisant partie d'une plus grande guerre, c'est-à-dire une guerre dirigée contre la France et la Grande-Bretagne, la force de la nouvelle frontière ajoute à la possibilité d'une première violation du territoire belge et ensuite du territoire hollandais. Il n'y a aucun doute qu'il serait, particulièrement au point de vue naval, extrêmement désavantageux pour l'Allemagne d'avoir la Hollande contre elle ; d'autre part, la nécessité militaire pourrait la conduire à violer le territoire hollandais, et elle peut regarder l'avantage du nouveau front sur lequel elle serait obligée de se déployer comme surpassant les autres désavantages ; particulièrement par suite d'une alliance avec la Russie dont les ressources peuvent être davantage développées, elle ne dépend plus aussi complètement de la Hollande pour ses approvisionnements qu'elle n'en dépendait dans la récente grande guerre. Le danger pour les Belges d'une violation par l'Allemagne de la neutralité hollandaise est si grand qu'ils sont naturellement désireux que la Hollande fasse tout ce qu'elle pourra pour empêcher une telle violation. De même la destruction de la Belgique n'a pas manqué d'être un risque sérieux pour la Hollande qui serait éventuellement écrasée par l'Allemagne, tout comme si la Grande-Bretagne s'était tenue à l'écart en 1914 et avait permis à l'Allemagne d'écraser la France ; elle aurait inévitablement été écrasée à son tour.

La Belgique et la Hollande trouveront donc ultérieurement leur avantage commun à s'arranger pour assurer une défense efficace de la ligne de la Meuse. Il est également dans l'intérêt de la France et de la Grande-Bretagne que cela s'effectue.

Il y a donc, de nouveau, deux cas à considérer :

1° Si la Hollande et la Belgique sont toutes deux membres de la Société des Nations, la question est simplifiée par l'obligation imposée à la Hollande de venir à l'aide de la Belgique contre son agresseur. Les plans pour la défense commune seraient élaborés par les deux pays dans le Conseil de la Société des Nations.

2° Si la Belgique fait partie de la Société des Nations et que la Hollande n'en fasse pas partie, nous avons l'assurance précise de M. Van Swinderen que toute violation du territoire hollandais sera considérée par la Hollande comme un *casus belli* immédiat. C'est une déclaration de la plus grande importance, mais elle ne suffit pas en elle-même. Il est essentiel pour la Hollande de prendre des arrangements militaires qui permettront de gagner du temps pour la défense de la ligne de la Meuse par la Belgique et ses alliés et protégeront le flanc gauche de l'armée belge contre une attaque passant par le territoire hollandais.

Ces dispositions militaires devraient prendre la forme suivante:

*a.* Les Hollandais devraient entretenir dans la province du Limbourg une force suffisante et y construire des défenses (ouvrages en terre, tranchées, postes bétonnés, fils de fer barbelés, etc.) telles qu'elles permettraient à ces troupes de tenir pendant quelques jours contre une invasion et de gagner du temps, au moins quarante-huit heures, pour la destruction des ponts sur la Meuse et pour permettre aux Belges d'arriver et d'occuper les points de défense sur la rive gauche de la Meuse, les Belges devant être responsables de cette défense jusqu'à la frontière hollandaise. Ceci n'impliquerait pas l'emploi de troupes belges sur le territoire hollandais tant que la Hollande ne serait pas en guerre avec l'Allemagne. Si elle l'était, les troupes belges pourraient être employées dans l'intérieur des frontières hollandaises si cela était nécessaire.

*b.* La Hollande s'engagerait à tenir en force la ligne de la Meuse au Nord de l'appendice du Limbourg et en prolongation de la ligne belge de défense sur la rive gauche de la Meuse. On comprend que cette mesure modifierait d'une certaine manière les plans stratégiques actuels du haut commandement hollandais. La modification ne serait toutefois pas fondamentale, mais serait rendue nécessaire par l'importance qu'il y aurait à aider et à protéger le territoire et l'armée de campagne de la Belgique.

On espère que ces dispositions militaires répondront aux vœux de la Belgique qui probablement aura le secours, comme en 1914, de la France et de la Grande-Bretagne, soit par suite d'arrangements spéciaux, soit en qualité de membre de la Société des Nations, et que ces arrangements paraîtront acceptables à la Hollande.

Les avantages pour la Hollande à conclure un arrangement militaire avec la Belgique sont considérables au point de vue de sa sécurité nationale et au point de vue des bonnes relations entre la Belgique et les autres membres de la Société des Nations. On pense donc qu'en échange d'une convention militaire de cette nature, la Belgique abandonnerait définitivement toute prétention sur les territoires hollandais. Il n'y aurait aucune violation du territoire hollandais en temps de paix et en temps de guerre, ni par la Belgique, ni par les Alliés. Au cas où les ennemis de la Belgique enfreindraient la neutralité hollandaise, ces mesures permettraient à la

Hollande d'exécuter son intention de faire la guerre en tous cas contre ses agresseurs.

LE COLONEL EMBICK (*États-Unis d'Amérique*). Avons-nous simplement à donner une opinion militaire sur la valeur de la Meuse envisagée comme ligne de défense ou entre-t-il dans notre tâche de suggérer une solution politique?

LE LIEUT<sup>T</sup>-COLONEL RÉQUIN (*France*). Je crois qu'il entre dans notre tâche, après avoir examiné les conditions de la ligne de la Meuse, de proposer une solution militaire. Bien entendu, cette solution militaire ne peut être adoptée que par des moyens politiques. Cela ne veut pas dire que la solution militaire que nous proposons sera possible. Nous disons, après examen, que la question nous paraît pouvoir être résolue par telle solution, tel agrément militaire entre la Belgique et la Hollande.

LE LIEUT<sup>T</sup>-COLONEL TWISS (*Empire britannique*). Est-il nécessaire que nous disions autre chose que ce que j'avais dit, c'est-à-dire que la Meuse offre une ligne de défense très forte pour la protection de la Belgique et des autres Nations occidentales, que le point faible de cette défense est le Limbourg, que par conséquent il est de l'intérêt de la Belgique et des autres Puissances occidentales que la défense du Limbourg soit assurée?

LE LIEUT<sup>T</sup>-COLONEL RÉQUIN (*France*). Je crois qu'on exagère un peu la portée des mots 'experts militaires'. Pour mon compte, je considère que la tactique et la stratégie sont le bon sens appliqué aux choses de la guerre. Souvent, il est fort inutile d'avoir des experts militaires. On nous a réuni, avec la mission de creuser un peu la question et de présenter des solutions suffisamment détaillées. C'est là mon avis personnel. Cela ne nous engage à rien d'entrer dans des détails et cela peut éclairer la Commission. Mon avis est donc que nous devons proposer des solutions militaires assez détaillées.

LE MAJOR PERGOLANI (*Italie*). Nous devrions chercher une solution militaire.

LE LIEUT<sup>T</sup>-COLONEL RÉQUIN. Pour ma part, je vous avoue que je suis partisan du genre de solution que mon collègue britannique indiquait. Nous pourrions prendre le temps d'y réfléchir, car la question est complexe. Nous pourrions revenir à cette question du Limbourg dans une prochaine séance et arrêter définitivement une ou plusieurs propositions.

LE MAJOR PERGOLANI. Nous ne pouvons proposer aucune autre solution que celle qui est indiquée par le Colonel Twiss: elle correspond très bien à notre façon de voir.

LE COLONEL EMBICK (*États-Unis d'Amérique*). J'examinerai la note du Colonel Twiss et je demanderai des instructions.

LE COLONEL RÉQUIN. La prochaine séance pourrait avoir lieu demain mardi à 4 heures. (*Assentiment.*)

La séance est levée à midi.

*Record of a meeting in Paris of the Delegates of the Great Powers on the Commission for the revision of the Treaties of 1839*

*No. 2* [*Confidential/General/177/9*]

*Procès-verbal No. 2. Séance du 25 août 1919*

La séance est ouverte à 16 heures, sous la présidence de M. Laroche, *Président.*

*Sont présents:*

M. Fred K. Neilson (*États-Unis d'Amérique*); l'Hon. Charles Tufton et le Colonel Henniker (*Empire britannique*); MM. Laroche et Tirman (*France*); le Professeur Dionisio Anzilotti (*Italie*); le Professeur K. Hayashi et le Colonel Nagai (*Japon*).

*Assistent également à la séance:*

Le Major John S. Hunt (*États-Unis d'Amérique*); le Capitaine de frégate Macnamara et M. Bland (*Empire britannique*); le Capitaine de vaisseau Le Vavasseur (*France*); M. Tani (*Japon*).

LE PRÉSIDENT. Messieurs, nos experts militaires et navals se sont réunis ce matin[1] et auront encore besoin d'une séance pour terminer leur travail; ils ne nous remettront leurs conclusions que lorsqu'ils se seront mis entièrement d'accord.

*Question des voies navigables.*

En ce qui concerne la question des voies navigables, à laquelle nous étions arrivés, nous sommes en présence de demandes belges et de réponses des Pays-Bas. Ces réponses sont d'ailleurs d'ordre assez général; cependant, elles nous permettent d'entrevoir qu'il ne sera pas impossible d'arriver à une entente avec quelque bonne volonté. . . [2]

M. TUFTON (*Empire britannique*). Nous croyons, en effet, que les réponses du Gouvernement hollandais laissent la porte ouverte et nous sommes aussi convaincus qu'il y aura possibilité d'arriver à une entente sur les questions économiques.

LE PRÉSIDENT. Je propose que nous prenions les demandes belges une à une et que nous voyions dans quelle mesure la Délégation hollandaise y a répondu.

M. NEILSON (*États-Unis d'Amérique*). Nous n'avons rien de défini et ne pouvons rien avoir de défini jusqu'à ce que nous soyons en possession de la réponse hollandaise complète, c'est-à-dire jusqu'à ce que le Représentant de la Hollande soit revenu avec des instructions précises de son Gouvernement. J'ai l'impression que, étant donné les renseignements que nous avons, les idées que nous connaissons, nous ne pouvons guère aller plus loin que nous ne sommes allés jusqu'ici.

[1] See No. 93.          [2] Punctuation as in original.

Le Président. Je désirerais cependant que nous échangions quelques vues sur ce qu'il est possible de faire. J'ai pris sur moi, par exemple, d'exprimer l'opinion de la Commission: je serais heureux de voir confirmer notre accord sur l'interprétation que j'ai donnée à la résolution du Conseil Suprême et que j'ai répétée à M. Van Swinderen qui était venu me voir, à savoir qu'il n'y avait aucun doute dans l'esprit des membres du Conseil quand ils disaient que cette Commission inviterait les Délégations belge et hollandaise à présenter des formules communes: c'est là un point important, car la Commission n'a de raison d'être que parce qu'on a voulu que l'entente se fasse ici.

Ce qui ne veut pas dire, d'ailleurs, comme je l'ai répété à M. Van Swinderen, qu'on ne sera pas obligé de se transporter sur les lieux avant de signer un traité; mais ce que nous désirons, c'est établir des bases suffisantes pour que l'on ait la certitude qu'on arrivera à la conclusion de ce traité.

M. Neilson (*États-Unis d'Amérique*). Ainsi que l'a signalé la Délégation des Pays-Bas, les questions envisagées sont d'une portée énorme. Il y a des questions économiques, ayant trait aux fleuves et aux canaux, et il y a des questions militaires. Si la Commission étudie ces questions en détail, il faudra longtemps. Une autre Commission qui a rédigé un Traité comprenant une douzaine d'articles brefs ayant trait à des questions qu'on pourrait considérer comme étant d'ordre économique, y a consacré environ deux mois.

La résolution du Conseil des Ministres des Affaires étrangères considère, apparemment, que la Belgique et les Pays-Bas devraient nous soumettre des propositions. La Belgique a déjà déclaré, avec force détails, ce qu'elle désire, mais elle n'a pas présenté de propositions définitives. La Délégation des Pays-Bas a déclaré qu'elle est prête à négocier au sujet de certaines affaires. Il me semble que nous n'avons rien de précis pour commencer nos travaux.

Le Président. En fait, nous sommes d'accord. Dans la conversation que j'ai eue avec M. Van Swinderen, dont les idées sont les mêmes que celles de son ministre, je lui ai laissé entendre que si, évidemment, nous voulions régler toutes les questions économiques, nous n'avions qu'à nous ajourner à un an, mais, ai-je ajouté, ce n'est pas cela que nous demandons; la Commission veut avoir des formules, des bases. 'Mais vous les avez', m'a dit M. Van Swinderen. A quoi j'ai répondu que nous savions bien ce que voulait la Belgique et aussi ce que la Hollande entendait donner, mais que cela n'était pas suffisant. Par exemple, la Hollande dit qu'elle est disposée à examiner avec la Belgique 'la question d'une extension à donner au régime en vigueur dans le sens d'une administration commune de l'Escaut par rapport à la navigation marchande, de manière qu'il soit assuré que l'Escaut répondra toujours aux besoins croissants de la navigation'.[3] Au lieu de cette formule je désirerais une quinzaine de lignes, indiquant dans quel sens on peut entendre ce qu'est une administration commune.

Ce ne sera pas encore le Traité, mais ce sera au moins l'indication qu'on peut arriver à faire le Traité sur cette base.

[3] Cf. No. 81.

De même, en ce qui concerne la jonction Escaut–Meuse–Rhin, les Hollandais disent que, pour se prononcer, il faut aller sur place procéder à des études: c'est exact, mais je voudrais que la Belgique et la Hollande se missent d'accord sur une formule assez étendue pour permettre d'espérer qu'on arrivera à traiter.

Or, toutes ces bases du Traité, toutes ces formules, il faut que les Délégués belges et hollandais les précisent ici, au milieu de nous; si nous les laissons discuter par correspondance, nous en aurons pour un an.

Au fond de tout cela, nous le sentons, il y a une question de politique. M. Van Karnebeek estime que sa dignité personnelle est engagée; il voudrait se soustraire à l'intervention des Puissances et traiter directement avec la Belgique. M. Van Swinderen, de son côté, s'est rendu compte qu'une telle manière de faire produirait mauvais effet et que les Puissances s'y opposent. Il m'a d'ailleurs questionné à ce sujet, me demandant si je croyais que cette intervention des Puissances durerait. 'Cela dépend, ai-je répondu; mais la question est loin d'être simple; d'une part, les questions militaires et de sécurité resteront intégrées dans la Société des Nations; d'autre part, le régime économique sera établi entre la Hollande et la Belgique; une fois établi, il ne sera plus une question européenne, mais une question hollando-belge.'

Mais, je le répète, c'est sur des formules nécessaires pour l'établissement de ce régime que l'intervention des Puissances est nécessaire; parmi les Puissances il en est deux qui restent signataires des Traités de 1839, de la charte qui subsiste toujours, puisqu'elles n'ont pas apposé leur signature au bas d'un autre Traité déclarant que les Traités de 1839 sont abolis. Et ces Puissances veulent être certaines qu'au régime qui disparaîtra on en substituera un autre qui donne satisfaction à la Belgique: elles seront témoins de l'acte à intervenir, après quoi elles laisseront à la Hollande et à la Belgique le soin de vivre en bonne intelligence.

Comme je le disais, ce que désirerait M. Van Karnebeek, ce serait que les Puissances disent dès à présent: 'Les Traités de 1839 seront revisés; que la Belgique et la Hollande trouvent le moyen de se mettre d'accord'. Et c'est là précisément ce que nous ne pouvons admettre: j'ai tenu à le dire à M. Van Swinderen.

C'est pourquoi j'estime nécessaire que M. Van Swinderen revienne avec des experts et des instructions de son Gouvernement et, en dix jours, on pourra établir les textes qui fourniront des bases d'accord. On ne fera pas un Traité en forme; on se bornera à dire que l'on est prêt à conclure un accord pour régler telles et telles questions de telle et telle manière; nous en prenons acte et nous dirons au Conseil Suprême: 'Voici ce que les Belges et les Hollandais sont prêts à faire dans le domaine économique; comme nous avons obtenu— ou que nous n'avons pas obtenu — telles garanties militaires, nous recommandons que les Puissances déclarent que, dans ces conditions, la Belgique et la Hollande ont toute latitude pour conclure ces accords dans la forme voulue; une fois conclus par les deux pays, ils seront intégrés dans un Traité où seront insérés l'acte de révision des Traités de 1839 et aussi le nouveau régime militaire.

Voilà, je le répète, pourquoi il est nécessaire que M. Van Swinderen revienne ici avec des experts, à très bref délai.

M. Neilson (*États-Unis d'Amérique*). En attendant des renseignements plus complets de la part de la Délégation néerlandaise, nous pourrions peut-être demander à la Belgique de préciser ses revendications pour l'administration de l'Escaut et des territoires riverains. La Délégation belge n'est guère sortie des principes généraux: nous pourrions lui demander des précisions, comment la Belgique conçoit l'administration, quels genres de travaux elle voudrait faire, quels droits elle voudrait avoir par rapport à ces travaux. En effet, les Belges, dont les démarches ont provoqué la réunion de cette Commission, ont probablement mieux étudié cette question que les Hollandais et s'ils nous apportaient des renseignements plus circonstanciés, ceux-ci pourraient déjà être le point de départ de l'étude à laquelle nous nous livrerions.

Le Président. J'y avais bien pensé; mais avant tout, il faut être certain que les Hollandais viendront discuter ici, sinon, nous perdrions notre temps à entendre les Belges.

Je suis heureux, d'ailleurs, d'entendre M. Neilson tenir ce langage qui concorde tout à fait avec la façon dont j'interprète la résolution du Conseil Suprême. Nous n'allons pas, en effet, dire aux Belges et aux Hollandais: 'Vous viendrez établir des formules communes; nous attendrons que vous ayez terminé et que vous les présentiez.' Ce serait peut-être là la lettre, mais ce n'est pas l'esprit de la résolution qui nous invite à les faire se rencontrer sur des formules communes, ce qui ne nous interdit pas, d'ailleurs, d'intervenir séparément, auprès de l'une ou de l'autre Délégation; je leur ai du reste déjà dit que nous désirerons les entendre séparément et les aider, par nos conseils, à trouver les formules que nous recherchons.

Seulement, encore une fois, je ne voudrais pas que nous nous lancions dans des discussions de ce genre avec les Belges avant d'être sûrs de la contrepartie hollandaise. Quand nous saurons que M. Van Swinderen revient à Paris avec ses experts pour discuter, nous dirons à chacune des parties: 'Apportez-nous vos projets, afin que nous en prenions connaissance; cela nous permettra de donner à chacun des conseils propres à aiguiller les deux pays dans la voie de la solution la meilleure.'

Telle est la façon dont je comprends notre action.

M. Neilson (*États-Unis d'Amérique*). — Il faut donc que M. le Président demande aux Hollandais s'ils reviendront.

M. Tufton (*Empire britannique*). — M. Van Swinderen est précisément allé en Hollande pour chercher des instructions.

Le Président. — Comme je le disais en débutant, voulez-vous que nous passions rapidement en revue les demandes belges en les confrontant avec les réponses néerlandaises, afin de voir si nous sommes d'accord sur les chances qu'il y a d'aboutir, en fin de compte, à une entente entre les deux parties, sous une forme qui n'est pas encore déterminée? . . .[2] (*Assentiment.*)

*Régime de l'Escaut.*

En ce qui concerne l'Escaut, les Belges font une série de demandes; la Hollande répond par une simple phrase. C'est peu, semble-t-il, cependant, pour en comprendre le sens et la portée, il faut se reporter à ce que les Belges ont le droit de demander. Et les Belges, à ce propos, nous ont fait parvenir un mémoire intéressant sur les servitudes internationales, dans lequel nous pourrons peut-être puiser, le moment venu, des arguments pour vaincre quelques résistances hollandaises, car tout n'est pas servitude internationale dans ce que demandent les Belges.

La preuve en est que les Hollandais leur ouvrent déjà une porte. Les Belges désirent être assurés que l'Escaut sera bien toujours l'accès dont Anvers a besoin ; il est indiscutable que c'est par suite de conventions internationales que ce port est séparé de la mer par une partie du fleuve traversant un territoire étranger et que nous devons assurer à Anvers l'accès à la mer ; mais il est non moins évident que nous ne pouvons contraindre les Pays-Bas à se laisser imposer ce qui serait une véritable servitude internationale, c'est-à-dire une atteinte à leur souveraineté territoriale.

Or, donner aux Belges de façon unilatérale, comme ils le demandent, le droit de faire des travaux eux-mêmes sans se préoccuper des riverains, serait constituer une servitude internationale ; par contre, si tout se passe dans la forme d'une administration commune, la Belgique pourrait avoir les satisfactions qu'elle demande. Et à cela la Hollande consent, ce qui prouve qu'elle n'y voit pas une servitude.

Dans cette voie, il me semble que nous pouvons espérer aboutir à une solution ; encore faut-il demander quelques précisions aux Hollandais sur ce qu'ils entendent par ces mots 'administration commune'. C'est là une opinion que nous pourrions transmettre au Conseil Suprême.

Je voudrais, en d'autres termes, que la Hollande précise davantage et nous donne une réponse un peu plus longue ; les Belges ont exprimé en une vingtaine de lignes ce qu'ils demandent pour l'Escaut : il conviendrait que les Hollandais en quelques phrases précisent comment ils entendent que fonctionnerait cette 'administration commune'.

M. Tufton (*Empire britannique*). — Le Président croit-il que cette 'administration commune' serait de nature à donner satisfaction aux Belges? Ils se plaignent d'avoir été seuls en face de la Hollande dans les conversations diplomatiques ; la situation sera-t-elle changée quand on causera autour d'une table, entre fonctionnaires ou représentants ayant des instructions peut-être contradictoires?

Le Président. — J'avais précisément songé, dans ce but, à créer une Commission internationale de l'Escaut. . .[2]

Le Capitaine de vaisseau Le Vavasseur (*France*). — La Commission du régime international des ports, voies d'eau et voies ferrées qui a étudié cette question a écarté la solution de la Commission internationale, adoptant le régime international uniquement pour les fleuves qui traversent des territoires ennemis.

Le Président. — La Commission des ports ne s'est certainement pas préoccupée du point spécial que nous discutons.

M. Tirman (*France*). — La Commission des ports a distingué deux catégories de fleuves internationaux : ceux que je qualifierai de naturellement internationaux, qui donnent naturellement accès à la mer à plusieurs pays et qui doivent être placés sous le contrôle international, et ceux qui sont conventionnellement internationaux, c'est-à-dire par suite d'un accord librement consenti entre des États: c'est le cas de l'Escaut.

M. Neilson (*États-Unis d'Amérique*). — Je crois que l'ordre et la méthode de travail proposés par M. le Président sont les seuls auxquels nous puissions nous ranger en ce moment. La Délégation belge a distribué un mémoire, que tous les Délégués ont certainement eu en mains et qui traite d'un arbitrage qui a eu lieu entre les États-Unis et la Grande-Bretagne au sujet d'une question de servitudes internationales. Des avocats compétents et des juristes y ont participé des deux côtés. Je crois pouvoir dire que l'arbitrage n'a pas eu de résultat satisfaisant quant au règlement de la question des servitudes. Les Pays-Bas seront certainement en droit de faire des objections logiques aux propositions formulées au sujet de l'Escaut qui entraîneraient une création de servitudes internationales. Il me semble que, pour aboutir à des résultats satisfaisants, nous devons compter avant tout sur l'établissement de relations amicales entre la Belgique et les Pays-Bas.

Le Président. — A mon sens, l'administration commune n'exclut pas la Commission internationale. Il ne faut pas, en effet, organiser le conflit permanent, Belges et Hollandais se retrouvant face à face dans des conversations où il suffira que les uns disent oui pour que les autres disent non. Mais les Hollandais, je le disais, ont déjà ouvert une porte par cette phrase: 'de manière à ce qu'il soit assuré que l'Escaut répondra toujours aux besoins croissants de la navigation...'[2] Ceci implique qu'à cette administration commune on tracera un programme des travaux à exécuter en prévoyant en même temps les conflits possibles, lesquels seraient résolus, soit par un arbitrage — mais cela nous mènerait trop loin, — soit par l'introduction dans la Commission de membres appartenant aux grandes Puissances avec voix consultative par exemple, dans les cas ordinaires, et voix délibérative en cas de partage.

On dira peut-être que, ce faisant, nous allons faire intervenir les grandes Puissances dans une question qui ne les intéresse pas: je réponds tous [tout] de suite que la question de la navigation de l'Escaut intéresse toutes les grandes Puissances et aussi les petites.

Reste à savoir, d'ailleurs, quel accueil la Hollande réserverait à la suggestion que je viens de faire.

En résumé, nous avons à donner au Conseil Suprême un avis, joint aux propositions militaires, sur la possibilité d'atteindre le but économique que nous poursuivons; je désirerais que nous formulions pour l'Escaut une opinion qui serait ainsi conçue:

La Commission estime qu'à première vue la formule hollandaise peut ouvrir une base à une solution, à condition qu'il soit bien entendu que cette administration commune assurerait — comme l'indiquent les Hollandais eux-mêmes — que l'Escaut répondra toujours aux besoins croissants de la navigation et qu'à cette fin on prendra toutes mesures pour éviter, dans la Commission, les conflits qui rendraient son fonctionnement difficile ou impossible.

Je ne crois d'ailleurs pas impossible que les Hollandais reconnaissent certains droits aux Belges et, sous cette administration commune, il y a surtout, je crois, une question de forme. Dans le cas où cette hypothèse serait erronée, nous serions alors fondés à demander des garanties sous la forme d'une Commission internationale ou toute autre forme à déterminer, ne serait-ce que pour amener les Hollandais à trouver une autre formule s'ils veulent se soustraire à cette sorte de contrôle international.

M. Neilson (*États-Unis d'Amérique*). — J'accepte cette manière de voir de M. le Président; cependant, je voudrais faire remarquer que les Traités de 1839 contiennent deux sortes de stipulations: les unes auxquelles les Puissances sont directement intéressées, par exemple la neutralité de la Belgique; les autres, qui sont des stipulations économiques et dans lesquelles les Puissances n'ont qu'un intérêt indirect, éloigné.

Ce n'est pas à nous à examiner ce dernier ordre d'idées; on pourrait peut-être laisser à la Belgique et à la Hollande le soin d'organiser des Commissions techniques chargées d'étudier ces questions économiques; elles nous feraient connaître leurs conclusions: après quoi, nous verrions comment nous pourrions continuer la discussion.

Le Président. — Vous avez raison pour le moment où il s'agira d'entrer dans les détails; mais pour l'instant, je demande que nous envisagions la possibilité d'arriver à une solution; nous l'entrevoyons, mais de loin, et ce que je voudrais pouvoir dire c'est que à notre avis, si on rapproche les demandes belges et la réponse hollandaise, il y a sans doute possibilité de voir qu'on se mettra d'accord sur des formules, c'est-à-dire sur des bases assez larges, à condition que l'on accepte, de chaque côté, certains principes.

Si la formule de l'administration commune donnait satisfaction aux Belges, on entrerait ensuite dans les détails; mais en ce moment, ayant en quelque sorte la charge morale de la Belgique, il faut que nous puissions dire aux Belges: 'Faites cela; si on vous accorde telle et telle chose, vous devez vous déclarer satisfaits.'

M. Hayashi (*Japon*). — Je crois, comme le disait M. le Président, que la formule hollandaise nous permet d'espérer un arrangement; mais, au nom du Japon, qui n'est pas directement intéressé dans la question, je préférerais que nous attendions le retour des Délégués hollandais pour continuer cette discussion.

L'administration commune de l'Escaut permettrait d'arriver à une solution équitable et il serait de l'intérêt de la Belgique de l'accepter. Je crois, d'autre part, comme M. le Président l'a proposé, qu'il faudra trouver les moyens d'éviter les conflits qui pourraient surgir dans l'exercice de cette administration commune et, s'ils surgissent, les moyens d'y mettre fin, par exemple celui que propose M. le Président.

Je ne voudrais pas ici entrer dans une discussion académique au sujet des

318

servitudes internationales; je crois que, par l'extension que le Délégué hollandais a proposé de donner au régime actuel de l'Escaut pour assurer l'administration commune et répondre aux besoins de la navigation moderne, on pourrait arriver à donner au problème une solution favorable aux intérêts de la Hollande comme à ceux de la Belgique.

M. Tufton (*Empire britannique*). — Nous sommes, je crois, parfaitement autorisés à dire aux deux Puissances intéressées quelle est l'opinion des principales Puissances sur la question et à leur déclarer que certains principes doivent, à notre avis, être acceptés par les Puissances intéressées à la navigation de l'Escaut; par exemple que nous estimons nécessaire que la Belgique ait le droit non seulement de conserver la jouissance de l'Escaut dans les conditions de navigation actuelles, mais encore de poursuivre l'amélioration du fleuve. Il y aurait tout avantage à déclarer aux deux Puissances que les principes de cette nature doivent être acceptés.

Le Président. — La proposition de M. Tufton m'agrée et je m'y rallie entièrement. Nous choisirons pour l'accepter le moment où M. Van Swinderen viendra nous dire qu'il amène des experts techniques. A ce moment-là, notre rôle consistera à trouver une formule commune. Il faut que nous disions aux deux Pays: 'Vous allez essayer de trouver des formules communes. Nous tenons à vous dire que la Commission doit étudier les mesures résultant de la révision des Traités de 1839.' Nous les inviterons alors à présenter des formules sur les voies navigables. Il nous sera interdit de rien imposer aux deux parties, mais nous leur indiquerons les directives que nous a données la Conférence de la Paix. Cela fait, nous ne nous préoccuperons pas des moyens que la Belgique et la Hollande emploieront pour obtenir ces formules communes. Il est évident que la Hollande, par exemple, essaiera d'éviter toute apparence de servitude internationale. Mais nous nous bornerons à indiquer le but pratique auquel devront tendre les apports des deux principaux intéressés: l'obtention par les Belges de certaines satisfactions que les Puissances estiment nécessaires pour que la révision des Traités de 1839 se fasse bien suivant les principes généraux de la Conférence. Il faut donc qu'à ce moment nous tracions aux Belges et aux Hollandais un programme qui pourra constituer un terrain d'entente. Nous dirons aux Hollandais: 'Il faut que vous arriviez à donner ceci'; et aux Belges: 'Si vous recevez ceci, soyez-en satisfaits.' Il est très vraisemblable que nous trouverons ainsi un compromis équitable et satisfaisant, en fin de compte, pour les deux parties.

Je voudrais, pour arriver à une solution pratique, vous prier d'autoriser la Délégation britannique et la Délégation française, qui représentent les deux Puissances les plus directement intéressées à cette affaire, à désigner chacune un ou deux Délégués. Ces Délégués pourraient esquisser le programme qui serait soumis aux Délégations belge et hollandaise. Ce travail servirait plus qu'une discussion purement platonique à nous permettre de voir la portée de notre intervention en cette matière. Je demande à M. Tirman de vouloir bien s'aboucher à cet effet avec la Délégation britannique.

M. Tufton (*Empire britannique*). Je me rallie à votre proposition.

Le Président: Sur les autres questions, je n'aperçois pas de très grandes difficultés, notamment en ce qui concerne le canal de Terneuzen: les Hollandais sont disposés à en accorder l'amélioration.

*Canal de Gand à Terneuzen.*

M. Tufton. Surtout si c'est aux frais de la Belgique.

Le Président. En effet, les Belges offrent de payer. Il y a là une formule à trouver et qui sera trouvée sans difficultés, si la question de l'Escaut est résolue en même temps.

J'entrevois d'autant plus matière à un accord, que les Hollandais ont indiqué certains inconvénients qui leur portent préjudice et auxquels ils désirent remédier. C'est évidemment une monnaie d'échange dont nous pourrons tirer parti.

'L'écoulement des eaux de la Flandre belge', cela n'a pas d'intérêt.

'La liberté des communications de la Belgique avec le Bas-Rhin', c'est plus sérieux. Les Belges demandent notamment à améliorer la navigation de Liége à Maëstricht, en élargissant le canal et en laissant à la Belgique la gestion du tronçon qui se trouve en territoire limbourgeois. Les Hollandais demandent l'amélioration des voies navigables entre Maëstricht et Liége. J'entrevois également là une solution. Du moment qu'ils demandent quelque chose, ils accorderont quelque chose pour l'avoir. Je crois, en effet, que les Belges ont intérêt à améliorer cette communication: cela leur permettrait d'avoir satisfaction sur la question du canal Rhin–Meuse–Escaut. Les Pays-Bas n'y voient pas d'inconvénient, pourvu que des travaux soient faits pour favoriser la navigabilité du canal en terrain néerlandais. Entre parenthèses, je tiens à signaler que les Hollandais qui reprochaient aux Belges de vouloir communiquer avec l'Allemagne oublient que, sur le Rhin, il n'y a pas seulement l'Allemagne, il y a aussi la France. C'est pour communiquer avec l'Alsace que la Belgique réclame le canal de la Meuse au Rhin.

*Autres demandes de la Belgique.*

'Le canal Anvers–Mœrdyck'. Il doit y avoir un canal de la Meuse au Rhin; en attendant qu'il soit exécuté, les Belges demandent le canal Anvers–Mœrdy[c]k, c'est-à-dire le canal du Rhin par le Nord au Rhin par l'Ouest. Les Hollandais, dans l'un et l'autre cas, n'ont pas l'air de faire d'objections; je crois que, là aussi, nous obtiendrons un arrangement. En résumé, il n'y a de réellement sérieux que la question de l'Escaut.

M. Tufton (*Empire britannique*). Il y a aussi l'enclave de Baerle-Duc.

*Baerle-Duc.*

Le Président. Les Hollandais ne s'opposent pas, sur ce point, à un arrangement raisonnable.

M. Tirman (*France*). — M. Van Swinderen l'a dit dans son exposé: 'Comme MM. les Délégués ne l'ignorent certainement pas, un traité fut conclu en 1892, basé sur un échange réciproque de territoires. Le rapport provisoire du Parlement néerlandais était favorable, mais en Belgique le Parlement ne se prononça pas et l'affaire en resta là.'[3]

Le Président. C'est la question de l'Escaut qui prime tout en matière de voies navigables; au fond, je suis persuadé que tout est là pour la Hollande.

Elle ne veut pas avoir l'air d'accepter une solution qui diminue son indépendance, c'est pour cela qu'elle s'attache à cette formule d'administration commune et c'est pour cela que je serais assez disposé à la lui concéder, à la condition qu'on écarte toute cause de conflit pour l'avenir.

Mais je suis persuadé que si la Hollande a cette satisfaction apparente de l'administration commune, c'est-à-dire une apparence d'égalité avec la Belgique, on arrivera à lui faire accepter bien des choses sur le fond et aussi au point de vue des satisfactions à accorder à la Belgique. Il faut obtenir que les Belges, principaux intéressés, renoncent aux satisfactions de forme et se contentent du fond. La Hollande n'a rien à gagner à tout cela, si ce n'est qu'une chose très importante tout de même, c'est de rétablir les relations belgo-hollandaises sur une base tout à fait amicale. Pour cela, nous devons ménager toutes les susceptibilités de la Hollande, mais il faut que la Hollande donne satisfaction à la Belgique de manière à éviter des conflits.

M. TIRMAN. 'De manière à ménager cet élément subtil de la souveraineté néerlandaise',[3] dit le texte néerlandais.

LE PRÉSIDENT. Nous pourrions nous réunir jeudi[4] matin à 9 heure[s] 30. (*Assentiment.*)

La séance est levée à 18 heures.

[4] August 28, 1919.

## No. 95

*Record of a meeting in Paris of the Military and Naval Subcommittee of the Delegations of the Great Powers on the Commission for the revision of the Treaties of 1839*

*No. 2* [*Confidential/General/177/9*]

*Procès-verbal No. 2. Séance du 26 août 1919*

La séance est ouverte à 16 heures, sous la présidence du Capitaine de vaisseau Le Vavasseur.

*Sont présents:*

Le Colonel Embick (*États-Unis d'Amérique*); le Capitaine de vaisseau Fuller, le Lieut<sup>t</sup>-Colonel Twiss et le Capitaine de frégate Macnamara (*Empire britannique*); le Capitaine de vaisseau Le Vavasseur et le Lieut<sup>t</sup>-Colonel Réquin (*France*); le Major Pergolani (*Italie*); le Colonel Nagai (*Japon*).

LE PRÉSIDENT. Il nous reste à traiter la question du Limbourg. Je donne la parole au Colonel Réquin pour exposer la question.

*Défense du Limbourg et de la Meuse.* LE LIEUT<sup>T</sup>-COLONEL RÉQUIN (*France*). Le Colonel Twiss nous a remis, en son nom personnel, une proposition au sujet de la défense du Limbourg et de la Meuse. Cette note[1] est extrêmement complète et reproduit à peu près tous les arguments qui peuvent être apportés dans la discussion.

[1] See No. 93.

Je rappelle tout d'abord que la Commission au nom de laquelle nous sommes réunis ici ne nous demande nullement de réaliser l'unanimité sur une solution : elle nous demande, au contraire, de lui présenter plusieurs solutions.

Le Président. Elle a même beaucoup insisté sur ce point. Nous émettons des avis purement militaires, entre lesquels elle choisira pour faire ses propositions au Conseil Suprême, qui décidera.

Le Lieut^t-Colonel Réquin. La question de la Meuse et du Limbourg est plus délicate que celles de l'Escaut et d'Anvers, sur lesquelles la Commission elle-même était tombée d'accord avant que nous nous réunissions pour formuler des propositions. Autrement dit, la discussion des deux premières questions a eu lieu en sa présence, celle du Limbourg et de la Meuse n'a été qu'ébauchée devant elle. Je crois donc qu'il lui serait utile et agréable de recevoir de nous un exposé des considérations militaires dont nous nous sommes inspirés. Cet exposé pourrait être fait sous la forme de la note britannique qui nous a été lue, plus ou moins remaniée.

Ensuite viendraient nos conclusions, c'est-à-dire les solutions proposées soit par l'ensemble de la Sous-Commission, soit par telle ou telle Délégation et nous indiquerons toutes celles que la discussion nous a suggérées.

Je vous propose de prendre comme base de notre exposé la proposition britannique en l'examinant paragraphe par paragraphe et en y faisant les modifications, adjonctions et restrictions que nous jugerions nécessaires.

Le Colonel Embick (*États-Unis d'Amérique*). Je crois que le Délégué britannique veut remanier sa proposition de façon qu'il n'y soit pas question de l'Allemagne.

Le Lieut^t-Colonel Réquin (*France*). Il me paraît impossible de ne pas parler de l'Allemagne au sujet d'une question qui se pose à cause d'elle et je ne vois pas quelle crainte pourrait nous en empêcher. Nous ne sommes pas des diplomates ! Nous ne nous adressons pas ici aux Délégués hollandais et belges ; nous sommes chargés de donner à notre Commission des avis motivés par des considérations d'ordre essentiellement militaire et ces avis n'engagent nullement la Commission.

Le Lieut^t-Colonel Twiss (*Empire britannique*). Ne suffirait-il pas que nous rédigions brièvement nos conclusions comme nous l'avons fait pour la question de l'Escaut et du port d'Anvers ? Je n'ai soumis cette proposition qu'à titre de renseignement.

Le Colonel Embick. Je suis de cet avis.

Le Lieut^t-Colonel Réquin. Je préfère de beaucoup aussi les rédactions courtes et je pense que nos conclusions seront très courtes, mais j'estime que cette question est trop complexe pour que nous ne donnions pas à la Commission les explications préalables nécessaires.

Nous disons par exemple : 'Le Limbourg n'est pas défendable par la Hollande', c'est évident pour nous, mais non pour la Commission, ni pour le Conseil Suprême. Nous sommes obligés d'ajouter quelques éclaircissements, de donner les raisons militaires ; sinon, nous nous exposons à ce que la Commission nous demande de nouvelles explications.

Le Président. Je suis d'autant plus de cet avis que la thèse hollandaise est, au contraire, que la Hollande est capable de défendre le Limbourg. Il faut donc que nous donnions nos raisons à l'appui de nos conclusions, afin que la Commission soit éclairée.

LE LIEUT.-COLONEL RÉQUIN. D'ailleurs, la Commission nous a demandé d'étudier cette question pour elle; il est naturel que nous lui fassions part de toutes les considérations qui nous ont guidées. Par exemple, si nous parlons de la violation du Limbourg, nous devons bien envisager dans quelles conditions il pourrait être violé et par qui.

LE LIEUT.-COLONEL TWISS. Je suis d'accord avec vous pour rédiger d'abord un rapport explicatif, qui serait basé sur mes propositions, et ensuite nos conclusions, mais je rappelle que je n'ai fait ces propositions qu'à titre de renseignements personnels pour les membres de la Commission. C'est pourquoi, je voudrais qu'il ne soit rien publié de ce rapport, et qu'il ne sorte pas du sein de la Commission.

LE LIEUT.-COLONEL RÉQUIN. Parfaitement. Nous demanderons à la Commission de ne pas divulguer ce rapport et de le considérer comme une information pour elle. Nous pourrons même inscrire cette demande en tête du rapport.

LE COLONEL EMBICK (*États-Unis d'Amérique*). Dans ces conditions, je me rallie à votre proposition et je suis prêt à discuter la note du Délégué britannique.

LE LIEUT.-COLONEL RÉQUIN (*France*). Nous dirons donc que la Sous-Commission a voulu donner à la Commission des éléments d'information en lui transmettant *in extenso* les considérations qui l'ont conduite à formuler ses propositions, mais que, en raison même de la nature de ces considérations, nous demandons qu'elles restent entre les mains des membres de la Commission et ne reçoivent aucune publicité. (*Assentiment.*)

Tout se passera, en réalité, comme si chacun de nous avait rendu compte de la discussion au Délégué de son Gouvernement à la Commission.

Nous commençons l'examen, paragraphe par paragraphe, de la proposition britannique.

### Question de la Meuse et du Limbourg

La Sous-Commission a reconnu indispensable que la Belgique puisse défendre la ligne de la Meuse contre l'Allemagne jusqu'à ce *Examen de la* que ses alliés lui viennent en aide, afin d'empêcher l'ennemi *proposition* d'envahir son territoire, comme il a pu le faire en 1914. *britannique.* (*Adopté.*)

Elle a estimé que si l'on envisage une offensive allemande sur la Meuse, dans le cadre d'une guerre dirigée contre les grandes Puissances occidentales, France et Angleterre, le tracé de la nouvelle frontière française rendait plus probable une violation, non seulement de la Belgique, mais aussi de la Hollande.

J'ai cru devoir remplacer '. . . . .[2] la force de la nouvelle frontière . . .'[2] par le 'tracé de la nouvelle frontière'. (*Adopté.*)

[2] Punctuation as in original.

Il est possible que l'Allemagne ne désire pas — notamment au point de vue maritime — avoir la Hollande pour ennemie. Cependant, la nécessité militaire pourrait la conduire à violer le territoire hollandais. L'avantage qu'elle escompterait retirer de l'extension de son front de déploiement en Hollande pourrait l'emporter sur les inconvénients qui en résulteraient. Tel pourrait être le cas, par exemple, si une alliance avec la Russie (dont les ressources sont susceptibles d'être ultérieurement développées) donnait à l'Allemagne, au point de vue de son ravitaillement, une indépendance vis-à-vis de la Hollande qu'elle n'avait pas dans la dernière guerre. (*Adopté.*)

La menace que constitue pour la Belgique une violation éventuelle par l'Allemagne du territoire hollandais est telle que les Belges sont fondés à souhaiter vivement voir la Hollande prendre toutes précautions pour écarter le danger. (*Adopté.*)

D'autre part, l'écrasement de la Belgique présenterait un danger non moins sérieux pour la Hollande qui ne manquerait pas à son tour d'être absorbée par l'Allemagne. On peut dire à ce sujet que si la Grande-Bretagne, au lieu de déclarer la guerre à l'Allemagne en 1914, avait permis à cette dernière d'écraser la France, elle aurait subi plus tard inévitablement le même sort.

(*Adopté.*)

Il est donc de l'intérêt, tant de la Belgique que de la Hollande, de s'entendre pour défendre énergiquement la ligne de la Meuse. Cette question a d'ailleurs une importance presque égale pour la France et pour la Grande-Bretagne.

(*Adopté.*)

La Délégation américaine accepterait-elle d'ajouter:

Elle intéresse également les États-Unis, Puissance occupante des territoires rhénans, puisque dans un tel conflit leur drapeau serait immédiatement engagé.

Le Colonel Embick (*États-Unis d'Amérique*). Je préfère que cette addition ne soit pas faite. Quand le Pacte sera adopté, je ne ferai plus d'objections. Pour le moment, l'adoption du Pacte soulève trop d'objections pour que nous risquions d'en provoquer d'autres plus fortes.

Le Lieut^T-Colonel Réquin (*France*). Je comprends parfaitement la pensée du Colonel Embick, et je n'insiste pas. Mon idée avait été simplement de ne pas séparer les États-Unis des autres Puissances dans l'intérêt commun qui me paraît les unir.

La Sous-Commission a jugé nécessaire d'envisager les deux cas suivants:
*Premier cas.* La Hollande et la Belgique sont toutes deux membres de la Société des Nations.

Ici, la proposition britannique porte: 'La question sera réglée par le Pacte de la Société des Nations.'
Ne serait-il pas préférable de préciser comment elle sera réglée?

Je propose d'ajouter:

Dans ce cas, les Articles 16 et 17 du Pacte règlent la question *dans son principe*. Mais comme rien ne s'improvise au combat, il est néanmoins essentiel qu'un accord militaire qui ne sortirait d'ailleurs pas du Pacte de la Société soit établi à l'avance entre les deux pays,
soit après étude par la Commission permanente militaire de la Société des Nations, constituée en vertu de l'Article 9 du Pacte,
soit par une entente régionale telle que l'Article 21 du Pacte les prévoit et les autorise, lorsqu'elles ont pour but d'assurer le maintien de la paix.

J'entends bien que le Pacte règle la question — mais je dis qu'il ne la règle que dans son principe, puisque les Articles 16 et 17 ne posent que le principe de l'utilisation réciproque des territoires de plusieurs membres de la Société dans leur action contre un ennemi commun. Et j'aperçois dans le Pacte lui-même deux solutions possibles pour traduire ce principe par des mesures d'ordre pratique. Ne vaut-il pas mieux les indiquer à titre d'information pour la Commission?

Le Lieut.-Colonel Twiss (*Empire britannique*). Je pense aussi qu'une addition est nécessaire, mais je ne la voudrais pas aussi précise, ni aussi large.

Le Colonel Embick. Je suis de cet avis. Les adversaires d'un Pacte s'en feraient chez nous une arme, s'ils apprenaient qu'une des Commissions officielles envisage des pactes séparés.

Le Colonel Nagai (*Japon*). Je pense aussi que nous devons seulement nous référer au Pacte.

Le Major Pergolani (*Italie*). Je suis de l'avis de la Délégation française.

Le Lieut.-Colonel Réquin. Je n'insiste pas pour réaliser l'unanimité, puisqu'on ne nous la demande pas.

Je propose donc de rédiger ainsi ces paragraphes, que nous ajoutons au texte de la proposition britannique:

Les Délégués de la Grande-Bretagne, des États-Unis d'Amérique et du Japon estiment que, dans ce cas, les Articles 16 et 17 du Pacte règlent la question *dans son principe*. Mais, comme rien ne s'improvise au combat, ils estiment néanmoins essentiel qu'un accord militaire soit établi par les soins de la Société des Nations, à l'avance entre les deux pays.

Les Délégués de l'Italie et de la France ajoutent que cet accord pourrait d'ailleurs résulter:

Soit d'une étude par la Commission permanente militaire de la Société des Nations, constituée en vertu de l'article 9 du Pacte.

Soit d'une entente régionale telle que l'article 21 du Pacte les prévoit et les autorise, lorsqu'elles ont pour but d'assurer le maintien de la paix. (*Adopté.*)

*Deuxième cas*. — La Belgique est membre de la Société des Nations et la Hollande n'en fait pas partie.

M. Van Swinderen nous a donné l'assurance formelle que toute violation du territoire hollandais serait considéré comme un *casus belli* et que le

Limbourg ferait l'objet d'une défense *locale*. Cette déclaration est extrêmement importante, parce qu'elle offre un terrain d'entente possible, mais elle est insuffisante, par elle-même. (*Adopté.*)

Le Limbourg méridional, en effet, n'est pas militairement défendable par des troupes prenant leurs communications en Hollande, c'est-à-dire exposées à être coupées de leur pays en quelques heures. La défense du Limbourg ne peut se concevoir avec chances de succès que par des troupes ayant leurs communications assurées vers l'Ouest, c'est-à-dire en territoire belge. Cette seule évidence montre qu'un accord est indispensable entre les deux pays directement intéressés. Il est donc nécessaire que la Hollande adopte des mesures militaires permettant:

D'une part, de gagner le temps nécessaire au déploiement des forces belges ou alliées sur la Meuse:

D'autre part, de couvrir l'aile gauche de l'armée belge ou des armées alliées contre une attaque allemande se développant en territoire hollandais.

Je crois bon de donner sur ce point des explications. Ce sont d'ailleurs bien des renseignements d'ordre technique que la Commission nous demande.

Au dernier paragraphe, j'ai ajouté les mots '. . .[2] ou des armées alliées . . .'[2] puisqu'il est sans cesse question des armées alliées susceptibles de venir au secours de la Belgique. Là où il y a intérêt commun nous devons toujours le rappeler.

(*Ces trois paragraphes sont adoptés.*)

L'accord militaire à réaliser devrait être basé sur les données suivantes:

*a*) La Hollande maintiendrait dans le Limbourg des forces suffisantes et y construirait les défenses *modernes* qui permettraient à ses troupes de résister efficacement à une invasion allemande en gagnant le temps nécessaire aux Belges pour occuper la ligne de la Meuse. Les Belges prendraient alors la responsabilité de défendre cette ligne jusqu'à la frontière hollandaise.

Je crois que le mot 'modernes' est préférable à l'énumération des défenses qui se trouve dans le texte de la proposition britannique.

De même, je pense qu'il vaut mieux supprimer toute indication précise de temps relativement à la durée de la résistance à organiser dans le Limbourg. Ce serait anticiper sur des plans d'opérations que nous ne pouvons pas connaître.

(*Ces paragraphes sont adoptés.*)

Un tel accord n'impliquerait nullement l'emploi de forces belges en territoire hollandais avant une déclaration de guerre de la Hollande à l'Allemagne, mais ces forces pourraient ensuite y être employées, le cas échéant. (*Adopté.*)

*b*) La Hollande s'engagerait à tenir fortement la ligne de la Meuse au Nord de la province du Limbourg, de manière à prolonger la défense belge. La Sous-Commission reconnaît que cette mesure serait de nature à apporter quelque modification au plan du Haut Commandement hollandais, mais elle estime qu'elle n'en changerait pas les bases essentielles et qu'elle est nécessaire si l'on veut assurer en toute hypothèse la protection du territoire et de l'armée belges. (*Adopté*.)

Ici, je demande à la Sous-Commission d'ajouter le paragraphe suivant:

Au surplus et pour répondre à une objection du Délégué hollandais devant la Commission, la Sous-Commission militaire et navale estime qu'il s'agit non pas de *subordonner* ce [le] système de défense hollandais au système belge, mais de *lier* le premier au second. Elle est d'avis que cette liaison se justifie par la déclaration du Conseil Suprême du 8 mars,[3] aux termes de laquelle le but de la révision du Traité de 1839 est de supprimer les risques qu'il a créés pour la Belgique et la Paix générale et par l'esprit de solidarité que doit créer le pacte de la Société des Nations entre chacun de ses membres.

En effet, la Délégation hollandaise a déclaré qu'elle ne voyait aucune raison dans l'exposé belge de subordonner le système de la défense hollandais au système belge. Mais le mot 'subordonner', est beaucoup trop fort. La défense du Limbourg est en quelque sorte un hors-d'œuvre *pour la Hollande*, et une chose capitale *pour la Belgique*.
(*Ce paragraphe est adopté*).

La Sous-Commission espère qu'un tel accord serait acceptable:
par la Belgique, qui pourra vraisemblablement compter sur l'appui de la France et de la Grande-Bretagne comme en 1914, soit en vertu d'une convention spéciale, soit comme membre de la Société des Nations;
par la Hollande, qui y trouverait des avantages sérieux, au point de vue de sa sécurité nationale, de ses bonnes relations avec la Belgique et avec les autres membres de la Société des Nations.

Après un échange d'observations, le Lieut^t-Colonel Réquin (*France*) propose de rédiger ainsi le premier paragraphe:

La Sous-Commission espère qu'un tel accord qui lui paraît répondre aux vœux de la Belgique serait acceptable par la Hollande etc.
(*Les deux paragraphes ainsi modifiés sont adoptés*.)

LE LIEUT^t-COLONEL RÉQUIN. La Sous-Commission pense également qu'en échange d'une telle convention militaire, l'opinion belge abandonnerait définitivement toute idée de revendiquer un territoire hollandais.
Nous pouvons penser cela, Messieurs, mais cette remarque ne s'impose pas. Ce n'est pas une observation d'ordre militaire, et je propose de la supprimer.
LE COLONEL EMBICK (*États-Unis d'Amérique*). Il vaudrait mieux, en effet, supprimer ce paragraphe. (*Assentiment*.)
LE LIEUT^t-COLONEL RÉQUIN (*France*).

Cette convention n'entraînerait aucune violation du territoire de la

---

[3] See No. 39, note 9.

Hollande, ni en temps de paix, ni en temps de guerre, par la Belgique ou par ses alliés. Dans le cas seulement où les ennemis de la Belgique porteraient atteinte à la neutralité hollandaise, les mesures prises d'un commun accord par la Belgique et la Hollande permettraient à cette dernière de réaliser dans des conditions favorables son intention actuellement irréalisable de résister à tout agresseur.
(*Adopté.*)

Nous avons terminé l'examen du rapport. (Voir *P[rocès] V[erbal] N° 4 de la réunion des Délégués des grandes Puissances*, page 411.)[4]

*Rapport du Sous-Comité.* Ainsi que nous l'avons décidé, ce rapport, tel que nous venons de le remanier, sera envoyé à la Commission avec la recommandation expresse qu'il ne fasse l'objet d'aucune publication.
Il nous reste à rédiger brièvement nos propositions.
Nous pourrions dire ceci:

La Sous-Commission ayant été invitée à proposer plusieurs solutions de la question Meuse–Limbourg, suggère les solutions suivantes:
A. Si la Hollande est membre de la Société des Nations:
*Première solution*: examen par la Commission militaire permanente, prévue par l'Article 9 du Pacte, des mesures militaires à prendre par la Belgique et la Hollande, comme conséquence du principe posé par les Articles 16 et 17 du Pacte, afin d'assurer la défense de la ligne de la Meuse; en prévision d'une attaque allemande dirigée contre les Membres de la Société. . . .[2]

Le Capitaine de vaisseau Fuller (*Empire britannique*). La Commission militaire permanente donne des conseils, mais non des ordres.
Le Lieut^T-Colonel Réquin. Oui; c'est pourquoi je dis 'examen'.
D'ailleurs nous pouvons nous borner à dire, et je préférerai pour ma part:

A. La Hollande est membre de la Société des Nations.
Accord à établir entre la Belgique et la Hollande par les soins de la Société des Nations et en conformité de son pacte.
(*Ce texte est adopté.*)

B. La Hollande n'est pas membre de la Société des Nations.

Conclusion d'un accord militaire entre la Hollande et la Belgique, visant exclusivement le cas de violation du territoire hollandais, que la Hollande déclare considérer comme un *casus belli*.
(*Adopté.*)

Le Lieut^T-Colonel Réquin. Je vois encore une solution que j'ai suggérée en séance de la Commission sans qu'elle soulève d'ailleurs d'objections *a priori* et j'estime utile de l'indiquer — toujours pour répondre au vœu de la Commission qui veut pouvoir choisir entre plusieurs solutions.

[4] p. 364.

Conclusions d'un accord militaire entre la Hollande et les Puissances occupantes du territoire rhénan, en vue de lier éventuellement la défense de la Meuse hollandaise au système de défense desdites Puissances, aussi longtemps qu'elles jugeront nécessaire d'occuper et dans les cas où elles estimeraient nécessaire de réoccuper tout ou partie du territoire allemand, comme garantie contre une agression possible de l'Allemagne.

Ceci est un point de vue militaire que les Puissances occupantes pourraient fort bien considérer. La France qui aura 85,000 hommes en territoire rhénan a intérêt à envisager toutes les situations qui pourraient résulter d'une agression allemande après abandon de la partie Nord du Rhin. Les renseignements que nous avons actuellement sur l'Allemagne nous font un devoir d'y penser.

LE PRÉSIDENT. Nous avons, l'autre jour, envisagé cette solution en supposant que peut-être Belgique et Hollande n'arriveraient pas à s'entendre en vue d'un accord, tandis que la Hollande consentirait à faire un accord avec les grandes Puissances.

LE LIEUT<sup>T</sup>-COLONEL RÉQUIN (France). Je reconnais que cette solution a un caractère un peu spécial; c'est pourquoi je n'ai pas voulu en parler dans le rapport, mais j'estime utile que le Délégué français l'indique à la Commission.

LE COLONEL NAGAI (Japon). Je préfère réserver mon opinion sur ce point.

LE MAJOR PERGOLANI (Italie). Je partage l'opinion du Délégué français.

Le PRÉSIDENT. Notre ordre du jour est épuisé. Je vous propose de tenir notre prochaine réunion le 28 août, à 9 heures 30.[5]

(Assentiment.)

La séance est levée à 17 heures 45.

[5] The next meeting of this military and naval subcommittee was held on September 1, 1919: see No. 107.

## No. 96

*Mr. Balfour (Paris) to Mr. Robertson (The Hague)*

*No. 31 Telegraphic [22/1/1/18291]*

PARIS, *August 27, 1919*

Terms of reference to Committee of Conference now considering revision of 1839 treaties regarding Belgium and Holland are to effect that both Powers should be invited to consult together and present common formulae for settling difficulties. By this Conference intended that these consultations shall take place between Belgium [sic] and Dutch experts here in Paris, whereas Dutch representatives seemed to think they could take place in Brussels or at the Hague between the two Governments without any intervention on part of Great Powers.

Matter was explained at length to M. van Swinderen, who is now on his way to the Hague via London, by French Ministry for Foreign Affairs and you should take an early opportunity of mentioning matter to Minister for Foreign Affairs after consulting your French colleague, impressing upon His Excellency importance the five Allied and Associated Powers attach to the consultations between Belgians and Dutch taking place forthwith here.

Copy sent to Foreign Office.

## No. 97

*Earl Curzon to the Earl of Derby*[1] *(Paris)*

*No. 766 (Commercial)* [*120099/105194/1150RH*]

FOREIGN OFFICE, *August 27, 1919*

My Lord,

I transmit to you herewith a copy of a despatch[2] received from Mr. Waterlow at Coblenz covering a Memorandum[3] of considerable interest by the British Representative on the Rhineland Commission in regard to the proposal that the occupation of Cologne should be handed over to the French authorities.

I understand that the proposal was definitely disposed of at the meeting of the Army Council at Cologne last week[4] and that the French have withdrawn their request for its consideration.

In view of that withdrawal it may be scarcely necessary that you should convey any intimation to the French Government as Mr. Waterlow suggests, and I prefer to leave it to Your Lordship's discretion to decide whether there still seems to exist any illusions which it might be desirable to remove at an opportune moment.[5]

I am, &c.[6]

[1] H.M. Ambassador at Paris.
[2] Not here reprinted. This despatch is printed as No. 84.
[3] Not here reprinted. This memorandum is printed as an enclosure in No. 84.
[4] Cf. No. 84.
[5] Sir G. Grahame replied in Paris despatch No. 678 (Commercial) of August 29, 1919 (received September 1): 'I am of opinion that, as the French Government have withdrawn their proposal, no useful purpose would be served at the present moment by representations in the sense suggested by Mr. Waterlow.'
[6] Signature lacking on filed copy of original.

## No. 98

*M. Dutasta to Mr. Norman (Paris. Received August 27)*

[*475/1/1/18387*]

PARIS, *le 27 août 1919*

Le Secrétariat Général de la Conférence de la Paix a l'honneur de faire tenir ci-joint au Secrétariat de la Délégation Britannique 10 exemplaires

1° de la note n° 11 de la délégation allemande, au sujet des expulsions dans le Slesvig. . . .¹

## ENCLOSURE IN No. 98

### Document 1

#### *Baron von Lersner to M. Clemenceau*

*Le Président de la*
*Délégation allemande à Versailles*

VERSAILLES, *le 25 août 1919*

No. 11

Monsieur le Président,

J'ai l'honneur d'accuser réception à Votre Excellence de la Note du 22 juillet dernier² concernant le Schleswig et je me permets d'y répondre ce qui suit:

Il est malheureusement impossible de présenter une liste des personnes expulsées du Schleswig-Holstein et domiciliées en Allemagne. Les expulsions n'ont lieu en Prusse que dans la forme d'expulsion du territoire entier du pays; une expulsion partielle limitée à une interdiction de séjour dans des districts déterminés est inconnue du droit administratif prussien.

C'est pourquoi les Danois ou les 'Staatenlose' (sans nationalité) de descendance danoise expulsés du territoire soumis au plébiscite du Schleswig pour raisons politiques, ont été reconduits au delà de la frontière. Il est donc impossible que des personnes se trouvant dans ce cas, se soient fixées à l'intérieur du pays.

En ce qui concerne les militaires ayant droit de vote au Schleswig, Officiers, sous-officiers et soldats de l'armée allemande. On³ a déjà pris dès le 12 juillet, avant la remise de la présente note, les mesures préparatoires nécessaires pour l'exécution de l'article 109, chiffre 2 b, alinéa 3. Tous les bureaux compétents ont déjà reçu des instructions à ce sujet.

Ci-joint l'ordre du Ministère de la guerre dont il s'agit.

Agréez, Monsieur, etc.,

VON LERSNER

### Document 2

*Ministère de la Guerre*

BERLIN, W. 66, LEIPZIGERSTRASSE 5, *le 12 juillet 1919*

No. 674/7 19.A.H.

A

Commandant Kolberg,

Commandants en chef pour la protection des frontières Nord et Sud,

---

¹ There followed an enumeration of three Bulgarian communications, not attached to the filed copy.

² Not printed. This note was in accordance with the terms of paragraph 5 of appendix B to No. 12 in Volume I: cf. Volume I, No. 12, minute 3(b).

³ The punctuation is evidently incorrect.

Office de la Marine,
Ministère bavarois des Affaires Militaires, Munich,
„        saxon        „        „        , Dresde,
Ministère wurtembergeois de la Guerre, Stuttgart,
Commandants généraux prussiens (ou bureaux de dislocation)
Inspection principale de la Cavalerie,
„        „        du génie, du corps des pionniers et des forteresses,
„        „        des écoles de l'artillerie,
„        „        des transports militaires,
Commandant du 1er groupe de la Reichswehr,
Etat-Major Général de l'Armée,
Inspection des écoles de l'infanterie,
„        des chasseurs et des carabiniers,
„        des troupes des chemins de fer,
„        des troupes automobilistes,
„        des troupes de signalisation, etc. (Nachrichtentruppen),
„        de l'aéronautique,
„        de l'aviation,
„        du train,
'Feldzeugmeist[e]rei',
Ministère des Postes,
Président du Tribunal Militaire Supérieur,
Cour des Comptes de l'Empire allemand (1 annexe),
Ministère de la Reichswehr (5 annexes).

Tous les bureaux de l'armée doivent s'assurer que, conformément à l'article 109, chiffre 2 *b*, dernier alinéa du Traité de Paix, tous les militaires (y compris les employés civils de l'administration militaire) originaires de la zone du Schleswig soumise à plébiscite, pourront se rendre en temps voulu dans leur pays natal pour prendre part au plébiscite. Ces personnes doivent être munies des papiers nécessaires, extraits de naissance du bureau de l'état civil au besoin certificat de l'administration de la Police du lieu de naissance.

## No. 99

*Record of a meeting in Paris on August 28, 1919, of the Committee on Organization of the Reparation Commission*

*No. 7 [Confidential/Germany/31]*

The Meeting opened at 10.30 a.m. with M. Loucheur in the Chair.

*Present:—*

Mr. Dulles and Mr. Dresel (U.S.A.), Sir John Bradbury, Colonel Peel, and Major Monfries (Great Britain), M. Loucheur and Controller General Mauclère (France), M. d'Amelio, M. Ferraris, and Comte de San Martino (Italy), Colonel Theunis and Major Bemelmans (Belgium).

... 10.[1] *Lists to be made known to Germany in virtue of part VIII of the Treaty, Annex V, para 10.*

THE CHAIRMAN recalled that in conformity with this paragraph coal demands should be made known 120 days before the commencement of execution. It was therefore necessary that these demands should be sent before September 1st for deliveries to be made in January 1920 although the Treaty was not yet ratified. These demands concerned France, Italy, and Belgium.

The President requested that their compilation should be entrusted to the experts who would meet the same afternoon to deal with coal questions. (See minute 15 below).

COLONEL THEUNIS (Belgium) proposed and the Committee agreed that demands should be made out for the month of January 1920 only, on account of the uncertainty of German production and the fact that demands for coal varied according to the time of year.

THE PRESIDENT added that Germany was already in agreement on this point. He recalled further that para. 3 of Annex IV of part VIII of the Treaty forbade the establishment of demands other than those for fixed periods. He begged the Delegations to be prepared from now on to furnish their demands, and the Secretariat was to inform the Governments not represented on the Committee.

... 15.[1] *Coal*

THE CHAIRMAN recalled the declarations which he had made during the last meeting on the subject of coal deliveries to be carried out by Germany[2] and pointed out that the Committee had decided on his proposal to take up an extremely firm attitude with the German Delegation on the subject of coal deliveries.

In consequence *the Chairman* had informed *Herr Bergmann* of the bad impression which the course of the discussion had had on the Allied and Associated Powers and reminded him in the name of the Committee of the previous decision taken by the latter not to take up any question before that of coal had been dealt with.

This declaration had had good results. *Herr Bergmann* and *Herr von Lersner* had been convinced and had succeeded in convincing their colleagues and their Government. In a letter of the 26th of August 1919, which *the Chairman* read, *Herr Bergmann* announced that the German Government had decided to begin deliveries immediately (see Annex B. 44).[3]

However, following a meeting held the previous day at Versailles to deal with the Luxembourg Protocol,[4] the Germans had handed to the French Delegation a draft protocol, requesting that this should be signed before the

[1] The preceding minutes related to other matters.
[2] See No. 85.
[3] Annex 1 below.
[4] For texts of this protocol and of notes relative thereto, exchanged on December 24–25, 1918, see *Der Waffenstillstand 1918–19* (Berlin, 1928), vol. ii, pp. 239 ff.

despatches began (see Annex B. 45).[5] This protocol was not acceptable as it had been handed in; a counter-project had just been drawn up.

THE CHAIRMAN proposed that a Sub-Commission, nominated forthwith (M. Mauclare [*sic*], M. Masson, Major Monfries, Capt. Lazzarini and Major Bemelmans) should meet the same day at three o'clock to examine this counter project. This was agreed and it was laid down that if the Sub-Commission came to an agreement on the terms of the counter-project *the Chairman* should ask the Germans to sign it.

THE CHAIRMAN pointed out that the principles accepted by the Committee at a previous meeting and communicated to the Germans in plenary session were naturally definitive and that it was only a matter of re-drafting these decisions.

Returning to *Herr Bergmann*'s letter of the 26th August 1919 *the Chairman* read a draft reply that he had drawn up (See Annex B. 46).[6] He drew the attention of the Committee to the points made in para. 1 of *Herr Bergmann*'s letter, whence it became clear that the Kohlen-Syndikat, which was partly responsible for the opposition to immediate delivery, claimed to transport coal up to the Frontier and as far as Rotterdam.

This point of view could not be accepted and the draft reply formally rejected it.

The draft reply was approved unanimously and *the Chairman* was authorised to draw up and transmit it.

THE CHAIRMAN read a letter dated 23rd August, 1919 addressed to him personally by Herr Schmidt of the German Delegation, and the reply which he had made to this letter (See Annexes B. 47 & 48).[7]

The Committee approved.

Finally THE CHAIRMAN described to the Committee the negotiations which had taken place the previous day at Versailles on the subject of the Luxembourg Protocol. He stated that the question of the Luxembourg Protocol was well advanced towards solution and that a definitive agreement might be expected in a few days. If this did not take place he would request the Delegate of the United States to intervene, as he had done previously to advise.

THE CHAIRMAN announced to the Committee that the present Meeting was the last at which *Mr. Dulles* (United States) and *Colonel Peel* (Great Britain) would be present. He heartily thanked these two delegates who had for some months past collaborated in the work of the Conference, and expressed his regret that they were going.

The Committee unanimously agreed.

COL. PEEL and MR. DULLES thanked their colleagues.

The next meeting was fixed for Thursday the 4th September, at 10.30.

The Meeting rose at 12.15 p.m.

[5] Annex 2 below: see, however, note 8 below.
[6] Annex 3 below.
[7] Annexes 4 and 5 below.

*Herr Bergmann to M. Loucheur*

VERSAILLES, *August 26, 1919*

B. 44

Sir,

As a consequence of our pressing recommendation, the German Government has decided to begin deliveries of coal immediately, although according to the uniform opinion of all experts, the situation in Germany is such that an unprecedented scarcity of coal is to be expected during the winter in Germany. We hope that the Reparation Commission will not insist on the quantities laid down at present if the coal production falls below present level, but that it will take into account the changed situation, as you have already personally assured us. We are, therefore, beginning coal deliveries immediately, but I feel it my duty to tell you the following in all sincerity:

1. If you are counting on deliveries being carried out in good order, I would beg you to see to it that technical and transport questions are regulated in such a manner that the interested German parties are not put to inconvenience in their businesses. It would be dangerous to make modifications now in the existing trade, and transport of coal situation, or to make new institutions which would create competition with interested Germans. The voluntary collaboration of the Coal Syndicate, for example, is of substantial importance. I have been assured that the Syndicate is ready to undertake to the greatest extent possible, deliveries to the Allies in spite of all difficulties, provided that these deliveries may be carried out in the usual manner. It is laid down in the conditions of Peace that deliveries by land and by waterway from the interior shall be carried out as far as the frontiers of France and Italy, etc. All the necessary machinery for this is in existence on the German side. If it is necessary to create new organisations for this purpose, practical difficulties will result which will put the execution of deliveries in grave danger. It is just the same for deliveries by sea routes. Here again coal must be delivered by existing organisations as far as the sea port.

2. You can conceive that I have succeeded, after a study of the situation, as far as that has been possible during my short stay here, to put aside all objections in principle with regard to coal deliveries. Further, I should like to assure you once again and to give you proof of the fact that the gentlemen present here who have assisted at the discussions have had no intention whatever of delaying delivery, but that they have believed it their duty as a consequence of past experiences, above all at the time of the Luxemburg Protocol, to see that all important technical questions should be regulated in advance in order to avoid all misunderstanding. I venture to make a proposal to you with reference to the claims to be made relative to the execution of the Luxemburg Protocol. The study of this proposal will show that the German point of view in this question at the time of the discussion, was justified by the facts. I therefore beg you particularly, in the common

interest, to be good enough to see that the different points of the Luxemburg Protocol are settled at the earliest possible moment to our mutual satisfaction. I am convinced that the settlement of the Luxemburg Protocol will be of great importance for the carrying out of coal deliveries in conformity with the Peace conditions.

I am, Sir, &c.,

BERGMANN

ANNEX 2 TO No. 99

B. 45

*Final Protocol*[8]

*On the negotiations concerning the execution of Annex V of Article 236 of the Peace Conditions.*

1. The Allied and Associated Governments declare that they require in any circumstances on the part of Germany the delivery of 20 million tons of Pitcoal per annum. They propose that Germany should begin these deliveries now before the Ratification of the Treaty, on condition that these deliveries are taken into account with the final compulsory deliveries.

2. Germany declares that, in the honest opinion of experts, considerable deliveries of coal, in the present state of production, would cause confusion in the economic life of Germany and would bring about political troubles. She proposes to begin coal deliveries only in accordance with the measure of increase of production.

3. France declares that she will ask the Reparation Commission, when that body is constituted, to adopt the following decision.

'The Entente imposes on Germany the delivery of a minimum of 20 million tons of Pitcoal per annum for a period of 6 months beginning from the moment of compulsory deliveries from Germany. If the production exceeds 108 million tons, Germany will deliver 3/5 of the surplus production up to 128 million tons, and above 128 millions $\frac{1}{2}$ the surplus until the maximum quantities stipulated in the conditions of Peace are attained. If production falls below 108 million tons, the question will be examined afresh by the Reparation Commission in a spirit of conciliation, after having heard the German case'.

4. Germany declares that she will begin coal deliveries as soon as possible, in the hope that the Allied and Associated Governments will not require the carrying out of deliveries of coal in such a manner as to jeopardise public and economic order in Germany.

5. The question of the details of delivery is fixed as follows:—

   1. Deliveries of coke and coal based on the Luxembourg Protocol will be valid starting from the 1st September and will be considered as pre-

[8] Heading as in original. It would thus appear that the German draft protocol in this annex had been replaced by the present document, which is the final text of the Versailles Protocol concluded on August 29, 1919.

liminary deliveries under the Conditions of Peace; they would have to be taken into account with the final obligatory deliveries.

2. For preliminary deliveries, it will not be the present prices which are taken into account, but rather the prices existing in Germany after the formal putting into force of the Treaty of Peace, in so far as it may be a question of the local price for coal deliveries.

3. Transport questions shall be left to the discretion of the Transport Commission and to agreements made with the Railway Administrations.

4. The Allied and Associated Governments will give the necessary orders to ensure an uninterrupted supply of rolling stock for the transport of coal in the occupied territories.

5. The Allied and Associated Governments will advise their authorities in the occupied territory of what they have to hand over as from the 1st September, to the Coal Commissioner, namely, freedom of decision as regards production and distribution of coal in the occupied territory. The Coal Commissioner should regulate the coal question in Occupied Territory in conformity with the principles in force in the rest of Germany.

6. The result of the deliberations of the International Coal Conference will be final as regards the decisions of the Coal Commissioner for the coal of Upper Silesia.

7. Germany will not be forced by the Entente to supply coal to the countries to the South East and East of Germany but will have an absolutely free hand in this respect.

8. Germany will be allowed to deliver 100,000 tons of Lignite Briquettes per month instead of 100,000 tons of Pit-coal.

9. France will still deliver to Germany 100,000 tons of Coal from the Saar Basin, the distribution of which will be regulated by the Coal Commissioner.

10. The Allied and Associated Governments will accord to Germany facilities for purchase, and control of the Financial question of Food Supplies and materials destined to the coal fields.

## ANNEX 3 TO No. 99

### M. Loucheur to Herr Bergmann

B. 46
Organisation Committee of the Reparation Commission

Sir,
    I have the honour to acknowledge receipt of your letter of the 26th August, 1919,[9] concerning coal deliveries.

[9] Annex 1 above.

I notice that as a consequence of your action, the German Government has decided to begin coal deliveries at once.

As regards the price of deliveries up to the time of the coming into force of the Treaty of Peace, I can only confirm that I cannot pre-estimate the decisions of the Reparation Commission. With particular reference to the decrease in production of coal in Germany, this question will be submitted to the Reparation Commission which has the sole power of decision.

As I have pointed out to you, on the other hand, in my interview of the 26th inst., we decided to effect the transport of coal from Ruhr to Rotterdam, Ghent and Antwerp, etc. by our own means. The Treaty of Peace in no way lays down that Germany is only obliged in every case to deliver coal to the frontier or to a neutral port; the Reparation Commission has the sole right of fixing the methods of delivery.

With special regard to transport on the Rhine, this river is an international waterway. The execution of the conditions of Peace can in no way be impeded by considerations relative to the interests of such and such a private organisation as that of the coal syndicate of Essen.

At the same time, it is quite understood that we shall not refuse to examine any measures of detail likely to solve difficulties of a practical kind, in such a way as to assure deliveries of coal with the maximum regularity and rapidity.

I am, Sir, &c.,

LOUCHEUR

## ANNEX 4 TO NO. 99

### *Herr Schmidt to M. Loucheur*

B. 47

VERSAILLES, *August 23, 1919*

Sir,

The interview which I had the honour of having with you yesterday seems to me to have a decisive importance on the future conduct of the work with which we are occupied. It is a question of personal confidence: as a consequence I venture to reply to you personally on behalf of Herr von Le Suire[10] and yourself [? myself].

We must on our side maintain absolutely our point of view: every execution of the Peace Conditions, every development of economic relations between France and Germany depends on public order and economic life in Germany remaining unshaken. We shall not therefore, be in a position to recommend to our Government any measures which would tend to upset the present state of affairs.

On the other hand we recognise that on account of the judicial situation, the Treaty of Peace not yet being in force and the Reparation Commission not yet being organised it is for the moment impossible to give formal guarantees. Further, we recognise perfectly the point of view which does not allow you to give written guarantees which might be considered as modifications of the Peace.

[10] A member, for economic matters, of the German peace delegation.

You might be confident on your side that Germany will execute as far as possible the conditions of Peace, on our part we must be confident that your Excellency will do everything to maintain public and economic order in Germany.

The meetings of the last few weeks make us confident of this. We shall recommend therefore to our Government, to the Kohlensyndickat [*sic*] and to the German workers to begin coal deliveries at once. I shall not fail to inform you when I receive a definite reply from Berlin.

Believe me, &c.,
SCHMIDT

### ANNEX 5 TO No. 99

*M. Loucheur to Herr Schmidt*

B. 48

*August 27, 1919*

Sir,

I wish to acknowledge receipt of the letter which you addressed to me dated 23rd August 1919[11] in the name of Herr von Le Suire and yourself under a personal heading.

It is impossible for me to accept an official correspondence whose object would be either to ask for or to enter into certain definite engagements. The Allied and Associated Powers only ask for the execution of the Treaty. You have told me on several occasions that Germany had formally decided to carry out the Treaty. My colleagues and myself ask for nothing more than this.

Believe me, &c.,
LOUCHEUR

[11] Annex 4 above.

### No. 100

*Mr. Ovey (Christiania) to Earl Curzon (Received August 29)*

*No. 1280 Telegraphic [122499/2333/30]*

CHRISTIANIA, *August 28, 1919*

Your despatch No. 111[1] Political.

While fully appreciating force of your Lordship's arguments and being a warm adherent of principles of League of Nations I venture to telegraph following arguments against mandate proposed in the case of Spitzbergen.

1. Proposal emanates from Sweden and acquiescence by Great Britain in it would strengthen feeling referred to in my telegram No. 1245.[2]

[1] No. 77.
[2] Not printed. This Christiania telegram of August 6, 1919 (received August 7), had referred to the appointment of a Norwegian diplomatist to the staff of the preparatory organization of the League of Nations and to 'strong feeling expressed here that it was due

2. Although various Scandinavian countries will undoubtedly join League it is surely advisable to attempt to attach . . . . [3] and for military reasons extremely important Norway to our cause by special bonds of gratitude.

3. Conciliation of powerful neighbours referred to in paragraph 2[4] is not a vital interest to Norway where war with Sweden except in a case of new general European conflagration is unthinkable and where in such an eventuality it would not be to interest of Great Britain that Norway and Sweden should be thrown together.

4. Argument as to Norwegian services is intrinsically strong and is one it is to our interest to support for commercial and political reasons. German propaganda is very active and argument of our ingratitude would be valuable weapon.

5. With reference to paragraph 6[4] regarding German South West Africa there are practically only Norwegians in Spitzbergen and principles of self determination would appear more applicable.

6. I submit best course would be to use alternative of mandate as a lever to secure from Norway necessary protection for British interests. Fact that mandate proposal has emanated from Sweden proves that Swedes are excellent diplomats, a point of view one hears frequently expressed here and correspondingly feared as detrimental to Norwegian interests in any International settlement.

7. Decision of Conference will undoubtedly be attributed to British influence. I do not overlook importance of friendly policy to Sweden but assume there are other directions it could take.

Repeated to Stockholm by post.

to a Swedish intrigue to which England had lent herself to involve Norway in a Scandinavian bloc under Swedish hegemony'. Mr. Ovey further reported, however, that in conversation with him the Norwegian Prime Minister had 'dismissed this as a mere invention, stating that he had repeatedly informed prominent Swedes here (presumably Swedish Minister) that he would not stand for anything that would bring Norway into any such position.'

[3] The text here is uncertain.                                             [4] Of No. 77.

## No. 101

*Record of a meeting in Paris of the Delegates of the Great Powers on the Commission for the revision of the Treaties of 1839*

*No. 3 [Confidential/General/177/9]*

*Procès-verbal No. 3. Séance du 28 août 1919*

La séance est ouverte à 9 heures 30, sous la présidence de M. Laroche, *Président.*

*Sont présents:*

M. Fred K. Neilson (*États-Unis d'Amérique*); l'Honorable Charles Tufton et le Colonel Henniker (*Empire britannique*); MM. Laroche et Tirman

(*France*); M. Tosti et le Professeur Dionisio Anzilotti (*Italie*); le Professeur K. Hayashi et le Colonel Nagai (*Japon*).

*Assistent également à la séance:*

Le Colonel Embick et le Capitaine de corvette Capehart (*États-Unis d'Amérique*); le Capitaine de frégate Macnamara et M. Bland (*Empire britannique*); le Capitaine de vaisseau Le Vavasseur et M. de Saint-Quentin (*France*); M. Tani (*Japon*).

Le Président. Messieurs, nous avions renvoyé à une Commission comprenant des Délégués britanniques et français l'étude de formules économiques à nous proposer,[1] pour être soumises au Conseil Suprême: je vais donner successivement lecture de chacun des paragraphes qui nous sont proposés:

Les Pays-Bas reconnaîtraient à la Belgique:

*Travaux d'amélioration.* 1º Le droit de faire exécuter les travaux d'amélioration répondant aux besoins croissants de la navigation.

C'est là un principe, qui, je crois, ne souffre aucune difficulté.

M. Tirman (*France*). Le Colonel Henniker et moi avons repris ici la formule même du représentant des Pays-Bas qui a déclaré qu'il était prêt à s'entendre avec la Belgique pour que soient exécutés dans l'Escaut tous les 'travaux que comportent les exigences sans cesse croissantes de la navigation'.[2]

Le Président.

*Dépenses des nouveaux travaux.* 2º Les nouveaux travaux seraient à la charge du pays qui en réclamerait l'exécution.

Je pense que l'on a fait ici la distinction nécessaire et que, par 'nouveaux travaux' il faut entendre les travaux neufs et non ce qui a trait à l'entretien des travaux déjà exécutés.

M. Tirman. Nous visons ici ce qu'on appelle en français les travaux de premier établissement ou travaux complémentaires, qui ont pour objet d'améliorer le cours de l'Escaut.

J'ajoute que cette disposition constitue pour la Belgique une certaine aggravation au regard de la situation que lui font les Traités de 1839. En effet, sous l'empire de ces Traités, la Belgique peut se prétendre en situation d'exiger que les travaux utiles à l'amélioration de la navigation sur l'Escaut soient payés par le Gouvernement néerlandais; mais il nous a paru que la mise de cette dépense à la charge du Gouvernement belge devait être la contrepartie du droit conféré à la Belgique de réclamer l'exécution des travaux d'amélioration répondant d'après elle aux besoins croissants de la navigation et serait même peut-être la sanction de ce droit.

D'autre part, si nous reconnaissons avec M. Segers, que l'Escaut est absolument inutile aux Pays-Bas, qu'en tout cas Anvers fait concurrence à Rotterdam et que l'intérêt des Pays-Bas est de ne faire aucun travail dans l'Escaut, il nous semblerait illogique de prétendre imposer à ces mêmes

---

[1] See No. 94.  [2] Cf. No. 81.

Pays-Bas la charge des travaux destinés à accroître la prospérité du port d'Anvers.

LE PRÉSIDENT. Pour préciser, je propose d'ajouter un mot et de dire:

2° Les nouveaux travaux d'amélioration seraient à la charge du pays qui en réclamerait l'exécution.

La troisième disposition est ainsi conçue:

3° Les dépenses d'entretien seraient ainsi assumées:

*Dépenses d'entretien.* a) Pour les travaux effectués au profit d'un seul État, la dépense serait à la charge de cet État;

b) Pour les travaux effectués au profit des deux États, la dépense serait répartie proportionnellement à l'utilisation de ces travaux pour chacun d'eux.

Je trouve cet article fort équitable; mais qui fera la distinction?

M. TIRMAN (*France*). Ce troisième paragraphe est le corollaire du précédent. Nous disons que les travaux d'amélioration, d'approfondissement du chenal, par exemple, seront à la charge de l'État qui les réclamera, — ce sera généralement la Belgique. De même, s'il s'agit de maintenir le chenal à la profondeur qui lui aura été donnée au moyen de dragages périodiques, il semble logique que ce soit l'État qui a fait faire les travaux d'amélioration qui assume les frais des travaux d'entretien.

Nous ne méconnaissons pas qu'il y aura, néanmoins dans l'application, de réelles difficultés à faire parfois la discrimination nécessaire: c'est aux Commissions qu'il appartiendra de différencier les travaux utiles à l'un ou à l'autre État et d'assurer ainsi une répartition aussi équitable que possible de la dépense.

LE PRÉSIDENT. En pratique, évidemment, les Belges sont à peu près seuls intéressés à ces travaux. L'Escaut sert bien aux riverains hollandais, mais pour leurs barques de pêche, il n'est pas nécessaire de procéder à des dragages dans le lit du fleuve.

Nous passons alors au quatrième paragraphe.

4° Les questions techniques pour tout ce qui concerne la navigation seront réglées conjointement par les techniciens.

M. TIRMAN. Il a paru essentiel de bien souligner le caractère économique et non pas politique de la réglementation à intervenir: on a pensé qu'il y aurait plus de chances d'éviter des frictions en *Règlement des* confiant à des techniciens le soin de régler entre eux les *questions* questions qui peuvent se poser.

*litigieuses.* Nous avons d'ailleurs entendu donner au mot 'Questions techniques' le sens le plus large possible; il évoque à l'esprit, par exemple, l'institution du pilotage (conditions dans lesquelles seront délivrées les licences de pilotage et seront établies les taxes de pilotage); le balisage, le service sanitaire, etc., toutes dispositions qu'il vaut mieux confier à des techniciens le soin de régler, mais que nous n'avons pas cru devoir énumérer.

Le Colonel Henniker (*Empire britannique*). Je proposerais d'intervertir l'ordre des paragraphes 4° et 5°; en effet, ce paragraphe 4° est l'explication de la disposition contenue au paragraphe suivant. (*Assentiment.*)

Le Président. Si ce paragraphe 4° devient le paragraphe 5°, je donne lecture du paragraphe 5° qui prendrait alors la place du 4°:

4° Il devrait être institué des organismes tels que les questions soulevées soient résolues dans le moindre temps et les travaux réalisés dans le temps le plus bref.

M. Tirman (*France*). Nous touchons ici au côté le plus délicat de la question, à savoir l'organisme qui sera compétent pour déterminer les conditions de réalisation des programmes de travaux et pour en poursuivre l'exécution.

Nous aurions pu donner des précisions plus grandes, indiquer, par exemple, dans quelles conditions seraient constituées les Commissions, quelles Nations y seraient représentées; nous aurions même pu suggérer d'autres solutions, par exemple, la constitution d'une sorte de compagnie à charte chargée de poursuivre l'exécution des travaux; mais nous avons jugé qu'il était préférable de laisser aux deux Gouvernements intéressés le soin de suggérer eux-mêmes les solutions et d'envisager dans quelles conditions les meilleures les difficultés pourraient être résolues.

Un seul point importe, en effet. Lorsque la Belgique aura reconnu un travail nécessaire pour les besoins de la navigation depuis la mer jusqu'à Anvers, il faut qu'elle puisse être assurée que ces travaux seront faits dans le moindre délai et que les Pays-Bas ne pourront pas s'y opposer; cela dit, il appartient aux deux parties de s'entendre sur les modalités de réalisation, quitte à nous, d'ailleurs, à leur suggérer des solutions complémentaires.

Le Président.

*Défense nationale et droit de veto.*

6° Chaque Gouvernement aura le droit d'opposer son veto à l'exécution des travaux qui pourraient compromettre la défense de son territoire.

J'ai lu ce paragraphe avec une certaine appréhension et, sans en méconnaître la nécessité, je voudrais voir apporter un correctif au principe ainsi posé.

Autant, en effet, je trouve juste que le principe énoncé ici soit adopté, autant je voudrais que, dans l'application, la Hollande n'y trouve pas le moyen de se soustraire, en fait, aux demandes de la Belgique.

M. Tirman. Dans notre esprit, cette disposition revêtait la forme négative et se traduisait ainsi:

Chaque Gouvernement n'aura le droit d'opposer son veto à l'exécution des travaux que pour tel et tel motif. . . . [3]

Si nous avons pris la forme positive, c'est dans le seul désir de ne pas éveiller les susceptibilités hollandaises; mais notre intention très nette a été

[3] Punctuation as in original.

343

de bien marquer que c'est en se prévalant uniquement de l'intérêt de la défense nationale que le Gouvernement des Pays-Bas pourrait s'opposer à l'exécution des travaux.

Maintenant, pour tenir compte de l'observation si juste de M. le Président, nous pourrions prévoir une intervention de la Société des Nations ou de tout autre organisme qui apprécierait si réellement le motif invoqué répond à l'intérêt de la sauvegarde du territoire.

LE PRÉSIDENT. Il faut bien retenir que nous examinons en ce moment des principes qui seront soumis aux intéressés pour qu'ils cherchent à en tirer une application. . . [3]

M. TIRMAN (*France*). Nous n'avons, en effet, nullement eu la prétention de dicter à la Belgique et à la Hollande un projet de convention; la mission que nous avons reçue de la Commission consistait à rechercher les principes directeurs dont les deux pays devraient s'inspirer dans l'élaboration des accords qu'ils nous soumettront. C'est pour cette raison que nous sommes restés quelque peu dans le vague.

LE PRÉSIDENT. C'est bien ainsi que je le comprends et c'est dans cet esprit que nous entendons rester; c'est pourquoi il conviendrait de ne pas adopter une formule aussi précise que celle de la Société des Nations et de dire qu'il devrait être prévu que, en 'cas de contestation sur l'exercice de ce droit de veto, celle des parties qui protesterait pourrait porter le différend devant un organisme appelé à le trancher, tel, par exemple, que la Société des Nations. . .'[3]

M. TIRMAN. Ou une émanation de la Société des Nations.

LE PRÉSIDENT. '. . .[3] ou un organisme dépendant d'elle.'

Cette simple indication, sans autre précision, laisserait aux parties toute liberté de rechercher tel organisme qu'elles voudront prévoir, ou même tel autre moyen de régler la difficulté.

M. TIRMAN. Si l'on entre dans cette pensée, on pourrait peut-être renforcer la proposition et dire:

> La Nation qui considérerait que le travail est de nature à compromettre la défense de son territoire aura la faculté d'en appeler à un organisme qui. . . [3]

Une telle rédaction n'aurait plus le caractère suspensif.

Le principe, en effet, est que le travail se fasse; il y aura seulement un droit d'appel si l'une des deux Nations invoquait l'argument que le travail est de nature à compromettre la défense de son territoire.

LE PRÉSIDENT. Nous sommes donc en présence de deux formules:

L'une consiste à reconnaître le droit de veto et à permettre à la Nation qui le contesterait de porter le différend, la contestation, devant un arbitre, probablement la Société des Nations ou une Commission émanant d'elle;

L'autre consisterait à dire que le Gouvernement qui estimerait que les travaux dans l'Escaut compromettraient la défense dans son territoire pourrait en appeler à la Société des Nations.

LE COLONEL HENNIKER (*Empire britannique*). Je préférerais conserver la rédaction que nous avons sous les yeux; la rédaction de ce paragraphe, sinon sa portée, est de nature à ne compromettre personne. Quel que soit l'arrangement qui intervienne entre la Belgique et la Hollande, si l'une des deux Nations estime que les travaux sont dangereux pour la défense de son territoire, je ne crois pas que nous puissions intervenir dans le différend. Tout ce que nous pouvons faire c'est de suggérer, et encore sous une forme officieuse, aux deux parties que, quel que soit l'organisme chargé de régler les questions qui s'élèveront, il doit avoir pour caractère de rendre difficile à l'une des parties de soulever des objections inutiles.

D'autre part, je ne verrais pas non plus avec plaisir qu'on fasse ici mention de la Société des Nations.

M. Neilson (*États-Unis d'Amérique*). Je partage l'avis du Délégué britannique : je mets en doute l'utilité d'avoir recours à la Ligue des Nations pour des questions de cette nature. Néanmoins, s'il est nécessaire de prendre des dispositions d'arbitrage, il me semble qu'une autre procédure d'arbitrage serait préférable.

Le Président. M. Tirman me fait remarquer qu'on pourrait, dans l'espèce, se référer à l'Article 13 du Pacte de la Société des Nations ainsi conçu :

> Les membres de la Société conviennent que s'il s'élève entre eux un différend susceptible, à leur avis, d'une solution arbitrale et si ce différend ne peut se régler de façon satisfaisante par la voie diplomatique, la question sera soumise intégralement à l'arbitrage.
>
> Parmi ceux qui sont généralement susceptibles de solution arbitrale, on déclare tels les différends relatifs à l'interprétation d'un traité, à tout point de droit international, à la réalité de tout fait qui, s'il était établi, constituerait la rupture d'un engagement international, ou à l'étendue ou à la nature de la réparation due pour une telle rupture.
>
> La cour d'arbitrage à laquelle la cause est soumise est la cour désignée par les parties ou prévue dans leurs conventions antérieures.

M. Neilson. Je n'ai pas voulu dire que l'on invoquait ici la Société des Nations d'une façon qui ne se justifie pas ; j'ai simplement voulu, d'une façon générale, approuver le point de vue exposé par la Délégation britannique.

Le Président. Cet article nous donne le moyen de prévoir une solution du différend et il y aurait peut-être lieu de compléter le paragraphe, parce que nous devons éviter que les Belges nous opposent un refus fondé sur les objections probables de la Hollande ; d'autre part, je voudrais indiquer à la Hollande qu'elle ne doit exercer son veto qu'à bon escient.

J'aimerais donc conserver le paragraphe tel qu'il est, en y ajoutant une disposition comme celle-ci :

> Il devra être prévu, qu'en cas de contestation sur l'exercice de ce droit de veto, le différend sera soumis à tel organisme qui pourra être envisagé par les Parties intéressées.

M. Neilson. Il me semble opportun de considérer, au sujet de cette question, que les questions relatives à la défense nationale ne sont pas de celles qui sont généralement soumises à l'arbitrage.

345

Le Président. Nous cherchons à éviter la naissance de tout différend entre la Belgique et la Hollande au sujet de l'Escaut; supposez qu'à un moment donné succède au Gouvernement actuel un Gouvernement hollandais mal disposé, il dira que tous les travaux faits dans le fleuve intéressent la défense du sol hollandais. Si la Hollande et la Belgique, qui s'arrangent aujourd'hui, prévoient, comme nous le leur suggérons, qu'en cas de différend sur le caractère des travaux à effectuer, la question sera soumise à l'appréciation d'un organisme déterminé, ce sera un frein pour les Hollandais.

D'autre part, je ne peux croire que la Belgique, sous peine de vouloir compromettre ses relations avec les Pays-Bas et de rendre impossible l'exécution du Traité, provoque l'arbitrage, s'il est évident que les travaux qu'elle se propose de faire portent atteinte à la défense nationale néerlandaise.

Voilà pourquoi je proposerai de rédiger le paragraphe 6 de la manière suivante:

6° Chaque Gouvernement aura le droit d'opposer son veto à l'exécution des travaux qui pourraient compromettre la défense de son territoire.

Il devrait être prévu une procédure rapide dans le but de trancher les différends qui pourraient porter sur le bien-fondé du motif invoqué pour l'exercice du droit de veto.

M. Tosti (*Italie*). La Délégation italienne pense, conformément à la suggestion de M. Tirman, qu'une référence à l'Article 13 du Pacte de la Société des Nations pourrait être faite dans ce paragraphe.

Le Président. Nous dirions:

Conformément aux principes posés par l'Article 13 du Pacte de la Société des Nations, il devrait être prévu une procédure rapide. . . [3]

Le Colonel Embick (*États-Unis d'Amérique*). Il a été dit dans la réunion des experts qu'il n'était pas de l'intérêt de la Belgique d'ouvrir l'Escaut en temps de guerre, la souveraineté totale des bouches du fleuve restant entre les mains de la Hollande. D'après ce que je comprends, cet article donnerait à la Belgique le droit d'opposer son veto à des travaux que la Hollande estimerait nécessaires pour la défense du fleuve. . . . [3]

Le Président. Il s'agit uniquement ici des travaux faits pour l'amélioration des conditions de la navigation et du régime du fleuve. Au surplus, je me demande dans quel cas la Belgique aurait le droit d'invoquer cet article qui n'apparaît ici que pour prévoir une sorte de réciprocité.

M. Tufton (*Empire britannique*). En réalité, ce paragraphe est en faveur de la Hollande et ne sera invoqué que par elle.

Le Président. Quel inconvénient verrait-on à dire:

Le Gouvernement hollandais aura le droit d'opposer son veto à l'exécution des travaux qui pourraient compromettre la défense de son territoire.

M. Tirman (*France*). Est-ce que l'on peut prévoir une hypothèse suivant laquelle la Belgique considérerait que l'exécution d'un travail est de nature à gêner les mouvements des navires de guerre? Ce qui est utile pour les navires de commerce l'est tout autant pour les navires de guerre.

Je ne vois alors qu'un cas: les Pays-Bas opposant leur veto à l'exécution d'un travail qui pourrait compromettre la défense du territoire hollandais. Mais à mon sens, tous ces travaux, dragages, rectifications de coudes trop brusques n'intéressent nullement la défense nationale.

M. Tufton (*Empire britannique*). La Hollande pourra toujours avoir le dernier mot en arguant de l'intérêt vital de sa défense nationale.

Le Président. Ce que nous voulons, c'est prévoir le droit de veto pour en empêcher l'abus et rassurer en même temps le Gouvernement hollandais.

M. Tirman (*France*). Et en limitant le droit de veto aux seules questions intéressant la défense nationale, nous donnons une garantie à la Belgique.

Le Président. C'est pourquoi je crois que l'on peut dire:

Le Gouvernement hollandais aura le droit d'opposer son veto à l'exécution des travaux qui pourraient compromettre la défense de son territoire.

Et nous ajouterions, comme je le disais:

Conformément aux principes posés par l'Article 13 du Pacte de la Société des Nations, il devrait être prévu une procédure rapide dans le but de trancher les différends qui pourraient porter sur le bien-fondé des motifs invoqués pour l'exercice de ce droit de veto.

M. Neilson (*États-Unis d'Amérique*). Je ne m'oppose pas à cette rédaction si les rédacteurs du projet l'approuvent, bien que l'on puisse douter de l'équité de la dernière disposition relative à l'arbitrage.

Le Colonel Henniker (*Empire britannique*). La dernière phrase, en effet, me paraît un peu injuste pour la Hollande. Elle semble indiquer que les motifs qui seront mis en avant par le Gouvernement hollandais ne seront pas bien fondés.

Le Président. Au reste, c'est peut-être donner beaucoup de solennité à cet article que d'y introduire cette mention de la Société des Nations. L'Article 13 du Pacte suffit déjà.

D'autre part, je suis frappé de l'observation du Colonel Henniker et je propose de réduire notre dernière phrase à ces mots:

Il devrait être prévu une procédure rapide dans le but de trancher les différends qui pourraient porter sur l'exercice de ce droit de veto.

Ainsi, il y a une procédure prévue; on indique aux deux parties qu'elles doivent se mettre d'accord dès maintenant sur cette procédure; il y a, en effet, quelque chose de plus grave que de prévoir une procédure, c'est de laisser le conflit prendre naissance.

M. Tosti (*Italie*). La Délégation italienne n'insiste pas pour le maintien de la référence à la Société des Nations, tout en ne partageant pas les vues du Colonel Henniker sur la signification qu'aurait par rapport à la Hollande la formule proposée. La bonne foi de la Hollande n'est pas en cause. Il s'agit simplement de prévoir des divergences de vue possibles quant à l'exercice du droit de veto, et d'aviser aux moyens de les résoudre, c'est-à-dire s'inspirer d'une conception strictement réaliste des rapports internationaux.

Le Président. Si je propose cette référence à la Société des Nations, c'est pour ne pas [*sic*] donner un caractère de solennité à un document qui somme toute doit être donné aux deux pays comme contenant ce que le français, traduit de l'allemand, appelle des 'directives.' Plus nous serons courts, mieux cela vaudra.

Par contre, je le répète, nous ne voulons pas laisser le Gouvernement néerlandais dans cette idée qu'il peut trouver dans l'exercice de son droit de veto le moyen d'empêcher à tout jamais tout ce que proposeront de faire les Belges.

Vous vous rappelez avec quelle vivacité le Délégué néerlandais s'est exprimé; les passions sont excitées et dans ce document nous ne pouvons pas ne pas prévoir un moyen de prévenir des conflits qui pourraient entraîner de graves conséquences politiques.

Nous pouvons d'ailleurs très bien supposer qu'il n'y aura pas de différend et dire:

Il devrait être prévu une procédure rapide pour assurer l'exercice de ce droit de veto.

Ou encore:

. . .[3] pour prévenir tout différend sur l'exercice de ce droit de veto.

Cette formule permet aux deux parties d'éviter la procédure solennelle de l'arbitrage qui, à elle seule, souligne le différend. Si la Belgique et la Hollande se mettent d'accord pour dire: 'quand nous serons en désaccord sur l'exercice de ce droit de veto, nous choisirons un arbitre de la Cour de La Haye, par exemple, et nous le prierons de prononcer rapidement', le différend ne revêtira pas un caractère solennel et ne sera pas porté, en quelque sorte, devant toute l'Europe. D'autre part, nous aurions dès à présent la garantie que chaque partie n'engagerait cette procédure qu'à bon escient, et que la Hollande, en ce qui la concerne, n'exercerait son droit de veto qu'à bon escient.

M. Neilson (*États-Unis d'Amérique*). La proposition du Président semble être basée sur la supposition que les Pays-Bas peuvent à tort et sous un prétexte quelconque retarder les travaux. Je suis plutôt enclin à douter qu'il soit opportun de se baser sur de telles suppositions en rédigeant des propositions. Il serait peut-être à propos de se rappeler, à ce sujet, que, tout en élevant de nombreuses plaintes contre les Pays-Bas, la Délégation belge a affirmé que depuis 1814 les Pays-Bas n'ont rien fait pour nuire à Anvers.

Le Président. La Délégation américaine préférerait-elle que nous disions:

Il devrait être prévu une procédure rapide pour prévenir toute difficulté sur l'exercice de ce droit de veto.

Ainsi, nous ne parlons plus de différend et cette rédaction peut être interprétée comme facilitant à la Hollande l'exercice de son droit de veto.

M. Neilson. Comme je l'ai déjà dit, si les rédacteurs du projet sont d'accord, je ne m'oppose pas à ce texte.

M. Tirman (*France*). Il est d'ailleurs bien entendu qu'il ne s'agit pas ici d'une convention à imposer, mais de principes directeurs à soumettre, avec une très grande prudence, à la Belgique et à la Hollande.

Le Colonel Henniker (*Empire britannique*). Dans notre esprit, ce paragraphe 6° était destiné à donner satisfaction à la Hollande, à lui permettre de garantir sa défense nationale; si, au contraire, cet article est compris de telle façon qu'il puisse soulever des objections de la part de la Hollande, s'il paraît aller contre ses intérêts, il n'y a pas de raison de le conserver.

Le Président. La formule que j'ai proposée est conçue dans l'intérêt de la Hollande, aussi bien que de la Belgique.

Le Colonel Henniker (*Empire britannique*). Il n'en est pas moins vrai que si la Hollande s'opposait à un travail demandé par la Belgique, parce qu'il serait de nature à compromettre sa défense nationale, cet article l'obligerait à se soumettre à un arbitrage.

M. Neilson (*États-Unis d'Amérique*). Je pourrais remarquer, comme le Délégué japonais a fait l'autre jour, que le Japon et les États-Unis ne sont pas aussi directement intéressés à ces questions que les Puissances signataires. Je dois ajouter que, en ce qui concerne la Délégation américaine, il est probable que celle-ci n'est pas aussi bien renseignée sur la matière. Ce que nous disons a le caractère de suggestions faites en vue d'aider aux travaux que la Commission a entrepris.

Le Président. Ainsi que je l'ai dit, nous voulons éliminer toute cause de conflit entre la Belgique et les Pays-Bas à propos de l'Escaut. Or les Hollandais ont le droit de s'opposer à tous travaux qui compromettraient la défense de leur territoire; il n'est pas certain que demain, peut-être, un Gouvernement néerlandais n'invoquera pas cet argument à titre de prétexte. Nous sommes en train de faire table rase des garanties données à la Belgique par les Traités de 1839 pour les remplacer par un régime auquel les Puissances signataires de ces Traités ne sont plus parties, mais qui doit néanmoins donner un minimum de satisfactions à la Belgique: il est de notre devoir de ne pas déchirer les Traités de 1839 avant d'avoir assuré à la Belgique une situation au moins aussi bonne que celle qui lui était faite par ces Traités.

La rédaction que je propose indique que nous verrions d'un bon œil les deux parties prévoir une procédure rapide pour prévenir toute difficulté dans l'exercice du droit de veto; en posant ces deux principes destinés à éviter des conflits, il me semble que c'est le moins que nous puissions dire.

Nous ne mettons pas en doute la bonne foi des Hollandais, mais quand ils invoqueront l'argument de la défense de leur territoire, il se peut que ce soit un simple prétexte pour refuser les travaux; en suggérant une procédure rapide, c'est un moyen d'éviter les conflits.

Pour ces raisons, je persiste à proposer d'adopter l'addition au paragraphe 6 que nous avons sous les yeux, en ces termes:

Il pourrait être prévu une procédure rapide en vue de prévenir toute difficulté quant à l'exercice de ce droit de veto.

M. Neilson. Si c'est là une procédure qu'on suggère comme pouvant être adoptée par les Belges et les Hollandais, j'accepte cette addition.

M. Tufton (*Empire britannique*). Nous sommes d'accord sur le fond; nous nous demandons seulement s'il est prudent de tenir un tel langage aux Hollandais. . . [3] Cela ne va-t-il pas les froisser?

Le Président. Vous voudriez laisser les Belges le demander? Ce sera plus difficile.

Le Colonel Henniker (*Empire britannique*). Il serait possible de faire cette suggestion oralement sans la mettre par écrit.

M. Tirman (*France*). Alors, il ne faudrait pas non plus parler du veto.

Le Colonel Henniker. Comme je le proposais, il serait peut-être prudent de supprimer tout le paragraphe.

Le Président. Tout ceci va faire l'objet d'une note au Conseil Suprême; nous pourrions donc, dans cette note, nous arrêter après le paragraphe 5° et déclarer que nous demandons l'approbation de ce paragraphe 6°, complété par l'addition que j'ai proposée, pour le cas où on jugerait nécessaire de faire une suggestion en ce sens aux parties intéressées.

M. Tirman. Dans le cas où la Hollande revendiquerait son droit de veto, nous introduirions ce paragraphe 6°.

Le Président. C'est cela; on pourrait, à ce moment, faire à la Hollande une suggestion dans ce sens, sous forme de communication verbale.

M. Neilson (*États-Unis d'Amérique*). La suppression de ce paragraphe implique-t-elle que, par ailleurs, la Hollande aura le droit de veto?

Le Colonel Henniker. Il se peut que par une autre organisation, les Hollandais et les Belges trouvent le moyen de résoudre cette question d'une autre façon.

M. Tosti (*Italie*). La Délégation italienne est d'accord avec la proposition qui est faite; mais, si le paragraphe 6° disparaît, il devra être entendu que nous sommes prêts à le soutenir si besoin est. A notre avis, il est utile de suggérer un moyen de régler ces différends et il n'y a rien d'offensant, pour une Nation, à prévoir les divergences de vues qui peuvent survenir.

Le Président. Du reste, le paragraphe 4° couvre déjà un peu la question.

Il est donc entendu que nous nous arrêtons après le paragraphe 5° et que, néanmoins, nous ferons connaître au Conseil Suprême que, dans le cas où des objections tirées de la défense nationale seraient soulevées par les Pays-Bas, nous nous réserverions de faire aux deux parties une suggestion dans le sens du paragraphe 6° complété comme j'ai dit.

Enfin, Messieurs, pour cet ensemble de propositions auxquelles nous nous arrêtons, il est entendu que, dans la pensée des rédacteurs, les mots 'régime de l'Escaut maritime' comprennent aussi ce qui a trait au canal de Gand à Terneuzen; mais il serait bon de le dire explicitement pour éviter toute erreur.

M. Tirman. Je propose de dire:

Régime de l'Escaut maritime, y compris toutes voies dérivées et le canal de Gand–Terneuzen.

Le Président. Nous voici d'accord sur l'ensemble des clauses économiques; il nous reste à discuter les clauses militaires; je vous propose d'en renvoyer l'examen à demain vendredi,[4] 9 heures 30.

(*Assentiment*).

La séance est levée à 11 heures.

[4] This meeting was postponed till Saturday, August 30, 1919: see No. 106.

## No. 102

*Mr. Robertson (The Hague) to Earl Curzon (Received September 2)*

*No. 1397 Telegraphic: by bag [123910/11763/4]*

THE HAGUE, *August 29, 1919*

Paris telegram No. 31.[1]

French Chargé d'Affaires and I saw Minister of Foreign Affairs yesterday each separately and spoke to him as instructed. His Excellency said that if the Allied and Associated Powers feared that the Dutch intended to withdraw from the Conference this must be due to some misunderstanding. Dutch delegates were merely coming to consult him and would certainly return as Netherlands Government were anxious that negotiations should be brought to satisfactory conclusion at as early a date as possible. Conference could however only decide general principles and His Excellency impressed upon me most earnestly that Netherland Government genuinely desired a permanent and detailed settlement. Technical details in regard to proposed canals, questions as to exact course, measurements, cost, management, customs, etc, would require two or three years at least to settle and must be entrusted to a Belgo-Dutch Commission who could make their studies on the spot. This could not possibly be done at Paris. He had not yet seen M. Van Swinderen and so was unable to give me considered views of Netherland Government but that was he thought the attitude and perhaps some misunderstanding had arisen in regard to it.

Speaking generally His Excellency said that the Netherland Government had cause to complain of the Belgians. If they had come to him after the armistice and frankly stated their wishes in regard to canals and waterways they would have been received with open arms. Instead of this they had appealed to the Great Powers without consulting Holland at all, they had intrigued behind the backs of the Dutch and openly spoken of annexing Dutch territory. Even now it was not too late for the Belgian Government to approach the Netherland Government direct instead of under the tutelage of the Great Powers. They would be received in the most friendly spirit and an agreement could be easily reached. I expressed doubts in regard to this, pointed to the excited state of public opinion in both countries, though I agreed with His Excellency that the Dutch had on the whole displayed

[1] No. 96.

praiseworthy self-control, and said that the questions could be more calmly discussed at Paris.

In this connection I have to report that the *Haagsche Post* recently published a violent article advocating Dutch intrigues in Belgian Flanders on the lines of Belgian intrigues in Limburg. I learn on reliable authority that the Minister of Foreign Affairs sent for the sub-editor and warned him against the publication of such articles. It was essential, His Excellency said, that the Dutch press and Government should remain calm and not play into the hands of the Belgians. Netherland Government feared that the Belgians were trying to provoke the Dutch into some rash action even to mobilisation but that Netherland Government had no intention of losing their heads.

Military Attaché tells me that he yesterday saw a Belgian financier of standing who had just come from Brussels. He stated that the annexation party in Belgium was led by the Comité de Politique Nationale and included many members of the General Staff and of the Government but only represented about 5% of the population. Moderate men such as Francqui, Jadot, Georges Deprès, all of the Société Générale, Phillipson of the Banque Phillipson, and Gerard, Secretary to the King, and the vast majority of the population were against annexation. At the same time rumours which had been spread in regard to the tone and substance of Monsieur van Swinderen's curt speech at the Conference were convincing even the moderates that the Dutch attitude was absolutely uncompromising and that nothing could come of the Paris negotiations. The annexationists were clamouring for the occupation of Limburg (which would be an extremely easy military operation requiring a few hours) and even of Dutch Flanders, and were relying on the support of French volunteers. They would then confront Europe with a *fait accompli* as did the Roumanians.[2] The Moderates felt that if the Dutch would at once consent to the internationalization of the mouth of the Scheldt, the canalization of the Meuse from Liège to Venlo, and the construction of a canal from Antwerp to Duisburg, this would eliminate all danger.

If the above truly represents the state of mind in Belgium, I can only regard the situation as grave in the extreme. I doubt if the Dutch would consent to the internationalization of the mouth of the Scheldt or to any alienation of their sovereignty over it, but of this I am not absolutely sure. As regards canals, they are quite ready to be accommodating though the question of cost will be difficult to settle. The occupation of Dutch territory would mean war to the last man, no matter what the odds against the Dutch, and I expect that they would find little difficulty in obtaining German volunteers and help. They will never consent to the alienation of Dutch territory or to share with the Belgians sovereignty over canals and waterways in Dutch territory or to Belgian military interference in the defence of Limburg, or indeed to anything that derogates from their full and complete sovereignty over Dutch territory as now defined.

The Dutch attitude is that they are in no way bound even to discuss the

[2] The reference was probably to the Rumanian occupation of Budapest on August 4, 1919.

construction of canals which they do not require, but they have gladly shown an accommodating spirit in this respect. For Dutch sovereign rights the whole nation will fight and the Belgians will do well to realise that they are dealing with a united and a dogged people who will not be intimidated or deterred from using force to the uttermost in defence of their integrity and vital interests as an independent nation.

I was considerably impressed by the evident earnestness and sincerity of the Minister for Foreign Affairs, and by his emphatic statement in regard to the negotiations generally—'When we say "Yes" we mean "Yes", but when we say "No" we mean "No" '.

Please forward to Paris and Brussels if you see fit.

## No. 103

*Mr. Gurney*[1] *(Brussels) to Earl Curzon (Received September 6)*

*No. 325* [*125889/4187/4*]

BRUSSELS, *August 29, 1919*

My Lord,

I have the honour to report that the Minister for Foreign Affairs informed me confidentially in the course of conversation today that the French Government had expressed their willingness to agree to an economic union between Belgium and Luxembourg but that they desired that the Luxembourg railways should be under French control.

Monsieur Hymans said that he did not think the Belgian Government could accept such an arrangement. French control of the railways would almost inevitably lead to political intrigue and an economic union would be practically unworkable if the railways were excluded.

As regards the dynastic question His Excellency said that the Belgian Government wished to made it perfectly clear to the people of Luxembourg that they did not desire to influence their decision in the matter which they regarded as a purely domestic concern. They were quite ready to acquiesce in the maintenance of the present dynasty but should the Luxembourg people decide in favour of this course, they would propose, as a safeguard against German influence, that the external affairs of the country should be conducted through Belgian channels.

The French Government, Monsieur Hymans said, appeared to favour the establishment of a Republic but this would not be in accordance with Belgian interests.

I have, &c.,

HUGH GURNEY

[1] H.M. Chargé d'Affaires at Brussels during the absence in England of Sir F. Villiers.

# No. 104

## Sir H. Stuart (Coblenz) to Sir R. Graham (Received September 2)

### No. 9 [123764/4232/18]

COBLENZ, *August 29, 1919*

Sir,

I have the honour to forward herewith copies of two Notes by Captain Harold Farquhar, who is officiating as my Private Secretary, on the movement for the creation of a Rhineland Republic. Captain Farquhar deserves credit for his diligence and care in collecting the information and for the intelligent use he has made of it.

2. The existing Rhineland Commission is not concerned with political matters and I am, therefore, perhaps travelling somewhat beyond the strict scope of my duties in dealing with this question; but it is one which must necessarily engage the constant and anxious attention of the forthcoming High Commission, and it is, therefore, imperative that I should make myself acquainted with the history and course of the movement. The Foreign Office has probably obtained information on the subject from other sources; if so I shall be glad to receive copies of such reports as it may be possible to place at my disposal. I propose to forward to the Foreign Office from time to time further memoranda similar to these now transmitted.

3. When I returned from Paris to the occupied territories in June the general impression was that Dr. Dorten's abortive attempt to establish a Rhineland Republic had been killed by ridicule. Future events, however, have proved that this was far from being the case and the movement is now one with which we must reckon as a serious attempt to obtain autonomy for the Rhineland Provinces. The claims of the advocates of a Rhineland Republic within the German State received recognition by the constitution adopted at Weimar, but it is provided therein that no plebiscite on the subject shall be taken until after the lapse of a period of two years. This provision has met with considerable criticism in the Rhineland and it is probable that an attempt will be made to obtain its repeal.

4. The open support given to the movement by the French has undoubtedly done something to detach many who would otherwise have been in favour of an autonomous Rhineland State. It is clear from the proposal originally made by Marshal Foch[1] that what the French desire is to establish a strong buffer state along the left bank of the Rhine, independent of Germany and supported by French garrisons at strategical points. I do not think that this plan has any chance of success, for in the first place the Rhine is not a natural boundary of the Rhineland, which extends along both banks of the river; and in the second place, complete severance from Germany would not, in my opinion, be acceptable to more than an insignificant proportion of the inhabitants of the Rhenish Provinces. I believe that the French themselves

[1] Cf. David Lloyd George, *The Truth about the Peace Treaties* (London, 1938), vol. i, pp. 387 f., also A. Tardieu, *La Paix* (Paris, 1921), chap. v.

have now abandoned this plan, at least for the present, and I understand that their aim is to constitute a separate Republic or Republics within the German State. General Mangin, who commands the 10th Army at Mayence, and is, I am told, likely to succeed General [sic] Foch in supreme command eventually, is said to favour a single Republic, comprising the whole of the Rhineland, while General Gérard, who commands at Landau, favours the setting up of three separate Republics. This latter scheme is more[2] to meet with some measure of success at an early date than the former, since two of the three Republics would comprise territories which are, for the most part, directly under French influence. It is possible also that one of them, to the north of the Saar area, would be induced to form political union with the Saar territory, which the French hope will, after the expiry of the fifteen years occupation, be incorporated with the French Republic. On the other hand the exclusion of the greater part of the important and wealthy Rhineland Province of Prussia would be a serious blow to the success of the wider French aims.

5. The attempt to set up a separate Republic or Republics is strongly opposed by the Social Democratic party and supported by a section of the Independent Socialists. The attitude of the Centre party is somewhat obscure: a State in which the Catholics would be supreme might seem to have attractions for a party consisting almost entirely of Catholics, but from the wider point of view the Centre party may prefer to remain in the Prussian Diet, where it can exercise great influence upon the policy of the Government towards Catholics throughout the State. If [sic], moreover, fresh lines of political cleavage would be set up in a State which is predominantly Catholic and this would involve the disappearance of the Centre party in its present form, and would diminish Catholic influence in the Reichstag.

6. I shall be glad to have some indication of the attitude which His Majesty's Government wish me to adopt towards this movement. The British and American Military authorities have hitherto refused to lend any countenance to it on the ground that it is undesirable to permit during the period of the Armistice any political changes which are likely to disturb public order. While entirely agreeing with this decision I am disposed to think that the weakening of Prussia by the separation from it of its Rhineland Provinces would not be contrary to British interests and that His Majesty's representative on the High Commission should, therefore, adopt towards the movement an attitude of benevolent neutrality, qualified by the condition that no steps should be permitted to be taken by the advocates of separation which are likely, by creating serious disturbances of public order, to endanger the safety of the British forces of occupation or to involve them in military action.[3]

I have, &c.,

HAROLD STUART

---

[2] It was suggested on the filed copy that the word 'likely' should here be inserted.

[3] Sir J. Tilley, an Assistant Secretary in the Foreign Office, replied to the above in Foreign Office despatch No. 11 of September 18, 1919, to Coblenz, wherein he conveyed Lord

## Memorandum on the Rhineland Republic

The question of a Rhineland Republic has been the chief political question in the area occupied by the Allied forces during the last six months. Linked up with the question of the Rhineland Republic are various other Separatist Movements on both sides of the Rhine, which have lately come into prominance [*sic*], such as the movement for the independence of Birkenfeld, the attempted *coup d'état* of Dr. Dorten, the aspirations towards independence of the Province of Hesse-Nassau and also the agitation in the Palatinate.

### Geographical Consideration

Starting from the Dutch frontier in the North is the Prussian Province of the Rhineland which extends on both banks of the Rhine: Eastwards as far as the Prussian Province of Westphalia; Westwards to the Belgian frontier and Southwards to a line drawn roughly through Kreuzenach, St. Wendel—Saarbrucken. Immediately South of the Rhineland and on the left Bank of the Rhine is the Rhenish Palatinate, which is part of Bavaria, but separated from it by Baden and part of Hesse-Darmstadt. South of the Rhenish Palatinate is the Province of Alsace; South of the Rhineland on the right bank of the Rhine is the Prussian Province of Hesse-Nassau, and adjoining this Province on the South is the old Duchy of Hesse-Darmstadt. A part of Hesse-Darmstadt, called the Rhenish Hessen, however, lies on the left of the Rhine and joined to the Rhenish Palatinate. In the Southern part of the Rhineland is the Principality of Birkenfeld, which is part of Oldenburg.

### Historical and Religious Considerations

In considering the question of the Rhineland Republic it should be remembered that in the middle ages the Rhineland, i.e. the territory running along both banks of the Rhine, was split up into a number of small and independent states. They were the stronghold of Roman Catholicism, and the Archbishops of Treves, Mainz, and Cologne practically governed the country and were the three clerical electors of the old Holy Roman Empire. After various political changes, what is now known as the Rhineland became part of Prussia as the result of the Treaty of Vienna of 1815. The Catholic Rhineland, therefore, has only been part of Prussia for the last 100 years, and during this time Prussians have governed this Province entirely from Berlin and have placed Prussians in all the most important administrative positions in the country. In spite of the fact that the Rhineland owes its present industrial and business prosperity very largely to Prussian organisation, there has been the feeling that the real interests of the Rhineland have been sub-

Curzon's thanks to Captain Farquhar 'for his able reports and I am to inform you that, as regards the subject dealt with in these reports, Lord Curzon desires to emphasise the desirability of absolute impartiality being displayed by the British Representative on the Inter-Allied Rhineland Commission and by all members of his staff in their dealings with any Germans or with their Allied or Associated Colleagues'.

ordinate to those of Prussia. It should also be remembered that Bismarck's violent attacks on the Catholic Church still further accentuated the difference between Lutheran Prussia and the Catholic Rhineland, and led to the formation of the Centrum Party.

*Political Situation at the time of the Allied Occupation*

As a result of the revolution in November, 1918, the mass of the German people suddenly found themselves in the possession of great political freedom, and it was shortly after the Armistice that the first signs of an agitation for a Separate Republic could be noticed in the Rhineland. At that time, however, the aspirations of the Separatists were fairly moderate, and although they advocated separation from Prussia, there was no idea of any separation from the Empire. This agitation for a separate Republic may possibly be due to two causes: firstly the danger which the Centre Party, which was largely Catholic, saw in the policy of Ebert and Scheidemann,[4] who appeared to be attacking the Church, and secondly to the artificial position in which the Rhineland was placed as the result of the Allied occupation, which accentuated the difference between the Rhineland and Prussia. After the elections to the National Assembly in January, 1914 [1919], the question of a Rhineland Republic seems to have dropped into abeyance, and it would appear that in Cologne there were very few people in favour of an Independent Republic although a considerable number of Rhinelanders favoured the erection of a Republic which would stand in the same relation with Prussia, as, for instance, Bavaria. It was not, however, till May of this year that the question of a Rhineland Republic became acute; it was brought to a head by a Separatist agitation in Wiesbaden, in Palatinate, in Hesse-Nassau and in Birkenfeld.

*The Wiesbaden Coup d'État*

On May 27th the whole question of the Rhineland Republic was suddenly brought to a head by the publication in the *Rheinische Zeitung* of the interview between the Separatist leaders (Dr. Froberger, Dr. Kuckhoff, and Castert) and General Mangin, Commander of the X[th] Army. This was immediately followed by the Proclamation of an Independent Rhenish Republic at Wiesbaden. This attempted *coup d'état* caused a considerable amount of excitement right through the Rhineland.

According to the statement of a French Officer of the General Staff who interviewed the American Authorities on or about May 20th, Dr. Dorten's plans appear to have been as follows: on the 24th May, Dr. Dorten proposed to proclaim an Independent State which was to include the Rhine Provinces, the former Grand Duchy of Hesse-Darmstadt, and the Prussian Province of Hesse-Cassel. The capital was to be at Coblenz. The Republic was to be proclaimed at Wiesbaden and it had been arranged that supporters should

---

[4] Herr Ebert was the German Chancellor, November 1918–February 1919, when he became President of Germany and was succeeded as Chancellor by Herr Scheidemann: cf. No. 8, note 2.

immediately proceed to Cologne and to Coblenz to forward the movement. Afterwards elections were to take place to select delegates for a Rhineland Assembly. The Republic was to be conservative in character and the Cabinet was to be made up as follows:—

President Herr Wallraff, Cologne.
Premier Herr Dorten, Wiesbaden.
Minister of Interior, Herr Stegerwaldt, Mainz.
Minister of Finance and Commerce, Herr Hagen, Cologne.
Minister of Justice, Dr. Fuld, Mainz.
Minister of Agriculture, Herr Buhl, Palatinate.
Minister of Education, Dr. Kuckhoff, Cologne.

*Note*. Dr. Dorten's proposed Republic according to the statement of the General Staff Officer, makes no mention of 1. The Rhenish Palatinate. 2. Birkenfeld.
In the proclamation of May 31st, both these States are included.

Dr. Kuckhoff was a prominent Centrum Member, who had been conspicuous for his Separatist tendencies; Herr Wallraff was a former Oberbürgermeister of Cologne, while Herr Hagen was a powerful and influential Banker. It is thus seen that this proposed Cabinet was composed of men who were well known in Rhineland and who had a certain amount of prestige.

This Officer in outlining the scheme to the Americans stated that General Mangin desired its success and requested the assistance of the Americans in forwarding it—it is believed that similar steps were taken in Cologne. The same importance, however, was not attached to Cologne, as Coblenz is the capital of the Rhine Provinces and it was essential to displace all the officials of the Ober-Regierungspresident, who were Representatives of Berlin, if the attempt was to be a success. The Americans declined to take any action in helping on this movement. They held that their duty was to preserve law and order in the country and that according to the Armistice it was their duty to uphold the local Authorities who were responsible for the Administration of the Area A.[5]

## Actual Course of Events

During the night of May 31st and June 1st, however, a proclamation was posted in Wiesbaden, Mainz, and other places in French Occupied Territory:

### Proclamation of the Rheinisch [sic] Republic

At this critical time when decisions of importance to the Rhenish People are about to be made, the people itself wishes to have an opportunity for a hearing. It wishes to to [sic] appeal to the right of self determination, a right which has been generally recognised throughout the world, and to which all opposing forces must give way. The Rhenish People desire a peace which will be the basis for a reconciliation of all nations. For that reason it wishes to disassociate itself completely from the evils which have caused so many

[5] The area of the Rhineland under American military occupation.

wars; namely feudalism and militarism. After these evils have been abolished the difficulties in the way of a lasting peace will be removed for ever. The draft of the Peace Treaty contains provisions intended to compensate France and Belgium for the tremendous losses sustained by them during the war.

The German Government has recognised the justice of these plans. Adequate guarantees are provided for against the resumption of hostilities. These terms involve placing a terrific burden upon the German People. The most important duty of the Rhenish People is to do everything in its power to bring about a Universal and permanent International Reconciliation.

We, therefore, make the following proclamation:—

An Independent Rhenish Republic within the boundaries of the German Nation is hereby erected. It is to be a Peace Republic composed of the Rhine Province, Old Nassau, Rhenish Hesse and the Rhenish Palatinate. Its establishment will rest upon the following basis;

1. The boundaries will remain the same as heretofore; *Birkenfeld* will be included.

2. Changes in boundaries can only be made with the consent of the inhabitants of the Territory affected which must be obtained by popular referendum.

The Provisional Government of the Rhenish Republic will be conducted by Delegates selected by the undersigned Committees. Permission will be obtained at once for the holding of elections to select members of the Rhenish State Assembly. These elections will conform in all respects to those at which members of the German National Assembly were elected. The seat of Government and the place at which the State Assembly will assemble will be Coblenz. For the present the Provisional Government will be located at Wiesbaden. Provincial and local Officials will continue to perform their duties as usual until further notice. The Provisional Government of the Rhenish Republic will take the place of the Central Government of Prussia, Hesse and Bavaria respectively.

*Long live the Rhenish Republic!!*

Aachen, Mayence, Speyer, Wiesbaden, June 1st, 1919.

The Aachen Labour Committee,
The Nassau Rhenish Hessian Labour Committee,
The Wiesbaden Labour Committee.

(*Coblenzer Zeitung*, June 3rd, 1919)

The posting of this proclamation caused intense agitation among the population and they [*sic*] were at once torn down. The next day, however, it appeared that the Cabinet of the so-called Republic was as follows:—

Premier and Foreign Minister, Dr. Dorten.
Minister for Justice, Eckermann.
Minister of Education, Schoolmaster Cremer.
Minister for Finance, Dr. Liebling.

The remainder of the Cabinet were men of no importance.

The difference between the actual Cabinet and the Cabinet as announced to the American Authorities by the French is of great interest. Either the Centre Party were implicated in it but backed out as soon as they saw it was a failure, or else the French had been misinformed by Dr. Dorten. The Regierungspresident at Wiesbaden was informed by the French Military Authorities that he was to submit to the order of Dr. Dorten. The Regierungspräsident said that if he obeyed this order he would be a traitor to his own Government and asked to be relieved of his duties. This was granted and one of his officials took his place. The same afternoon a telegram was sent out from Wiesbaden over French military wires which caused considerable excitement and agitation through the whole of the Rhineland:—

'Mayence No. 11523 B. This morning Rhine Republic was proclaimed in all cities without difficulty period Provisory Government presided over by Dr. Dorten is at present installed at Wiesbaden and is obeyed period This event which ends annoying uncertitude appears fortunate to majority of the population who remain very calm period Dr. Dorten has addressed message to Marshal Foch for the Conference and to all Generals commanding Armies of Occupation for their respective Governments period'.

### Result of the Revolution

(a) *In the Rhineland.* During the next week the Rhineland became violently excited over this attempted erection of an Independent State. The Social Democrats offered the bitterest objections and demonstrations were at once organised by them. In Cologne the *Rheinische Zeitung*, which had apparently got wind of the proclamation almost before it had been put up, issued a strong appeal to the Social Democrats to take immediate steps to show their disapproval. As a result a demonstration was made in Cologne outside the Military Governor's Offices by the Social Democrats; as previous sanction had not been given by the British Military Authorities it was dispersed. This demonstration, however, was sufficient to ruin any idea of support from Cologne towards Dr. Dorten's movement. In Coblenz the railway employees threatened an immediate strike, and nearly every town of importance throughout the whole Rhineland at once sent strong telegrams of disapproval to the Government.

(b) *On the Government.* In Berlin every Official and Politician of any importance condemned the movement. Herr Kastert and Herr Kukhoff resigned from the National Assembly and the Prussian Government issued an order stating that the instigators of this attempt were guilty of high treason and should be arrested. As far as Cologne was concerned the British Military Authorities refused to allow the proclamation to have any effect in their Zone. It is believed that the same action was taken by both the American and French Authorities in their own areas.

### End of Dr. Dorten's Coup d'État

The fate of Dr. Dorten's attempt was finally sealed by a general proclamation from all political parties, which was issued on the 3rd June, headed by the signature of the Centre Party. The following morning Dr. Dorten (and his Cabinet) appeared at Wiesbaden. The French Authorities ordered the acting Regierungspresident to meet them and they were informed by the French that France would preserve a neutral attitude on purely German questions and that any action that they might take would only be in the interest of and [*sic*] maintaining public order. The acting Regierungspresident promptly escorted Dr. Dorten to the street and his ministers appear to have been mobbed by the populace. Dr. Dorten then issued a statement in which he remarked that for the present he would permit the old officials to remain in office.

### Reasons for its Failure

(1) Neither Dr. Dorten nor any of his associates had any political importance in the Rhineland. As a result of this, and especially after the instance of June 4th related above, the newspapers ceased to treat it seriously and it was finally held up to ridicule.

(2) The benevolent attitude taken up towards it by the French was sufficient to make the Rhineland mistrust it. Although the Rhinelanders might desire separation from Prussia, they did not desire to become a buffer state in the interests of the French.

(3) The attitude taken up by the British and American Authorities prevented any attempt at inducing Cologne or Coblenz to follow suit. Unless Dr. Dorten had been able to take possession of Coblenz, which was the political capital of the Rhineland, his movement was bound to fail.

### Separatist Agitation in the Palatinate

On May 21st an unsigned proclamation appeared throughout the Palatinate calling upon the citizens to form a neutral Republic with economic union with a Saar Basin. A few days later this was followed by a demonstration throughout the various big towns in the Palatinate and would appear to have been, if not instigated, at least benevolently regarded by the French. The leaders of this movement presented a petition to the Regierungspresident, Winterstein, in which they stated that General Gérard, the French General Officer commanding the French Army in the Palatinate, was in favour of the movement and would support it. The German Authorities arrested the leaders of this movement, and this was followed by the expulsion of the president by the French, whereupon the German Government made a violent protest to General Nudant, Chief of the Allied Armistice Commission. This movement did not, however, come to very much, although there is still a certain amount of agitation in the area.

### Birkenfeld

In July a movement for independence asserted itself in Birkenfeld. Birkenfeld before the revolution was an appendage of the Grand Duchy of Oldenburg. As it was entirely separated from it and completely surrounded by the Prussian Provinces of the Rhineland, it was an anomalous position.

Little importance has been given to this agitation in the Press. It appears, however, that opinion in Birkenfeld was divided as to whether they would agitate for:

(a) Union with the Saar Basin.

(b) Union with Prussia and incorporation possibly with the Rhineland.

(c) The erection of a separate Republic.

On the 17th July an Executive Committee arrived at a compromise which expressed the will to separate from Oldenburg. No decision was taken on the future status of the country, but a plebiscite was to be held in the near future.

At the present moment it appears that Oldenburg has sent a telegram to Birkenfeld inviting full discussion of the desires of Birkenfeld and expressing a hope that these will be granted and the split averted.

In the middle of July it was rumoured that there was a movement for the formation of a new republic which was to include both Hesse-Darmstadt and the Rhenish Palatinate, and President Ulrich, of Hesse-Darmstadt, was reputed to be the leader of the movement. Herr Ulrich is reported to have had a conference with General Mangin on the subject, and as a result of this, his conduct was questioned in the National Assembly. As the Government apparently took no action against Ulrich who was a Social Democrat, the Centre Press did not fail to point out that if the Government took no action on Ulrich, there was no reason that they should have threatened Dr. Froberger and the other participants in the Mangin interview at Wiesbaden with high treason.

At the present moment the whole question of independence for the Rhineland, as well as for the adjacent States, including that of Westphalia, is being discussed at a conference at Düsseldorf, which has been convened by the Imperial Government in conjunction with the Prussian Diet, and is presided over by the Prussian Diet President, Minister Hirsch. Although reports of the proceedings are not very full, it would appear that the Government have accepted in theory the granting of some measure of greater independence to the states of the various Provinces on the Rhine. The chief point of discussion at the moment appears to be the clause that no action shall be taken for two years; it is unlikely that this proviso would be adhered to.

9/8/19

ENCLOSURE 2 IN No. 104

*Notes on the Political Situation*

19/8/19

Serial No. 2

*Rhineland Republic*

The agitation on the question of the Rhineland Republic has considerably increased during the last 10 days. On Monday, August 4th, a meeting of over 300 representatives from all parts of the Rhineland was held and the following resolutions were passed:

1. A sharp protest to be made against the clause forbidding any referendum to be taken for 2 years.

2. An immediate referendum to be taken.

3. The formation of an Executive Committee which would have as its object a co-ordination of all existing bodies favouring and working for a Rhineland Republic.

The above Committee held a meeting on the 5th August and decided to commence a wide-spread propaganda. The president of this Committee is Dr. Müller, and on the Committee are also Drs. Herr Kastert and Kuckhoff. During the last week this Committee sent a telegram in the name of the Rhineland People to the Imperial Government in Weimar demanding permission to take a referendum at once.

*Dr. Dorten at Cologne*

On the 13th Dr. Dorten was arrested by the German Police in Cologne. He was detained for 1 hour and then released by order of the British Authorities. After his release there was a demonstration of hostility in front of Justizrat Weber's House at which Dr. Dorten was staying.

As Herr Weber is one of the prime movers on the Committee of Dr. Müller, the fact that Dr. Dorten was staying with Weber tends to discredit the statement of Dr. Müller that his Committee had no direct association with Dr. Dorten.

From information received today it appears that an agitation is being got up and may possibly break out in three days time in the Palatinate. Its object is to break with Prussia and to form a political and economic Union with the Saar Basin. It is also rumoured that a similar movement is being instigated at Birkenfeld with the same object. The French Authorities are rumoured to be secretly helping this movement. It is also stated (this information requires confirmation) that the 'action committee' are hoping to make use of this proposed move at Birkenfeld and the Palatinate to start an attempted *coup d'état* in the Rhineland. The American Authorities had given orders that if Dr. Dorten appears in Coblenz he is at once to be arrested.

## No. 105

*Earl Curzon to Mr. Ovey (Christiania)*

*No. 116* [*121486/2333/30*]

FOREIGN OFFICE, *August 30, 1919*

Sir,

With reference to my despatch, No. 111,[1] of the 18th instant, on the subject of Spitsbergen, I have to inform you that the Norwegian Minister called on Sir Ronald Graham on August 22nd, and held very similar language.

[1] No. 77.

2. M. Vogt stated that the Norwegian Government had learnt that if the sovereignty over Spitsbergen was bestowed on Norway, very stringent regulations and conditions would be laid down for the protection of foreign rights and interests. He considered that the Norwegian Government ought to be trusted in a matter of this kind. Indeed, they would be unwilling to accept the island if they considered that the sovereign rights of Norway over it were to be unduly restricted.[2]

3. In view of the uncertainty as to our future policy, Sir Ronald Graham's attitude was non-committal.[3]

[2] Mr. Balfour commented on the above in his despatch No. 1777 of September 9, 1919, from Paris (received September 11): 'I may say that this opinion [of M. Vogt] is by no means shared by Baron Wedel, the Norwegian Minister in Paris, who expressed the opinion that the Treaty as drawn up by the Committee of the Conference would be perfectly acceptable to the Norwegian Government. Baron Wedel has now left Paris for Norway, where he will have an opportunity of discussing the matter with the Minister for Foreign Affairs.' Under cover of the same despatch Mr. Balfour transmitted copies of the report of the Spitzbergen Commission to the Supreme Council and of the final text of the draft treaty relative to Spitzbergen. These two documents are printed in *Papers relating to the Foreign Relations of the United States: the Paris Peace Conference 1919*, vol. viii, pp. 351–63.

[3] Signature lacking on filed copy of original.

## No. 106

*Record of a meeting in Paris of the Delegates of the Great Powers on the Commission for the revision of the Treaties of 1839*

*No. 4 [Confidential/General/177/9]*

*Procès-verbal No. 4. Séance du 30 août 1919*

La séance est ouverte à 9 heures 30, sous la présidence de M. Laroche, *Président*.

*Sont présents:*

M. Fred K. Neilson (*États-Unis d'Amérique*); l'Honorable Charles Tufton (*Empire britannique*); MM. Laroche et Tirman (*France*); M. Tosti et le Professeur D. Anzilotti (*Italie*); le Professeur Hayashi et le Colonel Nagai (*Japon*).

*Assistent également à la séance:*

Le Colonel Embick et le Capitaine de corvette Capehart (*États-Unis d'Amérique*), le Capitaine de vaisseau Fuller, le Lieut[t]-Colonel Twiss, le Capitaine de frégate Macnamara et M. Bland (*Empire britannique*); le Capitaine de vaisseau Le Vavasseur, le Lieut[t]-Colonel Réquin et M. de Saint-Quentin (*France*); le Capitaine de corvette Ruspoli et le Major Pergolani (*Italie*); M. Tani (*Japon*).

LE PRÉSIDENT. Messieurs, vous avez tous reçu le rapport des experts militaires[1] et vous en avez pris connaissance; nous allons lire ce document et je demanderai aux différentes Délégations de vouloir bien nous faire part des observations qu'elles croiront devoir présenter.

*Rapport des experts militaires et navals.*

Je tiens tout d'abord à remercier MM. les Experts militaires et navals du travail qu'ils nous ont remis, qui est fort intéressant et répond parfaitement à ce que nous attendions d'eux.

*On donne lecture du préambule du rapport:*

Conformément à la décision prise par la Commission le 22 août,[2] la Sous-Commission des experts militaires et navals s'est réunie les 25 et 26 août[3] pour examiner les garanties militaires demandées par la Belgique.

Elle avait pour mission, non de rechercher une solution unique pour chacune des questions portées à son examen, mais les différentes solutions que cet examen suggérait à ses membres.

La Sous-Commission a l'honneur de soumettre ces solutions à la Commission. Elles visent les trois questions:

1° De l'Escaut et de la Flandre hollandaise;

2° Du port d'Anvers;

3° De la défense de la Meuse et du Limbourg hollandais.

Cette dernière question a fait l'objet d'un long examen et la Sous-Commission a jugé utile d'exposer dans une note jointe au présent rapport tous les aspects du problème envisagé du point de vue militaire international. Mais elle a émis le vœu que cette note, où les opinions se sont exprimées en toute franchise, reste strictement confidentielle et pour l'information des Délégués des cinq principales Puissances alliées et associées à la Commission de revision des Traités de 1839.

LE PRÉSIDENT. Je partage absolument l'opinion des experts quant au vœu qu'ils formulent ici; il est bien entendu que tout ce qui est dans ce rapport sera strictement confidentiel et ne fera l'objet d'aucune publication. Je crois, cependant, que nous pourrons être amenés à en communiquer les termes au Conseil Suprême dans les mêmes conditions de secret et en appelant son attention sur la nécessité de conserver à ce rapport son caractère confidentiel.

*On donne lecture du chapitre 'Escaut et Flandre hollandaise'.*

I

*Escaut et Flandre hollandaise*

La Sous-Commission militaire et navale des Puissances alliées et associées a examiné la demande de la Délégation belge tendant à obtenir le droit d'utiliser l'Escaut et la Flandre hollandaise pour les besoins de la défense de la Belgique en temps de guerre.

Elle a considéré:

a) *Que si la Hollande fait partie de la Société des Nations*, les articles 16 et 17

---

[1] See below.    [2] See No. 86.    [3] See Nos. 93 and 95.

365

du Pacte donnent satisfaction à la demande belge, en cas de guerre provoquée soit par un État en rupture de pacte, soit par un État extérieur à la Société.

2° Toute convention préalable serait sans objet si l'on envisageait un conflit mettant aux prises la Belgique et la Hollande à l'intérieur de la Société, puisque la question serait réglée par les armes.

Le Président. Pourquoi les experts estiment-ils qu'il n'est pas utile de prévoir une convention entre la Belgique et la Hollande si les deux États font partie de la Société des Nations? Est-ce parce qu'il n'y a pas, comme dans la question du Limbourg, une situation tout à fait spéciale et à laquelle il importe de remédier d'urgence, et pense-t-on qu'en cas de guerre, les accords pourraient être conclus assez à temps pour pouvoir se développer utilement?

Le Lieut^t.-Colonel Réquin (France). C'est, en effet, parce que l'urgence est infiniment moindre. L'utilisation d'un territoire en dehors du champ de bataille est une question de voies de communication.

Le Président. Je crois qu'il sera bon, dans notre rapport au Conseil Suprême, de préciser ce point, qui mettra encore davantage en relief la nécessité d'un accord concernant le Limbourg en raison de la différence de situation. C'est le grand argument que nous ferons valoir auprès des Hollandais; nous ne demandons pas un accord, leur dirons-nous, là où ce n'est pas nécessaire et si nous demandons aux deux parties de conclure un accord à propos du Limbourg, c'est uniquement parce que nous sommes là en présence d'une situation tout à fait exceptionnelle.

*On continue la lecture:*

*b) Que si la Hollande ne faisait pas partie de ladite Société*, dans toute guerre où la Hollande n'entrerait pas aux côtés de la Belgique, c'est encore dans la fermeture de l'Escaut aux marines militaires belligérantes que la Belgique trouverait la meilleure garantie contre les entreprises maritimes de l'adversaire, ainsi que l'a établi l'expérience de la dernière guerre.

Je demanderai aux experts de vouloir bien, pour le Conseil Suprême, développer un peu ce point de vue.

Ils nous ont montré, en effet, en séance, pourquoi et comment, dans la dernière guerre, la neutralité de l'Escaut avait, en somme, tourné à l'avantage de la Belgique, mais j'aimerais à voir appuyer cet axiome d'une courte démonstration.

L'objection qu'on nous fera est la suivante: la guerre a duré, dira-t-on, et par suite la neutralité de l'Escaut a fini par tourner à l'avantage des Puissances alliées et associées, en empêchant les Allemands d'établir une base maritime à Anvers; cependant, si la flotte anglaise avait pu arriver tout de suite à Anvers, n'aurait-elle pas rétabli tout de suite la situation et changé la face des choses pour la Belgique?

Une démonstration des experts établirait l'erreur de cette opinion que je ne me sens pas qualifié pour redresser moi-même.

Les experts feront vraisemblablement valoir qu'à l'avenir la situation ne se présentera plus sans doute comme elle aurait pu se présenter en 1914 et que l'on tirera parti des expériences de la dernière guerre: c'est là ce que je voudrais les voir exposer. A cet effet, je leur demanderai de vouloir bien se réunir encore une fois pour préparer cette courte démonstration.

LE CAPITAINE DE VAISSEAU LE VAVASSEUR (*France*). — Il est bien entendu que nous envisagerons surtout l'avenir, n'est-ce pas, et non plus le passé. Si vous vous en souvenez, en effet, lorsque, en présence de M. Tardieu, nous avons examiné la question, le Général Le Rond avait, au point de vue militaire, exposé des idées contraires aux miennes et déclaré que si l'Escaut avait été libre et si les Alliés avaient pu se servir de la Flandre néerlandaise, il aurait été possible de sauver Anvers.

Au point de vue naval, le Commandant Fuller a développé une autre opinion que j'ai appuyée: pour nous, l'action d'une flotte, au début, disions-nous, n'avait aucune importance; par la suite, au contraire, si les Allemands avaient pu utiliser le port d'Anvers comme base maritime, ils y eussent été plus solidement établis qu'à Ostende et à Zeebrugge.

La thèse que je soutenais était la suivante: au moment de la retraite de la Marne, on ne pouvait disposer de troupes en assez grand nombre pour les transporter à Anvers et occuper la ville et la défendre; il ne se posait pas seulement, en effet, une question de transports, mais aussi une question d'effectifs. Le Général Le Rond, vous vous en souvenez, était d'un avis opposé.

Il faut donc étudier cette question pour l'avenir, à la lumière des faits de 1914 et en tenant compte, d'autre part, de l'intervention de la Société des Nations.

LE PRÉSIDENT. C'est là l'esprit du rapport supplémentaire que nous demanderions au Sous-Comité militaire et naval.

LE CAPITAINE DE VAISSEAU FULLER (*Empire britannique*). — J'ajouterai que même s'il avait été possible, à ce moment, de transporter des troupes à Anvers, l'Angleterre n'aurait pu appuyer cette action. On doit supposer que l'assaillant, quand il attaque, est prêt et dispose de tous ses moyens. Nous devions donc supposer que l'Allemagne était prête à arrêter tous les mouvements par mer à l'aide de ses sous-marins: ainsi, la chose aurait été impossible pour nous.

LE PRÉSIDENT. Nous sommes d'accord. Ce que je demande aux experts c'est une courte démonstration répondant à l'objection qui sera très probablement faite par le Conseil Suprême et en tous cas par les Belges. Ces derniers voient dans l'utilisation de l'Escaut au point de vue militaire un article de foi. Ils sont persuadés qu'en 1914 ils auraient été sauvés par la flotte anglaise et qu'ils le seraient dans l'avenir: il faut leur montrer qu'ils se trompent et que leur intérêt n'est pas de réclamer cette liberté de l'Escaut au point de vue militaire; il faudra aussi faire accepter cette idée par l'opinion belge.

Il faudrait aussi, en passant, montrer les difficultés inextricables que l'on rencontrerait pour faire respecter la neutralité du reste du territoire hollandais et éviter des dommages à ce territoire: on conçoit mal une bataille se livrant dans un fleuve dont les deux rives sont neutres.

Le Capitaine de vaisseau Le Vavasseur (*France*). Il n'y a d'ailleurs peut-être pas intérêt à maintenir la dernière phrase 'ainsi que l'a établi l'expérience de la dernière guerre', étant donné que les militaires peuvent avoir, au point de vue militaire, des idées différentes.

Le Président. On peut supprimer cette partie de phrase, mais ce que je tiens à demander surtout aux experts, c'est une justification de notre opinion. Nous nous heurtons à un axiome, à une fausse vérité répandue dans le public belge. Comme tout le monde, lorsque j'ai entendu la démonstration qui nous a été faite j'ai marqué quelque étonnement; elle est surprenante pour les profanes; il faut donc la justifier; d'autant que nous serons probablement amenés à conseiller aux Belges d'entreprendre une campagne dans leur presse pour préparer l'opinion à certaines choses.

Le Capitaine de vaisseau Le Vavasseur. A une réunion précédente, le Délégué américain avait observé qu'au point de vue international toute autre solution était également inacceptable.

Le Président. On ne voit certes pas comment faire respecter la neutralité de la Hollande sans faire respecter celle de la Belgique.

*On continue la lecture:*
La Sous-Commission émet donc l'avis:

*a*) Qu'il n'y a pas lieu d'envisager l'utilisation par la Belgique du territoire de la Flandre hollandaise pour sa défense propre en temps de guerre, hors les cas visés aux articles 16 et 17 du Pacte de la Société des Nations.

*b*) Qu'il n'y a pas lieu de modifier la disposition en vertu de laquelle l'Escaut reste fermé en temps de guerre à toute marine militaire belligérante, étant bien entendu que si la Hollande fait partie de la Société des Nations, les articles 16 et 17 du Pacte jouent pour l'Escaut comme pour toute autre partie du territoire des États membres de la Société et donnent précisément satisfaction à la demande belge dans le cas visé par elle: celui d'une agression de l'Allemagne contre la Société des Nations.

Le Président. Je propose d'adopter cette première partie du rapport, en supprimant la phrase: '. . .[4] ainsi que l'a établi l'expérience de la dernière guerre . . .'[4] qui sera remplacée par une courte explication annexe. (*Adopté.*)
*On continue la lecture:*

## II

### Port d'Anvers

*Port d'Anvers.*           (Art. 14 du Traité de 1839)

La Sous-Commission militaire et navale des grandes Puissances alliées et associées a examiné la demande de la Délégation belge tendant à l'abolition de l'article 14 du Traité de 1839, qui interdit de faire d'Anvers un port militaire.

Elle a considéré la situation qui résulterait de l'abolition de cette servi-

---

[4] Punctuation as in original.

tude, en tenant compte de la fermeture de l'Escaut aux marines de guerre belligérantes dans une guerre où la Hollande resterait neutre.

La Sous-Commission a estimé que le droit de faire d'Anvers un port de guerre:

a) *Au point de vue belge:*

1° Donnerait au peuple belge une satisfaction morale que les Puissances ne peuvent lui refuser, puisque le Délégué hollandais lui-même a déclaré que si les grandes Puissances étaient consentantes, la Hollande ne ferait aucune objection à l'abolition de l'article 14;

2° Permettrait à la Belgique d'avoir une base d'opérations maritimes utilisable dans une guerre où la Hollande serait impliquée à ses côtés;

3° Faciliterait dans tous les cas, la constitution, en temps de paix, d'une marine de guerre belge dont les unités, si un conflit éclatait, n'impliquant pas l'ouverture de l'Escaut aux belligérants, pourraient sortir d'Anvers, soit par l'Escaut, avant la déclaration de guerre, pour se joindre à des marines alliées, soit par des communications intérieures reliant Anvers à Bruges et Zeebrugge ou à Ostende.

b) *Au point de vue général:*

Donnerait à la Société des Nations une base navale utile en cas de conflit, imposant à la Hollande, membre de ladite Société, les obligations prévues aux articles 16 et 17 du Pacte.

En conséquence, la Sous-Commission est d'avis que l'article 14 du Traité de 1839 peut être aboli.

Le Capitaine de vaisseau Le Vavasseur (*France*). Est-ce que ceci pose sans discussion le principe que des bâtiments de guerre belges peuvent remonter l'Escaut en temps de paix sans rien demander à la Hollande?

Le Président. A mon avis, certainement. Je trouve même qu'il conviendrait de le spécifier.

Le Capitaine de vaisseau Le Vavasseur. C'est ce que je voulais demander.

Le Président. La Hollande a accepté que, si les grandes Puissances y consentent, Anvers puisse devenir un port de guerre; à moins de se mettre en contradiction avec elle-même, elle est forcée d'admettre que les navires de guerre belges pourront remonter l'Escaut jusqu'à Anvers en temps de paix, ces navires ne s'arrêtant en route qu'en cas de force majeure.

Le Capitaine de vaisseau Fuller (*Empire britannique*). La Belgique devra demander à la Hollande l'autorisation de faire passer les bateaux belges dans les eaux hollandaises; c'est une habitude internationale.

Le Président. Nous pourrions proposer cette formule:

En conséquence, en temps de paix, la Hollande donnera toutes autorisations nécessaires aux bâtiments de guerre belges pour remonter l'Escaut jusqu'à Anvers, étant entendu qu'ils ne s'arrêteront en route qu'en cas de force majeure.

LE CAPITAINE DE VAISSEAU FULLER. Je ne crois pas qu'il soit nécessaire de rien changer au régime actuellement en vigueur pour la circulation dans les eaux territoriales d'un État.

LE PRÉSIDENT. Je ne partage pas cette opinion, car nous devons être conséquents avec nous-mêmes. Je ne demande pas que l'on établisse, pour la Belgique, le droit de passer sans autorisation préalable, mais je crois que nous devons prévoir que la Hollande lui donnera cette autorisation. C'est là une suggestion que les grandes Puissances, tutrices morales de la Belgique, ne peuvent se dispenser de présenter à la Hollande; si ce dernier État la juge excessive, il la repoussera.

Je rappelle, cependant, que les Pays-Bas ont consenti à ce qu'Anvers devienne port de guerre; ils iront peut-être très loin dans la voie des concessions; pourquoi forclore nous-même les demandes belges?

Si nous disions:

> . . . La[4] Hollande s'entendra avec la Belgique en vue des autorisations à accorder aux navires de guerre belges qui remonteront l'Escaut . . .[4]

cette formule réserverait le droit de la Hollande, mais au moins nous prévoirions qu'en temps de paix les bateaux de guerre belges pourront remonter l'Escaut avec l'autorisation de la Hollande et nous ne ferions pas d'Anvers un port complètement bouché. C'est là un vœu auquel la Hollande déférera peut-être volontiers et qui facilitera notre négociation avec la Belgique.

LE CAPITAINE DE VAISSEAU LE VAVASSEUR (*France*). Il faudrait aussi prévoir des formalités simplifiées et telles que chaque fois qu'une chaloupe à vapeur belge remonterait ou descendrait l'Escaut, il ne fût pas nécessaire que Bruxelles demandât l'autorisation à La Haye.

LE CAPITAINE DE VAISSEAU FULLER. On pourrait prévoir que la Belgique pourra faire passer deux navires de guerre à la fois et avoir un certain nombre de bateaux; mais je crois que nous devons rester fermes pour le maintien du principe général en ce qui concerne les eaux territoriales; sans cela, la situation pourrait être retournée; la Hollande, à qui on demande la porte ouverte au Sud, pourrait dire: 'Pourquoi n'aurais-je pas la porte ouverte à mon profit, au Nord, du côté de l'Allemagne?'

LE PRÉSIDENT. Nous admettons qu'il y ait des navires de guerre belges à Anvers; cela comporte certaines conséquences; il serait choquant qu'une telle situation se traduisît par la nécessité de demander une autorisation de passage pour la moindre chaloupe à vapeur.

Nous maintenons le principe que la Hollande est maîtresse de fermer ses eaux aux navires de guerre, mais nous ajoutons qu'une entente interviendra entre elle et la Belgique pour régler les conditions dans lesquelles les autorisations seront délivrées aux navires de guerre belges, en temps de paix, en vue d'atteindre le port d'Anvers. Comme nous subordonnons tout cela à une entente, je ne vois pas ce que la Hollande pourrait objecter et nous éviterions ainsi des petites taquineries possibles.

M. NEILSON (*États-Unis d'Amérique*). Je trouve excellente la proposition de M. le Président; il vaut mieux dire quelque chose de précis que de rester dans le vague et de permettre à toutes les controverses et à toutes les discussions de s'élever.

Le Président. Nous considérons donc que cette partie du rapport est adoptée avec une addition dans le sens que j'ai indiqué.

Le Capitaine de vaisseau Fuller (*Empire britannique*). Je désire maintenir ma réserve: nous pourrons revenir sur cette question au cours d'une séance ultérieure.

M. Tosti (*Italie*). La Délégation italienne donne son adhésion à la formule proposée par M. le Président, mais en soulignant que cette acceptation n'implique pas la possibilité d'une dérogation aux règles du droit international relatives à la situation juridique des eaux territoriales.

Le Président. Vous avez raison. Nous y insisterions en disant:

. . . en[4] raison de la situation tout à fait spéciale. . . .[4]

Du reste, ma formule ne va pas à l'encontre du droit international en matière d'eaux territoriales, puisqu'elle reconnaît que les navires de guerre belges ne peuvent pénétrer dans l'Escaut hollandais sans une autorisation de la Hollande; nous reconnaissons donc le droit de la Hollande: la seule chose que nous lui demandons est de se prêter à un règlement rapide des formalités.

*On continue la lecture du rapport:*

Question de la
défense de la
Meuse et du
Limbourg.

### III

### Question de la défense de la Meuse et du Limbourg

La Sous-Commission ayant été invitée à rechercher plusieurs solutions de la question de la défense de la Meuse et du Limbourg, propose:

*a.* Si la Hollande est Membre de la Société des Nations:

Accord militaire à établir entre la Belgique et la Hollande par les soins de la Société des Nations et en conformité de son pacte.

*b.* Si la Hollande n'est pas Membre de la Société des Nations:

#### 1re Solution, *proposée par tous les Membres de la Sous-Commission.*

Accord militaire entre la Hollande et la Belgique visant exclusivement le cas de violation du territoire hollandais, que le Gouvernement des Pays-Bas déclare considérer comme un *casus belli.*

#### 2e Solution, *suggérée par les Délégués de la France et de l'Italie.*

Accord militaire entre la Hollande et les Puissances occupantes du territoire rhénan en vue de lier éventuellement la défense de la Meuse hollandaise au système de défense desdites Puissances pendant le temps où elles jugeront nécessaire d'occuper et dans tous les cas où elles estimeraient nécessaire de réoccuper tout ou partie du territoire rhénan comme garantie contre une agression possible de l'Allemagne.

Le Président. Je crois que, avant de discuter ce texte, il y aurait lieu de lire toute la note qui l'éclaire. (*Assentiment.*)

*On continue la lecture:*

La Sous-Commission a reconnu indispensable que la Belgique puisse défendre la ligne de la Meuse contre l'Allemagne jusqu'à ce que ses Alliés lui viennent en aide, afin d'empêcher l'ennemi d'envahir son territoire comme il a pu le faire en 1914.

Elle a estimé que si l'on envisage une offensive allemande sur la Meuse, dans le cadre d'une guerre dirigée contre les grandes Puissances occidentales, France et Angleterre, le tracé de la nouvelle frontière française rendrait plus probable une violation, non seulement de la Belgique, mais aussi de la Hollande.

Le PRÉSIDENT. Cela n'est contesté par personne; en effet, à mesure que la frontière se renforce vers le Sud, elle devient plus vulnérable et plus exposée du côté du Nord. Après 1871, nous avons établi un réseau considérable de places fortes en face de l'Allemagne; c'est pour cette raison qu'elle a été amenée à violer la Belgique, afin de trouver le point où, par loyauté envers notre voisine et par respect des Traités, nous n'avions rien préparé.

Si je rappelle ce fait, c'est qu'il me paraît dominer tout le débat. Plus nous renforcerons la défense militaire, moins l'Allemagne cherchera à violer de nouveau une neutralité dans l'avenir: si notre frontière du Nord avait été défendue, si la frontière belge avait été plus puissamment protégée qu'elle ne l'était, surtout si on avait pu croire que l'armée belge était un instrument militaire de premier ordre, l'Allemagne y aurait regardé à deux fois avant de chercher à traverser la Belgique. Actuellement, la frontière belge est particulièrement désignée aux coups de l'Allemagne: il s'agit de la rendre moins vulnérable, afin que l'Allemagne hésite davantage à l'attaquer.

*On continue la lecture:*

Il est possible que l'Allemagne ne désire pas — notamment au point de vue maritime — avoir la Hollande pour ennemie. Cependant, la nécessité militaire pourrait la conduire à violer le territoire hollandais. L'avantage qu'elle escompterait retirer de l'extension de son front de déploiement en Hollande pourraient l'emporter sur les inconvénients qui en résulteraient. Tel pourrait être le cas, par exemple, si une alliance avec la Russie (dont les ressources sont susceptibles d'être ultérieurement développées) donnait à l'Allemagne, au point de vue de son ravitaillement, une indépendance vis-à-vis de la Hollande, qu'elle n'avait pas dans la dernière guerre.

La menace que constitue pour la Belgique une violation éventuelle par l'Allemagne du territoire hollandais est telle que les Belges sont fondés à souhaiter vivement voir la Hollande prendre toutes précautions pour écarter le danger.

D'autre part, l'écrasement de la Belgique présenterait un danger non moins sérieux pour la Hollande qui ne manquerait pas à son tour d'être absorbée par l'Allemagne. On peut dire à ce sujet que si la Grande-Bretagne, au lieu de déclarer la guerre à l'Allemagne en 1914, avait permis à cette dernière d'écraser la France, elle aurait subi plus tard inévitablement le même sort.

Il est donc de l'intérêt, tant de la Belgique que de la Hollande, de s'entendre pour défendre énergiquement la ligne de la Meuse. Cette question a d'ailleurs une importance presque égale pour la France et pour la Grande-Bretagne.

Le Président. Cette première partie me semble poser parfaitement le problème et motiver avec beaucoup de force les propositions qui vont suivre; c'est la justification claire de l'intervention que nous sommes amenés à faire pour demander à la Hollande de prendre certaines précautions en vue de la défense de la frontière de la Meuse et du Limbourg. Il va de soi qu'en présentant nos demandes à la Hollande, nous ne le ferons pas sous cette forme; nous nous efforcerons de lui donner des motifs sans mettre en avant de façon aussi précise les plans possibles de l'Allemagne; néanmoins, il sera bon de conserver le fond même des arguments contenus dans ce rapport. Ce sera une question de formules à trouver pour ne pas blesser un neutre tout en lui démontrant le bien-fondé de nos demandes.

*On continue la lecture:*

La Sous-Commission a jugé nécessaire d'envisager les deux cas suivants:

*1er cas. — La Hollande et la Belgique sont toutes deux membres de la Société des Nations:*

Les Délégués de la Grande-Bretagne, des États-Unis et du Japon estiment que, dans ce cas, les articles 16 et 17 du Pacte règlent la question dans *son principe*. Mais comme rien ne s'improvise au combat, ils estiment néanmoins essentiel qu'un accord militaire soit établi par les soins de la Société des Nations entre la Belgique et la Hollande.

Les Délégués de l'Italie et de la France ajoutent que cet accord pourrait d'ailleurs résulter: soit d'un examen par la Commission permanente militaire de la Société des Nations, constituée en vertu de l'article 9 du Pacte;

soit d'une entente régionale telle que l'article 21 du Pacte en prévoit et les autorise lorsqu'elles ont pour but d'assurer le maintien de la paix.

Le Président. J'ai lu avec attention le compte rendu des discussions du Sous-Comité; j'ai apprécié les raisons pour lesquelles certains Délégués, celui des Etats-Unis notamment, n'ont pas jugé possible de prévoir, avec autant de précision que leurs collègues italiens et français, l'intervention du Comité militaire de la Société des Nations.

A mon sens, ceci n'offre pas un intérêt immédiat et dans les suggestions que nous ferons à la Hollande, tout ou au moins au début, je pense qu'il suffirait de nous en tenir à la première formule, celle d'un accord militaire établi par les soins de la Société des Nations. Les détails de cet accord pourraient être examinés ultérieurement et nous pourrions indiquer verbalement aux Délégués belges et hollandais, s'ils s'entendent déjà sur ce point, qu'il y aurait peut-être intérêt à ce que ce soit la Commission permanente militaire de la Société des Nations qui intervienne: cela pourrait faire l'objet d'une entente en vue d'accords futurs à conclure dans ce sens.

Pour ces raisons, je crois qu'il y a, dans la proposition des experts italiens et français, une suggestion utile pour l'avenir, mais que nous pouvons faire l'accord entre nous sans entrer dans ce détail — qui devra néanmoins être soumis au Conseil Suprême.

Le Lieut<sup>t</sup>-Colonel Réquin (*France*). Je partage entièrement l'opinion de M. le Président; mais voici pourquoi j'avais fait cette suggestion.

Il m'est apparu que, d'après le Pacte de la Société des Nations, on pouvait trouver deux procédures.

La première consisterait à laisser examiner la question par l'organe consultatif du Comité militaire permanent et à aboutir ensuite à un accord des Gouvernements;

La seconde consisterait à faire un accord régional tel que le prévoit l'article 21.

J'ai tenu à indiquer ces deux solutions, parce que je ne sais pas encore ce que sera cette Commission militaire permanente et parce qu'on ne semble pas vouloir la constituer rapidement ni lui donner beaucoup de pouvoir; c'est la brume qui enveloppe le fonctionnement futur de cette Commission qui me faisait suggérer la solution un peu plus précise prévue dans l'article 21.

De toutes façons, si l'accord est à établir par la Société des Nations, cela indique déjà qu'il doit y avoir un accord.

Je voudrais faire à ce propos une remarque d'ordre général: les grandes Puissances ont estimé que, pour leur propre sécurité, le fonctionnement immédiat de la Société des Nations ne leur donnait pas des garanties suffisantes et qu'il y a une expérience à faire à ce sujet; il leur est pénible de dire aux petites Puissances, plus menacées encore, qu'en ce qui les concerne: 'la Société des Nations pourvoira à tout.' C'est pourquoi, j'ai cherché une précision.

Le Président. Je crois que, dans nos premiers entretiens avec la Belgique et la Hollande, il sera utile de nous en tenir à des généralités; nous leur dirons que nous estimons essentiel un accord établi entre elles par les soins de la Société des Nations; lorsque la Hollande aura accepté ce principe, nous pourrons lui suggérer des modalités à intervenir dans le Traité. Dans ces conditions, il vaut mieux s'en tenir à un principe aussi vague que possible, du moment qu'il est susceptible de nous donner satisfaction dans l'application.

Nous passons alors à la seconde hypothèse que nous devons envisager également, celle où la Belgique est membre de la Société des Nations et où la Hollande n'en fait pas partie. Il est d'ailleurs possible que la Hollande en fasse partie; mais nous sommes obligés de lui dire qu'il faut envisager le cas soit où elle ne ferait pas partie de la Société des Nations, soit où elle en sortirait. Comme nous voulons un traité durable, nous devons envisager toutes les hypothèses: c'est ce que nous dirons à la Hollande en lui démontrant la nécessité d'envisager les différents cas qui peuvent se présenter.

*On continue la lecture:*

*2<sup>e</sup> cas. — La Belgique est membre de la Société des Nations et la Hollande n'en fait pas partie.*

M. Van Swinderen nous a donné l'assurance formelle que toute violation du territoire hollandais serait considérée comme un *casus belli* et que le

Limbourg ferait l'objet d'une défense *locale*. Cette déclaration est extrêmement importante, parce qu'elle offre un terrain d'entente possible, mais elle est insuffisante par elle-même.

Le Limbourg méridional, en effet, n'est pas militairement défendable par des troupes prenant leurs communications en Hollande, c'est-à-dire exposées à être coupées de leur pays en quelques heures. La défense du Limbourg ne peut se concevoir avec chances de succès que par des troupes ayant leurs communications assurées vers l'Ouest, c'est-à-dire en territoire belge. Cette seule évidence montre qu'un accord est indispensable entre les deux pays directement intéressés. Il est donc nécessaire que la Hollande adopte des mesures militaires permettant;

d'une part, de gagner le temps nécessaire au déploiement des forces belges ou alliées sur la Meuse;

d'autre part, de couvrir l'aile gauche de l'armée belge ou des armées alliées contre une attaque allemande se développant en territoire hollandais.

Le Président. Il est bien entendu que lorsque nous parlerons aux Hollandais, nous ne prononcerons pas le mot 'allemand', bien que le danger soit évidemment de ce côté.

La démonstration faite par la Sous-Comité me paraît répondre à tout; elle établit de la façon la plus nette pourquoi il est nécessaire qu'un accord soit conclu préalablement entre la Belgique et la Hollande.

Je me demande d'ailleurs s'il ne conviendrait pas que la démonstration que font ici les experts fût placée en tête de l'exposé des deux cas envisagés par le Sous-Comité, car elle justifie également la nécessité d'un accord dans le sein de la Société des Nations; en effet, même si la Hollande faisait partie de la Société des Nations, elle pourrait objecter, à un moment donné, qu'on ne lui a pas demandé de conclure un accord. Je déplacerais donc toute cette démonstration pour la faire figurer en tête de tout ce paragraphe; elle exposerait la nécessité d'un accord entre Hollande et Belgique pour la défense de la Meuse et du Limbourg, soit dans le cas où la Hollande ne ferait pas partie de la Société des Nations, soit dans le cas où elle en ferait partie.

*On continue la lecture:*

L'accord militaire à réaliser devrait être basé sur les données suivantes: *a)* La Hollande maintiendrait dans le Limbourg des forces suffisantes et y construirait les défenses *modernes* qui permettraient à ses troupes de résister efficacement à une invasion allemande en gagnant le temps nécessaire aux Belges pour occuper la ligne de la Meuse. Les Belges prendraient alors la responsabilité de défendre cette ligne jusqu'à la frontière hollandaise.

Un tel accord n'impliquerait nullement l'emploi des forces belges en territoire hollandais avant une déclaration de guerre de la Hollande à l'Allemagne, mais ces forces pourraient ensuite y être employées, le cas échéant.

La Hollande s'engagerait à tenir fortement la ligne de la Meuse au Nord de la province du Limbourg de manière à prolonger la défense belge. La Sous-Commission reconnaît que cette mesure serait de nature à apporter quelques modifications au plan du Haut Commandement hollandais mais elle estime qu'elle n'en changerait pas les bases essentielles et qu'elle est nécessaire si l'on veut assurer en toute hypothèse la protection du territoire et de l'armée belges.

Au surplus, et pour répondre à une objection du Délégué hollandais devant la Commission, la Sous-Commission militaire et navale estime qu'il ne s'agit pas de *subordonner* le système de défense hollandais au système belge mais *de lier* le premier au second. Elle est d'avis que cette liaison se justifie par la déclaration du Conseil Suprême du 8 mars aux termes de laquelle le but de la revision du Traité de 1839 est de supprimer les *risques* qu'il a créés pour la Belgique et la paix générale, et par l'esprit de solidarité que doit créer le Pacte de la Société des Nations entre chacun de ses membres.

La Sous-Commission espère qu'un tel accord, qui lui paraît répondre aux vœux de la Belgique, serait acceptable par la Hollande, attendu qu'elle y trouverait des avantages sérieux au point de vue de la sécurité nationale, de ses bonnes relations avec la Belgique et avec les autres membres de la Société des Nations.

Cette convention n'entraînerait aucune violation du territoire de la Hollande, ni en temps de paix, ni en temps de guerre, par la Belgique ou par ses Alliés. Dans le cas seulement où les ennemis de la Belgique porteraient atteinte à la neutralité hollandaise, les mesures prises d'un commun accord par la Belgique et la Hollande permettraient à cette dernière *de réaliser dans des conditions favorables son intention actuellement irréalisable de résister à tout agresseur.*

LE PRÉSIDENT. Cette lecture que nous venons de poursuivre me convainc encore davantage de mettre toute cette seconde partie en tête de la démonstration. On commencerait par exposer pourquoi le Limbourg n'est pas défendable par la Hollande seule. On indiquerait ensuite les possibilités et les conséquences d'une agression allemande. On exposerait enfin les conditions que devrait remplir un accord militaire destiné à protéger la Belgique.

Cela fait, on dirait: il faut défendre le Limbourg et, à cet effet, il faut prendre telles et telles dispositions; il faut un accord qui doit prévoir telles et telles choses.

On envisagerait alors les deux cas: le premier, où les deux États font partie de la Société des Nations: ils s'entendent pour conclure un accord militaire reposant sur les bases indiquées; le second, où la Hollande ne fait pas partie de la Société des Nations: un accord est nécessaire, même en ce cas, car les mesures militaires à prendre seront exactement les mêmes.

C'est là une simple question de forme qui ne change rien au fond.

*Rapport au Conseil suprême.* Si personne n'a d'observations à présenter, nous pouvons considérer que ce rapport est adopté au fond et, si la Commission y consent, je préparerai, pour le Conseil Suprême, un rapport que nous pourrons examiner dans une prochaine séance. (*Assentiment.*)

M. Neilson (*États-Unis d'Amérique*). Je désire réserver mon opinion en ce qui concerne la référence que l'on fait ici à la Société des Nations.

Nous avons considéré la défense de Limbourg et certaines questions économiques. Le Délégué des Pays-Bas a déclaré que la Hollande défendra le Limbourg et il a dit que les Pays-Bas entameront des négociations sur les questions économiques.

Je voudrais maintenant éclaircir un point particulier. Aux termes du projet militaire qui nous est soumis, si le Limbourg était attaqué en vue d'atteindre la Belgique dans un endroit où ce pays tout entier serait exposé à l'invasion dans le cas où l'attaque réussirait, la Hollande serait obligée de venir en aide à la Belgique. Si l'on attaquait la Hollande seule, soit en Limbourg, soit, ce qui serait plus probable, dans quelque autre endroit d'où il serait plus facile d'envahir la Hollande, la Belgique serait-elle obligée de venir au secours de la Hollande? Si la Belgique n'était pas soumise à cette obligation, la Hollande aurait-elle lieu de se plaindre que l'accord manquât de réciprocité?

Le Lieut^T-Colonel Twiss (*Empire britannique*). Le seul fait que la Belgique est attaquée n'entraînera pas pour la Hollande l'obligation de venir au secours de la Belgique; cette aide sera prévue seulement pour le cas où la neutralité de la Hollande serait violée au cours d'une attaque contre la Belgique.

Le Président. En d'autres termes, il n'y a pas de réciprocité, il n'y a pas alliance militaire. Si l'Allemagne attaque la Belgique au Sud du Limbourg, la Hollande n'est pas tenue d'intervenir; si l'Allemagne attaque la Hollande au Nord du Limbourg, la Belgique n'est pas tenue d'intervenir; c'est dans le cas d'une attaque allemande contre le Limbourg que joue cette sorte de garantie mutuelle, et seulement si les deux États ou l'un d'entre eux ne font pas partie de la Société des Nations; si tous les deux font partie de la Société des Nations, il y a solidarité dans le sein de la Société des Nations.

Voici en réalité ce qu'on veut dire ici. Quand on attaque la Hollande par le Limbourg, ce n'est pas, en réalité, la Hollande que l'on vise, mais la Belgique. Si la Hollande disait qu'elle ne défendra pas le Limbourg, nous aurions l'air de lui imposer une obligation; mais elle dit qu'elle défendra le Limbourg. Dans ce cas, répondons-nous, il faut prévoir les moyens nécessaires à cette défense et l'entente que nous suggérons avec la Belgique n'est qu'un moyen pratique de défendre le Limbourg, que la Hollande ne pourrait défendre toute seule, quelle que soit sa bonne volonté.

La Belgique, pour se défendre elle-même, aide la Hollande à défendre le Limbourg. De son côté, la Hollande, en défendant le Limbourg, défend la Belgique. La Belgique et la Hollande ne prennent pas d'engagements réciproques, mais elles sont militairement solidaires.

M. Neilson (*États-Unis d'Amérique*). Nous ignorons si la Hollande soulèvera ce point; il est donc inutile d'y insister. Je voudrais maintenant poser une autre question.

La Russie a fait de grands sacrifices pendant la guerre. Peut-être nous sera-t-il facile d'indiquer notre point de vue sans faire mention de la Russie?

Le Colonel Nagai (*Japon*). J'appuie la proposition du Délégué américain.

LE PRÉSIDENT. En ce qui concerne la Russie, nous serons d'accord; mais pour ce qui est de l'Allemagne, cela semble plus difficile. A moins d'employer une périphrase à chaque ligne du rapport, pour ainsi dire, on ne voit pas comment exposer les dangers que court la Hollande sur sa frontière de l'Est sans parler de l'Allemagne: ce ne peut être que l'Allemagne qui l'attaquera.

Nous serons complètement d'accord pour ne pas mentionner, même dans un rapport confidentiel, l'hypothèse envisagée ici d'une alliance avec la Russie permettant à l'Allemagne de trouver des réserves en vivres et aussi en hommes, mais il faut cependant envisager une Russie neutre. Pendant la guerre, l'Allemagne a ménagé la Hollande, parce qu'elle ménageait ainsi son propre accès à la mer, mais si elle avait trouvé ailleurs . . .[4] tenez, c'est ce mot 'ailleurs' dont nous pourrions nous servir, tout le monde comprendra qu'il s'agit de la Russie. Si, dis-je, l'Allemagne avait trouvé ailleurs, si elle trouvait ailleurs un grenier d'abondance tel qu'elle ne fût plus obligée de faire venir des marchandises par la voie de mer, c'est alors qu'elle n'aurait plus intérêt à ménager la Hollande. C'est là l'hypothèse qui a été envisagée et qui est du reste parfaitement possible.

Nous supprimerons donc toute allusion à la Russie; mais je me déclare incapable, je le répète, de supprimer le mot 'Allemagne' de notre rapport; après tout, il est possible d'éviter d'employer un langage offensant ou de prêter une attitude désagréable à l'Allemagne. Mais prévoir une hypothèse, c'est n'offenser personne: c'est la sagesse même.

Les Allemands ne se sont pas gênés avant la guerre pour répandre dans le monde des publications prêchant la violation de la neutralité belge: nous sommes donc fondés à envisager cette hypothèse une fois de plus quand nous discutons entre nous.

Néanmoins, nous ne parlerons pas de l'Allemagne dans l'accord à intervenir entre la Belgique et la Hollande; nous devrons même essayer de n'en pas parler dans notre note aux Hollandais; mais dans notre rapport au Conseil Suprême, il serait très difficile de parler toujours par une périphrase de cet ennemi qui est à l'Est de la Hollande et que personne ne connaîtrait.

M. NEILSON (*États-Unis d'Amérique*). Je suis d'accord. Je ne vois aucune raison pour laquelle nous devrions éviter de faire mention de l'Allemagne en aucun endroit. J'ai parlé de l'Allemagne, parce que j'ai cru que vous aviez suggéré d'éviter d'en faire mention.

LE PRÉSIDENT. Et il est entendu que même devant le Conseil Suprême, nous ne parlerons pas de la Russie. (*Assentiment.*)

LE COLONEL NAGAI (*Japon*). Avant de soumettre notre rapport au Conseil Suprême, n'y aurait-il pas lieu d'avoir une nouvelle réunion avec les Représentants de la Belgique et de la Hollande?

LE PRÉSIDENT. Il a été convenu que nous ne pouvions pas prendre sur nous seuls de faire des propositions qui engageront, somme toute, toutes les Puissances alliées et associées; nous ferons donc un projet de note — ce ne sera pas un rapport définitif — au Conseil Suprême, disant qu'après avoir entendu les Représentants belges et hollandais, nous avons constaté telles difficultés, telles possibilités d'entente. Quand nous serons d'accord avec le

Conseil Suprême, nous convoquerons les Belges et les Hollandais. Nous commencerons par demander à la Hollande si elle est prête à discuter une formule sur les voies navigables, après quoi, en cas d'acceptation, nous indiquerons dans quel sens doivent se poursuivre les conversations, étant bien entendu que la Belgique ne consentira d'accord sur les voies navigables que si elle a satisfaction sur les questions militaires.

N'oubliez pas que nous nous bornerons à formuler des suggestions, après que le Conseil Suprême nous aura dit que nous sommes d'accord avec nos Gouvernements respectifs. C'est pourquoi, nous allons présenter au Conseil Suprême ce rapport modifié, non pas au nom de la Commission de révision des Traités de 1839, mais au nom des Délégués des grandes Puissances à cette Commission, sollicitant de leurs Gouvernements un supplément d'instructions en vue de poursuivre leur tâche. Il est même possible que le Conseil Suprême renvoie l'étude de cette question au Conseil de Versailles.

Le Lieut^T-Colonel Réquin (*France*). — Je voudrais ajouter un renseignement à ce qui vient d'être dit, sur la nécessité de désigner l'Allemagne comme l'agresseur possible.

J'ignore si l'Allemagne a jamais eu l'intention d'attaquer la Hollande; en tous cas, elle a procédé à une étude dans ce but, tout comme son État-Major avait fait étudier toutes les possibilités d'agression contre les États qui entourent l'Allemagne.

C'est ainsi que j'ai entre les mains une étude secrète du grand État-Major allemand, datée de 1898, où on dit:

> La force de la Hollande réside dans ses inondations, mais il faut un certain temps pour les tendre. La réussite d'une attaque résidera donc dans la rapidité avec laquelle elle sera conduite: l'assaillant doit arriver devant les forts avant que les inondations aient été ordonnées ou au moins complètement exécutées; ce sera le meilleur moyen d'enlever à l'armée néerlandaise, dont l'activité est médiocre, toute idée de faire une résistance énergique.

On ne peut concevoir les Puissances assistant les bras croisés à une attaque de la Hollande par l'Allemagne; c'est dans l'aide extérieure que la Hollande trouverait, à ce moment, je ne dis pas sa meilleure, mais sa seule garantie. Il y a là un point de vue sur lequel la Belgique ne peut pas insister pour demander à la Hollande de subordonner son système de défense au système belge, mais les grandes Puissances peuvent l'indiquer à la Hollande en montrant que la Belgique n'est, en fait, que l'aile gauche de la défense de l'Europe occidentale contre l'Allemagne.

Au surplus, il ne faut pas s'y tromper: la défense du Limbourg est, pour la Hollande, une question d'honneur national et dès le mois de juin 1913, c'est le Ministre de la guerre néerlandais qui disait à notre Attaché militaire: 'que l'apparition d'une patrouille dans le coin le plus retiré du Limbourg serait un *casus belli* au même titre que l'apparition d'une armée devant Utrecht'.

Le Président. Le Sous-Comité militaire et naval pourrait se réunir lundi, 1^er septembre, à 15 heures.

La réunion plénière des Délégués pourrait être fixée au mercredi 3 septembre, à 16 heures. (*Assentiment.*)

La séance est levée à 11 heures 30.

# No. 107

*Record of a meeting in Paris of the Military and Naval Subcommittee of the Delegations of the Great Powers on the Commission for the revision of the Treaties of 1839*

*No. 3 [Confidential/General/177/9]*

*Procès-verbal No. 3. Séance du 1ᵉʳ septembre 1919*

La séance est ouverte à 15 heures sous la présidence du Capitaine de vaisseau Le Vavasseur.

*Sont présents:*

Le Colonel Embick et le Capitaine de corvette Capehart (*États-Unis d'Amérique*); le Capitaine de vaisseau Fuller, le Lieutᵗ-Colonel Twiss et le Capitaine de frégate Macnamara (*Empire britannique*); le Capitaine de vaisseau Le Vavasseur, le Lieutᵗ-Colonel Réquin et M. de Saint-Quentin (*France*); le Capitaine de corvette Ruspoli et le Major Pergolani (*Italie*); le Colonel Nagai (*Japon*).

*Neutralité de l'Escaut.* LE PRÉSIDENT. Messieurs, la Commission nous a demandé de développer un peu les motifs pour lesquels nous estimons que la neutralité de l'Escaut a été finalement utile à la Belgique pendant la guerre; je donne la parole au Commandant Fuller pour donner lecture des modifications qu'il propose d'apporter à notre dernier rapport.

LE CAPITAINE DE VAISSEAU FULLER (*Empire britannique*). Je propose de compléter notre rapport par le texte suivant, relatif à l'Escaut et à la Flandre néerlandaise:

En ce qui concerne toute guerre dans laquelle la Hollande ne se trouverait pas aux côtés de la Belgique, on considère que la fermeture de l'Escaut serait à l'avantage de la Belgique.

Toute guerre dans laquelle la Belgique pourrait être engagée serait probablement une guerre d'agression de la part d'une Puissance prête à attaquer et possédant des plans tout prêts et des forces disposées dans la situation la plus avantageuse.

Dans le cas où les forces sous-marines et aériennes seraient augmentées et également dans le cas où il y aurait insuffisance de transports pour amener les troupes, on considère que les renforts à amener de Grande-Bretagne en Belgique ne pourraient pas emprunter la route d'Harwich à Anvers, même si l'Escaut était ouvert.

D'autre part, dans la dernière guerre, l'expérience a démontré que les transports de troupes n'ont été possibles qu'à l'Ouest du Pas-de-Calais qui se trouve être étroit et fortement défendu, et aucun officier ne pourrait recommander le transport d'aucun corps de troupe[s] considérable d'Angleterre dans l'Escaut, en présence des forces sous-marines et aériennes que l'ennemi pourrait masser sur son passage.

Il est vrai que les navires de guerre des flottes alliées pourraient selon toute vraisemblance remonter l'Escaut, mais ils seraient d'un très faible secours à l'armée belge.

Un navire de guerre naviguant dans des eaux resserrées se trouve relativement sans défense contre des batteries situées à terre et a peu d'efficacité contre elles.

C'est pour ces raisons que l'ouverture de l'Escaut serait de peu d'utilité pour la défense de la Belgique.

D'autre part, si les forces ennemies venaient à s'emparer d'Anvers, l'Escaut libre pourrait leur permettre d'user de ce port comme base d'opérations dirigées contre les défenses du Pas-de-Calais ainsi que pour des raids ou peut-être pour une invasion des côtes belges, françaises et anglaises.

LE PRÉSIDENT. Ce texte répond fort bien aux préoccupations qui se sont fait jour dans la discussion. Toutefois, les Délégués militaires belges ont essayé de nous démontrer que, dans la dernière guerre, si l'Escaut avait été libre, Anvers aurait pu résister plus longtemps; ils ont même laissé entrevoir que, à leur avis, la face des choses aurait pu changer.

C'est pour ces raisons que, tout en envisageant l'avenir, comme le fait le Capitaine de vaisseau Fuller dans ce projet d'addition à notre rapport, il serait bon d'y ajouter des considérations tirées de ce qui s'est passé au cours de la guerre.

Il est évident, je crois, que si des renforts suffisants en hommes et en matériel avaient pu être amenés par les Alliés jusqu'à Anvers, la défense de la ville eût été assurée dans de meilleures conditions; et c'est là ce que nous pourrions dire; mais où aurait-on pris ces renforts? Ce ne pouvaient être des renforts britanniques; quant à la France, à la date du 27 septembre 1914, ses troupes engagées ailleurs n'auraient pu porter secours à la Belgique; à supposer même que l'Angleterre en ait eues, les raisons qui viennent d'être exposées montrent qu'elle ne les aurait pas transportées en Belgique.

Cela dit, au point de vue militaire, pour les jours qui précédèrent la chute d'Anvers, il est indispensable d'ajouter, au point de vue naval cette fois, que, après la chute d'Anvers, la possession de la ville et la liberté de l'usage de l'Escaut auraient été tout à l'avantage des Allemands; Anvers aurait été, pour leurs flottilles de destroyers et de sous-marins, une base plus sérieuse qu'Ostende et Zeebrugge.

Voilà, à mon sens, ce qu'on pourrait répondre aux arguments belges tirés de la guerre.

D'autre part, on peut se demander pourquoi nous parlons tant de la liberté de l'Escaut. Les propositions que nous avons à faire excluent tout transfert de territoire : la Hollande maîtresse des deux rives du fleuve pourra y installer des défenses et des batteries, jeter des mines dans le fleuve ; comment peut-on espérer que l'Escaut devienne libre, quand il s'agit de traverser le territoire hollandais et des eaux hollandaises ?

Le Capitaine de vaisseau Fuller (*Empire britannique*). Vous avez parlé d'arguments à tirer de la guerre de 1914, Monsieur le Président : avez-vous l'intention de proposer une formule qui s'ajouterait au rapport ?

Le Président. Je dis seulement qu'il conviendrait de répondre par avance aux objections tirées de la dernière guerre et que reproduiront les Belges, si nous paraissons avoir oublié ce qu'ils ont dit sur la liberté de l'Escaut et sur l'utilisation possible de la Flandre néerlandaise.

A propos de la Flandre, ne pourrait-on suggérer, comme on le fait pour le Limbourg, la conclusion d'une convention entre la Belgique et la Hollande, au cas où cette dernière ne ferait pas partie de la Société des Nations, et permettant aux troupes belges, en cas de revers, de se retirer sur cette Flandre néerlandaise ?

C'est là encore un point auquel les Belges ont fait allusion et auquel il conviendrait de répondre.

Le Lieut<sup>t</sup>-Colonel Twiss (*Empire britannique*). Nous ne voulons rien changer à ce qui existe, en ce qui concerne la Flandre néerlandaise.

Le Président. Encore serait-il bon de montrer, par une note, que nous nous sommes préoccupés de la question et donner les raisons pour lesquelles nous nous prononçons dans ce sens.

Le Lieut<sup>t</sup>-Colonel Réquin (*France*). Je ne peux que partager l'opinion des experts britanniques. La Grande-Bretagne est la Puissance tout naturellement indiquée pour renforcer la Belgique. Mais, à mon sens, ce renforcement peut se faire aussi bien en utilisant le réseau ferré belge que l'Escaut. C'est une question de plan de transport et de concentration à étudier en temps de paix. Cependant, nous n'avons envisagé ici que le cas où l'Allemagne aurait refait une marine avec laquelle elle pourrait attaquer les transports de troupes britanniques ; on nous objectera que l'on peut concevoir que l'Allemagne se livre à une nouvelle agression, avec ses seules forces de terre développées à l'extrême . . .[1]

Le Président. Et sans aviation ?

Le Lieut<sup>t</sup>-Colonel Réquin. Avec une aviation réduite, si vous voulez. Il serait bon de montrer que, même dans ce cas, il n'y aurait pas grand avantage pour les Alliés à utiliser l'Escaut et qu'en tout cas cet avantage momentané pourrait être obtenu par un plan de concentration approprié, tandis qu'il entraînerait de sérieux inconvénients ultérieurs ainsi que le montre le Délégué britannique.

Le Capitaine de vaisseau Fuller (*Empire britannique*). Quand le Délégué français pense-t-il que les Allemands seraient en état de faire une attaque dans ces conditions avec quelque chance de succès ?

Le Lieut<sup>t</sup>-Colonel Réquin. Je n'en sais rien, ni si l'Allemagne sera

---

[1] Punctuation as in original.

jamais en état de le faire. Il ne s'agit que d'une hypothèse, et je demande à l'État-Major britannique si dans cette hypothèse d'ailleurs peu vraisemblable l'usage immédiat de l'Escaut serait vraiment nécessaire ou simplement utile.

Le Lieutᵗ-Colonel Twiss. Si l'Allemagne attaquait sans avions ni sous-marins, nous aurions avantage à pouvoir utiliser l'Escaut.

Le Lieutᵗ-Colonel Réquin. Nous pourrions donc faire remarquer que, même dans le cas où l'Allemagne aurait refait une armée et attaquerait sans avoir pu reconstituer une marine ou même une aviation dangereuse, l'avantage possible immédiat à retirer de l'utilisation de l'Escaut au point de vue purement militaire ne compenserait pas les inconvénients sérieux qui sont à prévoir dans les autres hypothèses les plus vraisemblables.

Nous donnerions ainsi une explication satisfaisante à l'opinion belge.

Le Président. D'ailleurs, je le répète, je ne vois pas pourquoi nous discutons de la liberté de l'Escaut, puisque l'on ne doit pas envisager de transfert de territoires: la Hollande reste donc toujours maîtresse de ses eaux territoriales.

Le Lieutᵗ-Colonel Réquin (*France*). Quoi qu'il en soit, je proposerai d'ajouter au rapport quelques lignes dans ce sens:

L'avantage immédiat et temporaire que présenterait la voie de l'Escaut pour des transports de troupes dans le cas d'une guerre d'agression pour laquelle l'Allemagne n'aurait reconstitué ni ses forces sous-marines, ni ses forces aériennes ne répond nullement au cas général le plus probable et le seul à retenir — celui que le Délégué naval britannique a visé dans sa note.

Le Lieutᵗ-Colonel Twiss (*Empire britannique*). Il vaudrait mieux parler de marine seulement, car une aviation peut être reconstituée rapidement grâce aux avions de commerce.

Le Colonel Embick (*États-Unis d'Amérique*). Si l'Allemagne avait l'intention d'attaquer, elle pourrait préparer d'avance les moteurs de sous-marins; après quoi, il lui faudrait peu de temps pour construire les coques en cas de menace de guerre.

Le Capitaine de vaisseau Fuller (*Empire britannique*). Je n'ai pas envisagé comme possible une attaque faite par une Allemagne ne disposant pas de forces navales.

Le Lieutᵗ-Colonel Réquin. Je propose d'ajouter à notre rapport la considération que je viens d'exposer en indiquant qu'il paraît inopportun de rechercher un avantage problématique au prix de tous les inconvénients exposés dans la note britannique.

En ce qui concerne les arguments tirés par les Belges des faits de la dernière guerre, pour apaiser leur opinion, nous pourrions formuler une considération sur laquelle tout le monde sera d'accord.

La Belgique, en invoquant le cas de 1914 pour demander l'utilisation de la Flandre néerlandaise, suppose que les Alliés et elle-même auraient été battus sur le Rhin, sur la Meuse et que son territoire serait de nouveau envahi. Si cela était possible, ce serait la faillite de toutes les garanties prises par le Traité de paix. Je ne crois pas que nous puissions admettre un seul instant l'éventualité de reporter la défense de la Belgique dans le réduit de l'Escaut.

Si nous obtenons les garanties nécessaires *en avant*, sur le front de la Meuse, cela couvre tout. C'est parce que nous estimons indispensable d'assurer la défense de la Meuse que nous n'avons plus besoin de nous préoccuper, au point de vue même purement militaire, de la question de la Flandre néerlandaise, impossible à solutionner d'ailleurs, puisqu'on ne peut demander à un neutre l'utilisation de son territoire pour y faire la guerre.

Le Président. C'est là ce qu'il conviendrait de dire en complétant notre rapport.

Le Colonel Embick. Je ne m'oppose pas à une déclaration de cette nature.

Le Capitaine de vaisseau Fuller. Si la Flandre néerlandaise appartient à la Belgique et que l'ennemi arrive à s'en emparer, il va y établir une base maritime et il utilisera l'Escaut à notre désavantage, contre nous.

Le Lieut^t-Colonel Réquin. Oui, en supposant que l'ennemi ait reconstitué les moyens de créer cette base, c'est-à-dire sa marine.

Le Capitaine de vaisseau Fuller (*Empire britannique*). Le Délégué français se place au point de vue militaire; moi, c'est au point de vue naval que j'examine la situation.

Le Lieut^t-Colonel Réquin (*France*). Je reviens sur la nécessité de donner un argument d'ordre général que la Commission pourrait faire valoir à la Belgique. Après avoir montré l'impossibilité d'accorder l'utilisation du territoire de la Flandre néerlandaise, on ajouterait: 'Au surplus, l'utilisation du territoire de la Flandre néerlandaise que la Belgique envisage répond, dans son esprit, au cas où les armées belges auraient été battues sur la Meuse, où la Belgique aurait été envahie, c'est-à-dire à une situation que les grandes Puissances sont absolument décidées à empêcher en réclamant précisément des garanties très sérieuses sur la ligne de la Meuse.' (*Assentiment.*)

Le Président. En vue toujours de répondre aux objections faites par les Belges, êtes-vous d'avis qu'il convienne de faire état de ce qui s'est passé dans la dernière guerre?

Le Lieut^t-Colonel Réquin. Si nous parlons de ce qui s'est passé au cours de la dernière guerre, il faudra préciser que les garanties que nous recherchons pour la Belgique comme pour toutes les grandes Puissances alliées ne visent pas à faire face à la situation déplorable dans laquelle on s'est trouvé en 1914, mais bien à empêcher le retour du passé. C'est dans la situation nouvelle de l'Europe que nous devons nous placer. Depuis 1914, il y a quelque chose de changé, grâce à notre victoire commune.

Il est naturel que les Belges, n'ayant encore, que je sache, aucune alliance, aucune convention militaire avec qui que ce soit, voient avant tout leur défense propre. Ils disent bien qu'elle intéresse les grandes Puissances, mais ils le disent sans savoir quel compte serait tenu de cet argument cependant indiscutable.

Il appartient aux grandes Puissances — et ce n'est pas nous avancer que de tenir un tel langage — de dire que la Belgique ne doit plus être isolée; tout le monde le sait; elle est d'ailleurs Puissance occupante des territoires rhénans; ses intérêts sont liés aux nôtres. La dernière guerre a surpris la

Belgique dans une situation déplorable: nous devons prendre des mesures, non pas pour répondre à une pareille situation, mais pour la prévenir. C'est pourquoi nous demandons précisément des garanties sur la Meuse, puisque nous ne pouvons insister pour la Flandre zélandaise.

Le Président. Dans ces conditions, la Sous-Commission estime-t-elle qu'il y ait lieu de préciser les idées que vient de formuler le Colonel Réquin au début de notre rapport modifié?

Le Capitaine de vaisseau Fuller. Si les Belges doivent soulever la question, nous pourrions y répondre par avance en trois ou quatre lignes; s'ils ne doivent pas la soulever, cela est peut-être inutile.

Le Président. Toute leur argumentation est basée sur ce qui s'est passé en 1914 et si nous ne parlons pas des faits de la guerre, ils reprendront toute leur argumentation, en nous disant qu'ils s'appuient sur des exemples concrets, tandis que les Alliés tablent sur les incertitudes de l'avenir.

Néanmoins, comme le fait observer le Délégué britannique, il faudrait éviter d'entrer dans les détails.

Le Capitaine de vaisseau Fuller (*Empire britannique*). Je propose le texte suivant:

> Dans la dernière guerre, on a finalement considéré qu'aucun avantage n'aurait été retiré par la Belgique de la possibilité d'employer l'Escaut. Il aurait été utile pour la Belgique de se servir de l'Escaut pour le retrait de ses troupes d'Anvers, mais cet avantage aurait été de beaucoup compensé par l'avantage que les Allemands auraient retiré de l'emploi d'Anvers, avec une sortie sur la mer par l'Escaut.

Le Président. Au point de vue naval, je suis d'accord avec l'idée exprimée par le Délégué britannique; mais vous vous rappelez la théorie de la défense d'Anvers exposée par le Délégué militaire belge; il a laissé entendre que la Grande-Bretagne pouvait offrir à la Belgique des secours importants en troupes et en artillerie pour la défense d'Anvers, que ces troupes, n'ayant pu remonter l'Escaut jusqu'à Anvers, ont été débarquées ailleurs et n'ont pu que protéger la retraite au lieu de concourir à la défense de la ville.

Le Lieut^T-Colonel Twiss (*Empire britannique*). Les bataillons navals prirent part à la défense d'Anvers.

Le Président. Le colonel Galet disait qu'ils n'ont pu que protéger la retraite belge; il disait également que la Grande-Bretagne pouvait envoyer de la grosse artillerie. . . .[1]

Le Lieut^T-Colonel Twiss. Cela n'est pas absolument exact.

Le Président. Le Colonel Galet ajoutait:

> Un troisième cas s'est présenté, en 1914, où l'Escaut aurait pu nous être très utile.
>
> Le 29 septembre, le commandement décide l'évacuation de la base d'Anvers, afin de rendre l'armée libre.
>
> On dispose de huit jours pour cette opération, ce qui est un temps raisonnable, mais on ne peut employer qu'une ligne de chemin de fer et

pendant la nuit seulement, parce qu'elle est battue, pendant le jour, par l'artillerie ennemie.

Le résultat fut que les Allemands firent à Anvers un butin considérable. La Hollande autorisa la sortie des vivres d'Anvers — et, ceci est tout à son honneur — mais le commandement ne pouvait tabler avec certitude sur la liberté de l'Escaut; il ne pouvait pas faire d'avance un plan d'évacuation, de sorte que l'évacuation ne fut pas méthodique.[2]

En nous tenant aux lignes générales proposées par le Colonel Réquin, je crois que nous serons dans le vrai; si, au contraire, nous ne disons rien des faits de 1914, les Belges protesteront en nous disant que nous n'avons pas tenu compte de leurs arguments.

LE LIEUT<sup>T</sup>.-COLONEL RÉQUIN (*France*). Nous pourrions dire, dans cet ordre d'idées:

La Commission a examiné avec soin l'argumentation belge basée sur l'histoire de la guerre; mais ce qu'elle a retenu des faits est la nécessité d'empêcher qu'ils se reproduisent, et non pas de rechercher des mesures propres à répondre à des faits de cette nature. (*Assentiment*).

LE PRÉSIDENT. Si j'ai bien compris, la note que nous remettrions à la Commission commencerait par quelques lignes destinées à répondre à l'argumentation belge basée sur les faits du début de la guerre; viendraient ensuite la proposition du Délégué britannique et la conclusion qui a été adoptée.

LE LIEUT<sup>T</sup>.-COLONEL TWISS (*Empire britannique*). Ne croyez-vous pas, Monsieur le Président, qu'il serait utile d'y ajouter un paragraphe au sujet de la question politique? Voici ce que je propose:

Les arguments navals et militaires qui s'opposent à une modification du régime actuel semblent absolument convaincants: il est donc à peine nécessaire de rappeler à la Commission les questions internationales difficiles qui seraient soulevées par une proposition de neutralisation de l'Escaut en temps de guerre, étant donné la décision du Conseil Suprême qu'aucune cession territoriale ne doit être faite à la Belgique et que les deux rives de l'Escaut resteront territoire hollandais. Dans ces conditions, la liberté de l'Escaut est considérée comme impossible à obtenir.

LE LIEUT<sup>T</sup>.-COLONEL RÉQUIN (*France*). Nous pourrions utilement indiquer que sans nous arrêter à la question de savoir si la résolution du Conseil Suprême permettait d'envisager l'utilisation de l'Escaut et soucieux de répondre à l'anxiété des Belges, nous avons eu à examiner, du seul point de vue militaire et naval, les avantages et inconvénients de la solution de la liberté de l'Escaut.

LE PRÉSIDENT. La note dont nous venons d'approuver les différentes parties s'appliquera d'une manière générale à tout le rapport.

[2] See No. 64.

LE LIEUT.-COLONEL RÉQUIN. Et pour le port d'Anvers? N'avons-nous rien à ajouter?

*Abrogation de l'article 14 relatif au port d'Anvers.* LE PRÉSIDENT. J'ai déjà dit que je ne comprenais pas un port de guerre qui ne peut communiquer avec la mer; dès lors, c'est donner aux Belges une satisfaction toute platonique.

Ceci nous amène à une question que j'ai soulevée avant-hier[3] et qui a fait l'objet d'une réserve de la part de la Délégation britannique, à savoir si l'autorisation donnée aux Belges d'avoir un port de guerre à Anvers leur laisse le droit, en temps de paix, de faire circuler des navires de guerre sur l'Escaut, sans demander l'autorisation des Hollandais.

La discussion qui a eu lieu déjà a fait ressortir la nécessité de respecter le droit souverain d'un État sur son territoire, sur ses eaux territoriales: le terrain d'entente pourrait se trouver dans la formule que je proposais, à savoir qu'on pourrait néanmoins suggérer aux Hollandais de simplifier les formalités d'autorisation de telle sorte que chaque bateau, si petit qu'il soit, du moment qu'il serait de guerre, ne soit pas obligé de demander une autorisation à la Hollande.

LE CAPITAINE DE VAISSEAU FULLER (*Empire britannique*). Je crois que, pour ce qui est des eaux territoriales, il est préférable de n'en pas parler; ce serait une question à régler par voie d'arrangement entre la Belgique et la Hollande; il n'appartient pas aux grandes Puissances d'influencer ces deux États dans une direction plutôt qu'une autre; en tous cas, la proposition que nous ferions devrait emprunter une forme quelque peu évasive, sans arriver à une conclusion ferme de nature à paraître contraindre les parties en cause.

LE PRÉSIDENT. D'après les déclarations de M. Van Swinderen, la Hollande ne s'oppose pas à l'abolition de l'article 14 du Traité de 1839 qui fait d'Anvers uniquement un port de commerce; dès lors, Anvers devenant un port de guerre, elle doit bien admettre que les navires de guerre pourront y entrer ou en sortir, et elle ne s'opposera pas à la conclusion d'arrangements simplifiant les demandes imposées à la Belgique pour les mouvements de ses navires de guerre, en temps de paix, bien entendu.

LE CAPITAINE DE VAISSEAU FULLER (*Empire britannique*). Pour ce qui est du passage des navires de guerre belges par l'Escaut en temps de paix, sans permission de la Hollande, voici une note que je propose:

I. La Sous-Commission militaire et navale a été unanime à reconnaître que l'article 14 du Traité de 1839 doit être annulé, de telle sorte qu'Anvers ne soit plus obligé d'être seulement un port de commerce.

II. Par suite, la Belgique aurait la liberté de construire des navires de guerre et d'établir une base navale à Anvers.

III. En examinant cette proposition, la Sous-Commission [?Commission][3] a soulevé la question de l'introduction d'une clause conseillant à la Hollande d'accepter le libre passage de l'Escaut pour les navires de guerre belges en temps de paix et a renvoyé cette question à la Sous-Commission pour qu'elle l'examine.

[3] See No. 106.

IV. A ce sujet, la Sous-Commission est d'avis que la Commission ne doit pas recommander une convention de ce genre, attendu que, bien qu'elle soit sans danger par elle-même, elle pourrait créer un précédent qui pourrait être très dangereux.

V. L'Escaut n'est nullement le seul fleuve qui débouche sur le territoire d'une Puissance unique après avoir servi les intérêts d'une autre Puissance.

VI. Un précédent tel que celui qui est proposé pour l'Escaut pourrait créer des complications internationales et des demandes de droit de passage pour vaisseaux de guerre en temps de paix sur n'importe quel autre de ces fleuves.

VII. Le cas du Rhin est celui qui se présente tout de suite à l'esprit, attendu que, à ce cas la Hollande est aussi intéressée: il est contraire aux intérêts des Puissances que l'Allemagne puisse réclamer le droit d'envoyer des navires de guerre par la Hollande en temps de paix sans permission du Gouvernement hollandais; il pourrait être très difficile de refuser de faire droit à une telle demande de l'Allemagne, si on l'accordait à la Belgique dans le cas de l'Escaut.

VIII. Par conséquent, la Sous-Commission est d'avis que la Commission ne doit pas recommander à la Hollande d'accorder à la Belgique le droit de passage pour ses navires de guerre en temps de paix par l'Escaut.

A côté du Rhin dont il est parlé dans ce projet de mémorandum, il est d'autres fleuves qui débouchent sur le territoire d'une Puissance après avoir servi à une autre; je citerai le Danube qui passe en Autriche et en Roumanie; le Parana, en Argentine, Paraguay et Brésil; l'Amazone, au Brésil et au Pérou; en tout cas, comme je le dis ici, si nous demandons à la Hollande de permettre à la Belgique de se servir de l'Escaut en temps de paix, il n'y aura pas de raisons pour que l'Allemagne n'en demande pas autant pour le Rhin et pour qu'on le lui refuse; et c'est ainsi que des sous-marins allemands descendront impunément le Rhin à la veille d'une déclaration de guerre.

Le Capitaine de corvette Capehart (*États-Unis d'Amérique*). Je ne trouve pas qu'il y ait analogie entre le cas de l'Allemagne passant par le Rhin hollandais et celui de la Belgique passant par l'Escaut hollandais; l'Allemagne a d'autres ports de mer, elle en a plusieurs; la Belgique n'en a qu'un.

Le Capitaine de vaisseau Fuller (*Empire britannique*). Notre intention n'est pas que les petites Puissances aient des marines de guerre importantes; il est donc peu probable que la Belgique ait plus de deux ou trois bateaux.

Le Président. Au surplus, la Belgique a bien réellement d'autres ports qu'Anvers; Ostende et Zeebrugge sont susceptibles d'agrandissements et même d'installations de guerre; en outre, du moment que la Belgique n'aurait pas la liberté de l'Escaut en temps de guerre, ce ne serait pas une solution que de baser sa marine sur le seul port d'Anvers.

Le Lieut-Colonel Réquin (*France*). Lorsque le Délégué britannique dit que nous ne pouvons pas imposer à la Hollande d'ouvrir ses eaux à la Belgique, aux navires de guerre belges en temps de paix, il est cependant bien entendu que si la Hollande veut accorder des autorisations de passage, on ne s'y opposera pas; autrement dit, nous ne nous montrerons pas plus sévères que ne le sont les règles du droit international.

Je crois que la fin du mémorandum pourrait donner lieu, sur ce point, à quelque erreur d'interprétation.

Le Président. On pourrait compléter ainsi le dernier alinéa:

. . . . .[1] que la Commission ne doit pas recommander à la Hollande d'accorder à la Belgique le droit de passage pour ses navires de guerre en temps de paix par l'Escaut, sans autorisation spéciale.

Le Capitaine de vaisseau Fuller. Il y a un mot qui a échappé dans cet alinéa; il faut lire:

. . . . .[1] d'accorder à la Belgique le droit de *libre* passage pour ses navires de guerre en temps de paix par l'Escaut.

Le Capitaine de corvette Ruspoli (*Italie*). Il faut proposer aux Belges et aux Hollandais de s'arranger entre eux sur cette question.

Le Colonel Embick (*États-Unis d'Amérique*). La Belgique ne gagnera rien à cela; ce ne serait qu'une victoire morale et qui créerait un mauvais précédent.

Le Capitaine de vaisseau Fuller. Je crois que ce que la Belgique veut, en réalité, c'est la libre disposition de l'Escaut et du Limbourg en temps de guerre. Mais elle n'a aucun avantage à demander autre chose que ce que lui donnent les règles du droit international, car tout ce qu'elle pourra avoir, c'est deux ou trois navires de tonnage médiocre, des croiseurs, tout au plus, pour pouvoir se servir d'Ostende ou de Zeebrugge.

Toutes les questions de ce genre sont toujours réglées par les légistes à l'aide des précédents; ils ne décident jamais par eux-mêmes: je crains que la décision que l'on prendrait à ce sujet puisse servir de précédent par la suite.

Le Président. Si je comprends bien, le Délégué britannique s'opposerait même à ce que l'on suggère que la Hollande et la Belgique puissent conclure des arrangements aux termes desquels seraient simplifiées les formalités nécessaires pour obtenir l'entrée ou la sortie d'un navire de guerre belge par l'Escaut.

Le Capitaine de vaisseau Fuller (*Empire britannique*). Je crois que c'est une affaire privée qui intéresse uniquement la Belgique et la Hollande et que nous n'avons pas à intervenir pour exercer une pression quelconque.

Le Président. Soit; mais, pour le moment, — j'espère d'ailleurs que cela ne durera pas, — les deux parties ne semblent pas être disposées à se faire mutuellement des concessions et il se peut que la Hollande, tout en consentant à l'abrogation de l'article 14, prétende ne laisser passer les navires de guerre belges que tout autant que cela lui plaira. Il serait donc bon ici de préparer les voies à un arrangement, dans la crainte que, plus tard, cet arrangement n'intervienne pas.

Le Lieut.-Colonel Réquin (*France*). La Commission connaît l'état d'esprit des Délégations, surtout de la Délégation hollandaise, qui a déclaré qu'elle aimerait bien régler ses affaires sans que les grandes Puissances interviennent trop ouvertement. Je crois que la meilleure manière de préparer la voie à une solution serait de dire que la Commission estime que les simplifications de procédure rendues nécessaires par la situation spéciale d'Anvers sont à régler entre la Hollande et la Belgique, en précisant que nous ne voulons rien imposer, ne [?ni] nous mêler à aucune discussion, mais en mentionnant simplement cette possibilité.

Le Capitaine de vaisseau Fuller. Lorsqu'il s'agira de préciser cette idée dans un texte, les Hollandais, très sensibles sur ce point, résisteront.

Le Président. Il faut cependant prévoir quelque chose. Les Belges peuvent conclure, dans le silence des textes, que la suppression de l'article 14 leur donne la liberté de faire circuler des navires de guerre sur l'Escaut; si la question n'est pas tranchée d'avance, il peut surgir plus tard des difficultés.

Le Lieut^t-Colonel Réquin. La Sous-Commission accepterait-elle une formule comme celle-ci:

Si la situation spéciale d'Anvers justifie une simplification de procédure pour l'application des règles du droit international, la Sous-Commission estime que c'est une affaire à régler par la Belgique et la Hollande.

Le Capitaine de corvette Capehart (*États-Unis d'Amérique*). Et l'on pourrait ajouter:

Un tel arrangement ne sera pas considéré comme créant un précédent, mais comme réglant seulement une situation spéciale, un cas spécial.

Le Colonel Embick (*États-Unis d'Amérique*). Les termes de cette proposition semblent impliquer que la Belgique et la Hollande ont un droit égal dans cette affaire, tandis qu'en réalité il faudrait montrer que c'est la Hollande seule qui accorde quelque chose à la Belgique.

Le Capitaine de corvette Ruspoli (*Italie*). Il me semble dangereux d'admettre que la position géographique d'un État lui permette de limiter le droit de souveraineté d'un autre État.

Le Lieut^t-Colonel Réquin (*France*). Je n'ai parlé que de 'simplification de procédure' sans toucher aux règles du droit international; nous pourrions même dire:

Si la Hollande reconnaissait que la situation spéciale d'Anvers justifie une simplification de procédure. . . .[1]

Le Capitaine de corvette Ruspoli (*Italie*). Il ne me semble pas que cet argument puisse justifier la limitation des droits de la Hollande sur ses eaux territoriales. Sinon, d'autres États pourraient invoquer leur position spéciale pour demander la même limitation sur d'autres fleuves.

Le Lieut^t-Colonel Réquin. Mais, si la Hollande désirait, par amabilité envers la Belgique, simplifier les formalités? . . .[1]

Le Président. Voici une autre formule qui satisferait peut-être davantage le Délégué italien:

Quant à la circulation des bâtiments de guerre belges sur l'Escaut en temps de paix, la Hollande, tout en conservant ses droits souverains dans ses eaux internationales, accordera, dans les conditions qu'elle jugera convenables, mais en simplifiant autant que possible les formalités nécessaires, le droit de passage.

Le Capitaine de corvette Ruspoli. C'est affaire entre la Hollande et la Belgique. Ainsi, par exemple, nous avons en Italie des parcs privés ouverts au public; s'ils restaient ouverts pendant un certain nombre d'années sans interruption, il se créerait une servitude; pour conserver leurs droits, les propriétaires les font fermer une fois par semaine. La Hollande pourrait procéder de la même façon et fermer le passage une fois par mois.

Le Président. Ce sont là des arrangements à intervenir entre les deux parties; seulement, ce qui est à craindre, c'est qu'elles n'en fassent pas.

Le Capitaine de corvette Ruspoli. Comme on le disait tout à l'heure, peut-être est-il moins dangereux de ne rien prévoir à cet égard?

Le Capitaine de vaisseau Fuller (*Empire britannique*). Je propose le texte suivant:

> En raison de la suppression de l'article 14 du Traité de 1839, la Hollande devrait indiquer exactement dans quelles conditions elle entend permettre le passage de l'Escaut aux navires de guerre belges en temps de paix. (*Assentiment.*)

Le Lieutᵀ-Colonel Réquin. Je voudrais demander l'avis du Sous-Comité sur une question de rédaction.

*Défense de la Meuse et du Limbourg.* Comme, dans notre rapport, nous demandons que l'on ne fasse pas usage de notre note confidentielle sur la Meuse et le Limbourg[4] et que cependant nous nous y référons, il y aurait peut-être lieu de compléter nos propositions sur cette question en ajoutant après 'accord à conclure par les soins de la Société des Nations', ceci:

> . . . . sur[1] les bases suivantes:
>
> 1° Organisation dès le temps de paix par la Hollande de la défense du Limbourg en vue de couvrir un déploiement des forces belges ou alliées sur la Meuse dont lesdites forces assureraient la défense jusqu'au point où la frontière hollando-belge s'écarte vers l'Ouest de la Meuse.
>
> 2° Organisation de la défense par des forces hollandaises de la Meuse au Nord de ce dernier point en vue de prolonger l'aile gauche alliée ou belge tout en couvrant le territoire hollandais.

Le Lieutᵀ-Colonel Twiss (*Empire britannique*). L'avis du Gouvernement britannique a été mentionné au procès-verbal: je n'ai rien à ajouter.

Le Lieutᵀ-Colonel Réquin (*France*). C'est simplement une question de forme qui ne change rien à ce que nous avons décidé. (*Assentiment.*)

Le Président. Je crois, Messieurs, que nous serons d'accord pour confier au Colonel Réquin le soin de rédiger le rapport supplémentaire à remettre à la réunion des Délégués des grandes Puissances à la Commission pour la révision des Traités de 1839. (*Assentiment.*) C'est le résultat des qualités dont il fait preuve. (*Approbation.*)

*Rapport supplémentaire.*

[4] Cf. p. 371.

*(Voir Procès-Verbal No 5 de la réunion des Délégués des grandes Puissances, page 426.)*[5]

Le Lieut<sup>T</sup>-Colonel Réquin. Ajoutez, Monsieur le Président, que j'avais une excellente base fournie par la note de la Délégation britannique.

La séance est levée à 17 heures 15 minutes.

[5] p. 403

## No. 108

### *Memorandum by Sir F. Villiers*[1]

[*124165/4187/4*]

September 2, 1919

Before I left Brussels M. Hymans spoke to me upon two points of importance.

He had been requested last week to visit Paris by M. Clemenceau who desired to make a communication in regard to the Luxemburg question. The Govt. of the Grand Duchy had reverted to the proposal of a tripartite negotiation between France, Belgium and Luxemburg, and they had further consulted him with regard to bringing before the peoples by referendum the dynastic and economic questions.

M. Hymans said that the dynastic question was an internal matter with which the Belgian Govt. had no concern, but they would make it clear that neither the King nor they themselves had taken any steps whatever to secure the succession, or given the least indication which would justify an assertion to that effect. If the dynasty were maintained the Belgian Govt. would endeavour to conclude a political and administrative arrangement—for instance, that the foreign relations of the Grand Duchy should be conducted by Belgium.

As regards the economic referendum M. Hymans expressed the opinion that it was premature. The people would vote in the dark without really understanding what they were called upon to decide and the door would be open to a great deal of intrigue and propaganda work.

M. Clemenceau informed M. Hymans that, in reply to the communication made to him, he had advised the conclusion of an agreement with the Belgian Govt., more especially in view of the progress which is being made towards a commercial arrangement between France and Belgium.

This was an intimation of *désintéressement* which afforded M. Hymans much satisfaction. But, M. Clemenceau went on to explain, the French Govt. must retain control over the principal State railways in the Grand Duchy. The line had been worked by the Germans since the Treaty of Frankfurt[2]—

---

[1] Sir F. Villiers, on his return from Brussels to England (cf. No. 103, note 1), forwarded this memorandum from a private address to the Foreign Office on September 2, 1919 (received next day).

[2] Cf. No. 54, note 27.

naturally enough, as Luxemburg was included in the Zollverein—and the French felt it necessary to keep it in their hands for strategic reasons.[3] M. Hymans was unable to pronounce upon this most important reservation which is being studied by military and railway experts at Brussels.

M. Hymans then turned to the second point about which he desired to speak to me. He had proposed to M. Clemenceau, who did not receive the proposal unfavourably, that a defensive alliance in the case of unprovoked attack upon Belgium should be concluded between the French and Belgian Govts. on the same lines as the arrangement between Great Britain, France, and the United States in regard to France. 'Conversations' were proceeding in Paris with a view to find a basis for an alliance of the kind desired by the Belgian Govt., and M. Hymans asked me to lay the matter before Y[our] L[ordship] and to enquire whether H.M.G. would take part in the discussion and eventually join in providing the security which the Belgians are anxious to obtain.

F. H. VILLIERS

[3] In this connexion Sir J. Tilley reported in a note of September 4, 1919, that he had that day had a conversation with the Belgian Chargé d'Affaires in London who had called at the Foreign Office in order to make a communication, on behalf of his government, concerning M. Clemenceau's proposal to M. Hymans with regard to French control of the principal railways in Luxemburg, and with regard to a possible economic arrangement between Belgium and Luxemburg. Sir J. Tilley reported the communication made by the Belgian Chargé d'Affaires in terms closely similar to the preceding passage in the memorandum by Sir F. Villiers. Sir J. Tilley further reported that the Belgian Chargé d'Affaires had intimated that 'the Belgian Govt. disliked the proposal greatly. An economic arrangement without control of the railways could be of little use to them, & French control would be sure to lead to friction. They conceived that the arrangement would also be distasteful to us, as the Belgian tariff would be much lower than the French. He asked that if we had any observations to make he might be sent for at once.'

## No. 109

*Sir C. Marling (Copenhagen) to Earl Curzon (Received September 10)*

*No. 247* [*127228/548/30*]

COPENHAGEN, *September 3, 1919*

My Lord,

While anything like a detailed report would be premature, I venture to think that a short general account of the work of the International Commission for Slesvig will not be without interest.

The first formal meeting was held at the offices which I had taken steps to take over from the Comité Interallié au Danemark for the remaining weeks of its lease, and on my suggestion Mr. Brudenell-Bruce[1] was appointed temporarily as secretary, an arrangement which has since been made permanent. The Commission entered on its labours in none too propitious circumstances. Its numbers were incomplete, as General Sladen, who had been designated as one of the commissioners by the United States, was considered to be

[1] Assistant to Sir C. Marling on the International Commission for Schleswig.

precluded from taking part so long as the Treaty of Peace is not ratified by the United States Senate; while its working strength is still further reduced by the circumstance that the French commissioner has to carry on the work of the French Legation as there is no secretary who could act as Chargé d'Affaires. Monsieur Claudel has, in fact, taken no part in the work of the Commission other than to attend its meetings, and from the observations with which he favours his colleagues it is safe to assume that he has not found time even to read the agenda list before arriving, much less to think about the questions set down for discussion. Then, again, we work in three languages. Our discussions are in French, with occasional lapses into English or Danish for the benefit of the Norwegian commissioner, our minutes and correspondence are in English, while the regulations for the plebiscite and such ordinances as letters of appointment and instruction, &c., are, as necessitated by the temporary character of our administrations in North Slesvig, in Danish and German. The Commission, too, has not had the advantage of the advice of Admiral Boyle[2] on various matters which can scarcely be decided without him, as the admiral feels that he cannot leave England until the necessary arrangements for the battalion of British troops to be sent to Slesvig are finally and irrevocably made. In spite of these drawbacks the Commission has made fair progress. Monsieur de Sydow, the Swedish commissioner and the only member who has had any wide administrative experience, was good enough to undertake the task of drawing up the regulations, taking as a base a draft provided by Mr. Hansen-Nørremøller, the Danish provisional Minister for Slesvig affairs, and it is hoped that the regulations will be in the hands of the printers in a few days, while the proclamation of the assumption of the administration of the plebiscite area by the Commission is complete.

The Commission has also a list of gentlemen, submitted by Mr. Hansen-Nørremøller, as competent to replace the superior German officials evacuated under the terms of the treaty, and it is intended to charge the Delegation which is to proceed to Flensborg shortly[3] with the task of reporting when possible as to their suitability.

With no precedents to guide it, the Commission has had to ascertain how far it would be necessary or advisable or practicable for it to interfere in the local administration. Our efforts have, of course, been directed towards reducing interference to a minimum, but the examination which had to be made of every branch of the governmental machine involved a great deal of discussion, in which we have had great assistance from Mr. Hansen-Nørremøller. It was also necessary that we should be in touch with the German authorities; and thanks to arrangements made by Mr. Hansen-Nørremøller we have been able to discuss many of these matters with Monsieur Boehme, Landrath of Tondern, deputed for the purpose by the German Legation here. This gentleman states that the German Government has no intention of frustrating or embarrassing the work of the Commission, and he assured me that they would be ready to advance for the expenses of the Commission a

---

[2] British Admiral designated to command Allied forces in the Schleswig plebiscite area.
[3] See enclosure in No. 116.

sum equal to that already promised by the Danish Government, viz., one million kroner. Monsieur Boehme is now in Germany, and the Commission expects that on his return on the 5th he will be in a position to give definite answers to the various questions placed before him.

The Commission has, of course, been beset by Slesvigers and their partisans of every shade of opinion. There was at one time apparently an impression that the provisions of the treaty could be altered by the intervention of the Commission so as to permit at least the evacuation of the 3rd zone by the German authorities during the period of the plebiscite, if not indeed its inclusion in the plebiscite area, and interviews on these questions were sought with the French Minister and myself, one of which I reported in my memorandum transmitted in Lord Kilmarnock's despatch No. 225[4] of August 10.

Finally, to put an end to the nuisance, I allowed myself to be interviewed by the *Politiken,* and since then the question has been dropped so far as the Commission is concerned. Numerous complaints of intimidation by the German authorities and of requisitions have also been sent to us, but only one specific instance has been brought to our notice, namely, of the seizure of a considerable quantity of fertilizer, and as good evidence of the fact was officially produced to us by Mr. Hansen-Nørremøller the Commission decided to draw the attention of Monsieur Boehme to it, and to request that steps be taken to stop such proceedings. Our action was reported to Paris. Mr. Hansen-Nørremøller has informed us that the protest has had an excellent effect in Slesvig.

The Danish Government, however, was at one moment sufficiently impressed by these reports to request the French Minister to send the *Marseillaise* to visit the ports of Slesvig with a view to reassuring the inhabitants. Monsieur Claudel, who is more easily impressed than I am by Danish stories of German iniquities than are [*sic*] his colleagues who are better acquainted with Danish timidity, acceded and the *Marseillaise* visited the ports of Sønderborg, Apenrade, and Flensborg, meeting everywhere with a rapturous reception from the Danes. No landing parties from the ship were permitted, but large numbers of Danes visited her. So far as I am aware no evidence of intimidation or requisition was brought to the notice of the captain. Monsieur Claudel, on the other hand, informed me that Commander Brisson had reported that the channel's buoys at one place had been moved by the German authorities so as to render navigation difficult. Commander Brisson, however, told Captain Sells[5] that his difficulties were due to faulty out of date maps, and said that had he been supplied with maps similar to those of the *Sandhurst* he would have had no difficulty. I have thought it worth while to repeat this incident, merely because Monsieur Claudel informed me that he intended to inform his Government with a view to representations being made by the Conference to the German Delegation.

I have, &c.,

CHARLES M. MARLING

4 No. 61.

5 Commanding officer, H.M.S. *Sandhurst,* a destroyer depot-ship then in Danish waters.

## No. 110

### Letter from Mr. Carnegie[1] to Mr. Bland (Paris)
#### Unnumbered [22/2/1/18669]

My dear Bland,                                    FOREIGN OFFICE, *September 3, 1919*

I have spoken to Harris[1] regarding the subject matter of your letter,[2] and he has already seen some and will see more correspondents with a view to the suppression of such reports as might arouse further feeling in Holland or Belgium. He will also point out that there is no truth in reports to the effect that Holland has announced her intention of regarding any potential infringement of her territory by Belgium as a *casus belli*.

I have just seen an official telegram from the Hague,[3] which you have of course received, which would seem to show that there is a possibility of Belgium taking matters into her own hands by the occupation of Dutch Limburg. It seems to me that a leading article, say, in the *Times*, might now be opportune. In it could be pointed out that though relations appear strained between Holland & Belgium, there is no truth in the statement alluded to above, but that there is little doubt that in the almost incredible event of Belgium attempting the occupation of Limburg, the Dutch would probably fight to the bitter end to prevent it. Further, that negotiations are proceeding in Paris, which should, if both parties are reasonable, lead to a favourable settlement. Finally, a warning might be issued to Belgium that she must remain calm, and that the attempt to face the Peace Conference with a *fait accompli* in the shape of occupation of Dutch territory would inevitably alienate the sympathy of her Allies.

It seems to me that an article on these lines might have a steadying effect in Belgium *if it is true* that the Belgium Government is contemplating the taking of forcible steps to secure what they claim to be their rights. If not, clearly harm would result.

Let me know what you think about the matter. I shall of course make no move of any kind unless on your and Tufton's advice & only then after consulting our people here.

Yours ever,

ED. FULLERTON CARNEGIE

[1] A temporary member of the Political Intelligence Department of the Foreign Office.

[2] This private letter is untraced in Foreign Office archives. The letter apparently enclosed press extracts concerning Belgo-Dutch affairs: cf. No. 118.

[3] The reference is uncertain but was probably to No. 102.

## No. 111

### Mr. Robertson (*The Hague*) to Earl Curzon (*Received September 4*)
#### No. 1408 Telegraphic [124947/11763/4]

THE HAGUE, *September 3, 1919*

Addressed to Peace Conference.

Dutch Delegate with experts leave for Paris on Friday.[1] I have entirely

[1] September 5, 1919.

trustworthy information that they are authorised to make very considerable concessions both in regard to Scheldt and to Canals. But three points must be borne in mind.

1. Concessions must be regarded as act of grace and in no way as admitting that Belgians have any rights on Dutch Land or water.

2. Owing to attitude of Belgian Government and Extremist Press there can be no question of any military Convention for combined defence of Limburg which could in any case only be based upon mutual confidence and close friendships which are now lacking.

3. Netherlands Government are not prepared even to discuss a transfer of territory or any interference with their sovereign rights over Dutch territory and waterways though this does not rule out a working arrangement in regard to management of waterways.

Addressed to Paris No. 43.

## No. 112

*Mr. Robertson (The Hague) to Earl Curzon (Received September 8)*

*No. 238 [126403/11763/4]*

THE HAGUE, *September 4, 1919*

My Lord,

I have the honour to report that the birthday of the Queen of the Netherlands was celebrated throughout the country with considerable enthusiasm on the 31st August and the 1st September. This is the first time since the outbreak of war that rejoicings on a large scale have taken place on the occasion of Her Majesty's birthday, and the attitude of the country was not without significance. The rejoicings were partly intended as a demonstration of loyalty to the Throne and of anti-Bolshevism, but the determination of the country in regard to the Belgian controversy was strongly emphasised in the press, and I have little hesitation in saying that it was this controversy that was uppermost in the minds of high and low. It appears to be generally felt that the Belgians are 'bluffing', and that they would have trouble with the Flemings should they desire to resort to arms, but the possibility of war is being gravely discussed, and little confidence is felt that the Allies would intervene to prevent a Belgian *coup de main* in spite of the covenant of the League of Nations.

So far as I am able to gather the feeling in Holland appears to be somewhat as follows. Prior to the war nothing was heard of Belgian claims to Dutch territory. Antwerp, Ghent, Bruges, Liège, and Belgian trade and industry generally, were in a flourishing condition. The war has altered this position temporarily, but the fault does not lie with Holland, and the Dutch do not see why the Belgians should be compensated at their expense. The latter have no 'rights' at all on Dutch territory or waters which are clearly defined and in regard to the limits of which there can be no dispute. To speak of 'Limbourg cédé' or 'la rétrocession de la Flandre zélandaise' amounts to a distortion of history. In spite of this the Dutch are quite prepared to make concessions which may even affect the prosperity and interests of Rotterdam in favour of its rival Antwerp, provided that it is clearly understood that such concessions are an act of grace and not an admission of rights. To a military convention for the defence of Limburg, public opinion would be unalterably opposed in present circumstances. The clamour of the Belgian extremist press, the ill-advised utterances of Belgian public men, the publication of the notorious memorandum to the Belgian Headquarters Staff regarding propaganda in Limbourg, have caused the most painful impression throughout Holland, and made it impossible for any Dutch Government to negotiate a convention which in its nature could only be based upon mutual confidence and esteem, and which does not in any case recommend itself to the present Dutch authorities, civil or military, as necessary or desirable either in the interests of Holland or of Belgium.

As I have had the honour to report in my telegram No. 1408[1] of to-day [sic], the Dutch delegates, accompanied by their experts, are returning to Paris on the 5th instant, and are authorised to make what appear to me to be most liberal concessions, though I am not at liberty to disclose their nature before they are laid before the conference. Meanwhile I have had an opportunity of reading M. van Swinderen's speech to the Commission at Paris of the 20th August, and which the Belgian Minister for Foreign Affairs characterised to His Majesty's Ambassador at Brussels as 'curt, uncompromising, and uncourteous.'[2] It is true that, for the reasons given above, the Netherlands Government are not prepared to deal with 'political or military considerations', but I venture to think that your Lordship will concur with the Netherlands Government that the speech not only does not deserve the strictures passed upon it by M. Hymans, but was, if critical and defensive, yet in its conclusion conciliatory to the point of friendliness, as it was intended that it should be. It is unfortunate, in the interests of a friendly solution of the present controversy and of the re-establishment of neighbourly relations between Holland and Belgium, that the Belgian Government should be at pains to convince the Belgian people and the Allies that the Dutch are unreasonable and uncompromising, which is surely not the fact.

I have, &c.,<br>ARNOLD ROBERTSON

[1] No. 111.          [2] See No. 82.

## No. 113

*Record of a meeting in Paris on September 4, 1919, of the Committee on Organization of the Reparation Commission*

*No. 8 [Confidential/Germany/31]*

The Meeting was opened at 10.30, M. Loucheur in the chair.

*Present:*

Mr. Dresel, Colonel Logan (United States), Major Monfries (Great

Britain), M. Loucheur, M. Mauclère, M. Cheysson (France), M. d'Amelio, M. Ferraris, Count San Martino (Italy), Colonel Theunis, Major Bemelmans (Belgium).

. . .6.[1] *Letter from Herr Bergmann dated 28/8/19 regarding measures to be taken to increase Coal Production.* (See Annex B. 56)[2]

THE CHAIRMAN declared that in his opinion the German proposal was inacceptable; we should only have, in fact, to balance our authorisation of credit, some vague promise.

But we had, on the other hand, promised to support measures tending to increase the production of coal in Germany, and it was not proper that the German Government could appear before its Parliament and before the world with the plea that the non-execution of its obligations was due to the non-execution of ours.

THE CHAIRMAN proposed therefore to bind up the authorisation of credit with the increase of production, and to offer for example to Germany to place at her disposal for the purchases in question and for a period of three months 33 per cent. of the value of deliveries.

MAJOR MONFRIES (Great Britain) pointed out that the Financial Committee, which was meeting that afternoon should give its opinion on this question, and added that Germany had already been authorised to make use of the credit of £20,000,000[3] for the purchase of foodstuffs. This credit, or private credits, could be used for the purchases in question.

THE CHAIRMAN replied that if Germany was unable to make use of the credits in question and to obtain private credits, this would form a pretext for her to evade her obligations. He proposed therefore that a reply should be drawn up in the sense which he mentioned first.

M. FERRARIS (Italy), in consideration of the urgent requirements of Italy, suggested that a premium should be placed on production, encouraging Germany to deliver more than the 20 million tons provided for as a minimum.

THE CHAIRMAN replied that the Committee recognised the urgent requirements of Italy. The latter was not to receive coal until deliveries should have exceeded 20 million tons. The French Government was nevertheless ready to allow Italy a part of the deliveries to which it had a right if, as is probable, it was unable to execute the transportation of the whole of its deliveries to France.

In addition, and to satisfy the wishes of M. Ferraris, it would be possible to encourage Germany to deliver more than the minimum by granting it, for the purchases of which it had need, a credit equal to 20% of the deliveries up to 20 million tons and to 40% of the deliveries in excess of this minimum.

It was decided that a reply in this sense should be submitted to the Finance Committee for its opinion, by the members of the latter Committee on the C.O.C.R.[4]

[1] The preceding minutes related to other matters.  [2] Annex below.
[3] Cf. article 235 of the Treaty of Versailles, and the annex to the present document.
[4] i.e. Comité d'Organisation de la Commission des Réparations.

M. FERRARIS (Italy) thanked the Chairman and repeated that it was desirable that Italy should receive as soon as possible a quantity in proportion to its requirements.

MAJOR MONFRIES (Great Britain) proposed that the opinion of the Consultative Food Committee should also be asked, and that Germany should be authorised to correspond directly with the Financial Committee without the Communication going through the C.O.C.R. The Secretariat of the latter was authorised to transmit directly to the Financial Committee, and other Consultative Committees, all correspondence which concerned them without waiting for the next plenary meeting.

### ... 16.[1] *Communication from M. Loucheur concerning Dye-Stuffs.*

THE CHAIRMAN briefly recapitulated the divergences of opinion[5] which arose on the Sub Commission on Dye Stuffs.

MAJOR MONFRIES (Great Britain) replied that the Annex on coal and the annex on dye stuffs[6] had not been introduced for the same reason. The first was introduced on account of the urgent need of fuel; the second principally with a view to destroying Germany's monopoly of dye stuffs.

MAJOR MONFRIES added that according to what Mr. Dulles, who had taken part in drawing up the annexes, had told him, the Committee on Organisation of the Reparation Commission was not competent to exercise the option,[7] and that the Supreme Council itself if it declared the Committee on Organisation competent, could not bind any Delegation without the consent of its Government; this consent not having been obtained, it was in any case impossible to have a conference with the Germans in the course of which the Allied and Associated Delegations would display their lack of agreement.

MR. DRESEL (United States) said that he agreed with Major Monfries as regards the way in which the right of option in question should be exercised.

THE CHAIRMAN replied that he could not accept the English interpretation of the annex on dye-stuffs. It was true that it had been introduced to destroy the German monopoly, and that the French Government was ready on this point to support English and French efforts, but it had also been put in to allow the Allied and Associated Governments to procure the dye stuffs of which they were in need. Until Allied industry was in a position to meet their requirements, France, Italy and Belgium could not do without dye stuffs. An order for 10 tons sent to England some time ago had not even yet begun to be carried out. It was necessary that French industry should be able to live, and that the factories should not be closed down through lack of dye stuffs as was the case at Roubaix, as the Chairman had been able to verify personally.

He proposed therefore that the Allied and Associated Powers should cause Germany to deliver, in virtue of the option, the quantities of which they had

[5] Cf. below.
[6] In the Treaty of Versailles.
[7] Under Annex VI to Part VIII of the Treaty of Versailles.

immediate need. When the lists were finished, these quantities should be deducted from the 50% reserved for the option of the Allies.

MR. DRESEL (United States) asked if it would not be possible to obtain dye stuffs at reasonable prices apart from the option.

COLONEL THEUNIS (Belgium) replied that the prices granted to Germany, in case the option was exercised, were equivalent to from 30 to 35% of the prices in the open market.

M. D'AMELIO (Italy) added that by putting off the moment when deliveries should be made at the option prices and consequently prolonging the period of purchase at high prices, they would in reality consolidate the German monopoly. THE CHAIRMAN gave strong support to this observation.

MAJOR MONFRIES (Great Britain) stated that he perfectly understood the standpoint of France, Italy and Belgium, and that he would bring this out to his Government. Without his Government's consent it was, however, impossible for him to come to a decision, and he proposed that in order to expedite matters, experts should go to London where Lord Moulton[8] was.

MR. DRESEL (United States) asked that the meeting in London should be put off until the arrival of the American expert.

It was decided that in view of the urgency of the question it was preferable not to await the arrival of this gentleman. The meeting in London was fixed for Tuesday 9th September 1919.

The Conference which was to have taken place in the afternoon at Versailles with the Germans was postponed to a later date. . . .[9]

## ANNEX TO No. 113

### Document 1

*Herr Bergmann to M. Loucheur*

*Translation*

B. 56

VERSAILLES, *August 28, 1919*

Sir,

I have the honour to send you herewith in continuation of our conversation of yesterday, proposals relative to the measures to be taken to increase the production of coal,[10] together with a copy of printed document No. 878 of the Constituent National Assembly of Germany[11] which refers to this matter.

[8] Director-General of Explosive Supplies in the British Ministry of Munitions.
[9] The meeting passed to the consideration of other matters.
[10] Document 2 below.
[11] Not printed. This document was a translation of a resolution, introduced in the German Constituent National Assembly, recommending that 'all interested persons should do their utmost to bring about a fundamental improvement in the coal supply. Only in this way can a terrible catastrophe which might lead to the total collapse of our nation and of its economic life be avoided. The Government is therefore invited to undertake without delay all that might lead to a better coal supply.'

The matter is very urgent, and I should be grateful if a decision on the subject of payment and of putting 200,000,000 gold marks at our disposal might be taken as soon as possible.

I am, &c.,

BERGMANN

## Document 2

*Measures for the Increase of the Production of Coal in German Mines*

I. *Material that might be delivered by the Entente.*

*1. Foodstuffs.* Corned Beef, Bacon, Lard, Butter, Margarine, Condensed Milk.

*2. Other Necessaries.* Chewing and smoking Tobacco, Alcohol.

*3. Soap.*

*4. Clothing.* Working Boots, under-clothes for workmen and children.

II. *Working Material which might be delivered by the Entente.*

Lubricating oil; petrol; and certain materials and machinery indispensible [*sic*] for the organisation and execution of an intense production of fuel, not to be had in Germany—for example, metal for coussinets.

III. *Other measures.*

Delivery of milk and vegetables beyond Occupied Territory into Non-Occupied Territory as well as, in general, free trade, towards Occupied Territory for all machines and materials necessary for working the mines.

IV. *Quantities of Provisions, &c.*

There are 650,000 workmen, in all with their families 1,000,000. Help should be brought to the families, for the food supply has a decisive influence on the enthusiasm of the workmen. A period of 25 weeks is contemplated as the supply period. The following are needed:—

| | |
|---|---:|
| (1) Corned Beef, lard, bacon, butter and margarine in all 1 lb. per head per week, that is a total of | 25,000 tons |
| (2) Condensed Milk. | 7,000,000 tins |
| (3) Chewing and smoking tobacco, about | 1,000 tons |
| (4) Soap. | 2,000 tons |
| (5) Working boots. | 1,000,000 pairs |
| (6) As regards clothing it is not yet possible to determine what will be necessary. Supplies should be spread over the next six months. | |

V. On this basis the following amounts in gold marks will be necessary:—

| | |
|---|---:|
| For Meat and Fats | 100,000,000 marks |
| For Condensed Milk | 10,000,000 ,, |
| For Tobacco | 16,000,000 ,, |
| For Soap | 3,000,000 ,, |
| For Boots | 24,000,000 ,, |
| Total | 153,000,000 ,, |

VI. Purchase could only be carried out in the following manner:

A sum of about 160 million gold marks in securities would be put at the disposal of Germany, and Germany would make the necessary purchases by means of the securities, either from Entente stocks, or on the open market and in Neutral countries. A special agreement with the Supreme Economic Council could if necessary be brought to bear to prevent competition in the purchases.

VII. The sum of 200 million gold marks might be placed at our disposal either by special credits or by securities on account as value in exchange for coal supplied, or might be placed on the Reparation account, as laid down in Article 235 of the Peace Conditions.

VIII. Distribution in Germany is anticipated through an agreement of employers and workers organisations. The foodstuffs, soap, shoes, &c., will be placed at the disposal of the management of the mines, who will distribute them in agreement with the workmen. The managers of the mines are free to judge how far, in addition to the miners, the clerks and railwaymen should also participate in these distributions.

## No. 114

*Record of a meeting in Paris of the Delegates of the Great Powers on the Commission for the revision of the Treaties of 1839*

No. 5 [Confidential/General/177/9]

*Procès-verbal No. 5. Séance du 4 septembre 1919*

La séance est ouverte à 16 heures, sous la présidence de M. Laroche, *Président.*

*Sont présents:*

M. Fred K. Neilson (*États-Unis d'Amérique*); l'Honorable Charles Tufton (*Empire britannique*); MM. Laroche et Tirman (*France*); M. Tosti et le Professeur D. Anzilotti (*Italie*); le Général Sato et le Professeur Hayashi (*Japon*).

*Assistent également à la séance:*

Le Colonel Embick et le Capitaine de corvette Capehart (*États-Unis d'Amérique*); le Capitaine de vaisseau Fuller, le Lieut.-Colonel Twiss, le Capitaine de frégate Macnamara et M. Bland (*Empire britannique*); le Capitaine de vaisseau Le Vavasseur, le Lieut.-Colonel Réquin et M. de Saint-Quentin (*France*); le Capitaine de corvette Ruspoli et le Major Pergolani (*Italie*); M. Yokoyama (*Japon*).

*On donne lecture du rapport modifié du Sous-Comité des experts
militaires et navals.*

2 septembre 1919

### Rapport de la Sous-Commission des experts militaires et navals
### des principales Puissances alliées et associées
### à la Commission de Révision des Traités de 1839

La Sous-Commission s'est réunie de nouveau le 1^er septembre[1] pour
examiner les points particuliers sur lesquels la Commission désirerait avoir
de plus amples explications.

Elle a l'honneur de soumettre de nouveau à la Commission son avis
motivé sur les trois questions qui avaient fait l'objet de son premier rapport:

I. Escaut et Flandre hollandaise.
II. Port d'Anvers.
III. Défense de la Meuse et du Limbourg hollandais.

## I
### Escaut et Flandre hollandaise

La Sous-Commission militaire et navale des Puissances alliées et associées a étudié la demande de la Délégation belge tendant à obtenir le droit
d'utiliser l'Escaut et la Flandre hollandaise pour les besoins de la défense
de la Belgique en temps de guerre.  En examinant l'argu-
*Escaut et Flandre hollandaise.* mentation belge basée sur les événements de la dernière guerre,
elle a considéré qu'il s'agissait moins de rechercher par quelles
mesures le désastre de 1914 aurait pu être *limité*, que de
déterminer dans la situation nouvelle de l'Europe les garanties
indispensables pour *préserver la Belgique contre le retour des événements passés*.
Il lui a paru que les Puissances victorieuses de l'Allemagne, après avoir
pris vis-à-vis d'elle les garanties militaires que l'on connaît, ne pouvaient
admettre que la Belgique fût encore contrainte de se défendre dans le
réduit de l'Escaut, ce qui impliquerait une défaite sur la Meuse, l'invasion
de son territoire et l'ouverture à l'ennemi d'une route d'invasion vers la
France tout comme en 1914.

Dans cet ordre d'idées et avant d'exposer ci-dessous son opinion sur la
question de l'Escaut, la Sous-Commission tient à affirmer qu'elle n'a pas
séparé cette question de celle de la défense de la Meuse et qu'en raison
même des conclusions auxquelles elle aboutit pour l'Escaut elle attache
une importance capitale à l'obtention des garanties qu'elle proposera sur
la Meuse et dans le Limbourg.

Deux cas ont été considérés:

### A. — *La Hollande fait partie de la Société des Nations*

1° Les articles 16 et 17 du Pacte donnent satisfaction à la demande
belge, en cas de guerre provoquée soit par un État en rupture du Pacte,
soit par un État extérieur à la Société.

[1] See No. 107.

2° Toute convention préalable serait sans objet si l'on envisageait un conflit mettant aux prises la Belgique et la Hollande à l'intérieur de la Société, puisque la question serait réglée par les armes.

## B. — *La Hollande ne fait pas partie de ladite Société*

La résolution du Conseil Suprême du 8 mars[2] en excluant toute cession territoriale permet difficilement d'envisager la situation qui résulterait de l'utilisation de l'Escaut et de la Flandre hollandaise pour la défense de la Belgique en dehors du cas où la Hollande entrerait en guerre à ses côtés.

Cependant, la Sous-Commission, sans s'arrêter à l'atteinte qu'une semblable disposition porterait au droit international, a tenu à étudier la question posée par la Délégation belge au strict point de vue militaire et naval et elle a estimé que c'était encore dans la fermeture de l'Escaut aux belligérants que la Belgique trouverait sa meilleure protection.

L'avantage immédiat et temporaire que présenterait la voie de l'Escaut pour des transports de troupes dans le cas d'une guerre d'agression pour laquelle l'Allemagne n'aurait reconstitué ni ses forces sous-marines, ni ses forces aériennes, ne répond nullement au cas général le plus probable et le seul qui doive être retenu.

On doit envisager, en effet, que l'agresseur se sera préparé à entrer en guerre dans des conditions avantageuses pour lui: c'est-à-dire en reconstituant tous ses moyens d'action.

Or, les autorités navales et militaires britanniques estiment que la faiblesse des transports de troupes est telle en face du développement pris par la guerre sous-marine et par l'aviation que les renforts provenant d'Angleterre ne pourraient utiliser la route Harwich–Anvers, même si l'Escaut leur était ouvert. De tels transports de troupes pendant la dernière guerre n'ont été possibles qu'à l'Ouest de l'étroit canal de Douvres fortement défendu, mais aucun officier ne prendra la responsabilité de recommander les transports de troupes importantes d'Angleterre, par l'Escaut, en face des forces sous-marines ou aériennes qu'un adversaire réunirait sur cette route.

Les navires de guerre alliés qui pourraient vraisemblablement remonter l'Escaut n'apporteraient par eux-mêmes qu'un bien faible appui à l'armée belge en raison même de leur impuissance relative dans des eaux resserrées en face d'une artillerie de terre.

Pour ces différentes raisons, l'ouverture de l'Escaut serait de peu d'utilité pour la défense de la Belgique.

Par contre, si l'ennemi s'emparait d'Anvers, il pourrait, grâce à la liberté de l'Escaut, en faire une base d'opérations contre les défenses du canal de Douvres et le point de départ d'expédition ou même d'invasion sur les côtes de Belgique, de France ou d'Angleterre. Cette dernière considération s'appliquerait également à la Flandre hollandaise, si la Belgique était autorisée à l'utiliser pour sa défense dans une guerre où la Hollande resterait neutre.

[2] See No. 39, note 9.

405

La Sous-Commission émet donc l'avis:

*a)* qu'il n'y a pas lieu d'envisager l'utilisation par la Belgique du territoire de la Flandre hollandaise pour sa défense propre en temps de guerre, hors les cas visés aux articles 16 et 17 du Pacte de la Société des Nations.

*b)* qu'il n'y a pas lieu de modifier la disposition en vertu de laquelle l'Escaut reste fermé en temps de guerre à toute marine militaire belligérante, — étant bien entendu que si la Hollande fait partie de la Société des Nations, les articles 16 et 17 du Pacte jouent pour l'Escaut comme pour toute autre partie du territoire des États membres de la Société et donnent précisément satisfaction à la demande belge, dans le cas visé par elle: celui d'une agression de l'Allemagne contre la Société des Nations.

*On apporte à cette première partie les corrections suivantes:*
*Paragraphe B, premier alinéa, au lieu de:*

La résolution du Conseil suprême du 8 mars, en excluant toute cession territoriale, permet difficilement d'envisager la situation qui résulterait de l'utilisation de l'Escaut . . .[3]

*Lire:*

La résolution du Conseil Suprême du 4 juin,[4] en excluant toute cession territoriale et toute servitude internationale, permet difficilement d'envisager l'utilisation de l'Escaut . . .[3]

*Même paragraphe, troisième alinéa:*
*Au lieu de:*

. . . ni[3] reconstitué [*sic*] ses forces sous-marines . . .[3]

*Lire:*

. . . pu[3] reconstituer ses forces sous-marines . . .[3]

*Au même paragraphe, lire comme suit le cinquième alinéa:*

Or, la Sous-Commission militaire et navale estime que la faiblesse des transports de troupes est telle en face du développement pris par la guerre sous-marine et par l'aviation, que les renforts provenant d'Angleterre ne pourraient utiliser la voie maritime pour Anvers, même si l'Escaut leur était ouvert. De tels transports de troupes pendant la dernière guerre n'ont été possibles qu'à l'Ouest de l'étroit canal de Douvres, fortement défendu, mais on ne pourrait pas recommander des transports de troupes . . .[3]

LE PRÉSIDENT. Cette première partie du rapport sur l'Escaut et la Flandre hollandaise répond exactement à ce que nous avions demandé; elle expose très clairement les raisons pour lesquelles il convient de rejeter la demande belge.

M. NEILSON (*États-Unis d'Amérique*). Il est une question qui doit retenir notre attention et qu'il conviendrait de ne pas négliger dans notre rapport, c'est celle de la violation de la neutralité. Le rapport des experts, rédigé au

[3] Punctuation as in original.          [4] See No. 39, note 1.

406

seul point de vue militaire et naval, est muet sur cette question, mais il serait bon, je crois, que nous y fassions allusion, soit en ajoutant une phrase à ce rapport, soit en nous y étendant un peu plus dans notre lettre d'envoi au Conseil Suprême. Si nous n'en parlions pas, on croirait que nous l'avons négligée.

Le Président. Nous sommes entièrement d'accord, mais le premier alinéa contient déjà une phrase qui donne satisfaction à l'observation présentée par M. Neilson; je lis, en effet:

> . . . la[3] Sous-Commission, sans s'arrêter à l'atteinte qu'une semblable disposition porterait au droit international, a tenu à étudier la question posée par la Délégation belge au strict point de vue militaire et naval . . .[3]

Mon intention est d'annexer purement et simplement ce rapport à la note que nous enverrons au Conseil Suprême pour lui demander des instructions complémentaires; dans notre note, nous dirons qu'il ne nous a pas paru possible d'envisager l'utilisation de l'Escaut et de la Flandre hollandaise, parce que cela constituerait une atteinte à la neutralité de la Hollande. Nous ajouterons que, pour dégager complètement notre conscience, nous avons voulu prouver à la Belgique que même en adoptant cette thèse de l'utilisation, dans aucun cas cela ne lui aurait rendu service . . .[3] La démonstration à faire au point de vue de la neutralité est très simple, elle tient en deux lignes, mais il est bon de l'appuyer par une démonstration technique et cette démonstration pourra faire accepter notre idée par le Gouvernement belge, lequel pourra ensuite le faire accepter par l'opinion publique en Belgique.

Le Colonel Embick (*États-Unis d'Amérique*). A la Sous-Commission, nous avons envisagé cette question simplement au point de vue strictement militaire sans nous préoccuper des répercussions politiques, estimant que c'était à la Réunion des Délégués des grandes Puissances qu'il appartenait, en dernière analyse, d'insister sur les questions politiques.

Le Capitaine de vaisseau Le Vavasseur (*France*). La question de la neutralité et du droit international en général a été soulevée à plusieurs reprises au sein de la Sous-Commission, comme le dit le Délégué américain, mais c'est intentionnellement que nous n'avons pas voulu nous étendre sur cette question; c'est pourquoi nous avons introduit dans notre rapport une phrase pour montrer que nous désirons que le côté international soit traité par ailleurs.

Le Président. Les suggestions que nous devons exposer au Conseil Suprême sont basées sur deux principes. D'une part, nous devons écarter tout ce qui constituerait à proprement parler une servitude internationale: or, des mesures militaires entraînant la violation du territoire hollandais seraient au premier chef des servitudes internationales et porteraient atteinte au droit international. D'autre part, nous avons aussi à justifier le fait que nous avons garanti la sécurité militaire de la Belgique comme on nous le demande. Nous faisons la double démonstration et nous disons: la Commission a tenu à examiner tous les cas, elle l'a fait à un double point de vue, au point de vue militaire et au point de vue du droit international.

Et nous disons alors: au point de vue politique et international, la demande belge n'est pas acceptable pour telles et telles raisons; au point de vue militaire, elle n'est pas davantage acceptable pour telles et telles autres raisons.

M. Neilson (*États-Unis d'Amérique*). En examinant cette question de la neutralité du territoire hollandais, je pense que nous ne sommes pas allés jusqu'à trancher la question de la nature juridique du territoire et du fleuve; nous avons simplement voulu montrer que nous avons considéré la question aux deux points de vue que vient de dire M. le Président.

Le Président. Nous sommes d'accord. Nous avons examiné une demande belge, mais nous l'avons examinée en fait, sans nous demander un instant si cela créait un régime spécial de l'Escaut.

Si personne ne demande plus la parole, nous passons au port d'Anvers.

*Port d'Anvers.*  *On donne lecture du chapitre II, consacré au 'Port d'Anvers (article 14 du Traité de 1839)'.*

La Sous-Commission militaire et navale des grandes Puissances alliées et associées a examiné la demande de la Délégation belge tendant à l'abolition de l'article 14 du Traité de 1839, qui interdit de faire d'Anvers un port militaire.

Elle a considéré la situation qui résulterait de l'abolition de cette servitude, en tenant compte de la fermeture de l'Escaut aux marines de guerre belligérantes dans une guerre où la Hollande resterait neutre.

La Sous-Commission a estimé que le droit de faire d'Anvers un port de guerre:

a) *Au point de vue belge:*

1° Donnerait au peuple belge une satisfaction morale que les Puissances ne peuvent lui refuser, puisque le Délégué hollandais lui-même a déclaré que si les grandes Puissances étaient consentantes, la Hollande ne ferait aucune objection à l'abolition de l'article 14.

2° Permettrait à la Belgique d'avoir une base d'opérations maritimes utilisable dans une guerre où la Hollande serait impliquée à ses côtés.

3° Faciliterait, dans tous les cas, la constitution, en temps de paix, d'une marine de guerre belge, dont les unités, en cas de conflit n'impliquant pas l'ouverture de l'Escaut aux belligérants, pourraient sortir d'Anvers, soit par l'Escaut avant la déclaration de la guerre pour se joindre à des marines alliées, soit par des communications intérieures reliant Anvers à Bruges et Zeebrugge ou à Ostende.

b) *Au point de vue général:*

Donnerait à la Société des Nations une base navale utile en cas de conflit imposant à la Hollande, membre de ladite Société, les obligations prévues aux articles 16 et 17 du Pacte.

*En conséquence, la Sous-Commission est d'avis que l'article 14 du Traité de 1839 doit être aboli.*

Par suite, la Belgique aurait la liberté de construire des navires de guerre et d'établir une base navale à Anvers.

En examinant cette proposition des experts militaires et navals, la Commission a soulevé la question de l'introduction d'une clause conseillant à la Hollande d'accorder le libre passage dans l'Escaut aux navires de guerre belges en temps de paix, et elle a renvoyé cette question à l'examen de la Sous-Commission.

La Sous-Commission est d'avis que l'on ne doit pas proposer une convention de cette nature, car, bien qu'elle ne présente aucun danger par elle-même, elle pourrait créer un précédent dangereux.

L'Escaut n'est pas le seul fleuve qui débouche sur le territoire d'une seule Puissance, après avoir servi les intérêts d'une autre Puissance.

Un précédent tel que celui qui a été suggéré pour l'Escaut pourrait amener des complications internationales et des demandes de droit de passage pour des navires de guerre en temps de paix sur n'importe quel autre des fleuves susvisés.

Le cas du Rhin se présente immédiatement à l'esprit, attendu qu'il intéresse également la Hollande. Or, il serait contraire aux intérêts des Puissances alliées et associées que l'Allemagne pût réclamer le droit d'envoyer des navires de guerre par la Hollande en temps de paix, sans l'autorisation du Gouvernement hollandais. Il pourrait être très difficile de ne pas donner satisfaction à une semblable demande de l'Allemagne si on l'accordait à la Belgique pour l'Escaut.

La Sous-Commission est donc d'avis de ne pas recommander à la Hollande d'accorder à la Belgique le droit de *libre passage* pour ses navires de guerre, en temps de paix par l'Escaut. Mais, en raison de la suppression de l'article 14 du Traité de 1839, *elle estime que la Hollande devrait indiquer exactement dans quelles conditions elle entend permettre le passage de l'Escaut aux navires de guerre belges en temps de paix.*

LE PRÉSIDENT. Je me permets de m'étonner que la Sous-Commission ait assimilé le cas du Rhin à celui de l'Escaut, en oubliant, semble-t-il, que la France borde désormais le Rhin au même titre que l'Allemagne et qu'au surplus le Rhin, sorti de Suisse, dessert la France, l'Allemagne et les Pays-Bas. A mon sens, je ne vois en Europe qu'un fleuve qui pourrait rappeler le cas de l'Escaut, c'est la Vistule qui dessert la Pologne et va se jeter dans la Baltique à Dantzig. Or, si la Pologne était en droit de réclamer la même faveur que la Belgique, on ne saurait assimiler ce pays à une nation ennemie et je ne vois pas comment le précédent pourrait être invoqué contre nous.

Je ne dis pas que je ne m'associe pas à la conclusion à laquelle aboutit la Sous-Commission; je n'en demande pas plus, mais je ne peux m'associer au raisonnement qui la précède et aux motifs desquels on déduit cette conclusion.

LE CAPITAINE DE VAISSEAU FULLER (*Empire britannique*). On pourrait peut-être supprimer cette comparaison de l'Escaut avec un autre fleuve.

LE PRÉSIDENT. Cela ne suffit pas; je demande qu'on trouve un exemple de fleuve mieux approprié et permettant logiquement d'arriver à la conclusion proposée : si l'on m'en fournit un, je suis convaincu ; dans le cas contraire, le raisonnement tombe.

Le Capitaine de corvette Ruspoli (*Italie*). On pourrait citer le Pô ; le jour où il aura été rendu navigable jusqu'au lac Majeur, les Suisses pourraient envoyer par le Pô des navires à la mer.

Le Président. Encore faut-il supposer que la Suisse ait le droit d'avoir une marine de guerre. Elle a bien eu, durant la guerre, un pavillon de commerce, mais je ne sais si elle va le conserver ; elle n'a pas de marine de guerre : on ne saurait qualifier ainsi les petits bateaux qui font la police dans les lacs. L'exemple ne me paraît donc pas probant.

Le Capitaine de corvette Ruspoli (*Italie*). On peut citer aussi le Parana et l'Amazone dans l'Amérique du Sud.

Le Président. Nous légiférons pour l'Europe et nous nous préoccupons de l'Allemagne.

Le Capitaine de vaisseau Fuller (*Empire britannique*). C'est bien de l'Allemagne que nous nous préoccupons quand nous parlons du Rhin.

Le Président. D'accord. Je ne discute pas l'application faite par la Sous-Commission, je discute seulement le principe sur lequel elle la fonde.

Le Lieut^t-Colonel Réquin (*France*). On pourrait modifier la phrase et dire :

L'Escaut n'est pas le seul fleuve qui débouche sur le territoire d'une seule Puissance, après avoir servi les intérêts d'autres Puissances . . . [3]

Le Président. Voici une rédaction que je vous propose :

La Sous-Commission est d'avis que l'on ne doit pas proposer une nouvelle convention de cette nature, car, bien qu'elle ne présente aucun danger par elle-même, elle pourrait créer un précédent dangereux qui pourrait amener des complications internationales et des demandes de droit de passage pour navires de guerre en temps de paix sur d'autres fleuves.

Dans cette limite, le raisonnement est juste et nous restons dans les généralités, sans citer d'exemples qui peuvent nous entraîner à des argumentations dangereuses.

L'objection que je soulevais, c'est celle que feraient les Belges et il faut que nous puissions leur répondre ; si nous nous tenons à une affirmation d'ordre général, nous évitons toute objection. Je modifierais même encore ma rédaction pour dire :

. . . et[3] des demandes de droit de passage pour navires de guerre, en temps de paix, sur d'autres fleuves desservant plusieurs Puissances.

Le Capitaine de corvette Ruspoli (*Italie*). On peut également supprimer les mots :

. . . bien[3] qu'elle ne présente aucun danger par elle-même . . . [3]

Le principe serait que la situation géographique d'un pays ne lui donne pas le droit d'empiéter sur les droits souverains d'un autre État.

M. Tirman (*France*). On pourrait également avant les complications internationales placer les demandes de droit de passage: ce sont, en effet, ces demandes qui peuvent amener des complications internationales.

Le Président. La phrase se lirait donc:

> La Sous-Commission est d'avis que l'on ne doit pas proposer une convention de cette nature, car, bien qu'elle ne présente aucun danger par elle-même, elle pourrait créer un précédent dangereux qui serait susceptible de provoquer des demandes de droit de passage pour navires de guerre en temps de paix sur d'autres fleuves desservant plusieurs États et engendrer par là des complications internationales.

Nous pouvons conserver les mots:

> . . . bien[3] qu'elle ne présente aucun danger par elle-même . . .[3]

En effet, nous permettons la création d'un port de guerre sur l'Escaut, tandis que le Traité de paix interdit à l'Allemagne toute installation de guerre sur le Rhin.

Le Capitaine de vaisseau Fuller. C'est une chance pour l'Allemagne: cela lui évitera une guerre.

M. Tirman. Le Traité interdit-il aux navires de guerre allemands de remonter le Rhin?

Le Président. Il n'y a pas de port de guerre sur le Rhin.

Le Capitaine de vaisseau Le Vavasseur (*France*). Ce texte pourrait peut-être permettre à l'Allemagne d'avoir des sous-marins sur le Rhin?

Le Président. Elle n'en a pas le droit.

Le Capitaine de vaisseau Le Vavasseur. Si nous admettons que l'Allemagne respecte le Traité, évidemment tout ce que nous faisons tombe; les transports de troupes peuvent se faire sans danger du moment que l'Allemagne n'a pas de sous-marins.

Le Président. Nous raisonnons sur le temps de paix et non pas sur le temps de guerre.

Nous sommes donc d'accord sur la rédaction que je viens de proposer et nous passons à la conclusion.

Cette conclusion est d'autant plus nécessaire qu'on a envisagé l'hypothèse où, avant une déclaration de guerre, les bateaux de guerre qui seraient à Anvers descendraient le fleuve, au besoin par l'Escaut s'ils n'avaient pas de routes intérieures pour sortir de Belgique.

Il faut donc que, d'avance, la Belgique sache si, dans cette période de tension, la Hollande lui permettrait de faire sortir ses navires.

La formule employée est tout à fait satisfaisante. Je ne demande pas un privilège pour la Belgique: je demande que la Hollande conserve entier son droit de souveraineté. Il convient simplement, pour éviter les conflits, que la Hollande dise d'avance à la Belgique dans quelles conditions elle permettra aux navires de guerre belges de circuler sur l'Escaut en temps de paix.

M. Neilson (*États-Unis d'Amérique*). Je crains que si nous rédigeons la proposition dans ces termes la Hollande ne nous dise que nous lui imposons une servitude; la Délégation hollandaise pourrait appuyer cette thèse avec de très bons arguments. Il conviendrait donc, je crois, de dire à la Hollande :

Si l'article 14 est abrogé, toute permission que le Gouvernement hollandais accorderait à la Belgique pour la navigation de ses navires de guerre sur l'Escaut en temps de paix devra être le résultat d'un accord.

Nous sommes, je crois, obligés d'examiner cette question et d'arriver à cette suggestion, en prenant garde de ne pas donner à la Hollande un prétexte à dire que nous lui imposons une servitude.

Le Président. La proposition de M. Neilson répond à la conclusion de la Sous-Commission; seulement, il ne s'agit pas, en ce moment, de la proposition à remettre aux Délégués hollandais, mais simplement d'un avis de la Sous-Commission.

M. Neilson, quand il transforme cette conclusion en une proposition à remettre aux Hollandais, va plus loin que nous, me semble-t-il. Voici, en effet, ce qu'il proposerait de dire aux Délégués néerlandais: 'Nous sommes d'avis de supprimer — et vous y consentez — l'article 14 du Traité de 1839; il en résultera que, pour éviter des conflits, vous feriez bien d'indiquer dans quelles conditions vous permettrez le passage des navires de guerre belges.' Mais, dans notre formule, nous allons moins loin et, pour nous, la Hollande dira simplement à la Belgique ce qu'elle entend faire; nous n'envisageons même pas un accord entre les deux pays.

M. Neilson (*États-Unis d'Amérique*). Je n'insiste pas; mon idée est la même que celle des rédacteurs de cette conclusion.

Le Président. Une autre formule pourrait être la suivante:

Mais, comme conséquence de l'application de l'article 14 du Traité de 1839, la Sous-Commission exprime le désir que la Hollande indique exactement dans quelles conditions elle entend . . . [3]

Nous démontrons que c'est là le corollaire nécessaire de la suppression de l'article 14, et, comme nous lui laissons toute liberté de formuler sa réglementation, la Hollande ne saurait s'en froisser; le désir que nous exprimons doit se traduire par un acte unilatéral de la Hollande et non par un accord entre les deux États.

M. Tufton (*Empire britannique*). Il faudrait laisser entendre que la Hollande n'imposera pas des conditions impossibles.

M. Tirman (*France*). On pourrait, en ce cas, parler de 'facilités à donner par la Hollande'.

Le Président. Notre rédaction suppose que le passage est autorisé. Il précise que les Puissances sont d'avis de supprimer l'article 14, et, à ce propos, il indique que nous avons une question à poser à la Hollande. A ce moment, rien ne sera plus facile que de dire à la Hollande: 'Faites connaître votre réponse par écrit à la Belgique.' Au reste, le procès-verbal enregistrera la réponse des Délégués hollandais. Voilà pourquoi il convient de procéder d'abord par voie de question; si la réponse était acceptée par les Belges, son enregistrement par les deux parties constituerait l'accord.

Cette manière de faire est, je crois, celle qui sauvegarde le mieux les susceptibilités hollandaises.

M. NEILSON. Je suggérerai qu'en parlant des conditions, nous demandions à la Hollande de faire connaître ses conditions, si elle en a à imposer à la Belgique.

LE PRÉSIDENT. Le malentendu, en ce moment, vient de la rédaction française. Quand nous disons: 'dans quelles conditions', cela signifie uniquement: 'de quelle façon'; le terme a un sens tout différent de: 'à quelles conditions' ou: 'sous quelles conditions'. C'est comme si nous disions à la Hollande de nous faire connaître 'de quelle manière elle appliquera l'accord à intervenir'.

Cela dit, je crois que nous sommes d'accord.

Il est donc entendu que la dernière phrase du chapitre II serait remplacée par celle-ci:

> Mais comme conséquence de la suppression de l'article 14 du Traité de 1839, elle estime qu'il conviendrait d'exprimer le désir que la Hollande fasse connaître exactement dans quelles conditions elle entend permettre le passage de l'Escaut aux navires de guerre belges en temps de paix.

*On donne lecture du chapitre III, consacré à la 'Question de la Meuse et du Limbourg'.*

*Question de la Meuse et du Limbourg.* La Sous-Commission a reconnu indispensable que la Belgique puisse défendre la ligne de la Meuse contre l'Allemagne jusqu'à ce que les Alliés lui viennent en aide, afin d'empêcher l'ennemi d'envahir son territoire comme il a pu le faire en 1914.

Elle a estimé que, si l'on envisage une offensive allemande sur la Meuse, dans le cadre d'une guerre dirigée contre les grandes Puissances occidentales, France et Angleterre, le tracé de la nouvelle frontière française rendait plus probable une violation, non seulement de la Belgique, mais aussi de la Hollande.

Il est possible que l'Allemagne ne désire pas — notamment au point de vue maritime — avoir la Hollande pour ennemie. Cependant, la nécessité militaire pourrait la conduire à violer le territoire hollandais. L'avantage qu'elle escompterait retirer de l'extension de son front de déploiement en Hollande pourrait l'emporter sur les inconvénients qui en résulteraient. Tel pourrait être le cas, par exemple, si l'Allemagne parvenait à se procurer dans l'avenir des ressources qui lui assureraient au point de vue de son ravitaillement une indépendance vis-à-vis de la Hollande, qu'elle n'avait pas dans la dernière guerre.

La menace que constitue pour la Belgique une violation éventuelle par l'Allemagne du territoire hollandais est telle que les Belges sont fondés à souhaiter vivement voir la Hollande prendre toutes précautions pour écarter le danger.

D'autre part, l'écrasement de la Belgique présenterait un danger non moins sérieux pour la Hollande qui ne manquerait pas à son tour d'être absorbée par l'Allemagne. On peut dire à ce sujet que si la Grande-Bretagne, au lieu de déclarer la guerre à l'Allemagne en 1914, avait permis à cette dernière d'écraser la France, elle aurait subi plus tard inévitablement le même sort.

Il est donc de l'intérêt, tant de la Belgique que de la Hollande, de s'entendre pour défendre énergiquement la ligne de la Meuse. Cette question a, d'ailleurs, une importance presque égale pour la France et pour la Grande-Bretagne.

M. Van Swinderen nous a donné l'assurance formelle que toute violation du territoire hollandais serait considérée comme un *casus belli* et que le Limbourg ferait l'objet d'une défense *locale*. Cette déclaration est extrêmement importante, parce qu'elle offre un terrain d'entente possible, mais elle est insuffisante par elle-même.

Le Limbourg méridional, en effet, n'est pas militairement défendable par des troupes prenant leurs communications en Hollande, c'est-à-dire exposées à être coupées de leur pays en quelques heures. La défense du Limbourg ne peut se concevoir avec chances de succès que par des troupes ayant leurs communications assurées vers l'Ouest, c'est-à-dire en territoire belge. Cette seule évidence montre qu'un accord est indispensable entre les deux pays directement intéressés. Il est donc nécessaire que la Hollande adopte des mesures militaires permettant:

d'une part, de gagner le temps nécessaire au déploiement des forces belges ou alliées sur la Meuse;

d'autre part, de couvrir l'aile gauche de l'armée belge ou des armées alliées contre une attaque allemande se développant en territoire hollandais.

L'accord militaire à réaliser devrait être basé sur les données suivantes:

*a*) La Hollande maintiendrait dans le Limbourg des forces suffisantes et y construirait les défenses *modernes* qui permettraient à ses troupes de résister efficacement à une invasion allemande en gagnant le temps nécessaire aux Belges pour occuper la ligne de la Meuse. Les Belges prendraient alors la responsabilité de défendre cette ligne jusqu'à la frontière hollandaise.

Un tel accord n'impliquerait nullement l'emploi des forces belges en territoire hollandais avant une déclaration de guerre de la Hollande à l'Allemagne, mais ses forces pourraient ensuite y être employées le cas échéant.

*b*) La Hollande s'engagerait à tenir fortement la ligne de la Meuse, au Nord de la province du Limbourg, de manière à prolonger la défense belge. La Sous-Commission reconnaît que cette mesure serait de nature à apporter quelques modifications au plan du Haut-Commandement hollandais, mais elle estime qu'elle n'en changerait pas les bases essentielles.

Sans discuter, en effet, la question de savoir si, avec la portée des canons modernes et le développement de l'aviation, le plan de défense de la Hollande, basé sur les inondations, mettrait encore ses grandes villes à l'abri des insultes de l'ennemi, on sait qu'elle a dû prévoir une première défense sur la Meuse pour se donner le *temps* de tendre ces inondations. En lui demandant donc de renforcer cette défense, on ne bouleverse pas son plan, mais on en facilite l'exécution, tout en assurant la protection initiale indispensable de l'armée et du territoire belges.

Au surplus, et pour répondre à une objection déjà faite par le Délégué hollandais devant la Commission, la Sous-Commission militaire et navale estime qu'il ne s'agit pas de *subordonner* le système de défense hollandais au système belge, mais de *lier* le premier au second. Elle est d'avis que cette liaison se justifie par la déclaration du Conseil Suprême du 8 mars,[2] aux termes de laquelle le but de la révision du Traité de 1839 est de supprimer les *risques* qu'il a créés pour la Belgique et la paix générale et par l'esprit de solidarité que doit créer le Pacte de la Société des Nations entre chacun de ses Membres.

La Sous-Commission a jugé nécessaire d'envisager les deux cas suivants:

*Premier cas.* — La Hollande et la Belgique sont toutes deux membres de la Société des Nations.

Dans ce cas, les articles 16 et 17 du Pacte règlent la question *dans son principe.* Mais comme rien ne s'improvise au combat, il est néanmoins essentiel qu'un accord militaire soit établi sur les bases indiquées plus haut par les soins de la Société des Nations entre la Belgique et la Hollande.

*Deuxième cas.* — La Belgique est membre de la Société des Nations et la Hollande n'en fait pas partie.

La Sous-Commission estime qu'un accord semblable à celui qu'elle a visé dans le premier cas devrait être conclu entre la Belgique et la Hollande, dans l'intérêt des deux pays et de la paix générale.

On ne conçoit pas, en effet, dans la situation nouvelle de l'Europe que la Hollande puisse être attaquée par l'Allemagne sans que cette attaque rentre dans le plan d'une agression générale contre les Puissances occidentales ou sans que celles-ci interviennent. Si la Hollande n'avait, pour résister à l'Allemagne, que son système de défense propre, son sort ne serait pas douteux. C'est donc dans une aide extérieure qu'elle trouverait la meilleure, sinon la seule protection efficace.

Un accord avec la Belgique, dont l'armée constitue actuellement l'aile gauche des Puissances occidentales dans un conflit éventuel avec l'Allemagne, lui assurerait cette protection.

La Sous-Commission espère donc qu'un tel accord, qui lui paraît répondre aux vœux de la Belgique, serait acceptable par la Hollande, attendu qu'elle y trouverait des avantages sérieux au point de vue de sa sécurité nationale, de ses bonnes relations avec la Belgique et avec les autres membres de la Société des Nations.

Cette convention n'entraînerait aucune violation du territoire de la Hollande, ni en temps de paix, ni en temps de guerre, par la Belgique ou par ses alliés. Dans le cas seulement où les ennemis de la Belgique porteraient atteinte à la neutralité hollandaise, les mesures prises d'un commun accord par la Belgique et la Hollande permettraient à cette dernière *de réaliser dans des conditions favorables* son intention *actuellement irréalisable de résister à tout agresseur.*

*On apporte au troisième alinéa la modification suivante:*

*Au lieu de:*

Cependant la nécessité militaire pourrait la conduire à violer le territoire hollandais.

*Lire:*

Cependant, des considérations militaires pourraient la conduire à violer le territoire hollandais.

Le Président. Cette fois, je crois que l'exposé est complet et donne satisfaction à tous . . .[3]

M. Neilson (*États-Unis d'Amérique*). Il me semble que les Hollandais pourront soutenir que cet accord militaire ne résulte pas de la révision du Traité de 1839, attendu que ce Traité renferme uniquement des stipulations qu'on pourrait appeler économiques et d'autres qu'on pourrait appeler politiques. J'estime donc qu'il serait possible d'introduire dans le rapport une phrase comme celle-ci:

Le plan tracé par les experts militaires ne fait qu'indiquer leur avis sur la façon dont le Limbourg peut être défendu par une action commune de la Belgique et des Pays-Bas et naturellement ne s'occupe pas de la question de l'avantage ou des inconvénients politiques que présenterait pour chaque nation la conclusion d'un tel accord.

Par cette phrase, nous ferions ressortir que nous nous bornons à présenter aux deux pays un accord militaire en leur demandant de l'examiner.

Le Président. En ce moment, nous ne discutons que le rapport du Sous-Comité militaire qui, dans notre esprit, doit être annexé à la note que notre Réunion des Délégués des grandes Puissances enverra au Conseil Suprême en lui demandant des instructions; c'est dans cette note que la réserve de M. Neilson trouvera sa place.

M. Neilson. Je vous prie de ne pas considérer ma proposition comme une réserve. Je voulais simplement suggérer que nous indiquions au Conseil Suprême que nous ne considérons pas les aspects politiques d'une telle alliance militaire.

Le Président. Nous ne proposons pas d'alliance militaire entre les deux États. Nous demandons seulement qu'une étude soit faite par les États-Majors belge et hollandais pour un cas qui doit s'appliquer une fois, dans les conditions déterminées, c'est-à-dire si on attaque un territoire qui par sa nature, au point de vue militaire, intéresse à la fois la Belgique et les Pays-Bas. Si on attaque le Limbourg, c'est pour atteindre la Belgique.

Il y a là quelque chose d'analogue à ce qui existait entre la Grande-Bretagne et la France avant la guerre; des études avaient été faites entre les États-Majors en vue d'une coopération éventuelle; c'était si peu une convention d'alliance que, pendant les quelques jours qui ont précédé l'entrée de l'Angleterre en campagne nous avons eu en France les plus vives inquiétudes, nous demandant si l'Angleterre allait, ou non, venir combattre à nos côtés.

416

Ce que nous prévoyons ici est encore moins grave au point de vue politique. La Hollande dit qu'elle défendra le Limbourg : nous lui disons alors qu'il n'y a qu'une façon de le défendre, c'est de prévoir par avance la façon dont cette défense se fera. Elle ne peut l'organiser qu'avec la Belgique, puisque le Limbourg ne se défend pas de Hollande, mais de Belgique. Mais nous ne demandons même pas à la Hollande de défendre le Limbourg : c'est elle qui dit qu'elle le défendra. Il s'agit donc d'une précaution à prendre en vue d'une éventualité qui dépend de la seule volonté de la Hollande, volonté qu'elle a exprimée, c'est exact, mais qu'elle a exprimée spontanément.

*Propositions du Sous-Comité sur la défense de la Meuse et du Limbourg.*

*On donne lecture des propositions du Sous-Comité sur la question de la défense de la Meuse et du Limbourg :*

La Sous-Commission ayant été invitée à rechercher plusieurs solutions de la question de la défense de la Meuse et du Limbourg propose :

### A. — *Si la Hollande est membre de la Société des Nations*

Accord militaire à établir entre la Belgique et la Hollande par les soins de la Société des Nations en conformité de son Pacte et sur les bases suivantes :

1° Organisation dès le temps de paix par la Hollande de la défense du Limbourg, en vue de couvrir le déploiement éventuel des forces belges (ou alliées) sur la Meuse, dont lesdites forces assureraient la défense jusqu'au point où la frontière hollandaise se détache de la Meuse vers l'Ouest.

2° Organisation de la défense par des forces hollandaises de la Meuse au Nord de ce dernier point en vue de répondre au double but de couvrir la Hollande et de prolonger l'aile gauche des troupes alliées et belges.

### B. — *Si la Hollande n'est pas membre de la Société des Nations*

*Première solution.* (Proposée par tous les membres de la Sous-Commission.) Accord militaire entre la Hollande et la Belgique sur les bases ci-dessus indiquées, visant exclusivement le cas de violation du territoire hollandais que le Gouvernement des Pays-Bas déclare considérer comme un *casus belli*.

*Deuxième solution.* (Suggérée par les Délégués de la France et de l'Italie.) Accord militaire entre la Hollande et les Puissances occupantes du territoire rhénan en vue de lier *éventuellement* la défense de la Meuse hollandaise au système de défense desdites Puissance[s] pendant le temps où elles jugeront nécessaire d'occuper et dans les cas où elles estimeraient nécessaire de réoccuper tout ou partie du territoire rhénan, comme garantie contre une agression possible de l'Allemagne.

Le Président. Ainsi qu'il est indiqué, la seconde solution est suggérée par les Délégués de la France et de l'Italie. Si nous l'avons insérée ici, ce n'est pas dans l'espoir qu'elle sera acceptée, mais pour décharger notre conscience, afin qu'on ne dise pas que nous avons dissimulé un aspect quelconque de la question, non pas tant au Conseil Suprême qu'aux autres experts militaires auxquels il renverra probablement l'étude de cette question.

Messieurs, nous en avons terminé avec l'examen du rapport du Sous-Comité militaire et naval; je dois vous dire en concluant que j'ai bon espoir que nous arriverons à un accord sur ces bases. D'après ce qui nous revient des milieux néerlandais officiels, les Pays-Bas feront tout ce qu'il est possible de faire pour obtenir de la Belgique la déclaration de désintéressement dans les questions territoriales: ils attachent à cela une extrême importance. Il y aura peut-être des résistances de forme, mais nous finirons par aboutir.

M. TUFTON (*Empire britannique*). M. Segers a dit que la Belgique était prête à donner cette assurance.

LE PRÉSIDENT. En effet; et ainsi on mettrait fin aux campagnes qui se poursuivent dans les deux pays.

M. TUFTON. J'ajoute qu'une dépêche de notre Chargé d'affaires à La Haye[5] dit que les Délégués néerlandais reviennent à Paris prêts à faire des concessions considérables en ce qui concerne l'Escaut et les canaux.

*On donne lecture de la demande d'instructions qui serait adressée au Conseil Suprême par la Réunion des Délégués des grandes Puissances. (Voir en Annexe, au procès-verbal no. 7, page 463[6] le texte définitif de la demande d'instructions.)*

LE PRÉSIDENT. Je vous propose de renvoyer la discussion de ce document à notre prochaine séance qui pourrait avoir lieu demain 5 septembre, à 16 heures. (*Assentiment.*)

La séance est levée à 18 heures.

[5] No. 111.          [6] p. 459.

# No. 115

*Record of a meeting in Paris of the Delegates of the Great Powers on the Commission for the revision of the Treaties of 1839*

*No. 6 [Confidential/General/177/9]*

*Procès-verbal No. 6. Séance du 5 septembre 1919*

La séance est ouverte à 16 heures, sous la présidence de M. Laroche, *Président.*

Sont présents:

M. Fred K. Neilson (*États-Unis d'Amérique*); l'Honorable Charles Tufton et le Colonel Henniker (*Empire britannique*); MM. Laroche et Tirman (*France*); M. Tosti et le Professeur D. Anzilotti (*Italie*); le Général Sato et le Professeur Hayashi (*Japon*).

*Assistent également à la séance:*

Le Colonel Embick et le Capitaine de corvette Capehart (*États-Unis d'Amérique*); le Capitaine de vaisseau Fuller, le Capitaine de frégate Macnamara et M. Bland (*Empire britannique*); le Capitaine de vaisseau Le

418

Vavasseur, le Lieut^t-Colonel Réquin et M. de Saint-Quentin (*France*); le Capitaine de corvette Ruspoli et le Major Pergolani (*Italie*); M. Yokoyama (*Japon*).

LE PRÉSIDENT. Messieurs, nous sommes réunis pour échanger les observations qu'a pu vous suggérer la première partie de la note que nous nous proposons d'adresser au Conseil Suprême pour lui demander des instructions....[1]

LE COLONEL HENNIKER (*Empire britannique*). Monsieur le Président, avant d'examiner en détail cette note, je vous demanderai de vouloir

*Demande d'instructions au Conseil Suprême.*

bien nous donner quelques explications sur le sort que vous réservez à cette note; je n'ai pas très bien compris hier ce que vous désiriez faire.

LE PRÉSIDENT. Les Belges et les Hollandais nous ont exposé chacun leur point de vue. Nous nous sommes réservé de leur faire connaître notre point de vue en matière économique, s'ils ont des difficultés à s'accorder. La première chose que nous leur dirons sera celle-ci: puisque vous revenez à la Commission, les uns et les autres, mettez-vous d'accord pour trouver des formules communes en matière économique. Si, comme je viens de le dire, ils ont de la peine à trouver ces formules, il faut que nous sachions dans quel sens nous les orienterons pour arriver à la conciliation. Voilà pour le point de vue économique.

Pour ce qui est du domaine politique et militaire, nous avons réservé, vis-à-vis des Belges et des Hollandais, le point de vue des principales Puissances. Dans les questions économiques, les grandes Puissances ont surtout un rôle moral à jouer; mais dans les questions politiques et militaires, les grandes Puissances sont directement intéressées, au même titre que les Belges et les Hollandais; la sécurité de la Belgique et l'état des relations belgo-hollandaises ne peuvent laisser indifférentes les grandes Puissances, principalement les plus voisines, la France et l'Angleterre.

Dans ces conditions, Belges et Hollandais nous ayant fait connaître leur point de vue, nous devons porter à leur connaissance celui des grandes Puissances.

Tout le monde est d'accord, grandes Puissances et Belgique, pour reconnaître qu'il est nécessaire de réviser les Traités de 1839, mais en corrigeant, s'il y a lieu, les inconvénients qu'entraînera pour la Belgique la suppression de sa neutralité perpétuelle et des garanties que ce régime comportait, par l'octroi d'autres garanties, à condition que les nouvelles dispositions prises ne comportent ni annexions territoriales, ni servitudes internationales.

Nous avons donc à faire connaître à notre tour ce que nous estimons suffisant et nécessaire pour que les Belges soient rassurés quant à leur sécurité.

Seulement, j'estime, et la Commission a estimé avec moi, que les Délégués des grandes Puissances réunis en ce moment n'ont pas assez d'autorité à eux seuls pour dire aux Délégués belges et hollandais — lesquels parlent au nom de leurs Gouvernements — quel est le point de vue des Alliés; nous ne

[1] Punctuation as in original.

pouvons dire le point de vue des Gouvernements alliés que lorsque nous aurons pris l'avis de nos Gouvernements respectifs.

Ceux-ci, en effet, n'ont pu, jusqu'à présent, nous donner aucune direction, puisqu'on ne savait pas exactement ce que demandaient, ce que refusaient l'une et l'autre parties. Nous le savons aujourd'hui; nous sommes donc fondés à nous tourner vers nos Gouvernements réunis en Conseil Suprême et à leur dire: 'Les Belges demandent ceci; les Hollandais ne veulent accorder que cela; et nous, nous estimons qu'il faudrait telles et telles garanties; est-ce bien là votre avis?'

Si le Conseil Suprême nous approuve, nous aurons alors toute autorité pour dire aux Belges et aux Hollandais: 'Voilà ce que les principales Puissances estiment nécessaire et suffisant pour que la Belgique soit garantie; c'est dans cet ordre d'idées que vous devez rechercher un accord.'

LE COLONEL HENNIKER (*Empire britannique*). Je n'ai pas compris qu'il ait été définitivement arrêté hier que cette note irait au Conseil Suprême sous sa forme actuelle et j'estime que les avantages ou les inconvénients de cet envoi devraient peut-être être envisagés un peu plus en détail avant que nous prenions cette décision.

LE PRÉSIDENT. Ce que nous envoyons au Conseil Suprême, c'est une demande d'instructions adressée par les Délégués des grandes Puissances à la Commission de révision des Traités de 1839; nous expliquons ce qui s'est passé ici et pourquoi nous demandons des instructions; nous disons au Conseil Suprême nos intentions et nous lui demandons s'il les approuve.

M. NEILSON (*États-Unis d'Amérique*). Aux termes de la résolution du Conseil Suprême qui a constitué la Commission, nous devions tous ensemble, y compris les Belges et les Hollandais, examiner la révision des Traités de 1839 et envoyer des propositions au Conseil Suprême à la suite de cette étude.

Je me rappelle que le Délégué des Pays-Bas, au cours de son exposé, a signalé aux Délégués belges que la Belgique semblait regretter l'action prise par les grandes Puissances à l'égard de la Belgique il y a à peu près cent ans, et il leur a suggéré que la Hollande pourrait être peu disposée à invoquer aujourd'hui l'action des grandes Puissances.

Le représentant des Pays-Bas semblait ainsi laisser entendre qu'il y avait des objections à ce que les cinq grandes Puissances s'intéressent aux affaires concernant directement la Belgique et les Pays-Bas. Je ne pense pas qu'il y ait lieu d'avoir aucune appréhension en ce qui concerne l'action de ces Puissances. Mais, puisqu'il faut compter largement avec la bonne volonté de la Hollande pour aboutir aux résultats visés par ces négociations, il paraît fort peu à désirer que nous donnions aux Hollandais motif de soupçonner que la Commission est réellement divisée en deux parties, l'une composée des Belges et des Hollandais et l'autre composée des cinq grandes Puissances.

Il me semble que nous devrions éviter la moindre apparence d'une telle division et que si nous désirons obtenir des instructions de nos Gouvernements, chaque Délégation devrait s'adresser séparément à son Gouvernement.

LE PRÉSIDENT. J'avais cru comprendre que nous étions tous d'accord et je m'aperçois, après plusieurs séances, qu'on revient sur une procédure qui m'avait paru recueillir l'assentiment unanime.

Il ne s'agit pas de mettre en opposition le point de vue des cinq grandes Puissances et le point de vue des Belges et des Hollandais; mais, les Belges et les Hollandais parlant au nom de leurs Gouvernements, il convient que nous aussi parlions au nom des nôtres.

Allons-nous, chacun de notre côté, consulter notre Gouvernement? Il pourra en résulter que nous reviendrons ici avec des opinions différentes.

Qu'on le veuille ou non, du reste, il y a bien ici, d'un côté les cinq grandes Puissances, d'un autre côté la Belgique et, d'un autre côté encore la Hollande. Mais les grandes Puissances n'ont nullement l'intention d'imposer leurs volontés à la Belgique et à la Hollande: c'est ce qui distingue cette Commission d'une commission qui rédigerait un traité et où l'on arriverait à des conclusions obligatoires pour les parties; nous appliquons seulement une résolution qui prescrit aux Belges et aux Hollandais de s'accorder et en même temps nous demande d'étudier avec eux les moyens d'arriver à cet accord: rien de plus.

Seulement, je le répète, nous nous trouvons en face de questions très larges et pour lesquelles nous ne nous sentons pas assez d'autorité; c'est pourquoi, je proposais que nous demandions des instructions au Conseil Suprême.

A supposer que, au contraire, chacun de nous s'adresse directement à son Gouvernement, nous serons obligés de nous réunir à nouveau pour concerter nos instructions, car, en tant que président, je n'accepterais pas cette responsabilité que les grandes Puissances aient devant les Belges et les Hollandais des opinions différentes: ce ne serait guère le moyen d'amener entre les deux principaux intéressés l'accord que nous voulons obtenir.

Mais, encore faut-il que nous ayons l'autorité suffisante pour que notre avis soit écouté. Remarquez d'ailleurs que c'est ce que souhaitent les Belges et les Hollandais.

J'avais bien pensé, moi aussi, à cette consultation séparée de nos Gouvernements: elle se concevrait si nous étions réunis alors que les Chefs de Gouvernement ont mis fin à leurs travaux; mais ils sont encore réunis en un Conseil Suprême qui siège tous les jours ici même; n'est-il pas plus simple de les consulter tous ensemble sur des matières tellement délicates que je me refuserais à prendre la responsabilité de tels ou tels conseils à donner aux Belges et aux Hollandais sans être certain que je suis suivi non seulement par mon propre Gouvernement, mais encore par tous les Gouvernements des grandes Puissances?

Au Traité de 1839, deux des grandes Puissances représentées à Paris sont encore parties. D'autre part, en adoptant les résolutions et le rapport de la Commission des affaires belges, toutes les Puissances se sont engagées à ne pas se délier de ces Traités de 1839 avant que la Belgique ait obtenu satisfaction. Si les Puissances ont pris cet engagement en commun, c'est en commun qu'elles doivent faciliter aux Belges et aux Hollandais le moyen de se mettre d'accord.

M. Tosti (*Italie*). La Délégation italienne s'associe à la thèse soutenue par

M. le Président; elle estime que la procédure indiquée par lui est la plus appropriée, non seulement parce qu'elle tient compte de considérations d'ordre politique qui ne sont pas à négliger, mais parce qu'elle nous paraît répondre en tous points au mandat donné à cette Commission par le Conseil Suprême.

Nous ne partageons pas les scrupules de la Délégation américaine; nous considérons que la Commission est investie d'un mandat d'études; mais c'est le propre d'une Commission comme la nôtre que de procéder par étapes successives. C'est pourquoi, après que nous avons pris connaissance des conclusions des Délégués belges et hollandais, il nous paraît logique qu'on soumette les premiers résultats de notre enquête au Conseil Suprême.

Le Président. Ce que dit M. Tosti est d'autant plus fondé qu'on lit à la fin de la résolution du 4 juin[2] ces mots:

'. . . . en[1] s'inspirant des principes généraux adoptés par la Conférence de la Paix . . . .'[1]

Il faut donc que nous puissions vérifier, le cas échéant, si nous sommes bien toujours dans ces principes.

M. Neilson (*États-Unis d'Amérique*). Je ne voudrais pas présenter d'objection définitive à la proposition qui nous est faite de soumettre au Conseil Suprême ce qu'on a appelé une demande d'instructions, bien que je sois plutôt porté à craindre que cela doive gêner et non faciliter les négociations; mais ce que nous appelons une demande d'instructions est, en fait, un rapport sur ce que les Délégations belge et hollandaise nous ont dit, rapport qui contient nos appréciations sur les demandes faites d'un côté et sur les concessions consenties de l'autre.

En examinant ce compte rendu de nos travaux, le Conseil Suprême ne sera-t-il pas porté à croire que nous avons quelque envie de lui remettre la suite du travail qu'il nous avait confié? En tout cas, il lui faudra à son tour étudier la question, après nous avoir chargés de cette étude.

Je n'ai pas de compétence au point de vue militaire; cependant j'ai de la sympathie pour les désirs exprimés par les Belges au sujet de la navigation de l'Escaut et j'aimerais maintenant entendre les Hollandais s'exprimer de façon plus précise sur ce point et donner peut-être des garanties satisfaisantes pour les Belges.

Je n'ai pas d'opinion préconçue; mais il est possible que, si nous entendions, à nouveau les Délégués hollandais, ils pourraient nous apporter des précisions nouvelles, après quoi nous soumettrions au Conseil Suprême des solutions plus précises.

Le Président. C'est cela qui serait alors le véritable rapport de la Commission; en ce moment, au contraire, je veux éviter d'entrer dans des détails vis-à-vis du Conseil Suprême et de l'amener à prendre des résolutions; nous n'avons le droit de lui demander ses conclusions que lorsque nous lui aurons présenté les nôtres. C'est pourquoi je trouve que nous devons rester plus dans le vague que ne le suggère M. Neilson.

Ce que nous demandons au Conseil Suprême, c'est une orientation. Nous

[2] See No. 39, note 1.

sommes arrivés dans notre étude à un tournant difficile; semblables au chauffeur qui, dans un passage dangereux, doit donner un coup de volant, nous demandons à ceux qui connaissent la route quel chemin il faut exactement prendre. En d'autres termes, nous demanderons au Conseil Suprême des directions générales grâce auxquelles nous pourrons serrer de plus près la question.

Et c'est quand nous serons arrivés à voir très au fond la question que nous pourrons faire le rapport dont parle M. Neilson, sans que d'ailleurs, auparavant, rien ne nous empêche de consulter une fois de plus le Conseil Suprême.

Je résume: nous sommes arrivés ici sans idées préconçues, sans même avoir des idées très précises, car nous ne savions pas exactement ce que demandait la Belgique ni ce que voulait donner la Hollande; les Belges eux-mêmes reconnaissent que le premier exposé fait par leur Représentant n'était pas très précis; il nous était donc impossible de prévoir comment on pourrait régler la question avant de connaître d'une manière exacte le point de vue belge et le point de vue hollandais. Aujourd'hui, nous connaissons les deux opinions, les deux points de vue et nous disons au Conseil Suprême: 'D'après ce que nous voyons, voici dans quelle voie nous allons essayer d'orienter l'accord; mais comme ces matières extrêmement délicates engagent la responsabilité des Puissances, nous approuvez-vous de continuer dans cette voie?'

Il ne faut pas oublier, en effet, que nous allons non seulement réaliser l'accord belge-hollandais, mais modifier complètement le statut de cette partie de l'Europe, ce qui implique des responsabilités militaires considérables. La France et l'Angleterre ne sauraient voir d'un œil indifférent le régime militaire établi car, en définitive, si le Limbourg est violé et la Belgique attaquée, c'est la France que l'on vise derrière elle et aussi l'Angleterre.

Si les Puissances nous approuvent, nous poursuivrons la discussion et nous entrerons dans le détail, cette fois avec des instructions.

D'autre part, l'avantage que je vois à demander ces instructions au Conseil Suprême, c'est que nous aurons une orientation commune qui facilitera nos travaux, tandis que des dissentiments possibles devant les Belges et les Hollandais nous obligeraient à nous arrêter court.

Le Général Sato (*Japon*). M. le Président a bien voulu, à l'une de nos dernières réunions, me dire dans quelles conditions la Réunion des Délégués des grandes Puissances avait décidé de procéder comme il vient de le dire: je n'ai fait à ce moment aucune objection, pensant que la décision de la Commission était bien arrêtée. Mais je tiens à déclarer qu'à mon sens, il n'y a pas de raison qui justifie notre demande d'instructions. Nous avons reçu mandat d'étudier la question et, s'il est possible, d'arriver à un accord; toute demande au Conseil Suprême ne pourra que retarder nos travaux. Et si le Conseil Suprême nous renvoie ce rapport avec des modifications et des propositions nouvelles, nous recommencerons à tourner dans le même cercle.

Je crois donc, à mon tour, qu'il est préférable de convoquer d'abord à nouveau les Délégués belges et hollandais, de les entendre et si on peut se mettre d'accord sur quelques propositions conformes aux instructions premières du Conseil Suprême, alors nous enverrons au Conseil notre rapport définitif.

De toutes façons, quelque procédure que l'on adopte, j'estime qu'il convient de terminer notre travail le plus vite possible.

LE PRÉSIDENT. Le meilleur moyen de nous entendre, c'est de me permettre de poser une série de questions.

Êtes-vous d'accord que, vis-à-vis des Belges et des Hollandais, il est utile que les Représentants des grandes Puissances aient une attitude uniforme, afin de faciliter l'entente entre les deux parties sur la base des propositions qui sont faites? Êtes-vous d'accord que nous disions aux Belges et aux Hollandais, à titre de conseil et d'avis, quelles sont nos vues, et ce qu'à notre avis ils devraient conclure entre eux? . . .[1]

M. TIRMAN (*France*). Sans aller jusqu'à leur faire connaître l'avis de la Réunion des Délégués des grandes Puissances, nous pourrions les appeler à nous dire comment ils entendent réaliser l'accord.

L'appréhension que nous éprouvons et qui nous pousse à cet acte de pure déférence vis-à-vis de nos Gouvernements et du Conseil Suprême, qui en est l'émanation, c'est de préconiser des solutions qui ne seraient pas celles que préféreraient nos Gouvernements; en ce sens, notre proposition est beaucoup plus modeste qu'elle ne le paraît.

LE PRÉSIDENT. Il est bien certain que, lorsque les Hollandais reviendront ici, nous ne leur dirons pas: 'En votre absence, nous avons délibéré et nous avons adopté telle et telle conclusion.' Aux Hollandais, nous dirons: 'Où en êtes-vous? Que pensez-vous?' Nous poserons les mêmes questions aux Belges en leur demandant ce qu'ils pensent des propositions néerlandaises. Après quoi, si nous constatons des divergences, nous interviendrons en disant aux uns et aux autres: 'Il y a un moyen de s'entendre; il semble que telle ou telle solution vous donnerait satisfaction.'

Mais encore une fois, pour que nous puissions leur tenir un tel langage il faut que nous sachions d'avance ce que nous dirons, dans quel sens nous parlerons.

Nous sommes donc d'accord pour reconnaître que nous sommes disposés à remplir notre rôle, c'est-à-dire à nous mettre d'accord d'avance sur le sens dans lequel nous donnerons aux Belges et aux Hollandais le conseil de s'orienter; où la difficulté commence, c'est que les avis que nous donnerons comportent pour nous de telles responsabilités que nous ne pouvons prendre sur nous de les donner sans nous tourner vers nos Gouvernements.

La Délégation britannique et la Délégation américaine estiment que nous pouvons nous adresser séparément à nos Gouvernements. Je réponds, d'autre part, que les Gouvernements réunis ici s'occupent des questions les plus graves, que celle-ci en est une, que la révision des Traités de 1839 a été décidée en commun par le Conseil Suprême, que le même Conseil a pris en commun la résolution qui nous a constitués et que c'est à lui que nous devons demander des instructions plutôt que de nous adresser séparément à nos divers Gouvernements.

M. NEILSON (*États-Unis d'Amérique*). Je crois que tous les Délégués à cette

Commission estiment que les résultats de nos discussions pourront être présentés à l'examen des Belges et des Hollandais. Nous devrions, en effet, éviter tout ce qui pourrait faire du Conseil Suprême un membre de la Commission.

D'ailleurs, le rapport que nous allons soumettre au Conseil Suprême ne donne pas exactement l'état de la question. Nous exposons, y est-il dit, le point de vue belge et hollandais; en réalité, nous n'exposons que ce que M. Van Swinderen nous a dit dans une première déclaration; sur notre demande, il a consenti à aller demander de nouvelles instructions à La Haye; il est possible qu'il revienne avec des propositions plus conciliantes.

Dans ces conditions, si la procédure proposée par M. le Président était adoptée et si l'on soumettait au Conseil cette note demandant des instructions, j'estime qu'il conviendrait de la compléter en disant que le Délégué hollandais a été prié de demander de nouvelles instructions et que nous pensons que peut-être les nouvelles propositions qu'il apportera permettront de réaliser plus facilement l'accord entre la Belgique et la Hollande.

Le Colonel Henniker (*Empire britannique*). Je voudrais revenir sur certains arguments qui ont été présentés.

Je n'insisterai pas sur ce qui concerne la responsabilité des Délégués des grandes Puissances. Nommés pour étudier la révision des Traités de 1839, s'ils estiment qu'ils ne peuvent s'engager jusqu'au bout sous leur responsabilité, ils n'ont évidemment qu'à consulter leurs Gouvernements.

En second lieu, si j'examine cette note à envoyer au Conseil Suprême, je pense que la forme qui lui a été donnée ne doit pas être sa forme définitive; de plus, les membres du Conseil Suprême se contenteraient vraisemblablement de la renvoyer à ceux de leurs experts qu'ils jugent compétents, c'est-à-dire à nous-mêmes.

Enfin, on ne saurait voir dans cette note le rapport de la Commission. La Commission, en effet, ne se compose pas seulement des Représentants des cinq grandes Puissances, mais aussi des Délégués de la Belgique et de la Hollande. En ce moment, ce sont quelques membres de la Commission qui discutent officieusement et je ne voudrais pas que l'on pût dire ou croire que les grandes Puissances ont travaillé à l'encontre des Etats intéressés; j'y verrais plutôt un obstacle au succès de nos travaux.

Le Président. Je suis convaincu du contraire. J'ai dit nettement à M. Van Swinderen que les Délégués des grandes Puissances, après avoir entendu la Belgique et la Hollande, allaient se réunir officieusement pour se concerter entre eux et qu'ils feraient ensuite connaître leur point de vue; d'autre part, au cours d'une visite que m'a faite M. Van Swinderen, j'ai pu constater que le fait que les grandes Puissances auraient un mot à dire dans la question ferait, au contraire, le plus grand effet pour hâter les négociations. L'avis autorisé des grandes Puissances aura le plus grand poids. Si nous disons à la Belgique: 'Telles et telles garanties vous sont suffisantes', la Hollande sera enchantée que nous le disions et nous sommes seuls en état de tenir un tel langage: la Hollande ne le peut pas. En même temps, ce sera la seule sauvegarde du Gouvernement belge vis-à-vis de son opinion pour pouvoir lui faire accepter l'accord qui sera conclu avec la Hollande. Il pourra répondre aux objections: 'Il est exact que je n'ai pas eu tout ce que vous demandiez, mais les grandes Puissances qui ont la responsabilité de la défense de la Belgique ont estimé que ces garanties étaient suffisantes.'

Voilà dans quel sens notre autorité morale est indispensable et sera très efficace.

Le Colonel Henniker (*Empire britannique*). Je désirerais que cette note ne fût employée par nous que comme un guide dans la discussion que nous aurons éventuellement avec les Belges et les Hollandais . . .[1]

Le Président. Ici, nous sommes d'accord.

Le Colonel Henniker. Il est important et nécessaire que nous soyons tous d'accord avant d'entrer en communication nouvelle avec les Belges et les Hollandais, mais je ne crois pas bon pour nous d'être liés par des formules strictes; nous aurons à guider les uns et les autres, à tâcher de les faire sortir d'une impasse s'il arrive qu'ils s'y trouvent: nous aurons entre les mains une sorte de code nous donnant une direction générale, mais je ne voudrais pas que nous fussions absolument liés par les mots qu'il renferme.

Je pense également qu'il n'est pas bon de communiquer tout de suite aux Belges et aux Hollandais les vues auxquelles nous nous serons arrêtés, les conclusions auxquelles nous serons arrivés; il est préférable de les entendre, de voir les différences qui séparent leurs points de vue et de les guider vers un accord si nous le pouvons.

J'accepterais donc volontiers la suggestion du Délégué américain d'entendre d'abord les Hollandais. Je crois, comme il l'a dit, qu'ils sont prêts à faire des concessions nouvelles.

J'ajoute encore un point: si l'on décidait d'envoyer cette note au Conseil Suprême, je demanderais que l'on veuille bien l'abréger. C'est un rapport bien fait et intéressant, mais le Conseil Suprême préfère des formules courtes, sur lesquelles il puisse répondre et prendre une décision par oui ou par non.

Il me paraît également utile de prendre bien soin de donner une forme prudente à ce rapport qui est destiné un jour ou l'autre à venir à la connaissance des Belges et des Hollandais.

M. Neilson (*États-Unis d'Amérique*). Le Conseil Suprême est très occupé: il est probable qu'il se passera assez longtemps avant que nous recevions sa réponse et ses nouvelles instructions. Je proposerai donc, à titre de compromis, que, pour le moment — et sans rejeter l'idée d'envoyer au Conseil Suprême une demande d'instructions nouvelles, — nous entendions les Délégués belges et hollandais. Et ensuite, si nous persistons à croire que cela est nécessaire, nous demanderons, sous cette forme, au Conseil Suprême, les instructions dont nous aurons besoin.

Le Président. Je n'avais qu'une idée moi aussi: gagner du temps. Il est bien dans mes intentions que nous entendions tout de suite les Délégués belges et hollandais; les instructions que je proposais de demander n'étaient dans mon esprit que des directions destinées non à nous lier, mais à nous guider dans la discussion.

Quoi qu'il en soit, j'insiste sur ce fait que je tiens tout de même à être couvert et je crois qu'il n'y a que le Conseil Suprême qui puisse nous couvrir.

Voici donc la procédure que je suggère.

Tout d'abord, je propose que nous terminions la lecture de notre note et que, entre nous, nous nous mettions d'accord sur ses conclusions: cela nous permettra, en attendant la décision du Conseil Suprême, de savoir dans quel sens nous nous orienterons dans nos entretiens avec les Délégués belges et hollandais.

D'autre part, je reconnais avec le Délégué britannique que cette note est un peu longue. On pourrait donc déjà l'alléger en supprimant le résumé des deux thèses exposées et en se bornant à dire que les Délégués des grandes Puissances, ayant entendu les Belges et les Hollandais, ont pu constater entre eux certaines divergences, mais en même temps certaines possibilités d'accord; qu'il leur est apparu qu'ils auraient un rôle à jouer en donnant un avis autorisé aux parties pour ménager un accord entre elles, mais qu'en donnant cet avis sur des matières qui intéressent directement, au point de vue politique et militaire, les grandes Puissances, les Délégués engagent la responsabilité de leurs Gouvernements; qu'en conséquence, ils ont l'honneur de soumettre à leurs Gouvernements respectifs représentés dans le Conseil Suprême, les principes sur lesquels ils se sont mis d'accord pour orienter le cas échéant leur intervention auprès des Délégués belges et hollandais.

Nous ferons suivre ces quelques lignes de l'exposé des principes économiques et militaires tel qu'il a été préparé où chaque paragraphe est précédé lui-même d'un exposé des motifs; et puis nous demanderons si le Conseil Suprême approuve ces conclusions.

Cela nous permettra d'entendre les Hollandais pour gagner du temps; mais en même temps, nous y gagnerons que, selon moi, jusqu'à la fin de nos travaux, nous n'aurons plus besoin de revenir devant le Conseil dont nous aurons reçu une orientation générale. Et à la fin de nos travaux, nous viendrons, avec les Belges et les Hollandais, présenter des conclusions précises.

M. Neilson (*États-Unis d'Amérique*). Je ne trouve pas que la longueur de la note puisse servir d'élément d'appréciation; une note plus développée encore serait préférable pour le Conseil Suprême, car la question est difficile. Je trouve excellente celle que nous avons entre les mains, avec les réserves que j'ai faites cependant, à savoir qu'elle ne semble pas donner le point de vue définitif des Hollandais.

M. Tirman (*France*). On pourrait adopter la formule proposée par M. le Président et mettre tout le reste en annexe.

Le Président. C'est cela. Nous ferons une note courte avec un bref exposé et des conclusions. A cette note nous annexerons l'historique, le résumé des thèses belge et hollandaise, en tenant compte de la remarque de M. Neilson, qu'il y a lieu de croire que ce n'est pas là le dernier état de la question au point de vue hollandais et que les Délégués néerlandais semblent devoir revenir avec de nouvelles instructions; nous mettrons également en annexe le rapport militaire.

Enfin, nous pourrons conclure en disant que telles étant les conclusions arrêtées par la Réunion des Délégués des grandes Puissances, nous demandons au Conseil Suprême s'il n'a pas d'objections à ce que nous nous orientions dans cette voie.

En effet, si nous disons que nous demandons des instructions, nous allons peut-être mettre le Conseil Suprême en face de l'inconnu.

Je crois, en définitive, qu'un bref exposé avec, en annexes, le résumé des travaux de la Réunion des Délégués des grandes Puissances et le rapport du Sous-Comité militaire et naval, est de nature à donner satisfaction à tous.

M. Neilson (*États-Unis d'Amérique*). Je suis tout disposé à adopter cette procédure en ajoutant que l'on s'adresse au Conseil Suprême, parce que certains Délégués désirent demander des instructions précises à leurs Gouvernements respectifs.

Le Président. Nous dirions:

> Certains membres de la réunion des Délégués des grandes Puissances ayant exprimé l'avis que l'orientation de la réunion entraînait une grande responsabilité, qu'elle leur paraissait engager la responsabilité des Gouvernements, les soussignés ont, en conséquence, estimé qu'il convenait de soumettre cette question aux dits Gouvernements représentés au Conseil Suprême.

En même temps, nous modifierons notre titre comme ceci:

> Demande d'instructions adressée aux Gouvernements des principales Puissances alliées et associées par leurs Délégués à la Commission pour la révision des Traités de 1839.

M. Neilson. Dans les conditions actuelles et en adoptant ce nouveau point de vue, je ne vois pas de raison de m'opposer à cette procédure.

*Projet du [sic] con-*      *On donne lecture des conclusions rédigées par le Lieut^-Colonel*
*clusions sur les*      *Réquin sur les questions militaires et navales.*
*questions militaires*
*et navales.*

### Questions militaires et navales

Les Délégués des principales Puissances alliées et associées ont considéré:

*a)* Que la sécurité de la Belgique reposait jusqu'à ce jour sur sa neutralité perpétuelle garantie par les Puissances signataires du Traité de 1839;

*b)* Que, par suite, le renoncement à cette neutralité, abolie en fait par l'agression allemande de 1914, laisserait la Belgique sans aucune garantie contre une agression extérieure;

*c)* Que, cependant, aux termes de la résolution du Conseil suprême du 8 mars 1919,[3] la révision du Traité de 1839 doit supprimer les *risques* qu'il a créés pour la Belgique et la paix générale;

*d)* Et qu'enfin, suivant l'expression même de M. Pichon dans sa lettre adressée le 26 juin à M. van Karnebeek[4] au nom du Conseil des Ministres

---

[3] See No. 39, note 9.         [4] See No. 39, annex III.

des Affaires étrangères, les grandes Puissances alliées et associées ont le *devoir* de chercher à concilier les divergences qui séparent la Belgique et la Hollande.

Les Délégués formulent en conséquence le principe suivant:

*Il est indispensable que la Belgique obtienne pour sa sécurité dans l'avenir des garanties militaires, visant, non pas à limiter une invasion telle qu'elle l'a subie en 1914, mais à l'empêcher. La Belgique est justifiée à les demander. Les grandes Puissances, ses voisines et alliées pendant la dernière guerre, sont intéressées à ce qu'elle les obtienne et ont le devoir de les lui faire obtenir.*

Ce principe une fois posé, les Délégués, en réservant expressément leur opinion au point de vue politique et juridique sur chacune des demandes de la Délégation belge, ont chargé leurs experts militaires et navals d'examiner ces demandes au seul point de vue militaire et naval et de donner à la Commission leur avis motivé sur chacune d'elles. La Commission croit devoir annexer le rapport de ces experts à la présente demande d'instructions, en vue d'éclairer complètement le Conseil Suprême sur les raisons qui ont contribué à former son opinion.

L'examen dudit rapport a conduit les Délégués à formuler les propositions suivantes:

### A. *Escaut et Flandre hollandaise*

*La demande de la Délégation belge d'utiliser les eaux et le territoire hollandais pour des besoins de guerre, hors le cas où la Hollande, membre de la Société des Nations, y ferait tout naturellement droit par application des articles 16 et 17 du Pacte, est incompatible avec la résolution du Conseil Suprême du 4 juin[2] qui exclut toute création de servitude internationale.* Les Délégués ajoutent d'ailleurs la considération suivante, de nature à apaiser l'opinion belge: au strict point de vue militaire et naval, et abstraction faite de l'atteinte qu'une telle mesure porterait au droit international, la demande de la Belgique, si elle était accueillie, présenterait pour elle, en regard de quelques avantages très problématiques, des inconvénients nombreux et sérieux que le rapport des experts militaires et navals a fait ressortir.

### B. *Abolition de l'article 14 interdisant la création d'un port de guerre à Anvers*

Les Délégués des principales Puissances alliées et associées ont tout d'abord estimé qu'on ne pouvait refuser au peuple belge une satisfaction morale que le Gouvernement hollandais était disposé à lui accorder.

Ils ont reconnu, d'autre part, les avantages que présenterait, tant pour la Belgique que pour la Société des Nations, la création d'un port de guerre à Anvers et ils formulent en conséquence la proposition suivante:

*L'article 14 du Traité de 1839 doit être aboli, mais sans modification au droit international concernant le passage des navires de guerre dans les eaux territoriales hollandaises. Toutefois, comme conséquence de la suppression de l'article 14 et pour écarter toute difficulté ultérieure, il conviendrait d'inviter la Hollande à bien vouloir faire connaître dans quelles conditions elle permettra le passage de l'Escaut aux navires de guerre belges en temps de paix.*

## C. *Défense de la Meuse et du Limbourg*

Les Délégués des principales Puissances alliées et associées, après examen de la demande belge et des considérations exposées par leurs experts militaires, reconnaissent qu'il est de l'intérêt commun de la Belgique et des États voisins, y compris la Hollande, de régler la question de la défense *éventuelle* de la Meuse et du Limbourg.

Ils considèrent qu'un accord militaire sur ce point entre la Belgique et la Hollande n'impliquerait nullement une alliance susceptible d'entraîner la Hollande dans une guerre, contre son gré.

Après la déclaration importante de M. Van Swinderen au sujet de la défense locale du Limbourg et de la violation du territoire hollandais, ils estiment qu'un accord hollando-belge viserait uniquement à *organiser à l'avance* une défense éventuelle qui intéresse au plus haut degré la sécurité de la Belgique, qui ne peut s'improviser et que la Hollande a la volonté, mais non la possibilité d'assurer par elle-même.

En conséquence, les Délégués formulent les propositions suivantes:

*1º La défense de la Meuse et du Limbourg, condition essentielle de la sécurité de la Belgique, doit faire l'objet d'un accord militaire entre la Belgique et la Hollande.*

*2º Si les deux États font partie de la Société des Nations, cet accord nécessaire est à établir en application du principe posé aux articles 16 et 17 du Pacte.*

*3º Si la Hollande n'était pas membre de la Société, cet accord, également indispensable, devrait viser exclusivement le cas de violation du territoire hollandais que le Gouvernement des Pays-Bas considère comme un* casus belli *immédiat.*

En outre, les Délégués de la France et de l'Italie ont cru devoir envisager la question sous un autre aspect.

L'intérêt commun des grandes Puissances voisines de la Belgique à l'obtention des garanties militaires que celle-ci demande étant reconnu, ils ont jugé qu'on ne pouvait *pas ne pas tenir compte de la situation militaire* résultant pour lesdites Puissances des clauses mêmes du Traité de Paix avec l'Allemagne. Car ces Puissances occupent une partie du territoire allemand *pour une période que le Traité de Paix ne permet pas de déterminer.*

La France en particulier y entretient une armée.

Or, il a été universellement établi que le Rhin était la véritable barrière militaire contre une agression allemande. Les clauses du Traité de Paix autorisent donc à envisager *qu'en cas de menace d'agression de l'Allemagne démasquée par l'investigation de la Société des Nations*, les Puissances occupantes du territoire rhénan pourraient être conduites à reporter sur le Rhin leur défense contre l'Allemagne. Le Traité de Paix leur en donne *le droit et les moyens.*

Dans ces conditions, le problème de la Meuse et du Limbourg s'élargirait singulièrement. Les Puissances occupantes du territoire allemand (et la Belgique est du nombre) pourraient envisager, de même que la Hollande pourrait avoir intérêt à envisager, une liaison entre la défense éventuelle du territoire des Pays-Bas et le système défensif desdites Puissances.

Les Délégués de France et d'Italie désirent, en conséquence, formuler la suggestion suivante:

*Accord militaire entre la Hollande et les Puissances occupantes du territoire rhénan, en vue de lier éventuellement la défense du territoire hollandais au système de défense desdites Puissances pendant le temps où elles jugeront nécessaire d'occuper, et dans tous les cas où elles estimeraient nécessaire de réoccuper tout ou partie du territoire rhénan, comme garantie prévue par le Traité de paix avec l'Allemagne contre une agression possible de sa part.*

M. Tosti (*Italie*). N'ayant pas participé aux travaux de la réunion depuis le début, je ne puis me rendre compte de la portée exacte de la suggestion qui figure à la fin de ces conclusions; il s'agit, sans doute, d'une suggestion faite par les experts militaires français et italiens?

Le Président. C'est cela. Et le seul fait qu'on envisage, dans cette seconde solution, un accord entre la Hollande et les Puissances occupantes justifierait l'obligation de demander l'avis des Gouvernements alliés et associés.

M. Tosti. Je n'ai aucune objection à formuler; et comme le dit M. le Président, la portée de cette solution, au point de vue politique et militaire, suffirait à justifier notre désir de soumettre ces conclusions au Conseil Suprême.

Le Président. Je vous propose de fixer notre prochaine réunion au lundi 8 septembre, pour prendre connaissance de la demande d'instructions dans sa forme définitive. (*Assentiment.*)

La séance est levée à 18 heures.

# No. 116

*Mr. Balfour (Paris) to Earl Curzon (Received September 8)*

*No. 1752* [*126317/548/30*]

PARIS, September 5, 1919

Mr. Balfour presents his compliments to Lord Curzon, and transmits herewith copies of the undermentioned paper.

| Name and Date | Subject |
|---|---|
| To German Delegation, Aug. 24. | Schleswig Commission. |

## Enclosure in No. 116

*M. Clemenceau to Baron von Lersner*

[*Translation*]                                           PARIS, *August 24, 1919*
Sir,

The Allied and Associated Powers have been anxious to assure to the International Commission for Slesvig, as soon as it shall enter upon its duties, such conditions with regard to its organisation and operation as shall enable it to guarantee the regularity and genuineness of the plebiscite. With this object in view it seemed to them that it would be a great advantage if the International Commission which is already formed and at present sitting at Copenhagen, could enter into relations with the German authorities throughout the zone in which the plebiscite is to be taken, in order to prepare at once for the future administration; the Allied and Associated Powers have therefore decided[1] that a delegate from that Commission should be sent to Flensburg immediately.

I have the honour to inform you of this decision. I should be grateful if you would communicate it to the German Government, and request the latter to give the necessary instructions to the German authorities throughout the zone in which the plebiscite is to be taken.

I remain, &c.[2]

[1] See Volume I, No. 40, minute 10.
[2] Signature lacking on filed copy.

## No. 117

### Mr. Balfour (Paris) to Earl Curzon (Received September 8)

No. 1761 [126326/548/30]

PARIS, September 5, 1919

Mr. Balfour presents his compliments to Lord Curzon, and transmits herewith copies of the undermentioned paper.

| Name and Date | Subject |
|---|---|
| German Delegation. No. 15. | Sch[l]eswig Commission. |

ENCLOSURE IN NO. 117

Baron von Lersner to M. Clemenceau

[Translation]                                        VERSAILLES, September 2, 1919
No. 15
Sir,

The German Government has the honour to acknowledge receipt of the note of August 25 [sic], 1919,[1] in which the Allied and Associated Governments informed it of their decision to send forthwith a delegate of the International Commission from Copenhagen to Flensburg, in order to prepare there for the transfer of administrative authority in the zone in which the plebiscite is to be taken; and request it to issue to the local authorities all instructions rendered necessary by the dispatch of the said delegate.

The German Government ventures to point out that the decision of the Allied and Associated Governments, communicated as a *fait accompli*, is in opposition to the formal provisions of the Treaty of Peace. According to the Treaty the entry of the Commission into the zone of Slesvig in which the

[1] Enclosure in No. 116.

plebiscite is to be taken, is not permissible until after the coming into force of the Treaty.

It goes without saying that the German Government is far from wishing to take any measures calculated to place obstacles in the way of the International Commission in its delicate and most responsible task; on the contrary, it is sincerely desirous of collaborating in full agreement with the Commission and of facilitating its task to the utmost extent necessary. The German Government is, however, unable to recognise as binding one-sided decisions with regard to this territory made without its previous consent by the Allied and Associated Governments, and exceeding the stipulations of the Treaty of Peace.

The German Government therefore regrets that it is not in a position to give the desired instructions. The German Government has, moreover, the honour to point out that according to information given in the Danish press, the Commander of the French cruiser *Marseillaise* which, contrary to the express desire of the German Government, has put into the ports of the zone of North Slesvig in which the plebiscite is to be taken, announced—when receiving some inhabitants of Sonderburg with Danish leanings—the approaching arrival in North Slesvig of an Interallied Delegation; the Commander even stated that the Delegation was about to start, whether the Treaty of Peace had come into force or not. This statement, which gives a peculiar significance to the present *démarche* of the Allied and Associated Governments, caused great excitement amongst the population of North Slesvig, which excitement would be still more increased by the carrying out of the measure at present contemplated.

I remain, &c.,

Baron von Lersner[2]

[2] Sir C. Marling reported in Copenhagen telegram No. 3 of September 8, 1919, to Mr. Balfour in Paris (received September 9) that Herr Boehme (cf. No. 109) had similarly informed him 'that German Government declines to agree to the dispatch to Schleswig of a delegation on behalf of the [Plebiscite] Commission, refusal being based on the pretext that the form of M. Clemenceau's letter has aroused lively irritation locally'.

## No. 118

*Letter from Mr. Bland (Paris) to Mr. Carnegie*[1]

*No. 22/2/1/18669 [22/2/1/18669]*

PARIS, *September 6, 1919*

Dear Carnegie,

Very many thanks for your letter of September 3rd[2] regarding the friction between Holland and Belgium.

I have shown it to Tufton, and we neither of us can believe that Belgium would be so crazy as to alienate everybody's sympathy by attempting to face

[1] The date of receipt is uncertain.     [2] No. 110.

the Conference with the occupation of Dutch Limburg. In these circumstances Tufton is inclined to think that it would be better to avoid any reference to a possible outbreak of hostilities. Even it [if] such a reference merely took the form of an expression of incredibility that such an event could possibly occur, it could not very well help being somewhat suggestive in character, and it seems most important at the moment to avoid any public statements, written or other, which are not actively tranquil[l]ising both in substance and in form.

While therefore a leading article of the nature which you suggest would, in Tufton's opinion, have an excellent effect he thinks it would be better to eschew all references to polemics and to confine it to a reasoned statement of the position, combined with soothing words calculated to quell the ardour not only of the two parties immediately interested, but also of the fiery spirits who inspire articles like those in the *Evening Standard* and the *Daily Mail* which I sent you in my last letter.[3]

As a matter of fact if the events described in the enclosed cutting from to-day's *Matin*[4] are correct it seems possible that no leading articles in the *Times* or elsewhere will prevent the Dutch and the Belgians from flying at each other's throats, but I have seen no confirmation of it elsewhere, and it is possible that it is only an effort of the writer's imagination.

Yours ever,<br>G. N. M. Bland

[3] See No. 110, note 2.          [4] Not attached to filed copy.

## No. 119

*Sir R. Rodd (Rome) to Earl Curzon (Received September 13)*

*No. 380* [*128838/128838/22*]

ROME, *September 8, 1919*

My Lord,

Before taking leave of the embassy at Rome where I have served during so long a period,[1] I propose to review certain experiences of the recent eventful years, and to submit certain appreciations which it may be useful for my successor at this post to have on record.

The tradition of past history, the sympathy which the British people had constantly displayed towards Italy in the days of the national movement, the fact that over a long series of years no questions had arisen of a nature to cause serious divergencies of view between the two countries, these and many other co-efficients which it might be more appropriate to discuss in an essay than in a despatch had had for result a certain consistency of equable relations which had induced the belief that Rome was one of the easiest foreign posts to fill, where graver issues were not likely to arise. The intense susceptibilities of the nation, not yet sure of itself and of its capacity to maintain a

[1] 1891–2, 1901–4, and 1908–19.

position, somewhat prematurely recognised, as one of the Great Powers of Europe, were perhaps realised, and there had been certain indications of the consequences which might ensue from a failure to treat them with discretion. But our position here was comparatively easy during the greater part of the period which had run since the union of Italy, and so long as this people had not yet arrived at national maturity. And yet I venture to assert, after a diplomatic experience of some fifteen years in various capacities at Rome, that there are few nations so difficult for a foreigner to understand or to deal with as the Italian. The Latin mentality is not easily revealed to the British temperament, and it requires long experience, expert knowledge, and a considerable power of sympathy to avoid the many pitfalls which it presents, and to accomplish what elsewhere might seem easy to achieve by simple and obvious methods. It is necessary to bear in mind that Italy is composed of many diverse elements; that the Piedmontese is almost as different from the Sicilian or the Calabrian as one nation is from another; that Milan governs Italy rather than Rome; that the Roman is apt to regard himself as a thing apart from the rest of Italy, and that, in spite of his assumption of superiority, his views are of much less account than those of other centres; that the Tuscan has a peculiar and not very enviable character of his own; that the Romagna has produced a special type of restless hothead; that clerical influences not only predominate in the south, but that there are certain definite islands of clericalism also in the north; that the rapid progress of industrialism is creating a number of new centres of extremist opinion; these and a number of other points have to be weighed and regarded from the standpoint of their special values.

Nor have other nations judged the Italians altogether soundly. When the European War was on the point of breaking out the Germans no doubt mistrusted their loyalty to the Triple Alliance, but did not for a long time believe that they would go beyond neutrality, and when the danger became more apparent they seemed to think that the Italians could be bought off. The Austrians, whose special business it should have been to study them, were convinced that they would march with their old allies, as they had always believed that they would be moved by menace. Both assumptions may be true of individuals. They are quite untrue of the nation. The Italian can be persuaded, he is readily amenable to goodwill and friendliness, but he cannot be driven. He is obstinately recalcitrant to dictation and suspicious of any appearance of tutelage. The last ten years have marked a great progress in the national evolution. Poverty of resources and the deficiency of raw material had long prevented the nation from developing its great natural industrial capacity, and long after the union had been completed Italy continued to be an agricultural country with all which that connotes. Conscious of her relative weakness in comparison with the other Great Powers, she had without directly admitting it played a secondary part in international issues, and had felt the necessity of leaning on one or the other of the stronger elements in Europe. By joining the Triple Alliance she believed she had insured herself against the jealous opposition of France to her national expansion. But the alliance had always been an unnatural one, inasmuch as the menace of an unforgiving Austria, holding all the points of strategic advantage in the Alps and the Adriatic, was ever present to her, and it had only been maintained at the cost of German penetration and German commercial and economic supremacy. The hold of Germany was greatly strengthened by the ready market which she was able to offer for the agricultural produce of Southern Italy, a region which had remained far behind the industrial north in prosperity. The south became in fact so dependent on Germany that the latter was able to exercise a controlling influence on the policy of the country generally. The vote of the south has an equal value in internal politics to that of the north and any threat to restrict her exports to Central Europe was a very powerful lever in German hands. At the same time with the development of industry Italy remained largely dependent on Great Britain for raw material, at any rate for coal, of the import of which we enjoyed a practical monopoly before the war. With Great Britain there was no apparent diversity of interests, nor had there ever been any occasions for friction of which we had taken advantage to place her in a position of inferiority or humiliation. Socially and politically our position was a strong one; our influence on her decisions was unquestioned, and not always grateful to her partners in the Triple Alliance.

The first evidence of any ruffling of the smooth stream of relations occurred during the war between Italy and Turkey, and was due, not to any action of the Government, but to the attitude of a certain section of the press in England, which made much of stories of atrocities in Libya, based as it afterwards proved on very insufficient evidence, and this attitude was believed to be largely inspired by financial interests in Turkey. There was no doubt in Europe a general sense, which was perceived here, of irritation and resentment that Italy should have taken a disturbing initiative, and Italians felt considerable disappointment that it should have found any echo in Great Britain. It was, however, generally accepted in Italy, even if quite untrue, that the occupation of Tripoli had been rendered necessary by knowledge that Germany had intended to anticipate her by seizing an important coastal station there. A direct intervention on the part of her Austrian ally in order to limit the field of operations in the Adriatic, and revelations of a scheme advocated by the military party to take advantage of her embarrassments did not improve relations with the Triple Alliance. On the other hand an unfortunate speech from the French Prime Minister and the uncompromising attitude of that Government in connection with a naval incident in the Mediterranean neutralised any prospect of a rapprochement with France and possibly even contributed to the premature renewal of the Triple Alliance which, though unpopular in Italy, was accepted as a natural consequence of a policy which had maintained peace for so many years. With Great Britain there was no real cause for friction, and the friendly attitude of His Majesty's Government at that time in regard to Italian aspirations in Asia Minor was much appreciated. But it had become evident that the war with Turkey, the first war which Italy had waged alone, had created a new spirit. The country had become more conscious of its unity and had developed a self-confidence greater than the experiences of the war with Turkey really justified.

As to the results of that war and the settlement which ensued, the country was deceived by the politicians responsible for it. The unwise measure of immediately proclaiming the annexation of Tripoli and Cyrenaica induced the masses to believe that the authority of Italy was firmly established there. The Treaty of Ouchy,[2] certain provisions of which were really drafted to meet the interests of financiers, was at best a compromise arrangement, rendered inevitable by an only partial success in war. The cost had been heavy, military stores and magazines were empty, artillery was not made good, and there were no heavy guns; the army had been reduced to skeleton formations in order to save money and content the masses with whom credit was taken for a war fought without any special financial exactions. They were informed that all material had been duly replaced and that the military strength of the country was undiminished. In reality Italy had been reduced to military impotence, and this was the situation at the moment when the European war broke out. It was not strange that the man chiefly responsible for deceiving the nation in this respect, Giolitti, who was fully aware of this weakness, should have been opposed to war and the breaking off of relations with the old allies of thirty years.

The immediate declaration of neutrality was the first step by which Italy placed her allies of the future under a great obligation. If her military co-operation at that moment could not in any case have been effective, she could at any rate have compelled France to defend her Alpine frontier and have kept thus engaged forces sorely needed elsewhere, without considering the question of a free passage being offered to the Central Empires. During the ensuing ten months very remarkable work was accomplished in preparing the country for eventualities, in making good the deficiencies in military equipment and in reconstituting the army and the artillery. It required no little courage and resolution to take the final step in view of the internal conditions prevailing. Italy had during the preceding ten years or more made really great economic progress, and the north was already full of flourishing industries, which neutrality might have greatly extended. The success of this industrial development had been largely dependent on German support and goodwill, her shipping was controlled by Germany and the south looked almost exclusively to German and Austrian markets. The interests of the industrial and commercial community were therefore for the most part opposed to war. The majority of the Socialists repudiated war on any grounds. The aristocracy who regarded the Central Empires as the mainstay of aristocratic privilege were, with many remarkable exceptions—but in Rome and in Tuscany almost universally—against it. The influence of the Church was inevitably in favour of peace with a traditional tenderness for Austria-Hungary. The intelligent bourgeoisie and the people who followed

[2] For this Italo-Turkish peace treaty of October 1912 see G. P. Gooch and Harold Temperley; *British Documents on the Origins of the War 1898–1914*, vol. ix, part i, pp. 430–42.

them in many parts of the country brought Italy into the war under the leadership of Salandra and Sonnino. The Italian people have always been strongly moved by an instinctive and elementary hatred of injustice, and certain episodes in the first year of the war stirred them profoundly. There were nevertheless certain provinces where the masses were eminently pacifist and opposed to departing from neutrality, especially Tuscany, where the system of 'mezzadria' with its small farms worked by the members of a single family prevails, and the summons to the colours of the young and active members of the household meant a suspension of labour on the farm. The regions also where the Socialist propaganda had made most progress were perplexed and generally hostile to war. The clerically dominated districts were influenced against it. On the other hand the Republicans and those who saw in the issue the struggle of democracy against privilege took it up with enthusiasm and a number of the moderate Socialists broke away from the Puritans of the group.

In view of all the various elements which made for neutrality, the number of divergent interests in the country, and the fact that the Socialists alone had a strong political organisation, it is little short of a miracle that sufficient unity was found to make the decisive step possible. During the critical period when Italy was not yet militarily ready to take her place with the Western Powers a false step might have been disastrous, and any undue pressure would have played into the hands of those who were working desperately to prevent war. Patience and faith and appreciation of the real conditions were eminently necessary, and the attitude of His Majesty's Government under the guidance of Lord Grey was wholly judicious and sound. The Italian Government would never have ventured on final action had they not secured through the Treaty of London[3] sufficient guarantees of material advantages to justify their policy in the long run, and to make it generally understood that, in the event of success, they stood to gain far more than those concessions which Austria had promised in return for neutrality. They were in fact so impressed with the necessity for justifying their action by material advantage that Salandra at this crisis invented the unfortunate phrase of 'sacred egoism'. But whatever the Government may have felt there is no doubt that they could not have entered the war had not a great wave of popular feeling carried all before it and for a moment silenced opposition, especially the opposition of the Chamber, in which the Giolittian majority, though still supreme, were cowed into submission and did not dare to raise a voice of protest. These things should not be forgotten, nor the all-important interest at that particular time of bringing Italy into the war and holding the Austro-Hungarian army on the Alpine frontier.

It is not my intention to summarise the history of the war and its vicissitudes so far as the Italian share in it was concerned. But I am anxious to point out that the difficulties of the war party in Italy did not end with the commencement of hostilities against Austria or, subsequently, against Turkey and Bulgaria. The combination which was opposed to action con-

[3] Text in Cmd. 671 of 1920.

tinued to be a drag upon all freedom of movement. The fact that Italy entered the field at a moment when the situation of the Allies was far from favourable, when it was evident that the Russian effort was already spent, encouraged those who sought to prevent an irreconcilable breach with Germany, while suspicions were freely expressed that even in the immediate surroundings of the Headquarters Staff there were influences at work which tended to paralyse initiative and minimise offensive effort. Circumstances within a very short time had made it inevitable for Italy to have to face practically the whole of the Austro-Hungarian army with a force under-gunned and largely improvised. The odds were very great for a young nation not yet very sure of itself. In other Allied countries criticism was frequently heard of what the Italians were or were not doing, and especially of the long-delayed declaration of war against Germany. It was not probably realised that there was an eternal battle going on within the country itself, and that the effort to silence or mislead the national conscience was not for a moment relaxed. Superficial observers at home also deplored the absence of propaganda, failing to understand that in this country efficient propaganda can only be carried out by natives of the country itself or by such few strangers as are well known here and not suspected of being official agents. The two influences by which the mass of the Italian people are most readily affected were now working together. The Socialist pacifist group found a ready audience with the war-weary peasants and their sons in the army, while the Pope's pronouncement in favour of peace appeared to give their arguments a higher sanction. The work of the Federation of National Defence, a political group composed of the patriotic from all parties, was of the highest importance after the disaster at Caporetto, when the sinister influences which had been active among the peasantry and in the army, combined with grave military mistakes, very nearly succeeded in making the situation irretrievable. But once more the mass of the Italian people rose to the occasion, supported by the patriotic initiative of certain individuals in the industrial world who had seen farther ahead than the military leaders and had prepared for all eventualities. The debt of Italy to the great firm of Ansaldo, whose managers had been the stoutest fighters against German penetration, can never be forgotten, nor the response of the young soldiers of the class of 1899 who filled the breach at an intensely critical moment.

The sinister consequences of Caporetto impressed the Allies so gravely that they perhaps hardly at once did justice to the tremendous effort made to retrieve the disaster, or the gallant spirit which an exhausted nation displayed at this crisis. The rapidity with which the Allies rushed troops into Italy no doubt contributed to the restoration of confidence. But it should not be allowed to obscure the fact that the Italian people did not lose heart and, with an unanimity which had hitherto been lacking, reconstituted their front, made good in an incredibly short time their tremendous losses of guns and material, within a year repulsed the last Austro-Hungarian offensive, and finally secured, with the support of only five Allied divisions, representing about the same number of troops which they had themselves sent to France, one of the most complete victories recorded in history. The process towards disintegration which had set in in the Austrian Empire and the turning of the scale on the Western Front no doubt made the task before them a comparatively easy one at the last. But the mass of the people in Italy were not yet aware that the moment was ripe for action, and many of those in authority had hardly sufficient faith in the armies which had been so signally defeated at Caporetto to believe that they could take an initiative without more ample support from the Allies. These would have made the last offensive conditional on the despatch of a number of American divisions to form a line of reserve. It was at this moment that the influence and tenacity of Sonnino was of great value to the cause of the Allies. He had resisted a long series of attempts to oust him from office, and, had these been successful, it is possible that the councils of prudent inaction would have prevailed. Up to this point he had been an invaluable asset to the Allies. The overwhelming success of the late autumn offensive consolidated his power and marked him as the arbiter of the war far more than Orlando, who was regarded as infirm of purpose and more liable to be affected by political considerations. An inevitable consequence, however, was that Sonnino became the moving spirit in the Italian Peace Delegation, where the very qualities which had made him indispensable during the war, his obstinacy, tenacity, and incapacity for compromise were sure to bring him into conflict with his colleagues. Being the man he is, he was bound to be defeated when he entered the Peace Conference.

It was perhaps not to be wondered at, under all the circumstances, that this young nation, in the moment of exultation at the relief from enemy invasion and the success obtained against the whole force of their secular enemy, should have expected to reap even greater fruits from victory than had actually been stipulated for in the contract of alliance. It is possible if the Adriatic frontier had been dealt with immediately that the question of Fiume would never have assumed the exaggerated importance which it did after the lapse of many months. To the uninstructed majority of the nation it had at the outset meant but little, nor did the greater part of the people know or care much about Dalmatia. On the other hand, they had a vivid remembrance of the part which had been played in the past by the Croatian soldier in Venetia and Lombardy, and they believed that the Jugo-Slav elements in the Austrian Empire had been among the hardest fighters against them up to the end. It was making a considerable demand upon a people nurtured in an inveterate tradition of hatred for the Croatian to expect them willingly to admit that any Italian populations should be absorbed in the new State which their victory had helped to make possible. In the hour of triumph moreover those who had most strongly opposed the war, and had in so far as they dared depreciated the Allies, now adopted an ultra-chauvinistic attitude in asserting new demands and insinuating that Italy was being deprived by those for whom she had fought of the legitimate reward of victory. The Italian people are easily led and may therefore also easily be misled. Had the Government made any effort to guide the general opinion, they could probably have directed it into safer channels. Unfortunately they appear to have done just the opposite, and the fear of being criticised for having failed to extort beforehand even more far-reaching concessions seems to have led them to encourage an agitation which was bound to excite a susceptible and emotional people.

While the agitation which concentrated itself on the Fiume question was no doubt largely promoted by chauvinists and politicians, there is no doubt that a very strong feeling inspired the desire to unite in the kingdom all those scattered elements which had maintained their Italian national character under alien rule. Men who have no ulterior motives, political or material, have spoken to me with genuine emotion of the bitterness which they felt at the possibility, after all the sacrifices which the nation had made, of having to leave men of their own blood and kin islanded in the midst of another and, as they believed, a hostile people, who had been their most bitter enemies in the past. It would be unjust to ignore the reality of these sentiments, and to endeavour to depreciate them under a facile accusation of Imperialism. Credit must also be given for the sincerity of an alarm on the part of those who looked to the future at the prospect of a powerful State arising on the north-eastern frontier, which might in time reconstitute the very menace to free herself from which Italy had fought. Visions of a Danubian Confederation blocking the way to the East assumed in their eyes a dangerous possibility, and the only alternative to the absorption of what remained of Austria into Germany seemed to be her inevitable gravitation towards a Jugo-Slav State. On this issue as in her constant support of Servian interests, a tendency to intervene in Albania and generally in the Adriatic, where a number of minor incidents arose between naval officers, France appeared to Italians to have become directly antagonistic. She had, they maintained, secured her own most essential interests in the Peace Treaty with Germany, and they believed that their own Government had loyally co-operated in securing for her the solutions which she most desired, some of which were hardly consistent with the Fourteen Points of President Wilson. On the other hand they could trace no disposition on the part of the French to display any reciprocity. In African questions no real spirit of concession was shown by the Government of the Republic, which had consolidated its own position there at the expense of Germany. All these things tended to stimulate the traditional dislike of France, who is regarded as having always treated Italy as an inferior, and a very unfortunate situation was created.

Nor were relations easier with the United States. It was contended that had the President maintained the literal application of his Fourteen Points uniformly towards all parties Italy would readily have accepted the position. But they were induced to believe that while the principles he had laid down were waived in favour of others they were rigorously to be maintained as against Italy. It was no one's concern to point out to them the vast number of German subjects transferred to Italian sovereignty in the Northern Tyrol. No pains were taken to explain the real situation to the people, whose judgments could only be formed on the limited information supplied to them, and it was not difficult to give plausibility to this contention. Finally the memorandum,[4] which was regarded as a direct appeal to the nation against their own delegates, coming at a moment when passions had been violently roused and a sense of inequality of treatment had been carefully fostered here, excited a general feeling of indignation.

So far as Great Britain was concerned there were two respects in which it became increasingly difficult to contend with a prejudice which was encouraged to take root. There was the fact that in the negotiations at St. Jean de Maurienne in 1917[5] Smyrna had been assigned to the Italian sphere in Asia Minor. It is true that this was subordinated to the consent of Russia. But such consent connoted the existence of a Government in Russia, and there was little prospect of such a Government coming into existence before a settlement became imperative. Italians did not regard the fact that Russia could no longer be consulted in European affairs as a sufficient reason for repudiating an arrangement which they held should have bound the other parties engaged in the peace negotiations, and the people's confidence was all the more shaken when they learnt that Smyrna was to be occupied by the Greeks. They were never told that this had been done with the assent of their own delegates, and they believed it to have been arranged during their absence from Paris. The other fact was the attitude of the Northcliffe press in all questions affecting the Jugo-Slavs. It was well known that British propaganda in Italy had been entrusted to a committee presided over by Lord Northcliffe, in which Mr. Steed was supposed to be the dominant influence. While other elements of which they understood this committee to be composed only puzzled them, the fact that such an official organisation for Italy was directed by Mr. Steed went far to justify the belief that he must have support for his anti-Italian campaign in the *New Europe*,[6] and that, while President Wilson was the ostensible opponent of Italian aspirations in the Adriatic, the Allies were in reality surreptitiously encouraging him, though openly asserting that they were prepared to maintain their obligations under the Treaty of London. However unjustified such an assumption might be, it gave occasion to excite a naturally suspicious and hypersensitive people, and the enemies of the Entente, in reopening their campaign to undermine the influence of the Allies, were not slow to take advantage of it. The greatest asset of Great Britain in Italy has always been a traditional reputation for straightforward dealing. The obvious aim of our enemies has been to use such incidents as those to which I have referred to qualify this reputation. If the popular resentment has been chiefly directed against France and America no doubt what was most keenly felt was the consciousness that the friendship of Great Britain was weakening, and that we did not sufficiently appreciate the magnitude of the effort which Italy had made,

[4] President Wilson's declaration of April 23, 1919, on the question of the Adriatic: see Volume. IV, Chap. I, Introductory Note.

[5] Cf. Volume IV, Chap. III, Introductory Note.

[6] This British periodical (1916–20) had advocated the emancipation of the subject nationalities of the Habsburgh Monarchy.

both against the enemy abroad and the enemy at home, who would become very formidable once more if the country failed to secure the full fruits of victory in compensation for economic ruin and all the losses of war.

These sentiments were very universally felt throughout the country. Even so moderate a man as Bissolati,[7] whose attitude had consistently been in favour of cultivating friendship with the new Jugo-Slav State and of reducing what he considered to be practically unrealisable claims in Dalmatia, could not be persuaded that Italy was being treated with due consideration by the Allies. The prevailing feeling was frequently summed up as follows. So long as the support of this country was essential to the Allied cause promises were freely made which, when that support was no longer needed, were, if not actually repudiated, at any rate not upheld with any sincerity against the objections raised by the idealism of President Wilson.

When the Italian delegates left Paris on the publication of Mr. Wilson's note[4] it would seem that they had a considerable section of British opinion with them. The unmeasured outcry which ensued in the Italian press, the invention of every sort of unworthy motive for our action, the deplorable speeches of certain public men directed, not against the Allied delegates only, but indiscriminately covering the nations they represented with abuse, did much to change that feeling, and if Italy found herself generally out of favour in the public opinion of Europe she had largely to thank her own press and her own politicians who inspired it.

Some perception of this seems gradually to have dawned upon the Italian people, and it may help to explain the process by which the general irritation against the Allies was gradually transferred in part at any rate to the Italian delegates in Paris, who were made responsible for having alienated the goodwill of the Allies. There were no doubt a number of contributory causes. During the long absence of Orlando and Sonnino there had been little direction or government in the country itself. Peace had brought about no improvement in the conditions of life; on the contrary prices had continued to rise and supplies were even less accessible than during the war. In spite of a continual rise in wages, life had become increasingly difficult. Demobilisation was delayed and people began to realise that the failure to reach agreement in the questions affecting Italy was responsible for the maintenance of the armies after the war seemed over. An uncomfortable feeling of isolation took hold of the Italian public, and a certain number of the more sober organs of the press began to remind them of the danger of unreflectedly vituperating those upon whom they were economically dependent. Trade and commerce were at a standstill; credit was nearly exhausted, and it was evident that if the goodwill of the Allies was to be permanently alienated the situation of Italy would become a very grave one. The general discontent in the country quickly assumed menacing proportions, and a new and imponderable element was presented by the attitude of military organisations of ex-soldiers, which began to be a power in the country. These organisations

[7] A leader of the Italian reformist socialists (*Riformisti*). Signor Bissolati had resigned from the Italian Government in December 1918.

strongly opposed the anarchical and Bolshevist tendencies encouraged by the extreme wing of the Socialists, and on several occasions they came into conflict with them. On the other hand they also upheld the Nationalist programme and the agitation for the annexation of Fiume, and they represented a class which had its own grievances against the Government for the slow working of the pensions machinery and other matters, and which aimed at forcing the hand of the administration in order to secure special conditions for those who had fought in the war. They were reported to be receiving financial support from the big industrial firms,[8] who saw their advantage in winning to their side an organisation which was popular in the country. All these forces contributed to undermine the position of the Government, which moreover, having had no time to deal with the question of electoral reform demanded by public opinion, had declared itself unfavourable to its immediate consideration. The Chamber was quick to perceive the general drift of popular feeling. Orlando returned from Paris to be overwhelmingly defeated by a vote which made it clear that Parliament was convinced of the failure of his work, both at home and abroad. The general offensive was now diverted from the Allies to the former delegates in Paris. Some perception of the many mistakes which they had made had begun to penetrate into the general public, and reasonable men were disposed to realise that they could not find themselves alone and in universal opposition if their cause was as good as the people had been led to believe. Meanwhile the dissatisfaction of the masses with the want of any direction from the Government and the excessive cost of living had assumed a threatening aspect. The patience of a proverbially long-suffering nation was exhausted. They were ready to listen to the voice of the agitator, and there were manifestations and outbreaks of violence in the principal centres of Italy.

The new Government formed with extraordinary rapidity by Signor Nitti in the midst of a national crisis dealt with the situation vigorously, and publicly announced that they had good reason to believe that these outbreaks were inspired by certain elements which sought to take advantage of the difficulties into which the country had drifted. Many arrests were made and a strong show of force was displayed in the chief centres of disturbance. A reaction set in. The people showed how ready they were to be governed and generally approved of the vigorous steps which were taken to restrain disorder. The leaders of the official Socialists showed themselves to be well-disposed, and within a month of Signor Nitti's assumption of power there seemed to be every justification for his optimistic estimate that in a time of universal unrest there was no serious reason to anticipate a revolutionary ferment in this country.

Signor Nitti decided to take no direct part himself in the peace negotiations at Paris, and has remained in Italy to carry through the electoral reform law which will, it is hoped, tend to a greater independence among the deputies who had, under the system which enabled Giolitti to maintain his long dictatorship, become little more than agents to secure benefits for their con-

[8] Cf. Volume IV, No. 3.

444

stituents in return for the vote which, once pledged to the party leader, they were seldom able to redeem. That he will return to office after the new elections there can now be little doubt, and it will then be his formidable task to endeavour to reconstitute the very serious economic conditions of Italy. His character, political tendencies and gifts have been dealt with in other despatches.[8] He has endeavoured with apparent success to establish a good understanding with the Vatican, as also with the more moderate among the Socialist party, some of whom he will seek to assimilate into his future administration. The result of this is a widening of the breach in that group from which many of the soundest men had already broken away, and a declaration of their real colour by the minority of extremists who are represented by the *Avanti* newspaper and who openly aim at Bolshevist revolution.

With the advent of Nitti to power it may be hoped that there will also be some modification of the chauvinistic spirit which seems to have invaded the whole country, and to have isolated Italy from her allies. Nitti was known to be really in sympathy with the views expressed by Bissolati on the Adriatic question, though he did not consider that the latter had selected an opportune moment or manner in which to sever his connection with the Orlando Government. He is not less suspicious than other Italian politicians of France, who must, he believes, dread the rapid expansion of numbers in this country, which will in a very short time outstrip the stationary or declining population of her Latin neighbour. But he has consistently over many years assured me of his conviction that Italy is the inevitable ally of Great Britain on whom she must remain largely dependent for raw material, and with whose interests she has no prospect of finding herself in conflict. In this I believe him to be sincere, and I do not doubt his genuine desire to return to cordial relations with the Allies generally. The question is how far will he be able to impose his views on the majority.

Those who have taken part in the peace negotiations at Paris will be better able to appreciate than we who have only watched them at a distance the reasons for the failure of Sonnino. It must seem strange that a man so able and far-seeing and friendly in his sentiments to Great Britain should not only have ended by alienating the sympathy of the allied delegates but that he should have also failed to perceive that he was involving his own country in his insuccess. Some explanation may be found in the record of his whole political career in which he has shown a conspicuous incapacity for combination with others. He has twice been called to the highest office as President of the Council of Ministers, and on neither occasion was he able to retain that position for more than three months. He has always remained a solitary figure and an exception to the Italian temperamental facility for compromise. There is every reason to believe that in the initial stage he was by no means convinced of the soundness of the policy of breaking with the Triple Alliance, but once that step had been taken he never looked back. After his great services to the country of which he never despaired and which he lifted, in spite of continual and fierce opposition, to an ideal of tenacity and patient sacrifice of which the Italians have given full proof, the last phase of Sonnino has been a great disappointment to his friends. His many merits will however no doubt be remembered when the divergencies of recent months are forgotten.

At the moment in which this despatch has been written the Adriatic question and other issues in the peace negotiations which most directly affect Italy still remain without conclusive settlement. The international situation of this country is therefore an uneasy one, and advantage will no doubt be taken of it by the enemies of the Alliance to endeavour to re-establish their old influence here. German goods will once more find their way into the Italian market, the exchange with Germany and Austria being practically the only one relatively favourable to Italy. The decline in coal production in England has inevitably deprived us of the last fairly strong hold which we had retained up to the end of the war on the economic life of Italy, and the hopes which at one time seemed justified of our regaining a commanding position in Italian trade can no longer be entertained, at any rate for some time to come. Even such results as we might hope to secure by maintaining an efficient propaganda in this country can no longer be anticipated, since it has been found indispensable to withdraw after the current year the small allocation which had been devoted to this purpose. The outlook is therefore not very encouraging, and it is especially disappointing to myself after the many years which I have spent in the strenuous endeavour to promote an ever-increasing cordiality of relations between the two countries.

I have in the present despatch endeavoured to show that the Italian people has been better than its representatives, and has remained worthy of our sympathy and admiration. They will no doubt in the long run learn to discriminate between real issues and the misleading suggestions of interested politicians or international financiers. I trust, therefore, that the present phase is only a transitory one, and that my successor at this embassy will witness a renewal of those relations which I sincerely believe it to be an essential British interest to maintain. They have subsisted in the past without the necessity on our part of making any special sacrifices. I believe it to be our interest if necessary to make considerable sacrifices to restore them. Italy is exclusively a Mediterranean power, and a power with a rapidly increasing population destined to take an even more important place among the nations in the future, industrially as well as politically. This population already exceeds by many millions the economic capacity of the country to sustain them. In the past these conditions have been largely remedied by extensive emigration, which it will not be easy to maintain at any rate in the imme-diate future. Some outlet for the surplus population is an imperative necessity, or as an alternative greater facilities for obtaining the raw material with which to develop those industries for which her population have a natural aptitude. Our position in the Mediterranean does not permit us to disregard a friendship and a support which we can readily ensure. With other Mediterranean powers we may, we almost inevitably must, have difficulties to face in the future. With Italy we are less likely to have directly divergent interests. Her geographical position makes this country an inevitable and indispensable station on our air-routes to the East, and the development of aerial traffic renders Italian cordiality more important to us than ever before. Her people have not only an old tradition of esteem for the British character and for our methods of government, but they have a real desire to regain our goodwill, and a conviction that their own prosperity is largely contingent on their doing so. Our national sympathies have gone out to Italy in the past, and if, as I believe, our interests lie in the same direction the course to be followed seems obvious. During my ten years at the embassy at Rome I have never ceased to urge the importance of this policy,[9] which I believe to be even more essential in the future than it has been in the past and I trust that it will not be lost sight of when I am no longer here.

I have, &c.,

RENNELL RODD[10]

[9] In this connexion Sir R. Rodd had earlier stated in a private letter of July 2, 1919, to Mr. Balfour: 'It is my firm conviction that neither France nor Great Britain can do without Italy, and that it is indispensable to keep her on our side. The best elements here are all longing for this to be brought about and for the present uncomfortable sense of estrangement to be ended. In spite of my personal feelings in regard to Tittoni whom I have never liked, I think he really desires this, and I am pretty sure that Nitti does—the latter is to be won, and we can at the present moment, when his position is rather precarious, win him very easily. I earnestly believe it to be worth our while to try. This country is not negligible or of no account and, in spite of all the facile depreciation in which our country-men at a distance are apt to indulge without much knowledge or reflection, the people have shown virile qualities and remarkable half developed aptitudes. The change of Government may have given us a great opportunity and we ought to take advantage of it.' Sir R. Rodd had further stated in a letter of July 18 to Mr. Balfour: 'It [Rome] is not an easy post to fill now-a-days and it will continue I fear to be a difficult one. Englishmen do not readily succeed in getting to know the mentality of Latin peoples or arrive at more than superficially cordial relations. One of the chief essentials to winning their sympathy is to have a smiling face, not a stereotyped presidential smile, but a very mobile one. The importance of the smile and a genial manner cannot be overrated. It is well also if possible to know the language. In these countries of the South Ambassadors must learn to be more democratic and above all they must not be pompous.'

[10] With reference to this despatch Lord Curzon stated in Foreign Office despatch No. 575 of October 1, 1919, to Rome (not printed): 'I desire to express to you my thanks and my keen appreciation for this very able and useful statement of events in Italy during the period in which you so ably occupied the post of His Majesty's Ambassador to the Court of Rome.'

## No. 120

*Record of a meeting in Paris of the Delegates of the Great Powers on the Commission for the revision of the Treaties of 1839*

*No. 7* [*Confidential/General/177/9*]

*Procès-verbal No. 7. Séance du 8 septembre 1919*

La séance est ouverte à 17 heures sous la présidence de M. Laroche, *Président.*

*Sont présents:*

M. Fred K. Neilson (*États-Unis d'Amérique*); l'Honorable Charles Tufton et le Colonel Henniker (*Empire britannique*); M. Laroche (*France*); M. Tosti et le Professeur D. Anzilotti (*Italie*); le Général Sato et le Professeur Hayashi (*Japon*).

*Assistent également à la séance:*

L'Amiral McCully, le Colonel Embick et le Capitaine de corvette Capehart (*États-Unis d'Amérique*); le Capitaine de vaisseau Fuller, le Lieut^t-Colonel Twiss, le Capitaine de frégate Macnamara et M. Bland (*Empire britannique*); le Capitaine de vaisseau Le Vavasseur, le Lieut^t-Colonel Réquin et M. de Saint-Quentin (*France*); le Capitaine de corvette Ruspoli et le Major Pergolani (*Italie*); M. Yokoyama (*Japon*).

LE PRÉSIDENT. J'ai reçu une lettre de M. Van Swinderen m'annonçant qu'il est revenu à Paris samedi dernier;[1] il m'a demandé un rendez-vous pour demain et il m'assure qu'il revient avec des nouvelles qui nous feront plaisir.

Vous avez reçu et vous avez sous les yeux le dernier état du projet de demande d'instructions; il va en être donné lecture.

*Demande d'instructions aux Gouvernements.*

*On donne lecture du projet de demande d'instructions à adresser aux Gouvernements.* (*Voir Annexe ci-après.*)

LE COLONEL HENNIKER (*Empire britannique*). Sur la partie de cette note qui constitue à proprement parler le rapport de la Réunion des Délégués des grandes Puissances, j'ai une seule remarque à faire; j'en ai plusieurs en ce qui concerne les questions économiques et militaires.

Au dernier paragraphe du préambule, on dit que les '. . .[2] les Délégués . . .[2] comptent user de leur autorité morale auprès des Délégations belge et hollandaise' . . .[2] Je suggérerais de remplacer les mots 'autorité morale' par une expression correspondant au mot anglais 'influence'.

M. DE SAINT-QUENTIN (*France*). Nous avons pensé que l'adjectif 'moral', accolé au mot 'autorité', lui donnait précisément le sens du mot anglais 'influence'.

LE PRÉSIDENT. Je ne possède pas assez la langue anglaise pour pouvoir discuter cette question. Quand nous parlons 'd'user de son autorité' vis-à-vis de quelqu'un, cela signifie généralement, en français, que ce quelqu'un est contraint de faire ce qu'on lui dit de faire; par contre, quand on dit 'user de son autorité morale', on fait allusion au prestige moral, à l'influence que l'on peut avoir sur lui.

Je préférais les mots 'autorité morale', parce qu'ils indiquaient mieux ce que ressentiraient la Belgique et la Hollande pour l'avis que nous leur donnerions, mais je ne m'oppose pas à ce qu'on les remplace par 'influence'.

LE COLONEL HENNIKER (*Empire britannique*). Ne pourrait-on se servir du terme 'les bons offices'?

[1] September 6, 1919.          [2] Punctuation as in original.

Le Président. Pour moi, cela est sans importance; ce que nous cherchons, c'est le résultat.

M. Tosti (*Italie*). Il ne faudrait pas s'en tenir au mot 'influence' tout seul en supprimant l'adjectif 'moral', car il pourrait impliquer quelque chose correspondant à une pression exercée sur les Délégations belge et hollandaise.

Le Président. En effet; il ne s'agit ici que d'une influence comparable à celle que peut exercer un grand poète sur un jeune confrère, un vieux stratège sur un jeune général. Si nous disons 'influence morale' nous resterons dans la note; nous écartons l'idée que nous voulons imposer quelque chose et nous précisons que nous voulons seulement user du prestige naturel que nous pouvons avoir; si nos conseils ont une valeur, ce sera une valeur morale.

Je propose donc de remplacer les mots 'autorité morale' par les mots 'influence morale'. (*Assentiment.*)

Le Colonel Henniker. La remarque suivante s'applique au chapitre A du Titre 'Questions économiques'.

*Questions économiques.*

Au début du 2°, on dit:

Les Délégués n'ont pas recherché si les Traités de 1839 mettaient à la charge . . .²

et cinq lignes plus bas on ajoute:

Ils n'ont pas examiné si la Belgique n'avait pas . . .²

Peut-être aurait-il été correct de dire, au début du paragraphe:

Les Délégués ne se sentaient pas appelés à exprimer une opinion sur le point de savoir si . . .²

et, à la phrase suivante:

Ils n'ont pas cru devoir examiner . . .²

Le Président. Il est facile de donner satisfaction au Colonel Henniker en commençant le paragraphe par ces mots:

Les Délégués n'ont pas voulu se prononcer sur le point de savoir si les Traités . . .²

et en disant, à la phrase suivante:

Ils n'ont pas cru devoir non plus examiner si la Belgique . . .² ni apprécier si M. Segers . . .² (*Adopté*).

Le Colonel Henniker. Au 5° du même chapitre, je proposerai de supprimer les mots 'service sanitaire'.

J'espère qu'un arrangement entre la Belgique et la Hollande interviendra pour régler cette question du service sanitaire et de la surveillance sanitaire par la création d'une commission mixte; mais je doute que la Hollande puisse accepter que cette réglementation de la surveillance sanitaire puisse s'appliquer au reste du Royaume. Le service sanitaire sur l'Escaut hollandais est une branche du service sanitaire du Royaume et la Hollande accepterait difficilement de donner en ces matières autorité à un organisme étranger qui interviendrait dans une partie d'un service gouvernemental.

Je crois donc qu'il serait préférable de ne pas parler de service sanitaire en ce moment. Si les Belges et les Hollandais peuvent se mettre d'accord, tant mieux; mais en parler maintenant n'aiderait, je crois, aucunement à résoudre la question et à aboutir à une solution heureuse.

Le Président. D'ailleurs, le terme 'et cætera', qui suit l'énumération des questions techniques visées par le 5°, prouve que cette énumération n'est pas limitative. Je n'ai donc aucune objection à ce que le 'service sanitaire' ne soit pas mentionné. (*Assentiment.*)

Le Colonel Henniker (*Empire britannique*). Une autre observation s'applique à la seconde formule proposée par le paragraphe 6°:

Il pourrait être prévu une procédure rapide pour prévenir toutes difficultés sur l'exercice du droit de veto.

Le Président. Pour vous rassurer, je dois vous dire que c'est là une question qui ne sera pas posée immédiatement; nous avons dit que ce n'est qu'au cas où elle surgirait que nous envisagions cette hypothèse.

Le Colonel Henniker. Sans doute, mais à supposer que la question se pose tout de suite et que nous soyons appelés à faire une suggestion, je ne crois pas que ce soit là un principe qu'il soit bon de prendre pour base de notre action. Voilà pourquoi il ne me paraît pas opportun de le suggérer.

Aucun pays n'admettra jamais qu'un organisme étranger puisse prendre une décision sur une question affectant sa défense nationale; il serait donc inutile de formuler un principe qu'aucune nation n'acceptera et dangereux d'associer ainsi les grandes Puissances à un principe qu'elles n'accepteraient pas d'appliquer à elles-mêmes.

Le Président. Si l'on supprime cette seconde formule, il conviendrait alors de supprimer également la première, parce que la question ne peut se poser, pour nous, qu'en raison précisément du correctif que nous apportons en prévoyant une procédure rapide d'arbitrage.

Je ne reviens pas sur la discussion qui a eu lieu déjà sur ce point, mais, si vous vous en souvenez, c'est moi qui ai proposé d'apporter un correctif au principe que l'on énonçait; je tiens, en effet, à éviter que le droit de veto, que personne d'ailleurs ne discute, ne devienne, pour un Gouvernement hollandais mal disposé, un moyen de réduire à néant tous les accords qui pourront être conclus avec la Belgique.

Si donc nous supprimons le correctif, il est inutile d'énoncer le principe: il est évident que la Hollande a toujours le droit d'opposer son veto, si elle juge que les travaux projetés doivent nuire à sa défense nationale.

Seulement, n'en doutez pas — et la conversation que j'ai eue avec les Belges ne permet aucun doute à cet égard — même en matière économique, les Belges sont décidés à avoir un régime qui ne permette pas à la Hollande de trouver un moyen de se soustraire aux obligations qu'elle aura souscrites; ils ne veulent pas que demain la Hollande recommence à les gêner. Si elle use de son droit de veto dans un but de défense nationale, c'est bien; mais qu'arrivera-t-il si ce n'est qu'un prétexte? Si dans ce cas le Gouvernement belge proteste et fait appel aux Puissances qui auront signé l'accord avec lui, que se passera-t-il?

D'ailleurs, je croyais que la formule que nous employons avait réuni l'assentiment général: elle ne met aucun frein au droit de veto; elle dit seulement qu'il ne faudra pas qu'il y ait de difficultés sur l'exercice de ce droit et cela peut s'appliquer aussi bien à la Belgique qu'à la Hollande. Elle garantit l'exercice du droit de veto, mais dans des circonstances légitimes.

Si donc une exception est soulevée, nous serons obligés d'intervenir: ne vaut-il pas mieux alors poser entre nous un principe que nous affirmerons le jour où ce sera nécessaire?

M. Neilson (*États-Unis d'Amérique*). Nous avons déjà longuement discuté sur ce point; il est donc inutile que je dise, puisque tout le monde le sait, que je suis d'accord avec le Délégué britannique.

Aux termes de la résolution qui a constitué cette Commission, il m'apparaît que nous ne pourrons avoir aucune chance de succès dans les négociations à intervenir, si nous n'avons pas la bonne volonté de la Hollande. Peu importe que nous usions de notre influence morale ou d'une autorité quelconque, il faut compter sur cette bonne volonté si on veut obtenir un résultat.

Le Colonel Henniker (*Empire britannique*). Je voudrais rappeler la genèse de ce paragraphe.

Lorsque M. Tirman et moi en avons préparé la première partie, nous avions pour objet de donner, si possible, satisfaction à la Hollande; sous la forme qu'il prend maintenant, ce paragraphe est loin d'agir dans ce sens; il semble même devoir agir en sens contraire; j'estime donc qu'il serait nécessaire de supprimer ce paragraphe 6°.

Le Président. J'aimerais mieux cela. Du reste, nous ne faisons que reculer la question: quand elle se posera devant nous, nous l'examinerons sur un cas concret et nous verrons ce que nous aurons à faire.

M. Hayashi (*Japon*). Je crois que cette suppression est la meilleure solution. (*Assentiment.*)

Le Colonel Henniker. Après avoir supprimé ce paragraphe, je propose que nous en ajoutions un autre.

Il n'est nulle part fait mention de l'écoulement des eaux de la Flandre belge. Je propose de dire que cet écoulement sera réglé par un accord établi par des représentants techniques des deux pays, d'une manière analogue à ce qui se fera pour l'Escaut.

Le Président. Y a-t-il vraiment des difficultés pour cette question de l'écoulement des eaux?

Le Colonel Henniker (*Empire britannique*). Les Belges se sont plaints.

Le Président. Les Hollandais se plaignent aussi des Belges.

Au surplus, il n'est peut-être pas nécessaire de demander sur ce point des instructions à nos Gouvernements et nous pourrions suggérer que le Colonel Henniker s'entende avec M. Tirman pour trouver une formule satisfaisante. (*Assentiment.*)

Le Colonel Henniker. Dans le paragraphe 1° du chapitre B, 'Communications de la Belgique avec l'arrière-pays', je proposerais que, au lieu d'entrer dans les détails techniques dont on risque d'oublier quelques-uns, on dise en termes plus généraux:

Tous les détails techniques relatifs à ce canal seraient réglés par un accord commun.

Le Président. Le gabarit du canal que l'on prévoit ici est une chose très importante.

M. Tufton (*Empire britannique*). Il y a d'autres détails qui peuvent être aussi importants et dont nous ne parlons pas.

Le Président. Ce qui est intéressant pour l'action des Puissances, c'est précisément que le canal ait le même gabarit sur toute sa longueur.

Le Colonel Henniker. Un accord était intervenu entre la Belgique et la Hollande pour le gabarit du canal de Gand à Terneuzen, mais l'accord pour le gabarit n'a pas empêché les difficultés de naître. Il pourrait se produire des circonstances du même genre où des questions de détail oubliées feraient surgir un désaccord; c'est pourquoi je préfèrerais un terme plus général.

Le Président. Je n'y vois aucun inconvénient; encore ne faudrait-il pas se borner à dire qu'un accord interviendra? Nous posons des principes pour le cas où la Belgique et la Hollande ne s'entendraient pas, nous devons dire sur quoi il faut s'entendre. On pourrait dire:

Un accord interviendrait entre les parties pour déterminer la construction du canal à travers le territoire hollandais, de telle façon qu'il donne toute satisfaction dans tout son parcours, et assure la continuité du trafic.

En un mot, il faut indiquer sur quelles bases l'arrangement se conclura.

Nous pourrions également demander au Colonel Henniker de se rencontrer avec M. Tirman pour rédiger une formule qui traduise exactement notre pensée (*Assentiment*).

Le Colonel Henniker. De même, au paragraphe 2°, la formule qui parle seulement du 'tracé' qui serait arrêté d'accord, me semble trop étroite.

Le Président. La formule que vous nous apporterez pourra être employée à la fois pour la jonction Escaut-Meuse-Rhin et pour le canal Anvers-Moerdyk (*Assentiment*).

Le Colonel Henniker. Au paragraphe 4°, on dit que les deux pays constitueraient des 'organismes communs': je désirerais ajouter les mots 'composés de techniciens'.

Le Président. Telle était bien d'ailleurs la pensée des rédacteurs de ce paragraphe. Il pourrait être modifié comme suit:

4° La Belgique et les Pays-Bas constitueraient des organismes communs, composés de techniciens, pour assurer l'exécution des accords . . .[2] (*Adopté.*)

Le Colonel Henniker (*Empire britannique*). Je me demande s'il nous appartient de faire une suggestion telle que l'exprime le paragraphe 6° dans sa teneur actuelle. Peut-être serait-il mieux de dire:

Les deux pays détermineraient les mesures les plus propres à simplifier les formalités en douane, soit par des accords économiques, soit de toute autre manière qu'ils jugeront préférable.

LE PRÉSIDENT. Je reconnais également que cette idée d'un accord économique peut recevoir des interprétations diverses et nous pourrions nous contenter d'une rédaction comme celle-ci:

Les deux pays détermineraient les mesures les plus propres à simplifier les formalités en douane. (*Adopté.*)

M. TUFTON (*Empire britannique*). A propos des questions territoriales, il y a des doutes dans notre esprit. M. Van Swinderen a-t-il dit *Questions* qu'il serait prêt à céder le territoire qui permettrait la soudure *territoriales.* de l'enclave de Baerle-Duc? . . .[2]

M. DE SAINT-QUENTIN (*France*). Il a déclaré qu'il n'invoquerait pas le principe du non-transfert de souveraineté.

LE PRÉSIDENT. Nous pouvons reprendre les propres paroles de M. Van Swinderen qui figurent dans un de nos procès-verbaux[3] et dire:

Les Délégués des Puissances alliées et associées infèrent des déclarations faites par M. Van Swinderen que les Pays-Bas sont disposés à se concerter avec le Gouvernement belge pour régler la situation de la commune de Baerle-Duc et qu'ils n'invoqueront pas le principe du non-transfert de souveraineté pour empêcher d'arriver à une solution raisonnable.

M. NEILSON (*États-Unis d'Amérique*). Ne pourrait-on supprimer totalement cette question de Baerle-Duc de notre note? Lorsque la Délégation hollandaise en a parlé, M. le Président a dit que, pour les questions de transfert de territoire, les deux pays pourraient faire ce qu'ils voudraient: il me semble inutile que nous intervenions dans cette question.

LE PRÉSIDENT. Nous ne proposons pas d'intervenir: nous indiquons précisément que nous croyons que ce transfert aura lieu. Mais je serais assez disposé à m'arrêter après les mots 'en territoire hollandais', en supprimant la fin de l'alinéa. Nous indiquons ainsi que nous avons bon espoir que la question sera réglée.

M. NEILSON. C'est ce que je proposais. (*Adopté.*)

LE COLONEL HENNIKER. J'ai également quelques observations à présenter à propos du titre des 'Questions militaires et navales'.

On lit, tout au début de ce chapitre:

*Questions*     *a*) Que la sécurité de la Belgique reposait jusqu'à ce jour *militaires et* sur sa neutralité perpétuelle. . . .[2] *navales.*

Est-ce bien tout à fait exact et ne pourrait-on pas dire:

. . . reposait[2] principalement? . . .[2]

LE LIEUTᵀ-COLONEL RÉQUIN (*France*). 'Essentiellement'.

LE PRÉSIDENT. En effet, le mot 'essentiellement' répond mieux à l'idée du Colonel Henniker; il montre que la neutralité perpétuelle était ce qui semblait à la Belgique être de beaucoup la meilleure garantie.

M. NEILSON (*États-Unis d'Amérique*). Nous ne voulons pas donner une

[3] See No. 81.

453

définition d'une rigoureuse exactitude: ce que nous recherchons, c'est dans quelle mesure la Belgique comptait sur cette neutralité perpétuelle.

Le Président. La Belgique y comptait tellement qu'en 1914 son armée n'était pas prête à se battre.

Je vous propose d'insérer au paragraphe *a* le mot 'essentiellement'. (*Adopté.*)

Le Colonel Henniker (*Empire britannique*). Ceci entraîne une correction correspondante dans le paragraphe *b* où on devrait dire:

> que, par suite, le renoncement à cette neutralité . . .[2] laisserait la Belgique sans garantie spéciale contre . . .

Le Président. C'est exact. On pourrait même préciser:

> . . . sans[2] garantie équivalente *ou* sans garantie correspondante . . .[2]

Du moment qu'on lui supprime une garantie, il faut la remplacer; il serait peut-être mieux de changer complètement la formule, et de dire:

> Le renoncement à cette neutralité priverait la Belgique de la garantie qui lui était ainsi assurée contre une agression extérieure.

M. Tosti (*Italie*). On ne peut pas renoncer en droit à quelque chose qui est aboli en fait; d'autant que M. Orts disait qu'il ne renonçait pas à cette neutralité perpétuelle, mais qu'il demandait qu'on reconnût qu'elle avait été abolie en fait, et j'aimerais mieux une formule comme celle-ci:

> que, par suite, la suppression pure et simple de cette neutralité abolie en fait priverait la Belgique de la garantie équivalente qui lui était ainsi assurée contre une agression extérieure.

Le Président. L'idée est qu'on ne remplace pas ce que perd la Belgique; on pourrait employer les mots 'sans compensation'.

M. Tosti. L'idée de compensation élimine celle d'équivalence.

Il s'agit ici d'une garantie morale qui vaut ce que valent les garanties qui s'appuient sur les règles du droit.

M. Neilson. Je ne vois pas de changement au point de vue strictement légal: si l'Allemagne traverse à nouveau la Belgique, tout comme si elle traverse la Hollande, elle violera le droit international comme elle l'a violé en portant atteinte à la neutralité perpétuelle de la Belgique en 1914.

Le Président. La différence est importante. La Hollande est neutre tant qu'elle n'est pas en guerre. Tandis que la Belgique, vivant sur un régime de neutralité perpétuelle, avait le droit de croire qu'on respecterait sa neutralité et n'a jamais vécu sur le qui-vive, comme un pays qui doit s'attendre à être attaqué. Elle avait été respectée en 1870, elle croyait qu'elle le serait encore. Elle ne faisait pas de fortifications ou seulement quelques-unes, mais elle n'entraînait pas son armée et elle ne se préparait pas à la guerre.

M. Tufton (*Empire britannique*). On peut dire:

> . . . laisserait[2] la Belgique sans cette garantie . . .[2]

Le Lieut.-Colonel Réquin (*France*). Ou encore, en introduisant une idée nouvelle :

. . . priverait[2] la Belgique d'une garantie qui s'est montrée sans doute insuffisante, mais sans lui en assurer une meilleure . . .[2]

Le Président. Je préférerais :

. . . priverait[2] la Belgique de la garantie qui lui était assurée, sans qu'elle en retrouve une équivalente . . .[2]

M. Neilson (*États-Unis d'Amérique*). Nous disons que la garantie la plus avantageuse était celle que donnaient à la Belgique les grandes Puissances signataires des Traités de 1839 et nous ajoutons que la Belgique va perdre cette garantie, dans le cas où l'article du traité qui la lui donne disparaîtrait ; mais nous n'avons pas dit encore si cet article serait rayé du Traité de 1839.

Le Président. C'est exact ; c'est pourquoi je songeais à faire deux paragraphes au lieu d'un.

Dans le premier, on dirait, comme dans le rapport de la Commission des affaires belges :

. . . que[2] cette garantie s'est montrée, en fait, insuffisante et qu'elle a été abolie, en fait, par l'agression de l'Allemagne . . .[2]

et dans le second, on ajouterait :

. . . qu'en[2] conséquence, il est à considérer qu'elle devient désormais insuffisante en droit, mais qu'on ne peut en prononcer la suppression pure et simple sans chercher à donner à la Belgique une garantie équivalente . . .[2]

M. Neilson. J'espère qu'il sera possible de le faire, mais il me semble que c'est une bien grande entreprise, pour les co-signataires du Traité de 1839, que de substituer à cette garantie qui s'est montrée inefficace, une garantie meilleure ou équivalente.

Le Président. Il pourrait suffire alors de modifier le paragraphe *c*) en ces termes :

. . . que[2] la révision du Traité de 1839 doit supprimer les risques qu'il a créés pour la Belgique et la paix générale et ne peut en conséquence se borner à enregistrer purement et simplement la suppression de la garantie qui était donnée ainsi à la Belgique.

Au paragraphe *b*), on dirait :

. . . que[2] l'agression allemande a aboli en fait cette garantie et a rendu ainsi inévitable la suppression en droit d'une neutralité perpétuelle qui ne constituerait plus pour la Belgique qu'une charge sans compensation.

M. Neilson (*États-Unis d'Amérique*). Devons-nous conserver cette idée de compensation ? Qui donnera cette compensation et sous quelle forme ?

Le Président. Alors nous conserverions le paragraphe *b*), tel que je viens de le lire en terminant par ces mots :

. . . qui[2] ne constituerait plus pour la Belgique qu'une entrave.

ou mieux encore

> . . . qui[2] ne constituerait plus pour la Belgique qu'une servitude inutile.

Le paragraphe *c*) deviendrait alors:

> . . . que[2] cependant aux termes de la résolution du Conseil Suprême du 8 mars 1919,[4] la révision du Traité de 1839 doit supprimer les risques qu'il a créés pour la Belgique et la paix générale, et ne peut, en conséquence, avoir lieu sans qu'elle retrouve une garantie équivalente à celle qu'elle avait perdue.

M. Neilson. Je suis bien de cet avis, mais qu'allons-nous mettre à la place de cette garantie abolie?

Le Président. Nous y mettrons les accords que nous suggérons.

Je propose donc la rédaction suivante:

> *b*) que l'agression allemande de 1914 a aboli en fait cette garantie et a rendu ainsi inévitable la suppression en droit d'une neutralité perpétuelle qui ne pourrait plus constituer pour la Belgique qu'une servitude inutile.

> *c*) mais que cependant la suppression de cette neutralité perpétuelle ne peut aboutir à priver purement et simplement la Belgique de la garantie contre une agression extérieure qu'on avait voulu ainsi lui assurer.

M. Neilson. J'approuve cette formule, mais qui garantira l'inviolabilité de la Belgique? Quelle sera la garantie?

La Belgique, par le Traité de 1839, a été déclarée neutre. En violant le territoire belge, les Allemands, bien entendu, ont violé le Traité et ils ont violé le droit international. S'ils avaient traversé la Hollande ou tout autre pays neutre, ils auraient violé le droit international. La garantie, véritable et valable, qu'avait la Belgique sous le Traité de 1839 était l'engagement pris par les grandes Puissances signataires du Traité, la Grande Bretagne, la France, l'Autriche, la Prusse et la Russie, de défendre la neutralité belge. Si certaines Puissances signataires ne continuent pas à maintenir cette garantie, ou si une garantie pareille n'est pas donnée, quel sera l'équivalent de la garantie qu'avait la Belgique? Un accord militaire ne pourrait guère être une garantie équivalente.

Le Président. C'est pourquoi je ne parle plus d'équivalence. Je dis que la suppression pure et simple de la neutralité perpétuelle ne peut avoir lieu et qu'il faut la remplacer par quelque chose.

M. Tosti (*Italie*). La Délégation italienne accepte cette nouvelle rédaction, mais elle tient à déclarer que, malgré l'intéressante discussion qui vient d'avoir lieu, la première, qu'on s'est attaché à perfectionner, lui semblait cependant la meilleure; la pensée était claire, alors que les développements qui lui ont été donnés l'ont peut-être obscurcie.

Le Lieut<sup>t</sup>-Colonel Réquin (*France*). Il convient également de ne pas omettre l'argument positif fourni par la résolution du Conseil Suprême, d'après laquelle la révision du Traité doit supprimer les risques qu'il a créés.

[4] See No. 39, note 9.

LE PRÉSIDENT. Nous allons faire un nouveau paragraphe *d*) qui serait ainsi rédigé :

*d*) que d'autre part, aux termes de la résolution du Conseil Suprême du 8 mars 1919,[4] la révision des Traités de 1839 doit supprimer les risques qu'ils ont créés pour la Belgique et la paix générale.

M. NEILSON (*États-Unis d'Amérique*). Pour ne rien promettre que nous ne puissions pas tenir, ne pourrait-on dire :

. . . doit[2] supprimer *autant que possible*, les risques . . .[2]

LE PRÉSIDENT. Le mieux serait encore de conserver les termes exacts de la résolution du Conseil Suprême et de dire :

. . . doit[2] supprimer les risques et les inconvénients résultant dudit Traité . . .[2]

Nous sommes d'accord, je pense, sur ces trois paragraphes *a*), *b*), *c*) et sur le nouveau paragraphe *d*) rédigés comme je viens de le dire ; le paragraphe *d*) actuel deviendrait donc *e*). (*Adopté.*)

LE COLONEL HENNIKER (*Empire britannique*). La formule qui figure au paragraphe *d*) est assez longue et si nous voulions la discuter en détail, cela prendrait peut-être beaucoup de temps. En fait, et pour abréger, le sens général de ces deux phrases est que, d'après les Délégués, la Belgique est justifiée à demander des garanties militaires.

Si telle est bien la pensée, je proposerai de rédiger la formule en ces simples mots :

La Belgique est justifiée à demander des garanties militaires.

LE PRÉSIDENT. Au moment où nous allons consulter nos Gouvernements, il n'est peut-être tout de même pas indifférent de leur rappeler que nous sommes intéressés dans la question.

Du fait que nous sommes signataires des Traités de 1839, nous avons un devoir à remplir ; mais nous avons également un intérêt pour nous guider en la circonstance. On ne peut attaquer la Belgique sans attaquer les Puissances alliées et principalement deux d'entre elles ; et c'est là un des motifs pour lesquels nous sommes fondés à intervenir, ce qui nous permettra plus tard de répondre aux réclamations belges que nous estimons suffisantes les garanties données à la Belgique par l'accord que nous proposons.

D'autre part, si nous avons été les uns et les autres co-signataires des Traités de 1839, c'est que nous étions intéressés à la question belge, qui n'est au fond que la question des relations militaires entre la France et l'Allemagne.

En 1839, le Traité a été fait contre la France, pour protéger l'Allemagne contre une agression française ; aujourd'hui, la situation est renversée : nous travaillons pour protéger la France contre une agression allemande. Et quand je parle de France ou d'Allemagne, j'entends les systèmes que représentent l'une et l'autre de ces deux Puissances.

Au début du XIX<sup>e</sup> siècle, on s'était figuré que les Français seraient les agresseurs, non seulement parce qu'ils avaient souvent fait la guerre dans ces parages, mais encore parce que les Puissances qui faisaient le Traité étaient des Puissances conservatrices, réactionnaires, qui se défendaient contre une France et une Belgique révolutionnaires et craignaient de voir la France agiter le spectre de la Révolution. Le Roi de Prusse, l'Empereur d'Autriche et même l'Empereur de Russie se montraient fort émus de cette perspective.

Les Traités de 1839 ont donc été faits pour protéger des Monarchies réactionnaires contre des Puissances révolutionnaires. Aujourd'hui, ce sont ces mêmes Monarchies qui ont violé les Traités qu'elles ont signés et menacé de ruiner la paix du monde; la situation est retournée. Nous, Français, y sommes directement intéressés, car cela se traduira par une guerre en Belgique, guerre dans laquelle la France ne sera d'ailleurs pas seule.

Dans ces conditions, je ne vois pas comment nous pouvons nous dispenser de rappeler l'intérêt de la question.

M. Tufton (*Empire britannique*). On pourrait tout de même abréger la formule. On parle du devoir des grandes Puissances d'obtenir des garanties militaires pour la Belgique; qui sait où cela peut nous entraîner? Est-ce que nous aurons le devoir de faire la guerre à la Hollande?

Le Président. C'est exact. J'accepterais une formule comme celle-ci:

La Belgique est justifiée à demander pour sa sécurité dans l'avenir des garanties militaires visant, non pas à limiter une invasion telle qu'elle l'a subie en 1914, mais à l'empêcher. Les grandes Puissances, ses voisines et alliés pendant la dernière guerre, sont intéressées à ce qu'elle les obtienne. (*Adopté*.)

Le Colonel Henniker (*Empire britannique*). Dans le chapitre C, 'Défense de la Meuse et du Limbourg', on parle d'accord militaire: ce mot qui est de nature à effrayer la Hollande, ne pourrait-il être remplacé par 'étude'?

Le Président. En effet. Il s'agit d'ailleurs bien, en réalité, de faire étudier la défense de la Meuse et du Limbourg par la Belgique et la Hollande. Mais le mot 'étude' n'est pas très militaire et nous pourrons dire:

La défense de la Meuse et du Limbourg doit être étudiée en commun . . .[2]

Ou mieux encore:

La défense de la Meuse et du Limbourg, condition essentielle de la sécurité de la Belgique, doit être l'objet d'un plan concerté entre la Belgique et la Hollande.

Ainsi il n'y a aucun accord, aucun engagement, mais si ce plan doit jouer, il jouera dans certaines conditions. Et ceci rappelle exactement ce qui a été fait entre les États-Majors français et anglais avant la dernière guerre.

M. Tufton. C'est cela.

(*La proposition du Président est adoptée. On décide également de remplacer, dans les alinéas 2° et 3°, le mot 'accord' par le mot 'plan'.*)

La suite de la discussion est renvoyée au lendemain 9 septembre, à 17 heures.

La séance est levée à 19 heures 15 minutes.

### ANNEX TO No. 120

*Projet de demande d'instructions adressée aux Gouvernements des principales Puissances alliées et associées*
*par leurs Délégués à la Commission pour la Révision des Traités de 1839*

La Commission chargée d'étudier les conséquences de la révision des Traités de 1839 a suspendu ses travaux après avoir entendu un exposé des revendications belges et une première réplique hollandaise, pour permettre à la Délégation hollandaise d'aller prendre les instructions de son Gouvernement.

Les Délégués des principales Puissances alliées et associées à la Commission ont mis à profit cet intervalle pour examiner en commun les questions soulevées et les solutions qu'elles comportent.

Ils sont arrivés à un accord unanime sur un certain nombre de principes. Mais, certains d'entre eux ont estimé qu'en s'inspirant de ces principes dans les délibérations qui vont reprendre avec la participation des représentants belges et hollandais, ils engageraient la responsabilité de leurs Gouvernements. Les Délégués ont, en conséquence, jugé qu'ils devaient soumettre leurs conclusions à l'approbation de leurs Gouvernements respectifs représentés au Conseil Suprême.

Ces conclusions, qui sont exposées ci-après, se réfèrent à deux problèmes principaux. Le premier, d'ordre économique, comprend les moyens de donner à la Belgique la liberté de ses communications soit avec la mer, par l'Escaut, ses voies dérivées et le canal de Gand à Terneuzen, soit avec son arrière-pays, vers la Meuse et la Moselle, soit avec l'étranger, vers le Bas-Rhin. Le second, d'ordre militaire et naval, concerne les garanties nécessaires pour assurer dans l'avenir la sécurité de la Belgique en prévenant le retour d'une agression extérieure.

La Délégation hollandaise, tout en se déclarant prête à rechercher des arrangements d'ordre économique avec la Belgique, prétendait que les négociations devaient se poursuivre directement entre Bruxelles et La Haye en dehors du cadre de la Commission et de l'action des principales Puissances. Elle demandait à ces dernières de s'effacer jusqu'au jour, vraisemblablement éloigné, où les deux Gouvernements belge et hollandais leur auraient soumis les dispositions détaillées et complètes des Traités définitifs. Les Délégués des principales Puissances ont estimé que cette procédure, incompatible avec la résolution du 4 juin,[5] ne leur permettrait ni de défendre leurs intérêts nationaux, ni de chercher à concilier les différends entre les deux principaux intéressés. Ils ont donc suggéré de renvoyer à plus tard l'élaboration des clauses détaillées, mais insisté pour la conclusion, dans le plus

[5] See No. 39, note 1.

459

bref délai possible, d'un accord de principe, contenu dans des formules préparées en commun à Paris par les Délégués belges et hollandais, puis révisées en Commission plénière et consacrées enfin par le Conseil des Ministres des Affaires étrangères. Ils ont tout lieu de croire que le Gouvernement hollandais s'est rallié à cette proposition.

La Délégation hollandaise a écarté toutes les solutions militaires présentées par la Délégation belge et n'a elle-même apporté aucune proposition tendant à établir une entente entre les deux pays sur ces questions. Or, la Délégation belge, après avoir entendu l'exposé hollandais, a déclaré nettement qu'elle plaçait les questions économiques en deuxième ligne et qu'elle devrait refuser d'en aborder l'examen si la Délégation hollandaise persistait à écarter toutes les demandes intéressant la sécurité de la Belgique. Il est possible que la Délégation hollandaise rapporte de La Haye des instructions qui lui permettent de modifier son attitude purement négative. S'il n'en était pas ainsi, les Délégués des principales Puissances alliées et associées, convaincus de la nécessité de sauvegarder les intérêts vitaux de la Belgique, comptent user de leur autorité morale auprès des Délégations belge et hollandaise pour amener une entente qui, tout en respectant l'indépendance et la neutralité de la Hollande, assurerait à la Belgique les garanties d'ordre militaire reconnues comme nécessaires et suffisantes à sa sécurité.

### Questions Économiques

#### A. *Régime de l'Escaut maritime,*
#### *y compris ses voies dérivées et le canal de Gand à Terneuzen*

1° Les Délégués des principales Puissances alliées et associées reconnaissent l'intérêt capital que présente pour le port d'Anvers, et par suite, pour l'ensemble du développement économique de la Belgique, le système constitué par l'Escaut maritime, par ses voies dérivées et par le canal de Gand à Terneuzen. Ils admettent que la Belgique est fondée à réclamer que cette voie navigable reçoive les améliorations qui lui permettront de desservir un port de premier ordre. Ils formulent donc le principe suivant qui ne leur paraît pas devoir soulever d'objections du côté hollandais :

*Les Pays-Bas reconnaîtraient à la Belgique le droit de faire exécuter les travaux d'amélioration répondant aux besoins croissants de la navigation.*

2° Les Délégués n'ont pas recherché si les Traités de 1839 mettaient à la charge du Gouvernement hollandais les travaux tendant à l'amélioration de la navigation sur l'Escaut, par exemple à l'approfondissement du chenal. Ils n'ont pas examiné si la Belgique n'avait pas laissé tomber ce droit en déshérence, au cas où elle l'aurait eu et n'ont pas apprécié si M. Segers n'avait pas consacré l'abandon des prétentions belges en déclarant que l'Escaut ne présentait aucune utilité pour les Pays-Bas.

En tout cas, ils ont considéré que l'obligation de payer les nouveaux travaux d'amélioration dont elle réclamerait l'exécution constituerait pour la Belgique la garantie et la sanction de son droit. Ils ont donc adopté le principe suivant :

*Les nouveaux travaux d'amélioration seraient à la charge du pays qui en réclamerait l'exécution.*

3° Les Délégués jugent équitable que l'État qui a fait exécuter les nouveaux travaux d'amélioration, assume également les dépenses nécessaires à leur entretien, celles que comporteraient, par exemple, les dragages périodiques faits pour maintenir le chenal à la profondeur nouvelle qui lui aura été donnée. C'est à ce principe que correspond la proposition suivante:

*Les dépenses d'entretien seraient ainsi assumées:*

*a) Pour les travaux effectués au profit d'un seul État, la dépense serait à la charge de cet État.*

*b) Pour les travaux effectués au profit des deux États, la dépense serait répartie proportionnellement à l'utilisation de ces travaux par chacun d'eux.*

4° En vue d'assurer que les travaux reconnus nécessaires pour les besoins de la navigation soient exécutés dans le plus bref délai, les Délégues ont prévu l'institution d'organismes chargés de résoudre les difficultés qui pourraient surgir et de poursuivre l'exécution des travaux. Ils ont cru devoir se contenter de poser le principe en laissant les deux parties s'entendre sur les modalités de réalisation. Ils se réservent d'ailleurs de suggérer leurs solutions si les Délégations belge et hollandaise ne pouvaient se mettre d'accord. Pour le moment ils se bornent à suggérer que:

*Il devrait être institué des organismes tels que les questions soulevées soient résolues dans le moindre temps et les travaux réalisés dans le plus bref délai.*

5° Les Délégués ont cependant cru devoir indiquer que ces organismes devraient être autant que possible dépouillés du caractère politique. Il leur a semblé qu'il y aurait plus de chances d'éviter des conflits et des atermoiements si on confiait à des techniciens le soin de régler les questions techniques: pilotage (licences et taxes), balisage, service sanitaire, etc. Ils croient donc utile de spécifier que:

*Les questions techniques pour tout ce qui concerne la navigation seraient réglées conjointement par des techniciens.*

6° Les Délégués ont reconnu que les Pays-Bas seraient fondés à opposer leur veto à l'exécution des travaux qui seraient de nature à compromettre la défense de leur territoire. En vue de prévenir les abus possibles du veto, ils ont voulu que les difficultés soulevées par l'exercice de ce droit puissent être tranchées rapidement par une procédure d'arbitrage.

Ils ont craint, toutefois, qu'à prévoir immédiatement ces difficultés on ne parût suspecter les intentions de la Hollande et qu'on n'éveillât sa susceptibilité. Ils ont donc pensé qu'ils devraient provisoirement s'abstenir de soulever cette question et qu'ils devraient réserver leur intervention pour le cas où la Hollande ferait valoir l'exception de la sécurité nationale.

La formule qu'en ce cas, ils présenteraient aux intéressés serait la suivante:

*Le Gouvernement hollandais aurait le droit d'opposer son veto à l'exécution des travaux qui pourraient compromettre la sécurité de son territoire.*

*Il pourrait être prévu une procédure rapide pour prévenir toutes difficultés sur l'exercice du droit de veto.*

## B. *Communications de la Belgique avec l'arrière-pays.*
### *(Pays mosan et Pays rhénans.)*

En raison de l'intérêt qui s'attache pour l'un et l'autre pays à la solution des questions des communications au travers des territoires néerlandais, les Pays-Bas et la Belgique conviendraient de régler ces questions en s'inspirant des principes ci-après :

1° Les Pays-Bas ne feraient pas d'objections à l'établissement d'une jonction Escaut-Meuse-Rhin, empruntant leur territoire.

Dans la traversée du territoire néerlandais, le canal serait établi au même gabarit que sur l'ensemble du parcours et son tracé serait arrêté d'un commun accord entre les deux Gouvernements.

2° Les Pays-Bas consentiraient également à l'établissement du canal d'Anvers-Moerdyk dont le tracé serait arrêté d'un commun accord entre les deux pays.

3° Les Pays-Bas et la Belgique détermineraient les travaux à exécuter, les prises d'eau à établir et les mesures administratives à adopter en vue d'améliorer les communications par voies navigables entre les deux pays ou au travers de l'un des deux pays.

4° La Belgique et les Pays-Bas constitueraient des organismes communs chargés d'assurer l'exécution des accords prévus aux paragraphes précédents.

5° Les deux pays se prêteraient un mutuel concours pour faciliter l'établissement sur leurs territoires respectifs des voies ferrées et embranchements dont l'expérience révélerait l'utilité et pour adopter, dans l'exploitation technique et commerciale des chemins de fer, toutes les dispositions propres à faciliter les échanges entre les deux pays ou au travers de l'un des deux pays.

6° Les deux pays rechercheraient les bases d'un accord économique et détermineraient les mesures les plus propres à simplifier les formalités en douane.

### *Questions Territoriales*

Les Délégués des Puissances alliées et associées infèrent des déclarations faites par M. Van Swinderen que les Pays-Bas sont disposés à se concerter avec le Gouvernement belge pour régler la situation de la commune belge de Baerle-Duc, enclavée en territoire hollandais, et qu'ils n'invoqueront pas leur principe du non-transfert de souveraineté pour empêcher la soudure de cette enclave avec le territoire belge.

### *Questions Militaires et Navales*

Les Délégués des principales Puissances alliées et associées ont considéré :

*a*) Que la sécurité de la Belgique reposait jusqu'à ce jour sur sa neutralité perpétuelle garantie par les Puissances signataires du Traité de 1839.

*b*) Que, par suite, le renoncement à cette neutralité, abolie en fait par l'agression allemande de 1914, laisserait la Belgique sans aucune garantie contre une agression extérieure.

*c*) Que, cependant, aux termes de la résolution du Conseil Suprême du

8 mars 1919,[4] la révision du Traité de 1839 doit supprimer les *risques* qu'il a créés pour la Belgique et la paix générale.

*d*) Et qu'enfin, suivant l'expression même de M. Pichon dans sa lettre adressée le 26 juin à M. Van Karnebeek[6] au nom du Conseil des Ministres des Affaires étrangères, les grandes Puissances alliées et associées ont le *devoir* de chercher à concilier les divergences qui séparent la Belgique de la Hollande.

Les Délégués formulent, en conséquence, le principe suivant:

*Il est indispensable que la Belgique obtienne pour sa sécurité dans l'avenir des garanties militaires visant, non pas à limiter une invasion telle qu'elle l'a subie en 1914, mais à l'empêcher. La Belgique est justifiée à les demander. Les grandes Puissances, ses voisines et alliées pendant la dernière guerre, sont intéressées à ce qu'elle les obtienne et ont le devoir de les lui faire obtenir.*

Ce principe une fois posé, les Délégués, en réservant expressément leur opinion au point de vue politique et juridique sur chacune des demandes de la Délégation belge, ont chargé leurs experts militaires et navals d'examiner ces demandes au seul point de vue militaire et naval et de donner à la Commission leur avis motivé sur chacune d'elles. La Commission croit devoir annexer le rapport de ces experts à la présente demande d'instructions, en vue d'éclairer complètement le Conseil Suprême sur les raisons qui ont contribué à former son opinion.

L'examen dudit rapport a conduit les Délégués à formuler les propositions suivantes:

### A. *Escaut et Flandre hollandaise*

*La demande de la Délégation belge d'utiliser les eaux et le territoire hollandais pour des besoins de guerre, hors le cas où la Hollande, membre de la Société des Nations, y ferait tout naturellement droit par application des articles 16 et 17 du Pacte, est incompatible avec la résolution du Conseil Suprême du 4 juin qui exclut toute création de servitude internationale.* Les Délégués ajoutent d'ailleurs la considération suivante, de nature à apaiser l'opinion belge: au strict point de vue militaire et naval, et abstraction faite de l'atteinte qu'une telle mesure porterait au droit international, la demande de la Belgique, si elle était accueillie, présenterait pour elle, en regard de quelques avantages très problématiques, des inconvénients nombreux et sérieux que le rapport des experts militaires et navals a fait ressortir.

### B. *Abolition de l'article 14 interdisant la création d'un port de guerre à Anvers*

Les Délégués des principales Puissances alliées et associées ont tout d'abord estimé qu'on ne pouvait refuser au peuple belge une satisfaction morale que le Gouvernement hollandais était disposé à lui accorder.

Ils ont reconnu, d'autre part, les avantages que présenterait, tant pour la Belgique que pour la Société des Nations, la création d'un port de guerre à Anvers, et ils formulent en conséquence la proposition suivante:

*L'article 14 du Traité de 1839 doit être aboli, mais sans modification aux règles du*

[6] See No. 39, annex III.

*droit international concernant le passage des navires de guerre dans les eaux territoriales hollandaises. Toutefois, comme conséquence de la suppression de l'article 14 et pour écarter toute difficulté ultérieure, il conviendrait d'inviter la Hollande à bien vouloir faire connaître dans quelles conditions elle permettra le passage de l'Escaut aux navires de guerre belges en temps de paix.*

### C. *Défense de la Meuse et du Limbourg*

Les Délégués des principales Puissances alliées et associées, après examen de la demande belge et des considérations exposées par leurs experts militaires, reconnaissent qu'il est de l'intérêt commun de la Belgique et des États voisins, y compris la Hollande, de régler la question de la défense *éventuelle* de la Meuse et du Limbourg.

Ils considèrent qu'un accord militaire sur ce point entre la Belgique et la Hollande n'impliquerait nullement une alliance susceptible d'entraîner la Hollande dans une guerre, contre son gré.

Après la déclaration importante de M. Van Swinderen au sujet de la défense locale du Limbourg et de la violation du territoire hollandais, ils estiment qu'un accord hollando-belge viserait uniquement *à organiser à l'avance* une défense éventuelle qui intéresse au plus haut degré la sécurité de la Belgique, qui ne peut s'improviser et que la Hollande a la volonté, mais non la possibilité d'assurer par elle-même.

En conséquence, les Délégués formulent les propositions suivantes :

1° *La défense de la Meuse et du Limbourg, condition essentielle de la sécurité de la Belgique, doit faire l'objet d'un accord militaire entre la Belgique et la Hollande.*

2° *Si les deux États font partie de la Société des Nations, cet accord nécessaire est à établir en application du principe posé aux articles 16 et 17 du Pacte.*

3° *Si la Hollande n'était pas membre de la Société, cet accord, également indispensable, devrait viser exclusivement le cas de violation du territoire hollandais que le Gouvernement des Pays-Bas considère comme un* casus belli *immédiat.*

En outre, les Délégués de la France et de l'Italie ont cru devoir envisager la question sous un autre aspect.

L'intérêt commun des grandes Puissances voisines de la Belgique à l'obtention des garanties militaires que celle-ci demande étant reconnu, ils ont jugé qu'on ne pouvait *pas ne pas tenir compte de la situation militaire* résultant pour lesdites Puissances des clauses mêmes du Traité de paix avec l'Allemagne. Car ces Puissances occupent une partie du territoire allemand *pour une période que le Traité de Paix ne permet pas de déterminer.*

La France en particulier y entretient une armée.

Or, il a été universellement établi que le Rhin était la véritable barrière militaire contre une agression allemande. Les clauses du Traité de Paix autorisent donc à envisager *qu'en cas de menace d'agression de l'Allemagne démasquée par l'investigation de la Société des nations*, les Puissances occupantes du territoire rhénan pourraient être conduites à reporter sur le Rhin leur défense contre l'Allemagne. Le Traité de Paix leur en donne *le droit et les moyens*.

Dans ces conditions, le problème de la Meuse et du Limbourg s'élargirait singulièrement. Les Puissances occupantes du territoire allemand (et la Belgique est du nombre) pourraient envisager, de même que la Hollande pourrait avoir intérêt à envisager, une liaison entre la défense éventuelle du territoire des Pays-Bas et le système défensif desdites Puissances.

Les Délégués de France et d'Italie désirent, en conséquence, formuler la suggestion suivante:

*Accord militaire entre la Hollande et les Puissances occupantes du territoire rhénan, en vue de lier éventuellement la défense du territoire hollandais au système de défense desdites Puissances pendant le temps où elles jugeront nécessaire d'occuper, et dans tous les cas où elles estimeraient nécessaire de réoccuper tout ou partie du territoire rhénan, comme garantie prévue par le Traité de Paix avec l'Allemagne contre une agression possible de sa part.*

Les Délégués des principales Puissances alliées et associées ont l'honneur de demander si les Gouvernements dont ils tiennent leur mandat n'ont pas d'objection à ce qu'ils orientent, conformément aux principes exposés ci-dessus, leur action auprès des Délégations belge et hollandaise en vue d'aboutir à un accord sur la révision des Traités de 1839.

## No. 121

*Record of a meeting in Paris of the Delegates of the Great Powers on the Commission for the revision of the Treaties of 1839*

*No. 8 [Confidential/General/177/9]*

*Procès-verbal No. 8. Séance du 9 septembre 1919*

La séance est ouverte à 17 heures sous la présidence de M. Laroche, *Président.*

*Sont présents:*

M. Fred K. Neilson (*États-Unis d'Amérique*); l'Honorable Charles Tufton et le Colonel Henniker (*Empire britannique*); MM. Laroche et Tirman (*France*); M. Tosti et le Professeur D. Anzilotti (*Italie*); le Général Sato et le Professeur Hayashi (*Japon*).

*Assistent également à la séance:*

L'Amiral McCully, le Colonel Embick et le Capitaine de corvette Capehart (*États-Unis d'Amérique*); le Capitaine de vaisseau Fuller, le Lieut^t-Colonel Twiss, le Capitaine de frégate Macnamara et M. Bland (*Empire britannique*); le Capitaine de vaisseau Le Vavasseur, le Lieut^t-Colonel Réquin et M. de Saint-Quentin (*France*); le Capitaine de corvette Ruspoli (*Italie*); M. Yokoyama (*Japon*).

M. Tirman (*France*). Hier, alors que j'étais absent, ce dont je m'excuse, le Colonel Henniker a présenté un certain nombre de remarques sur le projet de demande d'instructions à adresser aux Gouvernements.[1] Il a indiqué, notamment, que nous avions omis de parler du régime des eaux de la Flandre belge. Cette question a fait l'objet, en effet, d'une revendication des Belges qui se sont plaints assez vivement des mesures qui pouvaient être prises par la Hollande à ce propos.

*Écoulement des eaux de la Flandre belge.*

Par conséquent, dans le Titre I, consacré aux 'Questions économiques', il conviendrait d'insérer un chapitre B, ainsi conçu:

B. *Écoulement des eaux de la Flandre belge.* — Les Délégués des principales Puissances alliées et associées ne croient pas avoir à examiner en détail la question essentiellement technique de l'écoulement des eaux de la Flandre belge. Ils se bornent à suggérer les principes suivants:

L'écoulement des eaux de la Flandre belge devrait être réglé de la même manière que la navigation de l'Escaut en ce qui concerne, soit le droit de la Belgique à réclamer la construction des ouvrages nécessaires, soit la répartition des frais de premier établissement et d'entretien, soit l'institution d'un organisme commun de techniciens pour décider des questions techniques, faire exécuter sans retard les travaux nécessaires et assurer le fonctionnement des ouvrages (écluses, etc.) d'une manière satisfaisante pour les deux parties. (*Adopté.*)

Dans le paragraphe C, ancien B, certaines modifications doivent être apportées pour tenir compte des observations présentées hier.

Au 1º de ce paragraphe, on supprimerait le second alinéa.

Au 2º, on supprimerait les derniers mots:

. . . . dont[2] le tracé serait arrêté d'un commun accord entre les deux pays.

Après ce 2º, on intercalerait un 3º nouveau proposé par le Colonel Henniker et ainsi conçu:

3º Pour chacun des canaux prévus aux paragraphes 1 et 2, la section située en territoire néerlandais serait considérée comme faisant partie d'une route de transit direct et serait construite et exploitée par accord entre les deux parties de manière à assurer la circulation sans entraves.

Le paragraphe 3º, devenant 4º, serait ainsi rédigé:

Les Pays-Bas et la Belgique conclueraient des accords à l'effet de déterminer les plans des travaux à exécuter et des ouvrages à établir, le mode d'exécution, les procédés d'exploitation et, en général, toutes les dispositions techniques à prendre ainsi que toutes les mesures administratives à adopter en vue d'améliorer les communications par voies navigables entre les deux pays ou au travers de l'un des deux pays.

*Communications de la Belgique avec l'arrière-pays.*

Le paragraphe 4º, devenant 5º, n'est pas modifié, non plus que le paragraphe 5º, qui devient le 6º.

[1] See No. 120.  [2] Punctuation as in original.

Le paragraphe 6°, devenant 7°, serait ainsi rédigé:

Les deux pays détermineraient les mesures les plus propres à simplifier les formalités en douane.

Enfin, dans la cinquième résolution du chapitre A consacré au 'Régime de l'Escaut maritime', on modifierait la formule comme il suit:

Les dispositions techniques et les mesures administratives pour tout ce qui concerne la navigation seraient réglées conjointement par des techniciens. (*Ces diverses modifications sont adoptées.*)

M. Neilson (*États-Unis d'Amérique*). Dans l'ordre d'idées que j'ai abordé hier, j'ai deux observations à présenter.

*Neutralité de la Hollande.* La première se rapporte au chapitre 'Escaut et Flandre hollandaise' du titre III 'Questions militaires et navales'.

La question de la neutralité de la Hollande n'a pas été discutée par les experts militaires qui ont déclaré qu'ils n'entreraient dans aucune considération d'ordre politique ou juridique. Cependant, je remarque qu'ils ont parlé d'une autorisation à donner aux navires de guerre belges pour leur permettre de passer par l'Escaut en temps de guerre et qu'ils l'ont qualifiée de servitude internationale. Ils ont donc, dans une certaine mesure, abordé le domaine des questions juridiques. Je suis porté à regretter qu'ils aient ainsi défini les servitudes internationales, car il me semble qu'afin de faciliter les négociations entre la Belgique et la Hollande, il est désirable d'éviter autant que possible une définition des servitudes. Bien que le rapport des experts militaires ne renferme pas de conclusions juridiques, il me semble regrettable qu'aucune mention ne soit faite de la neutralité hollandaise, qui est certainement une question très importante. Bien que je n'aie pas examiné la question à fond, je présume qu'une violation du droit de juridiction des Pays-Bas dans l'Escaut en temps de guerre serait, au point de vue juridique, analogue à la violation du territoire belge commise au début de la guerre actuelle. Je désirerais donc qu'il fût fait mention de cette neutralité de la Hollande, afin que nous ne paraissions pas avoir laissé la question de côté.

Le Président. Je crois qu'il serait inutile d'engager une discussion pour comparer ces deux neutralités; néanmoins, on entrerait dans les vues de M. Neilson si l'on insérait une phrase relative à cette neutralité hollandaise. On pourrait compléter la formule qui commence le chapitre A, en disant:

La demande de la Délégation belge d'utiliser les eaux et le territoire hollandais pour des besoins de guerre, hors le cas où la Hollande, membre de la Société des Nations, y ferait tout naturellement droit par application des articles 16 et 17 du Pacte, est incompatible avec la résolution du Conseil Suprême du 4 juin[3] qui exclut toute création de servitude internationale; cette demande ne pourrait être accueillie sans qu'on risque ainsi de porter une véritable atteinte à la neutralité hollandaise, raison qui suffirait, à elle seule, à la faire rejeter.

[3] See No. 39, note 1.

M. Neilson (*États-Unis d'Amérique*). Moi non plus, je n'ai pas voulu établir une comparaison entre les deux neutralités, mais je tenais à ne pas laisser en suspens cette question de la neutralité hollandaise et je proposerais même une formule plus atténuée qui serait:

La question de la neutralité de la Hollande, en tant qu'elle pourrait être affectée par les opérations militaires, n'est pas discutée.

Cela indiquerait tout au moins que nous nous sommes préoccupés de cette neutralité.

Le Président. Je propose ce texte:

. . . . toute[2] création de servitude internationale. On ne pourrait d'ailleurs accueillir cette demande sans porter atteinte à la neutralité hollandaise.

Ou bien:

. . . . sans[2] mettre en question la neutralité de la Hollande.

M. Neilson. Ne voudriez-vous pas également compléter cette addition par les mots: 'selon toute probabilité'?

Le Président. Voici une formule qui vous donnerait satisfaction:

. . . . servitude[2] internationale. On risquerait d'ailleurs, en accueillant cette demande, de mettre en question la neutralité de la Hollande. (*Adopté.*)

Ces mots seraient soulignés et l'on commencerait un nouvel alinéa en disant:

Les Délégués ajoutent la considération suivante. . . .[2]

Et dans cet alinéa, on supprimerait les mots:

. . . . et[2] abstraction faite de l'atteinte qu'une telle mesure porterait au droit international. . . .[2] (*Adopté.*)

M. Neilson. Je n'insiste pas sur cette question de servitude que j'ai soulevée dans l'intérêt de la Belgique elle-même; si nous nous mettions à chercher une définition, je ne sais où cela nous entraînerait. Je me borne à rappeler que, dans l'arbitrage anglo-américain de 1899,[4] l'arbitre autrichien, je crois, a nié l'existence des servitudes internationales dans les temps modernes.

J'ai une seconde question à soulever, d'ordre général, celle-là, et qui touche à l'opportunité de présenter un rapport de ce genre.

*Discussion sur le principe de la demande d'instructions au Conseil Suprême.* Je sais que pour rédiger une note qui exprime les vues de tous et donne satisfaction à tous on rencontre de réelles difficultés: mon idée était que nous devions nous borner à soumettre au Conseil Suprême les questions économiques et militaires en les accompagnant d'une très courte déclaration exposant les raisons de cette procédure. Il me paraît difficile de présenter et de définir suffisamment les points de vue belge et hollandais, surtout étant donné que la Hollande n'a pas exposé son avis définitif.

[4] The text of this arbitral award concerning the boundary between British Guiana and Venezuela is printed in *British and Foreign State Papers*, vol. xcii, pp. 160 f.

Si cependant on décide d'envoyer ce rapport au Conseil Suprême, je ne m'opposerai pas à cette procédure, je demanderai simplement qu'on y ajoute un paragraphe exprimant mes vues sur l'opportunité de cet envoi.

LE PRÉSIDENT. A l'une des dernières séances, la Délégation britannique avait proposé de faire un exposé très court et c'est M. Neilson qui a demandé que l'on expose assez clairement les questions au Conseil Suprême:[5] vous me permettrez de m'étonner que l'on revienne ainsi chaque jour avec des avis différents. M. Neilson reprend aujourd'hui la proposition britannique qu'il avait combattue et il demande, en outre, de compléter notre demande par un exposé de ses propres vues; avant tout je demande à les connaître.

En fait, j'estime, moi aussi, qu'on peut abréger cette note en prenant uniquement le préambule et en supprimant l'exposé des divergences qui se sont produites entre Belges et Hollandais sur la procédure des négociations économiques et sur le principe des négociations militaires; on aborderait tout de suite les conclusions des Délégués sur les questions économiques, territoriales, militaires et on terminerait par le paragraphe final.

M. NEILSON (*États-Unis d'Amérique*). Je suis un peu surpris du reproche qui m'est fait de changer d'avis, alors que je suis peut-être le seul qui, dans toute cette discussion, n'ait pas changé d'opinion.

Nous étions tombés d'accord sur un compromis, consistant à exposer au Conseil Suprême, dans une courte note, que quelques-uns des membres de cette Réunion demandaient des instructions. Je suis tout prêt à exposer le plan général des observations que je désirerais formuler, mais tout d'abord, je demande qu'il soit clairement dit si nous avons l'intention de présenter cette note au Conseil Suprême avant d'avoir de nouveau entendu la Délégation hollandaise. Dans l'affirmative, je ferai une réserve.

M. TUFTON (*Empire britannique*). Nous allons entendre les Hollandais demain: n'est-il pas possible que nous ayons quelque chose à ajouter à cette demande d'instructions?

LE PRÉSIDENT. D'après la conversation que j'ai eue avec M. Van Swinderen, il est très désireux de connaître le plus tôt possible l'avis des Délégués des principales Puissances: voilà pourquoi j'ai insisté depuis le début. Il comprend que notre action est le meilleur gage d'un accord et il se rend compte que, dans l'état de nervosité des deux opinions, qui l'inquiète, aucun accord n'est possible entre Belgique et Hollande; il ne compte que sur nous pour arriver à cet accord.

Les Hollandais s'attendaient d'ailleurs à ce que nous leurs [*sic*] apportions notre avis demain. J'ai dû dire que nous n'étions pas prêts. En fait, l'accord entre les deux parties ne se fera pas si l'on compte sur leurs seuls sentiments réciproques, mais il sera possible par égard pour nous. D'un côté comme de l'autre, on refuse de faire spontanément des concessions, mais on est prêt à écouter notre avis à propos de ces concessions réciproques.

Je maintiens donc la proposition que je faisais de soumettre au Conseil Suprême une note abrégée, comme je l'ai indiqué. Nous indiquons à nos Gouvernements ce que nous avons fait entre nous; nous sollicitons leur

5 See No. 115.

approbation; quand nous l'avons obtenue, nous revenons ici causer avec les Hollandais et les Belges.

A propos des questions militaires, j'ai demandé à M. Van Swinderen s'il nous rapportait quelque chose. 'Rien, m'a-t-il répondu; et vous, avez-vous quelque proposition?' Je lui ai laissé entendre dans quel sens nous nous orienterons: il m'a paru frappé et pénétré de cette idée; mais il m'a répété que la difficulté était dans la surexcitation des esprits et qu'en cas de difficultés, c'est à nous qu'il aurait recours pour les arranger.

Or, une fois que nous aurons l'approbation de nos Gouvernements représentés au Conseil, nous pourrons parler à coup sûr, sans plus avoir besoin de revenir vers eux prendre des instructions. La sphère dans laquelle nous agirons efficacement et pourrons aboutir est toute déterminée.

M. Neilson (*États-Unis d'Amérique*). Tout le monde comprend que nous n'avons qu'un but: atteindre le résultat le meilleur, venir en aide aux Belges et agir avec justice à l'égard de la Hollande. Tous, nous sommes également intéressés au succès de notre travail; c'est pourquoi je demande la permission d'insister sur mon opinion et de la répéter.

Sans doute, les Puissances signataires des Traités de 1839 ont plus d'intérêt que les États-Unis, ou tout autre État sans intérêt direct, à ce que cette question soit réglée. Cependant, je suis persuadé que nous n'avons pas adopté la procédure la meilleure pour atteindre le but que nous désirons atteindre. Je reconnais, toutefois, que je puis me tromper.

La note qui nous est soumise est fort bien faite, très bien présentée; néanmoins, je désirerais qu'elle fût suivie de l'exposé de mes vues: elles sont un peu en contradiction, peut-être, avec celles du Président et aussi de la majorité de cette réunion, mais j'estime que cet exposé de mes vues pourrait être utile au Conseil Suprême, pour l'aider à prendre une décision.

Voici ce que je désirerais dire à la suite de cette demande d'instructions:

La Délégation américaine, tout en ne voyant aucun inconvénient à la présentation de cette communication au Conseil Suprême, estime qu'elle ne représente pas tout à fait l'état actuel des négociations, ni le point de vue de tous les Délégués de la Réunion et que, d'ailleurs, la procédure qui consiste à présenter cette communication au Conseil Suprême n'est pas judicieuse. En tout cas, il semble qu'il y aurait avantage à ce que cette communication ne fût pas présentée avant que les Pays-Bas aient clairement fait connaître leur point de vue. Il n'est peut-être pas très utile que le Conseil Suprême envisage en ce moment les propositions très vagues formulées par les Délégués des cinq grandes Puissances relativement aux questions économiques, parce que la déclaration que les Pays-Bas sont prêts à soumettre à la Commission pourrait changer l'aspect actuel de ces questions. Il en est de même en ce qui concerne le point de vue présenté par les experts militaires.

A une date ultérieure, il pourrait être opportun que des propositions faites dans le même ordre d'idées que celles qui ont été faites par les Délégués des cinq grandes Puissances fussent présentées à la Commission pour être examinées par les Délégués de la Belgique et des Pays-Bas conjointement avec les autres Délégués.

Le Président. J'ai le plus vif désir d'éviter un débat devant le Conseil Suprême, parce que cela irait à l'encontre de ce que nous désirons; je ferai donc dans notre demande d'instructions, une dissociation.

Ce qui me paraît nécessiter surtout l'approbation du Conseil Suprême, ce sont les questions militaires. En ce qui concerne les questions économiques, nous sommes d'accord et nous pouvons trouver tout seuls les bases de notre orientation, sous réserve des cas d'espèces qui pourront se présenter dans la discussion.

Je ne m'opposerai donc pas à ce qu'on retranche de cette note ce qui est relatif aux questions économiques. En revanche, je fais appel à M. Neilson pour que nous restions d'accord pour présenter au Conseil Suprême les conclusions d'ordre militaire, qui engagent directement la question politique, c'est-à-dire l'action de nos Gouvernements et qui sont unanimes, sauf la proposition finale dont l'origine franco-italienne est d'ailleurs bien précisée.

Nous dirions alors au Conseil Suprême:

Les Délégués ont étudié en commun les questions soulevées; certains d'entre eux ont estimé que quelques-unes de ces questions engageraient la responsabilité de leurs Gouvernements et, en conséquence, ils ont jugé qu'ils devaient soumettre les conclusions à l'approbation de leurs Gouvernements respectifs. Ce sont les questions militaires qui sont exposées ci-après.

M. Tufton (*Empire britannique*). Au point de vue pratique, il y aura peut-être des retards; le Conseil Suprême va s'ajourner pendant une dizaine de jours.

M. de Saint-Quentin (*France*). Il est question d'y substituer un autre organisme pour continuer l'étude des affaires en cours.[6]

Le Président. D'ailleurs, notre demande d'instructions ne s'adresse pas au Conseil Suprême, mais aux Gouvernements alliés représentés au Conseil. Notre procédure est destinée à aboutir à une solution plus rapide que si nous nous adressions séparément à nos Gouvernements, au risque d'ailleurs de recevoir ainsi des instructions qui pourraient être différentes.

Je reviens à mon idée.

En ce qui concerne les questions économiques, considérons ce travail comme une étude faite entre nous, sur laquelle nous sommes d'accord et qui nous servira de base pour donner des conseils; mais pour les questions militaires, soumettons-les à nos Gouvernements présents au Conseil Suprême dont nous aurons une réponse immédiate.

Comme je l'ai dit, les Hollandais ne nous apportent rien à ce point de vue militaire; cela ne veut pas dire qu'ils repousseront nos suggestions, mais encore faut-il que nous puissions les leur soumettre et que nous soyons couverts par nos Gouvernements dans une matière aussi délicate.

M. Neilson (*États-Unis d'Amérique*). Quel inconvénient y a-t-il à joindre

---

[6] Cf. Volume I, No. 57, minute 7.

l'exposé de mes vues à cette note? Franchement, j'aurais toujours trouvé le moyen de les faire connaître au Conseil Suprême au moment voulu.

Le Président. Mon désir était que cette note eût l'assentiment de nous tous; si l'un de nous va dire au Conseil Suprême qu'il est inutile de l'examiner, nous avons fait un travail inutile. Tous ces paragraphes ont été modifiés, discutés suivant les points de vue des uns et des autres; la Délégation américaine a pris à ce travail une part importante, faisant supprimer bien des choses auxquelles tenait la Délégation française; si nous allons devant le Conseil Suprême pour que la Délégation américaine prenne position contre nous, j'aime mieux ne pas y aller.

Mais alors, quand nous discuterons devant les Belges et les Hollandais, nous serons désunis et nous n'aurons aucune autorité; en mon âme et conscience, je déclare que c'est nous, les grandes Puissances, qui en porterons la responsabilité.

En matière économique, il est possible, comme le demande M. Neilson, d'attendre que les Hollandais nous exposent leur point de vue et de leur suggérer des solutions au fur et à mesure de la discussion. Quant aux propositions militaires, M. Neilson parle de les présenter à une date ultérieure. C'est précisément ce que nous nous proposons de faire, mais encore faut-il que, pour faire des suggestions, nous soyons d'accord entre nous et au moins avec nous-mêmes, et chacun ne peut l'être que s'il est certain d'avoir l'approbation de son Gouvernement.

Cette approbation, il y a deux moyens de la demander: séparément ou collectivement; pour être certains que nous sommes unanimes, je propose de la demander collectivement en nous bornant d'ailleurs aux questions militaires qui engagent la politique de nos Gouvernements.

Comme je le disais, les Hollandais ne nous apportent rien en matière militaire, ils attendent nos suggestions; par conséquent, la date ultérieure dont parle M. Neilson, c'est demain.

M. Neilson. Dans l'exposé de mes vues, je ne dis pas au Conseil Suprême qu'il est inutile d'examiner les propositions contenues dans cette demande d'instructions, mais seulement que les propositions que pourront apporter les Délégués hollandais peuvent modifier complètement l'aspect de la question. Je ne fais donc pas une opposition absolue et de principe à l'envoi de cette note au Conseil Suprême.

Tout ce que je désire, c'est une addition destinée à exposer mes vues personnelles et n'impliquant nullement de ma part l'intention de protester contre ce qui est contenu dans la note.

Je serai très heureux si les instructions du Délégué américain au Conseil Suprême m'amènent à prendre une décision qui pourrait être conforme à celle de la majorité, mais je ne vois pas pourquoi on ne trouverait pas bon que mes opinions personnelles fussent exposées.

Ce que je dis, c'est uniquement que la méthode employée ne me paraît pas bonne et qu'à mon avis on ne peut pas adopter ces conclusions avant de connaître les nouvelles propositions hollandaises, mais je ne fais pas une opposition irréductible à ces conclusions.

M. Tufton (*Empire britannique*). Si le Délégué hollandais n'a aucune proposition à faire sur les questions militaires, son audition ne saurait modifier notre point de vue. Ce que nous voulons, en soumettant ces propositions à nos Gouvernements, c'est simplement être certains que nous agissons en accord avec eux. Si M. Neilson n'est pas préparé à accepter la responsabilité de ces propositions, il n'a qu'à ne pas la prendre, sans soulever d'objections.

M. Neilson (*États-Unis d'Amérique*). Le fond de mon idée est que, dans toutes ces négociations, nous devons compter sur la bonne volonté de la Hollande, et cela surtout étant donné le caractère restrictif de la résolution qui sert de base à nos travaux. Je crains que des propositions présentées au seul nom des cinq grandes Puissances dans une Commission qui comprenait primitivement des Belges et des Hollandais, ne conduisent à atténuer cette bonne volonté hollandaise. Les Délégués belges, de leur côté, nous ont laissé entendre qu'ils craignaient que leur pays ne se considérât comme forcé d'adopter une certaine ligne de conduite.

Au reste, il est possible que le Conseil Suprême n'attache pas une importance exceptionnelle aux vues que j'aurai fait insérer à la suite de cette note: je ne vois donc pas d'objection fondamentale à ce qu'on les insère. Si quelqu'un peut me démontrer qu'il y a une objection très grave, je suis prêt à renoncer à ma proposition.

Le Président. Je vais faire une dernière, ou plutôt une avant-dernière proposition. Elle consiste à dire, après le deuxième alinéa:

> Ils ont examiné le cas où les Délégués hollandais ne présenteraient pas sur divers points des propositions conciliables avec le point de vue belge et où les Délégués des principales Puissances auraient ainsi à exercer leur influence en vue de faciliter une entente.
>
> Les conclusions auxquelles ils sont arrivés sur l'attitude qu'ils adopteraient en pareil cas paraissent, à certains d'entre eux, en ce qui concerne les questions militaires, engager la responsabilité de leurs Gouvernements; ils ont donc jugé utile de demander auparavant à leurs Gouvernements s'ils approuvent l'orientation qu'ils ont l'intention de suivre à cet égard et qui est exposée comme suit: . . . .[2]

Viendraient ensuite les questions militaires.

M. Neilson. Je regrette d'être si vivement pressé en cette question, mais je ne vois pas bien quelles raisons on peut avoir de s'opposer à ma proposition. Je crois bien que 50 p. 100 des notes qui vont au Conseil Suprême ne sont pas adoptées à l'unanimité par les Commissions et j'aimerais que quelqu'un me donnât une raison meilleure que celle qui m'est objectée; dans le cas contraire, je crois que je persévérerais dans ma façon de voir.

Voici la proposition que je fais: Je conserverais les deux premiers paragraphes du préambule de la note qui nous est actuellement proposée. J'éliminerais le reste de la note jusqu'à l'exposé des questions militaires, mais j'introduirais un petit alinéa dont j'ai présenté le texte hier et qui dirait que quelques Délégués désirent recevoir de leurs Gouvernements représentés au

Conseil Suprême des instructions sur l'attitude à prendre au sujet de certaines propositions qui ont été formulées, et que ces propositions sont présentées ci-après.

LE PRÉSIDENT. Le désaccord persiste. Nous avons tous collaboré à cette note; j'avais lieu de croire que nous étions unanimes; je m'aperçois que ce n'est pas exact, puisque vous critiquez ce que vous aviez discuté et adopté avec nous.

Ce que nous voulons, c'est une sanction en quelque sorte solennelle, car tous déjà nous avons consulté nos Gouvernements; si nous ne devons pas avoir l'unanimité, j'aime mieux reprendre entièrement ma liberté. Je ferai signer par mon Ministre des Affaires étrangères une lettre au Président du Conseil lui demandant si les idées qui sont dans cette note sont bien les siennes; quand j'aurai reçu l'approbation, je pourrai parler au nom de la Délégation française. Seulement je ne suis pas certain que, lorsque je proposerai telle solution pour la question du Limbourg, M. Neilson ne trouvera pas mauvais l'accord que je proposerai. Et alors, que ferons-nous?

M. TUFTON (*Empire britannique*). M. Neilson semble croire qu'il y a là une idée de coercition, que nous voulons contraindre la Hollande à accepter telle ou telle solution. Il n'y a rien de semblable dans la demande d'instructions que nous adressons à nos Gouvernements; il y a simplement l'exposé de suggestions, de propositions que nous avons l'intention de présenter aux Belges et aux Hollandais. Nous voulons pouvoir leur dire: Voilà ce que les Représentants des grandes Puissances, ce que les cinq grandes Puissances, en fait, pensent qu'il serait bon pour vous d'accepter.

M. NEILSON (*États-Unis d'Amérique*). Mon opinion est exprimée dans la réserve que j'ai formulée; je crains d'ailleurs que M. le Président n'ait pas parfaitement saisi les raisons que je me suis permis d'invoquer.

Je ne crois cependant pas que l'unanimité soit compromise. En effet, mes objections ne portent pas sur le fond des propositions que nous avons formulées, mais principalement sur la procédure, sur la façon de présenter les choses à nos Gouvernements représentés au Conseil Suprême: c'est de cela que je voudrais que l'on se rendît bien compte.

Je le répète, je ne suis pas en désaccord avec d'autres membres de la Commission en ce qui concerne ces propositions, c'est simplement sur la question de procédure que je suis en désaccord apparent avec nos collègues.

Pour ce qui est de la coercition, je ne crois pas en effet qu'aucun Gouvernement ait jamais pu avoir l'idée de forcer les Hollandais à accepter quoi que ce soit. Cela ne me paraîtrait pas possible; toutefois, je crains que les Hollandais ne puissent redouter que l'on n'exerce une pression sur eux; ils l'ont laissé entendre et j'estime que cela ne faciliterait pas l'accord entre la Belgique et la Hollande.

Je continue donc à penser qu'aucune raison ne s'oppose à l'insertion de la réserve que j'ai formulée, et je suis prêt à soumettre, pour mon compte personnel, sous ma responsabilité, les propositions contenues dans cette demande d'instructions, à la Commission réunie au complet, c'est-à-dire comprenant avec nous les Belges et les Hollandais.

LE PRÉSIDENT. Il est un point qu'il ne faut pas perdre de vue. Nous sommes réunis en ce moment entre Délégués des grandes Puissances, mais nous ne constituons ni une partie de la Commission de révision des Traités de 1839, ni une Sous-Commission. Nous sommes réunis, comme nous en avons le droit en tant que membres d'une Commission quelconque, entre nous, pour échanger des vues. Au lieu d'être dans cette salle, nous aurions pu nous assembler dans mon bureau, par exemple, s'il n'avait été trop petit. Je ne voudrais donc pas que le fait d'être réunis dans le local où siège d'ordinaire la Commission pût nous inciter à croire que nous représentons une partie de la Commission; nous échangeons des vues, mais nous n'obéissons qu'à une certaine affinité, si vous voulez, qui fait que nous désirons causer entre nous.

En ce qui concerne la procédure, voici comment les choses vont se produire vis-à-vis des Belges et des Hollandais: je poserai à M. Van Swinderen un certain nombre de questions et, à un moment donné, je serai amené à lui dire: 'Que penseriez-vous d'une solution qui, par exemple, donnerait à la Belgique certaines garanties, garanties que, je crois pouvoir le dire, les techniciens et les Délégués des grandes Puissances seraient disposés à considérer comme raisonnables, nécessaires, voire même indispensables?'

A ce moment, je parlerai à M. Van Swinderen en notre nom à tous; mais je ne lui dirai pas: 'Les grandes Puissances ont décidé que telle sera la solution que vous adopterez.' Je lui dirai: 'Mes collègues et moi, délégués par les grandes Puissances, nous sommes entretenus, comme vous le savez, des diverses questions intéressant les rapports entre la Hollande et la Belgique et nous sommes d'accord pour estimer que telle solution est raisonnable.'

Mais pour cela, il faut que nous ayons fait entre nous l'unanimité. Alors M. Van Swinderen comprendra ce que cela veut dire et cela le rassurera à certains points de vue; je suis persuadé, en effet, qu'il ne demande qu'à être encouragé par nous et qu'il acceptera plus volontiers les avis et les suggestions que nous lui soumettrons que si on le laisse discuter sans guide avec les Belges.

Cela étant, je ferai la dernière proposition dont je parlais tout à l'heure en vue de réaliser l'accord complet entre nous: nous n'irons pas au Conseil Suprême. Dans quelques jours, les Délégations ayant consulté leurs Gouvernements respectifs reviendront ici et, dans une nouvelle réunion, nous nous dirons les uns aux autres si nous sommes bien d'accord et si chacun de nous a été autorisé par son Gouvernement à soutenir, individuellement, dans la Commission les points de vue mentionnés dans cette note (*Voir Annexe I*); les cinq individualités représentant les cinq grandes Puissances alliées et associées finiront bien à ce moment par former un tout.

De mon côté je vais prendre mes précautions. Je déclare tout de suite qu'en ce qui concerne les questions économiques, je ne demanderai l'avis de personne: j'ai tous pouvoirs pour exposer mes opinions dans ce domaine. Mais en ce qui concerne les questions militaires, c'est pour moi une sorte de cas de conscience: je vais me faire couvrir par mon Gouvernement. Je lui communiquerai les études auxquelles nous nous sommes livrés, les conclusions auxquelles nous avons abouti et je lui demanderai s'il approuve le langage que je tiendrai conformément à cette note. Je suis presque certain d'ailleurs que je serai approuvé.

Chacun de vous en fera autant et, quand nous reviendrons ici, nous serons certains d'être d'accord.

Une telle proposition me paraît devoir être acceptée puisque, en somme, elle est conforme au sentiment qui semble réunir ici l'unanimité. La seule différence, c'est que désormais il ne se pose plus qu'une question de responsabilité personnelle.

M. Neilson (*États-Unis d'Amérique*). Je ne sais pas, M. le Président, si la proposition que je faisais ne représentait pas une solution plus satisfaisante encore et si elle ne donnait pas satisfaction à votre désir en même temps qu'au mien. Je ne sais pas non plus s'il vaut mieux consulter indépendamment chacun notre Gouvernement ou consulter ces Gouvernements représentés au Conseil Suprême dans la forme que je proposais, en ajoutant à la demande d'instructions l'exposé de mes vues personnelles. Nous ne sommes pas tous ici en rapports constants avec nos Gouvernements; nous ne pouvons pas leur présenter des documents nombreux et abondants et nous sommes obligés de prendre nos responsabilités personnelles. Je ne sais pas si, sur toutes les questions, je serai approuvé par mon Gouvernement, mais je crois que nous sommes surtout ici pour essayer de faciliter un accord entre la Hollande et la Belgique; nous sommes les Délégués des grandes Puissances, mais nous ne sommes pas la Commission tout entière. Je crois que tel est bien l'avis de M. Tufton.

M. Tufton (*Empire britannique*). Sur cette question particulière j'estime qu'il est indispensable que les Représentants des cinq grandes Puissances présentent un front unique.

Le Président. Ainsi que le dit M. Neilson, nous ne sommes pas la Commission, mais nous sommes tout de même réunis pour chercher à nous entendre entre nous.

M. Neilson. Je ne crois pas qu'il soit bon que nous agissions tous ensemble, collectivement, à l'écart des Belges et des Hollandais; je crois que les solutions doivent venir de la Commission tout entière, c'est-à-dire y compris les Belges et les Hollandais, et je ne serai pas opposé à ce que les propositions exposées dans cette note soient communiquées aux Hollandais et aux Belges pour qu'ils les examinent.

En outre, je doute que les Hollandais acceptent volontiers les conclusions du chapitre des questions militaires.

Le Président. Je reviens toujours à mon idée. M. Neilson a dit qu'il prenait ses responsabilités. Tout en prenant les nôtres, nous désirons demander l'avis de nos Gouvernements; je suis, quant à moi, d'autant plus justifié à le faire que la responsabilité n'est pas la même pour les États-Unis que pour la France et pour l'Angleterre qui sont plus directement engagées. Il est donc assez naturel que cette question apparaisse aux Représentants de la Grande-Bretagne et de la France comme assez délicate pour qu'ils cherchent à se faire couvrir par leurs Gouvernements.

Dans ces conditions, je vous dis: 'Nous sommes d'accord entre nous; nous avons estimé entre nous que ces propositions sont justes. Le jour où les Hollandais et les Belges seront ici, je ne leur communiquerai pas les conclusions de cette note, car, dans ce cas, nous exercerions réellement une pression. Mais, quand je dirai aux Hollandais que, à notre avis, ils devraient consentir telle ou telle concession en faveur des Belges, je demanderai à n'être démenti par personne. M. Neilson étant d'accord avec nous sur le fond, je suis certain qu'il ne me démentira pas.

Seulement, j'y reviens encore, certains d'entre nous — et je suis du nombre — désirent, avant de prendre une telle attitude, se faire couvrir par leur Gouvernement.

En résumé, plus de demande d'instructions au Conseil Suprême : nous considérons cette note, entre nous et jusqu'à nouvel ordre, comme notre base commune de discussion dans le sein de la Commission. Je vous indiquerai le jour où je serai en état de soutenir ces conclusions et d'interroger les Hollandais, mais je ne poserai pas la question avant d'être sûr de l'appui de mon Gouvernement. A ce moment, je demanderai à ceux d'entre vous qui ont désiré consulter leur Gouvernement s'ils sont d'accord pour soutenir ces conclusions ; s'ils me répondent affirmativement, je poserai la question aux Hollandais.

En fait, je l'ai déjà dit, ce que je demande en ce moment c'est qu'il soit bien entendu que nous sommes d'accord entre nous pour parler dans le sens que je viens d'indiquer dans le débat qui s'ouvrira sur les questions militaires.

Et j'insiste sur le fait que nous n'aurons pas de pression à exercer, que nous n'aurons à communiquer aux Belges et aux Hollandais ni rapport, ni conclusions.

M. Neilson (*États-Unis d'Amérique*). Je considère comme entendu que les propositions contenues dans cette note sont jugées propres à être soumises à l'examen des Belges et des Hollandais. Mais, si la Belgique ou la Hollande soulève quelque objection qui nous paraisse fondée, j'estime que je ne suis pas tenu à insister sur ces propositions. Ces conclusions que nous avons adoptées, je ne les considère que comme une base de discussion, comme une chose bonne à présenter à l'examen des Belges et des Hollandais.

Le Président. C'est toujours ainsi que je les ai comprises ; mais je vous avertis que j'emploierai toute la force persuasive qui vient cependant d'échouer contre M. Neilson pour faire adopter ces propositions par les Belges et par les Hollandais. Je ne veux pas les contraindre, mais considérant ces propositions comme justes, je ferai tout mon possible pour amener les uns et les autres à un accord dans ce sens, parce que j'estime que c'est la seule base sur laquelle nous arriverons à réconcilier les deux pays et aboutirons à des solutions équitables pour les deux parties dans une question si difficile. Je m'y emploierai de tous mes efforts, mais encore une fois, sur le mode persuasif.

M. Tufton (*Empire britannique*). Je tiens à déclarer que le Gouvernement britannique est complètement d'accord avec le Gouvernement français sur la base des propositions formulées dans la demande d'instructions ; il est aussi intéressé que le Gouvernement français à réaliser l'entente sur ces bases.

Sans aucun doute, nous ne voulons rien faire qui aille contre le sentiment de la Hollande, mais nous considérons que les conclusions auxquelles nous sommes arrivés sont bonnes et, je le répète, nous sommes entièrement d'accord avec la Délégation française.

M. NEILSON. Il y a encore quelque chose de grave. Nous pouvons dire que, au sujet des questions économiques, aucun de ceux qui sont ici n'est absolument compétent pour les traiter : par conséquent, je ne voudrais pas que les conclusions auxquelles nous sommes arrivés soient considérées comme définitives. Je ne voudrais pas que nous puissions considérer comme des affirmations intangibles ce qui n'est peut-être pas entièrement juste et je voudrais toujours laisser une porte ouverte dans le cas où la preuve serait faite que nous ne sommes pas dans l'exacte vérité.

Cela dit, je suis tout disposé à laisser M. le Président user de toute sa force de persuasion à l'égard de M. Van Swinderen : je pense que ce dernier sera capable de se défendre lui-même.

LE PRÉSIDENT. Je suis certain que M. Van Swinderen vous étonnera par son esprit de conciliation et de concession auquel je ne suis peut-être pas étranger.

Je vous propose de convoquer la Commission pour la révision des Traités de 1839 le 10 septembre à 17 heures. (*Assentiment.*)

La séance est levée à 19 heures 30.

ANNEX I TO No. 121

*Résumé des échanges de vues entre les Délégués des principales Puissances*
*alliées et associées*
*sur les questions soulevées par la Révision des Traités de 1839*

La Commission chargée d'étudier les conséquences de la révision des Traités de 1839 a suspendu ses travaux après avoir entendu un exposé des revendications belges et une première réplique hollandaise, pour permettre à la Délégation hollandaise d'aller prendre les instructions de son Gouvernement.

Les Délégués des principales Puissances alliées et associées à la Commission ont mis à profit cet intervalle pour examiner en commun les questions soulevées et les solutions qu'elles comportent.

Leurs conclusions, qui sont exposées ci-après, se réfèrent aux questions :
1° Économiques;
2° Territoriales;
3° Militaires et navales.

I

*Questions économiques*

A. *Régime de l'Escaut maritime, y compris ses voies dérivées*
*et le canal de Gand à Terneuzen*

1° Les Délégués des principales Puissances alliées et associées reconnaissent l'intérêt capital que présente pour le port d'Anvers, et par suite, pour l'ensemble du développement économique de la Belgique, le système constitué par l'Escaut maritime, par ses voies dérivées et par le canal de Gand à Terneuzen. Ils admettent que la Belgique est fondée à réclamer que cette voie navigable reçoive les améliorations qui lui permettront de desservir un port de premier ordre. Ils formulent donc le principe suivant qui ne leur paraît pas devoir soulever d'objections du côté hollandais.

*Les Pays-Bas reconnaîtraient à la Belgique le droit de faire exécuter les travaux d'amélioration répondant aux besoins croissants de la navigation.*

2° Les Délégués n'ont pas voulu se prononcer sur le point de savoir si les Traités de 1839 mettaient à la charge du Gouvernement hollandais les travaux tendant à l'amélioration de la navigation sur l'Escaut, par exemple à l'approfondissement du chenal. Ils n'ont pas cru devoir non plus examiner si la Belgique n'avait pas laissé tomber ce droit en déshérence, au cas où elle l'aurait eu, ni apprécier si M. Segers n'avait pas consacré l'abandon des prétentions belges en déclarant que l'Escaut ne présentait aucune utilité pour les Pays-Bas.

En tout cas, ils ont considéré que l'obligation de payer les nouveaux travaux d'amélioration dont elle réclamerait l'exécution constituerait pour la Belgique la garantie et la sanction de son droit. Ils ont donc adopté le principe suivant:

*Les nouveaux travaux d'amélioration seraient à la charge du pays qui en réclamerait l'exécution.*

3° Les Délégués jugent équitable que l'État qui a fait exécuter les nouveaux travaux d'amélioration assume également les dépenses nécessaires à leur entretien, celles que comporteraient, par exemple, les dragages périodiques faits pour maintenir le chenal à la profondeur nouvelle qui lui aura été donnée. C'est à ce principe que correspond la proposition suivante:

*Les dépenses d'entretien seraient ainsi assumées:*

*a) Pour les travaux effectués au profit d'un seul État, la dépense serait à la charge de cet État;*

*b) Pour les travaux effectués au profit des deux États, la dépense serait répartie proportionnellement à l'utilisation de ces travaux par chacun d'eux.*

4° En vue d'assurer que les travaux reconnus nécessaires pour les besoins de la navigation soient exécutés dans le plus bref délai, les Délégués ont prévu l'institution d'organismes chargés de résoudre les difficultés qui pourraient surgir et de poursuivre l'exécution des travaux. Ils ont cru devoir se contenter de poser le principe en laissant les deux parties s'entendre sur les modalité[s] de réalisation. Ils se réservent, d'ailleurs, de suggérer leurs solutions si les Délégations belge et hollandaise ne pouvaient se mettre d'accord. Pour le moment, ils se bornent à suggérer que:

*Il devrait être institué des organismes tels que les questions soulevées soient résolues dans le moindre temps et les travaux réalisés dans le plus bref délai.*

5° Les Délégués ont cependant cru devoir indiquer que ces organismes devraient être autant que possible dépouillés du caractère politique. Il leur a semblé qu'il y aurait plus de chances d'éviter des conflits et des atermoiements si on confiait à des techniciens le soin de régler les questions techniques:

pilotage (licences et taxes), balisage, etc. Ils croient donc utile de spécifier que :

*Les dispositions techniques et les mesures administratives pour tout ce qui concerne la navigation seraient réglées conjointement par des techniciens.*

### B. *Écoulement des eaux de la Flandre belge*

Les Délégués des principales Puissances alliées et associées ne croient pas avoir à examiner en détail la question essentiellement technique de l'écoulement des eaux de la Flandre belge. Ils se bornent à suggérer les principes suivants :

L'écoulement des eaux de la Flandre belge devrait être réglé de la même manière que la navigation de l'Escaut en ce qui concerne, soit le droit de la Belgique à réclamer la construction des ouvrages nécessaires, soit la répartition des frais de premier établissement et d'entretien, soit l'institution d'un organisme commun de techniciens pour décider des questions techniques, faire exécuter sans retard les travaux nécessaires et assurer le fonctionnement des ouvrages (écluses, etc.) d'une manière satisfaisante pour les deux parties.

### C. *Communications de la Belgique avec l'arrière-pays (Pays mosan et Pays rhénans).*

En raison de l'intérêt qui s'attache pour l'un et l'autre pays à la solution des questions des communications au travers des territoires néerlandais, les Pays-Bas et la Belgique conviendraient de régler ces questions en s'inspirant des principes ci-après :

1° Les Pays-Bas ne feraient pas d'objections à l'établissement d'une jonction Escaut-Meuse-Rhin, empruntant leur territoire.

2° Les Pays-Bas consentiraient également à l'établissement du canal d'Anvers-Moerdyk.

3° Pour chacun des canaux prévus aux paragraphes 1 et 2, la section située en territoire néerlandais serait considérée comme faisant partie d'une route de transit direct et serait construite et exploitée par accord entre les deux parties, de manière à assurer la circulation sans entraves.

4° La Belgique et les Pays-Bas concluraient des accords à l'effet de déterminer les plans des travaux à effectuer et des ouvrages à établir, le mode d'exécution, les procédés d'exploitation et, en général, toutes les dispositions techniques à prendre, ainsi que toutes les mesures administratives à adopter en vue d'améliorer les communications par voies navigables entre les deux pays ou au travers de l'un des deux pays.

5° La Belgique et les Pays-Bas constitueraient des organismes communs, composés de techniciens, pour assurer l'exécution des accords prévus aux paragraphes précédents.

6° Les deux pays se prêteraient un mutuel concours pour faciliter l'établissement sur leurs territoires respectifs des voies ferrées et embranchements dont l'expérience révélerait l'utilité et pour adopter, dans l'exploitation technique et commerciale des chemins de fer, toutes les dispositions propres à faciliter les échanges entre les deux pays ou au travers de l'un des deux pays.

7° Les deux pays détermineraient les mesures les plus propres à simplifier les formalités en douane.

## II

### *Questions territoriales*

Les Délégués des Puissances alliées et associées infèrent des déclarations faites par M. Van Swinderen que les Pays-Bas sont disposés à se concerter avec le Gouvernement belge pour régler la situation de la commune belge de Baerle-Duc, enclavée en territoire hollandais.

## III

### *Questions militaires et navales*

Les Délégués des principales Puissances alliées et associées ont considéré:

*a*) Que la sécurité de la Belgique reposait essentiellement jusqu'à ce jour sur sa neutralité perpétuelle garantie par les Puissances signataires du Traité de 1839;

*b*) Que l'agression allemande a aboli, en fait, cette garantie et a rendu ainsi inévitable la suppression en droit d'une neutralité perpétuelle qui ne pourrait plus constituer pour la Belgique qu'une servitude inutile;

*c*) Mais que, cependant, la suppression de cette neutralité perpétuelle ne peut aboutir à priver la Belgique de la garantie qu'on avait voulu ainsi lui assurer;

*d*) Que, d'autre part, aux termes de la résolution du Conseil Suprême du 8 mars 1919,[7] la révision des Traités de 1839 doit supprimer les risques qu'ils ont créés pour la Belgique et la paix générale.

*e*) Et qu'enfin, suivant l'expression même de M. Pichon dans sa lettre adressée le 26 juin à M. Van Karnebeek[8] au nom du Conseil des Ministres des Affaires étrangères, les grandes Puissances alliées et associées ont le *devoir* de chercher à concilier les divergences qui séparent la Belgique de la Hollande.

Les Délégués formulent en conséquence le principe suivant:

*La Belgique est justifiée à demander pour sa sécurité dans l'avenir des garanties militaires, visant, non pas à limiter une invasion telle qu'elle l'a subie en 1914, mais à l'empêcher. Les grandes Puissances, ses voisines et alliées pendant la dernière guerre, sont intéressées à ce qu'elle les obtienne.*

Ce principe une fois posé, les Délégués, en réservant expressément leur opinion au point de vue politique et juridique sur chacune des demandes de la Délégation belge, ont chargé leurs experts militaires et navals d'examiner ces demandes au seul point de vue militaire et naval et de donner à la Commission leur avis motivé sur chacune d'elles. La Commission croit devoir annexer le rapport de ces experts à la présente demande d'instructions, en vue d'éclairer complètement le Conseil Suprême sur les raisons qui ont contribué à former son opinion.

[7] See No. 39, note 9.
[8] See No. 39, annex III.

L'examen du rapport a conduit les Délégués à formuler les propositions suivantes:

## A. *Escaut et Flandre hollandaise*

*La demande de la Délégation belge d'utiliser les eaux et le territoire hollandais pour des besoins de guerre hors le cas où la Hollande, membre de la Société des Nations, y ferait tout naturellement droit par application des articles 16 et 17 du Pacte, est incompatible avec la résolution du Conseil Suprême du 4 juin qui exclut toute création de servitude internationale: on risquerait d'ailleurs, en accueillant cette demande, de mettre en question la neutralité de la Hollande.*

Les Délégués ajoutent d'ailleurs la considération suivante, de nature à apaiser l'opinion belge: au strict point de vue militaire et naval, la demande de la Belgique, si elle était accueillie, présenterait pour elle, en regard de quelques avantages très problématiques, des inconvénients nombreux et sérieux que le rapport des experts militaires et navals a fait ressortir.

## B. *Abolition de l'article 14 interdisant la création d'un port de guerre à Anvers*

Les Délégués des principales Puissances alliées et associées ont, tout d'abord, estimé qu'on ne pouvait refuser au peuple belge une satisfaction morale que le Gouvernement hollandais était disposé à lui accorder.

Ils ont reconnu, d'autre part, les avantages que présenterait, tant pour la Belgique que pour la Société des Nations, la création d'un port de guerre à Anvers et ils formulent en conséquence la proposition suivante:

*L'article 14 du Traité de 1839 doit être aboli, mais sans modification aux règles du droit international concernant le passage des navires de guerre dans les eaux territoriales hollandaises. Toutefois, comme conséquence de la suppression de l'article 14 et pour écarter toute difficulté ultérieure, il conviendrait d'inviter la Hollande à bien vouloir faire connaître dans quelles conditions elle permettra le passage de l'Escaut aux navires de guerre belges en temps de paix.*

## C. *Défense de la Meuse et du Limbourg*

Les Délégués des principales Puissances alliées et associées, après examen de la demande belge et des considérations exposées par leurs experts militaires, reconnaissent qu'il est de l'intérêt commun de la Belgique et des États voisins, y compris la Hollande, de régler la question de la défense *éventuelle* de la Meuse et du Limbourg.

Ils considèrent qu'un accord militaire sur ce point entre la Belgique et la Hollande n'impliquerait nullement une alliance susceptible d'entraîner la Hollande dans une guerre, contre son gré.

Après la déclaration importante de M. Van Swinderen au sujet de la défense locale du Limbourg et de la violation du territoire hollandais, ils estiment qu'un accord hollando-belge viserait à *organiser à l'avance* une défense éventuelle qui intéresse au plus haut degré la sécurité de la Belgique, qui ne peut s'improviser et que la Hollande a la volonté, mais non la possibilité d'assurer par elle-même.

En conséquence les Délégués formulent les propositions suivantes:

1º *La défense de la Meuse et du Limbourg, condition essentielle de la sécurité de la Belgique, doit faire l'objet d'un plan concerté entre la Belgique et la Hollande.*

2º *Si les deux États font partie de la Société des Nations, ce plan nécessaire est à établir en application du principe posé aux articles 16 et 17 du Pacte.*

3º *Si la Hollande n'était pas membre de la Société, ce plan, également indispensable, devrait viser exclusivement le cas de violation du territoire hollandais que le Gouvernement des Pays-Bas considère comme un* casus belli *immédiat.*

En outre, les Délégués de la France et de l'Italie ont cru envisager la question sous un autre aspect.

L'intérêt commun des grandes Puissances voisines de la Belgique à l'obtention des garanties militaires que celle-ci demande, étant reconnu, ils ont jugé qu'on ne pouvait *pas ne pas tenir compte de la situation militaire* résultant pour lesdites Puissances des clauses mêmes du Traité de Paix avec l'Allemagne. Car ces Puissances occupent une partie du territoire allemand *pour une période que le Traité de Paix ne permet pas de déterminer.*

La France en particulier y entretient une armée.

Or, il a été universellement établi que le Rhin était la véritable barrière militaire contre une agression allemande. Les clauses du Traité de Paix autorisent donc à envisager *qu'en cas de menace d'agression de l'Allemagne démasquée par l'investigation de la Société des Nations,* les Puissances occupantes du territoire rhénan pourraient être conduites à reporter sur le Rhin leur défense contre l'Allemagne. Le Traité de Paix leur en donne *le droit et les moyens.*

Dans ces conditions, le problème de la Meuse et du Limbourg s'élargit singulièrement. Les Puissances occupantes du territoire allemand (et la Belgique est du nombre), pourraient envisager, de même que la Hollande pourrait avoir intérêt à envisager, une liaison entre la défense éventuelle du territoire des Pays-Bas et le système défensif desdites Puissances.

Les Délégués de France et d'Italie désirent, en conséquence, formuler la suggestion suivante:

*Accord militaire entre la Hollande et les Puissances occupantes du territoire rhénan, en vue de lier éventuellement la défense du territoire hollandais au système de défense desdites Puissances pendant le temps où elles jugeront nécessaires d'occuper et dans tous les cas où elles estimeraient nécessaire de réoccuper tout ou partie du territoire rhénan, comme garantie prévue par le Traité de paix avec l'Allemagne contre une agression possible de sa part.*

## ANNEX II TO No. 121

*Rapport des experts militaires et navals
des principales Puissances alliées et associées
à la Commission pour la Révision des Traités de 1839*

### I

*Escaut et Flandre hollandaise*

La Sous-Commission militaire et navale des Puissances alliées et associées a étudié la demande de la Délégation belge tendant à obtenir le droit d'utiliser l'Escaut et la Flandre hollandaise pour les besoins de la défense de la Belgique en temps de guerre. En examinant l'argumentation belge basée sur les événements de la dernière guerre, elle a considéré qu'il s'agissait moins de rechercher par quelles mesures le désastre de 1914 aurait pu être *limité*, que de déterminer dans la situation nouvelle de l'Europe les garanties indispensables pour *préserver la Belgique contre le retour des événements passés*. Il lui a paru que les Puissances victorieuses de l'Allemagne, après avoir pris vis-à-vis d'elle les garanties militaires que l'on connaît, ne pouvaient admettre que la Belgique fût encore contrainte de se défendre dans le réduit de l'Escaut, ce qui impliquerait une défaite sur la Meuse, l'invasion de son territoire, et l'ouverture à l'ennemi d'une route d'invasion vers la France tout comme en 1914.

Dans cet ordre d'idées et avant d'exposer ci-dessous son opinion sur la question de l'Escaut, la Sous-Commission tient à affirmer qu'elle n'a pas séparé cette question de celle de la défense de la Meuse et qu'en raison même des conclusions auxquelles elle aboutit pour l'Escaut, elle attache une importance capitale à l'obtention des garanties qu'elle proposera sur la Meuse et dans le Limbourg.

Deux cas ont été considérés:

### A. *La Hollande fait partie de la Société des Nations*

1° Les articles 16 et 17 du Pacte donnent satisfaction à la demande belge, en cas de guerre provoquée soit par un État en rupture du Pacte, soit par un État extérieur à la Société.

2° Toute convention préalable serait sans objet si l'on envisageait un conflit mettant aux prises la Belgique et la Hollande à l'intérieur de la Société, puisque la question serait réglée par les armes.

### B. *La Hollande ne fait pas partie de ladite Société*

La résolution du Conseil Suprême du 4 juin,[3] en excluant toutes cessions territoriales et servitudes internationales, permet difficilement d'envisager la situation qui résulterait de l'utilisation de l'Escaut et de la Flandre hollandaise pour la défense de la Belgique en dehors du cas où la Hollande entrerait en guerre à ses côtés.

Cependant la Sous-Commission, sans s'arrêter à l'atteinte qu'une semblable disposition porterait au droit international, a tenu à étudier la question posée par la Délégation belge au strict point de vue militaire et naval et elle a estimé que c'était encore dans la fermeture de l'Escaut aux belligérants que la Belgique trouverait sa meilleure protection.

L'avantage immédiat et temporaire que présenterait la voie de l'Escaut pour des transports de troupes dans le cas d'une guerre d'agression pour laquelle l'Allemagne n'aurait pu reconstituer ni ses forces sous-marines, ni ses forces aériennes, ne répond nullement au cas général le plus probable et le seul qui doive être retenu.

On doit envisager, en effet, que l'agresseur se sera préparé à entrer en guerre dans des conditions avantageuses pour lui: c'est-à-dire en reconstituant tous ses moyens d'action.

La Sous-Commission militaire et navale estime que la faiblesse des transports de troupes est telle, en face du développement pris par la guerre sous-marine et par l'aviation, que les renforts provenant d'Angleterre ne pourraient utiliser la voie maritime pour Anvers, même si l'Escaut leur était ouvert. De tels transports de troupes pendant la dernière guerre n'ont été possibles qu'à l'Ouest de l'étroit canal de Douvres fortement défendu, mais on ne pourrait pas recommander le transport de troupes importantes d'Angleterre par l'Escaut en face des forces sous-marines ou aériennes qu'un adversaire réunirait sur cette route.

Les navires de guerre alliés qui pourraient vraisemblablement remonter l'Escaut n'apporteraient par eux-mêmes qu'un bien faible appui à l'armée belge en raison même de leur impuissance relative dans des eaux resserrées en face d'une artillerie de terre.

Pour ces différentes raisons, l'ouverture de l'Escaut serait de peu d'utilité pour la défense de la Belgique.

Par contre, si l'ennemi s'emparait d'Anvers, il pourrait, grâce à la liberté de l'Escaut, en faire une base d'opérations contre les défenses du canal de Douvres et le point de départ d'expéditions ou même d'invasions sur les côtes de Belgique, de France ou d'Angleterre. Cette dernière considération s'appliquerait également à la Flandre hollandaise si la Belgique était autorisée à l'utiliser pour sa défense dans une guerre où la Hollande resterait neutre.

La Sous-Commission émet donc l'avis:

*a)* Qu'il n'y a pas lieu d'envisager l'utilisation par la Belgique du territoire de la Flandre hollandaise pour sa défense propre en temps de guerre, hors les cas visés aux articles 16 et 17 du Pacte de la Société des Nations;

*b)* Qu'il n'y a pas lieu de modifier la disposition en vertu de laquelle l'Escaut reste fermé en temps de guerre à toute marine militaire belligérante, étant bien entendu que si la Hollande fait partie de la Société des Nations, les articles 16 et 17 du Pacte jouent pour l'Escaut comme pour toute autre partie du territoire des États membres de la Société et donnent précisément satisfaction à la demande belge, dans le cas visé par elle: celui d'une agression de l'Allemagne contre la Société des Nations.

# II

## *Port d'Anvers*

### (Art. 14 du Traité de 1839)

La Sous-Commission militaire et navale des grandes Puissances alliées et associées a examiné la demande de la Délégation belge tendant à l'abolition de l'article 14 du Traité de 1839, qui interdit de faire d'Anvers un port militaire.

Elle a considéré la situation qui résulterait de l'abolition de cette servitude, en tenant compte de la fermeture de l'Escaut aux marines de guerre belligérantes dans une guerre où la Hollande resterait neutre.

La Sous-Commission a estimé que le droit de faire d'Anvers un port de guerre:

a) *Au point de vue belge:*

1° Donnerait au peuple belge une satisfaction morale que les Puissances ne peuvent lui refuser, puisque le Délégue hollandais lui-même a déclaré que si les grandes Puissances étaient consentantes, la Hollande ne ferait aucune objection à l'abolition de l'article 14.

2° Permettrait à la Belgique d'avoir une base d'opérations maritimes utilisables [*sic*] dans une guerre où la Hollande serait impliquée à ses côtés.

3° Faciliterait dans tous les cas la constitution, en temps de paix, d'une marine de guerre belge dont les unités, en cas de conflit n'impliquant pas l'ouverture de l'Escaut aux belligérants, pourraient sortir d'Anvers, soit par l'Escaut avant la déclaration de la guerre pour se joindre à des marines alliées, soit par des communications intérieures reliant Anvers à Bruges et Zeebrugge ou à Ostende.

b) *Au point de vue général:*

Donnerait à la Société des Nations une base navale utile en cas de conflit imposant à la Hollande, membre de ladite Société, les obligations prévues aux articles 16 et 17 du Pacte.

*En conséquence, la Sous-Commission est d'avis que l'article 14 du Traité de 1839 doit être aboli.*

Par suite, la Belgique aurait la liberté de construire des navires de guerre à Anvers et d'y établir une base navale.

En examinant cette proposition des experts militaires et navals, la Commission a soulevé la question de l'introduction d'une clause conseillant à la Hollande d'accorder le libre passage dans l'Escaut aux navires de guerre belges en temps de paix et elle a renvoyé cette question à l'examen de la Sous-Commission.

La Sous-Commission est d'avis que l'on ne doit pas proposer une convention de cette nature, car bien qu'elle ne présente aucun danger par elle-même, elle serait susceptible de créer un précédent dangereux qui pourrait provoquer des demandes de droit de passage pour les navires de guerre, en temps de paix, sur d'autres fleuves desservant plusieurs États et engendrer par là des complications internationales.

La Sous-Commission est donc d'avis de ne pas recommander à la Hollande d'accorder à la Belgique le droit *de libre passage* pour ses navires de guerre, en temps de paix, par l'Escaut, *mais, comme conséquence de la suppression de l'article 14 du Traité de 1839, il conviendrait que la Commission exprimât le désir de connaître exactement dans quelles conditions la Hollande entend permettre le passage de l'Escaut aux navires de guerre belges en temps de paix.*

# III

## *Question de la Meuse et du Limbourg*

La Sous-Commission a reconnu indispensable que la Belgique puisse défendre la ligne de la Meuse contre l'Allemagne jusqu'à ce que les Alliés lui viennent en aide, afin d'empêcher l'ennemi d'envahir son territoire comme il a pu le faire en 1914.

Elle a estimé que, si l'on envisage une offensive allemande sur la Meuse, dans le cadre d'une guerre dirigée contre les grandes Puissances occidentales, France et Angleterre, le tracé de la nouvelle frontière française rend[r]ait plus probable une violation, non seulement de la Belgique, mais aussi de la Hollande.

Il est possible que l'Allemagne ne désire pas (notamment au point de vue maritime) avoir la Hollande pour ennemie. Cependant, des considérations militaires pourraient la conduire à violer le territoire hollandais. L'avantage qu'elle escompterait retirer de l'extension de son front de déploiement en Hollande pourrait l'emporter sur les inconvénients qui en résulteraient. Tel pourrait être le cas, par exemple, si l'Allemagne parvenait à se procurer dans l'avenir des ressources qui lui assureraient au point de vue de son ravitaillement une indépendance vis-à-vis de la Hollande qu'elle n'avait pas dans la dernière guerre.

La menace que constitue pour la Belgique une violation éventuelle par l'Allemagne du territoire hollandais est telle que les Belges sont fondés à souhaiter vivement voir la Hollande prendre toutes précautions pour écarter le danger.

D'autre part, l'écrasement de la Belgique présenterait un danger non moins sérieux pour la Hollande qui ne manquerait pas à son tour d'être absorbée par l'Allemagne. On peut dire à ce sujet que si la Grande-Bretagne, au lieu de déclarer la guerre à l'Allemagne en 1914, avait permis à cette dernière d'écraser la France, elle aurait subi plus tard inévitablement le même sort.

Il est donc de l'intérêt, tant de la Belgique que de la Hollande, de s'entendre pour défendre énergiquement la ligne de la Meuse. Cette question a d'ailleurs une importance presque égale pour la France et pour la Grande-Bretagne.

M. Van Swinderen nous a donné l'assurance formelle que toute violation du territoire hollandais serait considérée comme un *casus belli* et que le Limbourg ferait l'objet d'une défense *locale*. Cette déclaration est extrêmement importante, parce qu'elle offre un terrain d'entente possible, mais elle est insuffisante par elle-même.

Le Limbourg méridional, en effet, n'est pas militairement défendable par des troupes prenant leurs communications en Hollande, c'est-à-dire exposées à être coupées de leur pays en quelques heures. La défense du Limbourg ne peut se concevoir avec chances de succès que par des troupes ayant leurs communications assurées vers l'Ouest, c'est-à-dire en territoire belge. Cette seule évidence montre qu'un accord est indispensable entre les deux pays directement intéressés. Il est donc nécessaire que la Hollande adopte des mesures militaires permettant :

D'une part, de gagner le temps nécessaire au déploiement des forces belges ou alliées sur la Meuse;

D'autre part, de couvrir l'aile gauche de l'armée belge ou des armées alliées contre une attaque allemande se développant en territoire hollandais.

L'accord militaire à réaliser devrait être basé sur les données suivantes :

*a*) La Hollande maintiendrait dans le Limbourg des forces suffisantes et y construirait les défenses *modernes* qui permettraient à ses troupes de résister efficacement à une invasion allemande en gagnant le temps nécessaire aux Belges pour occuper la ligne de la Meuse. Les Belges prendraient alors la responsabilité de défendre cette ligne jusqu'à la frontière hollandaise.

Un tel accord n'impliquerait nullement l'emploi des forces belges en territoire hollandais avant une déclaration de guerre de la Hollande à l'Allemagne, mais ces forces pourraient ensuite y être employées le cas échéant.

*b*) La Hollande s'engagerait à tenir fortement la ligne de la Meuse au Nord de la province du Limbourg, de manière à prolonger la défense belge. La Sous-Commission reconnaît que cette mesure serait de nature à apporter quelques modifications au plan du Haut Commandement hollandais, mais elle estime qu'elle n'en changerait pas les bases essentielles.

Sans discuter en effet la question de savoir si, avec la portée des canons modernes et le développement de l'aviation, le plan de défense de la Hollande, basé sur les inondations, mettrait encore ses grandes villes à l'abri des insultes de l'ennemi, on sait qu'elle a dû prévoir une première défense sur la Meuse pour se donner le *temps* de tendre ces inondations. En lui demandant donc de renforcer cette défense, on ne bouleverse pas son plan, mais on facilite l'exécution tout en assurant la protection initiale indispensable de l'armée et du territoire belges.

Au surplus et pour répondre à une objection déjà faite par le Délégué hollandais devant la Commission, la Sous-Commission militaire et navale estime qu'il ne s'agit pas de *subordonner* le système de défense hollandais au système belge, mais de *lier* le premier au second. Elle est d'avis que cette liaison se justifie par la déclaration du Conseil Suprême du 8 mars, aux termes de laquelle le but de la révision du Traité de 1839 est de supprimer les *risques* qu'il a créés pour la Belgique et la paix générale, et qu'elle est conforme à l'esprit de solidarité que doit créer le Pacte de la Société des Nations entre tous ses Membres.

La Sous-Commission a jugé nécessaire d'envisager les deux cas suivants :

*1er cas*. — La Hollande et la Belgique sont toutes deux membres de la Société des Nations.

Dans ce cas, les articles 16 et 17 du Pacte règlent la question *dans son principe*. Mais comme rien ne s'improvise au combat, il est néanmoins essentiel qu'un accord militaire soit établi sur les bases indiquées plus haut par les soins de la Société des Nations entre la Belgique et la Hollande.

*2e cas*. — La Belgique est Membre de la Société des Nations et la Hollande n'en fait pas partie.

La Sous-Commission estime qu'un accord semblable à celui qu'elle a visé dans le premier cas devrait être conclu entre la Belgique et la Hollande, dans l'intérêt des deux pays et de la paix générale.

On ne conçoit pas, en effet, dans la situation nouvelle de l'Europe que la Hollande puisse être attaquée par l'Allemagne sans que cette attaque rentre dans le plan d'une agression générale contre les Puissances occidentales ou sans que celles-ci interviennent. Si la Hollande n'avait pour résister à l'Allemagne que son système de défense propre, son sort ne serait pas douteux. C'est donc dans une aide extérieure qu'elle trouverait la meilleure, sinon la seule protection efficace.

Un accord avec la Belgique dont l'armée constitue actuellement l'aile gauche des Puissances occidentales dans un conflit éventuel avec l'Allemagne lui assurerait cette protection.

La Sous-Commission espère donc qu'un tel accord, qui lui paraît répondre aux vœux de la Belgique, serait acceptable par la Hollande, attendu qu'elle y trouverait des avantages sérieux au point de vue de sa sécurité nationale, de ses bonnes relations avec la Belgique et avec les autres membres de la Société des Nations.

Cette convention n'entraînerait aucune violation du territoire de la Hollande, ni en temps de paix, ni en temps de guerre, par la Belgique ou par ses alliés. Dans le cas seulement où les ennemis de la Belgique porteraient atteinte à la neutralité hollandaise, les mesures prises d'un commun accord par la Belgique et la Hollande permettraient à cette dernière *de réaliser dans des conditions favorables* son intention *actuellement irréalisable de résister à tout agresseur.*

### Annex III to No. 121

*Propositions du Sous-Comité des experts militaires et navals concernant la question de la défense de la Meuse et du Limbourg*

La Sous-Commission ayant été invitée à rechercher plusieurs solutions de la question de la défense de la Meuse et du Limbourg propose:

#### A. Si la Hollande est membre de la Société des Nations

Accord militaire à établir entre la Belgique et la Hollande par les soins de la Société des Nations en conformité de son Pacte et sur les bases suivantes:

1° Organisation dès le temps de paix par la Hollande de la défense du Limbourg, en vue de couvrir le déploiement éventuel des forces belges (ou alliées) sur la Meuse, dont lesdites forces assureraient la défense jusqu'au point où la frontière hollandaise se détache de la Meuse vers l'Ouest.

2° Organisation de la défense, par des forces hollandaises, de la Meuse au Nord de ce dernier point en vue de répondre au double but de couvrir la Hollande et de prolonger l'aile gauche des troupes alliées et belges.

#### B. Si la Hollande n'est pas membre de la Société des Nations

1re Solution (proposée par tous les membres de la Sous-Commission):

Accord militaire entre la Hollande et la Belgique sur les bases ci-dessus indiquées, visant exclusivement le cas de violation du territoire hollandais que le Gouvernement des Pays-Bas déclare considérer comme un *casus belli*.

2ᵉ Solution (suggérée par les Délégués de la France et de l'Italie):

Accord militaire entre la Hollande et les Puissances occupantes du territoire rhénan en vue de lier *éventuellement* la défense du territoire hollandais au système de défense desdites Puissances pendant le temps où elles jugeront nécessaire d'occuper, et dans tous les cas où elles estimeraient nécessaire de réoccuper, tout ou partie du territoire rhénan, comme garantie contre une agression possible de l'Allemagne.

## No. 122

*Earl Curzon to Mr. Gurney (Brussels)*

*No. 319 [127515/127515/4]*

FOREIGN OFFICE, *September 9, 1919*

Sir,

The Belgian Ambassador, by special request on his part, came to see me this afternoon.

It afforded me the greatest satisfaction to congratulate him on the recent elevation of his Legation to the rank of an Embassy, and on his first appearance in the Foreign Office as an Ambassador.

Baron Moncheur was himself evidently very proud of the promotion, and expressed himself, as always, both on his own behalf and on behalf of his Government, in language of the deepest respect and admiration for this country.

The main point upon which he had come, not so much to ask my opinion as to give me information, was a very difficult and delicate question which had arisen between his Government and M. Clemenceau in Paris. Under the arrangements contemplated there, Luxemburg, while retaining its independence and its Grand Duchess, was to enter into an economic union with Belgium; but M. Clemenceau had recently summoned the Belgian Foreign Minister from Brussels and had acquainted him with the fact that France desired to assume charge of the principal Luxemburg railway, which bisected the country in both directions in the form of a cross, and the control of which the Belgian Government felt little doubt would ensure to France practical predominance in the affairs of Luxemburg. M. Hymans had been so startled by this proposal when it was placed before him that he had declined to commit his Government one way or the other in reply. Later, a response had been sent from Brussels, deprecating the proposal on economic grounds, but without reference to the real objection, which Baron Moncheur had just stated to me. The Belgian Government had hoped by this attitude to dissuade the French Government from their intention, but the Ambassador had been much concerned to learn within the last few hours that M. Clemenceau had returned to the charge, and had said that the French Government must insist upon this step.

Upon my enquiring whether this proposal was permissible under the terms of the Peace Treaty, Baron Moncheur quoted to me a passage[1] which referred to the administration of what had previously been German railways, which did indeed concede certain powers to the French, although, strictly interpreted, these powers did not appear to apply to the present case.

The Belgian Ambassador said that his Government proposed to put up as good a fight as they could on this ground, but he greatly feared that the pressure of their powerful neighbour, intent only upon building a French wall of defence against future German aggression on this side, would ultimately prevail. In such a case, he feared that the economic union with Luxemburg would prove of little value to his country, and that the great results which the Belgians had hoped from the war in this respect would not be obtained.

I sympathised warmly with the Ambassador; and, in the circumstances of the case, he neither asked nor expected more.

He then passed to another point upon which he wished to consult me in the strictest confidence. Some talk, he said, had taken place of a guarantee of the Belgian frontiers against unprovoked aggression by Germany, somewhat similar to that which had already been given to France by the Governments of the United States and Great Britain. The Belgian Government were exceedingly anxious to know whether the British Government would be prepared to join in such a guarantee, and indeed would hardly like to move further in the matter unless they were assured that the idea would be welcomed by us.

I said that the idea was new to me, and that I should be reluctant to express a definite opinion upon it without a good deal of reflection; but I had an instinctive feeling that, whatever might be the sympathies of the British Government, British Parliamentary opinion, and still more British public opinion, would be rather suspicious of any more territorial guarantees. The proposal with regard to France had indeed been accepted without demur in this country as a political and military necessity of the first order, but without any great enthusiasm, and I felt that any considerable extension of the area which we undertook to go to war in order to protect would be likely to meet in some quarters with sharp criticism. I thought it right, therefore, to warn the Ambassador that, whatever decision might ultimately be arrived at should the proposal be definitely laid before us, he must not be surprised if serious difficulties were found to exist.

I am, &c.,
CURZON OF KEDLESTON

---

[1] Cf. article 67 of the Treaty of Versailles.

# No. 123

## Mr. Gurney (Brussels) to Earl Curzon (Received September 13)

### No. 335 [128779/128779/4]

BRUSSELS, *September 10, 1919*

My Lord,

Sir F. Villiers reported in his despatch No. 431[1] of the 14th December last that proceedings were being taken against Belgian 'Activists' and others who had furthered enemy designs during the war. In pursuance of this policy, which has led to the removal of many Government officials, a charge of high treason was recently brought against Monsieur Borms, one of the most prominent of the 'Activists', for his dealings with the Germans during the occupation of Belgium.

M. Borms was a member of the notorious 'Conseil des Flandres'[2] and negotiated on their behalf with the German Military Governor at Brussels and the Imperial Chancellor at Berlin for the administrative separation of the Flemish and Walloon districts of Belgium. He also worked for the political separation of Flanders and for the establishment of a Parliament and Executive independent of the Government at Havre,[3] with separate representation abroad.

On the termination of the trial, which lasted for five days, the Flemish jury brought in a unanimous verdict of guilty on all charges, and Monsieur Borms was sentenced to death, a sentence, however, which is now always commuted to penal servitude.

The result of the trial is generally approved as it is regarded as a condemnation not of the Flemish movement, but of the 'Activists', who availed themselves of the support so readily offered by Germany to pursue their separatist aims to the detriment of the interests of the country as a whole and whose methods are condemned not only by the Walloons, but also by the great majority of the Flemish people who, I believe, are thoroughly loyal and patriotic.

As regards the Flemish question itself considerable comment has been aroused in the press by a speech delivered at Louvain last month by Monsieur Poullet, President of the Chamber of Representatives, in which he appeared as a supporter of the programme of the 'Vlaamsch Verbond'.[4] This programme includes:—

1. The 'Flamandisation' in Flanders of education in all its branches and at all stages, of justice and of the public administration.

2. The division of the army into Flemish and Walloon units with Flemish and Walloon instruction and words of command, and

3. The reorganisation of the central administration in such a way that

---

[1] Not printed.
[2] A Flemish assembly constituted in 1917 under German authority.
[3] Temporary war-time seat of the Belgian Government.
[4] A league for the promotion of Flemish interests.

matters affecting the Flemish portion of the country shall be dealt with directly in Dutch, and those affecting the Walloon portion in French.

Monsieur Poullet and those who think like him desire to see Flemish alone taught in the primary schools in Flanders to the exclusion of French, and they aim at the establishment of a purely Flemish university at Ghent. It is doubtful, however, whether the bulk of the Flemish people are equally anxious for the introduction of an educational system which would so hamper the future prospects of Flemish students.

The Catholic party has to some extent become identified with the Flemish movement and, in the interests of national unity, Cardinal Mercier[5] has thought it necessary to issue a pastoral letter, in which he points out to the clergy that the 'instinct vague de la race' should not be allowed to obscure their sentiment of patriotism and their duties both as Belgians and as priests. In this connection his Eminence quotes with considerable effect a letter addressed by Pope Leo XIII to the Bishops of Bohemia and Moravia in 1901, in which he deplores the seeds of discord sown by an exaggerated attachment to the mother tongue.

I have, &c.,

HUGH GURNEY

[5] Primate of Belgium.

## No. 124

*Mr. Tufton (Paris) to Earl Curzon (Received September 13)*

*No. 1790 [128725/11763/4]*

PARIS, *September 10, 1919*

My Lord,

As Your Lordship is aware, a Committee of the Conference has for some weeks been considering the revision of the three treaties of 1839 between Belgium, Holland and the Great Powers, in regard to the status of Belgium.

2. The Committee commenced by hearing the arguments put forward by the Belgian representatives as to the reasons why revision of these treaties is essential, and the numerous difficulties for which a solution would have to be found, in order to give satisfaction to Belgium.[1] This was followed by a statement on behalf of the Netherlands by the Dutch representative on the Committee,[2] after which further meetings of the full Committee were suspended, whilst the representatives of the Netherlands proceeded to the Hague to consult their Government as to the future proceedings. Copies of the minutes of all these meetings are already in Your Lordship's possession.

3. During the absence of the Dutch and Belgian representatives, the delegates of the five principal Allied and Associated Powers have taken the opportunity of meeting together to consider what, in their opinion, would be

[1] See Nos. 39, 47, 48, 53, 54, 58.      [2] See No. 81.

the most appropriate measures to recommend to the Council of Five to take the place of the 1839 treaties, and the document, of which a copy[3] is enclosed herewith, summarises the conclusions at which the delegates of the United States, France, Great Britain, Italy and Japan have unanimously arrived.

4. The document must not be taken as a report by the Committee, because the Dutch and Belgian members have taken no part in its compilation, and, indeed, are ignorant of its contents. It is merely a request for instructions, which each delegate is submitting to his Government, if he thinks necessary, in order to make quite sure that anything recommended therein is not in contradiction with the political, economic, naval or military aims of the five principal Powers, or of any one of them. The delegates' conclusions are divided into two parts dealing with (1) economic, and (2) naval and military considerations, and no special directions are sought as regards the former portion. The naval and military considerations, on the other hand, raise questions of far-reaching importance to the five Allied and Associated Powers, and to France and Great Britain in particular; and the French delegate, who is Chairman of the Committee, expressed, at an early stage of the proceedings, an earnest desire to assure himself that, in putting forward these recommendations for a settlement to the Dutch and Belgian delegates, he was acting with the full support of the French Government. The British representatives took the same view, as did also the representatives of Italy and Japan, whilst the representative of the United States thought this course premature and unnecessary although he did not disagree with the conclusions embodied in the enclosed document.[3]

5. It was at first suggested that this request for instructions should be submitted to the Council of Five, but this method of procedure was strenuously opposed by the United States delegate, who seemed to suspect a manœuvre, on the part of the Committee, to obtain an endorsement by the Council of a policy to coerce the Netherlands to accept a solution of this question regardless of any views which the Dutch Government themselves might hold.

6. None of the other members of the Committee supported this view, for which, I may say, there was no foundation, but after a lengthy discussion[4] it was agreed that each delegation should submit the matter personally to its representative on the Council of Five, if the covering authority of any of the Governments was considered necessary.

7. As Mr. Balfour is leaving Paris to-morrow, and arrangements have not yet been made, so far as I am aware, to appoint one of His Majesty's Ministers to replace him on the Council of Five in the immediate future, I have thought it well to submit the enclosed document to you, with the above explanation.

8. I may say that throughout the proceedings the British representatives on the Committee have been in the closest touch with the naval and military advisers of the delegation, who, in their turn, have been in communication

[3] Not here printed. This document is printed as annex I to No. 121. Annexes II and III to No. 121 were transmitted to the Foreign Office under Peace Delegation formal covering despatch No. 1815 of September 13, 1919 (received September 15).
[4] See No. 121.

with the Lords Commissioners of the Admiralty and the Imperial General Staff, and I do not anticipate that the recommendations contained in the enclosure hereto[3] run counter in any respect to the policy of His Majesty's Government.

9. I propose, therefore, unless Your Lordship sees fit to instruct me to the contrary effect, to support my colleagues on the Committee, in urging upon the Netherlands and Belgian members, when the time comes, a settlement on the lines here laid down.

10. At the request of the Naval and Military advisers of the Delegation I have the honour to suggest that a copy of this despatch may be communicated to the Admiralty and the Army Council.

I am, &c.,
CHARLES TUFTON

## No. 125

*Record of a meeting in Paris of the Commission for the revision of the Treaties of 1839*

*No. 8* [*Confidential/General/177/9*]

*Procès-verbal No. 8. Séance du 11 septembre 1919*

La séance est ouverte à 17 heures, sous la présidence de M. Laroche, *Président.*

*Sont présents:*

M. Fred K. Neilson (*États-Unis d'Amérique*); l'Honorable Charles Tufton (*Empire britannique*); MM. Laroche et Tirman (*France*); M. Tosti et le Professeur D. Anzilotti (*Italie*); le Professeur Hayashi (*Japon*); MM. Segers et Orts (*Belgique*); le Jonkheer R. de Marees Van Swinderen et le Professeur A. Struycken (*Pays-Bas*).

*Assistent également à la séance:*

L'Amiral McCully et le Colonel Embick (*États-Unis d'Amérique*); le Capitaine de vaisseau Fuller, le Lieutenant-Colonel Twiss et M. Bland (*Empire britannique*); le Capitaine de vaisseau Le Vavasseur, le Lieutenant-Colonel Réquin et M. de Saint-Quentin (*France*); le Capitaine de corvette Ruspoli (*Italie*); M. de Bassompierre, le Lieutenant-Colonel Galet, M. Hostie et le Commandant de Rousseau (*Belgique*); le Baron de Heeckeren (*Pays-Bas*).

LE PRÉSIDENT. Je tiens tout d'abord à saluer les Délégations belge et hollandaise dont le retour permet à notre Commission de reprendre ses travaux.

*Programme de la Commission.* Je donne la parole à M. Van Swinderen pour exposer ce qu'il rapporte de La Haye.

M. VAN SWINDEREN (*Pays-Bas*). Monsieur le Président, Messieurs, vous

vous souvenez que nous nous sommes séparés l'autre jour sur un différend d'interprétation qui avait surgi ici à propos de la seconde clause de la résolution du 4 juin.[1] Ce différend était trop sérieux, eu égard aux instructions très positives que nous avions, pour qu'il me fût possible, malgré la manière très persuasive dont M. le Président défendait sa thèse, de trancher cette question sur place. Vous avez alors très aimablement consenti à ce que nous nous séparions momentanément, pour nous permettre d'en référer à notre Gouvernement, à La Haye.

Messieurs, je suis très heureux de pouvoir vous dire que notre Gouvernement, voulant faire preuve de sa bonne volonté et montrer qu'il tient à cœur que nos discussions se poursuivent d'une manière régulière et surtout mènent à un résultat satisfaisant pour toutes les parties en cause, a bien voulu se rallier à la version que notre Président, M. Laroche, a donnée pour interpréter les termes de cette seconde clause.

Nous sommes donc revenus ici, autorisés à engager avec la Délégation belge les pourparlers prévus par cette clause dans le but de trouver des formules communes relativement aux questions fluviales, et je suis heureux d'ajouter que les experts, dont nous nous servirons surtout dans ces discussions, sont sur place. De sorte qu'il ne tient qu'à vous, Monsieur le Président, et à la Délégation belge, si ses experts sont également ici, de nous réunir pour commencer les discussions.

LE PRÉSIDENT. Je remercie M. Van Swinderen de la bonne nouvelle qu'il nous apporte, et je l'en remercie personnellement, car je suis certain que la manière dont il a présenté le désir de la Commission n'a pas été sans influence sur la décision de son Gouvernement.

Je demande à la Délégation belge si elle a ici ses experts.

M. SEGERS (*Belgique*). La Délégation belge, ne pouvant pas prévoir la réponse qui serait faite par les Délégués hollandais, n'a pas fait venir ses experts.

Nous apprenons avec intérêt que le Gouvernement de la reine n'a pas d'objection à la proposition qui a été faite par le Président de la Commission. Nous sommes heureux de voir que les Délégués hollandais sont autorisés à entrer en pourparlers avec les Délégués belges au sujet des questions fluviales. Celles-ci constituent un aspect important du problème qui nous préoccupe. Mais il me sera sans doute permis de rappeler à la Commission qu'il en est un autre qui est à nos yeux plus important encore: c'est le point de vue de notre défense.

Je n'ai pas besoin de vous répéter que ces deux aspects du problème forment pour nous un ensemble inséparable. Je crois avoir insisté déjà avec assez de force précédemment pour ne pas avoir à exprimer de nouveau le désir que nous avons de voir lier les deux questions et de les voir résoudre simultanément. Étant donné l'intérêt considérable que nous attachons à ce que les deux questions soient étudiées conjointement par la Commission, me sera-t-il permis de demander où en est l'étude de la question au sein de la Commission et quelle réponse nous apportent à cet égard les Délégués hollandais?

[1] See No. 39, note 1.

Le Président. Voici ce que je puis répondre à M. Segers. J'ai dit moi-même, lors de la dernière séance que nous avons tenue ici,[2] que nous ne perdions pas de vue la question de sécurité et il est bien entendu que les travaux de la Commission doivent porter sur l'ensemble de ces deux questions. Nous avons pris très bonne note de ce que la Délégation belge nous a dit, à savoir qu'elle ne pourrait pas signer un accord qui serait purement économique et qui ne lui donnerait pas en même temps des sécurités au point de vue de sa défense. Nous sommes donc persuadés que ces questions devront être examinées dans leur ensemble et que nous ne pourrons arriver à une solution commune que sur l'ensemble des deux questions. Je puis donc donner tout apaisement à cet égard à la Délégation belge.

Seulement, il y a une question de procédure, qui est la suivante : il est bien évident que ce n'est pas simultanément dans les mêmes réunions que l'on peut traiter les deux questions ; il faudra bien les étudier séparément, et les questions économiques, notamment, doivent être examinées par des experts. En ce qui concerne les questions économiques, on pourra donc, après que j'aurai tout à l'heure posé quelques questions à M. Van Swinderen, voir s'il n'y aurait pas moyen de réunir les experts des deux Délégations le plus tôt possible. Si la Délégation belge n'a pas ses experts ici, cela ne nous retardera que de quelques jours.

Mais en ce qui concerne les questions de sécurité, elles seront traitées ici, en Commission plénière, et je me réserve d'y consacrer deux séances spéciales de la Commission. Je crois qu'on pourra poursuivre parallèlement les deux études. Car si nous attendons qu'un accord complet soit établi sur une des deux questions pour étudier l'autre, nous risquons fort de prolonger nos travaux outre mesure.

Ce qu'il importe de bien établir, c'est qu'il n'y aura pas de conclusions sur l'une de ces questions sans qu'il y en ait sur l'autre. C'est bien là, je pense, ce que vous désirez essentiellement. Mais je proposerai de poursuivre parallèlement les deux études, d'autant plus qu'on pourra entrecroiser les réunions, de manière à avancer la question dans chaque sens, et que nous aurons même sur les questions de sécurité des débats assez compliqués, qui nécessiteront probablement des études spéciales.

Voilà donc ce que je vous proposerai. Pour le moment, je demande à M. Van Swinderen, puisqu'il nous a annoncé qu'il était prêt à étudier les questions économiques avec des experts, de vouloir bien donner quelques éclaircissements à la Commission, s'il est en mesure de le faire et s'il y est autorisé, sur le sens dans lequel la Délégation hollandaise serait prête à orienter ses études.

M. Segers (*Belgique*). Je tiens à dire, Monsieur le Président, que vos explications nous donnent entière satisfaction. Je serais heureux de savoir, d'autre part, si les Délégués hollandais sont d'accord au sujet du point de vue que vous venez d'exposer, et s'ils acceptent que la question de notre sécurité soit ainsi posée.

Le Président. Je poserai la question à M. Van Swinderen, telle que la

[2] See No. 81.

formule M. Segers, mais je leur ferai remarquer à tous deux qu'il y a une troisième partie qui aura à donner son avis sur cette question, et qu'il faudra entendre: ce sont les Délégués des grandes Puissances, qui ont procédé à cette étude et qui ont profité de la suspension des travaux de la Commission pour échanger des vues entre eux à cet égard. Ils sont arrivés à s'accorder sur un certain nombre de points, sur lesquels ils vous feront connaître leur avis dans les débats qui vont suivre, et je crois que cet avis sera utile à connaître, puisque nous devons délibérer en commun. Nous ne sommes pas encore tout à fait prêts à donner cet avis, uniquement parce que certains d'entre nous ont besoin de faire ce qu'a fait M. Van Swinderen, c'est-à-dire de prendre les instructions de leurs Gouvernements, pour être sûrs d'être bien d'accord avec eux. Mais nous demanderons, en tout état de cause, à être entendus nous aussi.

M. Van Swinderen (*Pays-Bas*). Tout d'abord, Monsieur le Président, je tiens à vous assurer vous-même, ainsi que M. Segers, que jamais nous n'avons eu l'idée d'écarter de nos discussions les clauses concernant la sécurité du pays. Nous sommes tout à fait convaincus de la vérité du proverbe: du choc des opinions jaillit la lumière. Donc, nous n'écartons nullement les discussions sur la sécurité; seulement je ne puis pas anticiper sur l'étendue du chemin que nous pourrons faire pour rencontrer les demandes belges.

M. Segers. Je prends acte de cette déclaration de M. Van Swinderen. Je suis très heureux de voir que nous nous rapprochons. Les Délégués hollandais ne soulèvent donc pas de fin de non-recevoir à cet égard. Ils sont donc prêts à prendre en considération les propositions éventuelles relatives à la sécurité de la Belgique et à les discuter.

Le Président. Je crois que notre point de vue à tous est le même. Nous ne sommes, ni les uns ni les autres, en état de donner actuellement un avis définitif, mais nous sommes de part et d'autre prêts à envisager cette question et à la discuter ici, ce qui est un des buts de notre réunion.

M. Van Swinderen (*Pays-Bas*). Oui, Monsieur le Président. Je voudrais maintenant répondre à l'autre question que vous m'avez posée, en demandant si j'étais à même de vous donner quelques éclaircissements sur les formules communes que nous pensons avoir trouvées pour les questions fluviales. Voici ce que je puis dire à cet égard.

Nous avons profité du temps où nous nous trouvions en Hollande, avec des experts autour de nous pour examiner cette question de très près, et je crois que cela peut être agréable à MM. les Délégués belges d'apprendre que nous sommes revenus avec un projet, un plan très complet sur ce que nous pensons pouvoir décider entre nous à propos de l'Escaut. C'est une affaire qui se décidera, selon moi, plus facilement que la question des deux canaux, non pas que je voie à cette dernière de grandes difficultés, mais involontairement on devra se borner pour ces deux canaux à des formules plus vagues que pour l'Escaut.

Je n'ai pas un seul document sur moi . . .[3]

[3] Punctuation as in original.

Le Président. Nous ne vous demandons pas d'entrer dans les détails.

M. Van Swinderen. Mais je tiens à vous dire, parce que je pense que cela fera plaisir à nos amis belges et à tout le monde ici, que nous croyons avoir réussi à leur proposer une solution à un de leurs plus gros griefs contre ce soi-disant régime de l'Escaut de 1839, je veux dire le droit de veto, que la Hollande n'a pas exercé, mais qu'elle pourrait exercer. Nous croyons avoir trouvé à ce problème une solution telle que les Belges seront satisfaits et ne pourront plus dire: 'Malgré tout ce que nous aurons fait, le dernier mot restera à la Hollande.' Cela, c'est la chose principale. Et en même temps, nous croyons avoir trouvé des formules par lesquelles la Hollande s'engagera suivant des modalités à fixer ultérieurement en détail, à ce que l'Escaut réponde non pas à la situation de 1839, mais aux exigences croissantes de la navigation, dans le présent comme dans l'avenir.

Voilà les deux points principaux qui sont, je crois, de nature à vous satisfaire, parce qu'ils répondent aux deux principaux griefs de la Belgique. Mais je n'ai pas d'autres renseignements sur moi.

Le Président. Nous n'avons pas à discuter aujourd'hui cette question. Nous voulions avoir seulement quelques indications; celles que vous avez données sont fort intéressantes pour la Commission.

M. Segers (*Belgique*). Nous avons entendu avec le plus grand intérêt la communication qui vient d'être faite par le premier Délégué hollandais, et nous serons heureux de prendre connaissance des propositions qu'il voudra bien nous faire d'une façon précise à cet égard.

Le Président. J'enregistre avec la plus grande satisfaction les déclarations de M. Van Swinderen et l'acte qu'en a pris M. Segers. J'y vois, pour ma part, la garantie d'une chose dont je n'ai jamais douté, vous me rendrez cette justice: c'est que la Commission aboutira, comme elle en a le devoir, à un accord satisfaisant pour les deux parties, j'en suis plus que jamais convaincu.

Ce que je retiens surtout aujourd'hui, c'est que la Délégation hollandaise a étudié cette question dans le sens qu'elle nous indique et avec un désir qui marque précisément qu'on entre dans la bonne voie. Je ne veux pas, je ne peux pas en inférer que les propositions hollandaises, pas plus d'ailleurs que les propositions belges qui seront présentées en regard, seront acceptées telles quelles; mais ce que je vois avec plaisir, c'est qu'on va causer dans une direction déterminée, pour un but accepté en commun, ce qui est essentiel, et ce qui est la garantie du succès de nos travaux.

Je voudrais maintenant examiner avec vous, si vous le voulez bien, la question de procédure.

La résolution du 4 juin[1] présente quelque difficulté d'interprétation au point de vue de la procédure. Elle dit ceci: 'La Commission invitera la Belgique et la Hollande (ce qui veut dire, comme nous en sommes tombés d'accord, les Délégations belge et hollandaise), à étudier des formules communes en ce qui concerne les voies navigables.'

Sous quelle forme va se poursuivre cette étude? Je n'ai, pour ma part, que des idées assez vagues à cet égard, et je voudrais demander aux deux parties quelle est leur conception. On peut envisager, en effet, plusieurs procédures : la première serait que les deux Délégations se mettent directement en rapport, se réunissent, échangent leurs vues, et ne reviennent devant la Commission que lorsqu'elles seront complètement d'accord. Je dois dire que je ne suis pas très partisan de cette manière de procéder, parce que je crois que la deuxième partie de la résolution doit être rapprochée de la première, où il est dit que la Commission 'étudiera'. Lorsqu'on dit dans la seconde partie que la Commission invitera les deux parties à chercher des formules communes, cela ne veut pas dire qu'elle ne continuera pas à étudier ces questions, mais que l'initiative des études à faire viendra des deux Délégations belge et hollandaise.

Je crois donc répondre au sentiment général en exprimant en tout cas le désir que la Commission soit tenue de temps en temps au courant des travaux des deux Délégations. Comme le disait tout à l'heure M. Van Swinderen, de la discussion jaillit la lumière, et nous pourrons peut-être apporter notre part au travail commun.

Il y aurait encore une autre procédure, qui consisterait à adjoindre aux deux Délégations des experts des autres Délégations. Si j'en parle, c'est pour vous montrer toutes les faces du problème, mais je dois dire que je ne suis pas partisan de cette solution, parce que je crois que nous avons beaucoup plus d'avantages à ce que les intéressés causent d'abord directement entre eux et viennent ensuite de temps en temps nous apporter le fruit de leurs travaux.

Je serais très heureux de connaître à cet égard l'opinion des Délégations belge et hollandaise. M. Segers a-t-il des idées à ce sujet?

M. Segers (*Belgique*). Je pense que peut-être M. Van Swinderen a déjà réfléchi à cette question, puisqu'il a amené ses experts. Par déférence, je lui demande s'il a pu déjà se former une opinion à ce sujet.

M. Van Swinderen (*Pays-Bas*). Je répondrai à M. le Président que je m'associe très volontiers à sa proposition tendant à ce que nous réunissions nos deux Délégations, tout en reprenant contact périodiquement, si la nécessité s'en présente, avec la Commission. Je pense que c'est la meilleure procédure à suivre.

M. Segers. Je me rallie à cette suggestion du premier Délégué néerlandais, qui est d'ailleurs conforme à la vôtre, Monsieur le Président. Ainsi que le propose M. Van Swinderen, les Délégués belges et hollandais se réuniront donc entre eux. Éventuellement, ils s'adjoindront leurs experts, sans avoir, pour le moment du moins, recours aux experts des autres Délégations.

Le Président. Parfaitement. Et je demanderai même qu'au cas où vous éprouveriez le besoin d'avoir des experts des autres Délégations, vous ayez l'obligeance de recourir d'abord à la Commission elle-même, parce que nous aurions intérêt à nous rencontrer tous.

M. Segers. Bien entendu.

Le Président. Je pense que les Délégués belges pourront avoir leurs experts assez rapidement; peut-être au début de la semaine prochaine serez-vous prêts à causer?

M. Segers. Monsieur le Président, je pense que même auparavant, les quatre Délégués pourraient se rencontrer, sans experts, ne fût-ce que pour régler la marche de leurs travaux.

M. Van Swinderen. Très volontiers.

M. Segers. Il sera bien entendu que nous garderons le contact avec la Commission. D'autre part, nous ne ferons appel à aucune compétence privée étrangère à nos deux Délégations, sans avoir au préalable exposé l'état de nos pourparlers à la Commission plénière.

Le Président. C'est bien cela. Nous aurons d'ailleurs un moyen très simple de nous tenir au courant de vos travaux économiques : ce sera de vous demander de nous en entretenir à l'occasion des réunions dans lesquelles nous débattrons les autres questions.

M. Segers. D'accord.

Le Président. Comme je vous le disais tout à l'heure, nous ne sommes malheureusement pas tout à fait prêts à vous exposer encore nos idées à cet égard, et je m'en excuse ; mais vous comprendrez facilement qu'il nous était impossible de faire cette étude avant d'avoir entendu les deux parties.

Nous ne sommes pas venus ici comme vous avec des instructions toutes prêtes et nous n'avons pu commencer notre étude qu'après vous avoir entendus tous les deux. Mais lundi ou mardi de la semaine prochaine,[4] nous serons probablement en état de causer avec vous de ces questions militaires et politiques. Vous pourrez nous dire, à cette occasion, où vous en êtes de votre conférence économique ; ce sera pour nous du plus grand intérêt. De cette façon, les conversations, tout en suivant la procédure indiquée, se poursuivront parallèlement.

M. Segers (*Belgique*). Nous sommes pleinement d'accord.

M. Neilson (*États-Unis d'Amérique*). Je désirerais faire une proposition. Les discussions qui vont avoir lieu seront d'ordre essentiellement technique. Pour que les Délégués qui ne sont pas spécialement versés dans les questions techniques puissent quand même prendre part utilement aux débats, il serait à désirer qu'ils aient la possibilité d'étudier les questions un ou deux jours à l'avance ; il faudrait, pour cela, que nous ayons communication des documents utiles un ou deux jours avant les séances.

Le Président. Les Délégués belges et hollandais feront de leurs travaux un compte rendu que nous leur demanderons de vouloir bien nous communiquer un peu à l'avance, de façon à pouvoir nous permettre d'étudier les questions, comme vous venez de le demander justement. Ce compte rendu serait simplement un exposé du résultat des travaux des Délégations belge et hollandaise. Ce qui nous intéresse surtout ici, ce n'est pas la discussion, mais le résultat.

M. Tirman me fait observer avec beaucoup de raison que, sur les points où des divergences se manifesteraient, nous serions heureux d'avoir un petit exposé des motifs de chaque Délégation, de façon à pouvoir apprécier plus facilement. Il est bien entendu qu'il s'agit en ce moment des questions économiques, puisque nous verrons ici les questions militaires.

[4] September 15 or 16, 1919.

M. Van Swinderen (*Pays-Bas*). Avant de nous séparer, je voudrais soumettre à la Commission une petite question qui n'a pas encore été abordée. Il s'agit de la publicité à donner à nos discussions.

*Publicité des travaux de la Commission.*

A plusieurs reprises, dans les exposés et les discours qui ont été faits ici, le mot 'confidentiel' a été prononcé. Malgré cela, on a pu lire parfois dans la presse des comptes rendus de nos séances et surtout des comptes rendus des exposés qui paraissent avoir été inspirés. Je tiens à dire à M. Segers et à M. Orts, sans leur en faire un reproche parce que la question de la publicité n'a jamais été discutée à fond, que le contenu de leurs deux exposés a été publié ces derniers temps dans la presse belge. Les renseignements venaient, comme nos journaux hollandais le disaient, du Bureau d'informations. Or, si je suis bien renseigné, le Bureau d'informations est une section de votre Ministère des Affaires étrangères, de sorte qu'on ne peut pas contester à ces informations, je dirai une sorte d'inspiration officielle. Dans ces conditions, je crois que nous pouvons nous sentir autorisés à publier également notre exposé, ce qui n'a pas encore été fait jusqu'ici. Je voudrais savoir quelle est, sur cette question de publicité, l'opinion de la Commission, et, en particulier, de ceux de ces Messieurs qui ont eu l'avantage d'assister à tant d'autres Commissions.

M. Segers. Je crois aussi que cette question mérite de retenir notre attention et que nous devrions nous mettre d'accord à ce sujet. Nous avions eu soin, M. Orts et moi-même, après avoir fait ici notre exposé, de faire preuve d'une très grande discrétion. Nous nous étions interdit de donner aucun communiqué ou aucun résumé de ce que nous avions dit ici. La presse belge nous en a même fait grief, soutenant que l'opinion publique en Belgique avait bien le droit de savoir ce qui se passait à Paris. Le lendemain du jour où M. Van Swinderen a lu son exposé, nous en avons trouvé un résumé dans un journal néerlandais, le *Nieuwe Rotterdams[c]he Courant*. Je ne m'en plains pas; je ne trouve pas mauvais qu'on ait renseigné l'opinion hollandaise. Mais, l'exposé d'une des parties ayant été rendu public, nous avons pensé qu'il ne nous était pas défendu d'en faire autant de notre côté. Nous avons alors, toujours cependant avec discrétion, laissé publier non pas des exposés complets de nos revendications, mais des résumés capables d'éclairer l'opinion publique de façon que celle-ci pût se faire une idée de la marche générale des travaux de la Commission. Je pense cependant, ainsi que l'a dit M. Van Swinderen, qu'il y a le plus grand intérêt à ce que nous nous mettions d'accord au sujet de la publicité à donner à nos débats. J'ajouterai d'ailleurs que cette question relève un peu de l'autorité de M. le Président, à laquelle très certainement, tous nous entendons nous en référer.

Le Président. Mon attention avait déjà été appelée sur cette question et je dois dire que les faits rapportés par chaque Délégation sont absolument exacts. Cela prouve simplement combien, dans les temps modernes, il est difficile de garder un secret. M. Van Swinderen a demandé quelle était l'expérience de la Conférence. Je dois avouer qu'elle est bien décourageante. On a voulu garder sur certaines questions le secret le plus complet, ce qui ne nous a pas empêchés de voir ces secrets publiés *in extenso* dans des journaux américains, anglais, français ou italiens. Je crois donc qu'il serait vain de vouloir essayer d'empêcher les indiscrétions. Il faut simplement que nous nous engagions mutuellement à ne pas donner à nos débats une publicité qui puisse nous être nuisible. La seule mesure efficace est celle qui est suggérée par M. Segers; j'allais la suggérer moi-même: elle consistait à laisser au Président le soin de faire un communiqué qui ferait foi. J'ai employé ce procédé dernièrement, quand les journaux français ont publié des entrefilets concernant notre dernière réunion. J'ai pris sur moi de faire publier par le Secrétariat général un petit communiqué qui s'est borné, cette fois, à démentir ce qui avait été dit dans les journaux. Si vous me le permettiez, je pourrais m'entendre avec le Secrétariat général pour donner à la presse un compte rendu non compromettant du cours de nos travaux.

Je vous demanderai aussi de vouloir bien observer le secret sur nos discussions et je vous demande aux uns et aux autres d'user de votre influence dans vos pays respectifs pour amener les journaux belges et hollandais à considérer ces questions avec le moins de passion possible. Je ne dis pas sans passion, parce que, dans des questions qui touchent de près aux affaires du pays, il est impossible d'empêcher les gens de s'y intéresser. Ce ne serait pas naturel.

Je crois qu'avec ces deux palliatifs nous aurons fait tout ce qui nous sera possible, ce qui n'empêchera certainement pas les journaux des divers pays de donner des comptes rendus plus ou moins défigurés de nos travaux. Mais l'existence d'une version officielle nous permettra toujours une mise au point; ce sera cette dernière version qui comptera. Si vous le voulez bien, je pourrai, après chaque réunion plénière — car je ne m'engage que pour celles-là — faire donner à la presse un petit compte rendu qui constituera la version officielle et la seule faisant foi de nos travaux. Enfin, je m'en remets à tous les Délégués présents ici du soin de renseigner le moins possible leurs journalistes.

M. Van Swinderen (*Pays-Bas*). Pour éviter tout malentendu, je vous demande la permission de faire une petite rectification à ce que M. Segers a dit. L'article de la *Nieuwe Rotterdamsche Courant* qui a attiré son attention était un communiqué très succinct donnant seulement les points principaux de notre exposé. Nous avions fait cela après que la presse belge avait déjà communiqué, de son côté, dans la semaine qui s'était écoulée entre l'exposé belge et notre réponse, le texte des demandes de la Belgique. Nous avons cru qu'il était utile, pour ne pas laisser l'opinion publique s'engager sur une fausse route, d'exposer également les principales concessions hollandaises. Puis, nous avons pu voir dans les journaux belges le compte rendu *in extenso* des exposés de M. Segers et de M. Orts. Les Parlementaires et la Nation, comme le disait tout à l'heure M. Segers, veulent savoir ce qui se passe. Un parlementaire hollandais s'est levé au Parlement et a demandé ce que nous faisions à Paris. Je voulais donc, pour qu'il n'y ait pas de malentendu, réserver à mon Gouvernement la faculté de publier l'exposé que j'ai fait ici, comme l'exposé belge a été publié par le Bureau d'informations.

Le Président. Tout cela, c'est du passé et, comme on l'a fait observer tout à l'heure, il n'y avait rien de convenu au sujet de la publicité. Ce qui importe, c'est l'avenir. Encore une fois, mon expérience personnelle me laisse tout à fait sceptique sur le fait que nous ne dirons rien à la presse de ce qui se passe ici. Les journalistes ont un tel besoin d'informations qu'ils publient aujourd'hui les documents les plus secrets; il me paraît donc très difficile d'arriver à se défendre complètement contre leurs indiscrétions. Je vous ai dit tout à l'heure quels sont les deux palliatifs que je crois les meilleurs. D'abord, le compte rendu officiel. J'attire ensuite votre attention sur ce fait que toutes les Délégations doivent s'efforcer d'orienter leur presse dans le sens de l'apaisement et du calme. Il faut empêcher les commentaires; non pas les commentaires sur la question elle-même — nous ne pouvons pas empêcher les gens de débattre leurs intérêts et de le [*sic*] dire ce qu'ils veulent en telle matière — mais sur l'attitude de la Commission et sur l'orientation de ses travaux. Notre tâche est facilitée en ce moment par la bonne volonté générale; elle reste cependant assez ardue par la nature du sujet traité; il ne faut pas la compliquer.

M. SEGERS (*Belgique*). Tout en persistant dans ce que j'ai dit tout à l'heure au sujet de la publicité donnée à nos demandes, je veux me borner à une seule observation. J'approuve, Monsieur le Président, l'appréciation dont vous venez de nous faire part. Je pense qu'il faut faire une distinction entre les délibérations de la Commission et ce qui fait à proprement parler l'objet même de nos revendications. Dans un but d'apaisement, et pour donner satisfaction à l'opinion publique, il faut que nous fassions connaître au dehors ce que nous demandons. C'est le meilleur moyen d'éviter l'irritation et la nervosité au sein des Assemblées et du Parlement. C'est dans cet esprit qu'il y a lieu, à mon sens, de faire les communications.

LE PRÉSIDENT. C'est pour cette raison que je vous ai dit que je ne croyais pas possible que nous refusions tous renseignements à la presse, parce que ce serait l'exciter et elle donnerait alors des nouvelles fantastiques. Je vise les fausses interprétations et je crois qu'une version officielle très courte permettrait de couvrir tout et de dire que le reste constitue des renseignements plus ou moins fondés. Mais, encore une fois, la version officielle ne concernerait que ce qui se passerait dans la Commission.

Ce petit débat a eu une autre utilité. Il vient de prouver une fois de plus l'unanimité de vues de toutes les Délégations. Il est un gage de la concorde qui règne et de l'esprit dans lequel nous poursuivons nos travaux. Nous n'avons plus qu'à nous séparer maintenant sur cette excellente impression et nous pourrons nous retrouver mardi prochain, à 16 heures, si vous n'y voyez pas d'objection. (*Assentiment.*)

La séance est levée à 18 heures 30.

*Sir H. Rumbold (Berne) to Mr. Balfour (Paris. Received September 12)*
*No. 42 [427/1/4/14594]*

BERNE, *September 11, 1919*

Sir,

I learn, from an excellent source, that the adversaries of Switzerland's adherence to the League of Nations are using the present opposition to the League in the United States for all it is worth. They are pointing out that, if a large volume of opinion in America is doubtful as to the advantages to be gained were the United States to join the League, it is not for such a small country as Switzerland to show the way. Strong pressure is being brought to prevent Switzerland from committing herself one way or the other until the issue in America is clearer.

I am informed that, a few days ago, there was even some doubt as to whether the Federal Council would not wait before taking a plebiscite on the question of the adherence of Switzerland to the League until the Five Great Powers had ratified the Treaty with Germany.

It is certain that the attitude taken by certain senators in America, with reference both to the Treaty with Germany and to the League of Nations, has brought grist to the mill of pro-Germans in this country.

I have forwarded a copy of this despatch to the Foreign Office.

I have, &c.,

HORACE RUMBOLD

P.S. The *Journal de Genève* of to-day's date states that the Committee of the National Council which has been examining the question of the adherence of Switzerland to the League of Nations rejected by a large majority various proposals having in view the adjournment of parliamentary debates on the subject, until the five Great Powers who founded the League have ratified the Paris Agreement. The Committee then pronounced itself, by seventeen to four votes, in favour of the entry of Switzerland into the League of Nations.

It is probable that the matter will come before Parliament during the second week of the session, i.e., on September the 22nd.

H. R.

## No. 127

*Record of a meeting in Paris on September 11, 1919, of the Committee on Organization of the Reparation Commission*

*No. 9 [Confidential/Germany/31]*

The meeting was opened at 10.30 a.m., M. Loucheur in the chair.

*Present:*

Mr. Dresel, Col. Logan (United States). Major Monfries, Mr. Waley (Great Britain). M. Loucheur, M. Mauclère, M. Jouasset (France).

M. d'Amelio, M. Ferrarris, Count San Martino (Italy). Col. Theunis, Major Bemelmans (Belgium).

... 2.[1] *Communication from the American Delegation regarding Dye Stuffs*

MR. DRESEL (United States) stated that he wished clearly to express the point of view of the American Delegation so as to avoid any misunderstanding. He had received a letter from Colonel Theunis in which the latter, as a consequence of the meeting of the C.O.R.C. on 4th September, 1919,[2] asked that the American delegate to the Inter-Allied Rhineland Commission should be informed that Germany would freely dispose of the 50% not submitted to the option on receipt of the inventories and without waiting for the Allied and Associated Powers to exercise their right of option. He regretted to have to state that he could not support Colonel Theunis' request. As a matter of fact, when the German Delegates proposed at Versailles to furnish inventories of the stocks in existence on August 15th, the American Delegation, and, he believed, the British Delegation also, specified that, while agreeing to receive the inventories, they had no intention of binding their Government in any way with regard to exercise of the option.

MAJOR MONFRIES (Great Britain) added that he earnestly desired to see France, Italy and Belgium obtain the dye stuffs which they needed. But the Treaty provided that the option should be exercised 60 days after coming into force and he did not consider that this date should be anticipated. Though it had been agreed that the German inventories of stocks might be taken provisionally on August 15th, the British Government had not yet definitely agreed to accept this date. He hoped that a settlement of the question might be reached at the Conference in London.[3]

THE CHAIRMAN answered that, as a general rule, it was best to wait as long as possible before exercising a right of option, but this particular case was different from the general rule. Apart from other considerations, it was right to take into consideration the urgent needs of France, Italy and Belgium, deprived of dye stuffs until the Allied Industry could supply them. Further, these nations were forced to buy dye-stuffs at high prices when the exercise of the right of option would enable them to acquire the same products at reasonable prices.

MR. DRESEL (United States) answered that, like Major Monfries, he wished to see France, Italy and Belgium obtain all the dye-stuffs which they needed—he had sent a cable to his Government laying special stress on the needs of these nations, and, like Major Monfries, he hoped that an agreement would be arrived at in London.

Passing to another point, Mr. Dresel reported that he had received a telegram from Coblenz which gave information on the control exercised by the Inter-Allied Rhineland Committee [? Commission] on the export of dye-stuffs. He asked whether we had the right of control and wished that the powers of the Inter-Allied Rhineland Committee might be defined.

[1] The preceding minutes recorded discussion of other matters.
[2] See No. 113.     [3] See No. 113, minute 16; also note 4 below.

THE CHAIRMAN answered that, unfortunately, the occupation gave us no right of control. This had been decided, partly on the proposal of the United States representatives. The obscurity of the question is principally the result of the existing situation which was neither war nor peace. The I.A.R.C. had been set up side by side with the General Staff of the Armies of Occupation and its decisions on the question of exportation were made without any real right. The German protests in this respect were not without some foundation.

In answer to Mr. Dresel's request for information concerning the powers of the I.A.R.C., MAJOR BEMELMANS reminded him that, a few months ago, in order to promote the resumption of Industry, before the I.A.R.C. existed and when only the Economic Sections were working under the authority of the Inter-Allied Economic Council of Luxemburg,[4] these had authorised the export of the daily production of the occupied territory. To determine this the Commission decided to take the inventories of January 15th as a basis, these inventories having been drawn up by the above mentioned Economic Sections.

But, as the manufacture of certain classes of dye-stuffs was not continuous, and the annual production of these classes was obtained in two or three weeks' work, the result was, if the export of the daily production was authorised, according to the time of year either to export none of these materials or to export the whole annual production.

This was the reason for the decision of the Sub-Committee on Germany of the Supreme Economic Council and later of the C.O.R.C. to authorise the export of part of the stocks of the occupied territories, especially an export of about 150 tons and another of 850 tons, both at open market prices.

THE CHAIRMAN pointed out that these thousand tons, subtracted from the existing stocks, diminished by 500 tons the quantity of those to which our right of option applies. And he added that this supply had been paid for at a high price when we could have had them at the option prices.

THE CHAIRMAN said, in conclusion, that nothing was to be gained by prolonging the discussion. He announced that Controller General Mauclère would represent France at the meeting in London,[5] and he asked Major Bemelmans to prepare a full statement of the point of view of France, Italy and Belgium.

... 11.[1] *Proposed answer to Herr Bergmann's letter of August 18th [28th] 1919 on the question of increasing the production of coal.* (See Annexe B. 73).[6]

MAJOR MONFRIES (Great Britain) asked that this draft should be submitted

[4] Cf. *Papers relating to the Foreign Relations of the United States: the Paris Peace Conference 1919*, vol. x, p. 150.

[5] At a meeting in London on September 15, 1919, the experts concerned recommended that France, Italy, and Belgium should be authorized to obtain their immediate needs in dyestuffs out of the dyes on which the Allied Powers had an option under annex 6 to part viii of the Treaty of Versailles, at prices not higher than those proposed by the German authorities in their lists of stocks at August 15: the proceeds to be credited to the reparation fund and the prices to be without prejudice to those payable for the remainder of the dyes under option. This recommendation was endorsed by the Committee on Organization of the Reparation Commission on September 17. For further negotiations concerning dyestuffs cf. No. 216.

[6] Annex below.

to the Finance Committee before being sent, although it had been drawn up according to the opinion of the Finance Committee. It was possible that inexactitudes which only financial experts would perceive might have been introduced in transcribing the report of the Finance Committee in the form of a letter to Herr Bergmann.

THE CHAIRMAN agreed that, in the present instance, the text of the draft should be submitted to the Finance Committee. But this procedure which involved a loss of time would often be useless if the Sub-Commissions, instead of giving their opinion in the form of reports gave it in the form of draft letters. If the drafts were accepted without modification by the Committee of Organisation of the Reparation Commission it would be superfluous to submit them again to the Sub-Commission.

M. D'AMELIO (Italy) asked in what form the 20 to 40% provided for would be placed at the disposal of Germany for the purchase of food, clothing etc. Are the Allied and Associated Powers going to export gold to Germany to a corresponding amount, or are they going simply to authorise Germany to dispose of her gold to cover these sums? In his opinion the first method should in no case be adopted.

THE CHAIRMAN answered that it was evident that the second method should be resorted to. In fact the Treaty gives *the right* to France, Italy and Belgium to receive certain quantities of coal without having to pay for them. There could be no question of altering this right, and the Treaty only provided for the power of the Reparation Commission to authorise Germany to dispose of part of her gold to cover the purchase of food, raw materials &c.

It was decided to ask for the opinion of the Finance Committee on the draft answer for Tuesday[7] at latest. . . .[8]

ANNEX TO NO. 127

*The President of the Organisation Committee of the Reparation Commission to the President of the German Delegation at the Peace Conference*

B. 73.

[*Draft*]

Mr. President,

I have the honour to inform you that the Organisation Committee of the Reparation Commission has taken note of the letter of August 29th [28th] 1919[9] of Under-Secretary of State Bergmann concerning the purchase of foodstuffs and raw materials intended to increase the production of the German mines.

The Committee noted, first, that by a letter No. 566[10] dated August 29th 1919, and thus later than the letter of Herr Bergmann, at present in question, Germany was authorised to sell or pledge the securities originally reserved for the food account and to dispose of the proceeds of the sale or of the loan for

[7] September 16, 1919.
[8] The ensuing minutes recorded discussion of other matters.
[9] See annex to No. 113.      [10] Not printed: see below.

the purchase of foodstuffs, without requiring to obtain beforehand the approval of the Allied and Associated Governments, and only on condition of later justification. This resource, on which Herr Bergmann was not yet in a position to count when he wrote his letter of August 28th, may amount to about £20,000,000. By allowing Germany the free disposal of this sum, which they would have been justified in retaining at the least until the settlement of the Food Account, the Allied & Associated Governments have given proof of their desire to facilitate to [sic] the provisioning of the German population.

Nevertheless, in consideration of the gravity of the coal problem, the committee considers that nothing should be neglected in order to increase production and that consequently it ought to taken [sic] into consideration the proposals made in Herr Bergmann's letter.

It therefore agrees that of the price of the coal which Germany is to deliver, and the whole value of which was to be placed to the credit of the Reparations account, two parts shall be made; one shall be placed to the credit of the said account and the other shall form a fund which Germany may use solely for the purchase of foodstuffs, clothing, or other objects necessary to improve the condition of the miners and to render possible an increase in production. It fixes the latter part at 20 per cent of the total of the monthly deliveries up to a maximum of 1,660,000 tons, and at 40 per cent of the total of any monthly deliveries in excess of this figure.

This decision is valid for three months and it is also laid down:

(1) That the credit thus placed at the disposal of Germany is a part of the price of the coal, that is to say, if it is a question of coal to be paid for in francs 20 or 40 per cent of the said francs as the case may be, without any stipulation as to whether it is a question of gold coinage or otherwise. Germany will be entirely free to use such francs for purchases directly payable in this currency or to employ them on the market to acquire any security necessary for the execution of its contracts.

(2) That this free account for Germany shall be credited as deliveries take place, but that the corresponding resources shall not be actually used until Germany has made use of the proceeds of the sale or pledging of the securities mentioned in letter No. 566 of August 29th 1919 and given the required justification as regards this use.

Accept the assurance of my high consideration.

## No. 128

*Mr. Urwick (Coblenz) to Sir R. Graham (Received September 16)*

*No. 30 [129783/105194/1150RH]*

COBLENZ, *September 12, 1919*

Sir,

I have the honour to acknowledge your endorsement No. 5 Commercial[1]

---

[1] Not preserved in Foreign Office archives.

509

(124065/X/1150) of 5th September enclosing copies of a Memorandum (No. 80914/19)[2] from the Department of Overseas Trade and of a letter,[2] dated 6th August from Sir H. Llewellyn Smith[3] to Mr. Waterlow both relating to the proposal to pool industrial information collected by the Allies through their Economic Sections in, or through their several Missions to, Occupied Germany.[4]

2. No further steps have been taken regarding this question by the Inter-Allied Rhineland Commission since those set forth in Sir Harold Stuart's despatch (No. Lux. 189)[5] of 5th July to Mr. Waterlow, and I have not heard of any replies being received from the Governments of the other Commissioners. The French are known to be hostile to any scheme of pooling information.

3. I am of opinion that there is no chance of coming to any arrangement if we cannot make all our information available and as both the Board of Trade and the Department of Overseas Trade have decided that it is impossible to pool the information collected by British Missions who have visited the occupied area, I think that the wisest course will be to let the subject drop.[6] Perhaps Mr. Waterlow will discuss the matter with Sir Harold Stuart who is in England at present.

It is to be hoped that the British Officers who have recently been attached to the Economic Sections at Aix-la-Chapelle, Crefeld, Coblenz, Mainz and Ludwigshafen will be able to collect information which was not available to the official Missions which visited these areas.

I have, &c.,
T. H. URWICK

[2] Not printed.   [3] Permanent Secretary to the Board of Trade.
[4] See Nos. 42 and 69.   [5] Not printed: see No. 42, note 1.
[6] In Foreign Office despatch No. 14 of September 8, 1919, to Coblenz, Mr. Urwick was informed that 'Lord Curzon concurs in this suggestion'.

## No. 129

### Mr. Gurney (Brussels) to Earl Curzon (Received September 15)
### No. 338 [129351/11763/4]

BRUSSELS, September 12, 1919

My Lord,

With reference to my Despatch No. 336[1] of the 10th instant I have the

[1] Not printed. This despatch (received September 15) reported certain minor incidents whereby 'the anti-Dutch feeling engendered in Belgium by the negotiations for the revision of the Treaty of 1839 has been somewhat accentuated. . . . In discussing these incidents Baron de Borchgrave [Acting Secretary-General of the Belgian Foreign Ministry] expressed considerable irritation at the attitude of the Netherland Government, and he went so far as to say that they seemed to be deliberately endeavouring to create a serious incident which would lead to the breaking off of the Paris negotiations. The Belgian Government, however, he said, did not intend to fall into the trap. They would return a civil reply to the last Dutch note [see below], and they had issued to the press a "mot d'ordre" enjoining them to observe the greatest possible reticence, and to avoid all acrimonious comments.'

honour to transmit herewith the text,[2] as published in the Press to-day without comment, of the reply returned by the Belgian Government to the last Dutch Note[3] in regard to the Circular issued to Belgian officials in Limburg.[4]

In this Note Monsieur Hymans states, in explanation of that Circular, that, although the Belgian Government had never put forward a formal claim to Dutch territory, they had felt justified in believing that the approval given by the Supreme Council on March 8th to the report of the Commission on Belgian Affairs[5] implied that the solution of the problems at issue might include modifications in the division made in 1839 between Belgium and Holland of the territories united in 1815 to form the Kingdom of the Netherlands. In any event on May 20, the date of the Circular, no limitation had been placed on the scope of the formulas destined to replace the Articles of the Treaty of 1839 which needed revision.

The Netherland Government were therefore mistaken in thinking that the ideas of the Belgian Government as shewn in the Circular were incompatible with the feelings of friendship and good understanding which existed between the two countries.

The terms of the Circular showed indeed that respect for the established authority was the principle which governed the instructions contained therein. There was no question of a secret attack on the rights of Holland and the special object in view was to counteract, within legitimate limits, the effects of German propaganda inimical to Belgian interests.

Monsieur Hymans goes on to say that he is happy to see that the Netherland Government proclaimed the theory that the relations between the Powers should be governed by high principles based on respect for right and reciprocal confidence. Not only, he says, had the Belgian Government always been actuated by these principles in her inter-national relations, but she had gone so far as to sacrifice everything in 1914 to put them into practice.

His Excellency concludes by stating that a disagreeable (*pénible*) impression had been produced by the publication of the Dutch Note of September 5[3] before he had been able to reply to it. 'Je m'élève' he says, 'vivement contre ce procédé peu conforme aux usages diplomatiques.'

Since writing my despatch above-mentioned[1] I have received Your Lordship's Despatch No. 310[3] (123910/W/4) of the 5th instant enclosing copy of Mr. Robertson's telegram No. 1397[6] of August 29. It is true that the Belgians have shown some irritation at what they regard as the unreasonable and uncompromising attitude of the Dutch, but it cannot, I think, be fairly said that public opinion is excited. The Press have been studiously moderate in tone, with the exception perhaps of the *Nation Belge*, which has published some rather sensational headlines, and the *Soir*, and there has been no public manifestation of popular feeling.

In Belgium, as in other countries, there exists a set of hot-headed enthusiasts. They are represented here by the Comité de Politique Nationale, who

[2] Not printed: see below.  [3] Not printed.  [4] See No. 83 and No. 90, note 2.
[5] See No. 39, note 9.  [6] No. 102.

have issued posters clamouring for an extension of Belgian territory. As stated, however, in Mr. Robertson's telegram,[6] the Committee does not reflect the views of probably more than five per cent of the population who are, I believe, as a whole content to support the policy of the Belgian Government. As Your Lordship is aware from the proceedings of the Paris Conference of the actual Belgian demands, I will not recapitulate them in detail. I need only say that they do not include the acquisition of territory at the expense of Holland.

As regards the possibility of the forcible occupation of Dutch territory, I may state that a report reached me some time ago that rumours of an intention on the part of the Belgians to invade Limburg were current at The Hague. The Military Attaché, who enquired into the matter, formed the opinion that there were no indications pointing to the likelihood of such an eventuality. As the report was inherently improbable and such a *coup de main* was so obviously contrary to Belgian interests, I did not think it necessary to report the circumstances to Your Lordship at the time.

I am forwarding copies of this Despatch to Mr. Balfour and Mr. Robertson.

I have, &c.,

HUGH GURNEY

## No. 130

*Sir G. Grahame (Paris) to Earl Curzon (Received September 17)*

*No. 897 [130125/4187/4]*

PARIS, *September 13, 1919*

My Lord,

I had the honour to inform your Lordship, by my telegram No. 1016, Confidential,[1] of to-day's date, of the view expressed to me by M. Berthelot, Political Director of the Ministry for Foreign Affairs, with regard to the desire of the Belgian Minister to the Vatican that His Majesty's Chargé d'Affaires should support him in the matter of the nomination of the Reverend Dr. Huart to the Bishopric of Luxemburg.

M. Berthelot, who was in a communicative mood, discoursed to me for some time on the more general aspect of the Luxemburg question. He said that were there to be a referendum in the country, either on the subject of whether there should be an economic union or a political union with Belgium or France, the French Government were convinced that at least 80 per cent. of the Luxemburg people would vote for an economic union with France and more still for a political union. The French Government, however, did not mean to encourage either of these movements, for they did not consider that the interests of France lay in that direction. They had, therefore, met overtures from Luxemburg 'with folded arms'. They were much more interested in arriving at a satisfactory arrangement with Belgium about Franco-Belgian economic questions, and M. Klotz, Minister of In-

[1] Not printed.

dustrial Reconstruction, and M. Clémentel, Minister of Commerce, had been engaged in negotiating such an arrangement. (At this point M. Berthelot observed that, as usual, France had come off badly, as was now invariably the case in all matters big or small.) He went on to say that the Belgians were very touchy and suspicious about the question of Luxemburg; they probably desired a personal union between Belgium and Luxemburg through the acceptance of the Crown by King Albert. The Luxemburg people, however, would, no doubt, prefer their own dynasty. The clergy were determined at any rate to combat the establishment of a republic. The state of the country was deplorable. The Luxemburg Government did not dare to create an army of its own, being afraid of Bolshevism among the troops, not to speak of the remnant of pro-German military proclivities. In general, according to M. Berthelot, France took only a moderate interest in this little country of only 200,000 inhabitants except on one point, and as to that he spoke strongly. France must and would have the exploitation of the 'Guillaume–Luxemburg' railway system. She had lost it after 1870 and she regained it under the Treaty of Versailles. This system was of great importance to France. The lines from Lorraine joined on to it, and it converged north-westward and northward into Belgium and eastward to Treves. This latter branch was of particular importance, as coal from the Ruhr basin in Germany would come to France that way. There were also strategic reasons why France must control this system. At the present moment France had 120 soldiers in Luxemburg. The French Government would prefer an international occupation. This handful of soldiers was, however, necessary for the moment in the general interest and even in that of the Luxemburg Government.

The general impression left on my mind by M. Berthelot's remarks was that the French were most anxious not to compromise more important French interests by allowing a controversy to arise with Belgium over the question of Luxemburg, and that the exploitation of the 'Guillaume–Luxemburg' railway system would give them all that they wanted from an economic and military point of view.

I have, &c.,
GEORGE GRAHAME

## No. 131

*The Belgian Ambassador in London to Earl Curzon (Received September 16)*

*No. 5713 [129846/4187/4]*

AMBASSADE DE BELGIQUE, LONDRES, *le 15 septembre 1919*

Milord,

1° Au cours de l'entretien que j'ai eu l'honneur d'avoir dernièrement avec Votre Seigneurie,[1] j'avais insisté sur l'importance qu'attache mon Gouvernement à ce que le Grand Duché de Luxembourg, tant qu'il se

[1] See No. 122.

montrera peu disposé à une union complète avec la Belgique, garde son autonomie.

A l'effet d'assurer cette autonomie, la Belgique s'est déclarée prête à conclure avec le Grand Duché une union économique accompagnée d'autres arrangements destinés à rétablir les finances luxembourgeoises qui sont depuis la Guerre dans un état des plus précaire[s].

Le rapprochement des deux Pays aurait donc un caractère plus intime qu'une simple union douanière tout en laissant intacte l'autonomie du Luxembourg.

2° Par les déclarations répétées de ses représentants autorisés, le Gouvernement Français avait donné au Gouvernement Belge l'assurance que cette politique aurait son appui.

Mon Gouvernement a donc prié le Gouvernement Français de notifier au Gouvernement Luxembourgeois, conformément à la promesse qu'il en avait faite, que la France ne désire pas conclure une union économique avec le Grand Duché, et qu'elle l'engage à se tourner vers la Belgique.

M. le Ministre des Affaires Etrangères de Belgique a signalé au Gouvernement de la République la nécessité de procéder d'urgence à cette démarche. En effet la Chambre Luxembourgeoise est convoquée pour le 16 septembre afin de fixer la date du Referendum qui doit décider de quel côté se tournera la politique économique du Grand Duché et il sera proposé de procéder à ce referendum le dernier dimanche de septembre.

Le Gouvernement du Roi serait donc fort reconnaissant au Gouvernement de Sa Majesté Britannique s'il consentait à appuyer sa démarche auprès du Gouvernement Français afin que celui-ci fasse sans tarder à Luxembourg la déclaration promise.

3° Il est vrai que M. Clemenceau, ainsi que j'ai eu l'honneur de l'expliquer à Votre Seigneurie, avait parlé de subordonner cette déclaration à l'acquiescement par la Belgique à l'exploitation du Chemin de fer Guillaume-Luxembourg par la Compagnie de l'Est Français, mais M. le Ministre des Affaires Etrangères de Belgique a expliqué au Gouvernement Français que cette condition est inacceptable.

L'exploitation du réseau luxembourgeois par une Compagnie française neutraliserait tous les avantages d'une union économique intime entre la Belgique et le Grand Duché.

Mon Gouvernement, confiant dans la loyauté du Gouvernement de la République espère donc que celui-ci ne maintiendra pas son exigence.

4° D'autre part le Corps Electoral Luxembourgeois est hors d'état d'apprécier dans ce moment les éléments divers de la question sur laquelle on veut l'appeler à voter. — Il est donc exposé à prendre une décision qui mènerait à une situation insoluble.

C'est pourquoi le Gouvernement Belge a conseillé au Gouvernement Grand Ducal de remettre à une date postérieure le referendum sur la question économique. — Si le Gouvernement Britannique jugeait possible d'intervenir dans le même but à Luxembourg, mon Gouvernement lui en serait particulièrement reconnaissant.

5° Votre Seigneurie se rendra facilement compte qu'il est du plus haut intérêt pour le Gouvernement de Sa Majesté Britannique que l'Union intime économique entre la Belgique et le Grand Duché devienne un fait accompli. — En effet, si le Luxembourg s'orientait ailleurs que vers la Belgique, il pourrait en résulter un encerclement qui ne serait pas sans danger.

Au point de vue économique, la Grande-Bretagne aurait aussi un grand avantage à ce que le réseau luxembourgeois soit exploité par l'Etat Belge.

Celui-ci exploite en effet ses lignes dans des conditions de bon marché bien meilleures que ne le font les Compagnies Françaises et par conséquent il pourrait appliquer aux expéditions de la Grande-Bretagne vers la Suisse et l'Italie et l'Europe du Sud Est un tarif qui favoriserait dans une large mesure les exportations du Royaume-Uni vers ces Pays par un Service de transit par les Chemins de fer Belges et ceux du Luxembourg qui en sont le prolongement.

En soumettant les considérations qui précèdent au bienveillant examen de Votre Seigneurie, je saisis etc.

Bⁿ. Moncheur

## No. 132

*Record of a meeting in Paris of the Commission for the revision of the Treaties of 1839*

No. 9 *[Confidential/General/177/9]*

*Procès-verbal No. 9. Séance du 16 septembre 1919*

La séance est ouverte à 16 heures, sous la présidence de M. Laroche, *Président.*

*Sont présents:*

M. Fred K. Neilson (*États-Unis d'Amérique*); le Général H. O. Mance et le Colonel Henniker (*Empire britannique*); MM. Laroche et Tirman (*France*); le Professeur Dionisio Anzilotti (*Italie*); le Général Sato et le Professeur K. Hayashi (*Japon*); MM. Segers et Orts (*Belgique*); le Jonkheer R. de Marees Van Swinderen et le Professeur A. Struycken (*Pays-Bas*).

*Assistent également à la séance:*

L'Amiral McCully et le Colonel Embick (*États-Unis d'Amérique*); le Lieutᵗ-Colonel Twiss, le Capitaine de frégate Macnamara et M. Bland (*Empire britannique*); le Capitaine de Vaisseau Le Vavasseur, le Lieutᵗ-Colonel Réquin et M. de Saint-Quentin (*France*); le Capitaine de corvette Ruspoli (*Italie*); le Lieutᵗ-Colonel Galet et le Major Van Egroo (*Belgique*); le Baron de Heeckeren, le Colonel Van Tuinen, le Capitaine de Vaisseau Surie, le Lieutᵗ-Colonel de Quay et le Lieutenant Carsten (*Pays-Bas*).

Le Président. Messieurs, nous avons à nous occuper aujourd'hui des questions qui ne sont pas d'ordre économique. Nous pourrions, si vous le voulez, pour déblayer le terrain, commencer par une question territoriale, qui est celle de Baerle-Duc.

*Question de Baerle-Duc.*

Il nous a semblé, d'après l'exposé de M. Van Swinderen,[1] qu'un accord paraissait très probable, pour ne pas dire certain, entre les deux Délégations sur cette question. Les Délégués des grandes Puissances, qui ont échangé leurs vues sur les questions territoriales et militaires, n'ont pas cru, en conséquence, devoir s'arrêter à ce problème ni envisager, en ce qui le concerne, une solution particulière, pensant que les deux parties pourraient peut-être d'abord en conférer ensemble directement. Je rappelle que M. Van Swinderen avait dit que cette question devait être réglée, et que la Hollande ne se prévaudrait pas, dans ce cas, de la clause du non transfert de souveraineté.

Dans ces conditions, je ne puis que demander au premier Délégué hollandais s'il juge que les choses sont suffisamment au point pour qu'une formule commune puisse être établie directement entre les deux Délégations à ce sujet.

M. Van Swinderen (*Pays-Bas*). Je n'ai rien à ajouter à ce que j'ai dit à ce propos dans mon exposé. Je n'ai entretenu, à La Haye, aucun membre de mon Gouvernement de cette affaire. Je le répète, je crois que, toute compliquée que soit cette question, son règlement ne rencontrera pas d'obstacle de la part du Gouvernement hollandais. Il me semble que ce sera l'opinion de MM. Segers et Orts; j'ignore s'ils ont, eux, conféré avec leur Gouvernement au sujet de cette affaire. En tout cas, je n'ai rien à ajouter à ce que j'ai déjà dit.

Le Président. Le sens de mon intervention était le suivant: je pensais que vous pourriez trouver, au besoin après avoir pris les instructions de vos Gouvernements, le moyen de vous mettre d'accord entre vous sur une formule, sans que nous ayons à émettre un avis préalable, quitte à le faire si vous en éprouviez le besoin. Mais il me semble que la question est d'un règlement assez aisé, et ne nécessite pas dès maintenant notre intervention.

M. Orts (*Belgique*). Vous vous rappelez que nous avions proposé que cette question fît l'objet d'un échange de vues entre les Délégations belge et néerlandaise. Nous sommes prêts à en discuter avec nos collègues néerlandais aussitôt qu'ils seront prêts à nous répondre; nous nous rallions donc à votre manière de voir. Je dois, cependant, faire observer qu'à la suite de la résolution du 4 juin,[2] le Gouvernement belge s'est attaché à rechercher pour toutes les questions soulevées par la révision des Traités de 1839 des solutions ne comportant pas de transfert de souveraineté.

Le Président. C'est exact; seulement, je rappelais les paroles de M. Van Swinderen, qui estimait que son Gouvernement n'invoquerait pas cette exclusion de tout transfert de souveraineté, dans ce cas particulier, et je pensais que peut-être ce serait le moyen d'arriver à un accord.

Quoi qu'il en soit, je demande à M. Van Swinderen s'il est disposé à de-

[1] See No. 81.　　　　　　[2] See No. 39, note 1.

mander au Gouvernement néerlandais les autorisations nécessaires pour étudier le règlement de cette question, et à nous faire connaître, d'ici quelque temps, sous quelle forme on envisage le règlement d'un commun accord.

M. Van Swinderen (*Pays-Bas*). Monsieur le Président, il n'est peut-être pas superflu que je complète ce que j'ai dit le 20 août[1] à propos de cette cession éventuelle de territoire. J'ai dit que je croyais être sûr — et je le suis encore — que le Gouvernement néerlandais ne se prévaudra pas de cette clause de la résolution du 4 juin[2] pour rejeter tout de suite une solution qui serait basée sur une cession de territoire; mais cela ne veut pas dire que pour cela il se rallie d'avance à toute proposition qui suppose une cession de territoire.

Le Président. Bien entendu.

M. Van Swinderen. Seulement, je ne crois pas que le Gouvernement néerlandais réponde au Gouvernement belge: 'Cette proposition est hors de question, parce qu'elle inclut une cession de territoire, ce que vous interdit la résolution de juin.'

Le Président. J'ai bien compris que, dans le cas où l'on jugerait que c'est la seule manière de résoudre le problème, vous ne feriez pas d'objection à envisager un règlement comportant cession de territoire.

Je répète la question que je posais à M. Van Swinderen, à savoir s'il veut bien demander à son Gouvernement les instructions nécessaires pour entamer des conversations à cet égard, et examiner avec les Délégués belges les différentes solutions que pourrait comporter cette affaire.

M. Van Swinderen (*Pays-Bas*). Volontiers, Monsieur le Président.

Le Président. Nous attendrons donc d'être mis, par les deux Délégations, au courant de leurs entretiens.

*Neutralité per-* Nous abordons maintenant la question capitale, puisque
*pétuelle de la* c'est celle dont dépendent toutes nos délibérations, je veux
*Belgique.* dire la neutralité perpétuelle de la Belgique.

A cet égard, la Délégation hollandaise nous a fait savoir que le Gouvernement néerlandais ne s'opposait pas à la demande de la Belgique. Les Délégués des grandes Puissances estiment tous, conformément d'ailleurs aux décisions précédentes des Gouvernements alliés et associés, que la clause de la neutralité perpétuelle doit disparaître du statut de la Belgique. La Commission est donc unanime sur ce point: cette clause doit disparaître forcément, puisqu'elle ne joue plus, l'Allemagne en ayant démontré l'inefficacité.

Cela comporte certaines conséquences sur lesquelles je ne m'étendrai pas longuement. La neutralité perpétuelle était à la fois pour la Belgique une servitude et une garantie. Une servitude, parce qu'elle lui imposait des obligations qui limitaient sa souveraineté; une garantie, parce qu'elle lui donnait une sécurité qui, pendant longtemps, a été réelle, jusqu'au jour où elle est devenue trompeuse, du fait d'une des Puissances garantes. Quoi qu'il en soit, cette garantie a fonctionné pendant très longtemps et a influencé grandement la politique belge, notamment sa politique militaire.

Les Délégués des grandes Puissances estiment donc que si on se bornait purement et simplement à supprimer en droit une garantie, que les faits ont démontrée inopérante, on aboutirait évidemment, en rendant sa liberté à la Belgique, à ne rien lui donner qui puisse remplacer complètement la sécurité qu'elle trouvait dans la neutralité perpétuelle. L'instabilité de la paix générale se trouverait ainsi augmentée, et les Puissances alliées et associées, parmi lesquelles deux sont garantes de la neutralité de la Belgique, estiment qu'elles ne pourraient moralement mettre leur signature au bas d'un traité de révision abolissant la neutralité de ce pays, sans que la Belgique reçoive d'autres garanties qui viennent en quelque sorte remplacer les anciennes, ou plutôt qui viennent parer aux inconvénients devant résulter pour elle de la suppression pure et simple de la neutralité perpétuelle.

Telles sont les considérations qui ont motivé, de la part des Délégués des grandes Puissances, l'examen qu'ils ont fait de la question.

Les Délégués des grandes Puissances ont, en conséquence, été d'avis qu'il y avait lieu d'examiner les moyens de donner à la Belgique, pour l'avenir, des garanties militaires qui aient pour effet, non pas de repousser une invasion comme celle qu'elle a subie en 1914, mais de la prévenir, dans toute la mesure du moins, des possibilités humaines; de faire en sorte que toutes les précautions possibles aient été prises pour éviter une invasion. Ils ont même estimé qu'on avait d'autant plus de chances d'empêcher la tentative même d'invasion qu'on aurait fait tout le possible pour se mettre en mesure de l'arrêter, le cas échéant, par les moyens militaires. Telle est la base sur laquelle nous avons étudié entre nous la question.

Avant de poursuivre, je voudrais poser de nouveau quelques questions à la Délégation hollandaise. Il y a d'abord la question de l'Escaut.

*Question de l'Escaut.* Pour l'Escaut, il y a un point qui m'a frappé personnellement: c'est le récit qui nous a été fait par la Délégation belge de l'intervention qui s'est produite à La Haye en 1914 au sujet de la possibilité pour la Hollande de laisser entrer dans l'Escaut la flotte anglaise alors non belligérante et, ensuite, de son intention d'arrêter l'entrée de la flotte anglaise belligérante.[3] A cet égard, je voudrais poser à M. Van Swinderen la question suivante: l'idée de la Hollande était bien que l'Angleterre, comme Puissance garante, pouvait faire entrer sa flotte dans l'Escaut avant de devenir belligérante; mais que serait-il arrivé si, une fois cette flotte entrée, l'Angleterre était devenue belligérante, soit parce que les canons allemands auraient tiré sur elle, soit parce que l'Angleterre, à la suite de la violation de la Belgique, aurait déclaré la guerre à l'Allemagne, sa flotte se trouvant déjà dans l'Escaut?

M. VAN SWINDEREN (*Pays-Bas*). Monsieur le Président, je crois que vous me comprendrez si je dis qu'il m'est non seulement très difficile, mais même absolument impossible de donner une réponse à cette question. Le Gouvernement de 1914 a fait cette distinction très subtile entre l'Angleterre, Puissance garante belligérante, et l'Angleterre, Puissance garante non belligérante. C'est une interprétation d'une grande subtilité, qui a été très critiquée jusque dans le pays lui-même et qui a encore de nos jours ses partisans, mais

---

[3] Cf. No. 58.

aussi ses adversaires. Je ne sais même pas quel est le sentiment du Gouvernement actuel sur ce que le Gouvernement de 1914 a jugé bon de décider à cet égard.

Le Président. Cela, c'est le passé; je n'y reviendrai donc pas. D'ailleurs, la garantie de la Belgique se trouvant supprimée, cette question d'interprétation ne se poserait plus dans l'avenir, au cas d'une nouvelle guerre où l'Angleterre viendrait au secours de la Belgique, étant bien entendu que j'exclus l'hypothèse, la plus vraisemblable d'ailleurs, où la Hollande ferait partie, comme la Belgique, de la Société des Nations. La question que je posais avait simplement pour but d'épuiser toutes les solutions possibles du problème.

Messieurs, les Délégués des grandes Puissances ont étudié avec beaucoup de soin cette question de l'Escaut, ainsi que les demandes belges tendant à obtenir d'une part le droit de passage des navires de guerre belges et alliés, pour les transports de troupes, de munitions, d'approvisionnements ou de prises, et d'autre part le droit d'appuyer la défense de la Belgique sur tout le cours du Bas-Escaut.

Je dois dire qu'après un examen approfondi, les Délégués des grandes Puissances ont estimé qu'il y avait deux hypothèses à envisager. Quand je dis 'les Délégués des grandes Puissances', je me réfère simplement à un échange de vues à la suite duquel nous sommes tombés d'accord. Mais il ne s'agit pas pour nous de constituer en quelque sorte une troisième partie en jeu. Je me fais ici l'interprète du sentiment unanime de mes collègues, simplement pour la clarté des débats et pour gagner du temps.

Nous avons donc jugé qu'il y avait deux hypothèses: la plus vraisemblable est celle d'une Belgique et d'une Hollande faisant partie toutes deux de la Société des Nations. Dans ce cas, nous avons estimé que la question était réglée d'avance, puisque la Hollande et la Belgique se trouveraient, si l'une d'elles était attaquée, combattre pour la même cause.

Si, au contraire, tel n'est pas le cas, je dois dire, m'adressant à la Délégation belge, que nous avons tous été unanimes, d'accord avec nos experts militaires et navals, pour estimer que le maintien de la situation actuelle constituait la meilleure garantie pour la Belgique et pour les Alliés de la Belgique. Nous nous sommes basés d'abord sur la résolution du 4 juin,[2] qui exclut toute création de servitude internationale. Si même le terme de 'servitude internationale' est discutable en l'espèce, il est incontestable que ce serait une atteinte à la souveraineté de la Hollande que d'autoriser la Belgique à faire passer ses navires de guerre sur l'Escaut et à appuyer sa défense sur la rive du Bas-Escaut. Ce serait une situation sans précédent dans le droit international, et qui engendrerait des conséquences impossibles à prévoir. En outre, au point de vue militaire et naval, tous nos experts ont été d'accord pour estimer que la situation actuelle, d'après les leçons de la guerre et ce qu'on peut prévoir des guerres futures, constituerait, dans le cas où la Hollande ne ferait pas partie de la Société des Nations, la meilleure des garanties pour la Belgique.

Je dois à la vérité d'ajouter que, si j'arrêtais là l'exposé de notre point de vue, il ne serait pas complet, car il est intimement lié aux propositions que nous aurons à faire en ce qui concerne la défense de la Meuse. Notre sentiment relativement à la défense de l'Escaut, tel que je viens de l'exprimer, a comme corollaire étroit le sentiment que nous exprimerons, le moment venu, sur les garanties à donner à la Belgique quant à la défense de la Meuse.

J'aborde maintenant la question du port d'Anvers. La Belgique demande l'abrogation de l'Article 14, qui interdisait la formation d'un *Port d'Anvers.* port de guerre à Anvers. La Délégation néerlandaise a fait connaître que son Gouvernement ne s'opposait pas à cette abrogation, si les grandes Puissances la demandaient. Les Délégués des grandes Puissances ont été unanimes à demander que cette interdiction soit abrogée. Ils estiment que c'est une servitude internationale, au premier chef, qu'on a imposée à la Belgique, et qu'il est juste et en même temps utile de faire disparaître cette servitude.

Seulement, nous serons amenés à demander au Gouvernement néerlandais comment il envisage l'application de cette disposition, c'est-à-dire comment il conçoit le fonctionnement d'Anvers comme port de guerre, en tant que cela comportera le passage de navires de guerre belges sur l'Escaut. Il s'agit, bien entendu, du passage des navires de guerre en temps de paix. Je ne parle pas de l'hypothèse où la Hollande et la Belgique, étant en guerre aux côtés l'une de l'autre, comme membres de la Société des Nations, le port d'Anvers deviendrait par cela même une base commune pour elles et leurs alliés. Je parle des conséquences qu'entraînera l'abrogation de l'Article 14, en ce qui concerne l'accès du port d'Anvers aux navires de guerre belges en temps de paix.

Je pense, Messieurs, qu'il est préférable que je poursuive cet exposé jusqu'au bout, quitte à reprendre ensuite une à une les diverses questions. (*Assentiment.*)

J'arrive à un point que les Délégués des grandes Puissances ont été unanimes à considérer comme étant d'une importance capitale, parce que c'est le point sensible par excellence, *Défense du* celui qui touche directement non seulement la Belgique, *Limbourg et de la* mais tous les États représentés ici, et qui est d'une valeur *Meuse.* essentielle pour le maintien de la paix. Tout le monde est d'avis que, dans la situation où se trouve actuellement le Limbourg, cette région est désignée d'avance aux attaques de l'Allemagne, en application du raisonnement que les Allemands ont fait en 1914, comme nous l'a exposé la Délégation belge, et qui constitue d'ailleurs, pour ainsi dire, un processus historique.

En 1870, les Allemands ont respecté la neutralité belge, parce qu'ils nous ont attaqués sur notre frontière de Lorraine dans des conditions où ils savaient pouvoir facilement la violer. En 1914, ils se sont gardés de nous attaquer sur la frontière de Lorraine et d'Alsace, parce qu'ils savaient qu'instruits par l'expérience nous avions préparé sa défense. En conséquence, ils ont reporté leur attaque plus au Nord sur la Belgique. La prochaine attaque allemande ne se fera évidemment ni sur la frontière française du

Rhin, qui est difficilement attaquable, ni même sur notre frontière recouvrée de Lorraine, parce que nous aurons pris nos précautions en conséquence et que nous venons d'hériter des immenses retranchements qu'y avaient construits les Allemands, ni sur le Luxembourg, parce qu'ils supposeront que toutes les précautions seront prises de ce côté. Les Allemands referont donc, s'ils veulent attaquer, le raisonnement qu'ils ont fait en 1914, c'est-à-dire qu'ils iront chercher un territoire moins défendu, et même moins défendable, surtout si on n'a pas préparé sa défense, et c'est par là qu'ils chercheront à atteindre la Belgique, pour atteindre à travers elle la France et l'Angleterre; car il est bien vraisemblable que l'Allemagne ne fera jamais la guerre à la Belgique ni à la Hollande seules, mais uniquement pour atteindre à travers elles les grandes Puissances occidentales, en vue de chercher ainsi à se libérer du Traité de Versailles et à reconquérir son hégémonie.

Si l'Allemagne avait été sûre que la Belgique ne comptât pas sur sa neutralité perpétuelle et s'attendît à la voir violée, si elle avait été sûre que la France eût organisé un plan pour venir immédiatement au secours de la Belgique, au lieu de faire, sur la foi des traités, toute sa mobilisation sur la frontière des Vosges, il est fort probable qu'elle n'aurait pas attaqué la Belgique en 1914 là où elle l'a attaquée, et qu'elle aurait attaqué, soit le Limbourg, soit la France elle-même directement, pour éviter une concentration excentrique, avec tous les risques qu'elle comportait.

Or, demain, la situation sera modifiée. En 1914, il était nécessaire et suffisant pour l'Allemagne de violer la Belgique. Dans l'année X . . .,[4] il pourra être nécessaire, mais non suffisant pour elle d'attaquer la Belgique, et elle pourra être entraînée également à viser la Hollande, comme voie d'accès vers la Mer du Nord. On peut donc répéter que, plus on sera préparé à cette hypothèse, et moins on aura de chances de voir se produire une attaque de la part de l'Allemagne. D'autant plus qu'il y a un élément qu'il ne faut pas négliger: c'est que l'Allemagne est actuellement, en vertu du Traité de Versailles, éloignée militairement de la frontière belge et hollandaise, comme de la frontière française. Au point de vue militaire, elle est rejetée de l'autre côté du Rhin; elle est soumise à des servitudes militaires. Si elle est assurée de trouver un point qui offre une faible résistance et d'arriver à le forcer avant que les Alliés aient le temps d'organiser leur défense, elle le fera. Si, au contraire, elle sait que sur ce point elle rencontrera une résistance telle que ses adversaires auront ainsi le temps de se grouper en arrière, elle ne franchira pas la distance relativement considérable qui, de par le Traité, l'en sépare, pour aller s'exposer inutilement à un grave échec, et il y a de grandes chances pour qu'elle se tienne tranquille ou du moins pour qu'elle cherche ailleurs un théâtre d'opérations où exercer son avidité.

Ces considérations nous ont amenés à examiner tout particulièrement cette question et à conclure que, selon toutes probabilités, si les choses restaient dans l'état où elles sont actuellement au point de vue militaire, c'est la Hollande qui serait l'objet de la prochaine agression de l'Allemagne. Tel est le résultat de nos travaux et telle est la base sur laquelle nous avons raisonné,

[4] Punctuation as in original.

en partant de cette idée que l'intérêt de la Belgique, celui des Puissances alliées et associées et celui de la Hollande sont identiques en pareil cas.

Seulement, il est nécessaire de distinguer ici entre une considération générale et une considération particulière. En d'autres termes, nous avons à examiner une situation particulière qui est celle du Limbourg. Voici pourquoi : c'est que, dans les autres cas, il y a une frontière plus ou moins défendable que chacun peut organiser, tandis que par sa situation géographique — tous nos experts sont d'accord sur ce point — le Limbourg n'est pas défendable par ses propres moyens, tels qu'ils existent actuellement, contre une forte armée d'invasion.

Je dois dire que, même si nous ne connaissions pas les intentions du Gouvernement néerlandais qui nous ont été exposées ici, nous aurions la conviction que le Gouvernement hollandais ne peut pas ne pas être résolu à défendre le Limbourg, car ce serait livrer la ligne de la Meuse aux Allemands, et par conséquent, laisser submerger la Belgique. Or, l'invasion de la Belgique, dans une guerre future, serait beaucoup plus grave pour la Hollande que ne l'a été l'invasion de 1914. De même que l'Angleterre, si elle n'était pas venue au secours de la France en 1914, aurait couru le risque de se voir écrasée à son tour par l'Allemagne, de même lors d'une guerre future, les États voisins de la Belgique qui la laisseraient submerger risqueraient d'être eux aussi recouverts par le flot germanique.

Mais ce problème ne s'est pas posé à nous, puisque le Gouvernement hollandais nous a fait dire, par l'intermédiaire de sa Délégation, que toute violation, où qu'elle se produisît, serait considérée par lui comme un *casus belli*, et que le Limbourg serait défendu.

Le Limbourg sera défendu : c'est là une déclaration extrêmement importante, parce qu'elle nous met tout à fait à l'aise pour parler de cette question avec le Gouvernement néerlandais. Nous l'aurions fait de toute façon, comme je viens de l'expliquer, mais nous pouvons maintenant en parler plus librement. Le Limbourg sera donc défendu ; mais comment ? Est-il défendable ? Si l'on s'en tient à une défense du Limbourg par les seuls moyens du Gouvernement néerlandais, c'est-à-dire à une défense purement locale, tous nos experts militaires ont été absolument unanimes à déclarer qu'elle ne peut pas être considérée comme sérieuse. La défense du Limbourg ne peut pas être assurée par des troupes qui sont exposées à se voir coupées de leur pays en quelques heures. Elle n'est possible que si ces troupes ont leurs communications assurées vers l'Ouest, c'est-à-dire en territoire belge. Cette constatation évidente montre à elle seule qu'un accord est indispensable entre les deux pays directement intéressés. J'ajoute d'ailleurs que la défense du Limbourg suffira à entraîner la Hollande dans la guerre : on ne l'aperçoit pas défendant le Limbourg et restant neutre. Elle se trouve donc engagée dans la guerre. Par conséquent, elle peut être tentée de se dire : 'Eh bien, en défendant le Limbourg, nous faisons acte de loyauté ; cela suffit à nous engager dans la guerre, et nous n'avons pas besoin de nous préoccuper davantage du Limbourg. Si nous avons là quelques troupes, elles se retireront en territoire belge, qui sera territoire allié, et nous reprendrons la campagne sur d'autres plans.'

Mais il n'y a qu'un dommage : c'est que, dans ces conditions, la ligne de la Meuse, qui est derrière, risque d'être forcée. Or, le forcement de la Meuse, c'est l'encerclement de la Hollande, sa mise hors de cause, et c'est en même temps une menace de mort pour la Belgique.

C'est pourquoi les Délégués des grandes Puissances, à l'unanimité, ont pensé qu'il était indispensable que l'intention, la volonté du Gouvernement néerlandais fût mise en face de ces réalités, et qu'un plan fût concerté entre les États-majors belge et hollandais pour établir les conditions de la défense du Limbourg et l'appui que la Hollande pourrait trouver du côté belge.

Il ne s'agit pas, bien entendu, d'admettre des troupes belges sur le territoire néerlandais, en temps de paix, mais il s'agit de prévoir dès le temps de paix un certain nombre de dispositions, qui devraient d'ailleurs être dans l'avenir adaptées aux progrès de l'art militaire, et qui, le jour où une tentative serait faite contre le Limbourg hollandais, permettraient à la Hollande de trouver la défense du Limbourg facilitée, et à la Belgique de trouver dans l'existence de ce plan le moyen d'orienter sa défense de ce côté et de prendre les dispositions nécessaires à cet égard, d'accord avec ses Alliés.

Voilà donc la base de notre conception. Cette étude, nous l'avons faite ayant deux hypothèses en vue : 1º La Hollande fait partie de la Société des Nations, ainsi que la Belgique. Dans ce cas, tout est facilité : au sein même de la Société des Nations, les accords militaires peuvent être élaborés. 2º Mais au cas même où la Hollande ne ferait pas partie de la Société des Nations, ou en sortirait — on ne sait pas quel sera l'avenir de la Société des Nations, et il nous faut tout prévoir — même dans le cas où la Hollande ne ferait pas partie de la Société des Nations, le plan concerté serait nécessaire, et alors il devrait être établi directement entre les deux Gouvernements.

Quels sont les détails de ce plan ? Je n'entrerai pas pour le moment dans l'étude qui a été faite ici même par les Délégués techniques ; je leur laisserai d'ailleurs, le cas échéant, le soin d'exposer eux-mêmes leurs idées à cet égard. Ces idées pourront être discutées, car en matière militaire chacun a ses théories. Mais il apparaît que le principe en lui-même est indiscutable et que nous y verrions la certitude d'une garantie de paix très grande. Car, bien entendu, cela ne peut pas faire l'objet d'accords secrets ; les détails militaires, sans doute, seront secrets comme cela est nécessaire, mais l'existence même du plan doit être connue publiquement. Étant connu, le plan a beaucoup plus de chances de produire l'effet attendu, qui est de décourager l'Allemagne.

Il ne s'agit pas du tout d'une alliance entre la Hollande et la Belgique. Mais que l'Allemagne sache que, le jour où elle essaierait de violer le Limbourg hollandais, parce qu'elle penserait trouver là un point de passage rapide et difficile à défendre, ce point sera automatiquement défendu grâce à un plan concerté entre la Hollande et la Belgique. Voilà ce qui, à nos yeux, est indispensable, tout autant pour la Belgique et la Hollande, que pour les autres Puissances qui désirent éviter les maux de la guerre à tout cet ensemble d'États.

Ce que je viens de vous exposer est le résultat unanime de l'opinion de nos experts militaires. Certains d'entre eux ont même estimé qu'il pourrait être utile de donner à ces accords une forme spéciale, en tenant compte du fait que le Traité de Versailles confère aux Puissances alliées un droit d'occupation, qui n'est même pas limité dans le temps, puisqu'elles peuvent toujours réoccuper quand il y a menace d'attaque allemande — et ce n'est que ce cas que nous envisageons. Ils ont donc estimé qu'il pourrait être intéressant pour la Hollande de défendre le Limbourg suivant un plan concerté avec les Puissances occupantes de la rive gauche du Rhin. Tout cela fait ouvertement, au vu et au su de tout le monde, de telle façon que cette publicité loyale soit une garantie de paix de plus, et incite d'autant plus l'Allemagne à ne pas ajouter à son histoire une nouvelle violation des règles du droit international.

Il est bien évident, Messieurs, que je n'ai pas l'intention de vous demander de répondre immédiatement à toutes ces propositions qui vous sont faites, car l'une et l'autre Délégations les entendent pour la première fois. De même que nous avons eu besoin de réfléchir sur vos deux exposés, j'envisage parfaitement que vous puissiez réfléchir sur celui que je viens de vous faire au nom de mes collègues des grandes Puissances.

Je demanderai seulement à M. Van Swinderen s'il a quelque chose à dire à ce sujet, ou s'il envisage un délai pour une étude.

M. Van Swinderen (*Pays-Bas*). Je profiterai volontiers de l'offre que vous me faites d'un délai pour pouvoir répondre plus en détail à ce que vous venez d'exposer, soit moi-même, soit par l'organe de notre expert militaire, le Colonel Van Tuinen.

Mais je crois tout de même de mon devoir, sans entrer dans les détails que vous avez indiqués, et en m'abstenant pour le moment de réfuter aucun des arguments que vous avez avancés, je crois de mon devoir d'éviter une déception que nous pourrions vous causer.

J'ai écouté avec le plus grand intérêt ce que vous avez dit, Monsieur le Président, et mon Gouvernement en prendra certainement connaissance avec intérêt aussi. Nous n'avons nullement voulu élever une fin de non-recevoir contre toute discussion de la question militaire avec la Belgique. J'ai dit l'autre jour qu'il était loin de moi et de mon collègue de vouloir écarter cela de la discussion; seulement j'ai alors déjà fait une réserve sur l'étendue du terrain sur lequel je croyais que nous serions à même de vous rencontrer.

Faire un arrangement militaire avec une autre Puissance, à la veille du jour où la Société des Nations va être créée, ce serait pour le peuple néerlandais, qui n'est pas guerrier, qui est pacifique jusqu'à la moelle des os, déjà une certaine anomalie. Mais faire un arrangement militaire, c'est-à-dire un arrangement qui revêt un caractère plus délicat, plus confidentiel, plus intime que toute autre convention entre Etats, faire un tel arrangement avec la Belgique en un moment — je crois qu'il vaut vraiment mieux, dans l'intérêt même de nos débats, parler en toute franchise — en un moment où, après neuf ou dix mois de tension, les relations entre nos deux pays n'ont pas encore repris le caractère confiant d'autrefois, cela ne me paraît pas possible.

Les circonstances actuelles ne permettraient à aucun Gouvernement néerlandais de venir devant le Parlement néerlandais pour lui proposer un arrangement d'une nature aussi délicate, aussi intime, avec le Gouvernement et le peuple belges.

C'est pourquoi je sens qu'il est de mon devoir de vous préparer à cela, Messieurs. Je ferai mon possible pour réfuter les arguments qui viennent de nous être présentés, mais pour le moment, en tout cas, on ne doit pas se flatter de l'espoir que le Gouvernement néerlandais soit prêt à faire un arrangement militaire en général, et en particulier avec la Belgique.

LE PRÉSIDENT. Monsieur Van Swinderen, je vous demanderai d'abord si, comme je le crois, la Hollande a bien l'intention d'entrer dans la Société des Nations.

M. VAN SWINDEREN (*Pays-Bas*). Je crois qu'il n'y a pas de doute là-dessus.

LE PRÉSIDENT. Par conséquent, notre seconde hypothèse se trouve en tout cas ajournée, car elle ne pourrait être envisagée dans le Traité que comme une adjonction, au cas où la Hollande cesserait de faire partie de la Société des Nations. Ceci nous reporte à un temps où, il faut l'espérer, l'état d'esprit dont vous parlez maintenant sera depuis longtemps dissipé.

Il nous reste l'hypothèse de la Société des Nations. Nous tombons donc dans des considérations tout à fait différentes, car, dans notre esprit, c'était dans le sein de la Société des Nations que cet arrangement devrait se faire.

Voici exactement notre pensée: le plan nécessaire doit être établi en application du principe posé aux articles 16 et 17 du Pacte, qui visent la défense d'intérêts communs de la Société. L'accord lui-même ne doit pas être établi immédiatement. Il faut attendre que la Société des Nations fonctionne; cela nous fera gagner du temps. Nous aurons à consacrer ici le principe même de l'accord. Or, comme vous le dites, précisément un des moyens de faire cesser l'état d'esprit auquel vous avez fait allusion, c'est, de part et d'autre, d'y apporter des dispositions conciliantes et de montrer que tous les intérêts en cause sont respectés.

Il y a également à considérer l'autre hypothèse, qui est celle de l'accord entre la Hollande et les Puissances occupantes de la rive gauche du Rhin.

Il y a là matière à réflexion.

J'appelle votre attention sur notre conviction absolue et unanime que les intentions agressives de l'Allemagne dans l'avenir dépendent en très grande partie de l'état dans lequel sera la défense du Limbourg. Le Gouvernement hollandais a déclaré qu'il défendrait le Limbourg. Le Limbourg n'est défendable que si on peut appuyer sa défense sur le territoire belge.

D'autre part, autant les Délégués des grandes Puissances sont unanimes à trouver que, pour la question de l'Escaut, rien ne doit être changé, dans l'intérêt même de la Belgique, autant en raison même de cette opinion, ils estiment indispensable de pourvoir à la sécurité belge, à la leur propre, et en même temps à celle de la Hollande, par l'organisation d'une défense que la Hollande est décidée à faire.

Si les Délégués techniques hollandais avaient le désir de recevoir quelques explications complémentaires, les Délégués techniques des grandes Puissances seraient à leur disposition. Ils seraient éventuellement aussi à la disposition des Délégués belges pour leur donner quelques explications sur leur point de vue et sur la façon dont nous envisageons cette question.

Je remercie M. Van Swinderen de la franchise avec laquelle il a parlé. Je crois qu'en effet c'est la meilleure manière de procéder entre nous. Il aura remarqué combien, dans leurs échanges de vues, les Délégués des grandes Puissances se sont appliqués à réduire au strict minimum les considérations militaires intéressant la sécurité de la Belgique, de manière à respecter l'indépendance et la pleine souveraineté de la Hollande. Cette question nous intéresse moralement en vertu des devoirs que deux d'entre nous ont assumés par le Traité de 1839 envers la Belgique et que tous nous avons assumés en étant ses alliés pendant la guerre. Nous ne cachons pas l'intérêt que nous portons directement à cette question pour notre propre sécurité, à laquelle est lié le maintien de la paix, ainsi que la lutte éventuelle contre l'hégémonie allemande. Nous considérons ce que nous venons d'exposer, sous réserve des modalités à examiner, comme un minimum sans lequel il nous paraîtrait impossible d'arriver à une solution sur la question économique. Les questions économiques et les questions militaires sont liées. On ne peut pas aboutir à un accord sur l'une d'elles séparément. Pour que notre Commission puisse arriver à quelque chose, elle doit tomber d'accord sur l'ensemble des questions.

Au point de vue militaire, je le répète, les Délégués des grandes Puissances, après un mûr examen, ont reconnu que les idées qui viennent d'être exposées ici leur paraissent, sous réserve des modalités d'exécution à examiner, le minimum de sécurité nécessaire à accorder à la Belgique.

M. Van Swinderen (*Pays-Bas*). Je juge absolument superflu de dire que je ne suppose pas un seul moment, Monsieur le Président, que vous ayez cru que ce que vous venez de dire pourrait changer les idées bien arrêtées du Gouvernement des Pays-Bas sur la révision des Traités de 1839.

Le Président. En aucune façon. Encore une fois, comme je vous l'ai expliqué, nous ne sommes ici que des membres de la Commission, tous égaux les uns devant les autres. Nous ne voulons jouer en aucune façon le rôle d'arbitres.

Je tiens à bien préciser ce point. De même que la Délégation de la Belgique et la Délégation des Pays-Bas ont donné leur avis, de même, les Délégués des grandes Puissances donnent le leur. Ils ont étudié cette question entre eux, parce qu'elle les intéressait. Au lieu d'entendre successivement cinq exposés, vous n'en entendez qu'un seul qui vous fait connaître les points sur lesquels nous sommes tombés d'accord entre nous. Chacun ici donne son avis. Si nous ne pouvons pas arriver à nous mettre tous d'accord, nous ne pourrons pas aboutir, parce que personne ne peut aboutir ici sans que son voisin donne son adhésion. Les Délégués des grandes Puissances ont tenu à vous dire très loyalement et très franchement leur sentiment sur cette question, comme la Délégation belge et la Délégation hollandaise avaient exposé le leur très loyalement et très franchement.

Je réserve les questions de modalités. Il ne s'agit ici que d'échange de vues sur des questions d'ordre très grave, et on ne peut pas entrer dans des détails techniques avant de se mettre d'accord sur le principe. Nous soumettons notre sentiment à vos méditations avec l'espoir que les uns ou les autres, après avoir réfléchi, nous pourrons continuer la conversation. Nos suggestions sont le fruit de méditations. Elles n'ont pas été improvisées puisque, comme vous le savez, nous vous avons fait attendre pendant près de trois semaines le résultat de nos études.

M. NEILSON (*États-Unis d'Amérique*). Ne serait-il pas possible que les propositions, que nous avons rédigées officieusement en l'absence des représentants de la Belgique et des Pays-Bas, leur soient soumises par écrit, de façon à ce qu'elles puissent être considérées dans leur ensemble? Il se peut que les experts belges et hollandais ne soient pas d'accord avec nos experts, bien que je ne pense pas que ce soit le cas. Mais les représentants de la Belgique et des Pays-Bas seront peut-être à même, après examen des propositions rédigées par nous, de faire d'autres propositions. Peut-être qu'après un nouvel examen de la question ici même, certains Délégués des cinq grandes Puissances pourront faire de nouvelles suggestions.

Il se peut qu'on puisse trouver des garanties pour la Belgique qui soient meilleures que celles qui ont été suggérées jusqu'ici. Nous avons examiné attentivement la question, mais on ne peut pas dire que la Commission ait fait une étude complète de ces questions. Les Traités de 1839 embrassent des sujets très complexes. Il se rattache à leur révision des questions économiques et politiques. Ce sont ces dernières qui causent le plus d'inquiétudes aux Hollandais en ce moment. Au point de vue militaire, il est difficile de trouver, pour la Belgique, une garantie qui remplace les garanties qu'elle tenait des grandes Puissances. Le Représentant des Pays-Bas a dit que son Gouvernement ne conclurait pas un arrangement militaire avec la Belgique pour la défense du Limbourg. Mais ce n'est pas à ce moment-ci que je voudrais m'arrêter pour fixer la mesure dans laquelle on peut considérer les travaux de la Commission comme un échec ou un succès. Quelques-uns des Représentants qui font partie de la Commission, comme le Président par exemple, ont, au cours des travaux de la Conférence de la Paix, rencontré des questions difficiles qui ont finalement trouvé une solution. J'ai le ferme espoir qu'après de nouveaux efforts sincères nous arriverons à un[e] solution satisfaisante.

LE PRÉSIDENT. Je ne vois pas d'objection, pour ma part, à la proposition de M. Neilson.

LE GÉNÉRAL MANCE (*Empire britannique*). Je suis tout disposé à accepter la proposition de M. Neilson qui consiste à donner par écrit les suggestions que nous proposons, afin que les Délégations belge et hollandaise puissent les étudier soigneusement. Nous avons expliqué le point de vue de nos experts. Il se peut que les experts hollandais et belge aient des suggestions nouvelles à présenter. J'espère que par un échange de vues et par la comparaison des différentes solutions, nous arriverons à un arrangement final satisfaisant.

LE GÉNÉRAL SATO (*Japon*). Je me rallie également à la proposition de mon collègue américain.

M. ANZILOTTI (*Italie*). J'accepte la proposition de M. Neilson.

LE PRÉSIDENT. Nous avons mis par écrit notre avis sous forme de résumé des échanges de vues qui ont eu lieu entre nous. Nous

*Résumé des échanges de vues entre les Délégués des grandes Puissances sur les questions militaires et navales.*

n'avons pas voulu vous le donner immédiatement, parce que nous voulions d'abord vous faire un exposé oral, afin d'éviter tout malentendu sur le caractère de notre communication. Mais rien ne sera plus facile que de vous remettre sous forme écrite nos suggestions. (*Voir Annexe ci-après.*)[5]

M. NEILSON (*États-Unis d'Amérique*). Cette communication porterait-elle également sur les principes que nous avons adoptés en matière économique?

LE PRÉSIDENT. Cela n'entre pas dans ma pensée. Nous avons examiné aussi entre nous les questions économiques pour envisager, le cas échéant, quelles solutions nous pourrions suggérer aux deux Délégations belge et hollandaise. Mais comme ces deux Délégations sont en train de causer sur ces questions, je ne me crois pas en droit d'intervenir dans leur conversation.

De cet échange de vues, que nous avons eu entre nous, nous ne communiquerons que ce qui a été mis en cause aujourd'hui. Nous ne voulons pas intervenir dans une discussion entre Délégués belges et hollandais, si ce n'est pour prêter notre concours quand il nous sera demandé.

M. NEILSON. Je pense que de toute façon, les Délégués des deux pays sont allés plus loin que nous.

LE PRÉSIDENT. Je me borne pour le moment à ce qui a été traité aujourd'hui.

M. ORTS (*Belgique*). Nous allons donc recevoir, Monsieur le Président, les suggestions que vous nous avez développées aujourd'hui. Nous y lirons que les Délégués des grandes Puissances ont estimé que dans le cas où la Hollande et la Belgique ne feraient pas l'une et l'autre partie de la Société des Nations, le maintien de la situation actuelle de l'Escaut serait plus avantageux pour la Belgique et pour ses alliés. Vous avez dit, je pense, que les Délégués techniques des Puissances ont été unanimes à adopter cette conclusion. Vous savez que mon Gouvernement, au contraire, attachait une très grande importance à ce que le libre usage militaire de l'Escaut fût donné à la Belgique en temps de guerre et à ce que la défense de la Belgique pût s'appuyer sur la rive gauche de l'Escaut. L'avis de mon Gouvernement était basé sur celui des plus hautes autorités militaires du Royaume. Je crois qu'il sera indispensable, au moment où nous ferons un rapport à notre Gouvernement

[5] Not printed. This annex, headed 'Résumé des échanges de vues entre les délégués des Principales Puissances Alliées et Associées sur les questions militaires et navales soulevées par la révision des traités de 1839', contained the text of part III of annex I to No. 121, subject to the following alterations: (i) Omission of the last sentence of the third paragraph, beginning 'La Commission croit devoir annexer' and ending 'former son opinion'; (ii) the first phrase of the fourth paragraph now read 'L'examen de ces conclusions a conduit les Délégués à poser les principes suivants:' ('principe' was correspondingly substituted for 'proposition' in sections B and C); (iii) in the fifth paragraph of section C the words 'les Délégués de la France et de l'Italie ont cru envisager' were replaced by the words 'les Délégués de deux des Puissances alliées et associées ont cru devoir envisager'; (iv) in the last paragraph of the document the words 'Les Délégués de France et d'Italie désirent' were replaced by the words 'Les Délégués des deux Puissances dont il s'agit désirent'; (v) the last seven words of the document ('contre une agression possible de sa part') were omitted.

au sujet des suggestions que la Commission a adoptées, que nous puissions lui faire connaître les motifs qui ont amené les Délégués militaires et navals à estimer unanimement que la solution indiquée s'imposait. C'est pourquoi, je vous demanderai d'autoriser les Délégués militaires et navals des grandes Puissances à faire connaître ces raisons à nos délégués militaires.

LE PRÉSIDENT. La meilleure procédure, à mon sens, et je sais que cet avis est partagé par nos collègues britanniques, serait la suivante. Nous allons d'abord vous distribuer le résumé écrit des échanges de vues des Délégués des grandes Puissances. Quand vous en aurez pris connaissance, les experts militaires et navals des grandes Puissances qui ont fait prendre ces résolutions au point de vue technique, pourront se réunir avec les experts militaires et navals de la Belgique et de la Hollande et exposer les raisons des différentes propositions que nous venons de faire aujourd'hui. Ils seront ainsi à même de motiver, aussi bien l'opinion à laquelle vient de faire allusion le Délégué belge, la solution négative en ce qui concerne l'Escaut, que leur opinion positive en ce qui concerne la défense de la Meuse.

Cette procédure permettra de se rendre mieux compte, de chaque côté, de la portée exacte des propositions que nous avons faites. Pour le moment — j'insiste bien là-dessus — il ne s'agit que des échanges de vues qui ont eu lieu entre Délégués des grandes Puissances. Jusqu'à présent, nos Gouvernements ne sont pas mis en cause. Ils ne le seront que lorsque nous aurons présenté au Conseil Suprême un projet d'accord. Pour le moment, les membres de la Commission ont donné leur opinion individuellement.

M. ORTS (*Belgique*). Vous comprendrez, Monsieur le Président, que ces éléments d'appréciation ont une grande valeur pour nous.

LE PRÉSIDENT. C'est pourquoi ils vous seront fournis. Nous avons une opinion, nous la croyons excellente. Comme les Belges et les Hollandais sont dans le même cas, et comme nul d'entre nous n'est infaillible, ainsi que l'a dit M. Van Swinderen, du choc des opinions jaillira probablement la lumière.

M. ORTS. Monsieur le Président, l'attitude de la Délégation hollandaise nous a amenés, l'autre jour, à poser cette question : oui ou non la Délégation hollandaise estime-t-elle pouvoir prendre en considération le problème de la défense de la Belgique? La réponse fut affirmative. Aujourd'hui, M. Van Swinderen vient de nous déclarer que la Hollande n'a jamais songé à opposer une fin de non-recevoir au projet d'arrangement militaire avec la Belgique...[4]

M. VAN SWINDEREN (*Pays-Bas*). A discuter la question militaire . . .[4]

M. ORTS. A opposer une fin de non-recevoir à la discussion d'un arrangement militaire avec la Belgique.

M. VAN SWINDEREN. A opposer une fin de non-recevoir à la discussion de la question militaire; voilà ce que j'ai voulu dire.

M. ORTS. Puis, aussitôt après, M. Van Swinderen, si j'ai bien compris, nous a dit qu'une convention militaire entre la Belgique et la Hollande semblait être exclue en ce moment.

Je désirerais que M. le Président prie la Délégation néerlandaise de s'exprimer sans ambiguïté sur cette question essentielle. On a écarté comme solution possible du problème de la défense de la Belgique les transferts de souveraineté, les servitudes internationales. A présent, il semble que la Délégation hollandaise ne veuille plus envisager une entente militaire entre les deux pays. Je désirerais savoir d'une manière claire et précise, si le problème de la défense de la Belgique existe au regard de la Délégation hollandaise.

Le Président. M. Van Swinderen nous a dit, très franchement, les raisons d'actualité qui motivent ses hésitations à conclure un accord immédiat avec la Belgique. Je lui ai répondu qu'il n'était pas immédiatement nécessaire de le conclure, mais qu'il fallait l'envisager dans l'avenir.

Tout à l'heure, nous avons adopté une résolution très sage. J'ai fait connaître des suggestions qui ont surpris la Délégation belge par une de leurs parties et la Délégation hollandaise pour une autre. On a proposé de mettre ces suggestions par écrit sous les yeux des deux Délégations, afin qu'elles pussent les étudier. On a proposé de faire donner aux experts militaires belges et hollandais de renseignements détaillés par leurs collègues des grandes Puissances. Il me semble qu'il est inutile de demander une réponse formelle avant que cette étude ait été faite, car précisément nous espérons que de cette étude naîtra peut-être la lumière et qu'un accord pourra intervenir dans le sens que nous souhaitons.

Je désire donc très sérieusement que cette discussion soit ajournée en attendant les conclusions de nos experts. Sinon, elle risquerait fort de nous faire quitter le terrain technique, qui est le nôtre, et de nous entraîner, pour le plus grand dommage de nos travaux difficiles, dans le domaine périlleux des questions nationales.

Je vous demande donc de procéder comme il a été décidé tout à l'heure. Les experts militaires et navals vont se réunir; nous examinerons ensuite, à la lumière de leurs avis, si ces solutions sont possibles et si certains parmi nous en ont de nouvelles à proposer, ce qui n'est pas exclu. (*Voir P.-V. no. 2 de la Sous-Commission militaire et navale, page 280.*[6])

M. Van Swinderen (*Pays-Bas*). Avant de déférer à votre invitation, Monsieur le Président, je dois me défendre contre un reproche que m'a adressé M. Orts et qui me paraît provenir d'un malentendu. L'honorable Délégué belge, taxant la Délégation néerlandaise d'ambiguïté, m'a demandé de lui donner une réponse claire et précise. L'ambiguïté n'a jamais été mon fait et je ne désire rien tant que d'être clair et précis. Je fais appel au témoignage de M. le Président et de tous les membres de la Commission pour rappeler les paroles que j'ai prononcées l'autre jour. M. Orts a soulevé ici la question militaire et a dit, si j'ai bien compris, que la Délégation hollandaise ne voudrait pas parler ici de la question militaire. J'ai répondu: 'Mais non, aucunement. Nous voulons entendre discuter la question militaire'. Je me suis alors servi de ce proverbe: 'Du choc des opinions jaillit la lumière'. Mais j'ai ajouté que je devais dès maintenant faire des réserves quant à l'étendue du terrain sur lequel nous serions à même d'aller à la rencontre de la Délégation belge.

Aujourd'hui, j'ai dit que nous n'opposons aucune fin de non-recevoir à la

[6] p. 540.

discussion de la question militaire. Nous ne demandons pas mieux que d'être éclairés.

J'ai ensuite indiqué la raison pour laquelle mon Gouvernement ne pouvait cependant pas chercher la solution de cette question dans un arrangement militaire avec la Belgique.

LE PRÉSIDENT. Je citerai, d'après le procès-verbal,[7] les paroles de M. Van Swinderen. Les voici:

> D'abord, Monsieur le Président, je tiens à vous assurer vous-même ainsi que M. Segers, que jamais nous n'avons eu l'idée d'écarter de nos discussions les clauses concernant la sécurité du pays. Nous sommes tout à fait convaincus de la vérité du proverbe: 'Du choc des opinions jaillit la lumière.' Donc, nous n'écartons nullement les discussions sur la sécurité, seulement, je ne puis pas anticiper sur l'étendue du chemin que nous pourrons faire pour rencontrer les demandes belges.

Messieurs, je voulais vous demander si vous auriez des objections à ce que nous donnions à la presse le compte rendu suivant de notre réunion d'aujourd'hui:

*Communiqué à la presse.*

La Commission pour la révision des Traités de 1839 s'est réunie aujourd'hui. Elle a examiné les questions concernant la sécurité de la Belgique. A la suite des exposés qui avaient été faits par les Délégations belge et néerlandaise, les autres Délégations ont fait connaître à leur tour leurs observations. Les experts techniques doivent procéder prochainement à un échange de vues sur ce sujet.

Cette formule, tout en renseignant le public dans la mesure du possible, me paraît tenir un juste milieu entre le pessimisme et l'optimisme exagérés. (*Assentiment.*)

Il nous reste à fixer l'ordre du jour de nos prochaines séances. Le résumé des échanges de vues sur les questions militaires et navales pourra être distribué demain aux Délégations belge et hollandaise. Quand celles-ci en auront pris connaissance, les experts techniques de toutes les Délégations se réuniront en Sous-Commission pour étudier cette question. Cela me paraît devoir nous mener à la semaine prochaine.

*Programme de la Commission.*

M. SEGERS (*Belgique*). Au point de vue de nos échanges d'observations, en ce qui concerne les questions d'ordre fluvial, nous avons à mettre sur pied des textes. Quelques jours seront nécessaires. Nous devons consulter nos experts techniques. Je pense que d'ici au 1er octobre, nous aurons, au point de vue des clauses économiques, des textes précis.

La Commission décide de se réunir en séance plénière le mercredi 1er octobre, à 16 heures 30.

Elle décide que la réunion des experts militaires et navals aura lieu le vendredi 19 septembre, à 16 heures. (*Voir P.-V. no. 2 de la Sous-Commission militaire et navale, page 280.*[6])

LE LIEUT^T-COLONEL RÉQUIN (*France*). Je tiens à préciser, Monsieur le

[7] See No. 125.

Président, que les experts militaires et navals, quand ils donnent une opinion, donnent l'opinion de leur Etat-Major et de leur Amirauté. Si distingués que puissent être les experts, ils n'ont pas le droit de donner des opinions purement personnelles.

LE PRÉSIDENT. Il importe en effet de faire la distinction. Quand je dis que nous n'apportons pas l'opinion de nos Gouvernements, j'entends que nous ne les engageons pas définitivement, mais il est bien évident que chaque Délégation ne s'est pas formée elle-même une opinion sans prendre l'avis de son Ministère des Affaires Étrangères et sans s'être renseignée auprès de son État-Major. Je ne vous cacherai pas que toutes les fois que je me trouve en présence d'une question embarrassante, je n'hésite pas à demander les instructions de mon Gouvernement.

LE LIEUT^T-COLONEL RÉQUIN. Il s'agit, pour les experts, d'une opinion militaire, que le Gouvernement peut toujours modifier.

LE PRÉSIDENT. Cela n'engage pas le Gouvernement officiellement, mais cela couvre le Délégué dans les propositions qu'il fait.

La séance est levée à 18 heures 40.

## No. 133

### Record of a meeting of the Commission on Baltic Affairs at the Peace Conference in Paris

*No. 22 [Confidential/General/177/2]*

*Procès-verbal No. 22. Séance du 16 septembre 1919*

La séance est ouverte à 15 heures et demie, sous la présidence de M. Kammerer.

*Sont présents:*

Le Major R. Tyler (*États-Unis d'Amérique*); M. Carr (*Empire britannique*); M. Kammerer (*France*); M. Brambilla (*Italie*); M. H. Ashida (*Japon*).

*Assistent également à la séance:*

Le Lieutenant-Colonel Warwick Greene (*États-Unis d'Amérique*); le Lieutenant-Colonel Reboul, le Commandant Aublet, M. de Céligny (*France*).

. . .[1] LE PRÉSIDENT invite la Commission à aborder la question du passage dans les détroits de la Baltique.

*Accès de la Baltique.* Il donne lecture à la Commission d'un projet de traité[2] à faire signer à l'Allemagne, le Danemark, la Suède, la Norvège et la Finlande (*Voir Annexe IV*), ainsi que des conclusions auxquelles sont arrivés les experts navals. (*Voir Annexe V.*)

[1] The preceding minutes recorded discussion of other matters.
[2] Note in original: 'Ce projet a été préparé par la Délégation britannique.'

Le Commandant Aublet indique la position prise par la Délégation française dans la discussion à la Sous-Commission des experts navals:

Dans le traité de 1857,[3] il n'est fait aucune distinction entre les navires de guerre et les bateaux de commerce; c'est le mot 'navires' qui a été employé. Ainsi a-t-il toujours été admis que les navires de guerre avaient le libre passage.

L'Allemagne n'a jamais tenu compte de la neutralité des eaux territoriales, dont la définition, d'ailleurs, demande à être revisée depuis l'augmentation de la portée des canons. Le démantèlement des fortifications est une mesure insuffisante. L'Allemagne pourra toujours, au dernier moment, amener des canons et placer des mines.

D'autre part, admettre la possibilité d'une distinction entre les navires, c'est risquer de donner à l'Allemagne une arme dont elle ne manquera pas de se servir contre nous.

La proposition britannique aurait trouvé naturellement et sans difficulté sa place dans le Traité de Paix. Il sera probablement impossible d'obtenir maintenant l'adhésion de l'Allemagne.

La Délégation française ne fait aucune opposition de principe au projet, mais il semble inutile.

Le Président propose d'entendre les experts navals. Ceux-ci sont introduits:

L'Amiral MacKully [sic] (États-Unis d'Amérique).

Le Commander Macnamara (Empire britannique).

Le Capitaine de vaisseau Levavasseur [sic] (France).

Le Capitaine de corvette Ruspoli (Italie).

Le Président demande aux experts navals de faire connaître leur avis.

Le Commander Macnamara. Il est pratiquement indubitable que le Traité de 1857 n'a entendu marquer aucune différence entre les navires de guerre et les navires de commerce. Le projet britannique n'en est pas moins indispensable. Il serait fort utile d'avoir la signature de l'Allemagne. Ne signerait-elle pas, l'adhésion des Puissances scandinaves au projet de traité britannique aurait déjà des conséquences qui ne seraient pas négligeables.

Le Capitaine de Vaisseau Levavasseur rappelle que les Amiraux qui avaient examiné la question, au début des négociations de paix, ont abandonné cette étude quand on leur eut déclaré qu'elle n'était pas de leur ressort. Le Traité de Paix aurait dû lui donner naturellement sa solution.

Les détroits étant constitués par des eaux territoriales, on ne peut empêcher les Puissances scandinaves de prendre des précautions et de mouiller des mines. Elles laisseront un chenal pour le passage des bateaux, mais rien n'empêchera l'Allemagne d'y placer des mines et de commander l'entrée et la sortie des détroits.

Il n'a aucune objection fondamentale à l'adoption du projet présenté par la Délégation britannique.

Cependant, il lui apparaît sans objet puisque jusqu'à présent l'application du Traité de 1857 aux bateaux de guerre n'a souffert aucune difficulté.

[3] The text of this treaty is printed in *British and Foreign State Papers*, vol. xlvii, pp. 24 f.

L'Amiral MacKully [*sic*] pense que le mot 'navires', dans le Traité de 1857, s'applique aux navires de guerre comme aux navires de commerce. Il ne croit pas cependant que les Puissances alliées et associées aient qualité pour imposer à la signature de certaines Puissances neutres les clauses préparées par la Délégation britannique. Elles devraient se borner à faire une recommandation dans ce sens.

Le Capitaine de corvette Ruspoli n'a aucune objection à faire à la proposition de la Délégation britannique. Néanmoins la Délégation italienne ne pourrait se rallier à cette proposition qu'à la condition que les décisions qui pourraient être prises ne constitueront, en aucun cas, un précédent pour ce qui concerne d'autres détroits.

M. Ashida (*Japon*) ne s'oppose pas à l'adoption du projet britannique. La flotte japonaise d'ailleurs n'est nullement intéressée à cette question.

Le Président.

Les Puissances alliées et associées n'ont plus le moyen d'imposer un traité de ce genre à l'Allemagne qui ne le signera pas de bon gré.

A supposer, d'autre part, que la Norvège et la Suède le signent, il est fort possible que la Finlande le repoussera et il est à peu près certain que le Danemark, qui redoute les interventions militaires dans ses eaux, ne l'acceptera pas.

M. Carr (*Empire britannique*) demande que la question soit réservée en attendant de nouvelles instructions de son Gouvernement.[4]

La séance est levée à 17 heures 20.

### Annex IV to No. 133

*Bases d'un traité entre les Principales Puissances Alliées et Associées, d'une part, et la Suède, la Norvège, le Danemark, la Finlande et l'Allemagne, d'autre part.*[5]

I. Conformément aux dispositions du Traité du 14 mars 1857,[3] libre passage à travers les Belts et Sund sera accordé, en temps de paix, à tous navires de commerce ou de guerre.

II. En temps de guerre, aucune Puissance, même neutre, ne doit fermer ces passages avec des mines ou en gêner la libre traversée, qu'il s'agisse de navires de guerre ou de commerce, de neutres ou de belligérants.

III. Ces règles doivent être également applicables aux détroits qui conduisent de la Baltique au golfe de Bothnie. En particulier, ni fortifications, ni bases navales ne pourront être établies dans les îles d'Aland.

IV. La Russie, aussitôt qu'elle sera admise dans la Ligue des Nations, ou tout autre pays riverain de la Baltique qui sera admis dans la Ligue, sera, après cette admission, invité à adhérer à la présente convention.[6]

[4] See note 6 below.

[5] Note in original: 'L'Autriche, la Belgique et les Pays-Bas étaient également parties au Traité du 14 mars 1857. La question se pose de savoir s'il y a lieu de les inviter à prendre part au présent Traité.'

[6] The following note was appended to this annex in the official French edition of these proceedings: 'L'examen de ces clauses a été ajourné et n'a pas été repris au cours de la Conférence.'

*Conclusions formulées par les Experts Navals sur les accès à la Mer Baltique.*

*15 septembre [1919]*

Le Traité du 14 mars 1857[3] est relatif au passage des navires par les Belts et le Sund. Encore que rien dans cet acte ne montre qu'il n'est pas applicable aux navires de guerre, la Sous-Commission considère comme désirable, étant donné les protestations élevées jadis par un belligérant contre les passages par les Belts et le Sund d'un autre belligérant, de préciser que le terme 'navire' employé dans le traité en question comprend les navires de guerre et les navires de commerce.

La Sous-Commission considère comme désirable que les pays intéressés, s'ils sont restés neutres, ne doivent rien faire en temps de guerre pour gêner le libre passage des navires de commerce entre la Mer du Nord et la Baltique.

En ce qui regarde les îles d'Aland, la Sous-Commission reconnaît qu'il n'est pas actuellement possible d'établir sa [*sic*] situation politique future, mais quelle que soit celle-ci, ces îles ne doivent pas être fortifiées, et aucune base ne doit y être établie, en vue de permettre le libre passage entre la mer Baltique et le golfe de Bothnie.

## No. 134

*Record of a meeting in Paris on September 17, 1919, of the Committee on Organization of the Reparation Commission*

*No. 10 [Confidential/Germany/31]*

The Meeting opened at 10.30 with Monsieur Loucheur in the Chair.

*Present*

Mr. Dresel, Colonel Logan (United States); Sir John Bradbury, Major Monfries, Mr. MacFadyean (Great Britain); Monsieur Loucheur, Controller General Mauclère, Monsieur Jouasset (France); Signor d'Amelio, Signor Ferraris, Count San-Martino (Italy); Colonel Theunis, Major Bemelmans (Belgium).

. . . 14.[1] *Opinion of the Financial Committee and proposed reply to the letter of Herr Bergmann of August 28th 1919,[2] concerning the intensification of Coal Production—(B. 85)[3]*

The proposed reply was accepted with the following modification: Suppression of the words:[4] 'The expenses of such supplies could be covered

---

[1] The remaining minutes recorded discussion of other matters.
[2] See annex to No. 113.
[3] Annex below.
[4] The following extract is a variant text of the last sentence of the first paragraph, and of the second paragraph of document 2 in the annex below.

either by payment in gold for a part of the coal delivery, or by a fresh sale of securities which the German Government might be authorised to make.

'The Committee suggests that the German Government could stimulate coal production by putting aside for the purchase of supplies for the miners, for example 25% of the price of the deliveries made to the Allied Governments for delivering not exceeding 20 million tons per annum, and 40% of the price of all deliveries exceeding this figure.'

SIR JOHN BRADBURY (Great Britain) agreed that the question raised by the above should not be settled in the letter to the Germans, but he stated that it was evidently necessary that it should be settled at a later date.

THE CHAIRMAN stated that he was in agreement, but pointed out that in no case could France agree to pay Germany for deliveries in kind. This would be, not only contrary to its interests, but contrary to the terms of the Treaty.

SIR JOHN BRADBURY pointed out that deliveries in kind constituted a part of a fund of reparation on which there were privileged claims with regard to the reparations themselves.

THE CHAIRMAN replied that he would explain the situation as a whole. Germany has to pay us 25 milliards. These 25 milliards are composed of gold, of foreign securities, and of deliveries in kind. It is true that the Treaty provides for privileged claims with regard to reparations: maintenance of the Armies of Occupation, supplies of provisions and raw materials to Germany, within the limits laid down by the Reparation Commission.

But these privileged claims must be paid, first from the gold and foreign securities in the possession of Germany. It is only in case of insufficiency of those two resources that it would be permissible to contemplate the payment of these privileged claims by the conversion into gold of deliveries in kind— conversion which would be carried out by the countries which benefited by these deliveries.

SIR JOHN BRADBURY stated that it was a question of principle of the competence of the Reparation Commission but pointed out that it would not be desirable to exhaust completely Germany's gold reserve. . . .[1]

## ANNEX TO No. 134

### Document 1

B. 85

Supreme Economic Council
Finance Committee,
Paris

The Secretariat,
Committee on Organisation of the Reparation Commission.

With reference to your letter of the 13th September[5] asking that the Finance Committee should reconsider Herr Bergmann's letter of the 28th August,[2] requesting that a sum of 200 million marks should be placed at the disposal of the German Government for the purchase of food and other

---

[5] Not printed. Cf. No. 127.

materials for the mining population of Germany, I am instructed to inform you that the question was discussed at a meeting of the Finance Committee this morning, and to forward for consideration by the Committee on Organisation of the Reparation Commission, at its next meeting, the attached draft reply.

C. B. S. MONFRIES

16.9.19

Document 2

Supreme Economic Council

Finance Committee,

Paris

16th September, 1919

*To the President of the German Peace Delegation.*

Sir,

I have the honour to refer to Herr Bergmann's letter of the 28th August[2] requesting that a sum of 200 million marks gold should be placed at the disposal of the German Government for the purchase of food and other materials for the mining population of Germany with a view to increasing the production of coal, and to state that on the 29th August a letter[6] was addressed by this Committee to the German Delegation agreeing to the sale or pledging of securities for the purchase of food by the German Government, to the extent of some 20 million sterling. It is considered by this Committee that until the proceeds of these securities are exhausted, there is no need to provide further funds for the specific needs of a section of the German community. Nevertheless in consideration of the gravity of the question of increased production of coal in Germany for the German Government itself, the Committee consider that the German Government would no doubt be prepared to make arrangements for the issue to the mining population of the supplies requested in the letter under reference. In order to facilitate this, they would be prepared, on receipt of a further application from the German Government when the proceeds of the sale or pledge of the securities are approaching exhaustion, to consider whether they could replace to the General Food Fund provided for by the letter of the 29th August, the amount expended on the supplies destined to increase the production of coal. Such supplies might be financed either by a percentage of the coal delivered being paid for in cash by the recipient country, or by permission being given to the German Government to sell further securities.

It is suggested that the German Government may stimulate the increased production of coal by setting aside for the purchase of supplies for the miners, say 25% of the value of the deliveries to the Allied Governments up to the standard of 20 million tons per annum, and 40% of the value of any deliveries above that figure.

It is requested that the German Government, in making its application for replenishment of the general fund, should transmit for the information of the Committee, a full statement of the securities at the disposal of the German Government at the time.

[6] Cf. No. 127, note 9.

It must be understood further that the release of German liquid assets for the advantage of one section of the German community is a question which must be decided by the Reparation Commission which is not constituted until the definite ratification of Peace.

I am, &c.

## No. 135

*Mr. Robertson (The Hague) to Earl Curzon (Received September 24)*

*No. 254 [133186/133186/29]*

THE HAGUE, *September 18, 1919*

My Lord,

I have the honour to forward to Your Lordship, herewith, a despatch which I have received from Lieutenant Colonel Oppenheim, Military Attaché to this Legation, relative to arrangements made by the French Military Attaché for the attendance of Dutch officers at French courses of instruction. You will observe that it is the object of the French Government to endeavour to counteract the traditional German influence in the Dutch Army, and I would venture to draw your special attention to Colonel Oppenheim's suggestion that an invitation to attend British courses of instruction would also be welcome to Dutch officers.[1]

It seems to me that it is of considerable importance that we should do all we can to counteract German influence in Holland. Owing to its close proximity to Germany and to the fact that there are now so few places in the world to which Germans can go, Holland is being overrun with German society and business people, as well as by German sportsmen. Not only the Hague, but provincial towns and seaside resorts have been crowded with Germans all the summer, and I submit that we should give attention to the possibility that Holland may fall completely under German influence, unless we take steps to counteract it.

In this connection, it may be worth while to report an incident which occurred a few weeks ago, though it is perhaps of itself not of great importance. The Local Authorities at Nordwijk had expressed a desire that British Lawn Tennis players should come over and take part in a tournament at Nordwijk this autumn to which no German players would be admitted. The Lawn Tennis Association was duly approached, but replied that, in view of the fact that German players had been allowed to take part in a tournament at Nordwijk earlier in the summer, the rules of the Association prevented any of their members from playing in any tournament at Nordwijk. This

[1] In reply to this suggestion Mr. Robertson was informed in Foreign Office despatch No. 346 of October 23, 1919, to the Hague that 'the War Office, to whom this matter was referred, now state that an intimation has been received to the effect that the Commander-in-Chief, Netherlands Army, owing to the small number of officers at present available for selection, would prefer that such an invitation should not be made this year. The Army Council accordingly consider it desirable to postpone for the present any action in this matter.'

appears to me to be somewhat unfortunate, and the incident has naturally caused the Germans to rejoice. If we are to leave the field to the Germans in this manner, it is evident that our influence in Holland, such as it is, will slowly but surely wane, and that the Dutch will, through our indifference, be thrown into the arms of the Germans, who will do all they can to gain their friendship.

I have also the honour to forward to you, herewith, copy of a letter[2] which I have received from Mrs. Koolhoven, who desires to re-establish The English Lecture Association at Haarlem, and would like to obtain a small subsidy for the purpose. Mrs. Koolhoven is now going to England, and, though I have but little knowledge of the Association myself, I would suggest that she might be received by the head of the competent Department at the Foreign Office with a view to her explaining its objects and scope. If you would be so good as to inform me upon whom Mrs. Koolhoven should call, I will communicate with her accordingly.

I have, &c.,
Arnold Robertson

### Enclosure in No. 135

BRITISH LEGATION, THE HAGUE, *15th September 1919*

Sir,

I have the honour to report that, with the object of endeavouring to counteract the traditional German influence in the Dutch Army, the French Military Attaché at the Hague, Colonel Cazanave, received instructions in Paris last June to do his utmost to arrange for the visit of as large a party as possible of Dutch officers to French courses of instruction at an early date.

Some of the officers selected for this party have now been nominated to attend the following courses of instruction:—

One officer for a course of two years, and one officer for a course of one year at the Ecole de Guerre.

One officer for a course at each of the following schools:—Ecole d'artillerie, Ecole de Génie, Ecole de Cavalerie, Ecole d'Administration, Ecole d'Exercises [*sic*] physiques (Joinville).

One officer for attachment to each of the following:—infantry regiment, artillery regiment, 'service médical', 'service d'Intendance'.

An invitation such as the above will be welcomed by many people in Holland who are deterred by the prospect of a German penetration in Dutch life, and who are inclined to imagine that the Allies appear indifferent, or unwilling to take steps to help to counteract it.

I venture to submit that, if it were possible for the British authorities to extend a similar invitation, it might be no less welcome.

I have, &c.,
L. F. C. Oppenheim,
Lieut.-Colonel, Military Attaché

[2] Not printed.

*Record of a meeting in Paris of the Military and Naval Subcommission of the Commission for the revision of the Treaties of 1839*

*No. 2* [*Confidential/General/177/9*]

*Procès-verbal No. 2. Séance du 19 septembre 1919*

La séance est ouverte à 16 heures, sous la présidence du Capitaine de vaisseau Le Vavasseur.

*Sont présents:*

L'Admiral McCully et le Colonel Embick (*États-Unis d'Amérique*); le Lieut^t-Colonel Twiss, le Capitaine de frégate Macnamara et M. Sargent (*Empire britannique*); le Lieut^t-Colonel Réquin, le Capitaine de vaisseau Le Vavasseur et M. de Saint-Quentin (France); le Capitaine de corvette Ruspoli et le Major Pergolani (*Italie*); le Colonel Nagai (*Japon*); le Lieut^t-Colonel Galet et le Major Van Egroo (*Belgique*); le Colonel Van Tuinen, le Capitaine de vaisseau Surie, le Lieut^t-Colonel de Quay et M. Carsten (*Pays-Bas*).

LE PRÉSIDENT. Messieurs, l'Amiral McCully, n'ayant pas assisté aux premières réunions de la Commission, m'a fait l'honneur de me demander de vouloir bien diriger la discussion.

*Ordre du jour de la séance.* Comme vous le savez, nous sommes réunis pour permettre aux experts militaires belges et hollandais de nous poser les questions qu'ils jugeront utiles au sujet des propositions faites par les Délégués des grandes Puissances sur tous les points d'ordre militaire ou naval relatifs à la défense de la Belgique. (*Voir P.-V. n° 9, page 196.*[1])

LE LIEUT^t-COLONEL GALET (*Belgique*). La première question que je voudrais poser est relative à l'Escaut. En ce qui concerne l'Escaut, à la dernière séance, on n'a considéré que deux éventualités:

*Neutralité de l'Escaut.* celle où la Hollande ferait partie de la Société des Nations, et celle où elle n'en ferait pas partie. On a dit que, dans le premier cas, l'Escaut serait libre, et que dans le second cas la situation actuelle persisterait. Mais la seconde éventualité, celle où la Hollande ne ferait pas partie de la Société des Nations, se subdivise elle-même en deux cas possibles: celui où les frontières de la Hollande sont violées en même temps que les nôtres, et celui où elles ne le sont pas. Il est bien entendu que, si les frontières de la Hollande sont violées, la liberté de l'Escaut s'applique également.

LE PRÉSIDENT. Il ne semble pas qu'il puisse en être autrement, car la violation de frontière serait un *casus belli* pour la Hollande.

LE LIEUT^t-COLONEL RÉQUIN (*France*). Quant [*sic*] on est deux à combattre le même ennemi, on est naturellement alliés.

LE LIEUT^t-COLONEL GALET. Je reprends maintenant la seconde éven-

[1] p. 531.

tualité du second cas, c'est-à-dire l'hypothèse où la Hollande ne fait pas partie de la Société des Nations et où ses frontières ne sont pas violées. C'est la situation de 1914: la Hollande neutre et la Belgique en guerre. En 1914, la Hollande a accordé à la Belgique la liberté de l'Escaut, sauf pour les transports de troupes, de munitions et de matériel; les vivres ont pu passer. Est-il bien entendu qu'il en serait de même dans l'avenir et que la fermeture de l'Escaut, dans ce cas, ne s'appliquerait qu'aux transports de troupes, de munitions et de matériel de guerre, de manière que la révision des Traités de 1839 ne crée pas pour nous une situation moins avantageuse que celle qui nous était faite auparavant?

LE PRÉSIDENT. Je crois que la meilleure manière de vous éclairer serait de poser la question aux Délégués hollandais; mais si j'ai bien compris, ces Messieurs préfèrent ne pas participer à la discussion. (*MM. les Délégués hollandais font un signe d'assentiment.*)

Dans ces conditions, je crois que la seule chose que nous puissions faire, c'est d'exprimer chacun notre opinion sur ce point. Je consulte donc les diverses Délégations.

L'AMIRAL McCULLY (*États-Unis d'Amérique*). A notre point de vue, il semble qu'une question de ce genre devrait faire l'objet d'un arrangement à conclure entre les deux parties intéressées. J'estime que toute tentative de prescrire la conduite à tenir en pareille matière ne pourrait conduire qu'à des malentendus ou même à des frictions.

LE CAPITAINE DE FRÉGATE MACNAMARA (*Empire britannique*). La Délégation britannique se range à l'avis de la Délégation américaine et juge également préférable de s'abstenir de prescrire une solution. Mais si la situation doit être telle qu'elle était en 1914, je crois que, d'après les règles générales du droit international, la circulation sur l'Escaut devrait être libre, en tout ce qui ne touche pas aux troupes, munitions et matériel de guerre.

LE CAPITAINE DE CORVETTE RUSPOLI (*Italie*). Je suis de la même opinion que le Délégué britannique.

LE COLONEL NAGAI (*Japon*). Je partage également cette opinion.

LE PRÉSIDENT. L'opinion de la Délégation française est à peu de choses près la même. Il ne semble pas possible que, dans la situation de 1914, les choses puissent se passer autrement qu'elles se sont passées alors. La liberté de navigation commerciale doit toujours subsister.

Je vois que le Colonel Van Tuinen fait un signe d'assentiment; je l'enregistre avec plaisir.

LE LIEUT.-COLONEL GALET (*Belgique*). C'est ainsi que la Hollande l'a interprété en 1914.

LE PRÉSIDENT. C'est ainsi qu'elle paraît vouloir l'interpréter également maintenant. Je crois que la cause est entendue.

LE LIEUT.-COLONEL GALET. A la dernière séance,[2] M. Orts a demandé les raisons pour lesquelles 'au strict point de vue militaire et naval' — ainsi que le dit le rapport des experts — 'la demande de la Belgique, si elle était accueillie pour l'Escaut et la Flandre zélandaise, dans le cas où la Hollande est neutre,

[2] See No. 132.

541

présenterait pour elle, en regard de quelques avantages très problématiques, des inconvénients nombreux et sérieux'.

Ces raisons ne se trouvent pas dans le rapport des experts militaires et navals. (*Voir Annexe au P.V. n° 8 de la réunion des Délégués des grandes Puissances.*[3] *Page 487.*[4])

Le Président. Les raisons qui nous ont guidés sont les suivantes: d'abord, le Conseil des Ministres des Affaires étrangères, dans sa séance du 4 juin, a exclu toute cession territoriale.[5] Dans ces conditions, les deux rives de l'Escaut restant hollandaises, nous sommes en territoire hollandais et, d'après les règles du droit international, il est évident que la Hollande doit rester maîtresse sur son territoire. Par conséquent, il nous a semblé que vous accorder la liberté de l'Escaut, ce n'était qu'un mot.

Une des raisons que les Délégués belges avaient fait valoir était la possibilité de transporter en Belgique, par l'Escaut, des troupes et même, si je m'en souviens bien, de l'artillerie lourde, qui, en 1914, auraient pu être utiles pour la défense d'Anvers. Sous ce rapport nous avons, nous tous experts navals, adopté la manière de voir du Délégué britannique, qui était la suivante: Pas plus à ce moment, en 1914, qu'à un autre moment, étant donné la situation navale, l'Angleterre n'aurait pu assurer ces transports. Si vraiment l'Allemagne se trouvait prête de nouveau à faire la guerre — car il est à penser qu'elle aurait pris ses dispositions et ne serait plus dans la situation où l'a placée le Traité de Paix — dans ce cas, des transports de troupes à l'Est du Pas-de-Calais soulèveraient de telles difficultés qu'il n'y a pas lieu de les envisager. Il est certain que, dans les guerres de l'avenir — et c'est l'avenir qu'il faut envisager — le développement de la guerre sous-marine et de la guerre aérienne sera considérable. Les éléments en sont d'ailleurs faciles à rassembler rapidement, surtout en ce qui concerne les avions. Dans ces conditions, des transports de troupes de la côte anglaise vers l'Escaut seraient tellement périlleux que je crois qu'on ne les risquerait pas.

Par ailleurs, pour obvier aux inconvénients que présenteraient ces transports directs vers l'Escaut, il est possible qu'on prépare d'avance un plan de transport vers d'autres points. On pourrait ainsi arriver au même résultat avec des risques moins grands au point de vue des transports par mer.

Par contre, si l'ennemi s'emparait d'Anvers, comme cela s'est produit au cours de cette guerre, il est certain qu'il pourrait utiliser ce port, ainsi que l'Escaut, pour en faire une base, qui serait extrêmement gênante, aussi bien pour la Grande-Bretagne que pour nous. Car il est bien évident que, si les Allemands avaient pu utiliser Anvers et l'Escaut, ils auraient été beaucoup mieux appuyés que sur les deux bases de Zeebrugge et d'Ostende, et leur situation aurait été beaucoup plus forte.

Le cas est le même en ce qui concerne la Flandre néerlandaise, si la Belgique pouvait l'utiliser et que l'ennemi pût s'en emparer.

Telles sont, dans les grandes lignes, les raisons sur lesquelles nous nous sommes basés pour exprimer cette opinion.

Le Lieut.-Colonel Galet (*Belgique*). La demande de la Belgique avait

[3] Annex II to No. 121.     [4] p. 483.     [5] See No. 39, note 1.

pour but de ménager en toutes circonstances à la garnison de la place d'Anvers de bonnes communications et une retraite assurée, de manière à rendre le blocus de la place impossible. Nul doute que, dans ces conditions, la défense de la région d'Anvers et de l'Escaut pouvait être prolongée sans danger. Dans des circonstances critiques, il semble que la marine pourrait courir quelques risques, s'il s'agissait, par exemple, de sauver une armée.

Actuellement, dans la lutte sous-marine, l'attaque a certainement la supériorité sur la défense, mais cette situation durera-t-elle? Il est possible que la défense fasse des progrès, peut-être même que les sous-marins deviennent impuissants. Il se peut encore que la marine allemande, qui est actuellement réduite à zéro, reste dans cet état et que les Allemands portent tous leurs efforts sur leurs forces de terre.

On ne doit pas tabler absolument sur la situation actuelle. Si l'Escaut était trop dangereux, on ne l'emploierait pas, sauf en cas d'urgence, peut-être. Dans tous les cas, on mesurerait le péril de la traversée d'après les risques que court l'armée. Mais il peut se présenter dans l'avenir bien des éventualités où la navigation de la côte britannique à l'Escaut, et vice versa, serait d'une sécurité relative.

LE PRÉSIDENT. Il est évident qu'on peut imaginer bien des cas où l'utilisation de l'Escaut serait avantageuse; il est indiscutable notamment qu'en 1914, au moment de l'évacuation d'Anvers, l'Escaut eût été très utile. Mais la Commission n'a pas envisagé le problème sous le jour où vous le voyez. La Commission a pensé qu'il était nécessaire surtout de prendre des mesures propres à empêcher le retour de ce qui s'est passé en 1914, et à protéger la Belgique contre le renouvellement des événements de cette guerre. Il nous a paru que les grandes Puissances pouvaient prendre des mesures telles — nous le verrons lorsque nous discuterons la question du Limbourg — qu'on n'ait pas à envisager la possibilité dans l'avenir de voir à nouveau Anvers menacé. En un mot, ce que nous voudrions, c'est dresser en avant d'Anvers une barrière telle que jamais les conditions de 1914 ne puissent se reproduire. C'est sous ce jour que nous avons envisagé le problème, et non pas en nous plaçant au point de vue des événements du passé.

J'ajoute que si la Ligue des Nations joue, on peut espérer que vous aurez toutes garanties à cet égard.

LE LIEUTᵀ-COLONEL RÉQUIN (*France*). Je voudrais appuyer d'un mot ce que vient de dire le Président. Lorsque, dans le Pacte de la Société des Nations, il est dit que 'les membres de la Société s'engagent à maintenir, contre toute agression extérieure, l'intégrité territoriale présente de tous les membres . . .',[6] nous comprenons qu'il ne s'agit pas de garantir cette intégrité par un traité futur consécutif à une guerre au cours de laquelle le pays aurait été d'abord envahi et ruiné. Nous savons, en effet, que c'est chose *irréparable*. Ce que nous entendons par 'garantir l'intégrité territoriale', c'est empêcher que le territoire soit violé et envahi. Voilà pourquoi l'État-Major français, et avec lui je crois tous les États-Majors alliés et associés, ont écarté l'idée qu'après avoir vaincu l'Allemagne, après lui avoir imposé les garanties que vous

[6] Punctuation as in original.

connaissez, pris les mesures que vous savez pour le présent et l'avenir, nous puissions admettre encore que la Belgique soit contrainte de se défendre dans le réduit de l'Escaut et d'Anvers. Ce serait la faillite de tout ce que nous avons fait pour nous préserver d'un retour offensif de l'Allemagne.

Il nous a paru, en conséquence, que l'avantage de pouvoir renforcer Anvers ou évacuer par mer sa garnison et son matériel de guerre, avantage correspondant à un cas particulier dont l'hypothèse seule est à rejeter, n'était pas à mettre en balance avec les inconvénients très graves que pouvait présenter, dans le cas d'une Allemagne réarmée et agressive, l'occupation par elle des bases maritimes d'Anvers et de la Flandre néerlandaise.

C'est pour cette raison que, du seul point de vue militaire et naval, nous avons pensé qu'il était préférable de maintenir le *statu quo* dans le cas très peu vraisemblable désormais où la Hollande resterait neutre, puisqu'elle demande à entrer dans la Société des Nations d'une part, et qu'elle considère la violation de son territoire comme un *casus belli* d'autre part.

Le Lieut<sup>T</sup>-Colonel Twiss (*Empire britannique*). Je suis parfaitement d'accord avec les idées qui viennent d'être émises, et j'estime que la défense de la Belgique doit se faire sur la ligne de la Meuse et non à Anvers et sur l'Escaut.

Le Capitaine de corvette Ruspoli (*Italie*). Nous sommes également d'accord avec le Colonel Réquin.

Le Président. Avez-vous d'autres questions à poser, mon Colonel, au sujet de ce que nous avons dit pour le port d'Anvers et pour la défense de la Meuse?

Le Lieut<sup>T</sup>-Colonel Galet (*Belgique*). Non, Monsieur le Président.

Le Lieut<sup>T</sup>-Colonel Réquin (*France*). Je dois une explication aux Délégations belge et hollandaise en ce qui concerne la question de la *Défense de la* défense de la Meuse et du Limbourg. A la fin de la note qui a *Meuse et du* été remise aux deux Délégations figure une suggestion présentée *Limbourg.* par deux Délégations alliées s'inspirant d'un point de vue plus général que celui où s'était placée la Délégation belge. (*Voir Annexe III au P.-V. n° 8 de la réunion des Délégués des grandes Puissances,*[7] *page 492.*[8])

La Délégation belge a posé le problème de la défense hollando-belge, de la Meuse et du Limbourg. Examinant d'abord la question de ce même point de vue, les experts militaires et navals ont été *unanimes* à adopter les conclusions qui figurent dans la première partie de la note, et si le problème doit être ainsi envisagé, l'État-Major français est absolument d'accord avec les autres États-Majors alliés et associés.

Mais il a estimé qu'il y avait un point de vue plus général et il a tenu à l'indiquer, uniquement comme une suggestion faite aux Délégations belge et hollandaise. Je suis autorisé à vous dire que, si nous avions le choix, nous, État-Major français, nous préférerions examiner le problème de ce point de vue plus général, qui tient compte du présent et de l'avenir, et pour tout dire enfin, de la *situation de fait* résultant du Traité de paix avec l'Allemagne.

Nous pensons, d'autre part, qu'en envisageant la coordination (j'emploie

---

[7] Annex III to No. 121.  [8] pp. 489–90.

ce mot à dessein, car il s'agit de coordonner deux systèmes de défense et non pas de subordonner l'un à l'autre), on ne sort nullement du Pacte de la Société des Nations. C'est l'application du principe même de la garantie mutuelle de l'intégrité territoriale. Mais je répète que c'est simplement un point de vue que nous avons voulu soumettre, à titre de suggestion, aux Délégations belge et hollandaise, sans rechercher à fair[e] l'unanimité sur notre suggestion. Les Délégations hollandaise et belge apprécieront si leur intérêt n'est pas d'adopter ce point de vue qui vise à leur donner dans toutes les hypothèses d'avenir la garantie militaire dont elles ont besoin.

LE PRÉSIDENT. Vous n'avez plus d'autres questions à nous poser, mon Colonel? Nous restons à votre entière disposition si vous en avez encore à poser plus tard.

LE LIEUT<sup>T</sup>-COLONEL TWISS (*Empire britannique*). Je suis obligé de quitter Paris demain. Je voudrais soumettre à la Commission quelques suggestions d'ordre purement militaire. Bien que je ne désire pas influencer la décision de la Commission, j'estime qu'il est nécessaire d'appeler son attention sur les premier et troisième principes formulés, à propos de la défense de la Meuse et du Limbourg, par les Délégués des principales Puissances alliées et associées. (*Voir Annexe au P.-V. n° 9 de la Commission, p. 198.*[9])

La déclaration faite le 16 septembre par M. Van Swinderen,[2] et d'où il résulte que pour deux raisons, le Gouvernement hollandais est incapable en ce moment de conclure une convention militaire avec la Belgique, rend désirable que nous considérions une solution différente du problème qui se pose, celui de la sécurite de la Belgique.

Une offensive militaire par l'Allemagne sur une grande échelle à une époque prochaine est évidemment impossible, attendu que l'Allemagne n'a ni la force, ni le désir d'exécuter une opération de ce genre. Une fois qu'elle aura été effectivement désarmée, que la réduction de son armée aura été exécutée d'après les termes du Traité, il me semble impossible que l'Allemagne, en raison de ses charges financières et économiques, exécute une offensive sur une grande échelle avant de nombreuses années.

Pour ces raisons, et aussi pour ce fait que la Hollande a l'intention d'adhérer immédiatement à la Société des Nations, un arrangement militaire précis entre les deux Puissances paraîtrait tout d'abord, à première vue, sans utilité.

Toutefois, nous ne devons pas oublier que la Belgique a beaucoup souffert pendant les cinq années qui viennent de s'écouler. Il est aujourd'hui de notre devoir, il est aussi de l'intérêt de la paix du monde que nous l'aidions de notre mieux, que nous lui permettions de se ressaisir, de refaire sa prospérité et d'acquérir de nouveau le sentiment de sécurité, qui a été si violemment ébranlé en elle par les événements de la guerre.

En ce qui concerne les points indiqués plus haut, la Hollande devrait se rappeler que le seul fait de déclarer qu'elle considérerait toute violation de son territoire comme un *casus belli* immédiat, ferait d'elle une alliée de la Belgique aussitôt que les troupes allemandes pénètreraient en territoire hollandais. Certainement alors, il y a lieu de considérer la question de

[9] Not printed: see No. 132, note 5.

l'action à prendre dans le cas de violation prévu par le troisième principe du rapport. Il serait tout à fait logique d'agir ainsi. Au cas d'une guerre à venir dans laquelle l'Allemagne aurait sans doute des alliés, la violation du territoire hollandais semblerait extrêmement probable.

Je voudrais de plus faire observer que, de même que nous nous sommes sentis obligés d'écarter définitivement les désirs de la Belgique en ce qui concerne l'Escaut, il nous est permis d'espérer que dans l'intérêt d'une solution satisfaisante de la question, la Hollande fera tous ses efforts pour considérer sous un jour favorable les désirs de la Belgique en ce qui concerne la Meuse.

Nous avons entendu une déclaration nette et précise disant que la Hollande ne peut pas conclure un accord militaire avec la Belgique à l'heure actuelle. Une des raisons de cette impossibilité est que la nécessité d'un accord n'existe pas, attendu que la Hollande a l'intention d'adhérer à la Société des Nations immédiatement et que, dans ce cas, un accord s'en suivrait automatiquement.

Comme, toutefois, la Belgique est naturellement désireuse de recevoir une assurance donnant à son peuple qui a tant souffert un sentiment de sécurité à l'avenir, il est à espérer que le Gouvernement hollandais pourra trouver le moyen de faire une déclaration publique, dans les grandes lignes que voici:

*a)* La Hollande adhérera à la Société des Nations le plus prochainement possible.

*b)* Elle considérera toute violation de son territoire comme un *casus belli* immédiat.

*c)* Tout en soulignant le fait qu'elle n'a pas agi différemment en 1914, elle a l'intention de prendre à l'avenir des mesures militaires pour tenir le Limbourg et la ligne de la Meuse au Nord de cette province, afin de sauvegarder la neutralité de son territoire.

Il est à espérer qu'une telle déclaration satisferait les désirs du Gouvernement et du peuple belges, tout en ne liant pas la Hollande par un accord défini avant son adhésion à la Société des Nations.

Je fais remarquer que les assurances *a)* et *b)* avaient été données dans le discours du trône de la Reine,[10] mais n'ont pas été ratifiées par le Parlement hollandais. C'est pourquoi nous demandons une déclaration publique.

Le Colonel Embick (*États-Unis d'Amérique.*) Monsieur le Président, je suis entièrement d'accord avec la déclaration qui vient d'être faite par le Délégué britannique. J'estime qu'il est juste de présenter à la Hollande une demande de ce genre. J'estime, en outre, que cette demande, si elle est accueillie, rendra satisfaisante la solution du problème.

Le Lieut^T-Colonel Réquin (*France*). Je suis également d'avis que l'Allemagne n'est pas immédiatement menaçante, et ne le sera pas vraisemblablement d'ici longtemps. Mais si je partage sur ce point l'opinion de mon collègue britannique, je ne puis me rallier à ses conclusions. Ce qui importe actuellement, c'est, comme il l'a dit lui-même, de rassurer l'opinion publique belge. Pour rassurer la nôtre et pour prendre, d'accord avec l'Angleterre

[10] On September 16, 1919.

et les États-Unis, des garanties positives contre l'Allemagne, nous n'avons pas attendu qu'elle devienne menaçante. Nous ne pouvions pas attendre. C'est ce même besoin que ressent très justement aujourd'hui le peuple belge : c'est cette garantie qu'il faut lui donner. Les Délégués des Puissances alliées et associées ont été d'ailleurs d'avis que *dans tous les cas*, que la Hollande soit ou ne soit pas membre de la Société des Nations, il y avait un arrangement militaire à établir entre elle et la Belgique. Ils ont seulement spécifié que si la Hollande n'était pas membre de la Société des Nations, cet arrangement viserait uniquement le *casus belli* de manière à n'entraîner d'aucune façon la Hollande dans une guerre contre son gré. Dès lors, j'estime nécessaire de poser dès à présent *le principe et les bases de l'accord militaire*. On ne peut pas se borner à déclarer que la Hollande a l'intention de défendre tel front et qu'elle y aura des troupes. Ce serait oublier le but pour lequel nous sommes réunis et qui est de *coordonner* les deux défenses, quitte à attendre que la Hollande soit dans la Société des Nations pour en arrêter les détails, de même que nous n'avons pas encore arrêté aujourd'hui les termes de nos conventions militaires avec la Grande-Bretagne et les États-Unis. Je crois nécessaire, pour rassurer l'opinion publique belge, que le but et les *bases générales* de cet accord soient *posés nettement dès à présent*.

Le Major Pergolani (*Italie*). Je crois que ce qu'ont dit nos collègues britannique et américain est le minimum. Il me paraît nécessaire qu'un accord soit conclu entre la Belgique et la Hollande.

Le Colonel Nagai (*Japon*). Je partage l'opinion de la Délégation britannique : nous devons chercher quelque chose de possible.

Le Président. Je crois que ce qui vient d'être dit nous dépasse : nous n'avons pas à émettre d'opinion sur la nature des accords, nous devons nous borner à examiner les questions au point de vue purement militaire. Il appartient à la Commission seule d'émettre un avis sur les points qui viennent d'être traités.

Parce qu'il va être obligé de s'absenter et qu'il a sans doute craint de ne pas assister à la prochaine réunion de la Commission, le Délégué militaire britannique a désiré nous exprimer sa manière de voir ; les autres experts nous ont fait connaître la leur. Cela nous a permis d'avoir une idée de ce qu'ils pensent.

Mais, à mon sens, il n'y a pas lieu de tenir compte de l'exposé des idées qui vient d'avoir lieu, puisqu'elles nous ont entraîné[s] à des considérations d'ordre politique que, à mon avis, il n'appartient pas à cette Sous-Commission de traiter.

Le Lieut^T-Colonel Twiss (*Empire britannique*). Je suis de votre avis, Monsieur le Président. Je pense que ces considérations sont plutôt politiques ; mais, comme le représentant de la Hollande était présent, il m'a semblé bon qu'il entendît le point de vue des experts militaires, afin d'éclairer la religion [*sic*] de son Délégué politique. Notre idée est de faciliter une solution qui donnerait toute satisfaction au point de vue de la sécurité de la Belgique.

Le Président. J'ai voulu tout simplement bien préciser la question et la poser telle que je la vois, c'est-à-dire que j'estime qu'elle nous dépasse.

Le Lieut<sup>t</sup>-Colonel Galet (*Belgique*). La combinaison proposée par les Délégués militaires britanniques nous paraît manquer essentiellement de précision. Il est bien à craindre que les mesures qu'on prendra ici en ce moment-ci resteront en vigueur lorsque se produira une attaque allemande. Or, si les Allemands nous surprenaient avec un arrangement aussi vague, ils auraient de grandes chances de réussir. Il ne s'agit pas seulement de satisfaire l'opinion : il s'agit de réalités. D'abord, il y a le principe qui consiste à élever des fortifications permanentes sur la Meuse en face du Limbourg, de telle sorte que sur cette partie de son cours, le fleuve ait une valeur défensive comparable à celle qu'il a sur les autres parties de son cours. A-t-on examiné ce point de vue? Ensuite, quelle doit être la force totale des garnisons qui doivent former la couverture de la concentration belge? Enfin, comment se ferait la liaison de la gauche belge avec la droite hollandaise? Quand et comment l'armée belge pourrait-elle aller occuper ses positions de défense sans violer la neutralité hollandaise? Voilà des points précis qui sont à examiner.

Le Lieut<sup>t</sup>-Colonel Twiss. Je voudrais faire quelques suggestions pour répondre aux questions qui viennent d'être posées par le Délégué belge. Je pense que cela devrait à [*sic*] être élaboré par la Société des Nations.

Je n'ai pas étudié la question des fortifications de très près, mais il me semble, autant que je puis en juger maintenant, que les fortifications permanentes ne seraient établies que sur la rive Ouest de la Meuse.

Quant à la défense de la rive droite de la Meuse, je n'envisage que des fortifications de campagne modernes, non pas permanentes, fortifications par des ouvrages, des tranchées, des réseaux de fils de fer barbelés et des points d'appui armés de mitrailleuses. Pour la question de la liaison, j'estime aussi qu'elle dépend uniquement de la Société des Nations.

C'est du même point de vue que j'envisage la violation de la frontière hollandaise. Voilà ce que je puis répondre pour le moment à ces questions.

Le Président. Je crois que nous sortons encore du cadre qui a été fixé. Nous ne devons pas ici nous occuper des détails, nous ne devons nous occuper que des questions de principe, de coordination. On peut dire d'ailleurs que, comme nous sommes pour cinq ans au moins sur le Rhin, cela donnera le temps de faire des arrangements militaires et d'en prévoir tous les détails, si nous le désirons. Autrement, nous sortons du rôle qui est dévolu aux experts militaires de cette Commission.

Le Colonel Van Tuinen (*Pays-Bas*). Monsieur le Président, je voudrais poser une question. Quelle est, sur notre territoire, l'étendue de la partie de la Meuse que la Belgique désirerait voir fortifier d'une manière permanente?

Le Lieut<sup>t</sup>-Colonel Galet (*Belgique*). Pour les fortifications, nous ne pouvons préciser la forme à leur donner dans l'avenir. La solution dépendra des possibilités de l'artillerie. La question n'est pas encore mûre.

Le Colonel Van Tuinen. Vous pouvez fortifier d'une manière permanente Maëstricht, Ruremonde, Venloo, etc. De votre point de vue, à quel endroit doit cesser la fortification permanente de la Meuse?

Le Lieut<sup>t</sup>-Colonel Galet. Cela dépend de la façon dont l'armée hollandaise désire opérer sa liaison avec nous. Si le gros de l'armée hollandaise voulait se porter sur la Meuse. . .[6]

Le Colonel Van Tuinen. Il a été là en 1914.

Le Lieut<sup>t</sup>-Colonel Galet. . . . Il[6] nous serait très avantageux de voir fortifier les anciennes places de Maëstricht, Ruremonde et Venloo, c'est-à-dire les nœuds de chemins de fer.

Le Colonel Van Tuinen. La limite des fortifications serait donc à Venloo.

Le Lieut<sup>t</sup>-Colonel Réquin (*France*). Il est bien entendu, Messieurs, que, quand nous disons: 'défendre la Meuse', cela ne signifie pas répartir des troupes tout le long de la Meuse et en fortifier le cours. Il faut entendre par là: la décision du Commandement de livrer bataille au passage de la Meuse. A qui? Au gros de l'ennemi. Avec quoi? Avec des réserves intervenant au point et au moment voulus. Par conséquent, cela comporte une couverture en avant de la ligne à défendre, procurant le renseignement éloigné et la première résistance qui gagne du temps, ensuite une surveillance de tous les passages et une résistance sérieuse organisée aux passages permanents qui offriraient à l'ennemi des facilités particulières. C'est à ces conditions seulement qu'on peut livrer bataille avec des gros là où l'ennemi tenterait de passer avec les siens. Il est bien évident que la Hollande, pas plus que la Belgique, n'auraient assez de troupes pour être également fortes sur toute l'étendue du cours de la Meuse, si elles renonçaient à *manœuvrer en appuyant leur manœuvre à la fortification moderne.*

Le Colonel Van Tuinen (*Pays-Bas*). C'est tout à fait mon opinion. C'est pourquoi j'ai posé ma question sur les fortifications permanentes.

Le Lieut<sup>t</sup>-Colonel Twiss (*Empire britannique*). Mon idée n'était pas de demander à la Hollande de faire une série de fortifications permanentes sur la Meuse, mais de rendre possible la défense de la Meuse.

Le Lieut<sup>t</sup>-Colonel Réquin (*France*). Je fais observer d'ailleurs que ce principe de manœuvre exige plus que jamais la coordination entre les deux systèmes de défense. Il est nécessaire que la défense belge ait en avant d'elle dans la partie correspondante du Limbourg une zone de couverture qui ne peut être assurée que par les troupes hollandaises, d'où la nécessité d'une coordination à établir dès le temps de paix.

Le Colonel Embick (*États-Unis d'Amérique*). Je me place dans l'hypothèse où la Hollande et la Belgique font partie toutes les deux de la Société des Nations. Par conséquent, la Hollande s'engage à considérer comme un *casus belli* toute attaque, toute violation de son territoire. Elle s'engage donc à le défendre. Il est évident qu'il y aurait au sein même de la Société des Nations un travail commun à entreprendre entre la Belgique et la Hollande en vue de défendre le territoire en cas d'attaque. Cette coordination sera assurée en temps de paix par la création d'un plan qui s'adaptera à toutes les conditions voulues. Ce serait beaucoup plus pratique qu'un accord défini qui serait fait maintenant au moyen d'un traité entre ces deux Nations seulement et une fois pour toutes.

Le Lieut<sup>t</sup>-Colonel Réquin. Je suis d'avis que c'est avant tout le but et les bases de l'accord qu'il faut établir et c'est pourquoi, revenant sur une idée que j'ai déjà exprimée, j'ajoute: prenez un cas concret et supposez que dans quatre ans et demi l'Allemagne devienne agressive, ou que dans quinze ans et demi, l'Allemagne ayant violé les clauses du Traité, les Alliés aient été obligés de prolonger l'occupation. Dans les deux cas, les troupes alliées sont *sur le Rhin*. Allez-vous établir dans le Limbourg la liaison entre les troupes belges et les troupes hollandaises? Un accord militaire doit viser d'abord le but avant d'entrer dans les moyens. J'en reviens donc à la formule générale que j'indiquais tout à l'heure. Quand nous parlons seulement du Limbourg et de la Meuse, nous ne tenons aucun compte de la situation présente qui nous a mis sur le Rhin. J'appelle l'attention des Délégués belges et hollandais sur ce point essentiel: un accord militaire visant à coordonner la défense de leurs deux pays doit envisager toutes les situations de fait et indiquer que cette coordination aura lieu là où l'on sera, sur le Rhin si on est sur le Rhin, sur la Meuse si on est sur la Meuse; nous ne savons pas où l'on sera.

LE COLONEL VAN TUINEN. Nous avons écouté avec le plus grand intérêt ce qui vient d'être dit par les distingués Délégués des autres Puissances. Comme vous le savez déjà, nous ne pouvons rien dire qui ait un caractère décisif. Nous devons auparavant recevoir des instructions de notre Gouvernement. A cet effet, nous partons ce soir pour La Haye. Nous espérons être de retour dans un très bref délai pour vous rendre compte des instructions de notre Gouvernement.

LE PRÉSIDENT. Je pense que ce qui aura été dit dans cette séance aura eu au moins pour effet de vous montrer toute la bonne volonté dont chacun de nous est animé.

LE COLONEL VAN TUINEN (*Pays-Bas*). Nous sommes très heureux d'avoir pu assister à cette séance.

La séance est levée à 17 heures 40.

# No. 137

*Record of a meeting in Brussels of the Supreme Economic Council*[1]
*No. XXX [Confidential/General/128/II]*

The Supreme Economic Council held its Thirtieth Meeting on the 20th September, 1919, at 10 a.m., and at 4 p.m., at the Palais des Académies, at Brussels, under the Chairmanship of M. Jaspar.

The Associated Governments were represented as follows:—

British Empire—
Mr. G. H. Roberts.
Mr. Cecil Harmsworth.
The Earl of Crawford and Balcarres.
Sir Hamar Greenwood.

France—
M. Clémentel.
M. Loucheur.
M. Claveille.
M. Noulens.
M. Vilgrain.
General Payot (representing Marshal Foch).

[1] This document is printed in *Papers relating to the Foreign Relations of the United States: the Paris Peace Conference 1919*, vol. x, pp. 559 f.

| Italy— | Belgium— |
|---|---|
| H.E. Maggiorino Ferraris. | M. Wauters. |
| Comm. Nogara. | M. Renkin. |
| | M. Franqui. |
| | Colonel Theunis. |
| | M. Lepreux. |

M. Clémentel opened the Session and congratulated the Council on its meeting at Brussels, in which he saw a symbol of the deep friendship existing between the Allies. On his proposal, the Council asked M. Jaspar to take the Chair.

M. Jaspar replied, congratulating himself on the fact that the Allies were meeting in Council in a place occupied so short a time ago by the enemy. He associated himself with the regrets expressed by M. Clémentel that the American Delegates had not been able to be present.

296. The minutes of the twenty-ninth meeting[2] were approved, Minute 280 (c)[2] being amended to read as follows:—

'(c) *Raw Materials*

'It was agreed that a Raw Materials Committee, composed of one representative from each of the Governments, should prepare a report for submission to the Supreme Economic Council.'

### 297. *Establishment of Permanent Committee*

The Council was informed that the Permanent Committee set up by it on the 1st August (Minute 295)[2] had been constituted. The representatives nominated by the Associated Governments were:—

| | |
|---|---|
| British Empire . . . . . | Mr. Wise. |
| France . . . . . . | M. Avenol. |
| Italy . . . . . . | Dr. Giannini. |
| Belgium . . . . . . | Count de Kerchove. |

The Government of the United States had not yet nominated its representative. M. Clémentel, as acting Chairman of the Council, had notified to the Government of the United States the names of the above-mentioned Delegates and had requested the name of the representative of the American Government.

The Council examined a note prepared by the Permanent Committee on the subject of the procedure and the powers of the Committee. This note was, after modification, approved by the Council (document 271)[3]. . . .[4]

### 306. *Supply of Coal to Europe*

(A) Arising out of paragraph 280 (b) of the minutes of the previous meeting:—[2]

(1) The Chairman stated that, in accordance with the desire expressed by

---

[2] See No. 44.     [3] Not here printed: *v. op. cit.*, vol. x, pp. 569 f.
[4] The ensuing minutes recorded discussion of other matters.

the Council at its last meeting, the Belgian Government had taken measures to restrict the consumption of coal in Belgium. He hoped to learn that this policy had been similarly applied in other countries.

(2) The Council was informed that a European Coal Commission had been established by the Supreme Council.[5]

In this connection, the Council examined a note from the Communications Section and a recommendation by the Permanent Committee (document 278)[6] suggesting that some of the functions of the Communications Section should be transferred to the European Coal Commission, and that the European Coal Commission should be subordinate to the Supreme Economic Council.

After discussion, it was decided that:—

(a) The responsibility for the production of coal now rests upon the European Coal Commission. Therefore, the agents attached to the various Transportation Missions of the Communications Section should, so far as they are concerned with the production of coal, be responsible to the European Coal Commission.

(b) As regards the transport of coal, the European Coal Commission will act in liaison with the various Transportation Missions of the Communications Section.

(c) As regards the general question of the relations between the European Coal Commission and the Supreme Economic Council, the only effective guarantee of the stability and smooth working of the European Coal Commission is that it should work in close liaison with the various Sections of the Supreme Economic Council.

(d) The European Coal Commission and the Communications Section will be invited to prepare a draft Budget for the Missions in Central Europe with a view to the provision of the necessary resources.

(B) The Council took note of a letter from the Austrian Delegation to the Peace Conference (document 279)[6] requesting the admission of an Austrian Delegate to the European Coal Commission. The Council was informed that the European Coal Commission had already replied that an Austrian Representative could be, if necessary, heard by the Commission, but that Austria, not being a producing country, could not become a member of the Commission.

It was decided that, in these circumstances, no action on the part of the Council was necessary. . . .[4]

[5] On August 5, 1919: see Volume I, No. 28, minute 3.
[6] Not here printed: v. op. cit., vol. x, p. 580.

310. *Constitution of the Consultative Food Committee*

Arising out of paragraph 280 (*a*) of the minutes of the previous meeting,[2] the Council noted and approved the memorandum (document 282)[7] establishing the Consultative Food Committee.

It was explained that, according to the wish expressed by the United States Delegates, this memorandum had been communicated to Mr. Hoover before his departure from Europe. . . .[4]

312. *Provision of Raw Materials to Europe*

Arising out of paragraph 280 (*c*) of the minutes of the previous meeting,[2] the Council noted the report (document 288)[8] presented in the name of the Raw Materials Section.

The French Delegates explained the report. The situation of Egyptian cotton was less dangerous than might have been imagined. Stocks detained with British consumers, instead of being insufficient to requirements by 50 per cent., would be as a matter of fact sufficient to meet the needs of British consumption and part of the consumption of the neighbouring countries.

They thought, however, that they could not altogether desist from their request that the British Government should find the means of assuring to the countries which had suffered through the war their just share of supplies. They recalled the fact that this idea emanated from the British Government itself.

The three following resolutions submitted unanimously by the Raw Materials Section were approved by the Council:—

(1) In order to meet difficulties which appear possible in the case of certain commodities for which a shortage may arise, the Committee regard it as desirable to establish a continuous exchange of information about production, quantities available and the distribution of Raw Materials.

(2) The Committee regard it as necessary to call the attention of the Organisation Committee of the Reparation Commission to the shortage of flax and to the advisability of opening negotiations with the Germans and Austrians with the view of securing from them a certain quantity of that material in exchange for other materials of which they stand in need.

(3) The Committee is of the opinion that, in a general way, the difficulties relating to the supplies of Raw Materials are only an aspect of the general question of European supplies which has been submitted to the Council at the present meeting and which concerns particularly the question of credits.

The Council next examined the following declaration submitted by the French, Italian, and Belgian Delegations:—

'The French, Italian, and Belgian Delegates find that, in addition to

[7] Appendix 282 below.     [8] Appendix 288 below.

the difficulties mentioned above, the supplies of raw materials are also impeded by certain specific measures as to discrimination of prices for export or export duties.

'The result of such measures is—

'(a)  That the life of certain industries is dangerously affected;

'(b)  That the equitable treatment of commercial conditions is all the more compromised because the question is one of a supply which is fundamental for the economic life of the various countries.'

The French Delegates in their own name and in the name of their Italian colleagues, wished to draw attention to the extreme gravity of a policy which in effect consisted of giving a considerable premium to the national industrial products of countries which possessed raw materials, either in the form of export taxes on these raw materials, or in the form of differential prices fixed for the same commodity, according to whether it was consumed in the country or sold abroad.

They saw in this policy the very greatest danger of customs competition. They feared that such a policy (which certain countries had already shown an intention of applying on their own account) would tend to become general, and to end in the re-establishment of economic barriers such as the world had not known for centuries.

The consequences of such a state of things would inevitably be grievously felt by countries which had suffered by the war and which would be most especially hit by existing measures, or by those which it could be foreseen might be taken.

They wished, in the most friendly way, to draw the attention of their colleagues to the gravity of the situation.

The British Delegates expressed their regret that the very precise instructions which they had received did not permit them to associate themselves with the declaration under discussion. They would not fail to report to their Government the exact terms of the declarations which had been made and to do everything in their power to impress upon it the very great importance which the Allied Delegations attached to the reopening of the question at issue. . . .[4]

315.  *General Economic Situation of Europe*

The Council examined a note prepared at the request of the Permanent Committee by the French Delegate on the Permanent Committee.

At the request of the representative of the British Treasury several modifications of detail were made in this draft and it was decided that the text thus elaborated (document 290)[9] should be transmitted to the Supreme Council in the name of the Supreme Economic Council. . . .[4]

[9] Not here printed. This document is printed in Volume I, No. 68, appendix D.

*Memorandum on the Establishment of the Consultative Food Committee*

1. A Consultative Food Committee shall be established including a representative of each country which is a party to this agreement. It shall meet periodically and its headquarters shall be in London.

2. The functions of the Committee shall be—

To provide a means of consultation on questions of food policy, and the co-ordination of action in connection therewith, with the intention of bringing producers and consumers into close relation so as to avoid profiteering which reacts on the general cost of living throughout the world.

3. Each party to the agreement will be solely responsible for providing its own finance and tonnage.

4. In so far as the Food Committee may set up arrangements for co-operation in purchasing, it will act through such executive buying agencies as it may select.

5. In all cases written confirmation will be given to the appropriate buying agency that the necessary finance is available when a request is made to purchase in overseas markets.

6. The expenses of each executive buying agency will be borne by the parties to the agreements in proportion to their purchases.

7. Detailed procedure in respect of wheat and flour, meat and sugar, will for the present be as set out in Annexes 1, 2, and 3 of this memorandum (*not attached*).[10] These annexes will, however, be subject to revision from time to time by the Consultative Food Committee, which may, if necessary, draw up additional provisions in respect of other commodities.

8. The arrangements set out in this memorandum shall continue at least to cover all shipments made before the 1st January, 1920.[11]

APPENDIX 288 TO No. 137

*European Raw Materials Situation*

*Report of the Raw Materials Situation [? Section]*

The Supreme Economic Council instructed the Raw Materials Section some months ago[2] to consider the development of the world situation so far as certain products are concerned, for which a deficit in the world production was to be feared, or a shortage of supply in certain of the Allied and Associated countries.

Since that time the lamentable diminution in the production of coal has

[10] Thus in file copy.

[11] Note in official edition of the records of the Supreme Economic Council: 'N.B. The English and French versions of § 8 do not strictly correspond.' (The French version read as follows: '8. Les accords mentionnés dans ce memorandum continueront de façon, au moins, à couvrir tous les achats faits avant le 1er janvier 1920.')

led to the creation of a special Committee to study the means for securing the supply of Europe with coal.[5]

The Raw Materials Committee has therefore abstained from considering the consequences which the shortage of fuel may have on the distribution or the consumption of raw materials.

## I.—Deficit of Production

It is clear that in the majority of the countries in the world the production of raw materials has suffered from the instability of political and social conditions which has affected certain countries, and at the same time from the general diminution in the output of labour.

Nevertheless, as the volume of production has been diminished during a long period by the utilisation for military purposes of a large part of the means of transport, and as, on the other side, the consumption of industrial products in the world has diminished considerably, the equilibrium between available supplies and requirements is not upset, despite the decrease in production.

### Cotton

The case of American cotton is one example. In spite of the decrease of production the available supplies of American cotton can be regarded as sufficient.

The visible stocks on the 1st August, 1919, can be split up as follows:—

|  | Bales. |
|---|---|
| Cotton being shipped to Europe | 467,000 |
| In the ports of the United States | 1,434,000 |
| In the interior of the United States | 780,000 |
| Total | 2,681,000 |

as compared with 348,272 bales at the same date in 1913.

The above table does not include stocks which may be in the possession of American consumers, and which there is no reason to suppose are larger than in 1913.

In accordance with these figures there would appear to be therefore a stock of American cotton larger than in 1913 by more than 2,000,000 bales.

But it should be observed—

1. That the excess of stocks is less than the deficit of production. The estimates for the coming crop of the United States were, on the 21st August, about 11,230,000 bales, as compared with an average crop of 14,518,000 bales during the three years preceding the war;[12] thus if the world consumption of American cotton remained the same in 1919–20 as in 1913–14 there would result, in spite of the stocks in existence in America, a deficit of about 1,000,000 bales.

2. Further, it is necessary to add to the visible stocks in America on the 1st August, 1913, all the stocks which existed in the consuming countries

[12] Note in original: 'Figures of Professor Todd.'

of Europe, either in warehouses or in factories. Now these stocks, which can be estimated at at least three months' consumption, are non-existent in the majority of European countries, in consequence of which there is a further deficit of about a million bales, as compared with the supplies of 1913.

It is true that the industrial consumption has diminished considerably. At the present moment the application of the law for the eight-hours working day has led in the majority of countries of the world to a reduction which can be estimated at about 20 per cent.

Further, in certain countries whose industries consume large quantities of American cotton, especially in Germany and in Poland, there is a complete cessation of production in many parts.

In conclusion, it does not appear that there will be a shortage of American cotton in the world, at least if the resumption of the cotton industry continues to take place slowly.

Amongst the textiles an appreciable deficit can be expected in the case of Egyptian cotton, and a very large deficit in the case of flax.

### (a) Egyptian Cotton

The average production of the three years preceding the war was about 7,530,000 cantars, or 1,000,000 bales of 750 lb.

The estimates for the present harvest, assuming that this harvest has not been affected by internal conditions in Egypt are about 6,000,000 cantars, or 800,000 bales, i.e., a diminution of 20 per cent.

The existing visible stocks do not compensate for this difference. If account is taken both of the floating stocks on their way to Europe and of the visible stocks in Alexandria, the excess over the stocks existing at similar dates in 1913 does not appear to be greater than 100,000 bales; moreover, they consist to a considerable extent of inferior qualities.

Further, the excess observed in the case of visible stocks is without doubt largely compensated by the absence of stocks in the hands of consumers. It appears that the consumers' stocks in England only represent 50 per cent. of their amount in normal times, and in other European countries they are practically non-existent. The prices cannot be considered at the moment as an indication, because they had been fixed for a long time by the Cotton Control Commission, and it is only since the 31st July last that the market has become free once more. It may be observed, however, that since this date the prices have increased by 10 per cent. in spite of the fact that the demand of the consuming countries of Central Europe is still practically excluded.

It is for these reasons that certain Delegations hold that, in order to supply the requirements of the industries of the different consuming countries, it would be desirable that England should forthwith fix in one form or another exportable quotas in proportion to the known requirements and in accordance with the principle of priority which the United Kingdom formulated for the Allies and neutrals by the declarations of May 1918.[13]

[13] Cf. J. A. Salter, *Allied Shipping Control* (Oxford, 1921), p. 301, document No. 6.

## (b) Flax

There exists in the case of flax a serious decrease in world production which it is impossible to estimate exactly at the present moment by means of figures.

Russia, which in normal times produced nearly 85 per cent. of the flax harvested in Europe, has undergone a great decrease in production; and Esthonian flax, of which it was thought a part might be obtained, has become for the moment inaccessible as a result of the recapture of Pskow.[14]

The production of Poland, which is very greatly reduced, will probably not yield an exportable surplus. In other European countries the production or available supplies are similarly reduced.

France has only sown 13,586 hectares as compared with 30,475 in 1913.

Holland will only export half its normal quantity.

Per contra in Ireland the crop is estimated at 15,700,000 tons as compared with 12,672,000 tons in 1913.

To sum up Western Europe can only count with certainty upon a supply which is less than its normal consumption by at least 25 per cent. The movement of prices is an indication of this; in particular the price of English flax has increased to £320, as compared with £60 before the war.

The Sub-Committee is of opinion that in order to prevent certain countries being entirely deprived of this raw material, it is desirable to consider an equitable distribution of the supplies by means of an agreement with all the producing countries. It holds in particular that it would be desirable to enter upon negotiations with the countries of Central Europe, which already before the war produced more than Great Britain, France, and Belgium taken together, which have increased considerably their production during the course of the war and which, although their production in 1919 is less than in 1918, would doubtless be disposed to exchange a part of this production against a more liberal supply of raw materials from overseas.

## (c) Oilseeds

The estimation of the relation between the supplies and the demand for oleaginous materials presents greater difficulties than with regard to textiles. On the one side, in certain countries which previously depended upon Germany for part of their supply, the margarine industry has made considerable progress, while in certain countries in the case of vegetable oils suitable for human consumption there has taken place a considerable increase in demand, the extent and duration of which it is impossible to estimate at all accurately.

On the other hand, as it is possible to substitute to a very great extent one variety of oil for another for the great majority of uses for which oil is required, the possibility exists to make up the shortage of those sources which a failure in planting or in the harvest renders short of supply, by having recourse to two other sources, in which the available quantities appear to be limited only by the labour necessary to collect them.

[14] By Soviet forces: cf. Volume III, No. 418, note 1.

But as it cannot be expected that Russia will make any important contributions to the world resources, and as the available freight for the transport of products from distant countries is the limiting factor, however great the actual oilseed resources are, it is probable that the quantities to which access [can] be had will not exceed even if they are not actually insufficient to satisfy the requirements of the importing countries including that which is necessary to reconstitute in certain countries the working stocks.

The difficulty of finding means of payment and of transport, and the slowness of resumption of industrial activity would seem to restrict demand and to decrease to a certain extent the difficulty which there would appear to be in securing normal supply for all countries.

## (d) Phosphates

It appears that in North Africa the production of phosphates has diminished and that the exportation is reduced in addition on account of the lack of transport.

Various Delegations have put forward the desire that, under a form of licences or quotas, there should be secured a distribution of the exportable surplus of phosphates from North Africa, account being taken both of pre-war demands and of known requirements.

## II.—Reserve Products—Wool

It is difficult to appreciate the situation with regard to wool. It does not appear that the clip of 1919 is deficient in the large overseas producing countries—Australia, South Africa, and South America—but the domestic production of the countries which have been devastated by the war has diminished considerably, thus the French sheep flocks have fallen from 17,000,000 to about 8,000,000.

It does not appear to be possible to estimate with certainty the stocks in producing countries; in South America they appear to amount to 80,000 tons, but an appreciable proportion has been bought by the enemy countries and would appear to be immobilised from this fact.

The English and Australian stocks have not been published recently, but it is known that they are relatively important.

The resumption of industrial activity in the principal consuming countries has proceeded with such slowness that if the position as a whole is considered, neglecting the qualities demanded, the supplies appear sufficient for the consumption, at any rate, until the end of next year.

It is only after the industry has been working for some time to its full capacity that the excess of the world demand over the world supplies will be exhibited. It seems at the moment probable that at the end of the current year the world's stocks will amount to some 750,000 tons over and above the clips in the Southern Hemisphere which may come in during the last months of the year. The annual consumption estimated for 1920 is about 1,400,000 tons, or about the same as in 1913. The fact that owing to the particular conditions in certain countries demand has increased, especially for the finer wools, enables it to be stated with certainty that the supplies of merinos and fine crossbreds will be inferior to requirements, while low quality crossbreds will be in abundant supply and in excess of demand.

That prices have shown an appreciable increase, although the demand from Central Europe is still weak, is attributed by certain people to the fact that the conditions of the market are artificial.

Certain Delegations point out in effect that the Australian clip purchased by the United Kingdom has only been put on the market at irregular intervals and in parcels of fixed quantities. Those countries which are large consumers complain that they have not been able, owing to this circumstance, to supply their requirements. For example, in 1919, in the course of the first six months, France only imported 42,000 tons of greasy wool as compared with a six-monthly consumption which, after the reconstruction of the destroyed machinery and taking into account the machinery at Alsace, comprises 150,000 tons. It is pointed out that already at the end of the month of August the abandonment of the system of allocation in the British auction sales has abolished one of the limitations restricting the supply of wool, and the complete liberty which it is hoped will shortly be given to the Wool Market will contribute in part to diminish the difficulties with which certain countries are confronted at the present moment.

### III.—*Obstacles in the way of Supply*

1. *Artificial Prices*

The Belgian, French, and Italian Delegations have drawn the attention of the Committee to the menace, in connection with the supply of certain raw materials, which may be constituted by a régime of artificial prices resulting either from a dual tariff for internal prices and export prices, or from the imposition of export duties which in effect have the same result.

Certain producing countries have been led to impose duties upon the exportation of products of which there is, moreover, no shortage in their own country. This is in particular in the case of Spain, which has just set up a very high export tax on hides and leathers.

These taxes on exportation which hit raw materials are an even greater danger for the supply and the resumption of industry than prohibitions of export. On the basis of certain propositions which have been made to the Economic Commission of the Peace Conference, and which have been referred by it to the Supreme Economic Council, or to the League of Nations, the above-mentioned Delegations on the Statistical Committee consider that they must call the attention of the Raw Materials Section to the dangers which any régime formed to institute or to maintain artificial prices would appear to present from the point of view of world supply. The British Delegation makes a reservation with regard to this recommendation (see Note Annex I).[15]

[15] See below.

## 2. *Tonnage*

The problem of supplies for certain countries appears in the case of certain products which are essential for their reconstruction to depend solely upon the question of tonnage.

The problem of the supply of wood, which is of vital importance for all the countries which have been devastated by the enemy, would appear only to be capable of being solved by the institution of a traffic which would permit them to utilise the reserves of wood which exist either in the Baltic countries or in certain colonial countries.

## 3. *Means of Payment*

Finally, the Statistical Committee has been unanimous in recognising the inferiority in which certain Allied and Associated countries find themselves, in regard to their supply of materials, results above all from the financial situation. The unequal distribution of the resources of the world, even in respect of those products which are not deficient, appears to be in a great measure the effect of the unfavourable situation of the exchanges or the insufficiency of means of payments.

## IV.—*Exchange of Information*

The Statistical Sub-Committee has been unanimous in recognising the desirability of setting up a continued exchange of information amongst the different delegations of which it is composed, both with regard to production and stocks and to relative estimates of consumption. The case of leather is especially apposite, from this point of view.

It is impossible at the moment to estimate even approximately the resources of leather and hides of various sorts in a great number of countries in the world.

The majority of European countries which have taken part in the war have suffered considerable diminution in their herds, and in certain countries in which the herds have not decreased in numbers, young beasts, which it would be unprofitable to slaughter, take the place of the older animals slaughtered during the war. In almost all the countries there is a notable diminution in slaughter, and the slaughter depends further on the possibilities which they possess for the importation of frozen meat.

With regard to the producing countries which export frozen meat there are some whose production has increased appreciably during the course of the war. There is an increase by about 15 per cent. in America, where the herds amount to 67 millions, and an increase by about 40 per cent. in Canada, but the exportation from these countries depends to a considerable extent upon European orders which, in turn, depend upon the volume of the refrigerated tonnage.

The production of skins and leather in the great producing countries of North America, South America and Australia is thus difficult to estimate at the present moment, and will vary not only in accordance with the demands for purposes of consumption, but also in accordance with the volume of tonnage and the quantity of finance available.

One of the forms of mutual aid which the Allied and Associated countries can render to one another at this moment is to secure as exact information as possible upon the increase or decrease of the available supplies of each sort of raw material brought about by variations not only in production but by the intensification or slackening of foreign trade.

The Statistical Sub-Committee considers it useful not only to undertake a constant interchange of information, but to consider the eventual publication of the documents thus collected.

## Note

### (Annex 1)

The British Delegation does not associate itself with the recommendation as to export duties, on the ground that its discussion involves important questions of policy, which have already been discussed between representatives of the nations concerned in this report, and in regard to which the attitude of the United Kingdom is unchanged.

## Annex 2 to the Report of the Statistical Sub-Committee

(Document 288 of the Thirtieth Meeting of the Supreme Economic Council at Brussels, September 20, 1919)

After the above report had been circulated to the various delegations, the Raw Materials Committee received supplementary information from the British delegate on the following points: (a) Further examination of the estimates of the Egyptian cotton crop show[s] that the probable deficit is considerably less than had at first been feared, and the proposed measures of distribution do not appear to be necessary; (b) the proposals of the report as regards freedom of trade in wool do not appear to be necessary in view of the measures which are in contemplation.

In these circumstances the Supreme Economic Council decided at its meeting of Saturday morning, the 20th September, that the members of the Raw Materials Committee, taking this new information into consideration, should bring forward new proposals at the afternoon meeting.

These proposals, which were discussed at a meeting of the Committee at 3 o'clock on Saturday, the 20th September, were drawn up as follows:—

1. In order to meet difficulties which appear possible in the case of certain commodities for which a shortage may arise, the Committee regard it as desirable to establish a continuous exchange of information about production, quantities available, and the distribution of raw materials.

2. The Committee regard it as necessary to call the attention of the Organisation Committee of the Reparation Commission to the shortage of flax, and to the advisability of opening negotiations

562

with the Germans and Austrians with the view of securing from them a certain quantity of that material in exchange for other materials of which they stand in need.

3. The Committee is of the opinion that, in a general way, the difficulties relating to the supplies of raw materials are only an aspect of the general question of European supplies which has been submitted to the Council at the present meeting, and which concerns particularly the question of credits.

The French, Italian and Belgian delegates find that, in addition to the difficulties mentioned above, the supplies of raw materials are also impeded by certain specific measures as to discrimination of prices for export or export duties.

The result of such measures is:

(a) That the life of certain industries is dangerously affected.

(b) That the equitable treatment of commercial conditions is all the more compromised, because the question is one of a supply which is fundamental for the economic life of the various countries.

## No. 138

### Earl Curzon to Mr. Ovey (Christiania)

#### No. 121 [120388/84445/30]

FOREIGN OFFICE, *September 20, 1919*

Sir,

I have to inform you that the question of granting a concession to the Norwegian Government in compensation for losses incurred by the Norwegian Mercantile Marine owing to the submarine warfare has lately been engaging the attention of this Department.

2. This question was originally raised by the Norwegian Minister at Paris in conversation with Sir Esme Howard[1] on May 16th. Baron de Wedel suggested that His Majesty's Government might grant a trading concession to a Norwegian company in British or German East Africa in recognition of the services performed by the Norwegian Merchant Shipping services. In a further conversation on August 2nd with Sir Ian Malcolm,[2] he stated that a scheme had been submitted in secret session to the Norwegian Foreign Committee, whereby His Majesty's Government should transfer to Norway one of the new British colonies in Africa. The memoranda of these unofficial conversations are enclosed,[3] for convenience of reference.

---

[1] H.M. Minister to Sweden and at that time a member of the British Peace Delegation.

[2] Private Secretary to Mr. Balfour.

[3] Not printed. Sir Ian Malcolm's record of his conversation with Baron de Wedel on August 2 stated, in particular: 'Baron de Wedel told me that, early in the present year, a scheme had been before the Norwegian Foreign Committee (in Secret Session) whereby one of these [new] African colonies should be transferred to Norway either by the Powers or by Great Britain: but, for various reasons, the Foreign Committee declined to entertain the

3. While recognising the great obligations under which Great Britain stands to the Norwegian Mercantile Marine for their devotion to duty during the blockade His Majesty's Government are unable to regard as practicable the specific form of compensation put forward by the Norwegian Minister in these conversations. It is by no means clear that the proposed grant of a concession to a Norwegian Trading Company in the East Africa Protectorate or in German East Africa would benefit those to whom it is considered that compensation is due. Nor would it appear feasible to offer facilities to Norwegian subjects for settlement in British or German East Africa on advantageous terms—an alternative which has received the consideration of His Majesty's Government. The arrangements now in progress for the settlement of ex-service men in British East Africa are likely to exhaust all the land suitable for European settlement in that colony, and as regards German East Africa, the question has not yet been considered of granting land in that territory to persons either of British or of foreign nationality.

4. I should be glad if you would take some convenient opportunity of communicating these considerations to the Norwegian Government in a semi-official and verbal form, referring at the same time to the flourishing whaling industry carried on by Norwegians in the Dependencies of the Falkland Islands as an indication that His Majesty's Government appreciate and welcome Norwegian enterprise in British colonies.

I am, &c.[4]

idea. Thereafter the Norwegian Foreign Minister wrote, unofficially, to Baron de Wedel suggesting that if a concession or concessions were granted to Norwegian subjects in one of the aforesaid territories, that could be considered. This communication was passed on, again unofficially, by the Norwegian Minister in Paris to Sir Esme Howard who, Bⁿ W. believes, spoke to Lord Milner on the subject. The Secretary of State for the Colonies seems to have considered the matter favourably and to have asked whether Norway would prefer highlands or lowlands for her enterprise. The reply was that, if possible, Norway would like some of both. There the matter rests for the present, and Baron de Wedel came to ask whether the British Government would eventually be inclined to make such an offer.'

[4] Signature lacking on filed copy of original.

## No. 139

*Sir G. Grahame (Paris) to Earl Curzon (Received September 24)*

*No. 925 [133130/4187/4]*

PARIS, *September 22, 1919*

My Lord,

I have the honour to receive your Lordship's despatch No. 1135,[1] Confidential, of the 9th instant, transmitting copy of a memorandum by His Majesty's Ambassador at Brussels[2] for my observations with regard to the last paragraph, which mentions the question of a defensive alliance between Belgium and France in the case of an unprovoked attack upon the former. It is stated

[1] Not printed. This formal covering despatch transmitted to Paris a copy of No. 108.
[2] No. 108.

in this memorandum that the Belgian Minister for Foreign Affairs enquired of Sir Francis Villiers whether His Majesty's Government would take part in the discussion now said to be proceeding in Paris, and whether they would eventually join in providing the security which the Belgians are anxious to obtain.

I have since had an opportunity of reading in the print sections[3] your Lordship's despatch to His Majesty's Chargé d'Affaires at Brussels, dated the 9th September,[4] in which the Belgian Ambassador in London raised the question with you.

I have the honour to inform your Lordship, in reply to your despatch to me above mentioned,[1] that I have noticed once or twice recently passing allusions here to the advisability of an alliance between France and Belgium. From the form which these suggestions—which did not come from any authoritative quarter—have taken, it would appear that they arise not so much from the idea of providing security in the future for Belgium, but rather in pursuance of a desire here to further the conclusion of a series of alliances which would enable France to feel greater security in the future than that provided by the Versailles Treaty, and by the agreements with Great Britain and the United States by which these Powers undertake to assist France in certain eventualities if threatened by Germany.

This point of view was set forth in a speech by M. Louis Marin on the Peace Treaty in the Chamber of Deputies on the 19th instant. M. Louis Marin is a prominent Deputy, who has shown great competence in dealing with financial questions. He was a member of the Commission of the Chamber charged with examining the Peace Treaty, and was the only member who gave his vote in the Commission against its acceptance. In the course of his long speech on the 19th instant, he expressed himself as follows with regard to an alliance with Belgium:—

'If an arrangement had been made with Belgium, a people so near ourselves in race and civilisation (and I hope that it will be made as soon as possible), the whole of France and Belgium would have seen therein a magnificent and immediate guarantee against danger in the future. If the two peoples, each maintaining their form of Government and their independence, were united in order to form a military and economic *bloc* against Germany, it would be one of the great results of the war. At present the matter has not gone further than *pourparlers*, in spite of the strong and tenacious wishes of the great majority of both nations. It is regrettable that the Treaty has not provided for military and economic relations with our immediate neighbours—Belgium, Luxemburg, and Italy.'

I believe that the proposal to form defensive alliances with Belgium, and also with Italy, for mutual security against Germany in the future would not be unpopular in France. For many months, while the negotiations at the Peace Conference were in progress, the principal newspapers, probably with

[3] Printed copies of recent diplomatic correspondence circulated to H.M. Representatives abroad.     [4] No. 122.

the idea of exercising pressure on the British and American plenipotentiaries, consistently belittled the advantages and guarantees which France seemed likely to secure at the settlement and inveighed against the Allied Governments for not agreeing to more severe conditions which would still further weaken Germany. One of the consequences of this campaign was that the French public was rendered uneasy as to what the future may have in store for France. Opposition speakers in Parliament also frequently took the same line in order to damage M. Clemenceau's Government. This unfavourable impression has probably been to some extent dispelled by the defence of the Peace Treaty and the explanations as to the security thereby afforded to France, which have been given by Government speakers in the course of the debate now proceeding in Parliament respecting the ratification of the treaty. In any case, the advantages secured by France and the great strength of the position in Europe in which she is left by the signature of the Versailles Treaty are becoming gradually more apparent to the generality of Frenchmen, though perhaps the full extent of the change in the European situation in favour of France is still not fully realised.

France is now the only great military Power on the Continent; the Austrian ally of Germany has disappeared as a great Power and Germany herself has to all appearance been deprived of the means, for an indefinite period of time, of becoming a strong military Power. She has lost territory—including regions, such as Silesia and Lorraine, on which she largely depended for mineral resources necessary for warlike purposes—population, a war fleet, commercial tonnage, colonies, and other sources of national riches, and she is burdened with the payment of immense indemnities. These catastrophical events, without a parallel in modern history, together with what the possession of Alsace-Lorraine means to France from the point of view of a safer strategical frontier ought, it would seem, to remove any French fears of a successful war of revenge, and this without taking into account the immediate security afforded by the occupation of German territory and the more permanent one arising from the Anglo-American Treaties of Guarantee. Moreover, the population of France, which now reaches a total of 40,000,000, more nearly approaches that of Germany than before the war. Formerly the greatly superior population of Germany alarmed France because of the facility which it afforded to the German Empire to enrol every year a far greater number of recruits for the army than the French Republic was able to do. The interdiction laid upon Germany by the Peace Treaty to keep up an army of anything like the size formerly considered requisite by a great military Power and the complete liberty which France still enjoys in this respect should largely remove the danger which formerly existed for France in having a hostile militarist Empire as a neighbour with a greatly superior population.

I have only touched upon a few of the reasons which should make Frenchmen confident as regards the future security of their country. There are others, such as those indicated by M. Loucheur, Minister of Industrial Reconstruction, in a recent speech in the Chamber (reported to you in my telegram No. 1011[5] of the 12th instant), when he stated, among other things, that France would be henceforth the first producing country for iron-ore and the second for steel.

I believe that it will gradually appear clear to Frenchmen as time goes on and when the present financial and economic troubles which now loom large before them—but which they are far from being alone in experiencing—diminish, how extraordinarily strong France's present position is on the Continent. Many know it already. Recently the foreign editor of the *Figaro* alluded in one of his articles to France as 'la seule grande Puissance continentale', and claimed that, as such, her will should prevail in the question of action to be taken as regards Roumania.

The danger exists that this view may, if ambitious politicians be at the helm of affairs, tempt them in the future to abuse their predominant position in Europe, which the chauvinistic Frenchman has always considered to be a natural one for his country. The strength of France may be used in attempts wrongly to dominate certain other nations, Spain, for instance, whose rights in Morocco and Tangier stand in the way of the accomplishment of French ambitions.[6] Italy, too, may feel the hand of France pressing heavily upon her in the future in various directions, whether she is formally allied to France or not.

I have discussed with Brigadier-General Grant, acting military attaché to this Embassy, the military aspect of the questions with which this despatch deals. He is of opinion that Maréchal Foch and French soldiers are still genuinely apprehensive of a resurgent militarist Germany and reflect on the possibility of Germany establishing a hold on the Baltic provinces[7] and at some future date allying herself to Russia.

Such possibilities must naturally be taken into account in any general review of international relations from the French standpoint in the Europe of the future.

To return, in conclusion, to the question of an alliance between Belgium (comprising Luxemburg) and France, I would say that my belief is that, were a good case from the point of view of national interests presented at a favourable moment to the French public, the idea would be popular, and the same remark applies to an alliance in certain eventualities with Italy.

If this view be correct, it is not altogether unlikely that a French Cabinet might wish to have the credit of such a policy, and might begin regular negotiations with this end in view.

I do not feel sure that as Great Britain has already signed a Treaty of Guarantee with France her participation in a new Triple Alliance of this nature in Europe would be regarded here as indispensable. Indeed, some Frenchmen might consider that, if Great Britain were left out, France would naturally be its predominant member, with the result that her prestige and power in the eyes of the world would be still further enhanced.

I have, &c.,

GEORGE GRAHAME

[5] Not printed.     [6] Cf. Volume IV, No. 338, note 5.     [7] Cf. Volume III, Chap. I.

# No. 140

*Earl Curzon to Sir G. Grahame (Paris)*

*No. 1172 [132971/4187/4]*

FOREIGN OFFICE, *September 23, 1919*

Sir,

I transmit to you herewith copy of a note left with me by the Belgian Ambassador, in which he expresses the anxiety of the Belgian Government to obtain the assistance of His Majesty's Government in resisting the claim of the French Government to control the Guillaume–Luxemburg Railway.

This claim is thought to rest upon article 67 of the Treaty of Peace with Germany, which gives to France the rights exercised by the German Empire 'over all the railways which were administered by the Imperial Railway Administration'; but as this article forms part of the section headed Alsace-Lorraine, there must be some misunderstanding on this point. The treaty cannot have been intended to hand over to France railways which were neither in Alsace-Lorraine nor in German territory at all, and the section which deals with Luxemburg contains no reference to the subject.

I recognise that it is a matter of some delicacy for His Majesty's Government to intervene between the French and Belgian Governments on a point which does not directly concern them, except as parties to the treaty of which the construction is under discussion. I think, however, that you might inform the French Minister for Foreign Affairs that the Belgian Government have consulted His Majesty's Government as to the proper interpretation of the treaty, and that we are convinced that there must be some misunderstanding, as there seems to us no ground for saying that any of the articles gives France a claim to the control of the Luxemburg railways.

Further, inasmuch as we have always understood that the French Government favoured the idea that Luxemburg should after the war be regarded as in the Belgian sphere of influence, the control by any other Power of the railway system of the Grand Duchy would appear to conflict with that conception and might be a source of not illegitimate disappointment to the Belgian Government and people.

I am, &c.,

CURZON OF KEDLESTON

ENCLOSURE IN No. 140

*Baron Moncheur to Earl Curzon*

*No. 5791*

AMBASSADE DE BELGIQUE, LONDRES, *le 20 septembre, 1919*

Milord,

Par ma communication du 15 septembre adressée à votre Seigneurie,[1] j'ai eu l'honneur de lui exprimer l'extrême désir de mon Gouvernement

---

[1] No. 131.

d'obtenir l'intervention du Gouvernement britannique à Paris, afin que le Gouvernement français renonce à exiger la remise de l'exploitation du chemin de fer Guillaume–Luxembourg à la Compagnie française de l'Est.

D'après les ordres de mon Gouvernement, j'ai l'honneur de m'adresser de nouveau à votre Seigneurie de la façon la plus pressante, afin que le Gouvernement britannique veuille bien faire d'urgence cette démarche.

Il est d'un intérêt vital pour la Belgique que le Gouvernement de la République, qui, à plusieurs reprises, a formellement promis au Gouvernement belge qu'il favoriserait la politique belge à l'égard du Luxembourg, ne maintienne pas ses prétentions sur l'exploitation du chemin de fer Guillaume–Luxembourg.

En effet, si ce réseau est exploité par la Compagnie française de l'Est, tous les heureux effets politiques et économiques d'un rapprochement entre la Belgique et le Grand-Duché seront irrévocablement détruits.

Ainsi que j'ai déjà eu l'honneur de l'expliquer à votre Seigneurie, cette question a un intérêt européen, car, si par suite de la cession des chemins de fer luxembourgeois à la France la politique du Grand-Duché se tourne vers la France, ainsi que cela arrivera alors inévitablement, ce sera le premier pas de l'encerclement de la Belgique, dont l'avenir sera compromis.

Le Gouvernement britannique, qui a si souvent déclaré toute l'importance qu'il attache au maintien de l'existence complètement indépendante de la Belgique, appréciera certainement notre point de vue.

Le Gouvernement français ne peut fonder ses prétentions sur l'article 67 du Traité de Versailles qui subroge l'État français dans tous les droits de l'Empire allemand sur les lignes de chemins de fer gérées par lui en Alsace-Lorraine.

Cet article ne peut s'appliquer qu'aux chemins de fer d'Alsace-Lorraine et non à ceux du Luxembourg.

En effet, quand la Conférence de Paris rédigea le chapitre du Traité de Paix relatif au Luxembourg, la Délégation belge s'opposa à l'insertion proposée par la Délégation française d'un article qui attribuait l'exploitation du Guillaume–Luxembourg à la France, et le Gouvernement de la République n'insista plus sur cette proposition. Il y a donc, par là même, renoncé.

Mon Gouvernement me prie aussi d'attirer de nouveau l'attention de votre Seigneurie sur la gravité de la décision que le peuple luxembourgeois serait appelé à prendre si on lui soumet le referendum concernant la question de savoir si le Grand-Duché doit contracter une union économique avec la Belgique ou avec la France.

Cette décision, pour les motifs que j'ai déjà signalés, peut avoir une répercussion sur la politique européenne.

D'autre part, la population luxembourgeoise ne dispose pas des éléments d'appréciation nécessaires pour déposer son vote en connaissance de cause.

Il serait de la plus haute importance que ce vote, qu'il est question de fixer pour la fin de ce mois, fût ajourné.

Je suis chargé de signaler spécialement à votre Seigneurie toute l'importance de ce fait et de lui dire tout le prix que mon Gouvernement attacherait à ce que le Gouvernement britannique veuille bien, en même temps qu'il ferait une démarche immédiate à Paris pour amener la France à renoncer à ses prétentions sur les chemins de fer du Grand-Duché, exercer aussi son influence à Luxembourg pour obtenir l'ajournement du referendum relatif à l'union économique.

De bien graves conséquences internationales peuvent résulter, en effet, de ce vote, que la population luxembourgeoise n'est pas encore en état d'exprimer avec compétence.

Je saisis, etc.,
MONCHEUR

## No. 141

### Earl Curzon to Sir E. Crowe[1] (Paris)

### No. 6186 [132971/4187/4]

FOREIGN OFFICE, September 23, 1919

Sir,

I transmit to you herewith copy of a note left with me by the Belgian Ambassador,[2] in which, on behalf of his Government, he asks the assistance of His Majesty's Government, firstly, in resisting the French claim to assume control over the railways of Luxemburg, and, secondly, in securing an adjournment of the referendum by which the people of Luxemburg are to decide between economic union with Belgium and with France.

As regards the former point, I enclose copy of a despatch which I have addressed to His Majesty's Ambassador [sic] at Paris,[3] instructing him to explain to the French Government the point of view of His Majesty's Government.

As regards the second point, as His Majesty's Government are not represented in Luxemburg itself, I should be glad if you could communicate with such representatives of Luxemburg as may be in Paris in connection with the Peace Conference, and, if you see no objection, suggest to them the advisability of taking more time to consider this important question. I propose this course purely out of friendship for Belgium, and I recognise that it is a matter of some delicacy. It might be well, therefore, that you should inform your French colleague beforehand, adding that we have been given to understand that the French Government themselves have no wish for an economic union with Luxemburg.

I am, &c.,
CURZON OF KEDLESTON

[1] Head of the British Peace Delegation in succession to Mr. Balfour.
[2] Not here printed: printed as the enclosure in No. 140.
[3] Not here printed: printed as No. 140.

## No. 142

*Mr. Robertson (The Hague) to Earl Curzon (Received September 24)*

*No. 1444 Telegraphic* [*133309/9019/39*]

THE HAGUE, *September 24, 1919*

I hear on reliable authority that Netherlands Minister in London warned Netherlands Minister for Foreign Affairs ten days ago that Allies would shortly ask for surrender of Emperor. Announcement to this effect has also appeared in Press—which appears to be of opinion that Allies would be relieved if Holland refused and so helped them out of awkward position.

I also hear that Netherlands Government have decided to refer eventual request to their Legal Advisers. Surrender would not be refused categorically and might even ultimately be granted if good legal case can be made out. Netherlands Minister in London seems to have warned Netherlands Government that Allies might turn against Holland in Belgian dispute in the event of latter making difficulties in regard to surrender.

Repeated to Peace Conference No. 45.

## No. 143

*Mr. Robertson (The Hague) to Earl Curzon (Received September 29)*

*No. 1448 Telegraphic: by bag* [*134889/11763/4*]

THE HAGUE, *September 25, 1919*

Your despatch No. 303[1] enclosing Committee's recommendations for settlement of Belgo-Dutch controversy.

Part iii (Military and Naval Questions) make[s] me fear that Delegates do not realise strength of feeling that has been aroused in this country by Belgian agitation. Even if Dutch Government themselves were willing to conclude Military Convention with Belgium (which they are not), they would be turned out of office at once if the news leaked out, or if they attempted to lay such a Convention before Parliament. Of this I have been assured emphatically by Minister for Foreign Affairs several times, and yet again to-day. All my information fully supports his view. His Majesty's Government might as well attempt to conclude a military convention with Germany.

I think that Committee would be well advised to face the fact that Holland regards the moment as inopportune for any such proposal to be put before her, and I should be very much surprised if she agreed to a Convention with the Powers occupying Rhenish territory. Apart from the feeling against Belgium which would make such a convention wholly inacceptable for the moment, Holland's absolute neutrality is still the foundation of her whole foreign policy and she will not of her own volition enter into any entangling

---

[1] Not printed. This formal covering despatch of September 18, 1919, transmitted to Mr. Robertson a copy of No. 124 and its enclosure (cf. No. 124, note 3).

alliances, Conventions or understandings, except possibly in fulfilment of her obligations under the League of Nations Covenant, to which she will, I understand, adhere.

This attitude might conceivably change in future years if and when present feeling of hot resentment against Belgium dies down, but I doubt it. The Dutch fear that any Military Convention with Belgium or the Allies would invite German aggression. I am not sure that they desire to be convinced to the contrary. The League of Nations should of course alter the whole position fundamentally.

Kindly repeat to Paris and Brussels.

## No. 144

*The Belgian Ambassador in London to Earl Curzon (Received September 25)*

*No. 5895* [*133976/4187/4*]

AMBASSADE DE BELGIQUE, LONDRES, *le 25 septembre, 1919*

Milord,

Dans l'entretien que j'ai eu l'honneur d'avoir avec Votre Seigneurie le 20 septembre,[1] je Lui avais exprimé le désir de mon Gouvernement d'obtenir l'intervention du Gouvernement Britannique à Paris pour que le Gouvernement de la République ne maintînt pas ses prétentions sur l'exploitation du chemin de fer du [*sic*] Guillaume Luxembourg.

J'avais signalé en même temps à Votre Seigneurie toute l'importance que M. le Ministre des Affaires Etrangères de Belgique attachait à ce que le Gouvernement de Sa Majesté Britannique voulut bien exercer aussi son influence à Luxembourg pour que le Referendum économique auquel il était question de procéder dans le Grand Duché fut ajourné jusqu'au moment où la population pourrait se prononcer en connaissance de cause.

D'après une communication que je viens de recevoir de M. Hymans, le Prince de Ligne, Chargé d'Affaires de Belgique à Luxembourg, s'inspirant des circonstances locales et constatant que le Gouvernement Grand Ducal aussi bien que la Nation étaient absolument décidés à procéder au Referendum économique afin de sortir des difficultés financières au milieu desquelles se débat le Pays, a renoncé à conseiller au Gouvernement Luxembourgeois d'ajourner ce vote populaire.

Dans une lettre qu'il a adressée au Ministre d'Etat du Grand Duché, il s'est borné à dire, à propos du Referendum économique, que le Gouvernement Belge est fondé à croire que la communication éventuelle à la Chambre Luxembourgeoise des échanges de vues qui ont eu lieu, depuis plusieurs mois, entre les deux Pays sur les questions économiques sera suffisante pour con-

---

[1] The conversation (otherwise unrecorded in Foreign Office archives) in the course of which the Belgian Ambassador had left with Lord Curzon the Belgian note of September 20, 1919: see No. 140.

vaincre le peuple du Grand Duché de l'intérêt que présente pour lui une union économique avec la Belgique.

Tout en remerciant Votre Seigneurie de la bienveillance avec laquelle Elle avait bien voulu me faire espérer son appui pour déterminer le Gouvernement Grand Ducal à ajourner le Referendum économique, j'ai l'honneur de Lui faire savoir que vu la situation que je viens d'exposer il n'y a plus lieu de faire des démarches à Luxembourg à cet effet.

Par contre mon Gouvernement me charge de signaler de nouveau à Votre Seigneurie l'intérêt très grand qu'il y aurait, non pas seulement pour la Belgique, mais pour la Grande Bretagne à ce que le Gouvernement Français renonce à faire attribuer à la Compagnie de l'Est l'exploitation du chemin de fer Guillaume Luxembourg.

Le Gouvernement Belge ne renonce pas à espérer que le Referendum économique lui sera favorable et décidera d'une union économique entre la Belgique et le Grand Duché. Mais les conséquences favorables de cette union seraient annihilées si l'exploitation du principal réseau de chemins de fer était réservée à une Compagnie Française.

Mon Gouvernement se permet donc d'espérer que le Gouvernement de Sa Majesté Britannique voudra bien faire à Paris les démarches que j'ai déjà eu l'honneur de demander à Votre Seigneurie dans mon précédent entretien à l'effet d'obtenir que le Gouvernement de la République se désiste de ses prétentions sur le Chemin de fer Guillaume Luxembourg.

J'ai l'honneur de transmettre ci-jointe à Votre Seigneurie, copie de la lettre[2] du Prince de Ligne au Ministre d'Etat du Grand Duché, que je viens de mentionner.

Ainsi que le remarquera Votre Seigneurie ce document ne traite pas uniquement la question du Referendum *économique*. Il y est dit, à propos du referendum *dynastique* que la dynastie Belge n'a jamais posé sa candidature et n'est pas candidate au trône Grand Ducal.

Je saisis, etc.,
B<sup>N</sup> MONCHEUR

[2] Not printed.

## No. 145

*Sir G. Grahame (Paris) to Earl Curzon (Received September 25)*

*No. 1037 Telegraphic [133747/4187/4]*

PARIS, *September 25, 1919*

Your despatch No. 1172,[1] 23rd instant.

I reported in my despatch No. 897,[2] 13th instant what was said to me by the Political Director at Ministry of Foreign Affairs about (? exploitation) of Guillaume Luxemburg railway system. I believe French Government to be set upon obtaining this control and that they would greatly resent British

[1] No. 140.                    [2] No. 130.

573

intervention in favour of Belgian claim. I beg leave to suggest for your consideration that no isolated action should be taken by Great Britain and that if any protest be considered desirable, it should only be made in common with co-signatories of Versailles Treaty.

## No. 146

### *Sir G. Grahame (Paris) to Earl Curzon (Received September 29)*

### *No. 935 [134807/8259/17]*

PARIS, *September 25, 1919*

My Lord,

The debate in the Chamber yesterday on the Peace Treaty developed into a lively incident between the President of the Council and Monsieur Barthou, the Reporter-General of the Commission appointed to report on the treaty, in regard to the situation of France and the validity of her guarantees in the event of the United States of America not ratifying the treaty.

Monsieur Tardieu[1] opened the debate, in order to reply to certain objections raised by Monsieur Louis Marin on the preceding day, by observing that the best guarantees afforded to France by the treaty lay in the control which would be exercised by the Allies in Germany. Monsieur Barthou thereupon intervened by saying that the right of such control was vested only in the Society of Nations. The time had come, he said, to speak openly. The safety of France and her future was at stake. Certain countries had contracted engagements towards France, and unless those engagements were kept the treaty would be worth nothing. Almost all the guarantees were valueless unless England and America voted the Treaty of Alliance and the Covenant of the League of Nations. England had voted them, but it was uncertain whether America would do so. The question therefore that he wished to raise was: What would be the situation of France supposing the United States of America did not ratify either the treaty or the covenant, or if they were to modify them?

On Monsieur Tardieu replying that it must be hoped that the United States of America would ratify, and that even in the improbable event of their not doing so, both the treaty and the right of control would continue to be effective, Monsieur Barthou continued that such a reply could not be considered as sufficient; that it was the duty of the President of the Council or the Minister for Foreign Affairs properly to answer his question; and that until they did so he would continue to put it.

This was the first stage of the incident, and the Minister for Foreign Affairs then proceeded to address the Chamber. He explained that the League of Nations was the logical outcome of the peace movement at The Hague previous to the war, a movement in which France had played a leading role, and had been opposed by those who were to be her enemies in 1914, whereas

[1] French Delegate Plenipotentiary to the Peace Conference.

574

her present Allies had supported her initiative in favour of compulsory arbitration. Monsieur Pichon referred to the criticism which had been raised to the League of Nations since the beginning of the discussion, namely, the preponderance given to Great Britain through the admission of her overseas Dominions and to the United States of America through the recognition of the Monroe doctrine. He pointed out that it would have been impossible to refuse to admit the British Dominions after the sacrifices they had made to the common cause, and that as regards the Monroe doctrine, a mere 'de facto' situation had been consecrated. The British overseas Dominions and India had mobilised two million, nine hundred and fifty thousand men during the war, of which one and a half million had been raised in India alone, while their war expenses had been approximately a thousand million pounds sterling. Nor was it, he added, by any means certain that in discussions they would always follow England's lead. He had himself witnessed during the Conference the independence with which they supported their own interests where necessary. Monsieur Pichon was here interrupted by Monsieur Jean Bon (Socialist), who desired to know why Algeria had not received similar treatment. Algeria, replied Monsieur Pichon, was a continuation of France; it was not a colony; it had departments which were represented in the Chamber, and thus could not be assimilated to the Dominions any more than the other French colonies could be.

After a general review of the role and functions of the League of Nations, Monsieur Pichon turned to the wider aspects of the treaty. There could, he said, be no peace more just or equitable, or one which took more fully into account the aspirations of peoples. Alsace-Lorraine had reverted without a plebiscite to France because the attitude of those provinces since 1870 constituted, in fact, a plebiscite. Belgium and Poland had recovered those districts which were indisputably Belgian or Polish. Where there was any doubt, such as in Silesia and in Schleswig, &c., a plebiscite would be taken. Danzig was to be made a free town, while France was not even to have sovereignty in the Sarre basin. As regards the German colonies, they had been taken away from Germany not only on account of her proved unworthiness as a colonising Power, but also, and above all, because she only wished to keep her colonies in order to make of them naval bases for a future war of revenge and opportunities for future aggression.

Monsieur Pichon remarked that the Chamber during the war had on more than one occasion defined the war aims of France; there was nothing in the treaty which was not in conformity with those aims. Already in January 1917, the President of the Council at that time had written to the French Ambassador in London stating that Germany should not be allowed to retain a foot of soil on the left bank of the Rhine. That letter, as the result of a secret session of the Chamber, had been communicated to Mr. Balfour in July of that year, who, without going into the matter, had laid stress on the importance of the communication.[2] The fact was, said Monsieur Pichon, that at that time the leading statesmen in England were in favour of a plebiscite

[2] See Cmd. 2169 of 1924: *Papers respecting Negotiations for an Anglo-French Pact*, p. 3.

in Alsace-Lorraine, and it was not without a considerable effort that the Government had been able to arrive at the solution of this question desired by them. How was it possible to say that a peace which restored Alsace-Lorraine to France, which gave her the Sarre mines, which freed Morocco from all international mortgages, which prohibited Germany from having troops on the left bank of the Rhine or within fifty kilometres of its right bank, which resuscitated Bohemia and Poland, which restored the province of Schleswig to Denmark, which affirmed the right of peoples to dispose of their own fate, was other than a French peace? Such a peace was the true heir of the French revolution. The place that France occupied to-day in the world was an argument in itself. Never had she been more honoured and respected. Never had she been considered more powerful or more capable of playing her due role in the organisation of the modern world. But to play that role it was necessary for the French Parliament and diplomacy to know how to profit by the advantages offered in that treaty. Its execution must be closely supervised, controlled, and ensured. The rules which it laid down must be observed; the agreements and alliances which it contracted must be maintained.

On the conclusion of Monsieur Pichon's speech, the full text of which, as extracted from the *Journal officiel*, is enclosed herein,[3] Monsieur Barthou once more returned to the charge. He argued that the Treaty of Peace and the alliances with England and America would only have their value or effect through the working of the League of Nations. It was the League of Nations which was to settle the questions still in dispute in Europe, and which was to organise and exercise the control in Germany. Consequently all the guarantees afforded by the treaty depended on the League of Nations. Therein, he said, lay the painful question which he had just before submitted to the Chamber. He firmly hoped that the United States of America would ratify the treaty, but between hope and certainty there was room for great anxiety, and as it was clear that the debate in the Chamber would terminate before that in America, the worst of hypotheses must be taken into account. 'If,' he repeated, 'the Senate did not ratify the League of Nations, what would be the situation of France? Will you tell us that that League can be formed without the United States of America?' After quoting several articles of the treaty to prove that it could not, Monsieur Barthou asked what then would happen to the guarantees given to France, what would the treaty itself be worth, and what would be the future of France? Juridically, replied Monsieur Pichon, under article 3 of the treaty, the League of Nations could exist even though the United States of America were not a member of it. Juridically, continued Monsieur Barthou, Monsieur Pichon was perhaps correct, but he was not asking for a legal theory but an explanation on political grounds. I ask the following question: Supposing the United States of America do not participate, will the guarantees operate on which the Government rely, and have the right to rely? Monsieur le Président du Conseil, I beg you not to elude this most serious and perplexing question.

[3] Not printed.

This direct appeal induced Monsieur Clemenceau to intervene in the debate for the first time from the tribune since the beginning of the discussion of the Peace Treaty. He was asked, he said, what would happen if America did not join the League of Nations. There were two Treaties of Alliance which had been concluded solely because it was realised that the League of Nations could not yet do all that those treaties were called upon to do. The Treaty of Alliance had been already voted in America by large majorities by two Senatorial Commissions, and would have its full value even if the Covenant of the Society of Nations were not ratified by the United States of America. It would indeed be a strange irony of fate if America did not join the League of Nations, but that was a matter quite outside the Treaty of Alliance. That treaty would still be complete, even though for a few months America were not a party to the League of Nations. He had himself caused an article to be inserted in the Peace Treaty to the effect that if the treaties were not voted France would be free to make fresh arrangements respecting the Rhine. In that respect precautions had been taken. If, however, he added, the intervention of Monsieur Barthou tended towards an indefinite adjournment on the vote on the treaty, so be it; but the Chamber would be acting alone.

This last statement by M. Clemenceau produced an indignant rejoinder from Monsieur Barthou, who complained that he was not permitted to put a question without being accused of some sort of political manœuvre. He considered, he said, such an accusation as an insult. His question, however, remained, and had not received an answer. The value of the treaties depended on the League of Nations; it depended on that League whether France were provided with sufficient guarantees and protection. Was it possible that France could accept the constitution of a Council of the League of Nations without the United States of America? It was not, he continued, a question of politics; it was a national question; it was a question of knowing whether France would receive the guarantees which she deserved and which the President of the Council had promised her. There was the future to be considered. Would France in two, five, fifteen years' time have the guarantees to which she was entitled? Monsieur Barthou was interrupted at this point by Monsieur Clemenceau, who remarked that if Monsieur Barthou wished to be logical, he should ask for the adjournment of the debate until after the United States of America had ratified the treaty. In the midst of considerable uproar from the Left wing of the Chamber, Monsieur Clemenceau, pointing to the Socialists, added, 'Those are the people whom you are helping and for whom you are working.'

After a further protest from Monsieur Barthou at this observation, the sitting was suspended.

I have, &c.,
GEORGE GRAHAME

## No. 147

*Sir E. Howard (Stockholm) to Earl Curzon (Received October 4)*

*No. 431* [*136992/111968/30*]

STOCKHOLM, *September 25, 1919*

My Lord,

I asked the Swedish Prime Minister to-day what the attitude of the Swedish Government was with regard to adherence to the League of Nations.

His Excellency replied that for the moment the Government was waiting until America had ratified the Treaty, and they wished to know, before taking any positive steps themselves, whether America would insist on new conditions or modifications. The Treaty had been offered the neutral States for their acceptance as it stood, and it was stated that no alterations were to be made, but if one of the principal belligerent Powers introduced modifications, he thought that the neutral States might also be justified in asking for certain alterations.

The Swedish Government were now preparing a Bill to be laid before the Riksdag for the adherence of Sweden to the League, and this Bill would probably be submitted to the Riksdag very shortly after the ratification by America had been voted.

He said that the general feeling in Sweden certainly was in favour of adherence, and he himself believed that a League of Nations was necessary for the security of the peace of Europe, although the present Treaty did not seem to be altogether perfect.

I asked his Excellency what were the views of the other Scandinavian States. He informed me that, although in Norway there had been, he believed, a vote of the Storthing in favour of immediate adherence, this was not the view of the Government, judging by communications which he had had with the Norwegian Prime Minister and Minister for Foreign Affairs; and he believed that the Norwegian and Danish Governments would both take the same line as the Swedish Government and wait for the ratification by America before taking any steps. His Excellency added that he sincerely hoped that the formation of the League of Nations would shortly result in a very considerable reduction of armaments in all European States. I said that I thought that the great mass of the people in European States were determined that Europe should not be divided again into two hostile camps which made necessary the excessive armaments that had existed before the war, and that they would insist on reduction all round. His Excellency said he hoped that this was the case, since it seemed to him that the reduction of armaments was a matter of vital necessity for the re-establishment of a sound, economic condition in Europe.

I have, &c.,

ESME HOWARD

## No. 148

*Record of a meeting in Paris on September 25, 1919, of the Committee on Organization of the Reparation Commission*

*No. 11* [*Confidential/Germany/31*]

The Meeting began at 10.30.

Controller General Mauclère asked the Committee to excuse Monsieur Loucheur who was detained at the Chambre des Députés.

*Present:*

Mr. Dresel, Col. Logan (United States); Mr. MacFadyean, Major Monfries (United Kingdom); Controller General Mauclère (France); Signor d'Amelio, Signor Ferraris, Count San Martino (Italy); Colonel Theunis, Major Bemelmans (Belgium).

. . . XIII[1] and XIV. *Declaration of the American Delegation concerning its representation on the Supreme Economic Council and Note from the British Delegation on Article 235[2]—(B.95).*[3]

MR. DRESEL asked that these two questions should be considered simultaneously, as they were closely connected.

He expressed his satisfaction that the British Delegation had drafted a note on Article 235; this note would doubtless help to clear up a very obscure question.

On the whole, he was in agreement with the British Delegation, but he made all reserve and did not wish to express his final opinion on any point without having received precise instructions from his Government. This is especially true of the first point in the British note, i.e. that the essential role of the Reparations Committee was to liquidate the enemy's assets.

The British note stated subsequently that the role of the Reparation Commission would be terminated when these assets were exhausted.

Mr. Dresel did not see that this was necessarily true, and he regretted that he could not form a clear opinion on this subject as he had not been present when the clauses on the subject of reparation were drawn up.

In conclusion, the British note expressed the opinion that the defence of Germany's interests from the point of view of supply (supply which prevented [? presented] an indirect but certain interest for the Allies) would have to be entrusted to a distinct organisation of the Reparations Commission, and proposed that this organisation should be temporarily the Supreme Economic Council, or ultimately the Economic Section of the League of Nations.

Mr. Dresel considered these two proposals one after the other:

As far as concerned the S.E.C., Mr. Dresel recalled that it had been set up in February for the duration of the Armistice; in August Mr. Hoover formally declared in London that he had exhausted his instructions and must retire from the S.E.C.;[4] the United States had not sent a new Delegate

---

[1] The other minutes recorded discussion of other matters.
[2] Of the Treaty of Versailles.　　　　[3] Annex 1 below.　　　　[4] See No. 44.

and had stated that, not having been represented at the Meeting of September 20th, 1919 at Brussels,[5] they requested that no decisions should be taken on subjects concerning them (the telegram containing this communication from the Government of the United States unfortunately did not arrive in time, and the S.E.C. at its meeting at Brussels came to decisions by which the United States did not consider themselves in any way bound). It therefore seemed to Mr. Dresel that the S.E.C. would not be competent to fill the role which the British note seemed to wish to entrust to it.

As regards the Economic Section of the League of Nations, Mr. Dresel declared that he was not certain that the pact of the League of Nations provided for the creation of such an Economic Section.

In his opinion, the best course to adopt would be to set up at Paris a special organisation reporting to the Reparation Commission to fill the important role which the British note wished to entrust either to the S.E.C. or to the League of Nations. Mr. Dresel again specified that this was only his personal opinion and that the question as a whole would have to be the subject of a decision at Washington before he could formulate an official opinion.

Mr. MacFadyean answered that an Economic Section was already in the course of organisation on the Secretariat of the League of Nations. Further, if a special organisation were set up, its members would inevitably be the same as those of the Consultative Food Committee. Nevertheless, the British Delegation did not insist that one organisation any more than another, should be entrusted with provisioning, provided it was distinct from the Reparation Commission.

The Committee decided to adjourn the continuation of the discussion until the following Meeting.

XV. *Note by the British Delegation on the interpretation of Clause 2 of Annex 2 of Part VIII of the Treaty[2] (B.96).[6]*

Mr. Dresel's personal opinion was that the Reparation Commission could function as soon as the ratification by these Powers was received, but he could not commit himself before having received the instructions of his Government, which he had requested by telegram.

The discussion of the note was adjourned to the following Meeting. . . .[1]

## ANNEX 1 TO No. 148

B. 95                                                             *Note*

*Article 235.*[2]

There are certain questions suggested by a reading of Article 235 which, in the opinion of the British Delegate, might usefully form the subject of discussion by the Organisation Committee.

The Article lays down that, out of the sum of 20,000,000,000 gold marks, there shall first be met the expenses of the Armies of Occupation and further that 'such supplies of food and raw materials as may be judged by the

<hr>

[5] See No. 137.                                    [6] Annex 2 below.

Governments of the Principal Allied and Associated Powers to be essential to enable Germany to meet her obligations for reparation may also, with the approval of the said Governments, be paid for out of the above sum.'

In form the above distinguishes between the Reparation Commission and the Governments of the Allied and Associated Powers. The distinction would appear to be deliberate; in the opinion of the British Delegate it would be advisedly recognised and maintained.

In his view the Reparation Commission should be primarily a liquidatory concern, engaged in realising German assets, and not preoccupied with any consideration but the necessity of extracting from the estate in its hands the last penny of the bill formulated under Annex 1.[7] It is, above all, necessary that it should not be involved in any responsibility for the actual provision of German needs, and that its duty should be confined to releasing, on the instruction of the Governments, such of the assets on which it has a lien as are necessary to finance the supplies which are deemed to be required by Germany.

It is to be expected that, while the Governments themselves, under the Treaty, are to have regard to the supplies, the provision of which is essential to enable Germany to meet her obligations for reparation, they will in practice be compelled, on humanitarian grounds and for broad reasons of policy, to adopt a more lenient standard than a Reparation Commission deliberately adopting the standpoint above suggested. It would appear in all ways preferable that the responsibility for this standard should be assumed in reality by the Governments, and that the Commission should not be thought by the various publics of which it is the servant to have abandoned to the Germans, even temporarily, assets which those publics would prefer to see realised in relief of their own burdens.

One more important consideration should not be overlooked. The assets which the Reparation Commission can release for supplies are limited. More particularly in the case of Austria, it may well be that the value of these assets will not be sufficient to finance the supplies thought to be necessary in the next two years. It cannot be too plainly laid down, in the opinion of the British Delegate, that, if this contingency arises, the Reparation Commission is *functus officio* when it has released the whole of the assets available. However great its ultimate interest in nursing the estate with a view to securing a greater yield from it in the future, it cannot with any safety accept any responsibility beyond this point, at which conceivably a political and financial problem of some magnitude might arise for the Allied and Associated Governments.

If the above view is accepted, it is plainly desirable that there should be some body to which the Commission, while themselves acting the part of hostile critics, could immediately refer all questions relating to the supplying of Germany, and on which would serve members who are in a position, if possible, to obtain a decision from their respective Governments for the purpose of the Article here under consideration.

[7] To part VIII of the Treaty of Versailles.

The question may be thought to have been temporarily solved by the proceedings at the meeting of the Supreme Economic Council at Brussels on Friday last.[5] The Council resolved, with the approval of the Chairman of this Committee, that the Supreme Economic Council should be requested to instruct the Reparation Commission to refer all demands from Germany for supplies to the appropriate section of the Supreme Economic Council for examination and report to the Commission. This does not furnish a complete solution; in the first place, it will still be necessary for the Reparation Commissioners to refer the report to their respective Governments; in the second place, the United States is at present not represented on the Consultative Food Committee. The first difficulty is not serious, and merely entails a certain amount of delay, which may even be necessary and desirable. The second may be solved when the League of Nations is set up, after ratification of the Treaty by the United States, and the Supreme Economic Council becomes the Economic Section of the League Council. But it may usefully be considered by this Committee whether it can provisionally be agreed that the appropriate section of the Supreme Economic Council, or the Economic Section of the League, should be the body to which such demands are automatically to be referred, whether as a matter of procedure the conclusions of that body should be presented by it directly to the Governments of the Allied and Associated Powers.

A reference has been made above to the role of hostile critic which must be assumed by the Reparation Commission. It may be added that their criticisms will probably be directed more usefully to the question how far supplies which are judged by the Allied and Associated Governments to be essential require to be financed out of reparation assets, than to the initial question as to what supplies should be judged to be necessary. The latter question is one on which a purely economic body might conceivably be more competent to pronounce than the Commission, but the former is financial in nature, and largely, if not entirely, outside the range of such an economic body. It is not the least of the difficulties of the section that it will raise consideration of the use, over which the Commission will have no direct control, to which private German credits are devoted.

## ANNEX 2 TO NO. 148

B. 96

It is suggested that this Committee might usefully consider the position of the Reparation Commission in the event of early ratification by France, Italy and Great Britain.

For most, if not for all other purposes, the Treaty takes effect under its concluding paragraph, from the date of the deposit of ratification by three Powers for each Power which had ratified it. But it is difficult to avoid the conclusion that, under Clause 2 of Annex 2 to the Reparation Chapter, the Reparation Commission cannot come into existence until all the seven Powers mentioned in the first sentence have nominated representatives.

The Commission has to work for many purposes to a fixed calendar; it is of great importance, not only to the Allied and Associated Governments, but also to Germany itself, that the Reparation Commission should function at the earliest possible date, and terminate the interregnum at present prevailing. The position is therefore difficult if ratification by the U.S. is delayed much beyond the date of notification by the other Powers; it becomes grave if the Treaty is only ratified by the U.S. subject to reservations or modifications.

The opinion of the Committee is desired on the question whether the above reading of the Treaty is correct, and whether, if so, the position should be brought to the attention of the Supreme Council as a matter of urgent importance.

## No. 149

*Mr. Gurney (Brussels) to Earl Curzon (Received October 6)*

*No. 361 [137457/4187/4]*

BRUSSELS, *September 26, 1919*

My Lord,

With reference to your Lordship's despatch (127515)[1] of the 9th instant, I have the honour to report that the Minister for Foreign Affairs spoke to me at some length to-day in regard to the attitude of the French Government on the Luxemburg question.

In the course of this conversation Monsieur Hymans said that Monsieur Clemenceau based the French claim to the control of the railways in Luxemburg on article 67 of the Peace Treaty, which provides that 'the French Government is substituted in all rights of the German Empire over all railways which were administered by the Imperial Railway Administration.'

This article, however, forms part of the section headed 'Alsace-Lorraine,' and it would therefore seem to refer only to railways in those provinces. In any case, the Luxemburg railways were dealt with in article 40—in the section devoted to the Grand Duchy—which states that 'Germany. . . .[2] renounces all rights to the exploitation of the railways.' When this section was under discussion, the French had asked for the insertion of an article handing over the railways to them. The demand had, however, been withdrawn on the representations of Monsieur Hymans, who urged that the ultimate disposal of the railways should form part of the general settlement of the future of Luxemburg, and Monsieur Hymans could hardly believe that the French should have subsequently endeavoured to go back on this arrangement by means of a provision inserted in the section dealing with Alsace-Lorraine, the wording of which was decided upon at meetings which the Belgian delegates were not invited to attend.

Monsieur Hymans had urged Monsieur Clemenceau most strongly to modify his attitude, pointing out that persistence in the French claims would

[1] No. 122.
[2] Punctuation as in original quotation.

have a serious effect on the future relations between the two countries, and he had also spoken to Monsieur Poincaré[3] on the subject. He had, however, failed to achieve his object, and the only concession offered by the French was to the effect that after their claim had been recognised they would be prepared to conclude an agreement in regard to rates chargeable by the railways and similar questions of detail.

Monsieur Hymans had again discussed the matter with Monsieur Loucheur, who came to Brussels recently to attend the meeting of the Supreme Economic Council, but without any satisfactory result.

The French proposals were, Monsieur Hymans said, quite unacceptable, in their present form at any rate, but the Belgian Government did not intend to pursue the matter further pending the result of the referendum, which, as reported in my despatch No. 348[4] of the 19th instant, is to be held on the 28th instant.

As your Lordship is aware, the Belgian Government attach very great importance to the establishment of some form of union between Belgium and Luxemburg, and would view with the gravest apprehension the extension of French influence in the Grand Duchy, both from an economic and a political point of view. The Luxemburg railways form a highway of communication not only with Alsace-Lorraine and Germany, but also with Switzerland and Italy, and the Belgians consider that their commercial interests would inevitably suffer if the railways were under foreign control.

The presence of French railway officials, especially in so small a country, must, they think, also exercise a certain political influence, the effect of which would be still more felt when, as is hoped will ultimately be the case, an economic union develops into a closer connection between Belgium and Luxemburg.

The French urge that they need the railways for strategic reasons, but Monsieur Hymans pointed out that they had surely sufficient confidence in Belgium to feel that they need have no misgivings whilst the railways were in her hands.

As regards the referendum, Monsieur Hymans thought it necessary to explain an apparent change of policy on the part of the Belgian Government. As your Lordship is aware, they had at first urged the adjournment of the economic referendum, as they felt that public opinion in Luxemburg was not sufficiently well informed to enable the people to take a reasoned decision on so complex and vital a question. Their Chargé d'Affaires had, however, represented that the Luxemburg Government would resent any suggestion for a postponement as an interference with their sovereign rights and the suggestion had therefore not been made.[5]

It was, he said, impossible to forecast the result of the referendum, but he thought that it should not be regarded as conclusive unless there were a very decided majority one way or the other, as the number of voters was very small, some 60,000 only, and they were likely to be influenced more by

[3] President of the French Republic.
[4] Not printed.      [5] Cf. No. 144.

sentiment than by real knowledge of the question at issue and the relative advantages of an economic union with France and Belgium.

I have, &c.,

HUGH GURNEY

## No. 150

*Sir H. Rumbold (Berne) to Earl Curzon (Received October 3)*

*No. 574 [136495/22883/43]*

BERNE, *September 27, 1919*

My Lord,

In the present despatch I have attempted to summarise certain aspects of the situation in Switzerland as they present themselves to me at the moment of my departure.[1]

As regards Switzerland's international relations, I still maintain the view which I expressed at the beginning of last April, that, at that moment, of the Allied Powers, Great Britain stood highest in the estimation of this country, and I find that this view is shared by my French colleague. At that time the Swiss were looking to Great Britain to exercise a moderating influence in the discussions at Paris which were to determine the terms of the treaties with the Central Empires. The Swiss, no doubt, feared that if those terms were, in their view, too harsh, they might lead to wars in the future and Switzerland hoped that this contingency would be avoided at any cost.

The terms of the Peace Treaty with Germany were made known while I was absent on leave, but I understand that they aroused much apprehension, not to say resentment, at all events amongst the larger part of the German-Swiss population. The Peace Treaty with Germany was considered by many German-Swiss as a treaty of violence and as an expression of the imperialism of the Allied and Associated Powers.

There has always been a considerable amount of sympathy for Austria throughout Switzerland, and the terms of the treaty with Austria formed the subject of lengthy discussions in the Swiss press. There again, the general feeling is, I think, that the Allies have been too hard on Austria.

These expressions of opinion are independent of, although of course they are to a certain extent connected with, the question of Swiss material interests in the Central Empires. There is no doubt, for instance, that the Swiss have incurred heavy losses in consequence of the defeat of Germany, whilst they were afraid that, if German-Austria was to be considered solely responsible for the war loans floated by the Austrian half of the former Austro-Hungarian monarchy, it would lead to the bankruptcy of the Austrian State and the ruin of the financial institutions in that state, thus probably involving the loss of the Swiss holdings in Austria, which are estimated to amount to some sixty millions sterling.

[1] Sir H. Rumbold had been appointed H.M. Minister at Warsaw.

I think it may be said that the Allies have, as a whole, rather lost credit as a result of the terms of the above-mentioned treaties.

It has always seemed to me somewhat unprofitable to follow the fluctuations in public opinion in this country regarding foreign countries during the period of hostilities. Military success was of course the principal factor which counted with the Swiss, though the economic factor also played a large part. In regard to the economic factor, it was a question of coal from Germany versus wheat from America.

At the present moment, I should say that America looms largest in the eyes of the Swiss because the burning question of the day in Switzerland is that of the adherence of this country to the League of Nations. The Swiss are following the proceedings of the American Senate with the greatest interest and the decision of the Senate will, undoubtedly, influence Switzerland one way or the other. Thus the Senate has acquired an artificial importance in the eyes of the Swiss, who do not appear to realise that the struggle between the President and the hostile senators is an incident of internal politics rather than about the merits of the question in dispute. America is also looked upon as the leading financial and economic Power in the world at the present time, and this fact powerfully appeals to the Swiss.

France is not particularly popular with the Swiss just now, owing to a French suggestion that the free zones round Geneva[2] should be suppressed, and also as the result of a reputed obstructive policy in connection with the Rhine traffic, whilst the manifestations of French red-tape methods cause much vexation. On the other hand considerable damage has been done to our prestige by the press campaign in connection with the Anglo-Persian Agreement[3] and the differences with France about Syria.[4]

Italy has never been liked in Switzerland and the situation there, especially the prospect of Signor Nitti's retirement, is causing apprehension in this country.

Owing to its geographical position, Switzerland, during the war, became the refuge of large numbers of the riff-raff of the surrounding countries and from the East until the authorities woke up one day to the danger the country was running by sheltering such individuals. The Swiss Government are now well aware that, in the eyes of the Bolshevists and the extreme elements on the Continent, Switzerland is the most favourably situated country from which to engineer intrigues against and stir up trouble in France and Italy in the first place, and, through those countries, in Great Britain. They have been obliged, in self-defence, to maintain a fairly rigorous control at the frontier, but the manner in which this control is exercised leads to an increasing number of complaints from inoffensive travellers. The Swiss official does not seem to be capable of interpreting his instructions with any elasticity and apparently instructions to be strict in the examination of passports include, in his view, the liberty of being offensive and even brutal. Such incidents, which are not confined to cases of British subjects, are often not very important

[2] Cf. article 435 of the Treaty of Versailles.
[3] See Volume IV, Chap. V.        [4] See Volume IV, Chap. II.

in themselves, but the cumulative effect is unfortunate and disagreeable and, as I have warned the Political Department, will tend to bring Switzerland into disrepute.

The attitude of these frontier officials is all the more unfortunate from the point of view of Swiss interests, in that the hotel industry is clamouring for the admission of tourists into Switzerland. The Swiss, certainly the German-Swiss, is essentially a subjective person and will look at most questions from the point of view of his own pocket and the interests of his own country. An interesting illustration of this occurred quite recently.

The Lucerne police informed the British vice-consul at Lucerne some little time ago that Ismail Hakki Pasha, who is one of those mainly responsible for the Armenian massacres, had been discovered at Lucerne where he was living under a false name. He had been denounced to the Lucerne police by a Swiss engineer formerly in the service of the Turkish Railway Administration, who knew Ismail Hakki Pasha by sight, and was well acquainted with the cruelties he had practised. It subsequently transpired that the Swiss engineer had read somewhere that the British or French Government had put a price on the head of Ismail Hakki and hoped to obtain the reward offered.

The immediate outlook for Swiss industry is somewhat uncertain. The Swiss have lost some of their markets and the machinery industry has been hard hit. The adverse rate of exchange in the former Central Empires and in the newly-arisen States seems for the moment to be hampering the resumption or development of commercial relations between Switzerland and those countries. Nothing was more striking than to read lately in the *Berner Tagblatt*, a paper which was whole-heartedly devoted to the German cause during the war and derived its inspiration direct from the German Legation, an article to the effect that the collapse of the Central Empires and the depreciation of their currency had forced Switzerland into the economic orbit of the Allied Powers. The paper added mournfully that it hoped that Switzerland would not necessarily be drawn into their political orbit as well.

In a conversation which I recently had with him, the Minister of Public Economy told me that the Swiss national debt had increased during the war by some one and a half milliards of francs, that is to say, sixty millions sterling. This expenditure has been principally incurred in connection with the mobilisation of the Swiss army to protect the frontiers. A considerable part was also devoted to reducing the price of milk to the poorer classes. In answer to my enquiry, the Minister said that it was not possible to say with any accuracy what the increase of the national wealth had been since the outbreak of war. Some industries had undoubtedly made very large sums of money. On the other hand, the hotel industry in Switzerland had lost heavily, not only on account of the cessation of the tourist traffic, but on account of the depreciation of the buildings and their contents. Then, again, the unfavourable rates of exchange with Germany and Austria and the newly-arisen countries had reacted to the detriment of Swiss industry. The impression I derived from my conversation with the Minister was that the national wealth has not increased sufficiently to enable the Swiss to look on the increase of their national debt with equanimity.

The internal situation requires watching, for, although the forces of disorder have received a serious check, they still exist, and most persons fear that they will seek to revenge themselves at some future and favourable opportunity.

It is generally thought that the socialists will largely increase their representation in the next Parliament under the scheme of proportional representation. Some persons think that as many as fifty socialist members will be returned at the next general elections out of a total of under two hundred members. It seems pretty certain that the socialists will secure some forty seats and that half of these will go to the extreme wing of the party. Platten, the notorious Swiss Bolshevist, is certain to be elected, but he will not be able to take his seat until he has undergone six months' imprisonment.

At the present moment, Swiss public opinion is absorbed by the question of the entry or not of Switzerland into the League of Nations. There are, no doubt, many Swiss who resent the fact that such an important question should be forced on their consideration at all.

The Federal Council has, on the whole, come successfully out of the war and this is all the more remarkable in that it was not suited either by its composition or by its membership to cope with a crisis. It was efficient enough in peace times, but the war has revealed the fact that the Council is too small and that too much work is thereby thrown on its members. This leads to delays in the transaction of business, whilst the Council obviously took some time to get out of the habit of looking at foreign questions from a parochial point of view.

In conclusion, I can only apologise for the length of this despatch which is necessarily rather discursive.

I have, &c.,

HORACE RUMBOLD

## No. 151

### Letter from M. Laroche to Sir E. Crowe (Paris)

[22/1/1/19255]

AFFAIRES ÉTRANGÈRES, 28 sept., 1919

Mon cher ami,

Je serais très heureux d'avoir votre avis et de connaître vos observations sur le projet ci-joint. Ce n'est qu'un premier jet, pour servir de base non pas même à une discussion, mais à un échange d'idées. Si nous pouvions arriver entre nous à élaborer un véritable projet, je crois que nous n'aurions plus grand' peine à le faire accepter par les autres intéressés.

Je suis à votre disposition pour en causer.

La prochaine séance est remise au 9 octobre pour attendre Tufton.

Bien cordialement à vous.

J. LAROCHE

*Révision des Traités de 1839*

## Projet de Traité

M. Laroche a reçu le 24 septembre la visite des délégués néerlandais qui lui ont confirmé l'impossibilité où se trouverait actuellement leur Gouvernement de signer un accord militaire avec la Belgique.

D'autre part, ils ont manifesté l'opinion que leur Gouvernement pourrait mentionner dans un traité son intention d'entrer dans la Ligue des Nations et de prendre, de concert avec elle, des mesures militaires pour sauvegarder l'intégrité de son territoire; qu'une déclaration concernant cette intention, ainsi que la volonté du Gouvernement hollandais de se défendre contre toute attaque, pourrait être enregistrée; que tout ceci pourrait être constaté en même temps que l'accord qui interviendrait entre la Belgique et les Pays-Bas sur les questions de l'Escaut, de la Meuse, etc. . . . .[1]

Dans cet ordre d'idées, M. Struycken a remis une première formule.[2]

M. Laroche a fait observer qu'elle était insuffisante. Les deux délégués hollandais se sont montrés disposés à l'améliorer, en ajoutant que c'était d'ailleurs une simple base de discussion.

En leur présence même, M. Laroche a proposé certaines modifications qui sont ci-annexées[3] et qu'il est intéressant de connaître, puisqu'elles ont été présentées aux deux délégués comme une indication du sens dans lequel on devrait perfectionner leur formule. M. Laroche leur a d'ailleurs déclaré qu'il allait travailler de son côté à l'établissement d'une formule plus complète.

M. Laroche a donc élaboré un premier avant-projet de traité. Ce projet est ci-joint.[4] Il est uniquement destiné à servir de base d'étude. Il a paru nécessaire d'en rapprocher les deux textes précités pour comprendre la nécessité de donner à ce document une forme inusitée.

Dans l'intention du rédacteur, toutes les dispositions qui suivent les mote [*sic*]: 'ont convenu des dispositions suivantes' et qui précèdent l'article 1er, doivent avoir la même valeur que si elles figuraient dans le corps d'un des articles du traité. S'il n'en pouvait pas être ainsi, il serait préférable de les incorporer dans l'article 1er.

Monsieur Laroche serait très désireux de connaître, sur les documents ci-joints, dans le plus bref délai possible, les observations de Sir Eyre Crowe.[5]

[1] Punctuation as in original.
[2] Enclosure 2 below.
[3] Enclosure 3 below.
[4] Enclosure 4 below.
[5] The last three words were apparently typed in subsequently on the original, and it seems likely that copies of these enclosures were also sent to representatives of the other three Principal Allied and Associated Powers.

*Formule proposée par M. Struy[c]ken*

### Les Puissances et les Pays-Bas

Considérant

que le Gouvernement des Pays-Bas a l'intention d'accéder au Pacte de la Société des Nations; qu'en observant les règles de la Société des Nations il condirère [considère] comme un *casus belli* toute atteinte portée par un autre Etat à l'inviolabilité du territoire néerlandais; et qu'il sera disposé à délibérer, sur la base du pacte de la Société des Nations, sur les mesures qu'on jugerait nécessaires pour la défense de l'intégrité absolue du territoire néerlandais;
    considérant de plus
que les Pays-Bas et la Belgique sont tombés d'accord sur la révision du traité conclu entre eux le 19 avril 1839;
    déclarent que le traité conclu à cette même date entre l'Autriche, la France, la Grande-Bretagne, la Prusse et la Russie d'un côté, et les Pays-Bas de l'autre côté, est abrogé.

*Modifications suggérées par M. Laroche en présence des Délégués néerlandais*[6]

*Prenant acte* de ce que le Gouvernement des Pays-Bas déclare qu'il a l'intention d'accéder au Pacte de la Société des Nations; qu'en observant les règles de la Société des Nations, il considère comme un *casus belli* toute atteinte portée par un autre Etat à l'inviolabilité du territoire néerlandais; *et qu'il est prêt, dans les conditions prévues par le Pacte, à se concerter avec le Conseil de ladite Société des Nations, en vue de conclure les arrangements nécessaires pour assurer la défense de l'intégrité absolue du territoire néerlandais.*

Le Président des Etats-Unis d'Amérique, sa Majesté le Roi des Belges, sa Majesté le Roi de Grande-Bretagne et d'Irlande et des Territoires Britanniques au-delà des mers, Empereur des Indes, le Président de la République Française, sa Majesté le Roi d'Italie, sa Majesté l'Empereur du Japon, sa Majesté la Reine des Pays-Bas,
    Etant tombés d'accord pour estimer nécessaire la révision du traité du 19 avril 1839 entre la Belgique et les Pays-Bas, ainsi que des deux traités intervenus à la même date entre l'Autriche, la Grande-Bretagne, la France, la Prusse et la Russie, d'une part et, respectivement, d'autre part, la Belgique et les Pays-Bas,
    Ont nommé pour leurs plénipotentiaires, savoir: . . .[1]

---

[6] Note in original: 'Les passages soulignés [here italicized] ont été élaborés en présence des délégués néerlandais. Les passages non soulignés reproduisent, sauf modifications grammaticales nécessitées par les mots 'prenant acte', le texte de M. Struy[c]ken.'

Lesquels, après avoir échangé leurs pleins pouvoirs, reconnus en bonne et due forme, ont convenu des dispositions suivantes:

Les Hautes Parties contractantes reconnaissant l'opportunité de supprimer la clause de neutralité perpétuelle imposée à la Belgique par l'article VII du traité du 19 avril 1839 entre la Belgique et les Pays-Bas;

Considérant que cette suppression entraîne la disparition de la garantie afférente donnée par les autres Puissances signataires des deux traités conclus à la même date, respectivement, avec la Belgique et les Pays-Bas;

Ayant pris en considération la situation qui résultera pour la Belgique de la suppression de ces deux clauses;

Les Etats-Unis d'Amérique, la Belgique, l'Empire Britannique, la France, l'Italie et le Japon, prenant acte, d'autre part, de la déclaration faite par les Pays-Bas, suivant laquelle cet Etat, ayant la ferme volonté d'accéder au Pacte de la Société des Nations, est résolu, en se conformant aux règles de ladite Société des Nations, à considérer comme un *casus belli* toute atteinte portée à l'inviolabilité de son territoire par un autre Etat, et se trouve prêt, dans les conditions prévues par le Pacte susdit, à se concerter avec le Conseil de la Société des Nations, en vue de conclure les arrangements que ce Conseil jugerait nécessaires pour la défense de l'intégrité absolue du territoire néerlandais,

Les Etats-Unis d'Amérique, l'Empire Britannique, la France, l'Italie et le Japon, prenant acte en outre de l'accord intervenu entre la Belgique et les Pays-Bas, suivant le projet de Traité ci-annexé, qui sera signé ce même jour, pour la révision des articles X, Y et Z [sic] du traité du 19 avril 1839 entre ces deux Puissances,

Les Hautes Parties Contractantes sont d'accord sur les articles suivants:

### Article Premier

L'article deux du Traité du 19 avril 1839 entre l'Autriche, la Grande-Bretagne, la France, la Prusse et la Russie, d'un côté, les Pays-Bas de l'autre, est abrogé pour ce qui concerne les Hautes Parties Contractantes.

Il en est de même de l'article 1er du traité conclu le 19 avril 1839 entre l'Autriche, la Grande-Bretagne, la France, la Prusse, la Russie, d'une part, et la Belgique, de l'autre.

### Article 2

Le Présent Traité sera notifié à l'Allemagne qui, en vertu de l'article 31 du traité de Versailles du 28 juin 1919, sera invitée à y donner son adhésion formelle.

La même notification et la même invitation seront adressées à l'Autriche, conformément à l'article 83 du Traité de Saint-Germain en Laye du 19 [sic] septembre 1919.

### Article 3

Dès qu'un Gouvernement russe aura été régulièrement reconnu par les

591

Hautes Parties contractantes, la Russie sera invitée à donner son adhésion au présent traité.

## Article 4

Le présent traité sera ratifié et l'échange des ratifications etc. . . .[1]

## No. 152

### Mr. Ovey (Christiania) to Earl Curzon (Received October 4)

### No. 176 [136968/2333/30]

CHRISTIANIA, September 29, 1919

My Lord,

The news of the decision on the Spitzbergen question[1] has, on the whole, been received with quiet satisfaction, the majority of the papers expressing approval, although not in possession of the text of the Agreement, the principal exception in the 'bourgeois' press being the *Sjöfartstidende* which apparently fears that Norway will be burdened with the expenses of administration without acquiring any corresponding advantages.

The *Social Demokraten* contends that the bourgeois press have evinced no wild rejoicings on the subject, the principal advantage from Norway's point of view being an increase of 80,000 square kilometres in the extent of the Norwegian kingdom.

As long as Russia has a socialistic government, the paper continues, there is nothing to fear, but if it should happen that a reactionary government come to power, the possession of Spitzbergen by Norway might lead to complications. It is all to the good that the Great Powers have shown friendliness to Norway for the services rendered by her to such a generous extent. There is nothing in the treaty about any obligation on the part of Norway as to her future behaviour, but as it is obvious that the gift of Spitzbergen was not made 'pour les beaux yeux de la Norvège', it is clear that it was made in the interests and on the conditions of the Supreme Council and its capitalistic superiors.

The only journal which has had the grace to refer to the presumed goodwill of the Entente and British Legations in the matter is the *Tidens Tegn*.[2]

I have, &c.,

E. OVEY

[1] The Supreme Council had on September 25, 1919, approved the draft treaty assigning Spitzbergen to Norway (cf. No. 105, note 2). See Volume I, No. 64, note 2.

[2] Lord Curzon subsequently informed Sir E. Crowe in Foreign Office despatch No. 6918 of October 7, 1919, to the British Peace Delegation that on October 2 the Norwegian Minister in London had called at the Foreign Office and, on instructions from his Government, had expressed to Lord Hardinge 'very grateful thanks for the attitude assumed by His Majesty's Government on the question of Spitsbergen. He said it was warmly appreciated in Norway as a most friendly act.'

## No. 153

### Earl Curzon to the Earl of Derby (Paris)

### No. 1201 [133747/4187/4]

FOREIGN OFFICE, *September 30, 1919*

My Lord,

In reply to Sir G. Grahame's telegram No. 1037[1] of the 25th instant relative to the claim of the French Government to control the Guillaume-Luxemburg railway system, I have to inform you that I concur in your opinion that the intervention of His Majesty's Government would be greatly resented by the French Government; and I should accordingly be glad if you would refrain from approaching them in this matter as suggested in my despatch No. 1172[2] of the 23rd instant.

I am, &c.[3]

[1] No. 145.  [2] No. 140.
[3] Signature lacking on filed copy.

## No. 154

### Captain Farquhar (Coblenz) to Lord Hardinge (Received October 6)

### No. 63 [137592/4232/18]

COBLENZ, *September 30, 1919*

Sir,

I have the honour to forward copies of a Memorandum on the present situation in Birkenfeld, and the attempt to create an Independent Republic.

I have, &c.,

H. L. FARQUHAR

### ENCLOSURE 1 IN NO. 154

#### Memorandum on the situation in Birkenfeld

1. On the 14th July a group of nine men under the leadership of Herr Schmeyer constituted themselves into a provisional Government and declared a republic. This provisional Government was recognised neither by the Government of the Free State of Oldenburg, to which Birkenfeld belongs, nor was it recognised by the German Government. This Government issued a proclamation in which it guaranteed that it would remain within the German Empire, that the old Government should remain in force until the provincial Committee (Landesausschuss) had elected a constitutional Government, and that it would leave the question of incorporation into a large union of states to be decided on the basis of a plebiscite. They also stated that they were recognised as the official government of the district by the

French Military Authorities. Herr Schmeyer also issued a personal statement, in which he denied that he was trying, with the help of the French, to force the republic of Birkenfeld to union with the Saar.

2. On the 17th July, the provincial Committee which had been elected under the supervision of the French authorities met in Birkenfeld. Conclusive proof was given at this meeting that these 9 men had not the majority of the population behind them. The result of this meeting was that the old Government under the Regierungs-Präsident Hartong remained in office, and a delegation was sent to Oldenburg, which was to carry out arrangements for the secession of Birkenfeld from Oldenburg, in a constitutional manner, on the basis of the right of self-determination. On the 30th August the Provincial Committee again met in Birkenfeld to discuss the question of seceding from Oldenburg. This meeting was attended by 2 representatives of the Constitutional Government and the French Administrator, Major Bastiani. The 9 members of the Provisional Government under the leadership of a Herr Baltes were also present. The democratic representative Dr. Dorn then gave an account of the work of the delegation which had been sent to Oldenburg and stated that they had induced the Landtag of Oldenburg to come to the following decision:—

(1) The Landtag agreed in principle with the separation of the province of Birkenfeld from the Free State of Oldenburg, and orders that negotiations with the State of Prussia be undertaken on the following lines:—

(2) The geographical position of Birkenfeld must logically result in incorporation with the Rhineland.

(3) Birkenfeld is to be accepted in the new union of States as an independent district.

(4) The district of Birkenfeld retains its right to State property under the guarantee of the Confederation of German States.

(5) The provincial Committee of Birkenfeld must be consulted before amalgamation with another state organisation is ratified.

Herr Baltes stated, however, that the delegation had exceeded their powers and should not have undertaken any negotiations with Prussia on the matter. In the end the Provincial Committee passed the following resolution with one dissentient.

The Provincial Committee authoritatively states that only a *legal* secession shall be adhered to. The resolution of the Diet (Oldenburg) will be sanctioned on the understanding that Birkenfeld shall suffer neither economic nor financial loss. The Provincial Committee desires that in the event of the raising of the question of embodiment into another State organisation, the population shall be allowed to express an opinion, on the assumption that the liberty of the Press, and the right of assembly will not be interfered with.

Major Bastiani then stated that he would recognise this resolution if it were unanimously approved by the old and new governments.

After the Constitutional Government had announced that they had no objections to this resolution, Baltes, the speaker of the so-called Provisional Government informed the Committee, that the Provisional Government refused to accept this resolution, that the members of the Constitutional Government should be relieved of their posts, that the Provincial Committee should be dissolved, and that a People's Assembly should take the place of the Provincial Committee.

The Regierungs-Präsident stated in the name of his Government that he could not agree to this. The Provincial Committee announced that it would not recognise the new Government and would never allow the majority of the country to be coerced by a minority. The military representative, Major Bastiani insisted on the members of the old Government resigning their posts, and further gave strict orders that the members of the old Government should hand over their duties as far as possible within 8 days. After Herr Hartong had asserted that the old Government would only resign under pressure, Herr Baltes announced that the President of the temporary Government would be Rechtsanwalt Zoller of Zweibrucken and that he would be assisted by Eifel and Hauth of Birkenfeld.

4. [*sic*] As the result of this meeting the following message was sent to the German Government.

'Birkenfeld has, by the sitting of the Provincial Committee (Landesausschuss) of August 30th, separated itself from the State of Oldenburg, and has established itself as an Independent Republic in the realm of the German Empire.

'A plebiscite is in progress for a union with a neighbouring state. We request recognition by telegraph. Paragraph 18 of the Imperial constitution has been declared null and void. The French authorities have recognised the republic.

'Republic Birkenfeld. Zoller—President.'

The Imperial Minister of the Interior, sent the following answer:—

The declaration by the province of Birkenfeld, of an Independent Republic, is not in accordance with Article[s] 18 and 164 [? 167] of the Imperial Constitution.

The desired recognition by the Imperial Government is therefore impossible.

Movements towards the secession of Birkenfeld from Oldenburg, are only permissible within the existing laws, and to the representatives of the people of Birkenfeld and Oldenburg.

David
Imperial Minister of the Interior

Following on this note to the Imperial authorities, the Provisional Government of Birkenfeld issued the following proclamation:—

1. The late Province of Birkenfeld has seceded from the State of Oldenburg and is established as an independent republic in the realm of the German Empire.

2. The Government of Birkenfeld consists of the following:—Ludwig Zoller—president, Hubert Eifel and Wilhelm Hauth, members of the Government.

3. The late state machinery will remain. The officials remain in their offices and carry on with their work.

4. The Courts have the right to speak in the name of the Republic of Birkenfeld.
Burgermeister Schmidt, Director General [1] and several senior school masters have been dismissed on account of their refusal to carry on under this Government.

All papers will be censored.

5. The result of this was that the population became greatly agitated and excitement rose to such a pitch that a general strike was declared at Oberstein und [sic] Idar, whereupon Major Bastiani summoned the leading men in the district, and on being informed by them, that the strike was directed against the new Government caused them to be arrested and put into prison. A number of officials who attempted to hand in their resignations were also informed that this attitude of the majority of officials was synonymous to a revolt. Burgermeister Schmidt of Birkenfeld was expelled from occupied territory and sent to the right bank of the Rhine. A fine of 20,000 marks was inflicted on all newspapers who had failed to print the proclamation of the Provisional Government, and a fine of 4,000 marks was inflicted on those who failed to appear at a meeting which had been called, to inform Major Bastiani as to the causes of the labour strikes. In addition a penalty of 1,000 marks was inflicted on all employers for every day during which their workmen remained away.

The *Frankfurter Zeitung* of the 16th September, however, announced that the penalties referred to above, which had been inflicted on the proprietors of factories, had been remitted by Major Bastiani, and that the money had been paid back. The agitation over the whole area, however, continued and the French authorities, seeing presumably that they carried the matter too far, sanctioned the sending of two deputations to interview General Mangin.

6. On the 17th September, General Mangin received the two deputations. The first consisting of Herr Hartong, former Regierungspräsident of Birkenfeld and other representatives of the Constitutional Government, was received at 12.30. This deputation declared that although they desired a secession from Oldenburg, they were strongly of opinion that this could not be realised until it had been sanctioned by law, by the Oldenburg Government. They wished to return to lawful measures and begged that the old Provincial Committee and the old Government should be reestablished. At two o'clock the same day, General Mangin received a deputation of the Provisional Government composed of Herr Baltes and a number of his partisans. The result of this interview, and of General Mangin's decision has been variously

---

[1] Omission in original.

reported. The following is a report which was issued by the Provisional Government of Birkenfeld:—

The Government of Birkenfeld issues the following statement:—

'General Mangin listened impartially to the two views expressed in yesterday's debate and came to the following decisions after consulting with the Allies.

'(1) Recognition of the Birkenfeld Republic will take place as from to-day. It will appeal to the Oberpraesident of the Rhine province as Intermediary to the Imperial Commissary for occupied Rhineland until the result of the annexation question.

'(2) There is no longer an Oldenburg Government in Birkenfeld. Authority as such is therefore not recognisable.

'(3) Article 18 in conjunction with article 167 of the State Constitution do not apply to the Birkenfeld Republic as it existed before the State Constitution came into force.

'It is further reported that the German Empire will be responsible to the Birkenfeld Republic for all payments of pensions and annuities.'

An extract from the *Kölnische Zeitung* of the 20th September gives the following report of what General Mangin is reported to have said.

'The General is of opinion that the members (the Constitutional Government) are driving the question too far, but that he would not go back on his word and neglect the present situation through the reestablishment of conditions which no one desired. He would not countenance any official strike on political motives and would take measures to dismiss those who injured the public life of the Province by their resignation.'

The result, at any rate, of this meeting between General Mangin and the two delegations, is that the Government of Zoller continues in power,[2] and that General Mangin has authorised that the municipal elections shall take place on the 28th September, and that the elections to the local Diet shall take place on the 5th October.

7. The situation at the present moment is that the Government of Zoller continues in power although not a single portion of Birkenfeld supports it and that any counter manifestations against it are inclined to be suppressed by the French Authorities.[3]

H. L. FARQUHAR, Capt.

27.9.19.

[2] On October 10, 1919, Mr. Spicer in the Foreign Office noted with reference to this passage that a British military intelligence report, dated September 30, 1919, reported that the constitutional government under Herr Hartong had resumed power, and that ' "the reversal of the Government took place on the 17th", i.e. the very day on which according to Capt. Farquhar's Report General Mangin received the two rival deputations from Birkenfeld. I think the old provincial (constitutional) Government under the Regierungspraesident Hartong, is at present in power.'

[3] In connexion with the aforementioned events at Birkenfeld Baron von Lersner had, in his note No. 23 dated at Versailles, September 20, 1919, communicated to M. Clemenceau

*Annexe to Memorandum.*[4]

With regard to the present situation in Birkenfeld, it appears evident, according to a conversation with a French Officer, that both the French High Command and the French Government, view with serious concern the actions of Major Bastiani at Birkenfeld. The action of General Mangin in upholding the Government of Zoller was explained as follows:—The delegation represented by Herr Hartong and others were all men of standing and weight, but were unfortunately Oldenburgers and not inhabitants of Birkenfeld. The deputation from the Provisional Government under Herr Baltes were all natives of Birkenfeld. The result was, according to the French officer, that General Mangin considered that Herr Baltes' party represented the views of Birkenfeld.

2. It has been ascertained, according to information from a reliable source, that the French Supreme Command has forbidden the elections referred to,

the text of a note addressed by the German Armistice Commission at Düsseldorf, on behalf of the German Government, to the Interallied Armistice Commission. This German note (translation) drew attention to 'the peculiar role played by the French Military Administrator, Major Bastiani, in connection with the said events. Without his interference and support the anti-Constitutional, so-called Provisional Government in Birkenfeld could never have become active. The attitude of the Military Administrator is contrary to Article V of the Armistice Convention, which states that territories on the left bank of the Rhine are to be governed by local authorities under the supervision of the army of occupation. As Marshal Foch expressly pointed out on the occasion of the Armistice negotiations, this provision involves no change in the existing administrative organisation. The German Government requests the Interallied Armistice Commission to prevent any further support being given to the illegal Government at Birkenfeld, also to create no difficulties as regards the resumption of business by duly authorised bodies, and to order the repeal of the illicit measures taken by the Military Administrator in so far as this has not already taken place. At the same time the German Government submits for the consideration of the Armistice Commission the point whether an officer, who, like Major Bastiani, is acting in open contradiction to recognised agreements, is entitled to continue to hold the post of Military Administrator at Birkenfeld.' General Nudant, President of the Interallied Armistice Commission at Cologne, replied to the German Armistice Commission in a note of October 12, stating that the French Government had enquired into the alleged incidents at Birkenfeld. The note continued: 'Le 14 juillet, il s'est produit dans la province de Birkenfeld, un mouvement tendant à la séparation de cette province d'avec l'Etat d'Oldenbourg, mouvement que la situation historique et géographique de Birkenfeld suffit à expliquer. Par la suite des négociations ont été poursuivies entre le Gouvernement provisoire de Birkenfeld et l'Etat d'Oldenbourg. Les autorités Françaises se sont abstenues de toute ingérence dans ces incidents politiques et se sont efforcées de respecter la liberté d'opinion, sans prendre parti, pour ou contre les partisans [sic] du gouvernement. Contrairement aux allégations du Gouvernement allemand. Il [sic] n'a été pris d'autres sanctions que celles justifiées par les grèves de l'usine électrique d'Idor-Oberotein [sic] et il n'a été procédé à d'autres expulsions, que celle d'un sieur Vild, qui avait tenu en réunion publique des propos hostiles à la France. Rien de répréhensible n'est apparu dans les actes du commandement Français: ceux-ci ne peuvent donc être que couverts. Au surplus les autorités Alliées ayant décidé de ne pas s'opposer aux élections qui doivent avoir lieu prochainement dans l'ensemble des territoires occupés; le commandement français a pris toutes mesures utiles pour que la liberté de vote soit assurée dans la province de Birkenfeld, au cours des élections projetées.'

[4] Enclosure 1 above.

to take place on September 28th and October 4th, and has given orders that they are to be deferred until further notice. If these elections had taken place now, there would have been an overwhelming majority against the present government of Zoller, which would naturally have placed the French Authorities in a very difficult position.

3. Information has lately come to hand from a German source, that there is a danger, according to the Germans, of the French attempting to influence the voting in the proposed elections, in favour of the Provisional Government. In a proclamation in the *Naheteil [Nahethal] Bote* of Oberstein, dated 13th September, 1919, Major Bastiani announces, that even in cases where permission has been given to hold a meeting, such meetings will only take place after the arrival of an officer from the Staff of the French Military Governor. On the 19th September, a proclamation was issued stating that, according to an order of the General Officer commanding the 10th French Army, Section 81 of the Penal Code would not apply to adherents or officials of the Provisional Government in Birkenfeld, and that disobedience to this Order would be held as an act of hostility against the Military Authorities.

The regulations of the Oldenburg Government concerning elections are not being followed, and in addition the province of Birkenfeld has been arbitrarily divided into 7 electoral districts by the French Authorities 'apparently in the hopes of influencing the votes of the population.'

The economic situation in Birkenfeld according to this report is equally serious. As a result of this political situation reported above, the German Government and also the Oldenburg Government have refused to recognise the Provisional Government. The payment of all pensions have [sic] been stopped including the payment of insurance benefits for sick persons, invalids, old age pensions and insurance policies of all kinds. Unemployment benefits have been stopped, as well as all grants of money from the Oldenburg Government for the payment of foodstuffs from abroad. All schools are closed in Birkenfeld and the Law Courts are closed in Oberstein.

## No. 155

*Sir E. Crowe (Paris) to Earl Curzon (Received October 2)*

*No. 1393 Telegraphic [136008/7067/39]*

PARIS, *September 30, 1919*

The present situation as regards the ratification of the Treaty with Germany is as follows:—

Neither the United States nor Italy can be ready to ratify for many weeks to come. It therefore behoves the French, Japanese and ourselves to ratify as soon as possible in order that the Treaty may come into force.

M. Clemenceau told me to-day that the vote in the Chamber of Deputies in favour of ratification would be given in a few days, and that the Senate would vote it about four days later. The Japanese representative said that the Japanese ratification would probably be complete about the beginning of October. M. Clemenceau asked me when the British ratification might be expected, and whether we were obliged to wait for the consent of the Dominions. I said that while constitutionally we might not perhaps be bound to do so, it would in view of all the circumstances be a practical impossibility for His Majesty's Government to act before the Dominions had signified their consent: I did not know exactly how matters stood, but would enquire.

I should be glad to learn whether all the Dominion Parliaments have now signified their consent, or in case they have not, when such consent may be expected. I need hardly add that it is most desirable to complete all the necessary formalities as soon as possible, as a most unfortunate impression would certainly be created if the French and Japanese ratifications are deposited in the near future and the coming into force of the Treaty was to be held up on account of the British ratification not being complete—particularly in view of the fact that the British Parliament itself set the excellent example of reducing debate to a minimum and signifying its consent long before any of the other Allied legislatures.

## No. 156

*Record of a meeting in Paris on October 2, 1919, of the Committee on Organization of the Reparation Commission*

*No. 12 [Confidential/Germany/31]*

The meeting began at 10.30 with Monsieur Loucheur in the Chair.

*Present:*

Mr. [D]resel, Col. Logan (United States); Mr. McFadyean (United Kingdom); M. Loucheur, Controller-General Mauclère, M. Jouasset, Major Aron (France); Signor Bertolini, Signor d'Amelio (Italy); Col. Theunis, Major Bemelmans (Belgium).

The Chairman welcomed the new Italian Delegate, Signor Bertolini, Minister of State.

. . .IV.[1] *Note from the British Delegation on Article 235[2] (B.95).[3]*

THE CHAIRMAN stated that he had doubts on the British interpretation of Article 235; when the authors of the Treaty wrote 'the Allied and Associated Governments', they had not it seemed intended to specify that these Governments should not act through the intermediary of the Reparation Commission.

The Chairman added that Article 235 had been drawn up by Lord Sumner,

[1] The preceding minutes recorded discussion of other matters.
[2] Of the Treaty of Versailles.
[3] See No. 148, annex 1.

Signor d'Amelio, and M. Jouasset, and that he had asked the latter to collect his notes on this matter. It was, at all events, quite evident that the Allied and Associated Governments would not act without consulting the Reparation Commission: the question was, whether this would be a simple consultation, or whether it would be the duty of the Reparation Commission to decide. This question could only be dealt with by the Supreme Council, to which it would be submitted after the Committee had been informed of Monsieur Jouasset's notes.

MR. DRESEL formally reserved the opinion of the United States on this question.

V. *Letter from the Supreme Economic Council enclosing an extract from the minutes of its 30th meeting on the subject of Article 235 (B.101 a and b).*[4]

THE CHAIRMAN pointed out that this Document again put the two same questions:

(1) Will the United States be represented on the Supreme Economic Council?

(2) Is the Reparation Commission competent to authorise the supply of foodstuffs and raw materials to Germany?

The discussion was therefore adjourned.

VI. *Note from the British Delegation on the Interpretation of Clause 2, Annex 2, Section 1, Part VIII, of the Treaty with Germany (B.96).*[5]

THE CHAIRMAN stated that, in his opinion, this question concerned the Governments, and he asked that it should not be discussed by the Committee. The opinion of the French Government was precise: the Commission had to function as soon as the Treaty came into force, that is to say, was ratified by three of the principal Allied and Associated Powers: those which had not ratified the Treaty could naturally be represented at the Meetings, and even give their opinion, but this would be semi-officially.

MR. MCFADYEAN answered that the British Delegation had only wished to raise the question in order that it might be studied by the Committee. The British Delegation had not expressed an opinion but it thought that it would be of interest to the Committee to know that according to Lord Sumner the Reparation Commission could only enter on its functions after the ratification of the Treaty by the principal Powers represented on this Commission.

COL. THEUNIS answered that this point of view would render the functioning of the Commission and the Execution of the Treaty impossible in fact,[6] it

[4] Not printed. This appendix contained a short covering note dated at Paris, September 24, 1919, from the British Council Officer of the Supreme Economic Council to the secretariat of the Committee on Organization of the Reparation Commission, enclosing the note to the Supreme Council printed in *Papers relating to the Foreign Relations of the United States: the Paris Peace Conference 1919*, vol. x, pp. 564–5.

[5] See No. 148, annex 2.

[6] Punctuation as in original.

would suffice for one of the Powers to refuse ratification to paralyse this execution.

SIGNOR BERTOLINI reserved the opinion of Italy. . . .[7]

## XX. *The Mission to Essen*

THE CHAIRMAN requested Major Aron to supply the Committee with information as on the difficulties met with at Essen.

MAJOR ARON reported that the [German] deliveries of coal during the months of September and October had to be made either by Railway or by Rotterdam, or by Mannheim. As the Rhine was fairly low and the deliveries by Mannheim could not attain the figure provided for, it had been proposed to the Germans (1) to transfer a part of the difference to Rotterdam, where a stock would be built up to avoid delay in loading the cargoes, (2) to intensify the deliveries by rail.

The Germans had given evidence of the greatest unwillingness, and had stated that they would have to consult their Government every time, whose reply was an interminable time in coming. It would be indispensably necessary to set up at Essen an international commission reporting to the Reparation Commission, comprising a representative authorised by the German Government to take decisions, and representatives of the Allied and Associated Powers.

THE CHAIRMAN added that this Commission was all the more necessary in view of the fact that the deliveries were far from reaching the figure provided for (15,000 tons per day, instead of 33,000). This was principally on account of the attitude of Herr von Lubsen, President of the Kohlen-Syndikat. It was therefore indispensably necessary to have an organisation by the aid of which we could verify on the spot the German assertions concerning transport difficulties and quantities and qualities at disposal. Furthermore, the principle had previously been adopted.

The Chairman proposed to discuss with the Germans the same day the creation of this Essen Commission, and asked the Delegations each to consider the appointment of a representative.

This decision was adopted. . . .[7]

[7] The ensuing minutes recorded discussion of other matters.

## No. 157

*Mr. Gurney (Brussels) to Earl Curzon (Received October 2)*

*No. 166 Telegraphic [136371/11763/4]*

BRUSSELS, *October 2, 1919*

I heard last night that Netherlands Chargé d'Affaires had addressed communication to Minister for Foreign Affairs stating that report had been observed in Belgian newspapers to the effect that certain irresponsible persons were preparing raid on Dutch territory and enquiring what preventative measures Belgian Government were adopting.

I met Minister for Foreign Affairs just afterwards and mentioned the report to his Excellency. He informed me that he regarded such a raid as improbable and that anyone taking part in it would be punishable under penal code. He had replied in this sense to Netherlands Chargé d'Affaires.

When I asked him whether preventive measures were being taken he said it was difficult to proceed in the matter without knowing who were involved in alleged plot, but that he had asked Minister of War to make investigation.

Netherlands Chargé d'Affaires informs me that he had received independent information from Dutch Vice Consul at Bruges who is a (? Belgian) to the effect that a raid on Zeeland and Dutch Limburg is being organised at Bruges, Liège and Ghent and that Services of demobilised soldiers and officers of the army are being enlisted. One of the chief movers was, he said, a Monsieur Rotsaert a lawyer of Antwerp and right-hand man of Monsieur Renkin, Minister of Railways etc. who[m] Netherlands Legation believed to be an ardent annexationist.

Repeated to Hague.

## No. 158

### *Mr. Gurney (Brussels) to Earl Curzon (Received October 7)*

### *No. 366 [138009/4187/4]*

BRUSSELS, *October 2, 1919*

My Lord,

With reference to my despatch No. 361[1] of the 26th ultimo, I have the honour to report that according to the Belgian press the results of the referendum held in Luxemburg on the 28th ultimo, at which both women and men participated, are as follows:—

#### 1. *Dynastic Question*

| | |
|---|---:|
| Number of voters | 125,775 |
| Votes recorded | 90,485 |
| Votes annulled | 5,113 |
| In favour of the Grand Duchess Charlotte | 66,811 |
| In favour of another Grand Duchess | 1,286 |
| In favour of another dynasty | 889 |
| In favour of a republic | 16,885 |

#### 2. *Economic Question*

| | |
|---|---:|
| Votes recorded | 82,375 |
| Votes annulled | 8,609 |
| In favour of an economic union with Belgium | 22,242 |
| In favour of an economic union with France | 60,135 |

[1] No. 149.

Though it was not unexpected that the vote on the economic question would result in a majority in favour of an economic union with France, the feeling in Belgium is naturally one of disappointment. The Brussels newspapers are, however, restrained in tone, and confine themselves for the most part to a consideration of the reasons for this result, which is largely attributed to French propaganda.

As showing the tone of the press I enclose copy of an article in the *Soir*,[2] to which my attention was drawn by M. Hymans, and which calls upon France to show her loyalty to Belgium and to follow the example set by Great Britain in handing over to Belgium a portion of German East Africa.

M. Hymans, whom I met last night, again referred, in discussing the result of the referendum, to the fact that the French Government had originally disclaimed any intention of interfering in the future of Luxemburg, and expressed the opinion that they did not realise the extent of the feeling which would be aroused in Belgium by a reversal of that policy.

It would seem that the result of the referendum should in any case not be regarded as conclusive, at least so far as Luxemburg is concerned. M. Reuter, the Minister of State, is reported to have stated in the Chamber that, whatever the result of the popular vote might be, the Government reserved to themselves the decision in the matter, and that the only object of the referendum was to compel France to declare the conditions on which she would enter into an economic union with Luxemburg. If and when these conditions are announced, a further referendum may perhaps be held.

According to extracts from French newspapers, which have been quoted by the Belgian press, a section at any rate of French opinion appears to advocate a tripartite union between France, Belgium, and Luxemburg. M. Hymans told me some time ago that M. Clemenceau had himself put forward a suggestion to this effect when the Luxemburg Delegates stated their case before the Supreme Council at Paris,[3] and the *Petit Parisien* states that the Grand Duchess had also suggested such a solution in the course of a recent interview with its representative.

I have, &c.,
HUGH GURNEY

2 Not printed.          3 See No. 63, note 4.

## No. 159

*The Earl of Derby (Paris) to Earl Curzon (Received October 6)*

*No. 953 [137395/4187/4]*

PARIS, *October 3, 1919*

My Lord,

I have the honour to transmit to your Lordship herewith copies of a memorandum drawn up by Sir George Grahame of a conversation which he had a day or two ago with the Belgian Ambassador.

Baron de Gaiffier came to see me this afternoon, and repeated to me in almost identical terms what he had previously said to Sir George Grahame. From what his Excellency said I gather that he chiefly attributes to Monsieur Berthelot's influence the policy which France is pursuing in regard to Luxemburg.

I have, &c.,
DERBY

ENCLOSURE IN No. 159

*Memorandum for the Ambassador*

Baron de Gaiffier, the Belgian Ambassador, spoke to me to-day about the question of Luxemburg. He said that he and his Government were disgusted with the way the French were behaving. He feared that they were going to resume the policy of France under Napoleon III, which aimed at dominating Belgium.

Baron de Gaiffier told me that he had been working at this question of Luxemburg for some years. He had taken the opportunity when Monsieur Briand went out of office, and when Monsieur Berthelot (who M. de Gaiffier evidently considers to be the prime mover in the attempt to acquire a hold over Luxemburg) was relegated to a less official position,[1] to raise the matter with the French Government. He had obtained from Monsieur Ribot[2] a written declaration of disinterestedness. Monsieur Clemenceau had at an earlier date made similar declarations, but had added that if the Luxemburg people came of their own accord towards France he could not repulse them. If he did so Parliament would vote against him. During the discussions at the Peace Conference, the French Delegation, Monsieur Tardieu I believe, had tried to insert in article 40 of the Peace Treaty concerning Luxemburg that Germany renounced her rights to the exploitation of the railways in favour of France. The Belgian Delegation had successfully combated this wording, but now the French claimed the control of the Guillaume–Luxemburg system under article 67 in section 5 dealing with Alsace-Lorraine of the Versailles Treaty. The Belgian Delegation were not represented on the commission dealing with Alsace-Lorraine.

Ten days ago Monsieur Pichon had read a draft letter to Monsieur de Gaiffier which he said he was ready to send to M. Reuter, the head of the Luxemburg Government. In this draft Monsieur Pichon declared that France had no aspirations with regard to Luxemburg, but that she must have control of the Guillaume–Luxemburg system. Monsieur Pichon was ready to despatch the letter if the Belgian Ambassador on behalf of his Government concurred. This Monsieur de Gaiffier told Monsieur Pichon that he could not do, whereupon the latter said: 'Well, you will lose Luxemburg.'

[1] In March 1913 a French Government under M. Briand had resigned. M. Berthelot, formerly *chef de cabinet* to M. Briand, then became Assistant Director of Political and Commercial Affairs in the French Ministry of Foreign Affairs.
[2] French Prime Minister and Foreign Minister, March–September 1917.

Since then a referendum in Luxemburg showed a majority in favour of an economic union with France.

I asked Monsieur de Gaiffier if this did not affect the Belgian position. He gave no clear answer to this but insinuated that French propaganda had had much to do with the decision. His Government considered that an economic union with Belgium would be illusory if France kept the control of the Guillaume–Luxemburg railway system. He spoke very gloomily about the future, saying that the people who had voted for the referendum were mostly ignorant peasants, who thought they could at one and the same time join France economically and keep their own dynasty. Evidently Monsieur de Gaiffier thought that what would happen at some after date would be that the Republicans would gain the upper hand and join France which would annex their country. This was a very poor look-out for Belgium which would be thus almost entirely surrounded by Republican France. He spoke of the attempt of Napoleon III to obtain Belgium[3] and referred to the letter in Benedetti's[4] own handwriting, written on the Emperor's personal note-paper, claiming Belgium after the Austro-Prussian war. This letter was imprudently left with Bismarck by Benedetti and shown to the British Government when the Franco-Prussian war was breaking out. Monsieur de Gaiffier recalled the indignation of England at the idea of France trying to possess herself of Belgium.

The control of the Guillaume–Luxemburg line by France was highly prejudicial to Belgian interests. An immense amount of traffic went over the system. It blocked the way from Belgium to West and South-West Germany, Switzerland, &c. The other line from Belgium into Germany by Verviers was very congested.

Monsieur de Gaiffier said that the Americans had been approached with regard to the illegitimate demands of the French as well as His Majesty's Government. The Americans had given an evasive answer while sympathising apparently with the Belgian grievance.

Monsieur de Gaiffier seemed himself pessimistic as to the chance of a small country like Belgium being able to frustrate a powerful country like France which was bent on this policy. His own idea was to endeavour to negotiate for a joint Franco-Belgian exploitation of the railway system and a footing of equality as regards goods and passenger traffic.

As he had told me that his Government felt so strongly about the French claim, I enquired whether they would accept such an arrangement. He replied that he meant to go to Brussels, and hoped to talk over the principal members of the Government and to induce them to accept a compromise of the kind but all Belgians would feel very sore at the way France had behaved about Luxemburg.

*October 1, 1919*

[3] See below.
[4] French Ambassador in Berlin, 1864–70. For the document in question cf. *British and Foreign State Papers*, vol. lx, p. 889 passim.

## No. 160

*Sir E. Crowe (Paris) to Earl Curzon (Received October 6)*

*No. 1903 [137379/11763/4]*

PARIS, *October 3, 1919*

My Lord,

I have had under consideration the memorandum by His Majesty's Ambassador at Brussels[1] which was enclosed in your Lordship's despatch No. 5939[2] (124165/W4) of the 9th ultimo, and which among other subjects dealt with the proposal for an alliance between Great Britain, France, and Belgium for the defence of the latter country on the same lines as the arrangement between Great Britain, the United States and France in regard to the defence of France.

2. I am not aware of any conversations having taken place in Paris on this proposal, such as those mentioned by M. Hymans in his recent conversation with Sir F. Villiers, and, in the absence of Mr. Balfour, I am not in a position to offer any useful observations, as requested in your Lordship's despatch,[2] as to the advisability of His Majesty's Government concluding with France and Belgium a treaty for the purpose of guaranteeing the integrity of Belgian territory. I venture to suggest that the question is a matter of high policy, which can be alone decided by the Cabinet on general grounds.

3. In the meanwhile the Committee appointed to consider the revision of the treaties of 1839 regulating the international status of Belgium are, among other matters, working to obtain some system of co-operation between the Netherlands and Belgian Governments for the defence of Belgian territory against German aggression[;] although the Netherlands delegates on the Committee have declined to commit themselves to a definite military convention for this purpose, they have given assurances to the effect

1. That the Netherlands will adhere to the League of Nations,
2. That in any case the Netherlands Government will consider the violation of Dutch territory, including Limburg, as a *casus belli*, and
3. That in the case of attack the territory of Dutch Limburg will be defended.

On the basis of these assurances, it is hoped to induce the Netherlands Government to agree to some form of words in the proposed treaty of revision which would imply their readiness to conclude under the ægis of the League of Nations any arrangements that may be necessary to ensure the defence of their territory against unprovoked attack. It might then become possible to co-ordinate such measures of defence with those of a similar kind taken by Belgium for safeguarding the Belgian frontier. Your Lordship may perhaps consider that until it is seen whether this effort of bringing Holland and

[1] No. 108.
[2] This formal covering despatch is not printed.

Belgium together in a common scheme of defence has a prospect of success, the larger question of a military guarantee to be given to Belgium in the shape of a treaty between her, Great Britain, the United States, and France could be allowed to stand over.

I have, &c.,
EYRE A. CROWE

## No. 161

*The Earl of Derby (Paris) to Earl Curzon (Received October 6)*

*No. 952 [137394/7067/39]*

PARIS, *October 3, 1919*

My Lord,

As I had the honour to report in my telegram No. 1058[1] of yesterday, the Chamber of Deputies has ratified the Peace Treaty by 372 votes to 53 with 73 abstentions. At the same time the Chamber unanimously approved the Treaties of Alliance with Great Britain and the United States of America guaranteeing France against an unprovoked attack on the part of Germany.

Of the fifty-three votes given against the Peace Treaty, forty-nine were those of members of the Socialist Party. M. Franklin-Bouillon,[2] who throughout the debate has shown the most bitter and violent hostility to M. Clemenceau, and M. Louis Marin also voted against the treaty. Thirty-three Socialists abstained from voting, as did also eighteen members of the Radical Socialist Party and three members of the Right group. Two Socialists, MM. Mauger and Lecointe, voted for the ratification. The vote of the Socialist Party as a whole was, in fact, another proof of the lack of unity in the party.

The majority in favour of the treaty is thus much larger than at one time seemed probable and has, as a whole, been well received by the French press, though the *Matin*, which is of importance in view of its wide circulation, observes that the treaty has been ratified without joy and often with remorse by the representatives of the nation, and adds that it is not the product of the will of the people but of the will of three men who have shut themselves up in the dark and arrogated to themselves alone the right of settling the fate of the world.

(Communicated to the Peace Delegation.)

I have, &c.,
DERBY

[1] Not printed.
[2] Deputy for Seine-et-Oise.

608

## No. 162

*Earl Curzon to Sir E. Crowe (Paris)*

*No. 1200 Telegraphic [136008/7067/39]*

FOREIGN OFFICE, *October 3, 1919*

Your telegram No. 1393.[1]
I heard to-day that the Governments of all the Dominions have now ratified the Treaty.

[1] No. 155.

## No. 163

*Sir E. Crowe (Paris) to Earl Curzon (Received October 6)*

*No. 1407 Telegraphic: by bag [137245/9019/39]*

PARIS, *October 3, 1919*

M. Clemenceau asked Mr. Polk[1] and me to call upon him at the Ministry of War this morning to discuss the question of the demand to be made upon Germany to hand over for trial officers and others charged with violations of the laws of war.

M. Clemenceau explained that his legal authorities had originally submitted a list containing over 1000 names. By his directions this had been cut down to two or three hundred. He said that there was intense feeling on this subject in France and no Government, especially on the eve of a general election,[2] could oppose the popular demand for bringing the offenders to trial. His authorities thought the best course was to present a short list to the Germans at once and another list later on.

M. Clemenceau appeared to be unaware, or to have forgotten, that this point had been debated at length on a former occasion, when it was agreed to put all the names into one list. That decision had been taken in view of the unanimous advice of all those familiar with the conditions in Germany, that she should be definitely informed at once of the maximum that the Allies demanded, as any uncertainty on this point or a belief that a series of further demands for handing over additional officers would follow, would lead to the German Government being forced by public clamour to refuse handing over anyone.

M. Clemenceau on being reminded of this agreed that the policy of one comprehensive list was the best.

I urged that the list when presented should contain not only the names of the offenders, but so far as possible, the precise charge made against each, together with such *prima facie* evidence as would convince any honest German that the cases were such as, in Germany's own interest, ought to be judicially

[1] Representative of the United States on the Council of Heads of Delegations.
[2] A general election was to be held in France in November 1919.

609

investigated and dealt with. To this end the list with these particulars ought to be widely published at the time of presentation, with an intimation that the trials would be conducted in public.

Mr. Polk and I assured M. Clemenceau that if the French list was limited to cases in which strong *prima facie* evidence was available, and the above procedure adopted, our respective Governments would concur in the line which the French authorities proposed to take.

The question of the trial of the Emperor William was briefly touched upon. M. Clemenceau said that, according to his information, it was practically certain that Holland would refuse to give him up and he apparently contemplated this contingency with equanimity. I asked whether he would be in favour of a trial 'in contumaciam' and he said, certainly, this would be an excellent way out of the difficulty. The issues could well be tried without the Emperor being before the Court. The findings could be published, and this would probably have all the effect really desired.

M. Clemenceau mentioned incidentally that both the German Crown Prince and Prin[c]e Rupprecht of Bavaria would figure on the list of offenders. There was conclusive evidence of their having ordered the seizure and removal for their own account of large quantities of private property in circumstances which could not be distinguished from ordinary theft.

## No. 164

### *The Earl of Derby (Paris) to Earl Curzon (Received October 8)*
### *No. 957 [138491/8259/17]*

PARIS, *October 4, 1919*

My Lord,

I have the honour to inform Your Lordship that the Chamber of Deputies discussed yesterday certain motions put forward in connection with the terms of the Peace Treaty.

The result of the debate was the adoption by the Chamber of the following three motions:—

(A) 'The Chamber invites the Government to approach the Allied and Associated Powers with a view to the execution of all measures rendering effective the disarmament of Germany and her Allies, by prohibiting the fabrication of certain war material and by all other dispositions which may be judged necessary.' This motion was voted unanimously.

(B) 'The Chamber further invites the French Government:—

'1. To arrange, in agreement with President Wilson, whose duty it is to convoke the Conference in accordance with Article 5,[1] and as soon as the United States shall have ratified the Treaty, for the immediate meeting of the League of Nations;

[1] Of the Treaty of Versailles (Covenant of the League of Nations).

'2. To give a mandate, with a view to this meeting, to the French Delegates to propose the examination of measures which by means of the progressive reduction of armaments provided for by Article 8 of the Covenant of the League of Nations are calculated to result in general disarmament.' This motion was put forward by Monsieur Renaudel and by Monsieur Albert Thomas and accepted by the Government, and was adopted by four hundred and forty-four votes to one.

(C) 'The Chamber, trusting in the spirit of equity and justice of the Allied and Associated Powers invites the Government to open financial negotiations with them with a view to obtaining:—

'1. That the payments by Germany be affected by priority, until complete compensation to the reparation of the damage caused in the occupied and devastated territories:

'2. That the solidarity, arising out of the war, be continued both in order to ensure the ex[e]cution by Germany of her obligations, and also to assure and guarantee, in any case by common effort and by common action in the financial domain, the rapid restoration of the occupied and devastated territories:

'3. That an agreement be arrived at between the Allied and Associated Powers for an equitable settlement of the charges arising out of the war.'

This motion, proposed by Monsieur Auriol[2] and accepted by the Government, was voted unanimously.

The debate was opened by Monsieur André Lefèvre, Deputy for the Bouches-du-Rhône, who again brought forward his original motion of which discussion had been adjourned until after the vote on the Treaty, (please see my despatch No. 947[3] of the 1st instant,) to the effect that the Government be asked to open new negotiations with *all* the signatories of the Treaty of Versailles in order to arrive at the effective and complete disarmament of Germany.

Monsieur Lefèvre recapitulated at some length the reasons which had led him to put forward this Motion in preference to that proposed by the Commission.[4] He drew attention, in support of his contention, to the inadequate reply returned by Germany to the Allied ultimatum requesting her to abolish Article 61 of the German Constitution which provided for the union of German-Austria with Germany,[5] and to the manner in which Field Marshal [*sic*] von der Goltz had apparently completely ignored the three Allied ultimatums for his withdrawal from Lithuania.[6] Monsieur Lefèvre observed that when the first demand was sent, that General's army consisted of 40,000 men: and that by the time the second warning arrived it had increased to 100,000 men. He asserted that Germany had 600,000 to 800,000 men under

[2] M. Vincent Auriol, Deputy for Haute-Garonne.
[3] Not printed: cf. below.
[4] The Peace Commission of the Chamber of Deputies; the motion proposed by it was motion (A) above.
[5] See Volume I, No. 53, appendix B.
[6] See Volume III, Chap. I.

arms, that she was still manufacturing munitions of war, that the control of these war factories was illusory, and that the only way to condemn Germany to peace was to prevent her from making a single gun. Monsieur Marcel Cachin[7] here interposed a remark calling for universal disarmament, for France and her Allies as well as for Germany. Whereupon Monsieur Lefèvre retorted 'Que Messieurs les assassins commencent.' He said that there was in the centre of Europe one suspect nation, and that that nation must be the first to disarm, otherwise France ran the risk of becoming the victim of the most terrible trickery. Monsieur Lefèvre further insisted on the necessity of some simple and explicit article in regard to disarmament being imposed on Germany, and added that in any case quick action was essential, as in some months, possibly some weeks even, the means of exercising pressure on Germany would be inoperative.

Monsieur Marcel Cachin, who followed Monsieur Lefèvre, made a speech in favour of general and universal disarmament. He asked for the suppression of militarism in Germany and also in the Allied countries: and affirmed that this demand was in conformity with the principles of President Wilson. He reminded his hearers that the nations had fought for universal disarmament: and said that this fact must not be forgotten, or dangerous consequences might ensue. Turning to the President of the Council, Monsieur Cachin continued: 'Monsieur André Lefèvre has said that Germany has an army: have you not helped her to reconstitute her army?' 'My worst enemy,' replied Monsieur Clemenceau, 'cannot accuse me of having reconstituted the German army.'

Monsieur André Tardieu replied, on behalf of the Government, to Monsieur Lefèvre. He insisted upon the fact that the Government had done all that lay in their power towards the reduction of armaments in Germany. He stated that Monsieur Clemenceau's energetic demands for total disarmament were met by objections from the Allies, and he spoke of the great efforts which had been necessary gradually to reduce the number of troops allowed to Germany to the present figure of 100,000 men and 288 guns. He gave some details of the control exercised by the Allies over the manufacture of German war material: and cited as an instance that it would be possible, under the terms of the Treaty to limit to one the number of factories allowed to produce guns in Germany. He concluded with an appeal to Monsieur Lefèvre to agree to the motion proposed by the Commission and accepted by the Government, (the first of the three motions quoted above). Monsieur Lefèvre made no reply.

Monsieur Viviani, President of the Peace Commission, made a further speech on behalf of the Government and in support of the clauses of the Peace Treaty relative to the limitation and control of armaments in Germany. He pointed out that between the text of Monsieur Lefèvre and that of the Commission there was only a difference in method, and no real divergence. Was it not only a question of method and time in regard also to the question of general disarmament which Monsieur Cachin demanded? He added

[7] Deputy for the Department of the Seine.

that if Germany proved her good faith otherwise than by words, if she showed herself worthy of entering the League of Nations, then it would be possible to proceed with total disarmament, with the exception perhaps of the maintenance by the League of Nations of an organized force ready to deal with all aggression and with all threats of aggression. 'Let Germany', he continued, 'show us that she is worthy of entering into a League of free men, and we are convinced that the League of Nations, imbued with new life, will be able to give to the world universal peace.'

Monsieur Lefèvre then rose to reply. He recapitulated his former arguments and implored the Government not to lose time. 'When you have,' he continued, 'taken the knife out of the hand of those capable of committing a crime, you will have accomplished a great deal for the peace of the world.' Eventually, after hearing of the further motion proposed by Monsieur Renaudel and Monsieur Albert Thomas, (the second of the above-mentioned motions), Monsieur Lefèvre threw the responsibility for the amendment of the text on the Government and withdrew his original motion. The voting then took place, with the results which I have already indicated.

I have, &c.,
DERBY

## No. 165

*Sir C. Marling (Copenhagen) to Earl Curzon (Received October 10)*

*No. 280* [*139499/548/30*]

COPENHAGEN, *October 4, 1919*

My Lord,

In continuation of my despatch No. 247[1] of the 3rd September, 1919, I have the honour to submit the following general report on the proceedings of the Slesvig International Commission.

Although, as mentioned in that despatch, the commission has decided to work on the principle of disturbing existing conditions as little as possible, the first difference of opinion between the commissioners arose out of its application. The commission was examining its means of control over German officials, when the French commissioner observed that in case of misconduct the commission could stop their pay. I observed that this would be difficult as German officials, generally speaking, received their pay orders from the Reichsbank branch office at Kiel, and that even though, as had been suggested, we might require that these pay orders should be sent to the commission for counter-signature and distribution, it would be quite an easy matter, should the commission hold back the pay of any individual official, for the German authorities to convey to him the amount of his salary by other means. M. Claudel insisted that the commission must take on itself to pay all current administrative general expenses, as otherwise, he said, our

[1] No. 109.

613

powers of administration would be illusory, on the principle that he who holds the purse-strings holds the power. The Swedish Commissioner and I, who had gone into the whole question together, pointed out that such a task was quite beyond the power of the commission, which does not possess the necessary data or the considerable staff requisite; and that the presence of two or three thousand troops ought to be quite enough to ensure our authority, even if we did not command the purse-strings. M. Claudel, however, stuck to his guns, and finding an unexpected ally in the Norwegian Commissioner, eventually said that he would have to refer the point to his Government. I said that I hoped he would not think this necessary. The treaty provided that the commission should take its decisions by the vote of the majority, and it would be most unfortunate that the commission should find itself in conflict with the French Government. This argument silenced M. Claudel's batteries and it was ultimately decided that he should submit a memorandum of his views at the next meeting of the commission. The memorandum proved to be fairly harmless. It insisted strongly on the powers of the commission to exert its authority over all officials, and required that the payment of the salaries of all officials of the German services should be paid through the commission in the manner mentioned above, and also that returns of revenue from all sources shall be rendered periodically to the commission.

The settlement of this point, though a week was wasted in reaching it, served to rule out also the schemes drawn up in detail by the Norwegian Commissioner for taking over the direction of the postal, telegraphic and telephonic systems and it was decided that the commission would inform M. Boehme that they desired the appointment of a special official for any or all of the administrative services which have their head offices outside the plebiscite area, who would be responsible to the commission for the efficient working of their respective services, and would also serve as a channel of communication between the two authorities. In such service railways are, of course, included.

Meantime the commission received from Landrath Boehme a letter enclosing a memorandum of the arrangement proposed by the German Government for the carrying out of the articles of the treaty regarding Slesvig. The general note sounded in their memorandum indicated a characteristically German attempt to lay down for the commission the lines on which it should carry out its task, and a reply was therefore sent to M. Boehme pointing out that while the co-operation of the German Government was clearly indispensable in certain points, on others the commission itself was the sole arbiter, and did not desire and would not admit any discussion on these latter; the commission would in due course make such publications as were necessary, and would be glad to communicate copies of the drafts for his information. To our reply was attached a memorandum giving a list of these two classes of questions, and also a definition of the southern boundary of the plebiscite area, which in one or two places, the most important being S.W.S. [sic] of Flensborg, is very unsatisfactorily described in the treaty.

M. Boehme's reply, though he disclaims any intention of disputing the commission's 'sovereign' authority, nevertheless endeavours to open questions which we have put on the list as not subject to discussion. His letter will be considered at the next sitting.

Meantime, the question of the occupation by Denmark of the first zone as soon as the result of the plebiscite, if favourable to her, has been published, has arisen and been a source of considerable discussion. Quite early in our conversations with him, the German delegate intimated that in the event of a Danish occupation, all the German officials would at once be withdrawn, a step which would not fail to result in considerable temporary disorganisation of the local administration, especially in such indispensable services as railways, posts, telegraphs, telephones, which would, to a certain extent, hamper the working of the commission in the second zone. It may be said that eventually Denmark must face these difficulties, and it matters little whether it is done a few weeks sooner or later. This is but partially true, for the task of taking over the administration would be a comparatively simple matter if done gradually and with the reasonable amount of co-operation which Germany can properly be expected to give after both plebiscites have been taken. The commissioners are indeed of opinion that the difficulties are so great and the useless expenditure involved so considerable that Denmark would be well advised not to insist on availing herself of the option afforded by the treaty. It is probable also that Danish occupation would prove embarrassing to the commission.

There are, however, other complications.

By article 109, Denmark is entitled, in agreement with the commission, to occupy the first zone with her administrative and military authorities, a sentence which implies that the commission will hand over all its powers. But the powers of the commission are described as 'general powers of administration' and do not involve sovereign rights, which indeed by the article 110 are specifically preserved to Germany until the future frontier between the two States has been laid down, and even when Germany does resign them, she does so not to Denmark but to the Allied and Associated Powers. The International Commission can hardly make over to Denmark powers which it does not possess itself, nor can Denmark exercise sovereign rights such as raising revenue by taxation, customs, &c. If then Denmark shows desire to occupy the first zone, as provided by the treaty, she can only do so to the same extent, at most, as the International Commission, i.e., she will have to carry on the German administration as it stands, collect the German revenues and customs duties in accordance with German laws and tariffs, and account for the proceeds to Germany. What the wishes of the Danish Government are we do not yet know. It is some three weeks or more since the commission sent in an official request for an indication of their intentions and I have privately told M. de Scavenius[2] that we think the practical difficulties are insuperable, but that if the Danish Government for political reasons wishes to attempt it, we shall do our best to comply with their desire. His Excellency has just now sent in a reply stating that the Slesvig Committee have passed a

[2] Danish Minister for Foreign Affairs.

resolution in favour of occupation, and suggesting that the question should be examined at a conference with the commission. To this the commission will of course agree, and I am to have a preliminary talk with the Minister to settle a programme, &c., and meantime I have sent his Excellency privately a memorandum pointing out the various difficulties both of principle and of application which the commission foresees.

It is quite open to doubt whether the Danish Government really desire occupation at all. Many well informed people believe that they do not, and I am on the whole disposed to agree with that view. The Cabinet looks on the whole Slesvig question from a purely Danish standpoint, that is to say, they are convinced that it is not to Denmark's true interests to see any large German population added to Denmark. If then their failure to occupy the first zone should adversely affect the voting in the second zone, which I am inclined to doubt, and for which, should it be the case, the blame can always be attributed to the International Commission, they would be rather relieved than otherwise that Denmark should be saved from acquiring even doubtful citizens. The tottering condition of the Cabinet however precludes them from openly avowing their views, which would expose them to attack from the ardent and noisy Slesvig party, and they are thus obliged to make a good show of zeal for occupation, though it is against the better judgment of the majority of Ministers. M. Hanssen-Nørremølle himself advocates occupation, though he is generally considered to incline to the more cautious policy; I believe, however, that he is acting under the pressure of the commercial interests of his native town of Haderslev and Aabenraa, which believe that under Danish occupation the first zone will get the cream of the opportunities for money-making which reincorporation with Denmark is expected to offer before the formidable competition of Flensborg comes into play.

As a matter of fact, it would seem that the decision really rests with Germany. The difficulties of occupation and the inconveniences and expenses entailed are very great and the commission at the forthcoming conference will take the attitude that if the Danish Government wish to occupy, the commission is of course ready to assist them, but it will be pointed out to the Danish Government that there will be a vast number of points on which it will be necessary to make arrangements with Germany, and that, to save time, the Danish Government should negotiate direct, not through the Commission. Germany has only to show herself obstructive, as we have to expect she will, the scheme falls through and Germany will be able to proclaim that she has prevented occupation, which would be very damaging for the Cabinet.

The French commissioner is showing a great deal of zeal in the question. He informs me that he is sending a report to Paris showing that largely owing to faulty drafting the manifest intention of the treaty is in danger of being frustrated, and submitting the propriety of urging the Supreme Council to lay down an interpretation of articles 109 and 110, which will remove the existing difficulties, and to obtain Germany's adhesion thereto. I first learnt of this from the Danish Minister for Foreign Affairs, who told me further that M. Claudel was going to take the somewhat uncommon step of submitting to him the draft of his report of a conversation between them on the subject. M. Scavenius explained that he had broached the matter to me, as he did not wish that I should think that he was in any way a party to M. Claudel's action. The deduction to be fairly drawn from this explanation of M. de Scavenius seems to be that the Danish Government do not desire occupation, for if they did, they would not have left it to the French commissioner to take steps in Paris, but would have instructed the Danish Chargé d'Affaires to approach the Supreme Council.

M. Claudel seems to overlook the fact that the choice belongs to Denmark, and there seems no special reason why he should wish to lead them into a course of action which is clearly against their better judgment. He is, I fancy, influenced largely by what he believes to be the wishes of the Slesvig Danes, but it is not they, but the Government of Denmark, with whom the decision lies.

I have, &c.,

CHARLES M. MARLING

## No. 166

### Mr. Gurney (Brussels) to Earl Curzon (Received October 4)

#### No. 167 Telegraphic [137136/11763/4]

BRUSSELS, *October 4, 1919*

Mr. Robertson's telegram No. 1448.[1]

Minister for Foreign Affairs recently again spoke to me in regard to weakness of Belgian eastern frontier under present conditions and emphasized vital necessity for clear understanding as regards defence of Dutch Limburg on which whole defensive system depends.

Belgian Government rely on Allies to support them in the matter.

Repeated to Peace Conference and Hague.[2]

[1] No. 143.
[2] This telegram was minuted as follows by Lord Hardinge: 'The danger is very real. H.'

## No. 167

### Letter from Mr. Gurney (Brussels) to Mr. Bland[1]

#### Unnumbered [138201/11763/4]

BRUSSELS, *October 4, 1919*

Dear Nevile,

I am a little uneasy about the rumours of a raid on Dutch Limburg which I reported in my tel. No. 166[2] of the 2nd.

[1] The date of receipt in the Foreign Office is uncertain but was not later than October 8, 1919.
[2] No. 157.

I had previously not believed that such an eventuality was to be feared but the results of my interviews with Hymans and Vollenhoven (the Dutch Chargé d'Affaires) have caused me to modify my opinion somewhat.

The former merely described the rumour as 'invraisemblable' and admitted that d'Annunzioism[3] was catching, and I failed to elicit any statement that preventive measures were being taken.

The latter gave indications of the nature of the preparations, which though they may not be true, make one think that there may be something in it.

The moving spirits of the Comité de Politique Nationale—a M. Nothomb and a few others—are supposed to be implicated in the plot. They are impulsive and have already done a good deal of harm to the Belgian cause in Luxemburg by injudicious propaganda of an annexationist nature.

Any movement in this direction will I fear be strengthened by the announcement in the papers that the Allies are not prepared to urge Holland to conclude an arrangement for the mutual defence of Limburg against German aggression and I therefore trust that the report is incorrect.[4]

I pointed out to M. Hymans, of course, the disastrous result of such a raid, but I did not like to say too much as he is rather touchy and I was afraid he might think that we suspected the Belgian Government of connivance. It might however be well if I were instructed to urge the Government to take serious measures to check any possible movement of the kind.

I am making such enquiries as I can and the Americans are sending a man to Liège to investigate the matter on the spot as that is said to be one of the centres of the conspiracy.

I write to you as I understand you have been appointed Private Secretary to Lord Hardinge and he may perhaps like to see this.

Yours in haste, as we are very busy,

HUGH GURNEY

[3] For the activities at that period of Signor D'Annunzio cf. Volume IV, Chap. I.

[4] In this connexion Mr. Gurney reported in Brussels despatch No. 371 of October 4, 1919 (received October 7): 'The *Nation Belge* quotes a report to the effect that it is proposed to allow the Dutch to close the Scheldt in time of war, and that, as regards Limburg, the Great Powers, while admitting the necessity of the defence of the Meuse, believe that the Dutch representative will remain intractable and do not see any practicable means of bringing pressure to bear on Holland. The powers are therefore about to propose a compromise, involving an economic arrangement and a promise by Holland to declare war in the event of the violation of Limburg, and to invite Holland to enter the League of Nations immediately. In these circumstances a rupture of the negotiations is believed in Paris to be inevitable. The Belgian Government feel so strongly on the subject of Limburg and the need for an arrangement for the defence of Belgium from an attack in this quarter that I fear that the greatest disappointment, to say the least of it, would be produced if the Allies failed to support them in this matter. They also attach great importance to the question of the navigation of the Scheldt, and I understand from Monsieur Hymans that they do not share the views held by the Allied naval and military experts as to the desirability of closing the Scheldt in time of war.'

## No. 168

### Mr. Gurney (Brussels) to Earl Curzon (Received October 7)
#### No. 166A Telegraphic [138201/11763/4]

BRUSSELS, *October 7, 1919*

My telegram 166.[1]

Minister for Foreign Affairs informs me that enquiries made by Ministry of War and Minister of Justice have disclosed no indications of any preparations for raid against Holland.

Neither Military Attaché nor United States Chargé d'Affaires have obtained any confirmation of reports which are not credited by French Ambassador.

Repeated to Hague.

[1] No. 157.


## No. 169

### Mr. Robertson (The Hague) to Earl Curzon (Received October 7)
#### No. 1464 Telegraphic [138203/11763/4]

THE HAGUE, *October 7, 1919*

Monsieur Pisart, a Belgian who owns large zinc factories in Liège, informed Military Attaché and me yesterday that he had been sent for to Brussels and had had long interview on October 3rd with Messrs. Segers, Orts, Wouters and Jaspard. These gentlemen seemed much preoccupied over Belgian-Dutch relations and feared that Paris negotiations would end in atmosphere of mutual illwill which could be of benefit to neither side. Belgian Government thought this might be avoided and friendly relations restored if economic conversations could be begun somewhat on following lines.

Mutual reduction or even suppression of Custom duties with a view to reduction of cost of living in both countries, Dutch to buy coal in Belgium at Belgian prices, Belgians to buy food in Holland at Dutch prices. Dutch to grant Belgians a credit for ten or fifteen years for purchases in Holland. Dutch to participate in development of coal mines in Belgian Limburg. German quays at Antwerp to be given to Dutch shipping companies. Mutual (? relaxation of) passport regulations.

Monsieur Pisart was authorized to feel the ground here. He consulted Belgian Minister[1] who did not feel inclined to approach Minister for Foreign Affairs for fear of meeting with a rebuff.

In the circumstances, and as I felt it was in our mutual interest that Dutch and Belgians should again be on friendly terms, I took it upon myself yesterday to sound Netherlands Minister for Foreign Affairs *privately* and *personally* on above lines. I took this action without instructions as I had reason to believe documents had just fallen into the hands of Netherlands Government giving names of some 20,000 volunteers raised by various Belgian Burgo-

[1] i.e. at the Hague.

masters, for the purpose of invading Dutch Limburg. Netherlands Government were contemplating publication of these documents which would have strained relations to breaking point. I also believe Germans are doing what they can to keep Dutch and Belgians apart.

Following is summary of attitude of Minister for Foreign Affairs whom I reminded of his recent statement to me that it was not yet too late for Belgian Government to approach Netherlands Government direct. Paris negotiations must first be brought to satisfactory conclusion and attitude of Delegates must change. Of this there was at present no change [? chance]. Only three weeks ago they had handed in an economic Memorandum which was now being considered by Netherlands Government and which His Excellency described as impossible in tone and substance. Moreover Belgian Government had never given any explanation of the famous 'confidential Note'.[2] I said I understood this had been work of subordinate officials who had been placed 'en disponibilité'. His Excellency said that if this were so why did Belgian Government not say so? When once Paris negotiations were concluded and if Belgians showed a more friendly spirit he himself would be quite willing to take up economic conversations here and had himself several proposals to make. He looked to the future and fully realized necessity for re-establishing neighbourly relations with Belgium but latter must do something to restore confidence of Holland. He told me he did not intend to publish the document referred to above.

I feel cause of trouble between two countries lies partly in personality of two Ministers for Foreign Affairs. Netherlands Minister for Foreign Affairs is obstinate and somewhat uncompromising and is obviously still hurt by his treatment at hands of Belgian Minister for Foreign Affairs at Paris.[3]

In view of recent occurrences and bitter feelings in both countries I realize that it would be difficult for either side to take first step towards reconciliation. But perhaps British and French Governments, or former alone, might of their own initiative approach both Governments unofficially but in writing and say they would be glad to see cordial relations re-established. They believe both sides have economic matters to discuss which might lead to mutual understanding. This should be done just before conclusion of Paris negotiations and in such a form that it would have to be considered by Cabinets and not by Minister[s] for Foreign Affairs alone.

Repeated to Paris No. 46 and to Brussels.

[2] See No. 83.          [3] Cf. No. 39, note 4.

## No. 170

*Mr. Gurney (Brussels) to Earl Curzon (Received October 11)*

*No. 377 [139940/11763/4]*

My Lord,                                          BRUSSELS, *October 7, 1919*

With reference to your Lordship's despatch No. 319 (127515/W/4)[1] of

[1] No. 122.

the 9th ultimo, I have the honour to report that the Minister for Foreign Affairs informed me to-day that he proposed very shortly to approach His Majesty's Government with a definite request for the conclusion of an agreement similar to that concluded with the French Government providing for assistance to Belgium in the event of unprovoked aggression by Germany.

M. Hymans said that Belgium was more exposed to German aggression than France, and, although he did not anticipate that an attack would be made on Belgium alone, the Belgian Government would feel much easier in their minds if arrangements were made beforehand under an agreement of this nature for the co-operation of British forces in resisting such aggression.

I have, &c.,

HUGH GURNEY

## No. 171

*Mr. Gurney (Brussels) to Earl Curzon (Received October 11)*

*No. 375* [*139938/4187/4*]

BRUSSELS, *October 7, 1919*

My Lord,

With reference to my despatch No. 370[1] of the 4th instant, I have the honour to report that the Minister for Foreign Affairs spoke to me at some length to-day on the Luxemburg question.

The withdrawal of the Belgian Chargé d'Affaires, he said, did not imply a severance of diplomatic relations. The Prince de Ligne had been sent to Luxemburg on a special mission to the Government in connection with the recent negotiations between the two countries. Now that Luxemburg had declared herself in favour of an economic union with France, the negotiations had naturally come to an end, and it would not have been dignified for the Belgian Government to allow the Prince de Ligne to remain at Luxemburg any longer. If the Luxemburg Government desired at any time to reopen negotiations it would be for them to approach the Belgian Government in the matter.

Monsieur Hymans went on to speak with some bitterness of the attitude of the French Government, which he went so far as to describe as disloyal. They could, he said, at any time have prevented the referendum from taking place, but in spite of his requests that Monsieur Clemenceau should repeat to Luxemburg the declarations of disinterestedness which he had made to Belgium, no action had been taken in this direction.

He made no attempt to conceal his distrust of French policy, which he considered was largely dictated by the nationalists and was animated by the traditional desire to extend French influence to the Rhine. It was, he said,

[1] Not printed. In this despatch (received October 7) Mr. Gurney had reported that a Belgian communiqué had been issued to the press, announcing that 'in view of the result of the [Luxemburg] Referendum, the negotiations between Belgium and Luxemburg must be regarded as broken off and that the special mission of the Prince de Ligne, who acted as Chargé d'Affaires at Luxemburg, has therefore come to an end'.

the same policy as that which Napoleon III had attempted to pursue. Its execution had at that time been frustrated by Great Britain at the instance of Belgium, and the Belgian Government viewed its resuscitation with the gravest concern.

Incidentally his Excellency communicated to me some additional details in regard to the French demand for the control of the Luxemburg railways. As your Lordship is aware, the French Government had originally told the Belgian Government that they had no objection to the conclusion of an economic union between Belgium and Luxemburg. Subsequently Monsieur Loucheur had, on instructions from M. Clemenceau, suggested that such union should be combined with a cartel for the control of the output of the metal factories in France, Belgium, and Luxemburg. M. Hymans accepted the proposal and negotiations were at once begun. It was at the moment when these negotiations were practically concluded that M. Clemenceau had, as your Lordship is aware, sent for M. Hymans, and said that there seemed to be no further obstacle to the conclusion of the economic union, but that France must of course retain control of the railways.

As regards the suggestion for a tripartite union, mentioned in my despatch No. 366[2] of the 2nd instant, his Excellency said that Belgium could never consent to enter into anything in the nature of a customs union with France, as she would thereby lose all liberty of action and be compelled to pursue the policy dictated by her more powerful neighbour. I understand, however, from Monsieur de Margerie, the French Ambassador, who has interrupted a cure at Aix les Bains to return to Brussels, no doubt on account of the situation which has arisen in connection with the Luxemburg question, that it is not the intention of the French Government to propose a union of this nature, and that any arrangement would only apply to certain specific questions.

Monsieur Hymans told me that Monsieur de Margerie had asked him what solution he had to suggest, and that he had replied that any proposal should rather come from the French Government.

As regards the situation in Luxemburg itself, Monsieur Reuter, the Minister of State, is reported to have stated, in reply to a question in the Chamber, that the result of the referendum in no way bound the Grand Duchy, which would decide freely when the French conditions were made known. He is also reported to have said that the Luxemburg Government had opened negotiations with the Guillaume-Luxemburg Company for the return of the railway to the State, but that difficulties had arisen owing to the fact that the French Government had expressed the intention of concluding an agreement with the company in regard to the exploitation of the railway system.

The Luxemburg correspondent of the *Nation Belge* has further reported that the legislative elections to be held on the 25th instant will turn on the question of the economic union and will constitute the true referendum.

I have, &c.,

HUGH GURNEY

[2] No. 158.

## No. 172

*The Earl of Derby (Paris) to Earl Curzon (Received October 10)*

*No. 970 [139445/2114/17]*

PARIS, *October 7, 1919*

My Lord,

The Chamber of Deputies adopted on the 4th instant a Bill regulating the temporary régime to be applied to the reannexed provinces of Alsace-Lorraine. In submitting it to the approbation of the Chamber, the reporter of the Bill, Monsieur Bonnevay, laid stress on the fact that it was the first act of the French Chamber towards Alsace-Lorraine. 'We had,' he said, 'the right to institute forthwith in the provinces the whole legislation of France. In 1860, when Savoy and Nice were annexed to France, French legislation was introduced within a year: but for Alsace we have preferred to wait until its representatives should come themselves to the Chamber and make known their wishes.'

The debate on the Bill occupied several sessions of the Chamber, and gave rise to prolonged and at times somewhat heated discussion. For though the Chamber was at one as to the ultimate end to be attained, namely, the complete reunion of the provinces to France, there was considerable divergence of views as to the manner, form, and date of their reattachment. The socialists, in particular, endeavoured to prevent any prolongation of the administrative system which has been enforced in Alsace-Lorraine since the appointment there of Monsieur Millerand.[1] They argued in favour of the immediate abolition of the post of Commissary General and of his Council, and wished to see the provinces at once closely reunited to the rest of France through their own deputies and elected corporations. To this the Government and Monsieur Millerand himself, who took a large part in the debate, demurred on the ground that the future assimilation of these provinces to France might be compromised if an administrative system to which they were unaccustomed, and which, it was admitted, was in some ways more restrictive than their own, were too hastily imposed upon them.

It will be remembered that it is only a few months ago that it was found necessary to create the 'commissariat général' sitting at Strasbourg and exercising autonomous powers on account of the great disorder which had been caused through the attempt, on the morrow of the armistice, to administer the affairs of Alsace-Lorraine direct from Paris. The French system of centralisation had, in fact, proved a failure, and Monsieur Millerand's work since his appointment has, I understand, fully justified his appointment. His task was, and still is, not an easy one. Alsace-Lorraine can, in fact, in some sense be compared to a lover, who for nearly fifty years has kept up her zeal by sentiment rather than by the reality of facts. The renewal of close acquaintance after such a long period has not failed to produce deception.

[1] M. Millerand had been appointed *Commissaire-Général* for Alsace-Lorraine in March 1919.

623

France proves less attractive in the reality than in the imagination. The French administrative system is cumbersome and vexatious. It is endured by her own people with astonishing patience because it is their own, and because they know no other. But Alsace and Lorraine have had the advantage for many years of an organisation which even the worst enemies of Prussia admit to be excellent, even though it may be brutal.

There are, moreover, in addition to the general disillusionment, a number of other causes or possibilities of friction of a more particular nature. There are the questions of language, of religion, of sequestration, of military service, and of labour.

The language of the provinces, with the exception of but a small minority, is either an Alsatian dialect closely resembling German, or German itself. It is obvious that French must be reintroduced, but the addition must be a gradual one, and the difficulty was not lessened at the outset by the despatch to Alsace-Lorraine of a number of French professors and schoolmasters who were entirely ignorant of the German language.

The importance of the religious question was from the first recognised. The Church in the provinces had been largely instrumental in keeping alive the love of France, and in spite of its own republicanism, the French Government has maintained in the provinces the régime established by the French Concordat with its flourishing congregations, both educational and otherwise.

Another difficulty was the question of the disposal and exploitation of the large amount of sequestrated German properties in the provinces, such as their rich potassium mines. It was felt that it would be dangerous to put these properties up for sale in the usual manner for fear of their misuse, with the result that some valuable sources of wealth have hitherto been lying idle. It is probable, however, that they will be conceded to some company trusted to develop them to the full public benefit.

As regards the military service, the question is whether the Alsatian recruits of the 18 and 19 classes, which have already served in the German army and were disbanded on the conclusion of the armistice, should now be incorporated in the French army. It is felt that such incorporation, though natural, would neither be practical nor wise politically, lest an experience of French barracks at this early stage rouse discontent.

As regards labour, it must be remembered firstly that under Prussian administration only subordinate employments were entrusted to Alsatians, and secondly that nearly all the Alsations in the German army were employed during the war on the Russian front. The result has been that the French administration is now under the necessity of finding large numbers of French superior employees to direct subordinates who have to a great extent been bolschevised [sic] during their contact with the Russians.

The above are some of the specific points on which delicate handling is necessary in the future government of Alsace-Lorraine. Generally speaking, as Monsieur Millerand made it clear during the debate, it is impossible to substitute a new legislation, i.e., the French, as a whole for the local legislation. The question should be regarded not from a view of substitution, but of penetration and of gradual evolution which will permit the foundations of future union to be solidly laid. In this view the Government and the Chamber concurred, and it has been decided to maintain temporarily the post of a Commissary General, assisted by a 'conseil supérieur,' until such time as the representatives of Alsace-Lorraine themselves shall be ready to undertake in a new Chamber of Deputies the task of advising the Government as to the best solution of the question.

I have, &c.,
DERBY

## No. 173

*Sir C. Marling (Copenhagen) to Sir E. Crowe (Paris. Received October 8)*

*No. 5 Telegraphic [460/3/10/19447]*

COPENHAGEN, *October 7, 1919*

Following for Supreme Council (Begins):—
Constitution of Commission
Our telegram No. 2.[1]
On August 24th French Government telegraphed to French Minister that your decision to send 'Commission de Controle' to Germany without waiting for participation of United States[2] would serve as a precedent in the case of Schleswig.

As ratification seems to be imminent Commission desire for reason given in telegram 2[3] of August 23rd to know if this decision holds good.[4]

[1] Not printed: cf. note 3 below.
[2] Decision of August 22, 1919: see Volume I, No. 40, minute 8.
[3] This telegram had referred to the desirability of avoiding delay in 'printing of various proclamations etc. to be published on arrival of commission in Schleswig'.
[4] This telegram was repeated to the Foreign Office as No. 1548.

## No. 174

*Mr. Gurney (Brussels) to Earl Curzon (Received October 11)*

*No. 376 [139939/11763/4]*

BRUSSELS, *October 8, 1919*

My Lord,

I asked Monsieur Hymans in the course of conversation yesterday, how matters stood as regards the negotiations for the revision of the treaties of 1839. His Excellency replied that the information which he had received from Paris was to the effect that the committee of the Peace Conference which is dealing with the question, whilst recognising that the position of Limburg constituted a serious weakness in the eastern defences of Belgium, and advocating a military arrangement between that country and Holland, intended to confine their proposals to the early admission of Holland to the

League of Nations, and did not see their way to bring pressure to bear on her to conclude a special agreement with Belgium. This proposal, he said, would furnish no adequate safeguard, since, under the Covenant, Holland would merely undertake to go to war in the event of the violation of her territory.

His Excellency clearly felt aggrieved at the attitude of the Powers in this matter, and he said that they appeared to treat countries which had been neutral during the war, such as Switzerland (especially in the matter of the seat of the League of Nations) and Holland, with greater consideration than they showed to Belgium, who had been their loyal ally.

Monsieur Hymans also referred to the question of the Scheldt. He had understood, he said, that His Majesty's Government had been in favour of the free navigation of that river and he had learned with surprise and disappointment that they now advocated the closing of the Scheldt in time of war, whilst permitting its navigation by war-ships in time of peace. His Excellency did not appear to be fully informed as to the military reasons for the decision reached by the committee in the matter and as I have not received information on the subject I was unable to explain the position.

He said that the attitude of the Dutch was causing considerable irritation, and he mentioned, as an instance, that they were granting visas to Flemings more freely than to Walloons.

It appears to be generally believed that the Dutch are carrying on an extensive propaganda among the Flemings with the object of sowing discord between them and the Walloons. This alleged propaganda is not unnaturally much resented by the Belgian Government.

Such newspapers as have mentioned the report published in the *Standaard* of a projected raid on Dutch Limburg affect to ridicule the idea, and mention with some amusement the elaborate preparations made by Holland to defend her frontiers against the imaginary attacks of Belgian regiments.

As reported in my telegram No. 168[1] of the 7th instant, I have so far not obtained any confirmation of the rumours in question. The assistant military attaché to the American Legation went to Liège specially to make enquiries on the subject in conjunction with the British vice-consul. He failed, however, to discover any indications of the likelihood of such a raid, and Mr. Pyke[2] has reported to me in a similar sense.

I have also mentioned the rumours to the French Ambassador, but he attaches no credence to them and thinks that the Belgian temperament is not such as to render an enterprise of this nature at all probable.

The enclosed article from the *Indépendance Belge* of to-day's date[3] is perhaps of interest, as showing the attitude of the average Belgian, who resents the animosity and suspicion shown by Holland towards Belgium.

I may add that the *Nation Belge* published yesterday a report from Rome to the effect that the Netherlands Government were negotiating with the

[1] No. 168. (This telegram, originally numbered 166A, was subsequently renumbered 168.)
[2] H.M. Vice-Consul at Liège.
[3] Not printed.

Italian Government for the purchase of military aeroplanes to the value of eight million florins.

I have, &c.,

Hugh Gurney

## No. 175

*The Belgian Ambassador in London to Earl Curzon (Received October 9)*
*No. 6116 [138912/128578/18]*

AMBASSADE DE BELGIQUE, *le 8 octobre, 1919*

Milord,

J'ai l'honneur de faire parvenir à Votre Seigneurie la copie d'une lettre adressée à M. Delacroix, Premier Ministre de Belgique par une Association nouvelle appelée 'Rheinlandbund'.

Le signataire de cette lettre déclare que le 'Rheinlandbund' serait heureux de recevoir une reconnaissance officielle des efforts qu'il accomplit pour permettre au peuple rhénan de manifester ses sentiments en se faisant représenter par une assemblée librement élue.

Des adresses identiques ont certainement été reçues par les chefs des Gouvernements dont les troupes occupent la rive gauche du Rhin.

Le Gouvernement Belge serait heureux de connaître l'accueil que le Gouvernement Britannique aurait donné ou compterait réserver à la démarche du 'Rheinlandbund'.[1]

Je saisis, etc.,

Bᴺ Moncheur

ENCLOSURE IN No. 175

(*Copie*)                          *Rheinlandbund*

CÖLN, *den 19 September 1919*
*Luxemburgerstrasse 26*

Monsieur le Président du Conseil, Bruxelles.

Monsieur le Président,

La situation politique et économique actuelle et future de la Province Rhénane qui découle du caractère des conditions de Paix, doit conduire finalement à la séparation permanente de cette province de l'Allemagne. Un certain nombre d'habitants appartenant à tous les partis politiques ont formé un nouveau groupement, nommé le 'Rheinlandbund'.

Le 'Rheinlandbund' cherche à obtenir la libération de la Province Rhénane de la domination prussienne, que [*sic*] s'efforce sans cesse d'étendre son influence.

Il y a peu de pays qui soient situés sur une artère aussi importante que celle du Rhin, et dont la neutralité politique et Nationale soient aussi nécessaires au maintien de la paix, et d'une situation économique mondiale aussi favorable. Ce but si noble et si désirable dans l'intérêt de l'humanité

[1] Lord Curzon replied to the Belgian Ambassador in a note of October 27, 1919, that 'a communication similar to that addressed to Monsieur Delacroix has been received by His Majesty's Government and that no reply is being returned to it'.

627

entière est exposé aux attaques acharnées des dominateurs prussiens sous le masque du socialisme.

Dans la nouvelle constitution allemande elle-même qui passe cependant pour la plus libérale du monde, on n'a pas eu honte d'introduire l'article 18. 2. Par le susdit article, toute propagande régionale des habitants de la province Rhénane est écrasée.

Pour protéger notre propagande régionale, nous sommes obligés de recourir à la conscience de toutes les nations libres en nous mettant sous leur protection.

Notre reconnaissance serait profonde envers les Alliés de recevoir une reconnaissance officielle de nos efforts pour permettre au peuple Rhénan d'élever la voix et de se faire représenter par une assemblée librement élue.

Veuillez agréer, etc.

Pour le 'Rheinlandbund',
Jos. Smeets,
Vorsitzender

## No. 176

*Letter from Captain Herbertson[1] (Cologne) to Mr. Waterlow[2] (Received October 14)*

*No. S/4251 [140670/4232/18]*

COLOGNE, *October 9, 1919*

Dear Waterlow,

The Military Governor has asked me to send you the enclosed copy of a brief sketch which I have just written on the Rhenish Republic movement.[3] No further developments have taken place since the 6th October, so you may take it as being quite up-to-date.

Yours sincerely,
J. J. W. Herbertson

### Enclosure in No. 176

*The History of the Rhenish Republican Movement*
*November 9th, 1918, to October 6th, 1919*

The movement for a Rhenish Republic owes its origin to a deep-rooted feeling of jealousy towards Berlin and to a consciousness in the mind of the Rhinelander that, being himself no Prussian, he is being exploited by Prussians. This attitude dated back to before the war and, with the development, industrial, social and educational, of the Rhinelands came naturally a feeling of impatience at the ties which bound them to the West [*sic*]. Con-

*The origin and aims of the movement.*

[1] At that time serving on the staff of the British Military Governor of Cologne.

[2] Mr. Waterlow had recently returned from Paris to the Foreign Office and was a member of the Central Department.

[3] Mr. Waterlow minuted on this paper on October 19, 1919: 'This is far the best of the many reports on the subject that I have seen.'

scious of their progress, the inhabitants of the Rhine districts wished to have their own centre of national life, they wished to develop further on their own lines, to frame their own local forms of government administered by native officials, and to create their own standards of art and culture.

The defeat of Germany, the Revolution, and the advent of the Army of Occupation favoured the growth of these ideas until they found their way into the program of the Centre, the chief *Growth of the movement.* political party of the Rhinelands. The people of the Occupied zone felt that they had been bartered to the Allies and deserted by the government. They resented the authority of Prussia all the more as they saw no reason for its further existence as a predominant power. In the negotiations over the peace terms no one was appointed by the Government to deal with questions which especially affected the Rhine provinces. The new Government was viewed not only with dislike but with a lack of confidence. During the Spartacists' riots the feeling grew strong that it would be well for the Rhinelands to erect a barrier against such social and industrial unrest, and thus be able to proceed steadily along the road of reconstruction and recuperation. The Centre Party, composed largely of Conservative, business and professional men, saw in a republic a safeguard against the extremes of socialism and violent measures directed against capital; largely catholic, it saw security for the life of the Church within the State.

The Centre Party being the strongest party in the Rhineland and West-phalia (at the last elections for the Prussian Assembly it *Attitude of politi-cal parties towards the movement of the centre.* gained 50 seats as compared with 43 gained by other parties) the republican movement became one of political impor-tance from the moment it found a place on the party program. It was violently opposed on the other hand by *Majority Socialists.* the Majority Socialists, (the party next in importance), who stood for the unity of the Empire, feared the influence of France, and on party grounds fought the centre as the enemy to socialism and freedom of religious thought.

*Independents.* The Independent socialists were against the movement in their hatred of capitalism as represented by the Centre Party.

Of the other smaller parties, the Deutsche Nationale Volks Partie [*sic*] were opposed to the republicans from a national and monarchist stand-point, but the Deutsche Democraten and Deutsche Volkspartei showed no violent hostility to the movement. Apart from party politics, the republican faction was opposed by those business men who had been attracted to the Rheinlands [*sic*] before the war, and who feared that they would lose in the event of a break taking place; by Prussian officials who did not wish to lose their posts; by those who feared that France wished to annex the Rhineland, and by those who still retained strong feelings of *Attitude of Berlin.* tradition and patriotism to a pre-war Fatherland. From Berlin, fearful of losing the greater part of her coal-bearing districts, came naturally the fiercest opposition.

The Centre Party openly advocated a Rhenish Republic *within* the German realm; in the party organ, the *Kölnische Volkszeitung*, it defended *Aim of Centre Party.* itself vigorously against the accusations of treason levelled by the *Rheinische* and *Kölnische Zeitungen*, which maintained that the real object of the party was to create an independent state. At this time there was no doubt a certain section which desired to see the Rhinelands combined into an Independent Republic, but it was not sufficiently strong to form a party until much later.

On the 9th November, the day after the revolution, certain important members of the Centre Party of Cologne approached Herrn Adenauer, Oberbürgermeister of Cologne, and stated they *The 9th Nov. Birth of the movement in Cöln.* were convinced the Rhinelands were in danger of being annexed by France; they considered that the only way to avoid this was the formation of a Rhenish Republic within the German constitution; they begged the Oberbürgermeister to put them in touch with the other political parties, as they did not feel themselves strong enough to bring about alone such a change of government. This meeting may be said to be the first important step in the history of the Rhineland Republican movement.

The first public manifestation of the movement took place at a meeting held at Cologne on December 5th, 1918, and attended by *December 5th.* members of various parties. A resolution was passed by which the Assembly, while declaring their firm intention of maintaining German unity, invited the representatives of the Rhenish and Westphalian people to proclaim without delay a Rheno-Westphalian self-governing republic within the German constitution. Shortly afterwards a committee was formed to work out a plan of campaign, and it was hoped that the Republic could be proclaimed on the 1st of February. At this point, however, hostile influence from Berlin and Weimar began to make itself felt, the Prussian press rang with cries of treason and faithlessness to the Fatherland, and the supporters of the movement in Cöln lost the courage of their convictions and confidence in one another. As a result no further executive action was taken for some months.

In the meantime the Republican idea had taken root in the Middle Rhine (Nassau, Rhenish Hessia, Palatinate). Committees had been *Progress of movement in the Mittel Rhein.* formed at Mayence and Wiesbaden which combined with the Nassau and Rhenish Hessian Committee. This body, on finding that no action could be expected from Cologne, published a declaration demanding the amalgamation of *Declaration of 7 March by Nassau & Rhenish-Hessian Committee.* Rhenish Prussia, Nassau and Rhenish Hessia into an autonomous West German Republic (the accession of Westphalia, Palatinate and Oldenburg being also desired) and declaring the Cologne Committee, through its own inactivity, dissolved. Dr. Dorten of Wiesbaden was charged with transmitting this declaration to the German and Prussian Governments and to the Allies.

The declaration was sent to the Generals in Command at Cologne,
Coblenz and Mayence in the hope of receiving support for
*Attitude of the* the movement. The French had already allowed it to
*Allies.* appear that they were in sympathy with the Republicans.
America would, it was thought, support the principle of self-
determination, and England would see in a Rhenish Republic a safeguard
against another war.

The attitude of the Entente with regard to the Rhenish movement
has been worked out by the republicans as follows: France,
*France.* conscious that Germany will recover some day from the effects of
the war (Germany has even now a population of about 85[*sic*]
millions against France's 35–40 millions) must have some guarantee against
future invasion. The most easily obtainable security would be (1) the left
bank of the Rhine (to be annexed through Germany's inability to fulfil the
Peace terms) with the river as a strategic barrier; (2) an independent buffer
state under French protection. France, therefore, must be ready to favour a
German Rhineland Republic while working for an independent Rhenish
state. Nothing, on the other hand, is hoped from America beyond
*America.* the possibility that she will feel bound by the national principles to
support the struggle for self-determination among a people at
present under her care. England's attitude is not understood. It is felt that
she must favour a movement that will make for the weakening of
*England.* Prussia and prove a safeguard against a war of revenge in the future.

The annexation of the left bank of the Rhine or a buffer state under
French protection would make France too strong for England's liking, whereas a West German state would not only remove a temptation from France,
but would offer (from the very fact that it had broken away as a protest from
Prussianism) a more welcome commercial field to British trade, still somewhat
squeamish over trading with the Hun. In view of this, England's absolutely
impartial attitude, the absence of any biassed action, of any interested policy
whatever, is somewhat incomprehensible. This neutral attitude has, however,
not only created a great desire for England's support, but a feeling of confidence in her fair dealing as regards her control of the movement in the
British occupied Zone.

On 27th May, the *Rheinische Zeitung* published the report of a visit paid to
General Mangin at Mainz by three members of the Cologne
*The article in the* Centre Party, of whom one was the editor of the *Kölnische*
*'Rheinische* *Volkszeitung.* This visit formed part of a delegation from
*Zeitung'.* Aix-la-Chapelle and the Middle Rhine. At this interview,
as reported by the *Rheinische Zeitung* General Mangin stated
that France wished to bring about by every means in her power a separation
between the Occupied and Unoccupied German territories; that England
had in the matter given her a free hand, and, generally, that France had no
interest in a republic which would be confederated with Germany.

This article caused a great sensation. Although the delegation maintained
that they had informed the Berlin Government previously of their intention

631

to visit General Mangin, Berlin denied all knowledge of the meeting; the Centre Party at Cologne accused these three members of working behind its back, and from every other quarter came the cry of treason to the Fatherland and of intrigue with France.

The publication of this article and the spreading of a false report that a Rhenish Republic had suddenly been proclaimed at Coblenz *Demonstration* so aroused popular feeling that at Cologne a large demon-*at Cologne.* stration took place at mid-day, protesting against a Republic. The demonstration was very orderly and normal conditions were quickly restored. In deference to popular feeling, two of the Centrist members resigned their official positions as councillors, and the third, Froberger, left his post on the *Kölnische Volkszeitung*.

Judging that the Republican movement required drastic action, the German Government published a declaration saying that the *Government action* promoters of the movement were, according to the German *against the* penal code, guilty of high treason and liable to penal servitude *Republic.* or imprisonment.

Although this declaration was without force in the Occupied Zone, it had a considerable moral affect [*sic*] on the fainter supporters of the Republic.

The effect of this action by the Government was to force the hands of the Republicans. On the 1st June, a proclamation was published *1st June. Dr.* at Wiesbaden declaring, with Dr. Dorten of Wiesbaden as *Dorten's Pro-* President, an autonomous Rhenish Republic within the German *clamation.* Confederacy, comprising Rhenish Prussia, the Duchy of Nassau, Rhenish Hessia and the Palatinate. Similar proclamations were posted at Mayence and Aix-la-Chapelle. On the same date Dr. Haas, Independent Socialist, proclaimed a 'Freie Pfalz' Republic at Speyer in opposition to Dr. Dorten.

The *coup d'état* was not a success. At Mayence a general strike was proclaimed, and at Coblenz work was suspended for a few hours while a demonstration against the republic took place. In Cologne, and in the British area generally, the feeling displayed was that of indifference or even of contempt. Supported by General Mangin, who forbade demonstrations of any kind in his area against the Republic, Dr. Dorten was able to form a ministry and to carry on as President, but the republic remained one of merely local extent.

Although from Dr. Dorten's point of view the attitude of the German Government necessitated immediate action, the moment *Reasons for* chosen to proclaim a republic was singularly ill-chosen and *failure of coup* very premature. The following are the chief causes which led *d'état.* to the failure of the movement; the visit of the three Centrist members to General Mangin estranged a great number of adherents to the republic party; there was a great lack of co-operation between the leaders of the movement in Cologne, Mayence, Coblenz and Aix-la-Chapelle; the Rhinelanders were, on the whole, quite unprepared for such a proclamation; the amount of propaganda and general political campaigning which had been carried out was absurdly insufficient; lack of trust in Dr. Dorten, increased by the supporting attitude adopted by General Mangin, and finally the failure of the party to enlist the services of the press.

From the beginning of the movement the *Kölnische Volkszeitung* had acted
*Attitude of the* as the mouthpiece of the Republicans but, on the Republic
*'Kölnisch[e]* being proclaimed at Wiesbaden, when the party required its
*Volkszeitung'.* services most, the paper withdrew all its support.

On the 17th July, however, it resumed its former attitude in publishing an article stating that though it did not agree with Dr. Dorten's methods, their aims and ideas were identical.

This vacillating policy was undoubtedly due to the absence of Froberger on the Staff and to lack of courage to act openly against Berlin.

Had the Republican movement come to a climax much sooner than it did,
it is possible that it might have found a place in the Peace
*Visit of von* Treaty. On the 10th of June the Regierungs Präsident, the
*Starck &* Oberbürgermeister of Köln and other notables of the Rhine-
*Adenauer to Paris.* land visited Paris and discussed, among other matters, with
the German Peace Delegates, the question of a Rhenish
Republic. The delegates were reported to be in favour of the formation of a Republic, provided it remained an integral part of the German Empire. They
declared that the Peace terms would not be accepted by
*Unofficial state-* Germany; that it would be well, therefore, if the Allies were
*ment by German* prepared to make concessions in other directions in considera-
*Peace Delegates.* tion of the fact that the establishment of a Republic would mean
a weakening of Prussia and would make for future peace. The
Delegates stated further that as the German Government was opposed to the movement they could not put forward any proposal; it would be necessary for the Allies to inform them unofficially that they would be prepared to make concessions before the Government would be prepared to move in the matter. As the terms of the Peace Treaty were at this time practically settled, the British Government firm in forcing their acceptance as offered, there was no likelihood of any concessions being considered. The matter, therefore, fell to the ground.

From this time no important change took place in the Republican movement until the passing of the Constitution Bill through the
*The new Constitu-* National Assembly on the 31st July. The new Constitution
*tion Bill.* recognised the principle of fresh states within the Empire
should a strong majority of the inhabitants concerned desire
autonomy; a clause however, laid down that no referenda on such questions should take place within two years. This compromise on the part of the Government gave fresh impetus to the Republican movement in the Rhineland. On the 4th August, an important non-party meeting was held of 300 representatives of all parts of the Rhinelands, including the Palatinate, Rhine Hessia, Rheingau, Nassau, Birkenfeld, Treves, Eifel, Coblenz, Köln, Aachen etc. The meeting unanimously demanded an immediate referendum

and elected a Committee which should get in touch and co-operate with all existing bodies favouring and working for a Rhenish Republic. The Committee consisted of Dr. Karl Müller (Chairman), Justizrat Weber, Dr. Krudewig, Zastert [? Castert], K...ff[4], Kirchner, Stoppler, Rosenmeyer & Frau Elise Zacherl. The formation of this Committee was an important stride forward in the history of the Republican movement, its goal was by steady propaganda and vigorously conducted political campaigning to force the repeal of the clause in the constitution forbidding a referendum inside two years and to obtain a decision on the Republican question by self-determination as soon as possible. Though the Committee was in touch with Dr. Dorten, there appeared to be no desire to cause any unruly political agitation or to attempt any *coup d'état* which might be prejudicial to the maintenance of law and order; on the contrary the British Military Authorities were voluntarily kept fully informed by the Committee, of the nature of its work and of the progress made.

*Dr. Karl Müller 'Action' Committee*

By a change in the attitude [of] the Köln Independents the Republican movement had become more complex since Dr. Dorten's *coup d'état* at Wiesbaden. Although the party had been solid enough against the establishment of a Republic, a very small minority, of whom Joseph Smeets, a Journalist and Le Simple, ex American Consul, were the leaders, had always remained in opposition to this party policy. These men by hard political campaigning had succeeded in increasing their following to such numbers as to cause, by their dismissal from the party, a definite split in the independent body. The aims of this faction were to erect an independent 'Volkstaat' separate from Germany by the vote of a Rhenish National Assembly; to obtain from the Entente protection of Rhenish labour industry and agriculture; to raise a Militia; and to claim for the Rhenish flag recognition upon the seas. These ambitious aims were embodied in a proclamation published by Smeets on the 12th August in which he called upon men and women of all parties to join the 'Rhinelandbund', the League for an Independent Rhineland. Shortly after, Smeets published the first number of a bi-weekly newspaper entitled the *Rhenisch [sic] Republic*, by which he conducted Separatist propaganda and a violent campaign against Prussianism. By the middle of September the paper had reached a circulation of about 13,000 copies and the faction had itself apparently gained in strength.

*The Independents.*

*Josef Smeets' proclamation.*

In the meantime, on the 29th August, the Independent Socialist Dr. Haas made another attempt to establish a Republic in the Palatinate. The Separatists stormed the Post Office at Ludwigshafen and using hand grenades captured it, killing two Post Office Officials. The town was then liberally placarded with proclamations of an 'Independent Palatinate Republic'. On the morning of the 30th the French Authorities re-occupied the Post Office and restored order. Meetings were held in every part of the palatinate condemning the action of

*Dr. Haas' second attempt.*

---

[4] The text here is illegible. The reference may have been to Dr. Kuckhoff: cf. No. 104.

Dr. Haas and his confederates and expressing the firm resolve of the inhabitants to remain German and to uphold the loyalty of the province. After this second reverse Dr. Haas made no further effort to force his aims on the Palatinate by means of civil strife.

On the other hand at Birkenfeld, a small province in the Southern Rhinelands, belonging to the State of Oldenburg, a Republic was *Birkenfeld.* successfully proclaimed and the Oldenburg Government deposed. The ultimate fate of the new Republic remains indefinite; it has been placed by order of the French Administrator under the Oberpräsident of the Rhine province until the question of its joining another state has been settled.

The meetings of the Centre Party Congress in Cöln on the 15, 16 and 17th September marked an important change in the development of *The Centre* the Rhenish Republican movement. Since the promulgation of *Parteitag.* the Constitution Bill, the Rhineland Centrists had not been united as regards their separatist aims; they had indeed split into two factions—Legalist and Activist. The former wished to conform to Articles 18 and 167 and to delay decision on the Republican question *A resolution* for two years, the latter were for forcing an immediate issue. At *passed.* the congress a compromise was arrived at and a resolution passed, with only two dissentients, which included the following clauses—

(1) that the realisation of the Rhenish desire for independence within the German Empire should only take place in the manner laid down in the German Constitution

(2) that the object of territorial distribution of the fatherland should be to produce a united Germany composed of autonomous provinces, in particular to cause Prussia to give up its priority rights. (3) that in the event of the realisation of a limited state as laid down in (2) being without expectation, then efforts for the formation of a new confederated State might be further pursued in accordance with Article 18 of the Constitution Bill.

(4) should Rhenish interests in future call for the removal of Article 18 then it is expected that the Government will not insist on maintaining it.

(5) that in the meantime far reaching autonomy is demanded for the Prussian Provinces; the pseudo autonomy now promised by Prussia would not satisfy the Rhenish people,

(6) that anyone who worked for the movement of separation from the Empire was damaging the interests of the Rhenish people, and placed himself outside the party,

(7) that the Party Congress demands of the Government that the inner changes of the Empire, as laid down in the foregoing be carried into effect at the earliest possible moment.

The above summary of the resolution passed showed that the main object of the party was to get a footing for Activists and Legalists on common ground and avoid a split. It may be objected that the resolution is a mere juggling with words and conditions, that the expression 'A United Germany (Einheitsstaat) composed of autonomous states' is a contradiction in terms and that the expectation that the Government will waive Article 18 at the call of Rhenish interests must have been known to be but a barren one. In spite of this an important and common objective remained:—to obtain autonomy for the Rhinelands and to strip Prussia of any priority among German States.

The immediate result of the passing of this resolution was to bring Dr. Karl Müller and the 'Action Committee' into the walls of *The effect of the* the centrist camp. Dr. Müller approached Dr. Dorten who *resolution.* declared himself ready to work in sympathy with the Centre Party on the lines of the resolution. He stated that he could not openly repudiate his desire for a Republic, as he had a large following who sincerely believed in this solution of the problem; he would work, however, for autonomy and cease active propaganda for a confederate State.

The greatest and closest obstacle to the present aims of the movement is the German Commission for the Rhinelands. This Commis-*The German Com-* sion was created on June 6th by Scheidemann to watch over *mission for the* imperial interests in the occupied area. Von Starck, for-*Rhinelands.* merly Regierungspräsident of Cologne was appointed Commissioner with an Advisory Committee chosen by the Central Government (Beirat) of eighteen members politically proportioned as follows:—Centre 7, Social Democrats 4, Democrats 3, German Peoples Party 2, German National 1, Independents 1. The formation of this Committee to work, according to the Government, in the interests of the Rhinelands, roused considerably [*sic*] controversy, and a good deal of indignation. It was argued that, if the Government really had the interests of the Rhenish people at heart, it might allow them to elect the members of the Committee themselves, either through their own Abgeordneten[5] or by a general election throughout the Rhineland. The feeling that the whole Commission was watching purely the interests of the Central Government was general.

The immediate aim of the autonomists is to substitute the Beirat by a Rhenish Parliament and elect a Rhinelander as president in the *The present* place of Von Starck. The plan of action which will probably be *situation.* adopted by Müller and Dorten will be the lodging with the Entente and with the German Government of a petition for immediate autonomy. The German Government having refused this, it is hoped that the Entente will then either use pressure in Berlin *Present plans of* or give the inhabitants of the Occupied Zone liberty to *the autonomists.* emancipate themselves. As the supporters of autonomy are largely in one political party every effort will be made by Dorten and Müller to increase their following on non-party lines; they realise that the Entente are not likely to take any action on the desire of one political section of the community however strong that faction may be. These leaders also intend to send their petition with evidence of the number of supporting votes obtained—amounting they say to about 1½ million—to Sir Eric Drummond, Secretary to the League of Nations.

[5] Deputies.

636

The petition to the Entente will have the support of the Rhinelandbund.

*Attitude of the Rhinelandbund.* Smeets, the President of the Bund, though he stands fast for a buffer state and the political destruction of Prussia, recognises that in the demand for autonomy and a Rhenish Parliament his way and that of the autonomists are identical. The *Rheinische Republik* is, therefore, advocating the suppression of Von Starck and his Beirat and the creation of a Rhenish Parliament.

*Effect of the ratification of Peace Treaty.* It is not likely that any important development in the Rhenisch [*sic*] movement will take place before the ratification of peace; afterwards its future progress will depend on the measures Berlin take to destroy it and the Entente to protect it. The evident anti-Prussian tone of the *Rhe[i]nische Republik* has already caused Berlin to try and stop the paper by cutting off its supply of paper and the Polizei Präsident of Cologne will, as soon as peace is ratified, certainly suppress the journal if allowed to do so. The personal liberty of Dr. Dorten, Dr. Müller, Josef Smeets and others will probably be attacked by the Government if given a free hand.

*Mistaken attitude adopted by France.* A brief study of the feeling which reigns towards the Allies in connection with this movement and the manner in which the *coups d'état* at Wiesbaden, in Birkenfeld and in the Palatinate were handled by them, makes it clear that in her attitude towards these events France, in comparison with England and America has adopted a course of action most unfavourable to her aims. Eager to secure the downfall of Prussia and divide the German State against itself, certain French officers of the French occupied zone have supported the Separatists with an enthusiasm which has overstepped the bounds of tact and prudence. This zeal, unchecked by the French Hyler[6] Authority, has resulted in much harm to the movement these officers wished to aid and in much unpopularity and distrust towards the French aroused among the German people. In the German uncensored press the events in the Palatinate and in Birkenfeld have been ascribed entirely to French machinations and to the aid of French gold and munitions. In the occupied zone allusions are constantly made to the 'unknown' source from which Dr. Dorten, and in particular Josef Smeets, a man of no private means, derive the funds to carry on their campaign.

*Conclusion.* With all movements in which complete freedom of action and thought is denied, an accurate estimate of their strength and popularity is most difficult. In the Rhinelands there are undoubtedly many who are strongly in favour of a Rhenish Republic or an autonomous state, but who are not willing to imperil their social position or business position through an expression of their political opinions. The shadow of Berlin certainly hangs over the Rhinelander even while he now enjoys a temporary political freedom: the fear of revenge by Prussia on those who have been too outspoken and too politically bold is general. It can, however, be stated with confidence that the whole movement has recently steadied down

[6] It was suggested on the original that this should read 'Higher'.

637

and by active propaganda has gained strength. The modification effected in its aims by the substitution of autonomy for a Republic, though perhaps merely temporary, will no doubt increase the number of supporters. A definite line of action in its favour by the Entente or by the German Government would certainly bring the movement to its realisation.

*Political Section,*
  *British Army of the Rhine, Cologne.*
*6/10/19.*

## No. 177

### *Mr. Urwick (Coblenz) to Lord Hardinge (Received October 13)*

### *No. 76 [140610/140610/1150 RH]*

Sir,                                                        COBLENZ, *October 9, 1919*

I have the honour to inform you that, at the close of the meeting of the Inter-Allied Rhineland Commission held this week, there was an informal conversation regarding the situation that would be created in occupied Germany if the Treaty of Peace were to come into force through the ratification of three Powers (Great Britain, France and Italy).

2. Monsieur Tirard[1] asked Mr. Noyes[2] what he thought would be his (Mr. Noyes) position on the High Commission. Monsieur Tirard seemed to think that it would be necessary for the Ordinances of the High Commission to be signed by all four High Commissioners, and that it would be possible for Mr. Noyes also to sign, even if the United States had not ratified the Treaty. Mr. Noyes said that, though he had been appointed Commissioner of the Rhineland Commission, his Government had made no appointment of a High Commissioner under the Convention. He said that he would telegraph to his Government asking if he might act in the way suggested should the Treaty come into force before the United States of America had ratified.

3. The position, if Mr. Noyes is unable to act, would be undoubtedly difficult. It is possible that an arrangement could be made with Germany for the High Commission to exercise its functions temporarily with three High Commissioners, but this would not solve the difficulty as the orders of the High Commission would not affect the American zone, as this zone would remain under the control of a Power which was not at peace with Germany and not represented on the High Commission.

4. Monsieur Tirard was speaking to me on this subject again yesterday, and is very anxious to find a solution, as he thinks the Treaty may come into force next week. He has drafted a suggestion for an Ordinance which he thinks might be issued when the High Commission comes into force, which might tide over a temporary delay, to the effect that, as a transitory measure and until the promulgation of the Ordinances of the High Commission made in execution of the Agreement annexed to the Treaty of Peace, the

---

[1] French Commissioner.                    [2] American Commissioner.

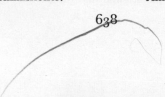

rules made by the Allied and Associated Military Authorities in the various zones of the armies of occupation, shall remain in force for all matters which have not been made the subject of Ordinances of the High Commission. Even this Ordinance should be issued by some body with power to issue it.

5. Mr. Polk was here last week, and conferred, I believe, with General Allen, the American Commander-in-Chief, and Mr. Noyes. I doubt whether anything was decided, but I think the American Authorities here feel that, as far as they are concerned, the Armistice continues until further notice from their Government. I cannot help feeling that great indignation would be aroused in Germany if martial law continued in occupied Germany, even for a short time, after the Treaty has been ratified.

6. Provided no objection was raised by the German Government to the High Commission coming into being with three High Commissioners, the difficulty regarding the American zone might, I think, be surmounted by arranging with the American Military Authorities for the Ordinances, issued by the High Commission for the other zones, to be issued in the American zone by the American Military Authorities as Army Orders. It could, I think, be done by making certain modifications in the Ordinances. This, while leaving the control of the American zone in the hands of the American Military Authorities would establish uniform regulations throughout the whole of the occupied territory. This admittedly unsatisfactory arrangement could only be made provided the American Authorities were ready and willing to accept it. I have suggested this solution to both Monsieur Tirard and to Mr. Noyes, and they both seemed to think that some such arrangement might be possible provided everyone concerned agreed.

Mr. Noyes is going to Paris to-morrow to consult the representative of the United States there. He is very anxious not to take any step which might embarrass his Government. Monsieur Tirard also goes to Paris to-morrow.

7. Arrangements may have been made by the Allied and Associated Governments to deal with the situation which may arise, but great uncertainty prevails here in the minds of the Commissioners.

I have, &c.,<br>T. H. URWICK

## No. 178

*Record of a meeting in Paris of the Commission for the revision of the Treaties of 1839*

*No. 10 [Confidential/General/177/9]*

*Procès-verbal No. 10. Séance du 9 octobre 1919*

La séance est ouverte à 16 heures 15 sous la présidence de M. Laroche, *Président.*

*Sont présents:*

M. Fred K. Neilson (*États-Unis d'Amérique*); l'Honorable Charles Tufton et le Général H. O. Mance (*Empire britannique*); M. Laroche et M. F. Rey (*France*); le Professeur D. Anzilotti et le Comte Vannutelli Rey (*Italie*); le Général Sato et le Professeur K. Hayashi (*Japon*); M. Segers et M. Orts (*Belgique*); le Jonkheer R. de Marees van Swinderen et le Professeur A. Struycken (*Pays-Bas*).

*Assistent également à la séance:*

L'Amiral McCully et le Colonel Embick (*États-Unis d'Amérique*); le Capitaine de vaisseau Fuller, le Capitaine de frégate Macnamara et le Lieut^t-Colonel Kisch (*Empire britannique*); le Capitaine de vaisseau Le Vavasseur, le Lieut^t-Colonel Réquin et M. de Saint-Quentin (*France*); le Capitaine de corvette Ruspoli et le Major Rugio (*Italie*); M. Yokoyama (*Japon*); le Colonel Galet, M. Hostie et le Major van Egroo (*Belgique*); le Baron de Heeckeren, le Colonel van Tuinen, le Capitaine de vaisseau Surie, le Lieut^t-Colonel de Quay et le Lieutenant Carsten (*Pays-Bas*).

Le Président. Messieurs, en ouvrant cette séance, j'ai le pénible devoir de rendre hommage à la mémoire de notre collègue M. Tosti, qui vient brusquement de disparaître, d'une façon aussi inattendue que cruelle, et de prier la Délégation italienne de bien vouloir se faire, auprès de son Gouvernement, l'interprète de nos sentiments de très vives condoléances.

*Hommage à M. Tosti.*

M. Tosti, qui a fait une très brève apparition ici, m'était personnellement un peu plus connu, parce que je l'avais déjà rencontré à la Commission des Affaires Belges. J'avais pu personnellement apprécier toutes ses qualités de très haute culture juridique et, également, de sens politique, de bon sens, dirai-je même, qui est la qualité la plus appréciable, et de conciliation. J'ai été très frappé de ce deuil, je m'y associe et je suis certain d'être ici l'interprète de tous nos collègues.

M. Anzilotti (*Italie*). Je vous remercie, Monsieur le Président.

Le Président. La Délégation italienne nous a fait savoir que le Comte Vannutelli Rey remplacerait M. Tosti.

De mon côté, pendant l'absence de M. Tirman, qui est aux États-Unis, j'ai demandé à M. F. Rey, Secrétaire général de la Commission du Danube, membre de la Commission des Ports de la Conférence, et par suite expert tout à fait qualifié pour les questions de navigation, de bien vouloir faire partie de la Délégation française.

Messieurs, nous nous sommes séparés la dernière fois après avoir examiné ensemble certaines propositions concertées à la suite d'un échange de vues entre les Délégués des principales Puissances alliées et associées.[1] Les Délégués néerlandais avaient exprimé le désir de prendre contact avec leur Gouvernement à ce sujet. M. van Swinderen étant de retour, je lui demande s'il veut bien nous renseigner sur le résultat de ses entretiens avec son Gouvernement.

---

[1] See No. 132.

M. van Swinderen (*Pays-Bas.*) Très volontiers, Monsieur le Président.

Monsieur le Président,

La Délégation néerlandaise a mis à profit le temps écoulé depuis notre dernière réunion, afin d'examiner de plus près le 'Résumé des échanges de vues entre les Délégués des Puissances représentées dans la Commission', à l'exception de la Belgique et des Pays-Bas, concernant les 'questions militaires et navales soulevées par la révision des Traités de 1839'.[2] Ce résumé du reste n'était que la confirmation par écrit de ce que vous-même, Monsieur le Président, aviez déjà exposé, avec cette clarté éloquente dont vous possédez si heureusement le secret, à notre Commission lors de sa dernière réunion. Notre Délégation a également pu prendre connaissance du procès-verbal de la réunion des experts militaires du 19 septembre dernier[3] et, après avoir conféré avec le Gouvernement à La Haye, elle est à même de vous exposer les considérations suivantes.

*Réponse néerlandaise aux propositions des principales Puissances alliées et associées.*

En ce qui concerne l'Escaut, la Délégation est heureuse de constater que les cinq Puissances se sont déclarées à l'unanimité pour le maintien du régime politique actuel et elle se flatte que, en vue de cette unanimité et des explications supplémentaires fournies avec une précision convaincante par le Délégué français, en sa qualité de Président, dans la séance des experts militaires, la Délégation belge ellemême aussi veuille bien reconnaître le bien-fondé de ce jugement prononcé en pleine connaissance de cause, dans une atmosphère où tout élément qui pourrait lui enlever son caractère objectif était écarté.

*Escaut.*

Aussi la Délégation hollandaise se rallie-t-elle pleinement à l'opinion des Puissances que les Pays-Bas ne sauraient mieux servir la cause de la sécurité de la Belgique du côté de l'Escaut qu'en y maintenant le *statu quo*.

Quant à la question de l'article 14 du Traité de 1839, en vertu duquel Anvers se trouve soumis à l'interdiction de devenir un port de guerre, je n'ai qu'à vous rappeler nos déclarations antérieures suivant lesquelles nous nous associerons à la décision éventuelle des Puissances. Maintenant que celles-ci ont été d'avis d'accorder au peuple belge, suivant sa demande, l'abolition de cet article, nous coopérerons volontiers à cette abolition, sous la réserve, formulée du reste par les Puissances également, que cette abolition ne comporte aucune modification dans les règles du droit international concernant le passage de navires de guerre à travers les eaux territoriales néerlandaises.

*Anvers port de guerre.*

A la demande des Puissances de bien vouloir communiquer quel régime le Gouvernement néerlandais suivrait à l'avenir, au sujet des navires de guerre belges qui, en temps de paix, désireraient monter ou descendre l'Escaut occidental, la Délégation est à même de pouvoir répondre que le Gouvernement néerlandais se propose d'ajouter à l'article 5 de l'Arrêté

*Régime des navires de guerre belges.*

[2] See No. 132, note 5.      [3] See No. 136.

Royal du 30 octobre 1909, concernant l'admission des navires de guerre étrangers dans les eaux territoriales et nationales néerlandaises (*Journal officiel* N° 352), les alinéas suivants:

'En outre, il sera permis, en dérogeant aux prescriptions de l'article 4, aux navires de guerre belges de se rendre par l'Escaut occidental de la Belgique en pleine mer ou *vice versa*.

'Le trajet par l'Escaut occidental ne pourra être interrompu dans ce cas, à moins que la sécurité du navire ou de son équipage ne le rende nécessaire.

'Nous nous réservons de suspendre temporairement cette autorisation lorsque l'intérêt du pays l'exige.'

J'arrive à la question de la défense de la Meuse et du Limbourg. Nous croyons ne pas devoir entrer dans le mérite des opinions, du point de vue stratégique, exprimées dans la séance des experts militaires. Nous ne le jugerions pas opportun ni quant au moment, ni quant au milieu.

Inopportun quant au moment. Ainsi que j'avais l'honneur de remarquer lors de notre réunion précédente, le Gouvernement de la Reine, si même il pouvait trouver quelque motif en faveur d'un arrangement militaire avec la Belgique, ne saurait y songer pour le moment. Les raisons sont trop délicates pour les relever de nouveau; vous vous en rendez compte, Messieurs, tout autant que nous-mêmes, et j'ai de la peine à croire que la Délégation belge ait des illusions sur l'efficacité de garanties, où les éléments essentiels indispensables à leur solidité feraient complètement défaut.

Inopportun quant au milieu. Comme je me suis déjà permis de le dire, le peuple néerlandais a toujours eu en aversion des arrangements militaires dans lesquels il voit, malgré toute la sincérité des motifs qui peuvent les avoir inspirés, une source de complications internationales, voire même de guerres. Et aujourd'hui, où nous saluons à l'horizon les premières lueurs de la Société des Nations, cet organisme dont le but est de développer la coopération entre les Nations et de leur garantir la paix et la sûreté, ces sentiments se font jour avec une intensité redoublée, et moins que jamais on ne saurait induire le peuple néerlandais à y renoncer. Or, en tant que la défense de la Meuse, du Limbourg, et en général l'intégrité du territoire néerlandais sont à considérer comme un élément du maintien de la paix générale, c'est dans cette Société des Nations que nous désirons voir l'organisme compétent, par lequel cette question devra être examinée.

Je répète que la Hollande a l'intention d'accéder au pacte de ladite Société; elle a confiance dans le développement de cette institution pour le maintien de la paix du monde; mais pour cette raison même, elle ne saurait envisager les mesures relatives à ce but que dans le cadre de la Société. Elle oppose un refus formel et sans réserve à tout arrangement militaire dans le vieux sens du mot, quel qu'en soit le caractère ou quelque restreinte qu'en soit l'étendue. Et n'était que nous assistons à la naissance de la Société des Nations, on ne nous trouverait pas disposés à un engagement quelconque en ce qui concerne le système de notre défense. Nous nous flattons,

*Recours à la Société des Nations.*

Monsieur le Président, que ce point de vue, dont le Ministre des Affaires étrangères de Hollande s'est fait l'interprète, tant dans les conférences à Paris aux mois de mai et juin derniers,[4] que devant le Parlement néerlandais, sera accepté, en tout cas respecté par la Commission tout entière.

Quels sont les engagements que nous pouvons prendre dans l'ordre d'idées sus-indiqué relativement à la défense de notre pays?

*Engagements des Pays-Bas relativement à leur défense.*

D'abord que les Pays-Bas entreront dans la Société des Nations. Sa Majesté la Reine a annoncé dans le récent discours du Trône l'intention de soumettre un projet de loi à cet égard au Parlement et nous considérons tout doute superflu sur le sort qui lui y sera réservé. Par ce fait seul déjà, les Pays-Bas assument toutes les obligations, en elles-mêmes déjà très étendues, que la Société des Nations impose à ses membres dans l'intérêt du maintien commun de la paix du monde, et le peuple belge, il nous semble, peut y voir un titre sérieux de sécurité pour le Limbourg aussi bien que pour l'Escaut.

*Entrée des Pays-Bas dans la Société des Nations.*

Comme Membre de la Société des Nations, nous nous engageons à nous acquitter dans le sens le plus large, mais toujours dans la limite de nos moyens, de nos obligations pour prévenir tout ce qui peut troubler la paix. A aucun moment, nous ne nous montrerons indifférents à une violation voulue de notre territoire; pour autant que les prescriptions de la Ligue des Nations nous le permettent, nous considérerons pareille violation, où qu'elle se produise, comme un *casus belli*. J'ai déjà insisté là-dessus dans une occasion antérieure; si cependant on désirait en avoir la constatation formelle dans un Traité, nous sommes autorisés et prêts à le faire.

Du moment où la Société des Nations serait d'avis que quelque arrangement ultérieur, impliquant la défense de l'intégrité de notre territoire, serait nécessaire pour assurer la paix générale, nous nous reprocherions de mal comprendre nos devoirs de Membres de la Société, en nous soustrayant à une discussion en commun de cette question sur les bases du pacte de la Société. Nous allons même plus loin: si on désirait avoir dès maintenant de nous une déclaration officielle à cet égard, nous sommes autorisés et prêts à vous la donner.

Mais voilà aussi, Messieurs, les limites jusqu'où nous pouvons aller; qu'on ne nous demande donc pas davantage, nous ne saurions nous y engager. La Nation néerlandaise tout entière se soulèverait si, à la veille de l'ouverture de la Société des Nations, nous abandonnions notre politique traditionnelle qui a toujours soigneusement évité toute alliance, tout arrangement politique ou militaire. Même les concessions que nous venons de vous annoncer risqueront d'être reçues chez nous non sans une certaine méfiance, due à la crainte qu'elles ne présentent quand même quelques restes de ce que je voudrais appeler 'l'ancien régime militaire'; ces concessions ne devront jamais donner lieu à une pareille conclusion. Nous ne

4 See No. 39, note 4.

voulons pas faire autre chose que nous engager à ce que nous serons obligés de faire, comme Membres de la Société des Nations ayant une conception scrupuleuse et honnête de leurs devoirs. Quant à nous, nous sommes d'avis que notre entrée dans la Société des Nations constitue une garantie suffisante pour tranquilliser le peuple belge ; si la Commission désire que nous donnions une forme précise à nos vues là-dessus, nous n'avons pas d'objection à le faire dans le sens sus-indiqué.

J'espère, Monsieur le Président, que les principes de notre exposé trouveront un accueil favorable auprès de vous tous et naturellement en premier lieu auprès de nos collègues belges. Il est inspiré d'un bout à l'autre par le plus sincère désir de contribuer par le résultat de nos travaux, non seulement à améliorer les relations entre notre pays et la Belgique, mais également à consolider cette structure un peu frêle encore qu'est la Société des Nations. M. Clemenceau l'a nommée l'autre jour 'la clef qui peut ouvrir la porte sur le monde nouveau'.[5] Eh bien, Messieurs, mettons-nous à l'œuvre en serruriers habiles ; il lui faut, à cette clef, encore quelques coups de lime pour qu'elle devienne un instrument d'action. Le monde entier saura gré à la Belgique et à la Hollande d'avoir été les premiers à montrer leur confiance dans l'organisme qui, d'après les déclarations de ses illustres artisans — et j'en appelle dans cette phalange érudite particulièrement au Président Wilson et à Lord Robert Cecil, — a besoin, avant tout, que ceux qui sont désignés pour le mettre en œuvre y apportent la vie et l'action.

Si, par le résultat de nos travaux, nous lui administrons les premières gouttes de cette essence vitale, les réunions de notre Commission se seront assuré leur place dans l'histoire.

Le Président. La parole est à M. Segers.

M. Segers (*Belgique*). Il me serait assez difficile de répondre au pied levé à la note que nous a lue le premier Délégué hollandais. Cependant, je voudrais dès à présent présenter quelques observations au sujet de son exposé.

*Observations de la Délégation Belge.*

Nous avons tous, Messieurs, je le pense du moins, le sentiment que nous sommes arrivés à un moment important de nos délibérations. Nous sommes peut-être à un tournant de la discussion, et il est possible que des décisions qui seront prises à la suite de cette réunion dépende le sort définitif de nos pourparlers. Nous avons donc à prendre nos responsabilités. Je n'ai pas besoin de vous dire que celles qui pèsent sur les Délégués belges sont lourdes. C'est pourquoi je vous demande de bien vouloir m'accorder un moment de bienveillante attention.

Avant d'entrer dans l'examen des observations qui ont été présentées par M. van Swinderen, je vous demande, Messieurs, de reporter un instant votre attention sur un document de première importance, qui nous a été envoyé au lendemain de la dernière séance: C'est le 'Résumé des échanges de vues entre

[5] The quotation was from M. Clemenceau's speech in the Chamber of Deputies on September 25, 1919.

les Délégués des principales Puissances alliées et associées sur les questions militaires et navales soulevées par la révision des Traités de 1839'.[2]

Cette pièce vient étayer le discours fait, avec tant de clarté, une clarté toute française, à la dernière séance, par le Président de notre Commission. Ce document se base sur un raisonnement irréfutable. Il rappelle que la sécurité de la Belgique reposait, avant la guerre, sur sa neutralité perpétuelle, garantie par les Puissances. La suppression de cette neutralité a abouti à priver la Belgique de la garantie qu'on a voulu lui assurer par les Traités. La révision des Traités doit donc supprimer les risques que ces Traités ont créés pour la Belgique et la paix générale. Et comme il peut exister des divergences de vues entre les Pays-Bas et la Belgique au sujet de cette révision, vous avez été unanimes, Messieurs, à proclamer que les grandes Puissances devaient intervenir pour chercher à concilier nos points de vue.

*Sécurité de la Belgique.*

Je ne pense pas me tromper en disant — il est peut-être bon de le rappeler — que l'œuvre qu'il faut ici accomplir n'est pas seulement une œuvre de médiation. Car, puisque les questions qu'il faut résoudre intéressent la paix génerale, la paix de l'Europe, la paix du monde, les Puissances ont quelque chose de plus à faire que de s'entremettre comme médiatrices entre la Belgique et la Hollande. L'œuvre à accomplir est une œuvre de révision. Le Traité à réviser est un traité de droit public européen auquel toute l'Europe est intéressée. Ce Traité a été fait sans que la Hollande et la Belgique y fussent intervenues. Il a été le résultat d'un arbitrage et il a été fait contre la Belgique.

Aussi êtes-vous arrivés, Messieurs, à cette conclusion, qui est d'une inflexible logique, à savoir que la Belgique est justifiée à demander, pour sa sécurité dans l'avenir, des garanties militaires. Ces garanties militaires, vous l'avez proclamé, ne doivent pas viser seulement à limiter une invasion à ce qu'elle a été en 1914, mais à empêcher cette invasion dans l'avenir. Et ces garanties s'appliquent à un double domaine: à l'Escaut d'une part, à la Meuse et au Limbourg d'autre part. Je vais répondre ici, dans la mesure du possible, à l'exposé fait par le premier Délégue hollandais. Je vous demande, en conséquence, la permission de présenter quelques observations au sujet de l'Escaut, et au sujet de la Meuse et du Limbourg.

*Garanties militaires. Meuse-Limbourg.*

En ce qui concerne l'Escaut, trois questions se posent. La première est relative à l'usage de l'Escaut par les navires de guerre en temps de paix. Dans le mémoire dont je vous parlais, vous avez invité la Hollande à bien vouloir faire connaître dans quelles conditions aurait lieu, en temps de paix, le passage des navires de guerre belges par l'Escaut. M. van Swinderen vient de nous répondre à cet égard, et il nous a dit que la Hollande se préparait à modifier à ce sujet l'arrêté royal réglementant le passage des navires de guerre, en temps de paix, à travers l'Escaut occidental; et, si je l'ai bien compris, il a ajouté que l'arrêté royal accorderait à la Belgique le droit de passage, que les navires ne pourraient pas interrompre leur

*Escaut. Passage des navires de guerre belges en temps de paix.*

voyage, et que la Hollande se réservait de suspendre l'autorisation, lorsque d'importants intérêts le lui commanderaient.

Messieurs, vous constaterez tout de suite combien une autorisation, qui ne serait pas ratifiée par un Traité et qui ne serait inscrite que dans un acte unilatéral des Pays-Bas, un simple arrêté royal, serait illusoire pour la Belgique. Alors qu'on reconnaît qu'Anvers peut devenir un port de guerre, avoir des installations spéciales, son outillage, ses cales et ses établissements, on mettrait les navires dans une situation incertaine. Nous ne serions pas sûrs qu'ils pourraient évoluer en tout temps, du moins en temps de paix, dans l'Escaut, descendre le fleuve jusqu'à la mer et le remonter. Nous pourrions être embouteillés, nos navires seraient éventuellement bloqués, et cela en temps de paix, par un acte qui ne dépendrait que de la seule volonté de nos voisins du Nord. Est-ce admissible?

Il me paraît raisonnable d'admettre que la garantie à donner à nos navires de guerre, pour leur permettre de descendre et de remonter l'Escaut occidental en temps de paix soit inscrite dans le nouveau Traité. Il est raisonnable d'ajouter que les navires auront le droit de circuler sur le fleuve sans entraves et sans obstacles. Ce problème demande une solution immédiate. Si je dis 'immédiate', c'est que nous nous trouvons en ce moment même dans une situation inextricable. Nous avons des navires de guerre; ils ont été conquis sur l'ennemi; ils sont à Anvers, ils y ont été amenés, si je ne m'abuse, par les soins de la Hollande, car les Allemands les avaient provisoirement amenés dans des ports hollandais. Ils sont à Anvers depuis des mois; ils ne descendent pas l'Escaut, ils doivent pouvoir le faire. Il est plus que temps qu'ils puissent se mouvoir librement, et descendre et remonter le fleuve. Ces navires doivent pouvoir tout de suite circuler dans l'Escaut, et nous devons pouvoir nous préparer à leur faire descendre le fleuve. J'espère que tout le monde ici sera d'accord à cet égard.

La seconde question est relative à l'usage de l'Escaut en temps de guerre, par les navires de commerce. Ici, il paraîtra évident à tous les membres de la Commission que la situation de la Belgique *Passage des* ne peut pas être moins avantageuse qu'elle ne l'était avant *navires* 1914. A cet égard, je me range à l'avis exprimé, dans la *de commerce belges* séance du 19 septembre de la Sous-Commission militaire et *en temps de guerre.* navale,[3] par M. le Capitaine de frégate Macnamara, représentant l'Empire britannique, lorsqu'il disait que la circulation sur l'Escaut doit être libre, en tout ce qui ne touche pas aux troupes, munitions et matériel de guerre. Mais il peut se présenter ici un cas spécial qui demande à être mis en lumière. Si la Hollande est engagée dans une guerre dans laquelle n'est pas entraînée la Belgique, quelle sera sa situation? Il faut évidemment, Messieurs, que dans ce cas — c'est d'ailleurs le régime de 1839 — la liberté commerciale de l'Escaut demeure entière, et que la Hollande n'ait pas le droit de bloquer l'Escaut. C'est ce qui existait avant 1914; c'est évidemment ce qui doit exister encore dans l'avenir. Aussi le Président de la Sous-Commission réunie le 19 septembre[3] avait-il raison de dire que la liberté de navigation commerciale doit toujours subsister.

Enfin, Messieurs, une troisième question se pose. Elle est relative à l'usage de l'Escaut, en temps de guerre, par les navires de guerre.

*Passage des navires de guerre belges en temps de guerre.* Le premier Délégué hollandais nous disait tout à l'heure qu'il se ralliait, à cet égard, à l'opinion des Délégués techniques des Puissances, et qu'il se félicitait d'avoir vu adopter ce qu'il a appelé le *statu quo*. Je pense cependant qu'un fait nouveau est intervenu à cet égard. On ne peut pas ne pas avoir été frappé des raisons qui ont été exposées, au cours de la séance du 19 septembre de la Sous-Commission militaire et navale[3] par le Délégué technique belge, le Lieutenant-Colonel Galet.

L'on nous avait dit que la demande de la Belgique, tendant à obtenir la liberté de l'Escaut, en temps de guerre, pour ses navires de guerre et les navires de guerre des pays alliés, présenterait, pour la Belgique, si elle était accueillie, en regard de quelques avantages très problématiques, des inconvénients nombreux et sérieux. Je crois que personne ne niera que ce n'est pas un avantage problématique pour la Belgique que de pouvoir s'assurer éventuellement une retraite par l'Escaut en temps de guerre. Je n'insiste pas sur les autres arguments, vous les trouverez au procès-verbal de la Sous-Commission technique. (*Voir P.-V. n^{os} 1 et 2 de la Sous-Commission militaire et navale*.)[6] Mais je voudrais répondre aussi à la seconde objection soulevée dans le document auquel j'ai fait allusion. On y disait qu'en adoptant notre demande, on risquait de mettre en question la neutralité de la Hollande. Dans le Traité de Paix qui lui a été imposé, l'Allemagne s'est engagée d'avance à accepter à cet égard les décisions qui seraient prises par les Puissances; et si les Puissances, d'accord avec la Hollande et la Belgique, décidaient que l'Escaut demeurerait ouvert, en temps de guerre, aux navires de guerre belges et à ceux des pays alliés à la Belgique, l'Allemagne devrait s'incliner. La neutralité de la Hollande ne pourrait donc pas être mise en cause par l'Allemagne; elle ne le serait pas davantage par les Puissances qui auraient signé le Traité contenant cette disposition.

Ainsi, en ce qui concerne l'Escaut, je résume mes observations en disant:

*Résumé des Observations belges. Escaut.* 1° En ce qui concerne l'usage de l'Escaut pour les navires de guerre belges en temps de paix, qu'il me semble raisonnable d'admettre que nos navires de guerre puissent remonter et descendre librement l'Escaut, sans obstacles, sans entraves, sans conditions, et qu'ils puissent le faire tout de suite;

2° En ce qui concerne l'usage de l'Escaut, en temps de guerre, par les navires de commerce, que l'Escaut doit demeurer libre, que cette liberté doit être entière, même au cas où la Hollande serait impliquée dans une guerre à laquelle ne participerait pas la Belgique;

3° En ce qui concerne l'usage de l'Escaut, en temps de guerre, par les navires de guerre, il est raisonnable d'admettre que la liberté de passage soit reconnue à la Belgique.

Sur ce dernier point, Messieurs, tout en insistant pour qu'on prenne à

[6] Nos. 64 and 136.

nouveau en considération les raisons qu'a fait valoir à ce sujet l'expert belge à la séance de la Sous-Commission du 19 septembre,[3] je me permets de signaler une situation spéciale qui doit être mise en lumière. Nous avons des navires de guerre à Anvers; on est d'accord pour admettre qu'Anvers peut devenir un port de guerre. Je suppose qu'une guerre éclate; les navires de guerre sont dans le port, ils doivent pouvoir en sortir. Il ne serait pas raisonnable de dire que ces navires devront rester bloqués pendant toute la guerre, dans ce port qu'on a admis être un port de guerre. Tout au moins — c'est une prétention minima — ces navires doivent-ils avoir ce droit de libre sortie. Mais si je demande un droit de libre sortie, ce n'est pas que je renonce à notre demande principale. C'est pour mieux indiquer l'anomalie à laquelle conduisent les restrictions à la liberté. J'insiste encore, au contraire, pour que notre demande soit prise tout entière en considération.

En ce qui concerne le Limbourg, je retrouve dans le document que j'ai cité, la même logique inflexible dont je parlais tout à l'heure. Là aussi, Messieurs, vous avez été d'accord à reconnaître, en vous appuyant sur les considérations exposées par vos experts militaires, qu'il est de l'intérêt commun de la Belgique et des Etats voisins, y compris la Hollande, de régler la question de la défense éventuelle de la Meuse et du Limbourg. Unanimement, vous avez admis que cette défense devait se faire d'après un plan concerté. Vous en avez donné les raisons. Vous avez dit que si la défense éventuelle devait être organisée à l'avance, c'était parce qu'une pareille défense ne peut pas s'improviser, et vous avez visé surtout l'attaque brusquée. Vous avez ajouté — c'est votre seconde raison — que la Hollande, bien qu'elle ait la volonté d'assurer par elle-même cette défense, n'en a pas la possibilité.

*Limbourg et Meuse.*

Vous avez reconnu que cette défense, qui doit faire l'objet d'un plan concerté entre les Pays-Bas et la Belgique, doit pouvoir s'appliquer à deux éventualités:

Premier cas: la Hollande fait partie de la Société des Nations. Ce plan doit être alors établi en application du principe posé aux articles 16 et 17 du Pacte.

Second cas: la Hollande ne fait pas partie de la Société des Nations. Dans ce cas encore, vous avez estimé que ce plan concerté était également indispensable. Et d'ailleurs, il ne viserait exclusivement que le cas de violation du territoire hollandais, que le Gouvernement des Pays-Bas considère lui-même comme un *casus belli* immédiat.

Les Délégués de deux Puissances sont allés plus loin: examinant la question sous un aspect nouveau, ils ont rappelé que les Puissances occupent une partie du territoire allemand pour une période que le Traité de Paix ne permet pas de déterminer. Ils ont signalé en même temps que le Rhin était ainsi devenu la véritable barrière militaire contre l'agression allemande, et ils en ont conclu qu'en cas de menace d'agression de l'Allemagne, démasquée par l'investigation de la Société des Nations, les Puissances occupantes du territoire rhénan pourraient être conduites à reporter sur le Rhin leur défense contre l'Allemagne. Et très logiquement, élargissant ainsi l'examen de ce problème, les Délégués de ces deux Puissances ont conclu que la liaison entre la Hollande et la Belgique devait être envisagée non seulement pour la défense du Limbourg, à l'Ouest, mais aussi pour la défense éventuelle, à l'Est. Et ils ont suggéré la conclusion d'un accord militaire entre la Hollande et les Puissances occupantes du territoire rhénan en vue de lier éventuellement la défense du territoire hollandais au système de défense des Puissances sur le Rhin.

Après avoir constaté que ce document mettait si bien en lumière ce que M. le Président avait dit au sein même de cette Commission, à savoir qu'un plan concerté était indispensable pour la défense du Limbourg, notre conviction au sujet de la nécessité d'établir cette liaison entre la Belgique et les Pays-Bas a encore été fortifiée par la lecture du compte rendu de la séance de la Sous-Commission militaire et navale du 19 septembre.[3] Nous y avons lu, en effet, que l'un des membres les plus distingués de cette Commission, le Lieutenant-Colonel Réquin, a soutenu avec la clarté qui caractérise chacune de ses interventions dans cette discussion, qu'il n'y avait pas lieu, à son avis, d'envisager la défense éventuelle sur l'Escaut, tant devait être forte notre défense à la frontière de l'Est. S'il estime qu'il ne faut pas laisser la liberté de navigation sur l'Escaut, en temps de guerre, aux navires de guerre belges, c'est parce que la Belgique doit être si bien défendue à la frontière de l'Est qu'elle ne soit plus contrainte de se défendre dans le réduit de l'Escaut et d'Anvers. Si la Belgique devait encore se défendre sur l'Escaut, 'ce serait, disait-il, la faillite de tout ce que nous avons fait pour nous préserver d'un retour offensif de l'Allemagne.'

Messieurs, je ne puis vous cacher qu'après le discours de M. le Président de cette Commission, après la note résumant l'opinion unanime des Délégués des Puissances, après les arguments exposés dans la séance du 19 septembre de la Sous-Commission militaire, nous n'avons pas été peu surpris en apprenant l'initiative prise par certains experts militaires. Chargés de donner leur avis au point de vue technique, ils ont fait une suggestion d'ordre politique. Ils ont pensé qu'il suffirait que la Hollande fît une déclaration disant 'qu'elle adhérerait à la Société des Nations le plus prochainement possible, qu'elle considérait toute violation de son territoire comme un *casus belli* immédiat, et qu'elle avait l'intention, de prendre, à l'avenir, des mesures militaires pour tenir la ligne du Limbourg et la ligne de la Meuse au Nord de cette province, afin de sauvegarder la neutralité de son territoire'.

Cette suggestion impliquerait l'ajournement de l'examen des mesures militaires nécessaires pour couvrir la trouée du Limbourg. Elle impliquerait, en même temps, en ce qui concerne cet examen, le désistement de votre Commission et le renvoi de la question de sécurité de la Belgique au moment où fonctionnera le Conseil de la Société des Nations. Je ne sais pas, Messieurs, si la Société des Nations aura le pouvoir de jouer un autre rôle qu'un rôle de médiation. Pourra-t-elle, comme vous, faire œuvre de révision, au sujet des Traités de 1839? Mais ce qui intéresse la Belgique, c'est moins de discuter la suggestion qui a été faite dans un but dont nous comprenons la portée, que de savoir quel est exactement le sentiment de la Hollande au sujet de cette suggestion. J'ai écouté tout à l'heure avec la plus grande attention M. le premier Délégué hollandais, et je pense pouvoir dégager de l'exposé qu'il nous a fait la pensée exacte qui anime actuellement les Pays-Bas. Il est très important que, sur ce point, nous arrivions à la plus grande précision; il ne faut pas d'équivoque. M. van Swinderen, je pense, voudrait trois choses. Il voudrait d'abord que la Hollande fît avec la Belgique une convention relative aux voies de communication, etc., c'est-à-dire à ce qu'on a appelé les *clauses fluviales* du Traité.

Il voudrait ensuite que les Puissances fissent avec la Belgique et la Hollande un Traité remplaçant celui de 1839. Ce Traité dirait simplement que la Belgique est indépendante, que la neutralité perpétuelle est supprimée, que la garantie des Puissances défaillantes en 1914 a disparu, qu'Anvers peut devenir un port de guerre et que les garanties à donner à la Belgique au point de vue de sa sécurité et de la paix générale seront examinées, non plus par la Commission des Quatorze, mais sous les auspices de la Société des Nations, dans laquelle la Hollande s'engage à entrer.

M. van Swinderen voudrait, en troisième lieu, ces deux Traités étant faits, que la Société des Nations examinât ultérieurement la question des sécurités.

Je pense bien avoir posé le problème tel qu'il se présente à l'esprit des Délégués du Gouvernement de la Reine.

Eh bien, Messieurs, il y a beaucoup de choses à répondre à cette proposition des Délégués Hollandais. J'ai à signaler d'abord que le Traité que feraient les Puissances avec la Belgique et la Hollande ne nous donnerait, en vérité, rien que nous n'ayons déjà en ce moment. La Belgique est indépendante, nous le savons; la neutralité perpétuelle est supprimée, c'est évident; la garantie des Puissances qui ont failli à leurs engagements en 1914 a disparu, nous nous en doutons, hélas, depuis le 4 août 1914. Anvers peut devenir un port de guerre, cela va de soi puisqu'on nous reconnaît la plénitude de la souveraineté. Tout le monde est d'accord à ce sujet. Les garanties à donner à la Belgique au point de vue de sa sécurité et de la paix générale seront examinées par la Société des Nations. La Société des Nations aura évidemment toujours le droit de porter son attention sur les questions de sécurité qui intéressent la paix générale.

Je me demande ensuite s'il n'est pas à craindre que la proposition, telle qu'elle est formulée, donne à la Belgique quelque chose de moins que ce que lui donne le *Covenant*, le Pacte de la Société des Nations. Ce Pacte s'interprète en effet de différentes manières. D'après les meilleurs esprits, une Puissance qui entre dans la Société des Nations est, *ipso facto*, obligée de faire les conventions militaires nécessaires pour garantir ses voisins. C'est l'interprétation qu'a donnée de l'entrée de la Hollande dans la Société des Nations, à la séance de la Sous-Commission du 19 septembre,[3] M. le Lieutenant-Colonel Réquin. Il connaît mieux que personne la portée du Pacte pour s'en être beaucoup occupé. Il rappelle qu'il y est dit 'que les Membres de la Société s'engagent à maintenir, contre toute agression extérieure, l'intégrité territoriale présente de tous les Membres . . .'[7] et il a soin d'ajouter: 'Nous

---

[7] Punctuation as in original quotation.

comprenons qu'il ne s'agit pas de garantir cette intégrité par un Traité futur consécutif à une guerre au cours de laquelle le pays aurait été d'abord envahi et ruiné. Nous savons, en effet, que c'est là l'irréparable. Ce que nous entendons par "garantir l'intégrité territoriale", c'est empêcher que le territoire soit violé et envahi.'

Cette interprétation est confirmée par le Lieutenant-Colonel Twiss, qui a fait la suggestion que vous connaissez. Il dit, en effet: 'La Hollande a l'intention d'adhérer à la Société des Nations immédiatement, et dans ce cas un accord s'ensuivrait *automatiquement*.' Nous retenons ce mot 'automatiquement', car il précise sa pensée.

Il dit encore: 'Il est à espérer qu'une telle déclaration satisferait les désirs du Gouvernement et du Peuple belges, tout en ne liant pas la Hollande par un accord défini avant son adhésion à la Société des Nations.' Ceci veut bien dire que la Hollande serait donc liée après son adhésion. Et tout cela implique que l'adhésion de la Hollande à la Société des Nations comporte pour elle l'engagement de faire 'automatiquement', je reprends le mot, l'accord militaire qui doit nous assurer la sécurité de notre frontière de l'Est et la défense du Limbourg.

Eh bien, Messieurs, je crois avoir compris que la Hollande ne l'entend pas ainsi; elle ne veut s'engager à rien de pareil. J'ai suivi avec la plus grande attention ce que disait à ce sujet le premier Délégué des Pays-Bas, et j'ai retenu qu'il exprimait deux idées.

Il a dit d'abord qu'il admettrait une discussion en commun au sein de la Société des Nations. Mais il ne nous a pas dit que la Hollande, une fois entrée dans la Société des Nations, s'engagerait à conclure cet accord qui doit nous donner nos sécurités, ni que la Hollande s'engagerait à prendre vis-à-vis de la Belgique et de la paix générale les mesures de sécurité telles qu'elles seront recommandées par la Société des Nations. Or c'est là ce qui est tout au moins indispensable.

En second lieu, le Délégué des Pays-Bas a dit que l'entrée de la Hollande dans la Société des Nations devait suffire à elle seule, pour donner à la Belgique toutes garanties. C'est là ce que, dans une autre assemblée, où siégeaient quelques-uns des membres que j'ai le plaisir de revoir ici, on avait appelé 'la traite en blanc'. La Hollande nous demande simplement de lui faire confiance. Eh bien! il faut quelque chose de plus. Non pas que nous n'ayons pas confiance dans les Pays-Bas! Au contraire; mais il faut que notre confiance mutuelle trouve son point d'appui dans la convention commune qui consacre la sécurité de notre frontière de l'Est. Voilà ce que réclame en Belgique l'opinion publique. Il faut donc que la Hollande, en entrant dans la Société des Nations, nous dise comment elle interprète cet acte au point de vue de nos accords ultérieurs et qu'elle admette que son entrée dans la Société des Nations implique l'engagement de conclure les arrangements nécessaires à notre sécurité et à la paix générale.

J'ai encore autre chose à dire, et ceci ne manquera pas, je l'espère, de frapper tous les membres de cette Commission. Le Gouvernement belge a, vis-à-vis de son peuple, de très grandes responsabilités. Ce qui est essentiel, au point de vue de la Belgique, dans le Traité nouveau qui doit remplacer les Traités de 1839, c'est avant tout ce qui concerne les garanties militaires, c'est ce qui doit empêcher dans l'avenir l'invasion que nous avons connue en 1914, c'est la suppression des risques créés par le Traité ancien, au point de vue de la sécurité de la Belgique et de la paix générale.

C'est là ce qui est capital pour nous. Comment dès lors pourrions-nous accepter un Traité dans lequel on reconnaîtrait que la Belgique est indépendante, que la neutralité perpétuelle et obligatoire n'existe plus, que la garantie des Puissances défaillantes a disparu, qu'Anvers peut devenir un port de guerre, mais dans lequel il n'y aurait pas une clause, pas une stipulation, pas un mot au sujet des garanties auxquelles on reconnaît que nous avons droit au point de vue de notre sécurité militaire? Mais je supplie nos collègues hollandais de se mettre un moment dans la situation du Gouvernement belge, et je demande à M. van Swinderen, qui a présidé aux destinées du Département des Affaires étrangères pendant de longues années dans son pays, s'il est possible à un membre du Gouvernement belge ou à un Délégué de ce Gouvernement à la Commission d'apposer sa signature au bas d'un Traité qui ne contiendrait pas de clause relative à la chose qui nous importe le plus, la sécurité de nos frontières?

M. van Swinderen (*Pays-Bas*). Comment savez-vous que ce Traité éventuel dont vous parlez ne contiendrait rien à ce sujet? Vous partez d'une base fictive comme si ce Traité était là, devant vous.

M. Segers (*Belgique*). Je suis très heureux de l'observation que vous venez de faire, car elle me fait espérer que vous nous expliquerez ce que pourrait contenir selon vous ce Traité au point de vue des sécurités. Si vous voulez bien nous le dire tout de suite, je serai trop heureux de vous céder la parole, parce que c'est l'objet principal de nos préoccupations.

Que comprendrait ce Traité à ce sujet?

M. van Swinderen. Personne de nous ne peut savoir actuellement ce que contiendra ce Traité. Vous avez parlé comme s'il était fait, comme si vous l'aviez vu. Moi, je n'ai pas d'idée là-dessus; je voudrais bien en avoir une.

Le Président. Je vous ferai tout à l'heure à tous une proposition qui aura pour but de préciser un peu nos idées à cet égard.

M. Segers. Je retiens ceci, car il faut cependant être pratique, des déclarations que nous a faites M. van Swinderen. Il nous a dit qu'il accepterait que la question de sécurité et de la paix générale fît l'objet d'une discussion en commun sous les auspices de la Société des Nations. Je me permets de lui demander s'il entend par là qu'en entrant dans la Société des Nations, la Hollande, automatiquement comme le disait le Lieutenant-Colonel Twiss, accepterait de faire un accord au sujet de notre sécurité et de la paix générale. Je lui demande si la Hollande, en déclarant qu'elle entre dans la Société des Nations, serait prête à déclarer en même temps qu'elle s'engage à prendre, vis-à-vis de la Belgique, au point de vue de sa sécurité et de la paix générale, les mesures de sécurité qui seraient recommandées par les Puissances ou par la Société des Nations.

Si les Délégués hollandais nous donnaient des précisions à ce sujet, il est évident que la proposition pourrait être examinée de plus près. Je ne veux rien préjuger en parlant ainsi, car vous reconnaîtrez bien qu'il ne nous est pas possible de prendre des décisions immédiates sur des questions aussi graves. La question vient de prendre ici un aspect nouveau. Je désire avant tout pouvoir en délibérer avec mon collègue M. Orts. Nous aurons alors à en référer à notre Gouvernement, car c'est une proposition nouvelle qui a vu ici le jour. Mais encore devrions-nous, tout au moins, savoir sur quelle proposition précise doivent porter nos délibérations. Il est donc important que nous sachions quelle serait la portée exacte que la Hollande attribue à son entrée dans la Société des Nations. Il faut que nous sachions si cela veut dire que, par là, automatiquement, elle est d'accord pour faire une convention, nous donnant les sécurités nécessaires, et si elle accepte de suivre les suggestions que lui donnerait à cet égard la Société des Nations.

Il y a une dernière observation à faire en ce qui concerne la proposition de la Hollande. Si la Hollande cesse de faire partie de la Société des Nations, si elle s'en retire, ce qui est le droit de toute Nation participante, quelle sera la situation? La Belgique est intéressée à avoir une convention définitive au point de vue de sa sécurité. Je me permets donc de demander encore à la Hollande si, au cas où elle serait amenée à sortir de la Société des Nations, elle admettrait que la convention qui aurait été faite éventuellement au point de vue de notre sécurité et de la paix générale, continuerait à exister? S'il devait en être autrement, nous serions sans bouclier le jour où la Hollande se retirerait de la Société des Nations. Nous serions alors exposés comme par le passé sur notre frontière de l'Est, et ce serait peut-être le moment le plus grave, car ce serait peut-être celui où les Puissances centrales nous menaceraient. Là aussi, je serais heureux d'obtenir une précision.

Je ne pense pas que nous puissions abandonner absolument l'espoir de voir conclure, au sein même de cette Commission, l'accord dont nous avons parlé au point de vue de notre sécurité. M. van Swinderen a semblé tout à l'heure faire une affirmation très catégorique à cet égard. Mais nous ne pouvons pas oublier que les Délégués des Puissances ont jugé ici même cet accord indispensable. Nous aurons évidemment à en délibérer et à en référer à notre Gouvernement. Mais M. van Swinderen nous demandait si, sincèrement, nous pensions qu'une convention de ce genre, faite entre nous, présenterait quelque efficacité. Eh bien, je réponds: oui, nous le pensons. Nous le pensons, parce que nous estimons que, le jour où la Hollande aurait pris un engagement, elle le tiendrait. Nous avons confiance à cet égard dans la loyauté des Pays-Bas et nous sommes convaincus que si pareil accord était fait entre la Belgique et la Hollande, aucun de ces deux pays ne considérerait cet accord comme un chiffon de papier.

J'ajoute, et je termine par cette observation, que je suis d'autre part certain que, si un arrangement de ce genre pouvait se faire entre nous au sein de cette Commission, immédiatement on verrait se dissiper les nuages qui paraissent s'élever entre nos deux pays.

M. Neilson (*États-Unis d'Amérique*). Monsieur le Président, je ne sais pas si les Délégués britanniques tiennent à avoir une traduction complète de ce qui vient d'être dit. Pour ma part, je n'y tiendrais pas si je pouvais poser une ou deux questions.

Les propositions qui ont été faites à la suite des réunions tenues hors de la présence des Délégués hollandais et belges, étaient des propositions d'ordre militaire portant sur trois points. La réunion présente devait indiquer les vues des Délégations hollandaise et belge sur ces trois points. Il me semble qu'il y a un désaccord sur ces trois points. Dans le cours de nos discussions nous rencontrons constamment des sujets de désaccord. Je voudrais que nous puissions trouver quelques points sur lesquels nous puissions nous entendre. Il me semble que cela serait possible. Je pense que nous pourrions travailler pendant un certain temps dans ce but et que cette procédure aura plus de succès que nos efforts passés.

Le Délégué hollandais a dit qu'il acceptait les propositions qui ont été faites par la Commission sur deux points, en ce qui concerne l'Escaut et en ce qui concerne Anvers, mais qu'il rejette la solution qui a été proposée pour le Limbourg.

Je n'ai peut-être pas très exactement compris ce qu'a dit le Délégué belge, mais il m'a semblé qu'il rejetait les propositions proposées pour l'Escaut et pour Anvers, et qu'il les acceptait en ce qui concerne le Limbourg.

Par conséquent, des trois points sur lesquels nous étions d'accord, des trois solutions auxquelles nous étions arrivés, aucun n'a été accepté en commun par les deux Délégations hollandaise et belge.

Je pense qu'il nous serait possible de prendre un nouveau point de départ en cherchant les points sur lesquels un accord pourrait être basé. Je désirerais savoir d'abord si j'ai bien compris l'attitude des Délégations belge et hollandaise à l'égard des propositions officieusement rédigées par les Délégués des cinq Puissances en vue de présenter des propositions à l'examen des Délégués hollandais et belge.

Le Président. Messieurs, je crois que, comme le disait M. Segers, nous sommes arrivés à un tournant de nos discussions. Il va falloir changer de direction — je parle au point de vue de la procédure — car nous venons d'échanger, pendant de très longues séances, tous les arguments possibles sur le sujet que nous traitons. Quelle que puisse être l'ingéniosité des membres de cette Commission, je ne puis croire qu'ils aient encore quelque chose à ajouter. Je crois que nous avons vidé complètement le fond du débat et que nous connaissons maintenant exactement la position de chacun.

En réalité, la question peut se résumer comme il suit. M. Segers a fait ce que j'allais faire moi-même: il a relu le résumé des échanges de vues des Délégués des principales Puissances alliées et associées. Nous avons établi, entre nous cinq, un certain nombre de principes, que nous avons soumis ensuite aux Délégations belge et hollandaise. Ces principes, auxquels nous restons solidement attachés, se ramènent aux termes suivants:

La Belgique demande la révision des Traités de 1839. Elle le demande notamment pour se libérer de la limitation de souveraineté que lui impose la neutralité perpétuelle; mais elle fait observer qu'en même temps qu'on la libérera de cette limitation de souveraineté, on l'exposera à perdre une garantie qui y était attachée, garantie qui s'est montrée inopérante, il est vrai, mais que les Puissances garantes n'ont pas le droit de supprimer sans y substituer autre chose.

Les Puissances — non seulement celles qui sont garantes, mais également les autres — ont examiné cette question au point de vue de la paix générale et sont tombées d'accord qu'à ce point de vue le raisonnement était juste. Comme, en fait, cela se traduisait dans l'esprit des Puissances spécialement par la question du Limbourg, point faible qui leur a paru présenter, au point de vue de la paix générale, un très grave danger s'il n'y était pas porté remède, les Délégués des Puissances ont examiné les moyens de parer à ce danger.

Je passerai sur la question de l'Escaut et sur celle d'Anvers. Non que je m'en désintéresse; mais, contrairement à l'idée que s'en fait M. Segers, je ne crois pas du tout que ces questions doivent être visées dans le Traité qui serait signé par toutes les Puissances. Je crois qu'elles doivent être examinées par les Délégués de toutes les Puissances, mais qu'elles doivent figurer dans le Traité entre la Belgique et les Pays-Bas, comme en 1839. En un mot, j'en arrive à la question de la procédure, qui me paraît devoir être la suivante:

Il y a eu en 1839 trois Traités. Le Traité entre la Belgique et les Pays-Bas n'a pas été négocié par ces deux pays, il leur a été imposé; mais enfin il a été signé par eux. C'est celui qu'il s'agit de modifier, au fond. Car les deux autres, les deux Traités passés par les grandes Puissances respectivement avec la Belgique et avec les Pays-Bas, comportaient simplement leur garantie, en stipulant toutefois que le Traité entre la Belgique et la Hollande faisait partie intégrante de ces deux Traités auxquels participaient les grandes Puissances.

Les Puissances n'ont pas à refaire le Traité du 19 avril entre la Belgique et les Pays-Bas; elles n'ont à modifier que les deux autres. Seulement, la modification qu'elles apporteront à ceux-ci est conditionnée par les modifications qui seront apportées au Traité entre la Belgique et les Pays-Bas. Ces modifications, nous devons en connaître, et nous devons en faciliter autant que nous le pourrons la négociation entre la Belgique et les Pays-Bas.

Or, le Traité qui est essentiel au point de vue belge, celui qui est la base de tous les autres, c'est-à-dire celui qui interviendra entre toutes les Puissances pour abolir la garantie, ce Traité est conditionné par la sécurité militaire de la Belgique.

A mon sens, nous devons donc envisager qu'il y aura à faire deux Traités. Celui auquel participeront toutes les Puissances devrait être fait, je pense, sous la forme suivante: il y aurait d'abord un préambule, visant la nécessité de réviser les Traités de 1839, et qui fera allusion à la situation militaire de la Belgique au point de vue de la paix générale; il devra également viser le Traité qui aura été fait d'autre part entre la Belgique et les Pays-Bas. Ensuite, le Traité devra comporter, à mon sens, un premier article, dans lequel sera traitée la question de sécurité militaire, qui concerne en réalité le Limbourg. Ce premier article sera la base du Traité. Une fois que l'accord serait fait à son sujet, un second article pourrait comporter l'abrogation du Traité entre les Puissances, étant entendu que cette abrogation sera conditionnée non seulement par le premier article, mais aussi par la connaissance que les Puissances auront du Traité intervenu entre la Belgique et les Pays-Bas, et qu'il sera mentionné que ce Traité modifie tels et tels articles du Traité du 19 avril, du Traité des 24 articles. Puis suivront quelques autres stipulations.

Je crois qu'il n'y a aucun intérêt à ce que nous continuions de nous poser des questions pour nous demander ce que nous ferons ou ce que nous ne pourrons pas faire. Nous discuterions indéfiniment là-dessus sans résultat utile. Il y a quelque chose de plus pratique à faire: c'est d'essayer de mettre sur le papier, dans le cadre que je viens d'indiquer, des projets de Traité, où chacun de nous condensera ses idées.

Il est très probable que la première confrontation de ces projets sera quelque peu décourageante, parce que nous nous heurterons à des conceptions très diverses. Mais quand nous aurons en face de nous, non plus des argumentations qui se répètent sous des formes éloquentes et variées, et qui se développent de plus en plus, sans qu'on puisse arriver à conclure, lorsque nous aurons devant nous des phrases précises, je crois qu'en confrontant les projets, en cherchant à les rapprocher, nous ferons un travail beaucoup plus efficace qu'en continuant d'échanger des idées.

Je pense, d'autre part, qu'il serait bon également de préparer la révision du Traité des 24 articles, et de la préparer de deux façons. C'est-à-dire que, conformément à la procédure qui a été adoptée pour ce qui concerne spécialement les questions économiques, les deux Délégations continueraient d'élaborer à cet égard leur projet entre elles, et que chaque Délégation, y compris celles des cinq autres Puissances, étudierait des rédactions pour les articles militaires.

Si chacun de nous se livrait à ce travail et voulait bien m'envoyer des projets de ce genre, je les confronterais, je ferais part à chaque Délégation des observations que me suggèrent la lecture et la confrontation de ces différents projets, et nous nous réunirions pour les examiner en commun, dès que les points de vue seraient un peu rapprochés. Je suis persuadé que nous arriverions ainsi beaucoup plus facilement à un résultat.

C'est le moment maintenant de changer de méthode. Jusqu'ici nous avons adopté une méthode qui était absolument nécessaire; nous *Proposition d'une* avons laissé se développer les arguments respectifs de chaque *méthode nouvelle.* Délégation, afin de connaître les différents points de vue. A présent, nous savons tous exactement ce que nous voulons. Nous savons aussi ce qui est nécessaire: c'est que les grandes Puissances qui ont mis leur signature au bas du Traité de 1839, et les autres grandes Puissances qui ont adhéré à leur point de vue, ne peuvent consentir à mettre leur signature au bas d'un Traité de révision qui ne contiendrait pas certaines garanties qu'elles jugent indispensables pour la sécurité de la Belgique. C'est un principe dont nous ne pouvons pas nous départir.

D'autre part, nous nous trouvons obligés également de tenir compte de certaines conditions qui ont été exposées par la Délégation des Pays-Bas. Et puisque les Délégués des Pays-Bas nous déclarent que leur Gouvernement est résolu à défendre son territoire et à faire le nécessaire dans le cadre de la Société des Nations, il s'agit de trouver une formule qui tienne compte de cette intention et du fait que la Société des Nations va se réunir dès que le Traité sera en vigueur, c'est-à-dire très prochainement.

L'essentiel me paraît être que nous nous trouvions en présence de textes précis, sur des sujets précis. Je ne puis pas vous en donner la forme dès maintenant. A tout hasard, je m'étais essayé à mettre sur pied un projet de Traité. J'en ai fait un premier, mais il était tellement informe que je ne l'ai montré à personne. J'en ai fait un second, pour lequel je me suis attaché moins au fond qu'à la forme; je l'ai fait avec notre jurisconsulte, parce que je voulais lui donner une allure plus juridique. Je dis tout de suite que ce projet ne me satisfait nullement; les termes ne sont pas nets et ne répondent pas exactement à ce que j'entrevois.[8] Ils y répondent d'autant moins que j'ai entendu, aujourd'hui même, d'un côté comme de l'autre, des arguments qui m'ont vivement frappé, dans les deux sens. Aussi bien dans ce que m'a dit M. van Swinderen que dans ce qu'a répondu M. Segers, il y a des choses à retenir, qui peuvent et doivent trouver place dans le Traité.

Quoi qu'il en soit, je voudrais cependant vous communiquer ce projet tout à l'heure, hors séance, sans que cela ait aucunement le caractère d'une proposition de la Délégation française, j'y tiens essentiellement; si on voulait y attacher ce caractère, je préférerais ne pas distribuer ce projet. Je voudrais vous le remettre uniquement comme un modèle au point de vue de la forme, comme un cadre où faire entrer les idées. Pour ma part, je retravaillerai sur ce canevas et je vais peut-être refaire entièrement ce projet. Mais comme ce que je ferai tout seul ne servirait de rien si je n'ai pas vu les projets des autres, je me garderai de vous montrer mon œuvre avant que vous ne m'apportiez la vôtre.

Je voudrais donc que dans ce cadre, dans ce plan des articles et des alinéas, chacun de vous, non pas corrige mon projet, mais fasse de son côté un projet, avec ses idées, avec ce qu'il veut y mettre, et fasse en outre, ce que je n'ai pas fait, un projet pour les questions qui ont été traitées aujourd'hui: passage des navires de commerce sur l'Escaut en temps de guerre, retrait des bateaux de guerre se trouvant à Anvers en cas de guerre, etc. Que chacun mette ce qu'il veut, et si quelqu'un a une objection à faire à tel ou tel article, qu'il la fasse connaître.

En résumé, je voudrais que maintenant nous sortions du domaine de l'argumentation pour entrer dans celui des réalisations, que nous fassions désormais non plus le métier de membres de Commission, mais celui de Plénipotentiaires, que nous ne sommes pas, mais que nous devons être tout de même, car les Plénipotentiaires véritables n'auront qu'à signer le Traité que nous aurons préparé. Je voudrais que nous remplissions notre rôle de négociateurs en essayant de mettre quelque chose de précis sur le papier. Cette tâche n'est pas sans quelques difficultés, car elle n'est pas mince; je m'en suis aperçu quand j'ai voulu moi-même l'aborder. Mais ce n'est pas une raison pour ne pas vouloir travailler. Nous sommes tous très désireux

[8] Cf. No. 151.

d'aboutir à un résultat, et si vous voulez bien adopter le système que je vous propose, je suis persuadé que, dans quelque temps d'ici, nous aurons l'heureuse surprise de constater que, somme toute, quand on travaille avec soin et qu'on rapproche les thèses et les arguments, on finit par trouver les éléments nécessaires pour ménager les susceptibilités légitimes tout en inscrivant les engagements indispensables.

Messieurs, le Capitaine de vaisseau Le Vavasseur me fait une suggestion que je vous soumets: il s'agirait de faire étudier les questions soulevées par M. Segers au sujet du passage des navires de commerce par l'Escaut en temps de guerre, et au sujet du passage des navires de guerre belges, par la Sous-Commission militaire et navale, qui élaborerait un projet sur ces questions.

Est-ce que M. van Swinderen a des observations à faire à ma proposition tendant à élaborer des projets de traité?

M. van Swinderen (*Pays-Bas*). Nous avons tout lieu de vous être reconnaissants de cette proposition à laquelle nous nous rallions avec grand plaisir.

Le Président. Estimez-vous qu'il y a lieu de réunir la Sous-Commission pour examiner la question et pour voir s'il y a lieu de faire un projet ou non?

M. van Swinderen. Est-ce une question militaire?

Je pourrais répondre immédiatement à M. Segers que ses bateaux de guerre qui sont à Anvers ne sont nullement embouteillés. Ils peuvent aller à Bath où il n'y a qu'une petite formalité à remplir, après laquelle ils passeront. Ainsi a fait l'autre jour le navire de guerre italien qui est venu à Flessingue: il s'est soumis à la formalité qui est sans importance et il a pu aller jusqu'à Anvers.

M. Segers (*Belgique*). Chaque fois qu'un navire de guerre partira d'Anvers, il devrait donc demander l'autorisation?

M. van Swinderen. Avec la concession que nous faisons dans le nouvel arrêté royal, ce ne sera plus nécessaire.

Le Président. Nous avons bien compris que la proposition du Gouvernement hollandais a précisément pour but d'éviter cette formalité d'autorisation aux navires belges, sauf dans le cas où la défense nationale est intéressée.

M. van Swinderen (*Pays-Bas*). Évidemment. Remarquez que nous faisons aux navires de guerre belges une position privilégiée. Les autres sont soumis à la formalité, tandis que les navires belges n'auront plus à demander d'autorisation.

M. Segers (*Belgique*). L'Escaut devant permettre l'entrée et la sortie des navires, doit être libre.

M. van Swinderen. Il est libre.

M. Segers. Il n'est pas libre: sa liberté dépendait du bon vouloir des Pays-Bas; elle serait supprimée par le retrait de l'arrêté royal.

Le Président. Je crois que les Représentants militaires des Puissances avaient émis l'avis qu'il était impossible de fixer un statut autre que celui qu'ils avaient indiqué, parce que cela pourrait créer des précédents extrêmement fâcheux qui pourraient être invoqués par d'autres Puissances.

Ne pourrait-on, dans le préambule du Traité entre la Belgique et les Pays-Bas, viser expressément ce régime qui serait appliqué aux navires belges?

M. van Swinderen. Je crains que non.

Le Président. On dirait par exemple: 'La Belgique ayant pris connaissance du projet d'arrêté que le Gouvernement hollandais se propose de prendre dès la signature du présent Traité et qui est ci-annexé . . .'[7]

Et l'on joindrait le projet d'arrêté.

Ce serait un moyen de montrer que le régime a été pris en considération.

Il est une chose que nous désirons vivement, c'est que les navires belges ne demandent pas l'autorisation chaque fois qu'il[s] remontent l'Escaut. L'arrêté royal leur accorde cet avantage. J'ai, d'ailleurs, le devoir de répéter — et c'est l'avis de nos experts navals — qu'on ne pourrait pas insister pour obtenir l'insertion dans un Traité d'un traitement spécial pour la Belgique, parce que ce serait un précédent très grave qui pourrait être invoqué par d'autres Puissances.

M. Segers. Sur le même fleuve?

Le Président. N'importe où il y aurait une situation semblable. Nous demandons qu'il n'y ait que la Belgique à pouvoir invoquer cette faveur. La forme où elle se présente donnerait pratiquement libre accès aux navires belges.

M. Segers. Il ne s'agit en ce moment que du temps de paix et non du temps de guerre. Nous parlons de la libre circulation des navires de guerre belge[s] en temps de paix. Est-ce qu'il est possible d'imaginer qu'un pays puisse se créer un port de guerre à un endroit d'où ses navires ne seraient pas sûrs de pouvoir sortir? Je sais que la Hollande peut par un arrêté royal accorder à la Belgique l'autorisation permanente de passer avec ses navires de guerre par l'Escaut. Mais, la Hollande se réserve de retirer l'arrêté. . . .[9]

Le Président. Non, elle ne se réserve pas de le retirer. C'est une clause de style par laquelle elle se réserve, dans le cas où il y aurait un intérêt national en jeu, d'en suspendre temporairement l'application. C'est une question de bonne foi. Nous ne pensons pas que le Gouvernement néerlandais pourrait supprimer sans raison la faveur qu'il vous accorde. Mais on pourrait également introduire une clause — j'ignore si elle est possible en droit international et au point de vue naval — qui envisagerait le moyen d'empêcher qu'à la veille d'une entrée en guerre, la flotte belge soit embouteillée.

C'est pourquoi je pense qu'il ne serait peut-être pas mauvais que les experts navals aient entre eux une réunion pour étudier toutes ces questions, notamment celle des navires de commerce. Il ne suffit pas de pouvoir passer par l'Escaut, il faut encore en sortir.

M. Segers (*Belgique*). Nous avions l'espoir que les autres Puissances consentiraient à ne pas fermer les accès à l'Escaut, en cas de guerre dans laquelle la Belgique ne serait pas impliquée.

Le Président. Nous ne sommes pas seuls en cause. Il est difficile de prendre un engagement général de ce genre.

M. Segers. La plupart des Puissances susceptibles d'être entraînées dans une guerre, et qui pourraient éventuellement bloquer l'Escaut, sont représentées ici.

[9] Punctuation as in original.

Le Président. C'est aussi une question que je voudrais voir examiner [*sic*] par les experts.

M. Segers. La Belgique se ravitaille par Anvers. Dans le cas d'une guerre à laquelle la Belgique resterait étrangère, comme elle ne peut se ravitailler que par Anvers, si l'Escaut est bloqué, c'est la famine pour le pays tout entier. Le régime de 1839 consacrait d'ailleurs cette liberté; on ne peut pas nous donner moins. . . .[9]

Le Président. Vous visez le cas où la Hollande est impliquée dans le conflit et non la Belgique?

J'entrevois la possibilité pour la Hollande de prendre l'engagement de ne pas bloquer vos navires de commerce qui vont sur l'Escaut et, à la rigueur, la possibilité pour les Puissances qui sont ici de prendre l'engagement de ne pas bloquer l'Escaut. Mais je n'entrevois pas la possibilité pour nous d'empêcher l'Allemagne de bloquer l'Escaut en pareil cas.

M. Segers. L'Allemagne doit accepter la convention que nous ferons. Le Traité de Paix le prévoit.

Le Président. Il ne faut pas nous leurrer. L'Allemagne acceptera le Traité, mais il faut bien dire qu'en cas de guerre, nous ne pourrons attendre d'elle que le respect des conditions qui ne dépendent pas de son bon vouloir.

Supposons que demain la Société des Nations décide que Maëstricht sera une forteresse pourvue de canons de portée extraordinaire et qu'il y aura 500,000 hommes dans le Limbourg, — je prends à dessein une hypothèse invraisemblable, — l'Allemagne est obligée d'accepter cette clause et cette clause est réalisable, parce qu'elle ne dépend pas de sa bonne volonté en temps de paix et peut être exécutée en temps de paix. Mais si nous faisons prendre un engagement moral à l'Allemagne, par exemple, le respect de la neutralité de l'Escaut, c'est une autre affaire. Nous ne pouvons pas nous leurrer de l'espoir qu'elle respectera le Traité. Elle n'a pas respecté celui de 1839, elle ne respectera pas davantage celui-ci si elle se décide à violer le Pacte.

Les réalisations possibles avant la guerre, nous pouvons les imposer à l'Allemagne avec succès; celles qui dépendent de l'Allemagne en temps de guerre, c'est un chiffon de papier.

Le Lieut.-Colonel Réquin (*France*). Si l'Allemagne respecte les Traités, elle ne fera pas la guerre.

Le Président. Parfaitement.

M. Segers (*Belgique*). Cependant si l'Allemagne a fait la guerre à la Belgique, elle n'a pas violé la neutralité de la Hollande. Si elle fait la guerre à une Puissance autre que la Belgique et s'il existe un Traité qui lui impose de respecter en haute mer les navires de commerce allant vers Anvers, en violant ce Pacte, elle se met aussi la Belgique à dos. Cela peut la faire réfléchir. Evidemment, nous ne pouvons pas empêcher l'Allemagne de considérer le Traité comme un chiffon de papier; cependant le Traité constituera une garantie de plus, en ce sens que sa violation peut entraîner contre elle la Belgique dans la guerre. A cet égard, un Traité vaut mieux que le néant.

LE PRÉSIDENT. C'est un argument. Aussi cette question doit-elle être examinée par une Sous-Commission.

*Renvoi de la question de l'Escaut à une Sous-Commission spéciale.* Est-ce que M. van Swinderen accepte que toutes les propositions relatives à l'Escaut soulevées par M. Segers soient renvoyées à une Sous-Commission militaire et navale?

M. VAN SWINDEREN (*Pays-Bas*). Oui, Monsieur le Président.

M. ORTS (*Belgique*). Je ferai observer qu'il y a des questions juridiques qui sont soulevées à cette occasion, notamment lorsque se discutera le régime applicable en temps de guerre à la navigation commerciale. La Sous-Commission ne devrait donc pas se composer exclusivement d'experts militaires et navals, il y aurait lieu d'y adjoindre des juristes.

LE PRÉSIDENT. On pourrait donc l'appeler Sous-Commission spéciale.

Chaque Délégation pourra s'y faire représenter comme elle voudra. Je n'y assisterai probablement pas, me reconnaissant peu compétent.

Cette Sous-Commission sera consacrée à la question de l'Escaut.

M. SEGERS. Pourrons-nous y envoyer des conseillers techniques?

LE PRÉSIDENT. Parfaitement.

M. SEGERS. J'ai l'intention de remettre si possible un texte à la Commission.

LE PRÉSIDENT. Vous avez raison. Il vaut mieux avoir des textes pour pouvoir discuter. Ainsi, je vais distribuer tout à l'heure à chacun de vous non pas un projet de la Délégation française, mais un avant-projet.[8] Après tout ce que j'ai entendu aujourd'hui, j'aurai bien des modifications à y apporter. Il est destiné, dans mon esprit, à indiquer dans quel cadre et suivant quelle méthode devra être fait le Traité qui doit intervenir entre toutes les Puissances représentées ici.

Ce texte est purement provisoire et je vous demande de ne pas le considérer comme une proposition, mais comme une base de travail.

Nous allons avoir besoin de quelques jours pour travailler ces textes: le mieux serait que vous vouliez bien me faire part personnellement de vos suggestions en me laissant le soin de vous convoquer quand je verrai que nous sommes mûrs pour une discussion nouvelle.

(*Le Président expose ensuite les points principaux de son projet:*[8] *il demande que le procès-verbal n'en fasse pas mention.*)

En terminant, Messieurs, je vous prie et je prie principalement les Délégués belges et hollandais de bien vouloir se mettre au travail au plus vite.

*Communiqué à la Presse.* M. van Swinderen me rappelle une tâche qui m'embarrasse beaucoup: c'est la rédaction du communiqué à la Presse. Je n'ai pas beaucoup d'idées à ce sujet. Je demande aux Délégations belge et hollandaise, principales intéressées, ce qu'elles veulent qu'il soit dit.

M. SEGERS (*Belgique*). Nous devons faire rapport à notre Gouvernement. Deux questions sont particulièrement importantes pour nous: la première consiste à savoir si, conformément à ce que disaient les experts militaires français à la Commission du 19 septembre, c'est ici que notre accord militaire doit être conclu, ou s'il faut le laisser conclure ultérieurement sous les auspices du Conseil de la Société des Nations. La seconde consiste à connaître la signification qu'a exactement, au point de vue de l'accord à conclure, l'entrée de la Hollande dans la Société des Nations.

Quant au communiqué à la Presse, Monsieur le Président, je m'en réfère à votre sagesse, je suis convaincu que vous serez plus objectif que nous.

*Après discussion, le communiqué à la Presse est arrêté dans la forme suivante:*

La Commission a entendu les Délégations belge et hollandaise qui ont exposé leurs points de vue respectifs sur les questions de sécurité militaire qui seraient posées en ce qui concerne la Belgique et la paix générale par la suppression de la clause de neutralité perpétuelle et de la garantie y afférente inscrite dans les Traités de 1839.

Il a été décidé que des textes seraient préparés de manière à permettre d'examiner d'une manière concrète les conditions dans lesquelles cette question peut faire l'objet d'un accord en tenant compte des arguments invoqués de part et d'autre.

LE PRÉSIDENT. Quand la Sous-Commission spéciale de l'Escaut va-t-elle se réunir?

*Sous-Commission spéciale de l'Escaut.*  M. SEGERS. Il faudrait que nous fassions venir un spécialiste.

*(La séance de la Sous-Commission spéciale est fixée au jeudi 16 octobre, à 16 heures.)*

LE GÉNÉRAL SATO (*Japon*). Sur quoi discutera la Sous-Commission? Ses attributions comprennent-elles les questions de communications?

LE PRÉSIDENT. Elle n'a pas à s'occuper des questions de balisage, de flottage, de creusement de lits, mais des questions soulevées au point de *Son objet.* vue de la guerre: passage des navires de guerre pour aller à Anvers, liberté de passage de la flotte de commerce, blocus de l'Escaut en temps de guerre. Ce sont des questions d'ordre international qui peuvent être soulevées par rapport à l'état de guerre.

Il n'y a pas d'autres observations?

La séance est levée à 19 heures.


# No. 179

*Mr. Gurney (Brussels) to Earl Curzon (Received October 11)*

*No. 380 [142881/2144/4]*

BRUSSELS, *October 10, 1919*

My Lord,

I have the honour to transmit, herewith, the text[1] of the reply returned by the Minister for Foreign Affairs to an interpellation in the Senate in regard to the 'Comité de Politique Nationale'.

As your Lordship is aware, this committee, whose list of members contains

[1] Not printed: see below.

the names of numerous influential personages, has since the armistice carried on a propaganda campaign in favour of territorial expansion. In particular they caused to be posted throughout the country maps showing the territories which they would like to see incorporated in Belgium, including Luxemburg and Dutch Limburg.

The work of the committee was at first welcomed by the Government as tending to stimulate patriotism and to inform the Belgian public on matters of foreign policy, which they had been unable to study during the occupation, and many officers of the army joined the committee in order to further these laudable objects. The later developments of the campaign have, however, proved somewhat embarrassing to the Government, as it has tended to render more difficult the relations between Belgium and Holland, and it is generally believed to have been largely responsible for the alienation of sympathy for Belgium in Luxemburg.

Monsieur Hymans informed me one day in conversation that the prominent personages who had given their names to the committee now took no part in the proceedings, which were solely directed by Monsieur Nothomb and three or four others, equally irresponsible.

The author of the interpellation, Monsieur Vinck, represented that the committee constituted a public danger, and he protested against the secretary retaining an office at the Ministry for Foreign Affairs, and called upon the Government to dissociate themselves from the activities of the committee.

In reply Monsieur Hymans said that the Ministry for Foreign Affairs and the Government were in no way responsible for the acts of the committee.

The Government had no official connection with them, and Monsieur Nothomb had never been an official in his department. He had, however, often been of assistance whilst the Government were at Havre, and since the armistice he had frequently furnished useful information. His unofficial relations with the department had, however, now been terminated.

I have, &c.,
HUGH GURNEY

## No. 180

*Mr. Robertson (The Hague) to Earl Curzon (Received October 12)*

*No. 1470 Telegraphic [140157/11763/4]*

THE HAGUE, *October 11, 1919*

My telegram No. 1464.[1]

Minister for Foreign Affairs sent for me to-day and told me Dutch Cabinet had been favourably impressed by conciliatory proposals outlined by Monsieur Pisart which he had also telegraphed on Monday[2] to Dutch Delegates at Paris. Their surprise and disappointment was (? even) greater on receiving yesterday from latter report of meeting with Belgian Delegates on Tuesday at which impossible tone was adopted. Belgians stated [that]

[1] No. 169.　　　　　　　　　　[2] October 6, 1919.

at coming meeting of Commission[3] they would demand military convention and right to build canals across Dutch territory where they liked. If these demands were refused they would retire from Conference and carry on agitation in Limburg with a view to ultimate plebiscite asking for annexation.

Subsequent meeting of Commission[3] appears to have passed without breach but as it was Belgian Delegates themselves who sent for Pisart and according to him authorized him to sound Dutch with a view to conciliation I am at a loss to understand their attitude.

Minister for Foreign Affairs is put out and stated categorically that Netherlands Government had offered all concessions they were prepared to make and could go no further. It is useless for Belgians to try to intimidate Dutch and if they take action threatened, I am convinced it will lead to breaking off of diplomatic relations and possibly to war.

Could they not be induced to show conciliatory disposition?

It is not too late even now, though Netherlands Government and people are very much irritated.

Repeated to Peace Conference No. 47.

[3] See No. 178.

## No. 181

*The Earl of Derby (Paris) to Earl Curzon (Received October 16)*

*No. 992 [141928/8259/17]*

PARIS, *October 12, 1919*

My Lord,

I have the honour to inform your Lordship that the French Senate yesterday unanimously voted the ratification of the Treaty of Versailles by two hundred and seventeen votes with one abstention, after listening to and frequently applauding a long and interesting speech by the President of the Council, the text of which, extracted from the *Journal Officiel* of to-day's date, is enclosed herein for convenience of reference.[1] The treaties of alliance were unanimously adopted by two hundred and eighteen votes, the additional vote being that of Monsieur Delahaye, senator for Maine-et-Loire, who abstained from voting for the ratification of the Peace Treaty.

Monsieur Clemenceau opened his speech by expressing the hope that the Senate would unanimously approve the Treaty of Versailles and thus impart more force to 'this long and laborious compilation which contained the decisions of the Allies, who had won the war and definitely overthrown German militarism'. Speaking of the treaty and of the criticisms which it had evoked, he said: 'It is imperfect, but how could it be otherwise? We cannot perform miracles.' He drew a picture of the terrible cataclysm which had been let loose upon the world: of the millions of human lives destroyed: of the vast tracts of country plunged into desolation: of the terrible crimes which had been committed, crimes which it was thought had already been struck off the list of human faults: and then said: 'Such events could not

[1] Not printed: see below.

664

terminate by the simple signature of some pages of writing, after which everybody could say, "It is finished, we are provided with a document, we can now go and sleep". No, the life of humanity is not made up of sleep. How could we make a peace which does not necessitate vigilance? It is life itself which condemns us to vigilance.'

After emphasising the continued need for vigilance, Monsieur Clemenceau referred to the fact that the war had been impending for over half a century, and to the Franco-Russian alliance, with its advantages and disadvantages, and continued thus: 'We then turned towards England. England was occupied in world-conquest. She has resumed the race for this great conquest, perhaps even before the signature of the armistice. If we sometimes suffer therefrom, I do not, however, wish to speak ill of England. It would not be just, for we must not forget that if England has overrun the world, she has given nations their freedom, and has contributed largely to the diffusion of the spirit of civilisation. All the same, there must be room for everybody. The world is big enough for French and English to sit down side by side without necessarily treading on each other's toes. To be brief, England had concluded agreements with us which did not guarantee us her military assistance. She only decided to intervene after the invasion of Belgium. As I have already said in the Chamber her original point of view was a false one, because at the time when England helped to impose upon us Belgium as an insurmountable barrier, it was the neighbourhood of an enemy force at Antwerp which she feared. She has since learnt, in secret meetings at which I was present and which I shall not forget, to fear for Calais. It is for this reason that in reply to certain criticisms of the treaties of alliance I have stated that even if there were no treaties England would come to our assistance all the same, that she could not do otherwise.'

After denying that it would have been possible to allow the French Chamber to take part in the peace negotiations, as it would have been contrary to the French Constitution, the President of the Council proceeded to refer to the negotiations amongst the Allies, and said that the great merit of the discussions which had taken place was that they were pursued in the tone of a conversation, a friendly conversation, even when there were cruel things to be said—'and we were all agreed in saying as few disagreeable things as possible'—a conversation in which everybody spoke freely, and when an agreement was not reached, the discussion was adjourned until the next day, or a demand was made for a certain number of days for reflection, or experts were called in. Monsieur Clemenceau laid particular stress on the fact that, contrary to what had been said, experts were frequently summoned and listened to by the Four: and that the Four were, in fact, more often than not, twelve to fifteen.

Returning again to the question of the exclusion of the Chamber from the peace negotiations, Monsieur Clemenceau quoted the reply which he gave to Monsieur Albert Thomas in the Chamber on December 29th, 1918, when he said: ' "If your continued confidence allows me to attend the Conference, I shall go there with this idea, namely, that the solidarity which is the outcome of the war must be maintained in times of peace." This remark was received with applause by the Chamber, and to make my idea quite clear, I added: "To do this I shall make all the necessary sacrifices," and the Chamber applauded me again. That is the spirit of mind in which I attended the Conference.'

The President of the Council made protracted reference in his speech to the questions of German militarism and of German unity. He said that it was necessary to destroy German militarism, but, on the pretext of destroying German unity, how could he, he asked, have allowed the butchery to continue at a moment when Germany was asking for an armistice, and thereby caused the death of yet another fifty thousand men? He affirmed that Germany's defeat was in itself bound to provoke a consolidation of German unity, but events were marching, he continued, if only we had sufficient patience to await them. The situation created by the Peace Treaty was about to develop in a sense which would depend undoubtedly upon the Germans, but also upon the French. 'The German,' Monsieur Clemenceau continued, 'is a man who enslaves himself in order to enslave others: we are men who wish to be free in order to liberate others. There are sixty million men in Germany with whom we must put up. We respect their liberty: but we take the necessary precautions to ensure their respecting our liberty: we cannot do more. As for conquering Germany like Napoleon conquered Spain, that does not enter into our order of ideas.'

Referring more especially to Germany's disarmament, and her present military situation, Monsieur Clemenceau stated that there was a great difference between five million soldiers and one hundred thousand: that obligatory service had been suppressed, which the military experts had as a matter of fact proposed to retain: that all heavy artillery had been suppressed, and that the light artillery had been reduced from nine thousand to two hundred and eighty-eight pieces. Speaking of Monsieur Lefèvre's amendment[2] and of the reasons why Germany was allowed these two hundred and eighty-eight pieces, as well as the retention of her fortresses on the east, he added, 'It is because Germany requires the means of self-defence, and because we have an interest in not seeing a second Bolshevist Russia in the centre of Europe: one is enough.' Monsieur Clemenceau also pointed out in this connection that Germany was now surrounded and guarded by Belgium, Poland, Czecho-Slovakia, Jugo-Slavia, and Roumania, and he added that to-day he feared Germany's economic rather than her military domination. He alluded to the defeat of the Germans by the Letts before Riga,[3] and attributed it to the fact that the necessary armament was no longer forthcoming, and that organisation was lacking, and he added that big changes and developments were bound to take place in Germany.

Turning to the question of German responsibility, the President of the Council said that Monsieur Ignace, Under-Secretary of State for Military Justice, had brought him yesterday a large dossier containing an account of the abominable crimes committed by the German soldiery, with the names

[2] See No. 164.        [3] See Volume III, Chap. I.

of the criminals and the proof of their crime. 'I have read therein', continued Monsieur Clemenceau, 'of deeds which I should have thought could never have been mentioned even in history, of orders given to collect women like cattle, good or bad alike, for unspeakable purposes. We cannot amnesty deeds like that. It would be better for France to collapse than to be dishonoured.'

Monsieur Clemenceau admitted that in the matter of reparations, and especially from a financial point of view, France had not obtained all that was due to her. For instance, Belgium had obtained priority over a certain sum of money for reparation, but not France. All the more reason, he added, to say to our allies to-day: 'You have given priority to Belgium, who has suffered infinitely less damage than we have. Now let us discuss our position.'

After a further reference to the League of Nations, and to the necessity of finding men capable of making the League a living entity, Monsieur Clemenceau spoke of the great work which had been accomplished in founding a Parliament of Labour. 'It remains to see how it will work in practice. It is one of my favourite themes to discuss the failure of the governing classes in France. Will you forget for a moment the fact that we are all more or less of the governing class, and allow me to say that I attribute our misfortunes principally to the fact that we have never had any governing classes. The nobility was only capable of making war on kings. Louis XIV ruined the nobility, Louis XV corrupted it, and Louis XVI had it guillotined.' Speaking of the bourgeoisie, he said that was intelligent, but too much wrapped up in its own class distinctions. It had not done enough to remedy human ills. It had been afraid of revolt, forgetting that it began by revolting itself. 'And now,' he pursued, 'I see the day arriving when Labour will sit at this formidable banquet, and help themselves in their own way. They will not listen to me, but I should like them to become firmly convinced that, in the same way that the nobility thought that everything was permitted to it, and found that it was not so, in the same way that the bourgeoisie thought that everything was permitted to it, and found that it was not so, similarly, if Labour think that they can upset the social order as they choose, because they imagine that they have the means to do it, they will commit the most terrible error in their own personal interest as well as in that of France. It must not be imagined that it depends on a certain number of men to arrest the economic life of a country, without doing themselves at the same time the most serious injury.'

In conclusion, Monsieur Clemenceau made an eloquent appeal for union in France, and emphasised very strongly the absolute necessity of increasing the birth-rate in France. He urged the candidates at the forthcoming elections to take common action on this question, so as to make the French nation accept the principle that large families were absolutely necessary: and he added that without this, it did not matter what wonderful clauses were put into treaties, France would be lost. Monsieur Clemenceau concluded his speech with these words: 'Let us have confidence in ourselves, in order that we may inspire confidence in others. Our fathers have bequeathed to us

667

the most splendid history in the world. We, their children, can well bear witness to the fact that we have placed France and the Republic at her apogee in the world's estimation. This glorious legacy we can hand on to our children: they are of too good a race to degenerate.'

I have, &c.,
DERBY

## No. 182

*Sir E. Crowe (Paris) to Earl Curzon (Received October 14)*

*No. 1434 Telegraphic: by bag [141190/11763/4]*

PARIS, *October 13, 1919*

Your tel. No. 1220[1] (of Oct. 9. Belgium and Holland).

Matter has been discussed with Monsieur Laroche, Chairman of Committee for revision of the 1839 treaties, and he agrees that procedure proposed would probably do good. French relations with Belgium are however for the moment strained owing to the recent Luxemburg vote in favour of economic union with France, so that initiative with Belgian Government should preferably come from H.M. Ambassador at Brussels, although French Ambassador could be instructed to support his colleague's action.

The situation in the Committee for the revision of the 1839 treaties is that the Belgian representatives show no inclination whatever to discuss economic questions with the Dutch until they can obtain some certainty that question of defence of Limburg, &c., will be taken up and settled satisfactorily. They seem to apprehend that whereas a settlement of economic matters might be comparatively simple, defence negotiations will come to nothing and that they will be told that they must rest content with solution of such matters as the lighting and buoying of the Scheldt, &c., without any guarantee that Holland will co-operate in defending Limburg against a possible German aggression in the future.

The Dutch are ready to agree to Antwerp becoming a war-port, if Belgium so wishes, and to permit Belgian warships to pass up and down Scheldt between Antwerp and the sea without any formalities in time of peace, and to give Belgium some days of grace to get warships out of Antwerp to the sea in event of war.

Belgian delegates profess not to see any desire on part of Holland to be conciliatory, and are altogether unreasonable.

Dutch delegates on their side refuse to consider question of a military agreement with Belgium in present state of strained relations between the two countries, but might, I think, be brought to agree to conclusion of such agreements at a later date under auspices of League of Nations.

Belgians pretend to see no sort of security in such provisions and matters are at a dead-lock.

[1] Not printed. This short telegram asked for Sir E. Crowe's observations upon the last paragraph of No. 169.

In these circumstances Monsieur Laroche has drawn up in concert with Mr. Tufton a tentative draft of a treaty which might they think well serve as a basis of discussion between the Powers interested. Text of this, which has not yet been shown to either Belgians or Dutch or any of other allies is annexed to this telegram.

I would suggest that Belgian Government should be approached now by H.M. Ambassador in Brussels and told that Committee in Paris cannot sit for ever and that it behoves them to show a much greater readiness to negotiate with the Dutch than has hitherto been the case—that unless this is done, the only alternative will be to bring the Committee's labours to an end, and that Belgium will then get no redress of her grievances at all, and finally that whilst the military negotiations are going on, it is essential that the economic negotiations should be pursued with energy *pari passu*, for which object they must send their experts back to Paris. H.M. Ambassador could add that there is no idea of settling the economic matters apart from question of defence.

To the Dutch, I would hold somewhat similar language, saying that matters cannot be allowed to drag on much longer, that whilst every allowance is being made for Dutch susceptibilities, we cannot see what possible reason they can have for objecting to entrust the Council of the League of Nations with the task of supervising the measures necessary to provide Belgium with the security which she is seeking on her eastern frontier. Holland should also send her experts back to Paris at once with concrete proposals to meet Belgium in economic matters.

If you decide to instruct H.M. representatives at Brussels and the Hague in this sense, I should be glad to have text of instructions as I would then ask M. Laroche to have the necessary directions sent to the French representatives at Brussels and the Hague to support strongly the action of their British colleagues.

ENCLOSURE IN NO. 182

*Révision des Traités de 1839*

*Avant-projet de Traité*

Les Etats-Unis d'Amérique, la Belgique, la Grande-Bretagne, la France, l'Italie, le Japon et les Pays-Bas,

Considérant que la clause de neutralité perpétuelle et la garantie y afférente stipulées par les traités de 1839 etc. avaient pour objet essentiel de contribuer au maintien de la Paix générale,

Considérant que ces stipulations, comme l'ont démontré les évènements de 1914 se sont montrées inefficaces à atteindre le but en vue duquel elles avaient été établies,

Considérant que la défense territoriale de la Belgique demeure d'un intérêt primordial pour la paix générale et que la situation géographique de ce pays impose aujourd'hui comme et [en] 1839 des dispositions particulières à cet effet,

Estimant en conséquence, d'un commun accord, que le maintien de la clause de neutralité perpétuelle et la garantie y afférente mentionnées plus haut n'est plus justifié et qu'il importe de substituer aux dispositions des traités de 1839 des stipulations nouvelles,

Considérant, d'autre part, que les Pays-Bas ont déclaré qu'ils feraient de toute violation de leur territoire par un autre Etat un *casus belli*,

Considérant enfin que les Pays-Bas ont par . . .² en date du . . .² fait connaître leur adhésion à la Société des Nations et aux stipulations du Pacte qui la régit,

Et ayant pris connaissance du traité conclu en date de ce jour entre La Belgique et les Pays-Bas,

Ont nommé pour leurs plénipotentiaires, savoir: . . .²

Lesquels, après avoir échangé leurs pleins pouvoirs reconnus en bonne et due forme, sont convenus des dispositions suivantes:

### Article 1er

La Belgique et les Pays-Bas reconnaissent que la défense de leurs territoires respectifs intéresse la paix générale, se déclarent prêts aux cas où cette paix serait menacée par un[e] agression dirigée contre leurs frontières, à se défendre dans toute la mesure de leurs forces et à faciliter la coopération des forces armées des autres Puissances signataires du présent traité, membres de la Société des Nations.

Les Hautes Parties contractantes désireuses de se conformer aux dispositions du Pacte de la Société des Nations conviennent donc entre elles dès à présent qu'elle[s] prendront toutes les mesures concertées propres à faciliter l'exécution des stipulations du présent traité et qu'il sera procédé à cet effet le plus tôt possible, sous les auspices du Conseil de la Société des Nations, à la conclusion des accords nécessaires.

### Article 2

Les Etats-Unis d'Amérique, la Grande Bretagne, la France, l'Italie et le Japon, prenant acte du Traité ci-annexé, conclu en date de ce jour entre la Belgique et les Pays-Bas, à l'effet de remplacer par des stipulations nouvelles les articles . . .² du Traité conclu le 19 avril 1839 entre ces deux Puissances, reconnaissent comme abrogé l'article 2 du Traité conclu à Londres le 19 avril 1839 entre l'Autriche, la Grande-Bretagne, la France, la Prusse et la Russie d'une part et les Pays-Bas d'autre part, ainsi que l'article 1er du Traité de même date conclu entre l'Autriche, la Grande-Bretagne, la France, la Prusse et la Russie d'une part et la Belgique d'autre part.

### Article 3

Le présent Traité sera, par les soins du Gouvernement de la République française, notifié à l'Allemagne et à l'Autriche (et à la Hongrie), qui seront invitées à y donner respectivement leur adhésion formelle, conformément

---

² Punctuation as in original.

aux articles 31 du Traité de Versailles du 28 juin 1919 et 83 du Traité de Saint-German-en-Laye du 10 septembre 1919.

### Article 4

Dès qu'un Gouvernement russe aura été régulièrement reconnu par les Hautes Parties contractantes, la Russie sera invitée à donner son adhésion au présent Traité.

Le présent Traité sera ratifié et entrera en vigueur dès l'échange des ratifications, qui aura lieu à Paris.

### No. 183

*Mr. Gurney (Brussels) to Earl Curzon (Received October 16)*

*No. 384 [142060/11763/4]*

BRUSSELS, *October 13, 1919*

My Lord,

Monsieur Orts, Secretary-General at the Ministry for Foreign Affairs, who has been acting as Belgian delegate in the negotiations at Paris for the revision of the Treaties of 1839, asked me to come to see him to-day and gave me a long account of recent developments in the evident hope of enlisting the sympathy and support of His Majesty's Government.

He began by saying that he feared it was generally believed that the Belgians were adopting an unconciliatory attitude. This was, however, far from being the case.

As regards the economic side of the question, the negotiations with the Dutch were proceeding quite favourably and the main points were already settled in principle. The Dutch had agreed to the construction of the Scheldt–Rhine and Antwerp–Moerdijk Canals and the widening and ultimate improvement of the Ghent–Terneuzen Canal, and only points of detail remained to be discussed. As far as the Scheldt itself was concerned, they had consented to the establishment of a joint commission with the powers of a corporate body, which would control traffic and the lighting and marking of the channel, and arrange for the execution of the works necessary to keep the river in a condition to meet present and future requirements. The Dutch had also consented to waive their right of veto in regard to such works, and, in the event of disagreement between the members of the commission, the matter would be referred to a panel of arbitrators appointed in advance. The question of the payment of the cost of these works had also been arranged in principle.

Whilst, however, the economic question was thus in a fair way to settlement, the position of the political question was far from satisfactory. In the first place, the Belgians did not concur in the view of the committee that the Scheldt should be closed in time of war, and their technical experts had, he thought, replied effectively to the arguments put forward in support of this view by the Allied naval and military advisers.

The point, however, on which they felt most strongly was that of the defence of Limburg. On this the policy of the Allies had, he said, been vacillating. When the question of revision was first raised, the Allies had spoken of territorial as well as economic adjustments. Transfers of territory had, however, subsequently been excluded from the scope of the negotiations.

In their memorandum presented to the delegates on the 16th September[1] the Allies had admitted that Belgium had a right to demand military guarantees for the purpose not of limiting the extent of a possible invasion, but of preventing it, that the Allies themselves were interested in her obtaining such a guarantee, and that the defence of the Meuse and of Limburg, which was an essential condition for the security of Belgium, should form the subject of a scheme concerted between Belgium and Holland. Monsieur Laroche, the chairman of the committee, had stated at the same time that the Allied delegates would not sign any treaty which did not afford Belgium an adequate guarantee.

At a meeting held on the 19th September,[2] however, the British military expert had suggested that it would be sufficient if Holland undertook:

1. to enter the League of Nations as soon as possible;
2. to regard the invasion of Dutch territory as a *casus belli*, and
3. to take measures for the defence of Dutch Limburg and adjoining territory.

As Monsieur Orts pointed out, this suggestion, in which the American expert concurred, ran entirely counter to the memorandum of the committee and was quite inadequate to meet the situation.

Since then Monsieur Laroche had submitted to Monsieur Orts a draft agreement, which he said he had prepared himself,[3] providing (1) that Belgium and Holland should undertake to defend their respective territories against attack and concert with the League of Nations the measures necessary to give effect to this undertaking, and (2) that the guarantee given in the Treaty of 1839 was abrogated.

Monsieur Orts pointed out, among other objections to such a treaty, that Belgium had already given a similar undertaking in the Covenant of the League of Nations and that to ask her to repeat it appeared tantamount to throwing a doubt on her word; that it placed Belgium on the same footing as Holland and that instead of giving Belgium the guarantee of security promised by the Allies, it actually took it away, and at the same time placed new obligations upon her. He had begged M. Laroche not to submit the treaty to the committee, as its publication could not fail to give rise to undesirable comment in Belgium.

The tendency seemed now to be to refer the matter to the League of Nations. This he deprecated, amongst other reasons, because Belgium would

---

[1] See No. 132, note 5.       [2] See No. 136.       [3] Cf. No. 151.

thereby lose the benefit of article 31 of the Treaty of Peace (one of the few benefits accruing to her under the treaty), which provides that Germany accepts in advance whatever conventions may be entered into by the Allies to replace the Treaties of 1839.

As evidence, however, of his conciliatory spirit, he was quite prepared to consider any scheme put forward by the Allies for a solution of the question by the League. He would, however, like to know first whether His Majesty's Government considered that the League would be competent to negotiate an agreement of this nature.

He himself thought that this was not the case. In the first place, the action contemplated by the Covenant was limited to the initiation of measures after, and not before, acts of aggression took place.

In the second place, he pointed out that any agreement would be aimed at Germany. If, therefore, Germany were a member of the League, it would be difficult for the League to concert measures which necessarily implied doubts as to her sincerity; and, if she were not yet admitted to the League, she would not unnaturally refuse to become a member if one of the first acts of the League were to negotiate an agreement of this nature.

He urged me however to ask for an expression of the views of His Majesty's Government on the subject and reiterated that he would gladly discuss any measures which they thought practicable and which would afford the guarantee required by Belgium.

I asked Monsieur Orts whether the Belgian Government had thought out a scheme for co-operation between Belgium and Holland, and what advantage Holland would gain from such a military agreement as they proposed. He replied that what they would propose was that Holland should undertake to establish defensive works at Maestricht and at other points on the Meuse and to maintain a certain force in Limburg. In the event of invasion, the Dutch would be able to send troops and supplies through Belgian territory, and Belgian troops would enter Limburg in support. There would be no Belgian soldiers in Limburg in time of peace and they would only be sent there in case of actual invasion.

The advantage accruing to Holland would be that, if such preparations were made, Limburg would not be attacked by Germany, and Holland would thus avoid being drawn into war in defence of her territory, whereas if no defensive measures were taken, it was the unanimous opinion of the Allied experts that in the event of another war Germany would certainly advance through Limburg.

I then asked whether he did not think that if the question were postponed, there would be more chance of Holland consenting to a military arrangement. She was clearly ill-disposed towards Belgium at present; was it not possible that she might show a more accommodating disposition after a certain lapse of time? Monsieur Orts said that the contrary appeared to him to be the case. Germany was now alone. In a few years' time, however, she would have friends and Holland would then be still less inclined to risk her displeasure. If proposals had been made last November, Holland might have listened to them more readily, but her attitude had been growing steadily less conciliatory.

Throughout the conversation, which lasted for nearly two hours, Monsieur Orts spoke most earnestly and he evidently felt that Belgium was not receiving from her Allies the measure of support which she had a right to expect, especially in a matter which they had admitted closely affected their own interests.

He felt that the Belgians had perhaps made a mistake in not urging their case in personal interviews with the Allied representatives at Paris and at home, as the Dutch had done. He said, however, that he had found it difficult to talk to the British delegates at Paris, as he had seldom had opportunities of meeting them, and he had been too much absent from Brussels to discuss matters fully with His Majesty's Ambassador. He hoped very much that on his return to Paris Sir E. Crowe would grant him an interview, as he felt that in the course of a personal discussion some workable arrangement could be devised.

The Belgian Government, he said, regarded the Limburg question as one of vital importance and they felt that if the negotiations terminated without an agreement being reached on the subject there would be an outbreak of indignation in the country. The military considerations were apparent from the map, and no guarantee which His Majesty's Government could give would avail unless Belgium could defend her eastern frontier until British assistance could arrive. If that frontier were not effectively defended, Belgian soil would again be overrun, and the battle would once more be fought on the Yser.

Before leaving I endeavoured to sound Monsieur Orts in regard to the proposals for an economic arrangement with Holland which formed the subject of Mr. Robertson's telegram No. 1464[4] of the 7th instant, with the idea of suggesting that such an arrangement might perhaps lead to a better understanding between the two countries and thus facilitate the ultimate negotiation of a military agreement with Holland. He replied at once, however, that any economic arrangement must follow and not precede a political one and he gave no indication that he had been a party to any overtures to Holland of this nature.

I am forwarding copies of this despatch to the Peace Delegation at Paris and to His Majesty's Chargé d'Affaires at The Hague.

I have, &c.,

HUGH GURNEY[5]

[4] No. 169.
[5] A summary of this despatch was communicated by Mr. Tufton to M. Laroche in a letter of October 20, 1919.

## No. 184

### Earl Curzon to the Earl of Derby (Paris)
#### No. 1245 [139940/11763/4]

FOREIGN OFFICE, *October 15, 1919*

My Lord,

I transmit to Your Lordship herewith a copy of a despatch[1] from His Majesty's Chargé d'Affaires at Brussels recording a conversation with the Belgian Minister for Foreign Affairs in which Monsieur Hymans announced his intention of approaching His Majesty's Government with a view to concluding an agreement similar to that concluded with the French Government providing for assistance to Belgium in the event of unprovoked aggression by Germany.

I was unaware that any agreement of this nature had been concluded between France and Belgium and I therefore request Your Lordship to enquire of the French Government what the exact position is in regard to this matter.

I am, &c.[2]

[1] This despatch, not here reprinted, is printed as No. 170.
[2] Signature lacking on filed copy of original.

## No. 185

### Sir E. Crowe (Paris) to Earl Curzon (Received October 17)
#### No. 1447 Telegraphic: by bag [142586/11763/4]

PARIS, *October 16, 1919*

My telegram No. 1434[1] (of October 13th).

Monsieur Laroche has seen Monsieur Segers, the first Belgian delegate, and discussed with him informally the draft treaty annexed to my above-mentioned telegram.

Monsieur Segers took exception to the third paragraph of the preamble, commencing:—'Considérant que la défense territoriale de la Belgique', which, he said, he found 'insulting' to his country. He asked for this to be modified, in order to make it clear that Belgium was not being asked to enter into an engagement in the interests of the Powers, but that a guarantee was being sought in the interest of Belgium herself. Monsieur Laroche has consequently suggested altering the third paragraph of the preamble as follows:—'Considérant qu'en raison de la situation géographique de la Belgique la sécurité de ce pays demeure liée au maintien de la paix générale et motive des dispositions particulières.' The French Ambassador at Brussels has been instructed to submit this modification to Monsieur Segers.[2]

[1] No. 182.
[2] In this connexion Sir F. Villiers was instructed in Foreign Office telegram No. 190 of October 21, 1919, to Brussels: 'You should support your French colleague.'

Further Monsieur Segers took exception to the wording of Article 1, but seemed disposed to consider a modification of it somewhat as follows:—

'Les Hautes Parties Contractantes désireuses de se conformer au Pacte de la Société des Nations, sont d'accord pour examiner sous les auspices de ladite Société des Nations, les garanties destinées a remplacer celles stipulées en 1839, pour assurer la securité de la Belgique, en vue du maintien de la paix générale, et s'engagent à prendre les mesures qui seraient nécessaires à cet effet.'

Monsieur Segers was very unconciliatory but Monsieur Laroche thinks that he will advise his Government to accept discussion on the text of the Treaty as now drawn up and will, perhaps, bring back with him from Brussels a considered plan. He told Monsieur Laroche that his return to Paris would be decisive, and would either end in a definite rupture or a settlement in the sense of an agreement.

Monsieur Segers went on to say that if Belgium made up her mind to accept the formula contained in the modified text of the proposed agreement, that is to say, if the League of Nations is to be left to find the necessary guarantees, the only means of getting this text accepted by Belgian public opinion would be to obtain from France and England a continuance of the guarantee not of the neutrality but of the integrity of Belgium until the conclusion of the agreements foreshadowed under the auspices of the League of Nations.

This raises at once the question which formed the subject of Your Lordship's despatch No. 5939[3] and my reply No. 1903[4] of October 3rd and which I hoped would not arise if a settlement could be reached without it.

I do not think I can usefully offer any observations from here as matter is one of high policy which must be decided by Cabinet.

[3] Not printed: see No. 160, note 2.          [4] No. 160.

## No. 186

*Record of a meeting in Paris on October 16, 1919, of the Committee on Organization of the Reparation Commission*

*No. 14 [Confidential/Germany/31]*

The Meeting opened at 10.30 a.m., Monsieur Loucheur in the Chair;

*Present:*

Mr. Dresel, Col. Logan (United States), Sir John Bradbury, Mr. McFadyean, Major Monfries (Great Britain), M. Loucheur, M. Mauclère (France), Sig. d'Amelio (Italy), Col. Theunis, Major Bemelmans (Belgium).

The Chairman reminded the Meeting that the Committee on Organisation would soon give place to the Reparation Commission.[1] The question whether the Reparation Commission could meet without the United States

[1] Upon the ratification of the Treaty of Versailles, then expected for an early date.

having ratified the Treaty would doubtless be submitted to the Supreme Council in the course of the week. The opinion of the French Government on this subject was strongly in the affirmative.

MR. DRESEL reported that he had received from Mr. Lansing a telegram expressing in general terms a similar opinion. Nevertheless it was well to await the confirmation which Mr. Rathbone would furnish and, in any case, to raise the question before the Supreme Council.

SIR JOHN BRADBURY stated that he was not yet informed of his Government's official opinion. The point of view expressed in the course of a former Meeting was that of Lord Sumner.

At the Chairman's request, Sir John Bradbury undertook to draw his Government's attention to the question so as to secure that instructions should be given to the British Representative on the Supreme Council.

THE CHAIRMAN proposed that, in any case, the inaugural Meeting should not take place before the 29th instant as Signor Bertolini had expressed this wish since he would be away until that date.

The Committee agreed.

THE CHAIRMAN added that it would be necessary that the Delegation should inform the President of the Peace Conference or the French Government of the names of their Delegates and their Assistant Delegates already appointed. . . .[2]

### Formation of the Sub-Committee at Essen

THE CHAIRMAN stated that he had had an interview with Herrn Bergmann and Von Lersner and had pointed out to them that as the Treaty must shortly come into force, the time for procrastination was past. The German Delegates seemed, furthermore, to be well disposed but to be hindered in their action by their Government.

The Chairman had told them that he would propose to the Committee on Organisation of the Reparation Commission to start the activity of the Essen Commission about the 22nd October, and they had appeared satisfied.

THE CHAIRMAN suggested therefore that the Delegates should meet on the morning of the 23rd at the French Coal Office at Essen.

This proposal was accepted, and it was decided that the Chairman should, as early as possible, submit to the Delegations a draft of the instructions for the Sub-Commission.

The Committee decided that a Member of the C.O.R.C. should attend one of the first meetings in order to render clear to Germany all the importance attached to this new Sub-Commission.

THE CHAIRMAN suggested to the Belgian Delegate that he should go to Essen for this purpose.

The following Delegates were appointed:—

*U.S.* Mr. G. E. Greer.
*Italy.* Dr. Cav. Mastrocinque.
*Belgium.* M. Roncy.

[2] The ensuing minutes recorded discussion of other matters.

677

THE CHAIRMAN reminded the meeting that the Sub-Commission would also have to occupy itself with the question of transport and that in consequence it would be well to send soon special experts.

From the point of view of transport, the situation, according to the Chairman, was as follows:—In Belgium, France and Germany there was a shortage of from 20/30,000 coal trucks. This situation was in part due to the fact that the transport was now carried out for distances much longer than before the war. The Governments would therefore have to take steps to increase considerably the number of their trucks if they wished to allow Germany to carry out her engagements. This was one of the essential questions, on which the Essen Sub-Commission would have to give its opinion.

COL. THEUNIS pointed out that there would have to be close liaison between the Essen Sub-Commission and the Restitution Commission at Wiesbaden for the Germans complained that the different Inter-Allied Services claimed trucks each urging that it had a right of priority.

THE CHAIRMAN answered that this liaison was very necessary and that it would perhaps be well to have later a Superior Transport Commission, sitting at Mayence or Cologne and having sub-commissions at Essen and Wiesbaden.

COL. LOGAN reminded the Meeting that the Treaty provided for the formation of a Commission for the distribution of the German rolling-stock which would be presided over by an American expert. There should be no overlapping between this Commission and that indicated by the Chairman.

THE CHAIRMAN answered that the Supreme Council had given instructions that this Commission of Experts should work in close liaison with the Reparation Commission. . . .[2]

## No. 187

*Sir H. Stuart (Coblenz) to Earl Curzon (received October 20)*

*No. 92 [143466/140610/1150 RH]*

COBLENZ, *October 16, 1919*

My Lord,

I have the honour to refer to Mr. Urwick's despatch to the Under Secretary of State for Foreign Affairs, No. 76,[1] dated the 9th October, 1919, and to express the hope that I may be favoured with very early instructions as to the course to be followed by me on the ratification of the Treaty of Peace by Great Britain, France and Italy.

2. According to the Opinion of the Legal Adviser to the British Peace Delegation which was communicated to me with Mr. Waterlow's despatch No. 234,[2] dated July 31st, 1919, the Rhineland Agreement comes into force simultaneously with the Treaty of Peace. The Legal Adviser did not, however, state whether the High Commission which is to be established under that Agreement will be properly constituted if all the four Commissioners are not appointed. So far only the Belgian, British and French Commissioners

---

[1] No. 177.     [2] Not printed: see No. 37, note 4.

have been appointed and I understand that the United States Government will not appoint a Commissioner until it has ratified the Treaty of Peace. The Agreement no doubt states that the High Commission 'shall' consist of four members representing Belgium, France, Great Britain and the United States but I doubt whether this statement has really a mandatory character and it seems to me that a High Commission consisting of representatives of three of the Powers, pending the making of an appointment by the fourth Power, would be in substantial conformity with the terms of the Agreement.

3. The further point arises whether the United States Government would recognise the authority of the High Commission in the zone held by its Army if it had not ratified the Treaty and the High Commission contained no American representative. Possibly some satisfactory *modus vivendi* could be arranged with the United States Government, and this seems to me the more probable since the scheme of the Agreement owes its origin to proposals made by the President of the United States. If no such arrangement can be made the High Commission could still exercise its functions in the area not occupied by the United States Army and would, I think, be obliged to do so by the terms of the Treaty and the Agreement. It is difficult to believe that the United States Government would be willing to prolong within the limits of its zone a system of administration more rigorous than that in force in the zones occupied by the other three Powers.

4. If the three Powers concerned are satisfied that a High Commission, consisting of their three representatives only, constitutes a sufficient compliance with the terms of the Agreement it does not seem necessary to seek the German Government's concurrence in this decision. The Germans are not likely to raise objections to an interpretation which would hasten the substitution for martial law of the milder form of administration and control provided for by the Agreement.

5. I have today discussed the situation with Sir William Robertson,[3] who came from Cologne to consult me, and I informed him that, in my opinion, if the High Commission were not constituted when the Treaty came into effect, he could safely continue to administer the British zone of occupation under the military orders and regulations now in force.

I have, &c.,

HAROLD STUART

[3] General Officer Commanding-in-Chief, British Army of the Rhine.

**No. 188**

*Sir E. Crowe (Paris) to Sir C. Marling (Copenhagen)*

*No. 15 Telegraphic* [*460/3/10/19447*]

PARIS, *October 16, 1919*

Your telegram No. 5.[1]

Schleswig Commission will not await co-operation of United States.

[1] No. 173.

## No. 189

*Sir C. Marling (Copenhagen) to Sir E. Crowe (Paris. Received October 18)*

*No. 6 Telegraphic [460/3/10/19686]*

COPENHAGEN, *October 17, 1919*

Your telegram No. 15.[1]

Commission understands that German Government have accepted this arrangement and may consider its completion[2] without fifth commissioner required by treaty. Is this so?

[1] No. 188.

[2] It was suggested on the original that this passage should read '. . . consider itself complete', &c.

## No. 190

*Sir C. Marling (Copenhagen) to Sir E. Crowe (Paris. Received October 18)*

*No. 7 Telegraphic [460/3/10/19687]*

COPENHAGEN, *October 17, 1919*

Astoria telegram No. 14.[1]

In spite of moderate and conciliatory attitude of German delegates here there is a good deal of evidence tending to show Germans will make trouble if we give them chance. Commission are quite unanimous that such a chance would be provided if they should attempt to take over Schleswig before troops and ships have arrived. I hope you will be able to secure that they arrive well within 10 days allowed for evacuation so as to make things safe.

I suppose Paris is making arrangements to secure evacuation of German troops before arrival of forces attached to Commission.

It would be most useful that commanding officer chief of staff should come here at once or at least that commanding officer should be put into communication with commission.

[1] Not printed.

## No. 191

*Mr. Ovey (Christiania) to Earl Curzon (Received October 30)*

*No. 197 [146975/71509/30]*

CHRISTIANIA, *October 17, 1919*

My Lord,

I have the honour to acknowledge the receipt of your Lordship's despatch No. 123[1] of the 25th ultimo enclosing correspondence with regard to certain

[1] This formal covering despatch (not preserved in Foreign Office archives) transmitted a copy of a Foreign Office despatch of September 24, 1919, to Sir E. Crowe at Paris, informing him that Mr. Ovey had requested, in a telegram of September 18, that he might be furnished with information regarding the three questions mentioned below.

proposals submitted to the Norwegian Government relative to Spitzbergen, the Norwegian-Finnish frontier, and the formation of a Norwegian Chartered Company in German East Africa.

Since the receipt of the above-mentioned despatch, I have had the opportunity of meeting Baron Wedel Jarlsberg[2] at a dinner given by the Ministry for Foreign Affairs. After discussing the question of Spitzbergen with the Minister, I enquired whether there was not something else that Norway might desire, and he entered forthwith into a discussion regarding the North-Eastern frontier and the Chartered Company question. This conversation was purely informal.

As regards the Chartered Company question he told me that Lord Milner had described his proposal as 'brilliant and ingenious'.

As regards the question of the North-Eastern frontier he laid emphasis, as did the Swedish Minister, who joined us during the discussion, on the extreme importance of the question, which both these gentlemen agreed was the most important outstanding one for Scandinavia. I asked the Minister for Foreign Affairs two days later to explain to me the point of view of the Norwegian Government in this matter, which he was kind enough to do with a map before us. I am still not aware what representations have actually been made by the Norwegian Government in Paris or London upon the subject, regarding which a report was transmitted from this Legation as long ago as last winter.

The principal point, however, which seems to interest Norway and in which, according to Baron Ramel,[3] the Swedish Government are equally interested is the maintenance of the existing Norwegian-Russian frontier in the north instead of a continuous Finnish frontier running down to the sea. If the Finns were given the strip including Petchenga the Norwegian Government would of course lay claim to Boris Gleb, which would be isolated from Russian territory by the intervening Finnish 'corridor' to the sea.

I enquired of the Minister for Foreign Affairs whether he had any desire to effect a rectification of the frontier where Finland runs so far in between Norway and Sweden in the direction of Tromsö. His Excellency replied with a smile that that of course would be desirable, but he did not give me the impression that there was any serious attempt to effect any changes in this quarter.

Baron Wedel Jarlsberg in his conversation, which he described as being 'between ourselves', had expressed great delight at his reception in Norway, and particularly at the hands of the Committee for Foreign Affairs to whom he explained the state of the negotiations regarding Spitzbergen. On Sunday last[4] a large banquet was given him at which 350 persons were present, including the Prime Minister, the Minister for Foreign Affairs and leading representatives of all interested parties. Many speeches were made. During the course of his own speech the Minister referred to 'a greater

[2] Norwegian Minister at Paris (cf. No. 138), recently returned to Norway.
[3] Swedish Minister at Christiania.
[4] October 12, 1919.

Norway'—a phrase which has been commented upon in the press as indicating that some scheme is on foot to secure a colony for Norway. It cannot be said that the idea is well received on the whole by the press, except perhaps by the *Tidens Tegn* which is in turn attacked by the *Verdens Gang* as being always ready to engage in any form of activism. The *Verdens Gang* admits the delights of a colony and pictures the Norwegian Viking ships setting forth for its distant coasts carrying its new Governor—say Fridjof Nansen—and the delight of the small negro boys on its arrival. In practice, however, it sees no advantage to Norway in such a scheme. The *Norges Handels og Sjöfartstidende* declares that while there is no official explanation of what the Minister meant in his reference to 'a greater Norway', it has 'the best grounds for supposing that he had no territorial expansion whatever in his mind'.

The *Norsk Intelligenssedler* contained a leading article on Thursday October 16th in which it commented on the effect produced on certain papers which had seriously taken up the question that Norway was contemplating taking up a large new colonial district, and particularly the *Social Demokraten* which completely lost its balance at the thought of such activity in German East Africa.

After wondering whether utterances of this kind were a mere outbreak of sensationalism or a real solicitude for the prosperity of the country the article continues that anyone who takes the trouble to think will understand that there can be no serious question of Norway taking over any colonial territory whether in German East Africa or elsewhere. Further it will be equally clear that the Government cannot on its own account engage in any such schemes when so far as is known there have been no representations made either in Paris or London. The *Social Demokraten* should therefore find more useful subjects on which to expend its solicitude.

As regards the question of compensation the article concludes by calling attention to the fact that Norway is obviously not bound to accept any compensation except in a form which would be advantageous to herself.

I took the opportunity at a recent diplomatic reception at the Utenriksdepartement to mention to Mr. Ihlen[5] the semi-official views expressed in your Lordship's despatch No. 121[6] of the 20th ultimo. His Excellency appeared to take note of my observations.

The discussion in the press arising from Baron Wedel Jarlsberg's reference to 'a greater Norway' would appear to be in the nature of a *ballon d'essai* to test public opinion in the matter.

The result of the test appears to be that the public are not interested in securing a colony and the article in the Government organ almost amounts to a public démenti of any such intention on the part of the Norwegian Government; whether the less ambitious proposal of the Chartered Company will be revived, and what the reception by the public would be is more difficult to decide.

Baron Wedel Jarlsberg on his departure informed a newspaper repre-

[5] Norwegian Minister for Foreign Affairs.
[6] No. 138.

sentative that the expression 'a greater Norway' merely referred to trade expansion.

I have, &c.,<br>ESMOND OVEY

## No. 192

*The Earl of Derby (Paris) to Earl Curzon (Received October 21)*

*No. 1008 [143745/11763/4]*

PARIS, *October 17, 1919*

My Lord,

I have the honour to acknowledge the receipt of Your Lordship's despatch No. 1245[1] Confidential of the 15th instant in which you were good enough to furnish me with a copy of a despatch from His Majesty's Chargé d'Affaires in Brussels recording a conversation with the Belgian Minister for Foreign Affairs, to the effect that Monsieur Hymans announced his intention of shortly approaching His Majesty's Government with a definite request for the conclusion of an agreement *similar to that concluded with the French Government* providing for assistance to Belgium in the event of unprovoked aggression by Germany.

As reported by Sir Francis Villiers in his memorandum[2] enclosed in Your Lordship's despatch No. 1135[3] of the 9th September last, there is probably no doubt that the ultimate conclusion of a Franco-Belgian defensive alliance, in the case of unprovoked attack by Germany, is contemplated, but, so far as I am aware, no definite negotiations are proceeding to this effect, nor would the moment appear to be an opportune one to conclude an agreement in this sense in view of the recent plebiscite in Belgium [? Luxemburg], and the dissatisfaction felt by the Belgian Government on account of the French claims to control the Luxemburg railways.

In connection, however, with the general question of such an alliance, I beg leave to refer you to the despatch No. 925[4] Very Confidential of September 22nd, addressed to you on the subject by Sir G. Grahame, in whose views I concur. It is possible, therefore, that by the reference in his conversation with Mr. Gurney to the conclusion of an agreement similar to that concluded with the French Government, Monsieur Hymans meant either the Anglo-French-American Treaty of Alliance signed at Versailles on June 28th last, or the agreement which he *proposes*, as stated in Sir F. Vill[i]ers' memorandum above-mentioned, to conclude with the French Government.

I would accordingly suggest that His Majesty's Chargé d'Affaires at Brussels might be requested to take an opportunity of ascertaining from Monsieur Hymans the exact sense of the observation which I have underlined[5] in the first paragraph of this despatch.

I have, &c.,<br>DERBY

[1] No. 184.    [2] No. 108.    [3] Not printed: see No. 139, note 1.
[4] No. 139.    [5] Here italicized.

## No. 193

*Sir E. Crowe (Paris) to Earl Curzon (Received October 18)*

*No. 1451 Telegraphic [143004/11763/4]*

PARIS, *October 17, 1919*

My telegram No. 1447[1] of October 16th. Belgium and 1839 Treaties.

M. Laroche informs me that French Government would be disposed to join with His Majesty's Government if necessary in guaranteeing integrity of Belgium until conclusion of Agreements foreshadowed under auspices of League of Nations.

[1] No. 185.

## No. 194

*Record of a meeting in Paris of the Subcommission[1] on the navigation of the Scheldt*

*No. 1 [Confidential/General/177/9]*

*Procès-verbal No. 1. Séance du 17 octobre 1919*

La séance est ouverte à 16 heures sous la présidence de M. le Capitaine de vaisseau Le Vavasseur.

*Sont présents:*

M. Fred K. Neilson (*États-Unis d'Amérique*); le Général Mance, le Professeur Pearce Higgins, le Capitaine de vaisseau Fuller et le Capitaine de frégate Macnamara (*Empire britannique*); le Capitaine de vaisseau Le Vavasseur, le Lieut[t]-Colonel Réquin et M. de Saint-Quentin (*France*); le Professeur Anzilotti, le Capitaine de corvette Ruspoli et le Major Rugio (*Italie*); le Colonel Nagai (*Japon*); M. de Visscher, M. Hostie et le Major van Egroo (*Belgique*); le Professeur Struycken, le Baron de Heeckeren, le Capitaine de vaisseau Surie, le Lieut[t]-Colonel de Quay et le Lieutenant Carsten (*Pays-Bas*).

LE PRÉSIDENT. Messieurs, nous sommes réunis pour répondre aux trois questions posées, lors de la dernière séance (*Voir P.-V. n° 10 de la Commission plénière, page 219*),[2] par les Délégués belges au sujet de l'Escaut, savoir:

*Objet de la réunion.*

1° Entrée et sortie des bâtiments de guerre belges par l'Escaut;

2° Entrée et sortie des bâtiments de commerce en temps de guerre;

3° Retraite par l'Escaut.

Je crois que la Délégation britannique a préparé des propositions à soumettre à la Sous-Commission; de même, la Délégation belge, je crois, a également ment une rédaction à nous soumettre. . .[3]

[1] i.e. a subcommission of the Commission for the revision of the Treaties of 1839: cf. No. 178.

[2] p. 661.

[3] Punctuation as in original.

M. Hostie (*Belgique*). Il doit y avoir un malentendu: M. Segers ne m'a pas parlé de cela; il nous a donné seulement certaines directives, mais il ne nous a pas remis de texte à soumettre à la Sous-Commission.

M. Struycken (*Pays-Bas*). M. Segers avait dit qu'il avait l'intention de soumettre des propositions à la Sous-Commission.

Le Président. Dans ces conditions, la seule chose à faire est de prendre successivement les trois questions et de les étudier avec le désir de trouver un terrain d'entente.

En ce qui concerne l'entrée et la sortie des bâtiments de guerre belges par l'Escaut, le chef de la Délégation hollandaise avait proposé de laisser liberté de circulation aux bâtiments de guerre belges en temps de paix; la Hollande se réservait, le cas échéant, de suspendre cette autorisation pour des raisons dont elle serait juge, pour des raisons d'intérêt national, et cela sans limite de temps.

A cela, la Délégation belge répond en disant que cette restriction lui paraît excessive.

*Passage des navires de guerre belges sur l'Escaut en temps de paix.* M. de Visscher (*Belgique*). La Délégation belge a insisté sur deux points principaux.

Elle a d'abord fait valoir la nécessité d'insérer dans le Traité à intervenir entre la Hollande et la Belgique le principe du libre passage des navires de guerre belges d'Anvers vers la haute mer et inversement; la Délégation belge, ajoutions-nous, ne pouvait pas se contenter de voir consacrer ce principe dans un acte unilatéral du Gouvernement hollandais tel qu'un simple arrêté royal; il lui semble que cette question de l'établissement du statut international de l'Escaut au point de vue de l'admission des navires de guerre doit être réglée par un acte d'État à État.

Notre second point visait la réserve que la Délégation hollandaise apportait au droit de passage des navires de guerre belges en temps de paix. Cette réserve est trop absolue. Si je comprends bien, c'est l'intérêt national hollandais qui, de façon générale, pourrait s'opposer au passage des navires de guerre belges et suspendre leur droit de passage. Cette restriction est tellement large qu'elle va jusqu'à compromettre le principe lui-même. Nous ne pouvons pas admettre une réserve qui va jusqu'à ébranler le principe même du libre passage, puisque c'est le Gouvernement hollandais qui, en définitive, resterait le souverain appréciateur de l'intérêt national qui s'opposerait au passage des navires de guerre belges.

*Recours au Conseil de la Société des Nations.* Le cas que vise la Délégation néerlandaise, au sujet duquel elle croit devoir réserver l'intérêt national, est celui qui implique une menace à la sécurité de la Hollande: nous comprenons fort bien cette préoccupation et nous suggérons à la Délégation hollandaise la solution suivante: lorsque la Hollande estimera — et ce sera tout à fait exceptionnel en temps de paix — que l'admission des navires de guerre belges constitue une menace à sa sécurité, elle pourra s'adresser au Conseil de la Société des Nations et demander son adhésion à la fermeture de l'Escaut aux navires de guerre belges.

M. STRUYCKEN (*Pays-Bas*). Si j'ai bien compris, nous ne sommes pas ici comme Délégués de nos Gouvernements, mais simplement comme experts . . .[3]

LE PRÉSIDENT. En effet; et tout ce que nous pouvons dire n'engage en rien nos Gouvernements; ce que nous faisons, ce sont des travaux préparatoires.

M. STRUYCKEN. La proposition de la Délégation belge apporterait dans le statut international de l'Escaut une certaine équivoque, qui est inadmissible.

Lorsqu'un État a le droit — et c'est ce droit qu'aurait la Belgique — de faire circuler ses navires de guerre sur un fleuve qui dépend de la souveraineté d'un autre État, la souveraineté de ce dernier sur le fleuve n'est plus complète et une telle équivoque peut avoir des conséquences impossibles à prévoir. Un des résultats de cette situation serait le suivant: en temps de guerre entre la Belgique et l'Allemagne, celle-ci pourrait nous faire cette objection: vous dites que l'Escaut est neutre; il ne l'est pas, puisque vous avez donné à la Belgique le droit d'y faire circuler ses navires de guerre; par conséquent, vous, Hollande, n'avez pas la souveraineté complète sur le fleuve, vous la partagez avec la Belgique.

Il y a encore une autre conséquence. Si l'on accordait un tel droit à la Belgique, on créerait un précédent dont on pourrait s'autoriser à propos d'autres cours d'eau; l'Allemagne, par exemple, pourrait demander pour ses navires de guerre le droit de passer par le Rhin.

Tels sont les deux faits que je me borne à rappeler pour dire que la concession que la Hollande désire faire à la Belgique ne peut être qu'une concession unilatérale; ainsi seulement le statut international de l'Escaut ne sera pas modifié, et c'est là ce que nous désirons en Hollande.

On peut avoir confiance dans la bonne foi de la Hollande. Elle dit qu'elle modifiera, et elle le fera, l'arrêté royal sur l'admission des navires de guerre dans ses eaux territoriales; mais elle se réserve naturellement de suspendre temporairement cette autorisation lorsque l'intérêt national hollandais l'exigera. Au reste, il n'est pas seulement question ici de l'intérêt du pays en matière de défense nationale, il peut s'agir aussi d'autres intérêts, par exemple en cas de guerre civile soit en Hollande, soit en Belgique, qui justifieraient pour le Gouvernement hollandais la suspension de l'autorisation générale qu'il promet de donner.

Par conséquent, même cette réserve: 'lorsque la sécurité du pays l'exige', nous ne pouvons pas l'admettre.

LE PRÉSIDENT. Pour nous résumer, la Belgique admet bien le principe de la suspension momentanée de l'autorisation accordée, mais sa manière de voir diffère de celle de la Hollande, lorsqu'il s'agit des conditions d'application. Je crois donc que nous devons chercher une formule d'entente donnant autant que possible satisfaction à l'un et à l'autre État.

M. NEILSON (*États-Unis d'Amérique*). Les Délégués belges désirent que l'Escaut soit ouvert en temps de guerre. Il y a évidemment une différence d'opinion entre les experts militaires belges et les experts des autres Délégations au sujet des avantages ou désavantages qu'il y aurait à laisser le fleuve fermé ou bien ouvert. Mais il me semble que nous ne pouvons pas ignorer le côté juridique de la question: à savoir si une rivière se trouvant sous la juridiction d'un État neutre est assimilée à un sol neutre au point de vue de l'inviolabilité de cette juridiction en temps de guerre; il semblerait que le principe bien établi par le droit international en ce qui concerne non seulement les droits d'un neutre, mais ses obligations à l'égard de l'inviolabilité de sa juridiction, doive faire autorité en la matière.

Avant d'approfondir cette question, il semblerait nécessaire de préciser que, au point de vue juridique, la violation de la juridiction hollandaise sur l'Escaut serait d'une nature différente de celle de la violation du territoire belge commise par les Allemands. Si les Délégués belges peuvent démontrer que cette différence est bien établie, nous serons tous, j'en suis certain, tout disposés à revenir sur cette question.

En ce qui concerne la question du passage des bâtiments de guerre par l'Escaut en temps de paix, nous avons tous cherché, je crois, à éviter de soulever la question de servitude. Il est entendu que l'article du Traité de 1839 qui exige qu'Anvers soit seulement un port de commerce, doit être aboli. Le Comité spécial, qui a examiné cet article il y a quelque temps, a fait remarquer que si cet article était supprimé, il appartiendrait à la Hollande de dire dans quelles conditions, si toutefois elle en émettait, les bâtiments de guerre belges pourraient passer par l'Escaut.[4] Les Délégués des Pays-Bas ont fait connaître qu'un décret royal hollandais, relatif au passage des bâtiments de guerre par l'Escaut, serait amendé de manière à faciliter le passage des bâtiments belges. Puisque le Gouvernement des Pays-Bas a consenti cette concession, j'espère qu'il l'appliquera d'une manière aussi libérale et précise que possible.

M. PEARCE HIGGINS (*Empire britannique*). Je demande la permission de faire connaître le point de vue britannique sur cette question et de présenter quelques suggestions capables de nous conduire à une solution.

1° Le Traité à intervenir entre Hollande et Belgique devrait d'abord reconnaître que l'article 14 du Traité de 1839 est abrogé et que le point de départ, c'est Anvers libéré des restrictions imposées par le Traité de 1839. Ma première suggestion est donc que tel serait le point de départ: Anvers désormais n'est plus soumis à la restriction de n'être qu'un port de commerce; cela ne veut pas dire qu'il deviendra nécessairement un port de guerre; mais il pourra devenir un port de guerre ou rester uniquement un port de commerce.

2° Je propose que la Belgique et la Hollande se mettent d'accord pour reconnaître qu'il n'y aura aucun changement de souveraineté relativement aux parties de l'Escaut qui sont en territoire belge et en territoire hollandais.

3° Le troisième point est plus délicat, c'est celui du passage des navires de guerre belges en temps de paix sur l'Escaut. Il y a, à cet égard, des différences d'appréciation: j'espère qu'elles ne sont pas essentielles, vitales, et que, avec l'aide des Délégués des Nations amies qui sont autour de cette table, nous pourrons concilier les deux points de vue. Je propose que l'on inscrive dans le Traité l'engagement que prendra la Hollande d'accorder par décret royal le libre passage aux bateaux de guerre belges en temps de paix; en outre, je

[4] See No. 121, annex II.

suggérerai à propos de la réserve dont il a été parlé — la suspension des effets du décret royal en cas de nécessité — de spécifier nettement que le décret royal ne serait suspendu qu'après notification préalable au Conseil de la Société des Nations.

Je crois avoir ainsi établi une sorte de compromis entre les deux opinions en présence.

LE PRÉSIDENT. Cette notification serait-elle la communication d'une décision prise ou serait-ce une approbation demandée à la Société des Nations?

M. PEARCE HIGGINS. Ce serait une simple notification à la Société des Nations de l'intention du Gouvernement hollandais de prendre une décision de cette nature.

LE PRÉSIDENT. Et s'il y a urgence?

M. PEARCE HIGGINS. On peut toujours télégraphier.

LE GÉNÉRAL MANCE (*Empire britannique*). Il n'y a pas à attendre de réponse, puisqu'on ne demandera pas l'approbation de la Société des Nations.

LE PRÉSIDENT. On informe donc simplement le Conseil de la Société des Nations que la décision a été prise.

M. PEARCE HIGGINS. 4° Un quatrième point que j'aimerais à soulever dépasse un peu toutes les questions dont nous nous sommes occupés jusqu'ici; néanmoins, il est assez intimement lié à ces questions.

Prévoyant le cas où, par malheur, la Hollande aurait à devenir un État belligérant et où la Belgique serait neutre, je demande que la Hollande accorde à la Belgique un délai raisonnable suffisant pour permettre aux navires de guerre belges qui sont à Anvers de sortir de l'Escaut; la Belgique, en effet, pourrait avoir des mesures à prendre, qui justifieraient ce délai.

5° Le cinquième point englobera, je crois, l'ensemble de la question tel que nous l'examinons en ce moment.

Dans le cas où la Hollande serait belligérante et la Belgique neutre, la Hollande devrait faire tous ses efforts pour laisser le passage le plus libre possible aux navires de commerce belges sur l'Escaut, tout en conservant le droit d'exercer ses droits de belligérant: droit de visite de contrebande de guerre ou autre; en un mot, faciliter dans la plus large mesure possible à la Belgique l'exercice de son commerce.

6° Le sixième point est l'inverse du précédent; c'est celui où la Belgique est belligérante et la Hollande neutre: il n'y aura pas de droit de passage pour les navires de guerre belges sur l'Escaut, soit pour entrer, soit pour sortir.

7° Si la Belgique est belligérante et la Hollande neutre, il y aura liberté de passage pour les navires de commerce belges d'aller à Anvers et d'en revenir, à condition que ces navires de commerce ne transportent pas de contrebande de guerre.

Tel est le compromis que je suggère; il représente en partie mes opinions personnelles et en partie des règles de droit reconnues et admises par tous; je le propose en vue d'aplanir les difficultés qui séparent la Belgique et la Hollande et d'arriver à un accord entre les deux pays. Je crois que si ce compromis est accepté, la position d'Anvers deviendra très favorable et permettra un excellent développement commercial de ce port.

M. Anzilotti (*Italie*). La suggestion faite par la Délégation belge, qui consiste à soumettre au Conseil de la Société des Nations la faculté pour la Hollande de refuser le passage aux navires de guerre belges dans l'Escaut, se heurte, selon moi, à une grave difficulté.

*Recours au Conseil de la Société des Nations.*

Le Conseil de la Société des Nations ne siégera pas en permanence; même s'il siégeait en permanence, un délai plus ou moins long serait nécessaire pour lui permettre de se prononcer sur la question qui lui serait soumise. Or, il est possible que les motifs pour lesquels la Hollande se verrait dans la nécessité de refuser l'autorisation de passage soient extrêmement urgents. Il est probable que jamais ne se présentera l'occasion de refuser cette autorisation, mais si nous devons envisager la possibilité d'un tel refus, nous devons aussi envisager la possibilité d'un refus déterminé par des raisons qui ne souffrent aucun délai.

Pour ces raisons, il me semble donc que la proposition belge n'est pas acceptable.

D'après le droit commun, le passage des navires de guerre ou de tous autres navires dans des eaux territoriales doit être inoffensif, et c'est à l'État dont relèvent ces eaux territoriales à déterminer si ce passage est inoffensif ou non.

Mais si nous voulons néanmoins chercher un compromis en des termes qui garantissent la Belgique contre un refus injustifié de la part de la Hollande, on pourrait modifier la proposition et dire que la Hollande resterait libre de refuser l'autorisation de passage, mais qu'en cas de refus injustifié, un recours devant la Société des Nations serait possible.

Le Colonel Nagai (*Japon*). Il me semble que la question n'est pas tout à fait de nature à être examinée par les experts militaires; par conséquent, je n'ai aucune opinion à formuler.

Le Président. Mon opinion sur cette question est la suivante. Je crois que, tout en laissant à la Hollande le droit de régler la navigation des bâtiments de guerre belges dans l'Escaut, il serait bon que cette décision figurât dans le Traité à intervenir entre la Belgique et la Hollande.

L'article 14 du Traité de 1839 va disparaître, la Délégation hollandaise a donné son assentiment à cette suppression, mais il y a un point très important que nous n'avons pas encore examiné, c'est qu'il y a, entre l'état de paix et l'état de guerre, un état intermédiaire qui est ce qu'on appelle l'état de tension politique. Il ne faut pas qu'en cas de tension politique la Hollande puisse estimer qu'elle a des raisons d'interdire la sortie des navires de guerre belges et surtout de les embouteiller dans le port d'Anvers.

On reconnaît à la Belgique le droit d'avoir un port de guerre à Anvers et d'avoir une marine de guerre: il serait donc nécessaire que, dans le Traité, dans la convention à intervenir entre la Belgique et la Hollande, fût fixé un délai ferme pendant lequel les navires de guerre belges pourraient quitter le port d'Anvers.

Par ailleurs, je crois que le recours à la Société des Nations qui a été proposé est un moyen qui, dans la plupart des cas, serait beaucoup trop long et par conséquent à peu près inapplicable. Je me range donc complètement à l'opinion du Délégué italien pour dire que, au cas où la Belgique considèrerait comme injustifiée la décision de la Hollande de fermer l'Escaut, l'affaire serait portée devant la Société des Nations.

Mais si, comme cela a été annoncé, la Hollande entre dans la Société des Nations, c'est le rôle de cette Société des Nations de trancher les différends qui peuvent surgir entre ses membres: une telle solution, alors, permettrait peut-être de donner satisfaction aux deux parties.

Quoi qu'il en soit, j'insiste sur cette question du délai à accorder aux navires de guerre belges pour sortir d'Anvers, question que je considère peut-être plus avec des yeux de marin qu'avec des yeux de juriste; je demande donc à la Délégation hollandaise si elle verrait une objection à ce qu'un délai ferme, à déterminer entre experts, fût laissé à la Belgique pour la sortie de ses bâtiments en cas de tension politique.

M. Pearce Higgins (*Empire britannique*). Après avoir entendu les explications du Délégué italien et du Président, j'accepte le principe de l'appel à la Société des Nations; quant au délai pendant lequel les navires de guerre belges seraient autorisés à quitter le port d'Anvers, je demanderai que ce délai soit nettement précisé par le décret royal que la Hollande s'engagerait, dans le Traité, à faire paraître.

M. Struycken (*Pays-Bas*). Voulez-vous me permettre, Monsieur le Président, de faire quelques citations?

Je lis dans le 'Résumé des échanges de vues entre les Délégués des principales Puissances sur les questions militaires et navales':[5]

*Réserves hollandaises: souveraineté territoriale et maintien de la neutralité*

L'article 14 du Traité de 1839 doit être aboli, mais *sans modification aux règles du droit international concernant le passage des navires de guerre dans les eaux territoriales hollandaises;* toutefois, comme conséquence de la suppression de l'article 14 et pour écarter toutes difficultés ultérieures, il conviendrait d'inviter la Hollande à bien vouloir faire connaître dans quelles conditions le passage des navires de guerre belges par l'Escaut aura lieu en temps de paix.

Je citerai encore, dans le procès-verbal de la dernière réunion,[6] ces paroles de M. Laroche, Président:

Je crois que les Représentants militaires des Puissances avaient émis l'avis qu'il était impossible de fixer un statut autre que celui qu'ils avaient indiqué au regard de l'Escaut, parce que cela pourrait créer des précédents extrêmement fâcheux qui pourraient être invoqués par d'autres Puissances.

Et plus loin:

Il est une chose que nous désirons vivement c'est que les navires belges

[5] See No. 132, note 5.
[6] No. 178.

ne demandent pas l'autorisation chaque fois qu'ils remontent l'Escaut: l'arrêté royal leur accorde cet avantage; j'ai enfin le devoir de dire — c'est l'avis de nos experts navals — *qu'on ne pourrait pas insister pour obtenir l'insertion dans un traité d'un traitement spécial pour la Belgique, parce que ce serait un précédent très grave qui pourrait être invoqué par d'autres Puissances.*

Ce sera là, Monsieur le Président, mon opinion.

Comme je le disais tout à l'heure, du moment que l'on donne à un autre État le droit de faire passer en temps de paix ses navires de guerre dans les eaux territoriales néerlandaises, ces eaux se trouvent dans une situation équivoque. Cette opinion, j'en ai donné les raisons, auxquelles j'ai le regret de dire que je n'ai entendu opposer aucun argument. Il n'y a pas, dans le monde, d'exemple d'une telle situation privilégiée pour un État. Cette situation équivoque, par conséquent, nous devons la refuser.

D'autre part, ce serait la constitution d'une servitude internationale et, pour cette raison également, cette mesure se trouve exclue par la résolution du 4 juin.[7]

J'ajoute que cette équivoque juridique aurait des conséquences fatales non seulement pour la Hollande, mais aussi pour d'autres pays. Un belligérant aurait le droit de nous dire: l'Escaut n'est pas tout à fait neutre; du moment que vous avez concédé à une autre Puissance le droit d'y faire passer des navires de guerre, même en limitant cette permission au temps de paix, vous n'avez pas la souveraineté complète sur le fleuve.

Pour cette raison, je crains des conséquences fatales pour la neutralité de la Hollande en temps de guerre.

La seconde raison a été également donnée par M. Laroche: ce serait là un précédent très grave pour notre pays. Nous l'avons déjà dit, nous sommes un pays de deltas, nous tenons les embouchures de plusieurs fleuves; si un droit quelconque est donné à la Belgique, on peut s'attendre à ce que, plus tard, d'autres pays demandent un privilège semblable sur d'autres de nos fleuves.

LE PRÉSIDENT. Les Délégués britannique et italien ont bien voulu partager dans les grandes lignes ma manière de voir, mais je crains que le Délégué hollandais ne nous ait pas tout à fait bien compris.

Notre thèse est la suivante. Nous proposons que la Hollande, par arrêté royal, accorde en temps de paix aux navires de guerre belges la liberté de circulation sur l'Escaut et conserve le droit de suspendre cette liberté; mais, au cas où la Belgique estimerait que la suspension prononcée ne serait pas motivée, on appliquerait les dispositions de l'article 13 du Pacte de la Société des Nations.

M. STRUYCKEN (*Pays-Bas*). Si l'on insère cela dans un Traité, c'est pour donner un droit à l'autre partie; c'est également pour cette raison que les Délégués belges le demandent; c'est pour avoir un droit. C'est là toute la

[7] See No. 39, note 1.

question. Sera-ce un droit? Sera-ce, de la part de la Hollande, une concession unilatérale qui laisse intacte sa souveraineté?

Le Président. Avez-vous une objection à laisser aux navires de guerre belges un délai pour sortir d'Anvers, à partir du jour où serait suspendu le droit pour eux de circuler sur l'Escaut?

*Délai de sortie accordé aux navires de guerre belges en cas de tension politique.*

M. Struycken. Est-ce que vous parlez d'un Traité ou de l'arrêté royal néerlandais?

Le Président. Je laisse de côté, pour le moment, la question de forme, et je me place dans la situation de 1914, mais la Belgique possédant une marine de guerre: durant la période de tension politique, laisseriez-vous aux navires de guerre belges un délai pour gagner la haute mer? Il n'y a là, ce me semble, rien de contraire à l'exercice de la souveraineté néerlandaise.

M. Struycken. Si la Hollande n'accordait pas ce délai, c'est que de graves intérêts hollandais lui imposeraient de prendre cette mesure. La Hollande ne veut en aucune façon être désagréable à la Belgique: si elle refusait ce délai, vous pouvez être certains qu'elle obéirait à de graves intérêts de défense nationale ou autres.

Le Président. En un mot, vous admettriez que vous laisseriez toujours aux navires de guerre belges le temps de gagner la haute mer, sauf dans un cas extrêmement grave?

M. Struycken. Oui; c'est là ma pensée.

M. Pearce Higgins (*Empire britannique*). Et cela figurerait dans le décret royal?

M. Struycken. Non, mais cela sera la conséquence naturelle de la nouvelle disposition que nous proposons; seulement, si des intérêts graves l'exigeaient, la suspension immédiate de l'admission des navires de guerre serait décrétée.

Il faudra aussi envisager le cas où des navires de guerre belges, en vertu d'un délai fixé *a priori*, passeraient la frontière néerlandaise à un moment où la guerre a déjà été déclarée.

Le Président. Je n'envisage que la période de tension politique, celle pendant laquelle la guerre n'est pas encore déclarée.

M. Struycken (*Pays-Bas*). Durant cette période de tension politique, la Belgique peut user de l'autorisation générale que nous voulons lui concéder de faire passer ses navires dans l'Escaut; mais des circonstances peuvent survenir, durant cette période, relativement aux nécessités de la défense nationale qui obligent la Hollande à suspendre le droit de circulation; on ne comprendrait pas alors comment on pourrait s'attendre à ce que la Hollande laisse passer les navires de guerre belges. Ce serait demander ce qu'on ne peut pas accorder.

M. Pearce Higgins (*Empire britannique*). Nous n'envisageons la tension que comme intéressant la Belgique; il est évident que, dans l'hypothèse envisagée par la Délégation néerlandaise, il s'agirait presque d'un différend entre la Belgique et la Hollande: dans un cas comme celui-là, la question ne se poserait même pas.

Nous parlons simplement du cas où la Hollande étant neutre, la Belgique a un différend avec un autre pays.

M. Struycken. Dans ce cas, la période de tension politique, c'est encore le temps de paix; les navires de guerre belges jouissent de l'autorisation que nous voulons leur concéder; mais il se peut naturellement que les circonstances nous amènent tout de même à suspendre notre autorisation.

Le Lieut^T-Colonel Réquin (*France*). Il est à craindre précisément que ce soit dans ce temps de tension politique que la réserve hollandaise soit appelée à jouer.

Le Président. En somme, cela reviendrait alors à supprimer la marine de guerre belge.

M. de Visscher (*Belgique*). Il ne nous restera rien.

M. Struycken. Vous accordez à la Belgique le droit de faire d'Anvers un port de guerre; vous ne lui en faites pas une obligation.

M. de Visscher. Il n'empêche qu'on met la Belgique dans l'impossibilité d'user du droit qui lui est conféré.

M. Struycken. Du moment que l'on fait un port de guerre dans un port fluvial, en amont d'un fleuve dont une autre Puissance tient l'embouchure, on s'expose à des difficultés, je le reconnais; mais il n'y a pas de raisons pour demander à la Hollande de résoudre ces difficultés. Trouver la solution dans ce cas, c'est chercher la quadrature du cercle.

Le Président. Je ferai remarquer maintenant que si, comme nous y comptons bien, la Hollande fait partie de la Société des Nations, le problème change d'aspect . . .³

M. Struycken. Naturellement.

Le Président. Si la Belgique, comme cela est certain, fait partie de la Société des Nations, la Hollande sera tenue de lui venir en aide . . .³

M. Struycken. C'est dans le seul Pacte de la Société des Nations qu'il faut chercher la solution du problème.

M. de Visscher. Alors, la question s'élargit; c'est toute la question de l'utilisation militaire de l'Escaut. Si la Belgique est l'objet d'une guerre injuste, la Hollande sera tenue, aux termes de l'article 16 du Pacte, de lui venir en aide.

Dans ces conditions, nous devons réserver complètement cette question de l'admission des navires de guerre belges dans l'Escaut en temps de guerre: elle reviendra lorsque la Hollande fera partie de la Société des Nations.

Le Président. Même en cas de tension politique, la Hollande devra donner alors toutes facilités à la Belgique pour la circulation de ses navires de guerre.

M. Struycken (*Pays-Bas*). Même en cas de tension politique, les dispositions de l'arrêté royal suffiront.

Le Président. Le seul point alors sur lequel nous aurions à nous mettre d'accord, c'est de savoir si nous estimons que la convention doit figurer dans un Traité ou si, au contraire, le décret royal suffira. Ici, il va de soi que je ne m'adresse qu'aux Représentants des principales Puissances.

M. Hostie (*Belgique*). Bien que ce que j'ai à dire ne se rapporte pas directement aux remarques qui précèdent, je demande néanmoins
*Réponse belge aux* la permission de répondre aux observations de M. Struycken
*réserves hollan-* et aux deux arguments tirés de l'atteinte à la souveraineté
*daises.* néerlandaise, d'une part, et à la crainte des précédents,
d'autre part.

En ce qui concerne le premier argument, le droit que nous envisageons en
ce moment, nous l'avons toujours exercé; même s'il y avait là une servitude
— ce qui n'est pas notre sentiment — ce ne serait pas une servitude nouvelle.
Durant la période d'indivision de 1815 à 1830, la Belgique a exercé le droit
que nous demandons, et elle a continué à l'exercer jusqu'au moment où, en
1862, sa marine de guerre a été supprimée. Elle l'a exercé, non pas en ce
sens qu'elle eût une base navale à Anvers, mais en ce sens que les navires de
guerre belges, qui avaient leur base sur la côte, venaient souvent à Anvers:
jamais l'on n'a demandé, jamais l'on n'a été requis de demander une autorisation néerlandaise.

En tout cas, étant donné la nature des eaux de l'Escaut, il apparaît qu'il
ne peut être question, à raison de ce simple passage de navires de guerre,
d'une violation de la neutralité néerlandaise.

M. Struycken est allé jusqu'à dire qu'on doit savoir à quelles difficultés on
s'expose quand on fait un port de guerre d'un port fluvial situé sur un fleuve
dont l'embouchure appartient à une autre Nation: mais le cas d'Anvers est
tout à fait spécial. Anvers existe comme port de mer et son trafic est à peu
près aussi important que le trafic total de la Baltique. Il y a là des eaux maritimes, larges de plusieurs kilomètres, qui servent de passage entre la mer et
un port représentant un mouvement maritime considérable: c'est là le fait
indéniable, en réalité. La question n'est pas sans analogie avec celle du
Sund entre la Suède et le Danemark: le Sund est plus étroit que l'Escaut. . . .[3]

Le Président. Le régime des détroits n'est pas le même que celui des fleuves.

M. Hostie. L'Escaut ne sert qu'à la navigation maritime. Dire le contraire, c'est s'exposer à mettre le droit en contradiction avec les faits.

Et puis, la Délégation hollandaise se demande si on ne pourrait pas tirer
de là un précédent pour le Rhin. Je crois que le précédent ne se conçoit
guère.

Le Rhin, à la frontière hollandaise, est essentiellement un fleuve d'eau
douce; le tirant d'eau des navires qui peuvent y passer ne dépasse pas 2 mètres
80 centimètres. Les bateaux de mer ne remontent le Rhin que tout à fait
exceptionnellement; ce sont essentiellement des allèges; le Rhin est un
fleuve pour bateaux d'intérieur, tandis que l'Escaut est essentiellement une
voie d'eau pour navires de mer, tout comme le Pas-de-Calais, le Bosphore
ou le Sund.

Je ne dis pas qu'en droit, il faille assimiler l'Escaut à ces détroits, mais
il y a là une question de fait dont il faut tenir compte.

M. Struycken (*Pays-Bas*). Il est possible que des navires de guerre belges
aient passé par l'Escaut sans autorisation, c'est un fait; mais ils n'ont jamais
eu le droit de circuler sur ce fleuve, et c'est là la question.

Je le répète, et personne ne peut le contester: concéder à un autre État le droit de faire circuler ses navires de guerre sur nos eaux territoriales, c'est donner à ces eaux un caractère équivoque qui peut entraîner des conséquences fatales pour la neutralité de la Hollande.

M. Hostie (*Belgique*). Ce qui nous sépare, en ce moment, c'est une divergence d'interprétation des clauses du Traité de 1839; mais le fait subsiste. Depuis 1862, nous n'avons plus eu de marine de guerre: personne ne peut donc dire ce qui se serait produit si nous en avions eu une.

M. Struycken. Si la thèse de la Délégation belge était admise, la Hollande aurait donc le droit de faire passer ses navires de guerre dans les eaux de l'Escaut belge sans l'autorisation du Gouvernement belge, puisque dans le Traité de 1839 les droits des deux Pays sur les deux parties de l'Escaut sont réciproques.

M. Hostie. L'Escaut belge ne sert pas de passage entre la haute mer et un port néerlandais; mais s'il y avait, en amont d'Anvers, un port néerlandais, je crois que la théorie du Délégué hollandais pourrait être admise.

Le Président. Messieurs les Délégués belges et hollandais ont bien voulu nous donner leur avis sur cette question; je crois que je puis demander maintenant aux Représentants des principales Puissances de nous donner la leur. Je résume donc la question.

*Caractère des facilités accordées par la Hollande aux navires de guerre belges. Concession unilatérale ou obligation contractuelle?*

La Hollande ne demande pas mieux que de laisser circuler librement, sans autorisation, en temps de paix, les navires de guerre belges sur l'Escaut, mais elle veut conserver son droit de suspendre cette autorisation lorsque son intérêt national serait en jeu; elle demande, en outre, qu'aucun Traité ne mentionne la convention à intervenir à cet égard et que seul un arrêté royal tranche cette question.

Je demande donc aux Représentants des principales Puissances leur opinion sur ce qui doit être fait: la question doit-elle être réglée dans le Traité à intervenir ou doit-on se contenter d'un arrêté royal comme le propose la Délégation néerlandaise?

D'autre part, les Délégués britannique et italien, comme moi-même, avons admis — et je crois que cela va de soi — que la Hollande fera partie de la Société des Nations; dès lors, en cas de suspension que la Belgique considérerait comme injustifiée, la question serait portée devant l'arbitrage de la Société des Nations.

M. Neilson (*États-Unis d'Amérique*). Je pense que, pour la question du droit de passage sur l'Escaut, il est certain que la Hollande a le droit de refuser ce passage, puisqu'elle a la souveraineté territoriale sur ces eaux.

D'autre part, il semble opportun que la Hollande considère la position spéciale d'Anvers et aille aussi loin que possible dans la voie des concessions que la Belgique demande.

Il me paraît désirable, pour plus de certitude et afin d'éviter des difficultés futures, que le privilège que la Hollande se propose d'accorder à la Belgique, en amendant le décret royal, soit incorporé dans le Traité. Mais nous ne pouvons insister pour que les Pays-Bas le fassent. Si le Gouvernement des Pays-Bas ne consent pas à insérer un engagement de cette sorte dans le Traité, je suis d'avis que la Belgique doit se contenter de l'amendement qui sera apporté au décret royal dans un esprit amical, et qui probablement accordera tous les privilèges demandés par la Belgique. Je ne crois pas que la Société des Nations doive être appelée à intervenir dans cette question d'ordre intérieur.

M. Pearce Higgins (*Empire britannique*). Je voudrais savoir quelles propositions le Délégué hollandais est disposé à faire en réponse aux questions que j'ai posées.

Sommes-nous d'accord pour admettre l'abrogation de l'article 14 du Traité de 1839?

M. Struycken (*Pays-Bas*). Oui.

M. Pearce Higgins. Alors le Délégué hollandais accepterait le second point, à savoir que cette abrogation d'une servitude sur Anvers — c'est à cela que revient l'abrogation — n'affecte pas la position territoriale de l'Escaut, n'entraîne aucune modification dans les droits de souveraineté de la Hollande sur l'Escaut?

M. Struycken. C'est ainsi que nous l'entendons.

M. Pearce Higgins. Sur le troisième point, le Délégué hollandais admet-il que le Traité mentionnera qu'un décret royal interviendra?

M. Struycken. Non. Il y aura une promesse faite ici par le Gouvernement hollandais; cela doit rester unilatéral.

M. Pearce Higgins. Est-ce que le Gouvernement hollandais fera une déclaration formelle, écrite, unilatérale que par décret royal il accordera aux navires de guerre belges la permission de naviguer librement sur l'Escaut?

M. Struycken. Les Délégués hollandais ont déjà déclaré que le Gouvernement hollandais tiendrait sa promesse.

M. Pearce Higgins. Vous avez montré la bonne volonté du Gouvernement hollandais pour permettre la circulation des navires de guerre belges en temps de paix dans les eaux hollandaises et vous avez ajouté que, étant en guerre, vous laisseriez passer les navires belges autant que les circonstances militaires le permettraient . . . .[3]

M. Struycken. Nous n'avons pas parlé de cette question.

En temps de guerre, le Gouvernement hollandais prendra toutes les mesures qu'il jugera nécessaires à propos de la circulation des navires de guerre belges. Aucun Gouvernement ne pourrait agir autrement.

M. Pearce Higgins (*Empire britannique*). Ce que je veux dire, c'est que le Gouvernement hollandais n'embouteillera pas les navires de guerre belges à Anvers et leur accordera un délai pour sortir du port.

M. Struycken (*Pays-Bas*). Tout dépendra de l'opinion que notre Gouvernement aura sur les mesures qu'il croira devoir prendre pour sa défense. En général, il n'y a pas de raisons pour qu'il refuse aux navires de guerre belges le droit de sortir de leur port, mais on ne peut prévoir les circonstances qui peuvent surgir.

M. Pearce Higgins. Les Belges seraient heureux d'avoir une déclaration publique que votre Gouvernement est disposé à favoriser la sortie de leurs navires. . . .[3]

M. STRUYCKEN. Le droit du Gouvernement néerlandais doit être réservé.

M. PEARCE HIGGINS. Je parle, en ce moment, du libre passage des navires de guerre belges en temps de paix.

M. STRUYCKEN. Nous déclarons qu'un décret royal prendra les dispositions nécessaires: nous ne pouvons faire davantage.

M. PEARCE HIGGINS. C'est simplement un engagement unilatéral?

M. STRUYCKEN. Pas un engagement, une concession unilatérale.

M. PEARCE HIGGINS. Comment cet acte unilatéral sera-t-il fait?

M. STRUYCKEN. Il sera fait par la modification du décret royal existant portée à la connaissance du public.

M. PEARCE HIGGINS. Ce décret royal sera-t-il promulgué en même temps que sera signé le Traité?

M. STRUYCKEN. En même temps, bien entendu.

M. PEARCE HIGGINS. On a soulevé la question de la Société des Nations. Si la Hollande et la Belgique en font toutes deux partie et que la Hollande, pour des raisons que la Belgique considère comme insuffisantes, refuse en temps de paix la permission de passage aux navires de guerre belges, c'est automatiquement que la question irait devant le Conseil de la Société des Nations.

M. STRUYCKEN. Le Pacte est d'interprétation difficile et je crois que seules ressortissent à la juridiction du Conseil de la Société des Nations les questions qui sont mentionnées aux articles 11 et 12 du Pacte, c'est-à-dire celles qui sont susceptibles d'amener la guerre entre les membres de la Société.

LE PRÉSIDENT. L'article 13 est formel; il dit qu'en cas de divergence les membres peuvent porter la question devant le Conseil de la Société des Nations.

M. STRUYCKEN. Ils le 'peuvent', mais il n'est pas dit qu'ils le 'doivent'; il n'y a pas l'arbitrage obligatoire dans cet article 13. Non pas, du reste, que nous songions à reculer devant cet arbitrage: la Hollande, jusqu'à présent, a tout fait pour conclure des Traités d'arbitrage général; elle sera donc la dernière à s'opposer à ce qu'une question susceptible d'arbitrage soit portée devant la Cour d'arbitrage de la Société des Nations.

M. DE VISSCHER (Belgique). Je ne vois pas bien quel serait l'objet de la discussion ainsi portée devant le Conseil de la Société des Nations; si le Gouvernement hollandais part de ce point de vue que lui seul est juge de son intérêt national, comment la Société des nations sera-t-el le appeléeà trancher le litige?

M. STRUYCKEN (Pays-Bas). Cela est tout à fait exact.

M. DE VISSCHER. Il nous paraît réellement que ce serait demander un minimum que de demander, comme cela a été proposé, qu'il soit fait mention dans le Traité hollando-belge d'un arrêté royal néerlandais.

Le Traité va consacrer l'abrogation de l'article 14 du Traité de 1839; il nous paraît qu'il doit, en même temps, donner à la Belgique certaines garanties que le port d'Anvers puisse être utilisé comme port de guerre. Ce serait alors le régime d'égalité entre les deux États, car jusqu'ici toutes les propositions de la Délégation hollandaise restent entièrement subordonnées à la bonne volonté de la Hollande; voilà pour quelles raisons il nous paraît qu'au minimum il conviendrait de faire, dans le Traité à intervenir entre la Hollande et la Belgique, la référence à l'arrêté royal que proposait le Délégué britannique.

LE PRÉSIDENT. A la question que je posais, ce sont les Représentants des Belges et des Hollandais qui ont répondu; je demande donc aux Représentants des principales Puissances si, oui ou non, ils estiment que l'arrêté royal doit être mentionné dans le Traité à intervenir entre la Belgique et la Hollande.

M. NEILSON (*États-Unis d'Amérique*). Je crois que j'ai exprimé aussi complètement que possible mon opinion sur cette question; pour la période de paix, je ne peux pas dire autre chose que ce que j'ai dit; nous verrons plus tard à examiner la situation pour la période de guerre; je demande que les deux Délégations belge et hollandaise considèrent la question sous le jour de la discussion qui vient d'avoir lieu.

M. ANZILOTTI (*Italie*). Le Traité à intervenir entre la Belgique et la Hollande devrait simplement donner acte de la déclaration faite par la Délégation néerlandaise que le Gouvernement hollandais a l'intention de modifier l'arrêté royal; je ne crois pas que cela doive être de nature à porter atteinte à la souveraineté de la Hollande. En effet, si j'ai bien compris, la modification suggérée consisterait en ceci que l'autorisation de passage ne serait pas nécessaire pour chaque navire belge, mais que la Hollande aurait toujours le droit de refuser le passage. Il s'agit donc d'une autorisation donnée une fois pour toutes, mais la Hollande garde entière sa souveraineté du moment qu'elle peut refuser le passage pour des raisons d'intérêt national.

LE COLONEL NAGAI (*Japon*). J'ai déjà fait connaître mon opinion.

LE PRÉSIDENT. Mon opinion, enfin, c'est que je voudrais bien espérer que la Hollande ne se refusera pas à faire mention dans le Traité de l'arrêté royal, c'est-à-dire à reconnaître et à déclarer ce à quoi elle est déjà disposée.

M. PEARCE HIGGINS (*Empire britannique*). Je partage l'avis de M. le Président: que l'on indique simplement dans le Traité l'intention de la Hollande de prendre un arrêté royal, ou, si l'on veut, que l'on fasse mention soit du décret déjà pris au moment de la signature du Traité, soit du décret à prendre ultérieurement; ainsi on conserverait à la question son caractère unilatéral.

M. STRUYCKEN (*Pays-Bas*). Je n'aime pas résoudre les questions d'une manière qui pourrait prêter à double sens. Si vraiment il est bien dans l'opinion du Délégué britannique qu'une telle déclaration aurait un caractère non pas contractuel, mais unilatéral, quel avantage retirera la Belgique de la mention de l'arrêté royal dans le Traité à intervenir? Elle aura les mêmes satisfactions si la Hollande se borne purement et simplement à modifier les termes du décret actuellement existant.

Si, par contre, on voulait interpréter cette mention de l'arrêté comme une obligation contractuelle de la Hollande, cela reviendrait au même que si on insérait cette obligation contractuelle dans le Traité.

Dans ces conditions, je ne vois pas la nécessité de faire plus que ce que propose la Délégation néerlandaise, à savoir une modification de l'arrêté royal, donnant aux navires de guerre belges le passage, en temps de paix, quand et comme ils le voudraient, sous réserve du droit du Gouvernement néerlandais de supprimer cette autorisation, le cas échéant, et pour les raisons que nous avons dites.

M. Pearce Higgins. Procéderiez-vous alors par voie de notification à la Belgique?

M. Struycken. La modification de l'arrêté serait notifiée à la Belgique en même temps qu'aux autres Gouvernements.

Le Général Mance (*Empire britannique*). Ce qui nous intéresse, c'est d'arriver à quelque chose de mieux que l'état actuel et d'avoir une assurance un peu plus satisfaisante qu'une simple notification à un intéressé ou à un autre.

La Hollande a manifesté l'intention, elle a l'intention de faciliter l'accès de l'Escaut aux navires de guerre belges en temps de paix, mais elle apporte à cela deux réserves: l'une vise son droit de suspendre cette autorisation au cas où sa sécurité l'exigerait, l'autre exprime le désir de ne pas insérer cette promesse dans un Traité, dans le Traité à intervenir, de manière à ne pas créer de précédent.

Il me semble qu'il serait intéressant et bon que la Hollande pût donner quelque chose qui équivaudrait à un engagement moral de son intention d'améliorer la situation de la Belgique dans l'Escaut; je ne lui demanderai pas de prendre un engagement légal, contractuel, mais simplement un engagement moral de donner à la Belgique le libre accès de l'Escaut pour ses navires de guerre en temps de paix, sans autre limite que celle qui peut lui être imposée par le souci des intérêts de sa propre défense.

M. Struycken. Je crois que l'on cherche, en ce moment, quelque chose d'introuvable; on veut une disposition, une mesure qui n'impose pas d'obligation à la Hollande et qui, en même temps, donne un certain droit à la Belgique: c'est impossible à trouver. Nous avons répété à plusieurs reprises que nous modifierons l'arrêté royal qui règle en ce moment les conditions de la navigation dans l'Escaut; nous le modifierons le jour même de la signature du Traité à intervenir entre la Belgique et la Hollande; et nous notifierons cette modification à la Belgique. . . .[3]

M. Pearce Higgins (*Empire britannique*). Et aux autres Gouvernements?

M. Struycken (*Pays-Bas*). Bien entendu.

Après ce que nous avons dit, on doit avoir confiance dans la bonne foi du Gouvernement néerlandais et tenir pour assuré qu'il ne modifiera pas, dans l'avenir, l'arrêté royal au détriment de la Belgique, à moins que l'intérêt national ne l'exige.

Le Président. Après l'opinion formulée par la Délégation britannique qui, si j'ai bien compris, verrait avec plaisir mentionner l'arrêté royal dans le Traité, sans qu'il y eût constitution d'une servitude, il semble que la majorité des Représentants des grandes Puissances est d'avis que le Traité devra mentionner qu'un décret royal interviendra et fixera les conditions dans lesquelles sera autorisée la circulation sur l'Escaut des navires de guerre belges; par contre, la Délégation néerlandaise ne considère pas cette insertion, cette mention comme acceptable.

Le Lieut.-Colonel Réquin (*France*). Ce que ne veut pas le Délégué hollandais, c'est que la mention ainsi faite dans le Traité d'un décret à intervenir ou à modifier change le caractère unilatéral de la mesure prise par le Gouvernement néerlandais.

Si la Délégation belge acceptait que cette mention ne modifie pas le caractère unilatéral de la mesure tout en la considérant comme une satisfaction d'ordre moral, je ne vois pas pourquoi on ne ferait pas cette mention du décret royal dans le Traité que signeront la Hollande et la Belgique, 'étant bien entendu', pourrait-on ajouter — bien que ce ne soit pas une rédaction parfaite — 'que le caractère unilatéral du décret néerlandais n'est pas modifié'.

Le Président. Il faut avant tout que nous soyons d'accord sur le principe; il ne peut y avoir de compromis sur un principe. . . .[3]

M. Struycken. Il ne peut pas y avoir de compromis entre la concession unilatérale et l'obligation contractuelle.

Le Président. Il ne s'agit pas en ce moment d'obligation à instituer; ce que je crois, c'est que la mention à faire dans le Traité du décret royal qui serait modifié ne présente pas d'inconvénient pour la Hollande, tout en donnant une satisfaction d'ordre moral, — et très peu d'ordre pratique — à la Délégation belge.

Le Lieut.-Colonel Réquin. On peut mentionner des documents dans un Traité, à condition de ne pas en altérer la nature ou la portée.

M. Struycken. Tout ceci, à mon sens, est une question d'ordre politique, peut-être juridique, mais nullement technique; je ne crois pas que nous soyons qualifiés pour nous prononcer et prendre une décision.

Le Président. Il ne s'agit pas de prendre de décision en ce moment; nous sommes réunis en vue de trouver un terrain préparatoire d'entente qui facilite les travaux de la Commission qui nous a délégués; nous ne prenons aucun engagement qui lie ceux qui nous ont demandé de discuter ces questions.

M. Struycken. Encore faut-il chercher des solutions raisonnables et telle ne me semble pas être cette idée d'un compromis.

Le Président. Il ne s'agit pas de compromis; je n'ai fait qu'exposer ce qui sera la réalité des faits, demain; c'est pourquoi je croyais que la Délégation hollandaise aurait accepté nos suggestions.

M. Struycken (*Pays-Bas*). Mon objection reste la même: la mention du décret royal dans le Traité peut faire surgir plus tard des interprétations que nous n'aurons pas voulues. Même si nous nous mettions tous d'accord pour reconnaître que cette mention n'aurait pas comme conséquence la création d'une obligation contractuelle pour la Hollande, il se pourrait qu'un jour d'autres Puissances en guerre avec la Belgique en tirent cette conséquence.

Voilà pourquoi nous ne pouvons pas accepter que le décret royal soit mentionné dans le Traité à intervenir entre la Belgique et la Hollande.

Le Président. Dans ces conditions, il n'y a qu'à réserver ce point pour la Commission; mais je désirerais tout au moins que les experts des principales Puissances donnent leur sentiment en ce qui concerne le délai dont j'ai parlé, tant sur la question de principe que sur la durée du délai qui serait imparti aux navires de guerre belges pour gagner la haute mer, en cas de tension politique, la Hollande, par hypothèse, restant neutre dans la querelle.

*Délai de sortie accordé aux navires de guerre belges en cas de tension politique.*

M. Neilson (*États-Unis d'Amérique*). Je ne saurais admettre que des dispositions spéciales soient prises pour une période de 'tension politique'. Je crois que nous ne pouvons considérer qu'un état de paix et un état de guerre. Une menace de guerre pourrait exister pendant une ou plusieurs années.

Le Président. Les experts militaires se sont prononcés sur le cas où la guerre est déclarée; nous n'avons plus à y revenir.

M. Hostie (*Belgique*). Les réserves de la Belgique subsistent cependant.

Le Président. Je parle en ce moment uniquement des experts des principales Puissances alliées et associées.

Le cas auquel je songe est le suivant: la Hollande ne fait pas partie ou s'est retirée de la Société des Nations; une période de tension politique s'ouvre entre la Belgique et l'Allemagne; il faut au moins que la Belgique, ayant des navires de guerre à Anvers, puisse leur faire gagner la mer.

Le Lieut<sup>t</sup>-Colonel Réquin (*France*). Et on demande à la Hollande de ne pas faire jouer son droit de *veto* pendant un délai à déterminer. . . .[3]

M. Struycken. C'est précisément peut-être à ce moment que la Hollande sera amenée à faire usage de son droit.

Le Capitaine de vaisseau Fuller (*Empire britannique*). Je crois que nous ne devons pas nous égarer dans cette hypothèse de la tension politique; nous avons à examiner deux hypothèses: *a*) paix; *b*) guerre; quel délai la Hollande donnera-t-elle à la Belgique pour retirer ses bateaux de guerre d'Anvers dans l'hypothèse *b*) guerre?

*Délai de sortie en cas de guerre.*

M. Struycken. La Belgique aura l'autorisation générale prévue dans le décret, la Belgique pourra retirer ses bateaux, sauf si la Hollande estime que cela est dangereux pour sa propre sécurité. Nous ne voulons pas embouteiller les navires de guerre belges.

Le Capitaine de vaisseau Surie (*Pays-Bas*). Il n'y a pas de raison pour la Hollande de fermer l'Escaut si elle est en guerre et que la Belgique soit neutre.

M. Pearce Higgins (*Empire britannique*). Ainsi, la Hollande s'efforcera de maintenir la liberté de l'Escaut aux navires de guerre belges ou aux navires de commerce, toujours avec cette réserve de sa sécurité.

M. de Visscher (*Belgique*). La question du Délégué militaire britannique reste toujours sans réponse: dans l'hypothèse *b*) guerre, la Hollande donnera-t-elle, ou non, un préavis à la Belgique pour la fermeture de l'Escaut?

Le Président. Le point de vue est maintenant un peu différent de celui auquel je me plaçais tout à l'heure et à propos duquel je n'ai pu encore avoir l'opinion des Représentants des principales Puissances, étant donné que nous n'avons pas trouvé de solution à la question plus générale qui se posait; par ailleurs, il est tard, je crois que nous ne pouvons songer à poursuivre cette discussion; je vous propose de renvoyer à demain 15 heures la suite de la discussion.

LE CAPITAINE DE VAISSEAU FULLER (*Empire britannique*). Est-ce que la Délégation néerlandaise ne pourrait nous faire tenir d'ici demain le texte du décret royal sur l'Escaut tel qu'il est actuellement en vigueur et les changements qu'on se propose d'y introduire?

LE PRÉSIDENT. Je crois que le moyen le plus simple serait de commencer notre séance de demain par la lecture de ce décret.

La séance est levée à 19 heures 15.

# No. 195

*Record of a meeting in Paris of the Subcommission on the navigation of the Scheldt*

No. 2 [*Confidential/General/177/9*]

*Procès-verbal No. 2. Séance du 18 octobre 1919*

La séance est ouverte à 15 heures 15, sous la présidence de M. le Capitaine de vaisseau Le Vavasseur.

*Sont présents:*

M. Fred K. Neilson (*États-Unis d'Amérique*); le Général Mance, le Capitaine de vaisseau Fuller et le Capitaine de frégate Macnamara (*Empire britannique*); le Capitaine de vaisseau Le Vavasseur et le Lieut^t-Colonel Réquin (*France*); le Professeur Anzilotti et le Capitaine de corvette Ruspoli (*Italie*); M. Hayashi, le Colonel Nagai et M. Yokoyama (*Japon*); M. de Visscher, M. Hostie et le Major van Egroo (*Belgique*); le Professeur Struycken, le Baron de Heeckeren, le Capitaine de vaisseau Surie, le Lieut^t-Colonel de Quay et le Lieutenant Carsten (*Pays-Bas*).

LE PRÉSIDENT. Messieurs, conformément à ce qui avait été convenu hier,[1] je vais vous donner lecture de l'arrêté royal du 30 octobre

*Examen de l'arrêté royal néerlandais du 30 octobre 1909.* 1909, concernant l'admission des navires de guerre étrangers dans les eaux territoriales et nationales néerlandaises.

Nous allons prendre ce document article par article, et nous verrons les modifications qui sont proposées. (*Voir Annexe [I] ci-après.*)[2]

[1] See No. 194.
[2] Not printed. Annex I contained a French text of the Dutch Royal Decree of October 30, 1909 (cf. below), cited from the *Staatsblad van het Koninkrijk der Nederlanden*, No. 351, q.v.

*Article premier*. L'arrêté royal précité du 2 février 1893 (*Journal officiel* n° 46) est révoqué.

*Article 2.* Sauf la disposition de l'article 4 concernant l'autorisation préalable requise pour pouvoir entrer dans les passes de *Article 2. Admission des navires de guerre étrangers dans les eaux territoriales néerlandaises.* mer y mentionnées et naviguer sur les eaux intérieures du Royaume, les navires de guerre étrangers sont libres de se rendre de la mer dans les eaux territoriales et nationales néerlandaises, pourvu que l'entrée dans ces eaux ait pour but d'atteindre par le chemin le plus court et en observant les prescriptions de l'article 9, la rade ou le port le plus proche de la mer, pour y mouiller, et que leur nombre, y compris les navires de guerre battant le même pavillon qui se trouvent déjà dans la juridiction du Royaume, n'excède pas celui de trois.

La disposition de l'alinéa premier n'empêche pas le simple passage dans les eaux territoriales en tant qu'admis par le droit des gens.

En résumé, d'après cet article 2, les bâtiments de guerre étrangers peuvent mouiller mais à condition que leur nombre n'excède pas trois.

Le Capitaine de vaisseau Fuller (*Empire britannique*). J'estime que cet article devrait être modifié de manière à donner à la Belgique liberté entière de mouvement, sans limitation du nombre des bateaux.

Il y a une différence entre mouiller dans vos eaux ou traverser seulement vos eaux, et d'après ce que j'avais compris précédemment, je pensais que vous n'aviez pas l'intention de limiter le nombre des bateaux belges.

Le Capitaine de vaisseau Surie (*Pays-Bas*). L'article 2 vise seulement le cas de navires de guerre se rendant dans un port néerlandais. La limitation à trois ne sera pas, d'après mon avis, applicable aux navires de guerre belges qui ne feraient que passer, se rendant d'Anvers en pleine mer.

M. de Visscher (*Belgique*). La Délégation néerlandaise a proposé l'addition à cet arrêté d'un paragraphe disant:

En outre, il sera permis aux navires de guerre belges de se rendre par l'Escaut occidental, etc.

Pour éviter toute équivoque au sujet de cet article 2, il suffirait de dire:

En outre, il sera permis aux navires de guerre belges, *quel que soit leur nombre*, de se rendre. . . .[3]

Le Capitaine de vaisseau Surie. Je crois que nous devons examiner cette proposition.

M. Struycken (*Pays-Bas*). C'est une question de législation intérieure néerlandaise. Si nous jugeons qu'une modification est nécessaire, pour plus de clarté, nous la ferons. Pour ma part, comme le Capitaine de vaisseau Surie vient de le dire, je pense que cet article 2 ne sera pas applicable au passage des navires de guerre belges dans nos eaux.

Le Président. Permettez-moi de vous dire que la rédaction laisse un doute sur ce point. Je lis, en effet:

[3] Punctuation as in original.

. . . les[3] navires de guerre étrangers sont libres de se rendre de la mer dans les eaux territoriales et nationales néerlandaises, pourvu que . . .[3] et que leur nombre . . .[3] n'excède pas celui de trois.

Il semble que cela puisse s'appliquer, non seulement au cas de mouillage, mais aussi au cas de simple passage dans vos eaux.

Le Capitaine de vaisseau Surie. Nous pourrons examiner la proposition belge.

M. de Visscher. Qui consisterait a ajouter 'quel que soit leur nombre', de manière à éviter toute équivoque provenant du rapprochement avec l'article 2.

Le Capitaine de vaisseau Fuller (*Empire britannique*). D'après l'interprétation de l'article 2 que viennent de donner les Délégués hollandais, une Puissance étrangère quelconque pourrait envoyer un nombre de vaisseaux illimité à Anvers.

Le Capitaine de vaisseau Surie. Je ne crois pas que nous ayons voulu limiter le nombre des vaisseaux autorisés à traverser l'Escaut pour aller à Anvers; mais c'est une question qu'il faut examiner.

M. Struycken. Nous sommes d'accord sur le fond; c'est seulement une question de rédaction; mais ce travail de rédaction ne doit pas être fait ici.

Le Président. Nous échangeons simplement les idées sur un texte qui peut prêter à discussion.

Il n'y a plus d'observations sur l'article 2?

*Article 3. Obligations spéciales imposées aux navires de guerre étrangers.*

*Article 3.* 1° Il n'est pas permis aux navires de guerre étrangers naviguant dans les passes de mer et sur les eaux intérieures du Royaume, et à leurs embarcations de se rendre hors des chenaux balisés dont les pilotes brevetés du Royaume se servent pour la navigation.

2° Il n'est permis de vérifier la position du navire ou de sonder coup sur coup qu'autant que la sécurité de la navigation l'exige.

3° Nous nous réservons le droit de faire contrôler l'observation ponctuelle de la présente disposition, en faisant conduire le navire de guerre étranger par un officier de la Marine Royale ou un fonctionnaire du service de pilotage.

Il me semble également que cet article devrait comporter une mention spéciale, sans quoi on pourrait en déduire que chaque navire de guerre belge qui passerait dans les eaux territoriales hollandaises devrait embarquer un officier hollandais.

Le Capitaine de vaisseau Surie (*Pays-Bas*). C'est seulement dans le cas où il y a doute que le navire de guerre belge ne se conforme pas aux prescriptions de cet article, que nous nous réservons la possibilité d'y faire monter un officier ou un pilote.

M. Hostie (*Belgique*). Nous devons faire observer que, déjà d'après les Traités de 1839, le balisage de l'Escaut se fait d'un commun accord entre les deux pays, et que d'autre part, nous avons nous-mêmes, au même titre que la Hollande, le droit de sonder, d'une manière absolue, dans toutes les passes de l'Escaut.

Le Capitaine de vaisseau Surie. C'est un droit spécial accordé aux commissaires, et non aux navires de guerre.

M. Hostie. Le but de cette disposition est très raisonnable, si on se place au point de vue d'un pays qui désire que ses passes ne soient pas connues des navires de guerre d'une Puissance étrangère. Mais dans les relations spéciales qui existent entre la Hollande et la Belgique, en ce qui concerne l'Escaut, cette crainte ne peut pas exister par définition. Il est légitime, il est naturel et d'ailleurs il en a toujours été ainsi, que nous connaissions les passes de l'Escaut comme la Hollande.

Le Capitaine de vaisseau Surie. Je crois que ce sera dans des cas tout à fait exceptionnels que nous appliquerons ce paragraphe 3.

Le Président. Verriez vous alors un inconvénient à examiner la possibilité d'ajouter à ce paragraphe 3 un addendum disant qu'il ne s'applique pas aux navires de guerre belges?

Le Capitaine de vaisseau Fuller (*Empire britannique*). Si les Belges et les Hollandais ont leurs propres pilotes, ne peut-on pas dire que les Belges embarqueront leurs pilotes, et les Hollandais les leurs? Il me semble que cela trancherait la difficulté.

Le Président. Je ne partage pas tout à fait cette manière de voir. Je crois qu'il s'agit là pour la Hollande non pas tant d'une question pratique que d'une question de principe: elle se réserve un droit de contrôle.

M. Struycken (*Pays-Bas*). Parfaitement. C'est une question de police.

Le Capitaine de vaisseau Fuller (*Empire britannique*). Les fonctionnaires du service de pilotage sont aussi bien Belges que Hollandais.

M. Struycken (*Pays-Bas*). Oui, mais les fonctionnaires prévus dans le troisième alinéa de l'article 3 sont naturellement néerlandais.

M. Hostie (*Belgique*). Je vous demande pardon; il y a deux services de pilotage, actuellement du moins. Nous espérons bien que ce sera modifié.

Le Président. C'est plus qu'une question de fait, c'est une question de principe qui est impliquée dans ce paragraphe, car on n'y parle pas seulement des fonctionnaires du service de pilotage; il y a aussi 'un officier de la Marine royale'. C'est un droit de contrôle que la Hollande veut conserver sur tous les bâtiments de guerre.

Je me permets d'exposer mon point de vue, et de faire la proposition suivante: la Hollande veut-elle faire examiner s'il n'est pas possible d'ajouter à ce paragraphe 3 un correctif tel que, pour les raisons si clairement exprimées par le Délégué belge, les Belges connaissant toutes les passes du Bas-Escaut aussi bien que les Hollandais, leurs pilotes les fréquentant tous les jours, ce droit de contrôle subsisterait sur tous les navires étrangers, mais non sur les navires de guerre belges?

M. Hostie. C'est tout à fait cela.

Le Capitaine de vaisseau Surie (*Pays-Bas*). Les navires de guerre belges ont le choix de leur pilote, comme les vaisseaux de commerce; ils pourront prendre un pilote belge. Mais je ne crois pas que nous puissions admettre qu'un navire de guerre passant l'Escaut fasse des sondages, autrement que pour sa sécurité.

M. Hostie. Le but de l'article 3 est clair, il est évident: c'est d'empêcher qu'une Puissance quelconque puisse s'assurer par des sondages de l'état actuel des passes de l'Escaut. Or, en vertu même des Traités de 1839, nous avons le droit de connaître ces passes de l'Escaut, au même titre que la Hollande. Par conséquent, le but même de l'article n'a pas de raison d'être en ce qui concerne la Belgique et il me semble qu'il serait logique de dire, comme le propose M. le Président, que cet article ne s'applique pas aux navires de guerre belges.

Le Président. En fait, je ne crois pas qu'un navire de guerre belge ait jamais intérêt à faire des sondages.

Le Capitaine de vaisseau Surie. Ils n'en auront pas même le droit. Notre concession ne vise que le simple passage sur l'Escaut.

Le Président. Étant donné que cet article ne peut pas avoir de portée en ce qui concerne les navires belges, il me semble que la Délégation hollandaise pourrait examiner la possibilité d'ajouter un petit paragraphe dans ce sens.

Si, d'ailleurs, dans le Traité qui sera conclu, on répète ce qui est dit dans le Traité de 1839, comme vous l'avez indiqué tout à l'heure, on pourrait dans cet *addendum* se référer à l'article du Traité en question.

M. Struycken. Le système de pilotage n'est pas encore établi.

M. Hostie. Nous espérons bien que, quel que soit le nouveau régime, il ne sera pas plus désavantageux que celui de 1839.

M. Struycken (*Pays-Bas*). La Délégation néerlandaise comme la Délégation belge ont, chacune de leur côté, fait des propositions pour modifier le système actuel de pilotage. On ne peut donc pas se baser sur ce qui existe présentement à cet égard.

M. Hostie (*Belgique*). De toute façon, quel que soit le système auquel nous aboutissions, il ne peut pas nous donner moins que le régime de 1839. Or, d'après ce régime, nous avons un pilotage sur l'Escaut, et nous y faisons en commun avec vous des sondages.

M. Struycken. Il n'est pas question de savoir si le système nouveau sera meilleur ou non pour la Belgique. Il est possible que nous tombions d'accord sur une méthode toute différente de celle qui est en vigueur.

Le Président. Sans nous avancer en rien, nous pouvons dire que ce qui sera prévu dans le Traité concernant le pilotage permettra de trouver une explication rationnelle de l'*addendum* que je propose.

Le Capitaine de vaisseau Fuller (*Empire britannique*). Est-ce pour une question de dragage que la Hollande désire avoir la faculté de mettre un officier de sa marine ou un de ses pilotes sur les bateaux de guerre belges naviguant sur l'Escaut?

M. Struycken. Non, c'est une question de contrôle.

Le Président. Comme je l'ai déjà dit, c'est une question de principe, et non de fait: la Hollande veut se réserver un droit de contrôle sur le passage des bateaux. Cela n'a rien à voir avec le pilotage ni avec le dragage.

Le Capitaine de vaisseau Fuller. Il me semble que la phrase suivante, qui figure dans l'addition proposée par la Délégation hollandaise:

Le trajet par l'Escaut occidental ne pourra pas être interrompu dans ce cas, à moins que la sécurité du navire ne le rende nécessaire . . .[3]

comprend la question de l'embarquement d'un officier de la Marine royale ou d'un officier pilote sur un bateau belge.

Le Président. Je crois que nous pouvons cependant résoudre la question comme je l'ai proposé tout à l'heure, c'est-à-dire en laissant à la Délégation hollandaise le soin de prendre en considération la proposition que j'ai cru pouvoir faire au nom des experts, et qui consisterait à ajouter un paragraphe excluant les navires de guerre belges de l'application du paragraphe 3 de l'article 3.

Le Capitaine de vaisseau Surie (*Pays-Bas*). Je ne crois pas que ce paragraphe 3 de l'article 3 soit en contradiction avec les Traités de 1839; en tout cas, cela n'a jamais donné lieu à difficultés entre nous et la Belgique.

M. Hostie. La Délégation hollandaise ne serait-elle pas prête à examiner la suggestion de M. le Président? Nous sommes tous d'accord pour dire que cette disposition n'a pas d'effet pratique en ce qui concerne les navires belges. Ce serait une satisfaction pour nous qu'il soit dit formellement qu'elle n'est pas applicable.

M. Struycken. C'est pourquoi je ne comprends pas toutes ces propositions. Nous sommes ici pour faire du travail pratique.

Le Président. Ceci est plutôt d'ordre moral que d'ordre pratique, c'est vrai. D'un côté, la Hollande voudrait se réserver un droit moral de contrôle; de l'autre, vous feriez une concession morale à la Belgique en abandonnant ce droit.

Le Général Mance (*Empire britannique*). Peut-être serait-il possible de résoudre la difficulté en modifiant comme il suit l'addition proposée par la Délégation hollandaise:

En outre il sera permis, en dérogeant aux prescriptions *de l'alinéa 3 de l'article 3* et de l'article 4, aux navires de guerre belges, etc. . . .[3]

Le Président. Je me rallie entièrement à cette proposition en répétant ce que je disais tout à l'heure, à savoir que nous laissons le soin à la Délégation hollandaise de proposer la rédaction qu'elle jugera le plus convenable.

L'article 4 interdit aux navires de guerre étrangers de pénétrer dans les cinq principales passes de mer ou de naviguer sur les eaux intérieures du Royaume sans avoir obtenu l'autorisation du Ministère de la Marine néerlandaise. Cet article ne soulève aucune observation.

*Article 4. Obligation de l'autorisation préalable.*

Nous passons à l'article 5:

*Article 5.* 1° En des cas spéciaux, nous pourrons admettre une exception à ce qui est prescrit à l'article 2 par rapport au nombre des navires de guerre étrangers.

D'après ce que nous a dit M. van Swinderen, la Délégation néerlandaise se propose d'ajouter à cet article l'alinéa suivant:

*Article 5. Amendement néerlandais tendant à dispenser les navires de guerre belges de l'autorisation préalable.*

En outre, il sera permis, en dérogeant aux prescriptions de l'article 4, aux navires de guerre belges de se rendre par l'Escaut occidental, de la Belgique en pleine mer, ou *vice versa*. Le trajet par l'Escaut occidental ne pourra pas être interrompu dans ce cas, à moins que la sécurité du navire ou de son équipage ne le rende nécessaire.

Nous nous réservons de suspendre temporairement cette autorisation lorsque l'intérêt du pays l'exige.

Je crois qu'au moyen de cet article 5, on pourrait donner satisfaction à la proposition faite par le Capitaine de vaisseau Fuller en ce qui concerne le nombre des bateaux, puisqu'il permet justement de déroger à l'article 2.

M. Struycken (*Pays-Bas*). Oui, dans des cas spéciaux. Mais notre opinion est que le nombre des navires, dans le cas de simple passage, n'est pas limité.

Le Président. Mais dans le cas de l'article 2?

Le Capitaine de vaisseau Surie (*Pays-Bas*). L'article 2 ne vise que les navires se rendant dans un port néerlandais.

M. Hostie (*Belgique*). Nous sommes d'accord sur le fond, mais nous nous demandons si le texte ne donne pas lieu à doute.

M. Struycken. Si nous sommes d'avis que le texte peut présenter quelque ambiguïté, nous le modifierons.

Le Président. Je crois que nous avons suffisamment discuté hier sur le dernier paragraphe de l'adjonction proposée, pour qu'il [?ne] soit nécessaire d'y revenir aujourd'hui.

M. de Visscher (*Belgique.*) Permettez-moi cependant d'ajouter une petite précision. Hier, l'expert naval néerlandais nous a indiqué d'une façon précise, très concrète, les cas dans lesquels la Hollande pourrait être amenée à suspendre temporairement le droit de passage. Il évoquait, par exemple, le cas d'un combat se livrant aux bouches de l'Escaut. Cela montre bien que c'est seulement dans des cas tout à fait exceptionnels, anormaux, dans des moments de crise que la Hollande pourrait être amenée à prendre une telle mesure.

Nous nous demandons si, pour répondre à cette pensée, nous ne pourrions pas substituer à l'expression 'suspendre temporairement' les mots '*suspendre à titre exceptionnel et momentané*'; je crois que cela répond bien à la pensée qui a été exprimée hier ici.

M. Struycken (*Pays-Bas*). Je ne crois pas qu'on puisse prévoir tous les cas qui peuvent se produire. Vous voudriez qu'on dise 'à titre exceptionnel et momentané'. 'Momentané' équivaut à 'temporairement'. Quant à l'expression 'à titre exceptionnel', elle ne me paraît pas pouvoir trouver place dans un décret national; cela se rattache donc à la question dont nous avons tant parlé hier, à savoir si cette disposition restera dans un décret national ou si elle devra figurer dans un traité.

M. de Visscher (*Belgique*). Il est certain que les deux questions sont connexes.

Le Président. Néanmoins, je crois que la proposition belge répond bien à la pensée de la Délégation néerlandaise. On peut dire que 'l'intérêt du pays', c'est une chose exceptionnelle. C'est une question de rédaction.

M. Struycken. Mais nous ne pouvons pas parler d'une mesure prise 'à titre exceptionnel' dans un décret national.

M. de Visscher. Je ne vois pas un inconvénient sérieux à cela.

Le Lieut<sup>t</sup>-Colonel Réquin (*France*). Le terme 'exceptionnel' en français exprime d'une façon très nette l'esprit dans lequel vous comptez que cette suspension pourrait être prononcée. J'entends bien que, dans un décret national, ce terme est un peu gênant, parce qu'il a l'air d'une restriction que vous vous imposez. C'est une question de terminologie; si vous pouviez en trouver une autre . . .[3]

M. Struycken. Je trouve que notre terminologie est très bonne et je ne vois pas de raison pour la changer. Vous comprenez bien qu'il serait un peu étrange de mettre ces mots 'à titre exceptionnel' dans un décret national.

Le Général Mance (*Empire britannique*). Peut-être pourrait-on dire: 'dans la mesure où la sécurité du pays l'exige'.

M. Struycken. Nous tenons aux mots 'l'intérêt du pays'. On ne peut pas prévoir tous les cas. Imaginez une insurrection civile, des navires bolchévistes belges, . . .[3] tout est possible!

M. de Visscher. Dans ce cas, c'est bien comme le prévoit le Général Mance, la sécurité de la Hollande qui est engagée.

M. Struycken. Cette expression a été bien pesée à La Haye, et c'est notre concession. Nous ne pouvons pas prévoir tous les cas qui peuvent se produire, c'est pour cette raison que nous avons adopté cette expression: 'l'intérêt du pays'. Comme souverains de l'Escaut, nous devons avoir le droit de refuser le passage à des navires de guerre étrangers, du moment que nous jugeons que l'intérêt néerlandais l'exige.

Le Lieut<sup>t</sup>-Colonel Réquin (*France*). Si l'on pouvait dire, en français: '*dans la mesure où l'intérêt supérieur du pays l'exigerait*', je crois que cela répondrait parfaitement aux préoccupations de la Délégation néerlandaise, et à la demande belge en même temps.

Le Président. Je demande aux diverses Délégations leur avis sur le point de savoir s'il y aurait intérêt à modifier la rédaction du texte proposé par la Délégation néerlandaise.

M. Neilson (*États-Unis d'Amérique*). Je comprends le souci de la Délégation néerlandaise de conserver ses droits de souveraineté, mais je pense que, si elle est disposée à faire une concession comme elle paraît l'être, il serait bon que cela fût exprimé d'une façon aussi précise que possible.

Le Capitaine de corvette Ruspoli (*Italie*). Je crois que le texte proposé par la Délégation hollandaise est très bon. Elle nous dit qu'elle fait telle concession, qu'elle permettra le passage libre des bateaux belges, sauf dans le cas où l'intérêt supérieur du pays l'obligera à suspendre cette faveur.

Le Président. L'intérêt supérieur . . . .[3]

M. Struycken (*Pays-Bas*). Permettez-moi de dire que l'expression 'intérêt supérieur' ne peut pas se traduire en hollandais. M. Neilson a dit qu'il comprenait que nous voulions nous réserver le droit de souveraineté. Nous voulons aussi nous réserver le droit de faire nos lois et nos arrêtés de la manière dont nous estimons que cela doit être fait. C'est une question de législation intérieure.

Le Président. Quel est l'avis de la Délégation japonaise?

M. Hayashi (*Japon*). Je suis tout à fait de l'avis des Délégations britannique et américaine. Je trouve que l'expression proposée est un peu vague. Si on ne veut pas adopter le terme de 'sécurité', il me semble qu'il serait bon de préciser en disant 'l'intérêt supérieur'.

Le Président. Il me reste à exprimer l'opinion de la Délégation française. J'estime, moi aussi, que ce texte gagnerait à être précisé, mais bien entendu en laissant à la Hollande le soin de faire cette rédaction. En outre, la Hollande pourrait examiner également la possibilité de dire, comme l'a proposé tout à l'heure le Général Mance:

> En outre, et par dérogation aux prescriptions *du 3ᵉ alinéa de l'article 3* et de l'article 4, etc.

M. Struycken. Je vous assure que l'expression 'l'intérêt supérieur' ne peut pas être traduite textuellement en hollandais, et que le texte hollandais *wanneer het landsbelang dit vordert*[4] exprime à peu près la même chose que 'si l'intérêt supérieur du pays l'exige'.

Le Président. Alors, nous pourrions traduire ainsi en français.

M. Struycken (*Pays-Bas*). Mais le texte officiel sera le texte hollandais.

Le Président. Nous passons à l'article 6.

*Article 6.* 1° Le séjour des navires de guerre dans la juridiction du Royaume ne pourra excéder une durée de quatorze jours consécutifs.

*Article 6. Durée du séjour des navires de guerre étrangers. Délai de rentrée.*

2° Le même navire de guerre ne pourra, dans les trente jours après son départ, entrer de nouveau dans une des passes de mer du Royaume, sans la permission de notre Ministre de la Marine.

Je crois qu'il serait nécessaire d'ajouter une disposition relative aux navires belges. Sinon, un bateau qui serait sorti de l'Escaut ne pourrait plus y rentrer avant un délai de trente jours.

M. Struycken. Sur ce point, je crois que vous avez raison, Monsieur le Président.

Le Président. Nous sommes donc d'accord sur le fait que le paragraphe 2 de l'article 6 mérite un examen dans le sens d'une modification. Nous laissons à la Délégation néerlandaise le soin d'étudier et de proposer cette modification.

L'article 7 ne soulève aucune observation.

Je crois que, étant donnée l'autorisation générale accordée aux navires belges, les articles 8 et 9 devraient être modifiés en ce qui les concerne.

[4] Translation: 'Should the national interest demand this'.

M. Struycken. Ils ne seront pas applicables aux navires de guerre belges qui feront usage de l'autorisation générale.

Le Président. Nous sommes tous d'accord.

L'article 10 ne nous intéresse pas non plus.

Les articles 11, 12 et 13 ne soulèvent pas d'observations.

Le Président. Nous passons à l'article 14:

*Article 14.* 1° Les présentes dispositions sont applicables en temps de paix et à l'égard des navires de guerre des Puissances non engagées dans une guerre.

*Article 14. Restriction et retrait éventuels de l'admission des navires de guerre. Délai de sortie.*

2° Nous nous réservons de restreindre ou d'interdire l'admission de navires de guerre étrangers dans les eaux territoriales et nationales néerlandaises, en temps de guerre, de danger de guerre ou de maintien de la neutralité, et en d'autres circonstances exceptionnelles.

3° Les navires de guerre étrangers se trouvant, en vertu du présent arrêté, dans les eaux territoriales ou nationales néerlandaises, sont, en tout cas, tenus de prendre le large dans les six heures après qu'ils y auront été invités par notre Ministre de la Marine ou en son nom.

M. Hostie (*Belgique*). Le 2e et le 3e alinéas méritent réflexion.

Le Président. Le paragraphe 2 tombe en grande partie par l'adjonction proposée à l'article 5 par la Délégation néerlandaise.

M. Hostie. A première vue, ce texte est plus étroit que celui qui nous est proposé.

M. de Visscher (*Belgique*). Nous y trouvons, notamment, le mot 'exceptionnel' que j'avais proposé précédemment.

Le Capitaine de vaisseau Surie (*Pays-Bas*). Cet article vise les cas de guerre et autres où l'arrêté est supprimé.

Le Président. Je crois que ces paragraphes 2 et 3 devraient être modifiés en ce qui concerne les navires belges. Sinon, il faudrait que, dans les six heures — cela va d'ailleurs nous ramener à la question des délais, dont nous avons parlé hier . . .³

Le Capitaine de vaisseau Surie. Je vous demande pardon, Monsieur le Président; ici il est question d'un délai accordé pour partir à des navires se trouvant dans les eaux néerlandaises, tandis que ce dont nous avons parlé hier, c'est la question d'un délai à accorder aux navires se trouvant à Anvers ou dans les eaux belges.

Le Président. Parfaitement, mais supposons que la Hollande, pour une raison d'ordre majeure, suspende la sortie, les navires belges doivent avoir quitté les eaux 'territoriales et nationales' — les eaux nationales, c'est le Bas-Escaut — six heures après l'avis donné. Si un bateau belge voulait sortir sept heures après, il ne le pourrait pas.

*Question du retrait des navires de guerre belges.*

Le Lieutᵗ-Colonel Réquin (*France*). Mais les bateaux belges ne pourront pas être invités à quitter les eaux néerlandaises avant de s'y trouver. Il y a deux choses bien distinctes: le droit de passage et le droit de séjour.

711

Le Président. Il n'est pas douteux qu'une suspension de navigation est une interdiction de repasser par le Bas-Escaut. Or, ce texte, tel qu'il est rédigé, peut viser aussi bien le passage que le séjour.

Le Lieut<sup>t</sup>-Colonel Réquin. Il est certain qu'une précision serait utile en ce qui concerne les navires belges.

M. Hostie (*Belgique*). La portée de cette disposition est bien celle-ci, qu'un navire se trouvant dans les eaux néerlandaises doit lever l'ancre dans les six heures. Il ne doit pas être parti dans les six heures, mais commencer à s'en aller dans ce délai?

Le Capitaine de vaisseau Surie (*Pays-Bas*). Lorsque nous supprimons l'admission des navires de guerre étrangers dans nos eaux, ils doivent les avoir quittées dans un délai de six heures.

M. Hostie. Mais cela laisse intacte la question pour les navires qui se trouvent à Anvers, de pouvoir gagner la mer ou *vice versa*?

Le Capitaine de vaisseau Surie. Nous sommes d'accord.

Le Président. Je comprends très bien que cet article s'applique aux navires de guerre étrangers qui se trouvent dans les eaux néerlandaises et qui, six heures après l'avis donné, doivent avoir pris le large. Seulement, cela pourrait prêter à confusion. Si, en effet, six heures après que vous aurez dit: 'aucun bâtiment belge ne pourra plus sortir de l'Escaut', un bateau belge passait par vos eaux territoriales, il n'aurait pas pris le large dans le délai fixé par cette disposition.

M. Hostie. C'est clair. Nous ne devrons pas perdre cela de vue au moment d'examiner la question du préavis.

Le Capitaine de vaisseau Fuller (*Empire britannique*). Il faudrait s'entendre sur l'expression 'prendre le large'. Si cela veut dire que, dans les six heures, les navires doivent être en haute mer, il y a des bateaux qui n'ont pas une vitesse suffisante pour exécuter matériellement cette prescription. Je pense que cela veut dire 'lever l'ancre' dans les six heures.

Le Capitaine de vaisseau Surie (*Pays-Bas*). Parfaitement, c'est ainsi que je l'entends.

Le Président. Pour bien préciser, ne pourrait-on pas dire:

> Les navires de guerre étrangers se trouvant dans un port ou au mouillage dans les eaux territoriales ou nationales néerlandaises sont en tout cas tenus de prendre le large, etc.

Cela excluerait le cas du simple passage.

Avec le texte actuel 'se trouvant dans les eaux territoriales', un bateau, qui sept heures après l'ordre de suspension traverserait le Bas-Escaut, c'est-à-dire les eaux nationales néerlandaises, se trouverait en défaut.

M. Hostie (*Belgique*). Il semble qu'il y ait une difficulté au sujet des alinéas 1 et 2. Si j'ai bien compris ce qu'ont dit hier les Délégués des Pays-Bas, leur pensée était que le régime prévu par leur amendement à l'article 5 continuerait à s'appliquer dans le cas où les Pays-Bas seraient en guerre, mais cesserait de s'appliquer au cas où la Belgique serait belligérante. Or, si l'on prend les alinéas 1 et 2 de l'article 14, on voit que, au contraire, du moment que les Pays-Bas sont belligérants, tout le régime établi par le décret, et par conséquent par l'amendement à ce décret, tombe.

M. Struycken (*Pays-Bas*). Le régime ne tombe pas nécessairement. Il est dit: 'Nous nous réservons de restreindre, etc.'

M. Hostie. Toute cette question de l'alinéa 3 devra nécessairement être reprise quand nous parlerons du préavis. C'est intimement lié.

Ce que nous voulons préciser, c'est que la règle fixée dans ce paragraphe ne s'applique qu'aux navires qui sont, en fait, dans les eaux néerlandaises, à l'ancre, et non pas à ceux qui se trouveraient à Anvers et qui, pratiquement, ne pourraient pas atteindre la pleine mer dans le délai de six heures, si on le comptait à leur départ d'Anvers.

Le Président. C'est pourquoi je pense que ce paragraphe doit être examiné dans le sens d'une modification.

Le Capitaine de vaisseau Surie. Les navires ont six heures pour lever l'ancre.

M. Struycken. C'est tout à fait clair dans le texte hollandais: 'zee te kiezen'.[5]

Le Président. Je crois, Messieurs, que nous avons entièrement examiné la question du décret royal.

Nous allons reprendre maintenant la question du préavis, dont nous n'avons pas terminé hier la discussion.

M. Neilson (*États-Unis d'Amérique*). Sur cette question de délai, je ne vois pas le moyen, pour ma part, de prendre en considération la période de menace de guerre. Je ne puis examiner que deux hypothèses: le cas de guerre et le cas de paix. En cas de guerre, le point de vue de la Hollande me paraît être que la Hollande n'est pas disposée à laisser des opérations de guerre se dérouler dans ses eaux territoriales, et ce point de vue est justifié. Je crois qu'on s'accorde généralement à reconnaître que ce serait, pour la Hollande, une attitude incompatible avec sa neutralité que de laisser des opérations de guerre se dérouler dans ses eaux territoriales.

Si la Belgique était en guerre, il serait possible d'autoriser ses bâtiments à passer par l'Escaut en vertu de quelque principe analogue à celui qui autorise les bâtiments de guerre d'une nation belligérante à rester dans un port neutre pendant un certain délai, 24 heures par exemple en certains cas.

Le Président. Hier, le Capitaine de vaisseau Fuller a dit qu'il ne voulait considérer que deux cas, celui de guerre et celui de paix; j'en avais envisagé un troisième, laissons-le de côté.

La question qui se pose est donc la suivante: en temps de paix, au moment où la Hollande suspendra la sortie des bâtiments par l'Escaut, estime-t-on qu'il soit nécessaire de leur laisser un délai pour sortir, une fois pour toutes, bien entendu?

Je crois qu'on ne peut pas admettre que, si Anvers est une base navale et qu'il y ait dans ce port des bateaux de guerre, la suspension compte du moment même où la Hollande signifiera à la Belgique qu'elle retire son autorisation de libre passage. Il me semble, en tout cas, que nous devons,

[5] Translation: 'to put out to sea'.

nous experts, émettre une opinion ferme sur ce point: oui ou non, *en temps de paix*, doit-il y avoir un délai pour permettre aux navires de guerre belges se trouvant à Anvers d'avoir le temps d'en sortir, et quel doit être ce temps?

LE GÉNÉRAL MANCE (*Empire britannique*). Je crois qu'au lieu de dire 'en temps de paix' et 'en temps de guerre', il vaudrait mieux dire 'dans le cas où la Belgique est en guerre' et 'dans le cas où la Belgique est en paix'.

LE PRÉSIDENT. Nous pouvons envisager les différents cas: celui où la Belgique est en guerre et la Hollande en paix, celui où la Hollande est en guerre et la Belgique non belligérante. Mais il peut y avoir encore le cas où ni la Belgique, ni la Hollande ne sont en guerre, et où cependant le Gouvernement néerlandais estime que l'intérêt du pays exige la suspension. Estimons-nous, dans ce cas, nous experts, qu'un délai doit être accordé aux navires belges pour sortir?

Je ne crois pas, pour ma part, qu'on puisse admettre que, du moment où la suspension aura été décidée, les bateaux ne pourront plus sortir.

M. STRUYCKEN (*Pays-Bas*). Si la suspension est prononcée, les bateaux belges retombent simplement sous le droit commun de tous les navires de guerre, c'est-à-dire qu'ils doivent demander une autorisation spéciale. Il faut distinguer le cas de l'article 4 et celui de l'article 14. A l'article 4, nous prévoyons une disposition exceptionnelle en faveur des navires belges, avec une réserve pour le Gouvernement hollandais. Quand le Gouvernement fait usage de cette réserve, cela veut dire simplement que la Belgique perd l'autorisation générale accordée à ses navires. Les navires belges cessent d'avoir une situation privilégiée, et doivent comme les autres demander l'autorisation prévue par l'article 4.

LE PRÉSIDENT. Je suis heureux de vous avoir fait préciser ce point.

M. DE VISSCHER (*Belgique*). Mais est-ce que, pratiquement, cela ne va pas coïncider? Je m'explique: Lorsque vous croirez devoir suspendre cette autorisation générale en faveur des navires belges, est-ce que ce ne sera pas toujours parce que vous estimerez qu'il y a lieu de leur interdire le passage?

M. STRUYCKEN (*Pays-Bas*). Je ne crois pas. Dans ce cas-là, le Gouvernement néerlandais ferait usage de l'article 14; il suspendrait le décret tout entier. C'est tout autre chose.

LE PRÉSIDENT. Pour nous résumer, en ce qui concerne les navires belges, il y a deux étapes: suspension de l'autorisation générale accordée par l'amendement à l'article 5, ce qui oblige les bâtiments belges, comme tous les autres bâtiments de guerre, à demander l'autorisation de passage au Gouvernement néerlandais, Et puis, suspension totale sur la base de l'article 14, mais pour des cas très graves.

M. STRUYCKEN. Et pour tous les navires de guerre, pas seulement pour les navires belges.

M. DE VISSCHER. Ne pourrait-on pas admettre un délai de quarante-huit heures entre le moment où le régime spécial serait suspendu et le moment où la suspension totale serait notifiée? C'est-à-dire que, pendant quarante-huit heures, les navires de guerre belges continueraient à jouir de leur régime spécial, avant de rentrer dans le droit commun?

LE PRÉSIDENT. Nous avons déjà fixé le cas le plus simple, dont la solution me satisfait pleinement, en ce qui me concerne, à savoir qu'en cas de suspension de la disposition prévue à l'article 5, les navires belges doivent comme les autres demander une autorisation.

Mais je reviens à la question du délai, lorsque la suspension sera définitive. Entre le moment où le Gouvernement néerlandais signifiera au Gouvernement belge la suspension définitive de la sortie des bâtiments de guerre, et le moment où ils ne pourront plus effectivement sortir, est-ce que vous estimez qu'il doit y avoir un délai? Supposez que tous les bâtiments belges se trouvent à ce moment-là à Anvers, si Anvers était la seule base navale, vont-ils se trouver bloqués?

M. STRUYCKEN. Votre observation est juste; mais vous supposez le cas où le Gouvernement néerlandais suspend complètement l'admission de tout navire étranger dans ses eaux territoriales; c'est le cas extrême. Eh bien, si ce cas extrême se produit, alors je ne puis rien prévoir; mais il peut très bien se faire que le Gouvernement estime nécessaire d'appliquer immédiatement la suspension aux navires belges. C'est une chose qu'on ne peut pas prévoir.

LE PRÉSIDENT. Si j'ai bien compris ce que vous venez de dire, l'interdiction complète qui pourrait atteindre les bâtiments belges est liée à celle qui pourrait atteindre tous les bâtiments, quels qu'ils soient.

M. STRUYCKEN. Pas nécessairement; cela dépend des circonstances. Je veux dire qu'il est possible qu'il y ait des cas où le Gouvernement néerlandais juge nécessaire de refuser l'admission de tous les navires étrangers dans ses eaux.

LE GÉNÉRAL MANCE (*Empire britannique*). Pouvons-nous recevoir de la Délégation hollandaise l'assurance que, dans le cas où il y aurait nécessité de fermer complètement le passage de l'Escaut à tous les navires de guerre, le Gouvernement néerlandais serait disposé à faire tout le possible pour donner aux bateaux belges le temps de sortir d'Anvers, sans spécifier le délai? Nous laisserions le soin de régler cette question à un arrangement qui interviendrait, le moment venu, entre le Gouvernement hollandais et le Gouvernement belge.

M. STRUYCKEN (*Pays-Bas*). Mon opinion est que le Gouvernement néerlandais, dans ce cas, n'aura aucun intérêt spécial à prohiber l'admission des navires belges dans ses eaux. Mais il peut y avoir des cas, que je ne puis prévoir, où le Gouvernement néerlandais juge nécessaire de prohiber l'admission dans ses eaux de tous les navires de guerre et aussi de ceux de la Belgique.

LE GÉNÉRAL MANCE. Cela n'exclut pas ma proposition. Je ne demande pas que vous preniez un engagement. Je demande seulement que le Gouvernement néerlandais exprime l'intention de faire tout son possible, au cas où il jugerait nécessaire de fermer le passage, pour permettre aux vaisseaux de guerre belges de sortir.

M. DE VISSCHER (*Belgique*). Je me demande si la formule suivante ne donnerait pas satisfaction à la Délégation hollandaise:

La Hollande, pour autant que les intérêts de sa sécurité le lui permettraient, donnerait un préavis à la Belgique de son intention de suspendre le droit de libre passage.

Nous tenons compte des cas exceptionnels dans lesquels la Hollande estimerait ne pas pouvoir le faire, mais, d'une façon générale cependant, elle donnerait un préavis de tant de jours à fixer.

Le Président. En ce qui me concerne, j'estime que la proposition belge mérite d'être prise en considération. Le texte proposé ne me paraît nullement en contradiction avec l'intérêt hollandais.

Par ailleurs, si j'étais très satisfait de la réponse faite tout à l'heure par le Délégué hollandais, disant que la suspension de l'autorisation générale accordée aux navires belges obligerait simplement ceux-ci à demander comme les autres des autorisations spéciales — dans l'autre cas envisagé, qui est celui de la suspension complète, il me paraît peu satisfaisant de mettre sur le même pied les navires étrangers et les navires belges.

S'il se trouve par hasard des navires étrangers dans les eaux hollandaises, ce seront peut-être une ou deux unités. Tandis que pour la Belgique, si Anvers se trouve être la seule base navale, il s'agit de toute la marine belge. Par conséquent, le cas de la suspension est beaucoup plus grave pour la Belgique que pour toutes les autres nations.

M. Struycken. C'est vrai.

Le Président. C'est pourquoi je crois qu'il est juste d'envisager des mesures spéciales en ce qui concerne la marine belge, différentes de ce qui est prévu pour les autres marines étrangères, étant donnée la situation spéciale qu'elle occupe vis-à-vis de la Hollande.

M. Hostie (*Belgique*). Ce raisonnement est parfaitement juste. Il est illogique de dire que la Belgique, dont on reconnaît la situation spéciale, tombera sous le régime de droit commun, au moment même où il faudrait que sa situation spéciale lui donnât droit à un traitement spécial.

Cette assimilation de la flotte belge aux navires de n'importe quelle autre marine étrangère, au moment où précisément les Pays-Bas estiment que leur sécurité est plus ou moins compromise, nous apparaît comme étant de la plus haute gravité.

Le Président. C'est ce que j'ai voulu souligner, et c'est pourquoi il me semble que la proposition faite tout à l'heure par le Délégué belge est conçue en termes qui permettraient de donner satisfaction aux deux Délégations.

Comme me le fait remarquer d'ailleurs le Lieut^t-Colonel Réquin, les navires belges à Anvers seraient dans une situation plus défavorable que les navires étrangers ou belges qui se trouveraient dans les eaux territoriales néerlandaises, étant donné que pour sortir d'Anvers, il leur faudra beaucoup plus de temps qu'aux autres. Si on les mettait sur le même pied, le délai de six heures accordé pour quitter les eaux néerlandaises mettrait les bateaux belges à Anvers dans une situation très défavorable.

M. Struycken (*Pays-Bas*). Il ne faut pas oublier qu'une mesure comme la suspension complète ne sera prise par le Gouvernement néerlandais qu'en cas de nécessité absolue. On ne fait pas cela en temps ordinaire de paix, et c'est du temps de paix que nous parlons.

Le Président. En temps de paix, ce qui comprend dans mon esprit le cas de tension politique jusqu'au moment où la guerre est déclarée, il me semble qu'une suspension complète, sans aucun délai, imposée à la Belgique, la mettrait dans une situation très défavorable par rapport aux autres marines.

M. de Visscher (*Belgique*). Il me semble que notre formule vise précisément ce cas de nécessité absolue, puisque nous disons:

> La Hollande, pour autant que les intérêts de sa sécurité le lui permettent, donnerait un préavis de tant de jours à la Belgique.

M. Struycken. Mais alors, le régime reste le même, puisque c'est seulement si la sécurité de la Hollande l'exige que la suspension sera prononcée.

M. de Visscher. La suspension serait immédiate dans ce cas-là, mais non dans les autres. Ce serait seulement lorsque les intérêts de la Hollande l'exigent d'une façon absolue qu'il n'y aurait pas de préavis.

Le Lieut<sup>t</sup>-Colonel Réquin (*France*). C'est justement parce que je suis convaincu que cette suspension totale n'aurait lieu que dans des cas très graves, que je considère que les navires belges seraient beaucoup plus défavorisés que les autres. Les navires étrangers pourraient sortir des eaux néerlandaises, tandis que les navires belges ne pourraient pas sortir d'Anvers. Ainsi la Belgique serait dans une situation plus mauvaise que les autres Puissances.

M. Struycken. Mais certainement; c'est la conséquence du fait qu'on construit un port de guerre qui n'est pas sur la mer, mais qui est en amont d'un fleuve dont une autre Puissance tient l'embouchure.

Le Lieut<sup>t</sup>-Colonel Réquin (*France*). Il serait raisonnable d'accorder aux navires belges un délai minimum pour sortir.

M. Struycken (*Pays-Bas*). On donnera naturellement ce délai si l'intérêt national le permet. Le Gouvernement néerlandais ne prendra pas de telles mesures si l'intérêt grave de notre pays ne l'exige pas. Donc, si l'intérêt national nous le permet, nous donnerons des délais.

Le Lieut<sup>t</sup>-Colonel Réquin. J'entends bien, tandis que pour les navires étrangers qui sont dans vos eaux, il n'y a pas de réserve. Même si la sécurité nationale était menacée, vous donneriez toujours un délai de six heures.

M. Struycken. Mais non; dans ce cas nous ne donnerions pas ce délai; mais naturellement, si le navire n'est pas en état de sortir immédiatement, il nous faut bien donner un délai, et ce délai est limité à un maximum de six heures.

Le Lieut<sup>t</sup>-Colonel Réquin. Mais c'est un fait que les navires des autres marines étrangères seront ainsi plus favorisés que les navires belges.

M. Struycken. Ils sont dans les eaux territoriales néerlandaises, tandis que les navires belges à Anvers sont dans les eaux belges, n'est-ce pas?

M. de Visscher (*Belgique*). Cela montre qu'il est possible d'accorder un certain délai, même quand l'intérêt national est en jeu.

Le Lieut<sup>t</sup>-Colonel Réquin. Cela revient à dire que la Belgique aurait intérêt à avoir ses navires dans vos eaux territoriales, pour pouvoir au moins en sortir en cas de besoin. Car, si la flotte belge reste à Anvers, elle ne pourra pas en sortir.

LE PRÉSIDENT. Logiquement, il faudrait donner au moins à la Belgique les six heures, plus le temps nécessaire pour se rendre dans les eaux territoriales néerlandaises. Ce serait la mettre exactement sur le même pied que les autres.

M. STRUYCKEN. Je crois que c'est superflu, car si l'intérêt national de la Hollande le permet, naturellement nous donnerons tout délai, et d'autre part si l'intérêt national de la Hollande ne le permet pas, nous ne pourrons pas donner de délai.

M. DE VISSCHER. Ma formule consacre très bien cette réserve; elle subordonne le principe même du préavis à la sécurité nationale néerlandaise.

M. STRUYCKEN. Mais, pour cette raison même, cette clause serait superflue, puisque, du moment que notre intérêt national le permet, nous donnerons le délai. Mais nous ne pouvons pas mettre une clause de préavis dans un arrêté royal. Comme je le disais hier, toutes ces clauses spéciales vis-à-vis de la Belgique constitueront des précédents. Les navires allemands eux aussi peuvent demander un délai s'ils veulent aller de Cologne à la mer.

LE LIEUT-COLONEL RÉQUIN. Les Allemands n'ont pas de port de guerre sur le Rhin.

M. STRUYCKEN. On doit tenir compte surtout du fait que la Hollande est souveraine sur les bouches de l'Escaut.

LE PRÉSIDENT. Nous sommes bien d'accord.

M. STRUYCKEN (*Pays-Bas*). C'est pourquoi je dis que toutes ces difficultés ont pour cause le fait qu'il y a un port de guerre en amont d'un fleuve dont une autre Puissance tient l'embouchure.

LE CAPITAINE DE VAISSEAU FULLER (*Empire britannique*). J'estime que la proposition telle qu'elle a été faite par le Délégué belge implique une servitude qui ne peut être insérée dans un décret néerlandais. Mais je crois que si la Délégation hollandaise voulait bien exprimer et faire porter au procès-verbal l'intention bien arrêtée de faire tout son possible pour donner à la Belgique le temps de faire sortir ses vaisseaux d'Anvers, la question serait réglée à notre satisfaction.

M. STRUYCKEN. Nous sommes d'accord, sous cette seule réserve: à moins que la sécurité nationale ne s'y oppose. Il faut envisager toutes les hypothèses et ne pas oublier qu'il peut aussi se produire une certaine tension entre la Belgique et la Hollande.

LE PRÉSIDENT. Si je comprends bien votre pensée, le seul cas intéressant la sécurité nationale hollandaise, quand la Belgique est en jeu, c'est celui-là. Dans ce cas, évidemment, la question ne se pose pas: on aurait beau faire tous les papiers qu'on voudrait, ce serait la même chose. Mais si, dans tous les autres cas, vous envisagez qu'il suffise à la Belgique de demander une autorisation, personnellement cela me satisfait.

Je crois que nous pourrions essayer de conclure. La Délégation britannique et la Délégation américaine nous ont fait connaître leur avis. Je demande quelle est l'opinion de la Délégation italienne.

M. Anzilotti (*Italie*). Nous nous rallions à l'opinion exprimée par le Capitaine de vaisseau Fuller.

Le Capitaine de vaisseau Fuller. Puis-je demander si la Délégation hollandaise inclut dans le délai de 6 heures Anvers au même titre que ses eaux territoriales?

M. Struycken. Je regrette vivement qu'on n'ait pas ici émis des propositions par écrit. Il n'est pas possible pour nous de répondre à toutes ces questions. On pourrait encore imaginer une centaine d'autre cas. Ce n'est pas possible.

Nous avions pensé que la Délégation belge aurait formulé ici une proposition. . . .[3]

M. de Visscher. Nous l'avons formulée.

M. Struycken. Mais ce sont des choses qu'il ne faut pas proposer et discuter à l'improviste.

Le Président. Nous ne prenons aucune décision; nous échangeons seulement des réflexions.

M. Hostie (*Belgique*). C'est la réflexion du Lieut-Colonel Réquin qui a fait surgir celle du Capitaine de vaisseau Fuller. Les idées se succèdent et se complètent; nous arriverons peut-être ainsi à un résultat.

Le Président. Je crois que nous sommes beaucoup plus avancés aujourd'hui, au point de vue du délai, que nous ne l'étions hier. La question est bien éclaircie.

Le Capitaine de vaisseau Fuller (*Empire britannique*). Tout ce que je demande, c'est que le Gouvernement néerlandais donne avis à la Belgique de son intention d'obliger les bateaux étrangers à sortir de ses eaux dans les six heures, de façon à permettre au Gouvernement belge de faire sortir ses navires, s'il le peut, dans ce délai de six heures. Je ne vois pas qu'il y ait une servitude de ce côté.

Le Capitaine de vaisseau Surie (*Pays-Bas*). Je voudrais faire remarquer au Capitaine de vaisseau Fuller qu'il y a une grande différence entre sortir d'un port et traverser les eaux territoriales d'un pays, en venant d'un autre pays, ce qui est le cas des navires belges. Si une guerre est déclarée, nous pouvons donner aux navires étrangers un délai pour sortir de nos eaux, mais pas un délai pour traverser nos eaux en venant d'un autre pays.

Le Capitaine de vaisseau Fuller. Je ne vois pas la différence. Imaginez qu'il y ait des vaisseaux neutres qui se trouvent près d'Anvers, mais dans les eaux territoriales hollandaises; ces vaisseaux vont donner avis télégraphiquement au Gouvernement belge que le libre passage est supprimé et qu'on n'a que six heures pour partir. Le Gouvernement belge peut avoir des bateaux qui sont prêts à prendre la mer; s'ils partent immédiatement, ils se trouveront traverser les eaux territoriales hollandaises au même moment que les vaisseaux qui se trouvaient déjà dans ces eaux.

M. Struycken (*Pays-Bas*). Il ne faut pas oublier non plus que cela peut être dangereux de donner une situation privilégiée à la Belgique dans les temps de tension. Supposons que nous ayons fait en 1914 ce qu'on demande ici: nous fermons nos eaux pour tous les navires étrangers, comme nous l'avons fait en 1914, seulement nous donnons la permission au Gouvernement belge de faire passer ses navires par nos eaux. Ne croyez-vous pas que les Puissances alors regarderaient cela comme une violation de la neutralité?

LE PRÉSIDENT. Je ne crois pas que ce serait possible, si la convention en question était faite avec l'accord et sous le couvert de toutes les grandes Puissances.

M. DE VISSCHER (*Belgique*). C'est ce qu'il faudrait évidemment.

LE PRÉSIDENT. Par ailleurs, comme nous l'avons dit bien des fois, si la Belgique et la Hollande font toutes deux partie de la Société des Nations, vous n'avez pas à craindre que des observations de ce genre vous soient faites.

M. STRUYCKEN. Oui, mais alors, toutes ces dispositions ne sont plus nécessaires. Il ne faut pas oublier que ce qui est anomalie de droit reste anomalie, même si on le met dans un arrêté ou dans un traité.

LE PRÉSIDENT. Ce qu'on peut dire c'est que, par rapport à la Hollande, aucune autre Puissance ne se trouve dans les conditions où se trouve la Belgique. D'une situation spéciale peuvent découler, sans qu'on trouve à y redire, des conventions spéciales, surtout si ces conventions ont été approuvées par toutes les Puissances, qui en ce moment sont en train de prendre des décisions d'un ordre beaucoup plus grave et touchant à beaucoup plus d'intérêts que cette question.

M. STRUYCKEN (*Pays-Bas*). Pour ma part, je suis sûr que si nous avions fait cela en 1914, c'eût été la guerre pour la Hollande.

LE PRÉSIDENT. Les conditions n'étaient pas les mêmes qu'aujourd'hui.

LE LIEUT<sup>T</sup>-COLONEL RÉQUIN (*France*). Des observations ne pourraient pas provenir des Puissances, grandes ou petites, représentées ici, et cela en fait beaucoup. Vous me direz qu'il y en a d'autres: c'est toujours l'Allemagne qui domine nos débats.

M. HOSTIE (*Belgique*). L'Allemagne est tenue d'adhérer; son cas est réglé. Si elle viole le Traité de Versailles, elle tombe sous le coup de l'article 16 du Pacte de la Société des Nations, et alors tous les droits de passage nous sont garantis, à moins que la Hollande ne soit pas dans la Ligue des Nations.

M. NEILSON (*États-Unis d'Amérique*). Je suppose que le Professeur Struycken parle d'impartialité plutôt que de neutralité, puisque nous parlons, à ce que je comprends, des conditions du temps de paix. Le Gouvernement des Pays-Bas désire, je crois, maintenir le principe de sa souveraineté, mais est disposé à faire une concession, puisque la Délégation hollandaise nous a déclaré qu'il avait l'intention d'amender le décret royal. L'idée m'est venue qu'il consentirait à aller un peu plus loin dans l'intérêt d'une bonne entente.

M. STRUYCKEN. Ce n'est pas la même chose. Vous avez raison de dire que c'est un privilège que nous concédons à la Belgique, mais c'est pour le temps de paix, en général. Tandis que ce délai est demandé justement dans le cas où les eaux territoriales néerlandaises seront fermées pour tous les navires de guerre, c'est-à-dire pour le moment où il n'y aurait pas encore de guerre, mais une menace de guerre. Si, dans ce cas, nous donnions une position privilégiée à la Belgique sur l'Escaut, je crois que, dans certaines circonstances, les autres Puissances y verraient une violation de nos obligations de neutralité.

Le Président. La Délégation japonaise a-t-elle des observations à présenter?

M. Hayashi (*Japon*). Non, Monsieur le Président.

Le Président. Je crois que nous avons bien envisagé tous les aspects du problème et la question me paraît pouvoir se résumer ainsi à l'heure actuelle:

*1er cas.* — En temps de paix, d'après ce qu'a bien voulu nous dire M. Struycken, la suspension de l'autorisation accordée en principe à la Belgique pour faire sortir ses navires de guerre aurait seulement pour effet d'obliger la Belgique à demander, comme les autres Puissances, des autorisations de sortie spéciales pour ses navires.

*2e cas.* — En cas de suspension totale, la Hollande ne veut pas prendre d'engagement, si ce n'est que de définir sa manière de voir de la manière suivante: cette suspension concernera les bâtiments de toutes les autres Puissances en même temps que les bâtiments belges.

Quant à la question du délai, la Délégation néerlandaise ne semble pas vouloir l'envisager; mais je crois que, dans la pensée de toutes les Puissances ici représentées, il y aurait lieu d'accorder aux bâtiments belges une situation privilégiée par rapport aux bâtiments des autres Puissances, pour tenir compte de la situation particulière de la Belgique.

M. Anzilotti (*Italie*). Si j'ai bien compris la proposition britannique, celle-ci tendait simplement à obtenir que la Délégation néerlandaise déclarât son intention de faire tout son possible pour accorder ce délai aux navires belges.

Le Président. C'est donc bien leur donner une situation privilégiée par rapport aux autres.

M. Struycken (*Pays-Bas.*) Oui, mais ce n'est pas une stipulation que nous puissions mettre dans notre arrêté. Nous avons dit notre opinion à ce sujet. Notre opinion, c'est que naturellement nous ne ferons rien dans l'avenir pour être désagréables à la Belgique, de sorte que, si notre intérêt national permet de donner ce délai aux navires belges, nous le donnerons naturellement.

Le Président. Je crois avoir bien résumé l'opinion des différentes Délégations, en disant que, dans notre pensée, il y avait lieu, si la Hollande voulait bien y consentir, d'accorder à la Belgique une situation privilégiée par rapport aux autres nations. Je crois que nous sommes d'accord, puisque vous dites: 'faire tout le possible pour donner aux navires belges . . .'[3] Pour être en désaccord avec moi, il faudrait dire: 'à tous les navires'.

Le Capitaine de corvette Ruspoli (*Italie*). Le délai devrait être accordé à tous les navires de guerre étrangers se trouvant à Anvers.

Le Président. Cela n'a jamais été dit jusqu'à présent. Nous avons parlé seulement des navires de guerre belges.

Le Capitaine de vaisseau Fuller (*Empire britannique*). Je suis tout à fait satisfait de la déclaration faite par le Délégué hollandais, suivant laquelle la Hollande ferait tous les efforts possibles pour faciliter la sortie des vaisseaux belges qui se trouveraient dans le port d'Anvers.

M. de Visscher (*Belgique*). Pour éviter toute équivoque, je dois cependant rappeler que, d'après le point de vue de la Délégation belge, un engagement de cet ordre devrait figurer dans l'arrêté royal néerlandais.

Le Président. Cela n'est pas de notre compétence. C'est une question d'ordre juridique et politique; la Commission plénière en décidera.

M. Hostie (*Belgique*). Et sur la question du délai de six heures, quelle suggestion pratique a-t-on faite? Si j'ai bien compris la pensée du Capitaine de vaisseau Fuller, il y avait deux idées dans son esprit, et la combinaison de ces deux idées aboutissait à ceci que, d'une part, toutes les mesures nécessaires auraient été prises en faveur de la Belgique, dans la mesure compatible avec la sécurité néerlandaise, et que d'autre part, les navires se trouvant à Anvers n'auraient pas été placés dans une situation moins avantageuse que les navires se trouvant dans la partie néerlandaise de l'Escaut.

Le Président. Je crois que nous avons suffisamment demandé à M. Struycken son opinion sur ce point. Nous ne gagnerions pas beaucoup à discuter davantage.

M. Hostie. Ce qui nous intéresse, c'est votre opinion à vous, experts.

Le Président. Je crois l'avoir tout le premier exprimée, puisque, sur la suggestion du Lieut$^t$-Colonel Réquin, j'ai dit qu'il me semblait qu'il fallait laisser au moins aux bateaux belges le temps de gagner les eaux territoriales néerlandaises, pour se trouver dans les mêmes conditions que les navires qui seraient déjà dans ces eaux. C'est-à-dire que, logiquement, ils devraient avoir un délai de six heures, plus le temps de se rendre d'Anvers dans les eaux territoriales. C'est d'ailleurs l'opinion émise par le Capitaine de vaisseau Fuller.

M. Neilson (*États-Unis d'Amérique*). Je suggérerai, Monsieur le Président, que la Délégation belge a peut-être un peu trop d'appréhension en cette matière. On admet généralement qu'il est absolument facultatif pour la Hollande d'accorder des concessions pour le passage des bâtiments de guerre belges. La Belgique n'est pas satisfaite des concessions offertes. Il me semble tout à fait invraisemblable que la Belgique ait à craindre que ses bâtiments soient retenus à Anvers si le fleuve venait à être fermé. De temps en temps, il y a à Anvers d'autres bateaux que des bateaux belges; non seulement des bateaux marchands, mais certainement, des bâtiments de guerre. Si le fleuve était subitement fermé par le Gouvernement hollandais, ces bâtiments seraient retenus à Anvers; mais je crois que, dans la pratique, le Gouvernement hollandais n'aura pas l'occasion de fermer subitement le fleuve; en tout cas, il lui sera certainement possible d'avertir les bateaux de toutes nationalités pour qu'ils puissent partir avant la fermeture.

Le Lieut$^t$-Colonel Réquin (*France*). D'après ce que vous venez de dire, il semble que vous n'admettez pas qu'on puisse immobiliser un navire de guerre anglais ou américain à Anvers?

M. Neilson. Je crois que les Pays-Bas pourraient, en fermant le fleuve, retenir n'importe quels bateaux à Anvers. Mais, pratiquement, ils n'useront pas de ce droit; ils feront en sorte de donner à ces bateaux le temps nécessaire pour partir.

M. Struycken (*Pays-Bas*). Je suis bien sûr que les navires étrangers, y compris les navires belges, seront sortis du port d'Anvers, longtemps avant que la Hollande ne ferme l'Escaut. Je suis sûr qu'il n'y a aucune nécessité de prévoir une disposition à cet égard dans notre décret.

Le Président. Je pense, Messieurs, que nous avons terminé l'examen de ce point. Les opinions des experts seront consignées au procès-verbal.

Il nous reste à examiner la question du passage des navires de commerce belges de ou à destination du port d'Anvers, la Hollande étant en guerre et la Belgique neutre.

*Liberté de la navigation commerciale sur l'Escaut, la Hollande étant belligérante et la Belgique neutre.*   La Belgique demande que la Hollande, bien entendu dans la limite où cela dépend de sa volonté, permette aux bâtiments de commerce de toute nationalité de gagner Anvers. Il n'est pas douteux que, dans beaucoup de cas, la Hollande pourrait ne pas être maîtresse de la mer, et alors, elle ne pourrait pas s'engager à laisser les bateaux de commerce remonter l'Escaut jusqu'à Anvers. Mais la question se restreint au cas où les bateaux pourront parvenir jusqu'aux abords de l'Escaut, car en ce qui concerne la liberté de navigation au large de l'Escaut, nous ne pouvons pas demander d'engagement à la Hollande.

M. de Visscher (*Belgique*). Nous ne pouvons pas demander d'engagement à cet égard à la Hollande, mais aux autres Puissances.

Le Président. Cela, c'est une autre question que nous aurons à examiner tout à l'heure. La question que nous avons à envisager en premier lieu est la suivante: supposons la Hollande en guerre, et admettons que, comme c'est son droit, elle ferme par des champs de mines l'entrée de l'Escaut. S'engage-t-elle à faire tout son possible pour qu'un bâtiment de commerce qui sera venu jusqu'au voisinage des moyens de défense de la Hollande puisse pénétrer dans l'Escaut pour se rendre à Anvers? Je m'empresse d'ajouter que cela sous-entend, — car c'est le droit strict de la Hollande, en temps de guerre, de prendre toutes les mesures de sécurité qu'un belligérant peut prendre, — cela, dis-je, implique le droit de visite, pour se rendre compte si le bâtiment n'a pas des intentions malveillantes, ce qui pourrait se produire.

Je crois que c'est bien ainsi que la question doit être posée. Nous envisagerons ensuite la seconde question, qui concerne l'attitude des autres Puissances.

M. Struycken (*Pays-Bas*). Cette seconde question nous intéresse beaucoup, mais je voudrais dire d'abord notre opinion sur le premier point.

Notre opinion est que la liberté de la navigation sur les rivières et fleuves internationaux est garantie déjà depuis le Traité de Vienne; elle est confirmée comme règle de droit public européen dans le Traité de Paris de 1856; elle est confirmée encore spécialement dans les Traités de 1839. Et, selon mon avis, cette liberté n'est pas limitée au temps de paix. On ne trouve jamais dans ces Traités une restriction de cette liberté de navigation au seul temps de paix. Même en temps de guerre, en principe, cette liberté demeure.

M. de Visscher (*Belgique*). Parfaitement.

M. Struycken. Donc, c'est là la condition actuelle de tous les cours d'eau internationaux, et c'est ce système qu'on doit conserver. Mais pour cela, il ne faut rien changer, rien réglementer. Et c'est aussi l'opinion de la Délégation belge, car M. Segers a dit: 'La seconde question est relative à l'usage de l'Escaut, en temps de guerre, par les navires de commerce. Ici, il paraîtra évident à tous les membres de la Commission que la situation de la Belgique ne peut pas être moins avantageuse qu'elle ne l'était avant 1914.'[6]

C'est aussi notre opinion, mais pour cela, il ne faut rien changer; il faut conserver le système actuel. Un peu plus loin, M. Segers dit encore: 'Il faut évidemment que dans ce cas — et c'est d'ailleurs le régime de 1839 — la liberté commerciale de l'Escaut demeure entière.'

Le Président. C'est parfait.

M. Hostie (*Belgique*). D'accord, mais je dois faire remarquer au Délégué hollandais qu'il s'agissait alors de la Belgique en guerre; tandis que dans l'hypothèse que nous examinons, il s'agit de la Hollande en guerre. Nous sommes très heureux d'entendre que la réponse de la Délégation hollandaise est tout à fait nette à cet égard.

Le Président. Je crois qu'elle nous donne satisfaction à tous.

M. Hostie. Il reste cependant la question des modalités d'exécution, qui est pour nous extrêmement importante.

M. de Visscher (*Belgique*). Il s'agit de concilier l'exercice du droit incontestable de la Hollande belligérante vis-à-vis des bateaux traversant ses eaux, avec le maintien de la liberté commerciale, maintien sur lequel nous sommes d'accord. C'est toute la difficulté.

Le Président. Je ne sais pas si mon opinion concorde avec celle des autres Délégations, mais je crois que personne ne me contredira si je dis que, la Hollande, étant en guerre, a le droit de prendre toutes les mesures nécessaires pour assurer sa sécurité. Il se peut qu'un bâtiment soi-disant à destination du port d'Anvers ait des intentions hostiles; il se peut qu'il transporte de la contrebande de guerre. Le droit de visite a toujours été reconnu à un pays belligérant dans ses eaux.

Le Capitaine de vaisseau Surie (*Pays-Bas*). En pleine mer, et *a fortiori* dans ses eaux.

Le Président. Parfaitement. Par conséquent, je crois que personne ne voudrait demander à la Hollande de renoncer à ce droit de visite sur les bâtiments qui passeront l'Escaut.

En ce qui concerne les risques que courraient les bâtiments pénétrant dans l'Escaut, à mon sens la Hollande ne peut pas en prendre la responsabilité. Car quand même la marine hollandaise aurait dragué un chenal de sécurité, elle ne pourrait pas empêcher un sous-marin de venir mouiller des mines après le dragage. Donc, j'estime que la Hollande ne peut pas assumer la responsabilité de garantir la sécurité des bâtiments de commerce sur l'Escaut en cas de guerre.

M. de Visscher. Voici quel est notre point de vue. Nous avons un intérêt vital au maintien de la liberté de navigation commerciale sur l'Escaut. Cet

[6] See No. 178.

724

intérêt a été souvent souligné; je n'insiste pas. Le maintien de la liberté des communications constitue un des objets essentiels assignés à l'activité de la Société des Nations. Il y a un texte formel qui consacre cela dans le Pacte. C'est une des fonctions essentielles de la Société des Nations de travailler à concilier l'exercice des droits des belligérants avec le maintien de la liberté de la navigation commerciale. Il nous paraît donc que la Société des Nations serait tout à fait qualifiée pour réaliser cette œuvre de conciliation à laquelle nous voulons tous aboutir.

Le Président. Je ne vois pas clairement ce que vous désirez.

M. de Visscher. Il s'agit par exemple de la façon dont s'exercerait le droit de visite. Si cela donnait lieu à des difficultés entre la Hollande et la Belgique, c'est une des questions au sujet desquelles le Conseil de la Société des Nations en intervenant pourrait donner des directives, tant à la Hollande qu'à la Belgique.

Le Président. Je ne sais pas comment, en fait, le droit de visite serait exercé sur les navires se rendant à Anvers en temps de guerre. Mais on peut imaginer, par exemple, que les autorités hollandaises les conduiraient par exemple à Terneuzen, pour les soumettre à la visite. Je ne vois pas en quoi la Société des Nations aurait à intervenir.

M. de Visscher. C'est une question de garanties à donner à la fois à la Hollande, dont la sécurité est en jeu, et à la Belgique, dont les intérêts de navigation commerciale sont essentiellement engagés. Cette œuvre de conciliation rentre bien dans les attributions du Conseil de la Société des Nations.

Le Président. *A priori*, cela me semble bien difficile.

Le Lieutᵗ-Colonel Réquin (*France*). Après les déclarations si nettes de la Délégation néerlandaise, il me semble que nous n'avons tous qu'à lui faire confiance. Je ne vois pas pourquoi nous ferions intervenir la Société des Nations puisque, par définition, ces questions la regarderont s'il se présente des difficultés. Elle fera œuvre de conciliation, si c'est nécessaire, mais je ne crois pas qu'il y ait des difficultés à prévoir devant une déclaration aussi nette.

Le Général Mance (*Empire britannique*). Je ne crois pas que cette question puisse être examinée ici; elle est plutôt de la compétence de la Commission du régime international des ports, voies d'eau et voies ferrées. Nous l'avions examinée dans cette Commission et nous étions arrivés à cette conclusion qu'il y avait lieu d'ajouter, à la fin de toutes les conventions qui pourraient être faites, la disposition suivante: 'Ces conventions ne porteront pas préjudice aux droits et devoirs des belligérants et des neutres.' Et il a été prévu que s'il s'élevait des contestations à ce sujet, elles seraient soumises par la Société des Nations à un tribunal qu'elle désignerait spécialement pour régler tous ces différends.

Le Président. Cela revient à ce que je disais tout à l'heure, à savoir que les droits des belligérants sont reconnus; il est certain qu'on ne peut pas dénier à un belligérant le droit de prendre les mesures nécessaires pour sa sécurité.

M. de Visscher (*Belgique*). Nous ne prétendons pas du tout le contester; mais nous voudrions réglementer l'application du principe.

Le Président. Le droit de visite ne peut pas s'exercer en jetant un coup d'œil sur le pont d'un bateau. Il y a un travail matériel à exercer que la Société des Nations ne pourra pas fixer. Ce que vous pourriez peut-être dire — c'est une supposition que je fais — c'est que les bâtiments se rendraient directement à Anvers et que là, au débarquement, il y aurait une surveillance exercée par des Représentants de la Société des Nations ainsi que par des Délégués hollandais.

M. de Visscher. Un tel système nous agréerait tout à fait.

Le Président. C'est une entente à établir. Et je suis convaincu, étant donné ce que M. Struycken a bien voulu dire, que le Gouvernement belge ne rencontrera jamais d'opposition de la part du Gouvernement néerlandais pour organiser les conditions les plus favorables permettant d'assurer, d'une part la sécurité hollandaise, et d'autre part, la liberté des relations commerciales belges.

M. Struycken (*Pays-Bas*). Nous reconnaissons le principe de la liberté de navigation commerciale en temps de guerre; mais pour en réglementer l'exécution, cela est si difficile que l'on n'a trouvé que cette formule dont nous a parlé le Général Mance. C'est une question qui est plus vaste que celle de l'Escaut, elle intéresse tous les fleuves internationaux, et jusqu'ici on n'a pas pu la régler.

M. Hostie (*Belgique*). Je voudrais dire quelques mots pour dissiper ce même malentendu que nous rencontrons ici encore une fois. Quand on parle de la liberté de navigation fluviale dans le sens ordinaire du mot, il s'agit de fleuves où il n'est pas question de prises, de saisies, de visite, puisque c'est seulement la propriété maritime qui est susceptible de prise et de saisie. Or, ici nous nous trouvons devant cette situation unique, je le répète encore une fois, d'une grande navigation maritime passant entre deux rives néerlandaises. L'exercice des droits usuels de visite, de prise et de saisie sur cette navigation peut rendre illusoire la liberté de navigation. Il s'agit donc de prévoir cette hypothèse et de trouver des garanties.

Nous faisons le plus entier crédit à la bonne collaboration des Pays-Bas, mais enfin, les Pays-Bas auront un intérêt comme belligérants, et nous en aurons un autre. Nous désirons donc avoir des garanties. S'il s'agit simplement de répéter ce que disait le Traité de 1839, ce n'est vraiment pas la peine de le réviser. Ce que nous cherchons ce sont des garanties supplémentaires, et il y a de ces garanties que la Société des Nations peut nous donner; je veux parler des garanties qui résulteraient éventuellement de son intervention comme protectrice de la liberté des communications et du transit, intervention qui serait de nature à concilier les intérêts légitimes dès deux pays.

Le Président. Oui; mais je crois que la solution sera facile à trouver dans cet ordre d'idées.

M. Hostie (*Belgique*). Ne pourrions-nous pas la chercher dès maintenant, de manière que nous ayons une garantie?

Le Lieut.-Colonel Réquin (*France*). Cela rentre dans les obligations de la Société des Nations de concilier les intérêts qui peuvent être contraires. Il nous paraît assez difficile de lui tracer ici la conduite à tenir, d'autant plus que, pour le moment, elle commence à peine d'exister.

Le Président. Il me semble que le problème pourrait se résoudre de la façon suivante : par un accord entre la Belgique et la Hollande, les dispositions nécessaires sont prises pour respecter les droits des deux États. En cas de différend, le litige sera porté devant la Société des Nations.

La solution pratique que j'envisageais tout à l'heure est simple. Il suffit de s'installer à Anvers, et à mesure que se fait le déchargement, on constate ce que contiennent les bateaux.

M. de Visscher (*Belgique*). Ce système serait excellent à notre point de vue.

Le Président. Je pense que la Hollande ne refuserait certainement pas d'examiner des modalités de ce genre.

M. Hostie. Dans la pratique cela se produira nécessairement. Il est nécessaire que, pour concilier les deux intérêts en présence, nous arrivions à des accords de ce genre. Imaginez que, comme le supposait tout à l'heure M. le Président, on conduise tous les navires à Terneuzen, et que là on les y décharge. Comme Terneuzen a une capacité quinze ou vingt fois plus réduite qu'Anvers, le trafic se trouverait en fait réduit à rien. C'est absolument impossible.

Le Président. Mais je suis convaincu que la Hollande se prêtera à un arrangement ; elle pourra tout aussi bien exercer son contrôle à Anvers qu'à Terneuzen ou dans un autre port hollandais. On pourrait dire que, dans ce cas, la visite serait beaucoup moins préjudiciable aux bâtiments de commerce qu'elle ne l'a été pendant la guerre. Je crois que nous pouvons faire crédit à la Hollande sous ce rapport, et d'ailleurs s'il y avait une difficulté, l'article 13 du Pacte de la Société des Nations prévoit le règlement des litiges de ce genre. Il ne me paraît donc pas nécessaire d'insister davantage sur ce point. Nous en ferons mention dans notre rapport à la Commission plénière, qui tranchera comme elle le jugera convenable, Je crois que cela est de nature à donner satisfaction aussi bien à la Belgique qu'à la Hollande.

M. Struycken (*Pays-Bas*). Nous sommes d'accord, Monsieur le Président.

Le Président. Nous arrivons maintenant à la question beaucoup plus large, que nous avions laissée de côté tout à l'heure, à savoir celle de la possibilité de maintenir, dans le cas où la Hollande est belligérante, la liberté d'accès des navires de commerce jusqu'à l'embouchure de l'Escaut. Avant d'arriver là, ils passeront sous la férule des Puissances de la mer. Il s'agit donc d'un problème très vaste, puisque cela conduirait, pour ainsi dire, à neutraliser l'Escaut en ce qui concerne les navires à destination des ports belges.

*Liberté de la navigation commerciale au large de l'Escaut, la Hollande étant belligérante et la Belgique neutre.*

Cela n'intéresse pas la Hollande. . . .[3]

M. Struycken. Mais si, cela nous intéresse beaucoup.

Le Président. Je veux dire que vous ne pouvez pas vous y opposer.

Seulement, je me demande si on pourra jamais obtenir une telle mesure, car il n'y a pas que des ports belges sur l'Escaut, et la Puissance belligérante qui bloquera la Hollande pourra toujours dire: 'Qui me dit que ce bateau, dont les papiers de bord indiquent comme destination Anvers, ne se rend pas, en réalité, à Flessingue ou à Terneuzen?'

M. DE VISSCHER (*Belgique*). C'est évidemment la difficulté. Le cas est tout à fait spécial, en ce sens qu'on traverse le territoire bloqué. Le cas est unique, mais il faudrait tâcher de résoudre ici cette difficulté, entre experts.

D'autre part, il faut considérer ce principe dominant, qui est universellement reconnu, à savoir que les forces bloquantes ne peuvent pas barrer l'accès à un port neutre. Anvers, par hypothèse, est un port neutre.

LE PRÉSIDENT. Seulement le belligérant vous tiendra ce langage: 'Ce bateau a des papiers en règle pour aller à Anvers, c'est vrai, mais moi j'ai affaire à la Hollande et je veux que rien ne puisse lui parvenir, pas plus le *food* que les munitions; alors, j'arrête le bateau. J'estime qu'au point de vue militaire cela m'est indispensable.'

Voilà l'écueil!

LE LIEUT.-COLONEL RÉQUIN (*France*). Peut-être pourrait-on soumettre cette difficulté, comme un des premiers problèmes à résoudre, au Comité militaire et naval de la Société des Nations.

M. DE VISSCHER. Parfaitement. Mais ce qui importerait, ce serait de poser le principe, d'ailleurs reconnu par le droit international, qu'un blocus des côtes hollandaises ne pourra pas barrer l'accès aux navires à destination des ports belges.

LE PRÉSIDENT. Ce serait, d'ailleurs, très favorable également à la Hollande.

LE LIEUT.-COLONEL RÉQUIN (*France*). Quelle valeur croyez-vous qu'aurait ce principe posé par nous?

LE PRÉSIDENT. Pas par nous, cela nous dépasse. Ce que nous pouvons dire, c'est ceci: le problème est extrêmement intéressant, il nous semble qu'il doit être présenté à la Société des Nations, en vue d'une solution. Je crois que nous ne pouvons pas faire davantage.

M. DE VISSCHER (*Belgique*). Il demeurerait en principe que le blocus de la Hollande belligérante ne peut pas affecter la Belgique neutre, les garanties à fournir aux belligérants étant organisées par la Société des Nations.

LE PRÉSIDENT. A cela je crois que la Hollande n'a aucune objection à faire.

M. STRUYCKEN (*Pays-Bas*). Non, Monsieur le Président.

LE PRÉSIDENT. Je crois que nous sommes tous du même avis; nous souhaitons que la Société des Nations arrive à trouver une solution satisfaisante de la question.

Nous sommes arrivés, Messieurs, au terme de nos débats, puisque nous avons considéré toutes les questions qui nous avaient été renvoyées.

J'avais fait une confusion hier, en parlant du retrait. D'après ce que viennent de me dire les Délégués belges, il s'agissait simplement dans leur esprit de la sortie des bâtiments de guerre belges d'Anvers, question que nous avons traitée tout à l'heure.

En dehors du procès-verbal, je crois qu'il serait bon de faire un petit rapport rendant compte de nos travaux et des conclusions auxquelles nous sommes arrivés. Le Lieut-Colonel Réquin sait trop bien faire ce genre de travail pour que je ne lui demande pas de s'en charger. (*Assentiment.*) (*Voir Annexe II ci-après.*)

*Rapport à la Commission.*

Le Capitaine de vaisseau Fuller (*Empire britannique*). Si j'ai bien compris, les conclusions auxquelles nous avons abouti seront examinées par le Conseil suprême.

Le Président. Elles seront examinées par la Commission pour la révision des Traités de 1839, dont les décisions devront avoir la sanction du Conseil suprême.

Personne ne demande plus la parole? . . .³

La séance est levée à 19 heures.

## Annex II⁷ to No. 195
### Rapport de la Sous-Commission de Navigation de l'Escaut

*25 octobre 1919*

Conformément à la décision prise le 9 octobre par la Commission de révision des Traités de 1839,⁶ une Sous-Commission composée d'experts juristes, militaires et navals des Puissances représentées à ladite Commission s'est réunie les 17 et 18 octobre 1919.

Cette Sous-Commission était chargée d'étudier et de proposer les règles à établir, d'accord entre les Gouvernements néerlandais et belge, pour le passage par l'Escaut occidental, dans certains cas déterminés, des navires de guerre belges et des navires de commerce en provenance ou à destination des ports belges.

Elle a examiné successivement:

1° Le passage des navires de guerre belges par les eaux territoriales néerlandaises en temps de paix.

2° Le retrait éventuel hors de l'Escaut des navires de guerre belges, en cas d'interdiction des eaux territoriales néerlandaises, par les Pays-Bas, à tout navire de guerre étranger.

3° Le passage dans lesdites eaux en temps de guerre des navires de commerce en provenance ou à destination des ports belges.

La Sous-Commission a l'honneur d'adresser ci-après son opinion motivée sur chacune de ces trois questions.

### I
#### Passage de navires de guerre belges par les eaux territoriales néerlandaises en temps de paix

Répondant à la demande des Délégués des principales Puissances alliées et associées de 'vouloir bien faire connaître dans quelles conditions la Hollande permettra le passage de l'Escaut aux navires de guerre belges en temps de

⁷ For the omission of annex I see note 2 above.

paix', le premier Délégué néerlandais avait indiqué à la Commission, le 9 octobre,[6] que son Gouvernement était disposé à modifier l'arrêté royal du 30 octobre 1909 par un addendum ainsi conçu:

'En outre, il sera permis, en dérogation aux prescriptions de l'article 4, aux navires de guerre belges de se rendre par l'Escaut en pleine mer et *vice versa*.

Le trajet par l'Escaut occidental ne pourra pas être interrompu dans ce cas, à moins que la sécurité du navire ou de son équipage ne le rende nécessaire.

Nous nous réservons de suspendre temporairement cette autorisation lorsque l'intérêt du pays l'exige.'

La Délégation belge, après avoir pris connaissance de cette déclaration, a demandé:

*a*) Que cette autorisation fît l'objet d'une stipulation du Traité au lieu de figurer simplement dans un acte unilatéral des Pays-Bas.

*b*) Que la suspension temporaire de ladite autorisation, prévue au dernier alinéa, eût un caractère exceptionnel et fût motivée par une raison, non d'*intérêt*, mais de *sécurité* nationale, de la part des Pays-Bas.

*c*) Que le Gouvernement néerlandais fût tenu de demander au Conseil de la Société des Nations son adhésion à la fermeture temporaire de l'Escaut aux navires de guerre belges.

A ces demandes, la Délégation néerlandaise répondit:

*a*) Que l'autorisation susvisée ne pouvait résulter que d'un acte unilatéral des Pays-Bas souverains dans leurs eaux territoriales et qu'en la mentionnant dans un Traité, on créerait une équivoque inadmissible et un précédent à éviter.

*b*) Que le Gouvernement des Pays-Bas restait seul juge des raisons d'intérêt national et non pas seulement de sécurité qui pouvaient le déterminer à suspendre temporairement cette autorisation.

*c*) Et qu'il ne pouvait par suite être question de soumettre pareille décision au Conseil de la Société des Nations.

Après discussion des deux thèmes et échange de vues entre Délégués néerlandais et belge, d'une part, et Délégués des autres Puissances, d'autre part, ces derniers ont formulé les avis suivants:

*a*) (A l'exception du Délégué militaire japonais qui a préféré s'abstenir d'émettre une opinion sur une question d'ordre politique).

*Il est désirable de mentionner dans le Traité à conclure entre la Belgique et les Pays-Bas l'autorisation qui sera accordée aux navires de guerre belges en temps de paix par l'arrêté royal néerlandais.*

*b*) (A l'exception du Délégué de l'Italie).

*Le texte de l'addendum de l'arrêté royal pourrait être modifié à son dernier alinéa, de manière à motiver le droit de suspension que se réservent les Pays-Bas pour des raisons de sécurité nationale ou d'intérêt supérieur national, dit le Délégué du Japon, plutôt que d'intérêt national.*

*c*) (A l'exception du Délégué des États-Unis qui n'a pas jugé opportun de faire intervenir la Société des Nations).

*Si la Belgique estimait que la Hollande abuse du droit de suspension qu'elle s'est réservé par l'addendum à l'arrêté royal ci-dessus visé, la question pourrait être portée devant le Conseil de la Société des Nations qui paraît qualifié aux termes de l'article 13 du pacte pour arbitrer de pareils différends, sans toutefois que cette procédure ait pour résultat de suspendre l'effet des décisions prises par le Gouvernement néerlandais.*

La Sous-Commission a examiné ensuite le texte de l'arrêté royal du 30 octobre 1909 avec la modification proposée par la Délégation néerlandaise.

La Délégation néerlandaise a précisé que l'autorisation de passage qui fait l'objet de l'addendum à l'article 5 ne limite pas le nombre de navires de guerre belges.

La Sous-Commission a formulé à l'unanimité, et le Délégué néerlandais a promis de prendre en considération, le vœu suivant:

*d)* Comme conséquence de l'addendum proposé à l'arrêté royal néerlandais, *de légères modifications seraient à apporter par les soins du Gouvernement néerlandais à la rédaction de l'article 2, du paragraphe 3 de l'article 3 et du paragraphe 2 de l'article 6 soit pour éviter toute ambiguïté, soit pour tenir compte de la solution qui sera donnée à la question du pilotage actuellement à l'examen.*

L'examen de l'article 14 dudit arrêté royal a posé la question du délai à accorder éventuellement aux navires de guerre belges pour sortir d'Anvers, au cas où les Pays-Bas décideraient d'interdire leurs eaux territoriales à tout navire étranger. Cette question fait l'objet du § II ci-dessous du présent rapport.

## II

*Retrait éventuel hors de l'Escaut des navires de guerre belges, en cas d'interdiction des eaux territoriales néerlandaises à tout navire de guerre étranger, prévue par l'article 14 de l'arrêté royal du 30 octobre 1909*

Le Délégué néerlandais, distinguant nettement les restrictions ou interdictions de passage prévues par l'article 14 et la suspension temporaire de l'autorisation accordée aux navires belges par l'addendum à l'article 5, a précisé les deux points suivants:

1° La suppression de l'autorisation spéciale qui serait accordée aux navires belges par l'addendum à l'article 5 de l'arrêté royal aurait simplement pour effet de les soumettre aux mêmes règles de passage que les autres navires de guerre étrangers.

2° Par contre, l'article 14 vise:

D'une part, au § 2, le droit que se réserve S.M. la Reine des Pays-Bas d'interdire, en des circonstances exceptionnelles, les eaux territoriales néerlandaires [*sic*] à tous navires de guerre étrangers, quelle que soit leur nationalité en fixant Elle-même les conditions de départ desdits navires.

D'autre part, au § 3, le droit réservé au Ministre de la Marine du Gouvernement néerlandais de signifier à tout navire de guerre étranger situé dans les eaux territoriales néerlandaises d'avoir à lever l'ancre dans les six heures pour sortir desdites eaux.

Le Délégué néerlandais a d'ailleurs exprimé l'opinion que dans les circonstances exceptionnelles prévues par l'article 14, son Gouvernement faciliterait certainement dans la mesure où la sécurité des Pays-Bas le lui permettrait, mais sans prendre d'engagement formel à ce sujet, le passage des navires de guerre belges sortant d'Anvers pour gagner la mer.

Les Délégués des autres Puissances ont considéré que dans ces circonstances exceptionnelles, au nombre desquelles l'article 14 vise explicitement le *danger de guerre et même le temps de guerre*, la Belgique pourrait avoir besoin de faire sortir ses navires de guerre d'Anvers, avant que l'Escaut occidental pût leur être définitivement fermé.

La Sous-Commission n'a pas cru cependant devoir rouvrir le débat sur la question antérieurement posée par la Délégation belge de l'utilisation de l'Escaut par les navires de guerre belges, dans une guerre où les articles 16 et 17 du pacte de la Société des Nations ne s'appliqueraient pas aux Pays-Bas. Mais plusieurs des Délégués des principales Puissances alliées et associées ont eu en vue la situation qui résulterait pour la Belgique de la fermeture de l'Escaut dans l'hypothèse précitée, quand ils ont insisté sur l'opportunité de donner à la Belgique un préavis ou un délai pour permettre à ses navires de guerre de gagner la mer dans les cas visés par l'article 14 de l'arrêté royal. Ces mêmes Délégués ont observé *qu'au point de vue de leur utilisation éventuelle*, les navires de guerre belges seraient, en cas de l'application de l'article 14 de l'arrêté royal précité, dans une situation moins favorable à Anvers que s'ils se trouvaient à ce moment dans les eaux néerlandaises. Stationnés dans le port d'Anvers, ils pourraient, en effet, y être immobilisés alors que, se trouvant dans les eaux néerlandaises, ils auraient *toujours*, comme les autres navires étrangers, la faculté d'en sortir et de gagner la mer.

En conséquence, et en considération de la situation particulière du port d'Anvers, les Délégués des principales Puissances alliées et associées ont formulé sur la question II l'avis suivant:

*Dans le cas d'interdiction des eaux territoriales et néerlandaises aux navires de guerre étrangers prévue par l'article 14 de l'arrêté royal du 30 octobre 1909, il conviendrait que le Gouvernement des Pays-Bas donnât un préavis à la Belgique et un délai permettant aux navires de guerre belges, qui n'auraient pas pu quitter Anvers avant la fermeture de l'Escaut d'en sortir néanmoins et de gagner la mer.*

Le Délégué du Japon ajoute: 'Sauf dans le cas où l'état de guerre serait déclaré par les Pays-Bas'.

Le Délégué de l'Italie a d'ailleurs estimé que ce délai devrait s'appliquer à tous les navires étrangers se trouvant éventuellement à Anvers.

### III

*Passage dans les eaux territoriales néerlandaises en temps de guerre*
*des navires de commerce en provenance ou à destination des ports belges*

La Sous-Commission, envisageant le cas où la Hollande serait belligérante et la Belgique neutre, a considéré:

  *a)* La liberté de navigation commerciale dans l'Escaut;
  *b)* La liberté de navigation commerciale au large de l'Escaut.

*Dans l'Escaut*, la Délégation néerlandaise a déclaré *qu'aucune restriction ne serait apportée à la liberté de la navigation commerciale garantie par les Traités depuis 1815, étant entendu que cette liberté laisse au belligérant le droit de prendre les mesures de sécurité justifiées par l'état de guerre, tel que le droit de visiter les navires de commerce.*

La Sous-Commission s'est déclarée d'accord avec les vues exprimées par le Délégué néerlandais.

Sur la proposition de la Délégation belge, les Délégués des Puissances alliées et associées, *à l'exception des Délégués des États-Unis et de l'Angleterre*, ont suggéré que *pour éviter les difficultés qui pourraient surgir dans l'application du droit de visite ou de tout autre droit expressément réservé au belligérant, la Société des Nations recommandât au besoin des solutions conciliant l'intérêt des Pays-Bas et celui de la navigation de commerce.*

Le Délégué de la France, émettant le vœu que le droit de visite fût appliqué de manière à apporter le minimum de gêne aux transactions commerciales, a suggéré, pour préciser sa pensée, que la visite des navires de commerce pourrait être faite à Anvers.

*Au large de l'Escaut*, la Sous-Commission a considéré que la liberté de la navigation de commerce ne dépendait plus du Gouvernement néerlandais seulement, mais des Puissances maîtresses de la mer et qu'au surplus le problème dépassait sa compétence. Elle a estimé, *à l'exception des Délégués des États-Unis et de l'Angleterre*, qu'il était un de ceux que la Société des Nations aurait à résoudre et [?a] émis le vœu qu'une solution intervînt de nature à garantir les intérêts de la Belgique.

Le Délégué des États-Unis a déclaré à ce sujet qu'il ne voyait pas comment cette question pourrait être présentée à la Société des Nations, ni quelle pourrait être, en l'espèce, l'action de ladite Société. Il a désiré spécifier que le droit de visite et de recherche peut être exercé en haute mer et dans les eaux territoriales du belligérant et que les principes qui régissent le droit de visite et de blocus sont dictés par le droit international et ne peuvent être modifiés par des arrangements ou des accords particuliers n'ayant pas l'effet dudit droit international.

<br>

## No. 196

*Sir F. Villiers (Brussels) to Earl Curzon (Received October 22)*

*No. 387 [144238/11763/4]*

BRUSSELS, October 18, 1919

My Lord,

I have the honour to report that I was received this morning by the Minister for Foreign Affairs on my return from leave of absence.

Our conversation naturally turned upon the discussions now in progress at Paris with regard to revision of the treaties of 1839, and more especially upon the question of finding some system of co-operation between the Dutch and Belgian Governments for the defence of Belgian territory against German aggression.

The Netherlands delegates on the Revision Committee had given assurances to the effect—

1. That the Netherlands will adhere to the League of Nations:

2. That in any case the Netherlands Government will consider the violation of Dutch territory, including Limburg, as a *casus belli*; and

3. That in the case of attack the territory of Dutch Limburg will be defended.

The Belgian Government were carefully considering whether on the basis of these assurances some agreement could be reached on the lines indicated in Sir Eyre Crowe's despatch No. 1903[1] of the 3rd instant. The proposed Treaty of Revision might include some form of words which would imply the readiness of the Dutch Government to conclude, under the ægis of the League of Nations, any arrangements that might be necessary to ensure the defence of their territory against unprovoked attack. It might then become possible to co-ordinate such measures of defence with those of a similar kind taken by Belgium for protecting the Belgian frontier.

In the opinion of the Belgian Government the proposed reference to the League of Nations presented a serious difficulty in view of the general provisions requiring unanimity in the decisions of the full Assembly and of the Council. Monsieur Hymans did not deal as fully with the question as Monsieur Orts in his conversation of the 13th instant with Mr. Gurney[2] but he dwelt with emphasis on the fact that Germany would probably adhere to the League and have a place in the Council and that the German Government would not agree to any arrangement directly opposed to their interests. They might even decline to join the League if some decision of the kind required by the Belgian Government had already been taken.

There was another point. Some delay must inevitably occur and indeed delay might be almost indefinitely protracted. If the treaties of 1839 were allowed to lapse and no means of security substituted the position of Belgium would be more perilous than ever. If this situation were to arise the fact would, of course, be realised and this, with a knowledge of the declarations made by the Allied representatives on the Paris Committee as to the vital importance of providing for defence of the country, would lead to an outburst of popular feeling which no Government would be willing to encounter. Only one solution had so far occurred to Monsieur Hymans, which was that the British and French Governments should consent to retain as operative, *until some other satisfactory arrangement should be concluded*, the provisions in the 1839 treaties by which the Powers guaranteed the independence of Belgium and the integrity of the kingdom, as defined in article 1 of the treaty of the same date between Belgium and Holland. Upon this condition his Excellency believed that an agreement could be speedily reached if the Dutch

---

[1] No. 160.          [2] See No. 183.

Government made adequate concessions in regard to the navigation of the Scheldt and other questions relative to waterways now under discussion at Paris, and he requested me to lay the idea before your Lordship with an earnest expression of hope that it would receive favourable consideration from His Majesty's Government.[3]

The agreement would be provisional in the same manner as the treaties recently signed respecting assistance to France, and Monsieur Hymans asked me to make it clear that his present suggestion did not supersede the proposal, submitted in my memorandum of the 2nd September[4] and by Baron Moncheur a few days later,[5] that the British and French Governments should enter into an engagement with the Belgian Government for the defence of Belgium in the case of unprovoked aggression on the same lines as the treaties in regard to France.

I have, &c.,
F. H. VILLIERS

[3] In this connexion Sir F. Villiers further reported in Brussels telegram No. 176 of October 23, 1919 (received that day): 'French Ambassador expresses opinion that his Government may be disposed to accept [M. Hymans'] proposal.'
[4] No. 108.                                                                                    [5] See No. 122.

## No. 197

*Sir F. Villiers (Brussels) to Earl Curzon (Received October 22)*

*No. 389 [144239/11763/4]*

BRUSSELS, *October 18, 1919*

My Lord,

Mr. Robertson in his telegram from The Hague, No. 1470[1] of the 11th instant, stated that the conciliatory proposals outlined by Monsieur Pisart had made a favourable impression upon the Dutch Government, and that these proposals had been communicated to the Dutch delegates at Paris. Surprise and disappointment had been all the greater at the attitude adopted by the Belgian delegates at the meeting held on Tuesday, the 7th instant.

It seemed to me possible that some misunderstanding had occurred, and I therefore took an opportunity this morning of mentioning the matter to the Minister for Foreign Affairs. His reply was that Monsieur Pisart had not been entrusted by the Belgian Government with any special mission, and that he had no authority to speak in their name. I reported accordingly to your Lordship by telegraph.[2]

What occurred was briefly as follows:—

A short time ago Monsieur Jaspar, Minister of Economic Affairs, invited Monsieur Segers and Monsieur Orts, the Belgian delegates, to call at his office, where they met Monsieur Wauters, Minister of Industry, Labour,

[1] No. 180.
[2] In a short telegram, No. 173 of even date (not printed).

735

and Supply, and Monsieur Pisart, a gentleman who has large business connections in Belgium and Holland.

Monsieur Jaspar said he had arranged this meeting because he heard that economic questions were being discussed by the Committee at Paris, and he thought that he and Monsieur Wauters, in view of the offices which they held, ought to know what was going on. Monsieur Segers and Monsieur Orts explained that the Minister had been wrongly informed. The Committee were dealing only with political and military questions—details relating to the waterways were still matters for consideration by engineers, and the Belgian delegates had the assistance of experts from the Departments concerned.

A conversation ensued as to the possibility of some eventual arrangement upon various points, such as those mentioned in Mr. Robertson's telegram to your Lordship, No. 1464[3] of the 7th instant. The idea was also suggested of reviving an unofficial Belgian-Dutch Committee, which had treated various economic questions during the war, if it were ascertained that the Dutch were as well inclined as in August 1918, when the last meeting of the Committee took place. Upon this latter point Monsieur Pisart offered to consult Monsieur Van Aelst, a prominent Dutch banker who was president of the Committee. The suggestion was approved, but on the strict understanding that no discussions were to be opened until after a settlement had been reached of the points under consideration by the Paris Committee. No further authority of any kind was given to M. Pisart.

Both Monsieur Hymans and Monsieur Orts have shown me the report prepared by Monsieur Pisart upon a visit which he paid to Holland after the meeting at the Ministry of Economic Affairs. He saw Monsieur Van Aelst who was of opinion that the unofficial Committee could usefully be revived after the main questions at issue had been settled. He also saw Mr. Robertson and Colonel Oppenheim from whom he gathered that His Majesty's Government would view with favour an economic arrangement between Belgium and Holland. He did not call specially on any of the Dutch Ministers, but had occasion to meet the Prime Minister on a matter concerning his private business, when only a passing allusion was made to the possibility of an agreement.

The Belgian Government have no reason to doubt the perfect loyalty of Monsieur Pisart and they have no objection to the Dutch Government knowing that they are ready later on to conclude some economic arrangement. They only regret that a misunderstanding has occurred which for the moment has created a bad impression.

I have, &c.,
F. H. VILLIERS

[3] No. 169.

## No. 198

### Earl Curzon to Mr. Gurney (Brussels)
### No. 371 [137457/4187/4]

FOREIGN OFFICE, *October 18, 1919*

Sir,

I have to acknowledge the receipt of your despatch No. 361[1] of the 26th ultimo reporting a conversation which you held on that date with the Belgian Minister for Foreign Affairs in regard to the attitude of the French Government on the Luxembourg question.

I should be glad if you would now approach Monsieur Hymans unofficially and suggest to him that since the claim of the French Government to control the Luxembourg railways would appear to be based on a misunderstanding of article 67 of the Peace Treaty, his Government will no doubt consider whether it would not be advisable for them to raise the question of this article's interpretation before the Supreme Council.

In this connection I would refer you to Sir G. Grahame's telegram No. 1037[2] of the 25th ultimo, a copy of which is enclosed,[3] as indicating that it would be undesirable that His Majesty's Government should address direct representations to the French Government on this question.

I am, &c.,[4]

[1] No. 149.   [2] No. 145.
[3] Not here reprinted: see No. 145.   [4] Signature lacking on filed copy.

## No. 199

### Sir E. Crowe (Paris) to Earl Curzon (Received October 23)
### No. 2001 [144718/11763/4]

PARIS, *October 21, 1919*

My Lord,

His Majesty's Chargé d'Affaires at Brussels has been good enough to forward direct to me a copy of the despatch which he has addressed to your Lordship, No. 384[1] of the 13th October, recording a conversation with M. Orts, Secretary-General at the Ministry for Foreign Affairs, on the subject of the negotiations which have been taking place here between the five Principal Allied and Associated Powers, Belgium, and Holland for a revision of the three treaties of 1839.

2. I find it difficult to believe that M. Orts seriously intended to convey the impression that Belgium had not been receiving the full support of her Allies in her efforts to come to an understanding with Holland, and strong exception must be taken to his remark that he had found it difficult to talk to the British delegates on the Committee which has been sitting continuously since the latter part of July.

[1] No. 183.

3. As the minutes of the numerous meetings of the Committee clearly show, the chairman, M. Laroche, has displayed the utmost consideration for the Belgian delegates on every occasion, and has been supported at every turn by the British delegates. I, myself, have had several interviews with M. Orts, who has also been to the Astoria frequently to see Mr. Tufton. Both Mr. Tufton and General Mance, and the military and naval members of the Delegation have had conversations with M. Segers, M. Orts, and their military, naval, and economic advisers, and I have no hesitation in saying that M. Orts completely misrepresented the facts to His Majesty's Chargé d'Affaires.

4. As your Lordship is aware, the Committee decided, when the Belgian and Dutch delegates returned to Paris with their expert advisers in September, to invite them to thresh out together, without the intervention of the Allies, the various points on which an agreement was sought, with the idea that only those questions should be brought before the full Committee on which no agreement had been come to, in order that the Allies should then endeavour to conciliate the divergent points of view. Negotiations on the economic and political questions involved were to be pursued *pari passu*.

5. At an interview with M. Orts here on October 9th, Mr. Tufton particularly asked him, after discussing with him the draft scheme put forward by M. Laroche, providing for the conclusion of the agreements necessary for the defence of Belgium under the auspices of the League of Nations, what progress was being made with the economic negotiations. M. Orts replied that no progress had been made at all; that the Dutch delegates had put forward a few vague suggestions which had come to nothing, and that the Belgian experts had consequently been sent back to Brussels. A few days after, M. Orts announces to His Majesty's Chargé d'Affaires in Brussels that the negotiations on the economic side of the question are proceeding quite favourably, and that the main points are already settled in principle; that the Dutch have agreed to the construction of the Scheldt–Rhine and Antwerp–Moerdijk canals, the widening and ultimate improvement of the Ghent–Terneuzen canal, and that only points of detail remain to be discussed; as to the Scheldt, the Dutch have agreed to a joint Commission to control traffic, lighting, and marking of the channel, and to the execution of the works necessary to maintain and improve the course of the river, whilst they have waived their right of veto as to such works, and have agreed to refer any differences to a panel of arbitrators nominated in advance. They have also reached an agreement in principle as to the payment for such works.

6. Since the receipt of Mr. Gurney's despatch, Mr. Tufton has seen M. Laroche, who was as completely surprised by these statements as I myself, and it would appear that M. Orts in his relations with the French and British delegates has displayed a lack of candour which I venture to think is entirely out of place as between Allies, and throws grave doubts on the suitability of M. Orts to be entrusted by his Government with the negotiation of matters of such importance.

7. As I had the honour to point out to your Lordship in my telegram No. 1434[2] of October 13, the Belgian delegates have throughout appeared apprehensive that it was the intention of the Allies to rest content with an agreement between Belgium and Holland on economic matters, without finding any solution of the questions connected with the defences of the Eastern Frontier and the status of the Scheldt in time of war, notwithstanding the formal assurance of M. Laroche on behalf of the Committee that there was no such intention, and that he, for his part, on behalf of the French Government, would pledge himself not to sign any agreement on economic matters unless a practical solution of the political difficulties could be found at the same time. The Belgian method of meeting this very categorical assurance is to keep their Allies entirely in the dark as to their proceedings. They have, themselves, formulated hitherto no definite plan, detailed or otherwise, for settling any of the questions involved; they have contented themselves with criticising every suggestion which has been put forward, and adopting an attitude of open hostility towards the Dutch delegates in the Committee. There can, I think, be no doubt whatever that the Belgian cause has been handled most clumsily from the outset, that their impossible claims and uncompromising attitude in the Committee and outside has tended to alienate from them the friendly feelings entertained for them and their country by the Allies, and I have reason to know that not a few Belgians holding responsible positions in their own country share the opinion which is general in Paris that the Belgian delegates on the 1839 Treaties Committee have not done anything to facilitate the efforts of their Allies, who rescued them from the Germans, in providing for the future security and prosperity of their country.

8. I shall, of course, be quite ready to see M. Orts when he returns to Paris, if he asks me to fix an interview, but previous experience of these conversations does not make me very hopeful that any satisfactory result will be obtained unless a change comes over the whole attitude of the Belgian delegates.

I have, &c.,
EYRE A. CROWE[3]

[2] No. 182.

[3] Lord Hardinge commented in an undated minute on this despatch: 'When M. Orts came to the F.O. he was very helpful in the solution of many questions. Something may have happened that we do not know.'

## No. 200

*Mr. Robertson (The Hague) to Earl Curzon (Received October 23)*

*No. 288 [144733/9019/39]*

THE HAGUE, *October 21, 1919*

My Lord,

I notice in Sir E. Crowe's telegram to your Lordship, No. 1407[1] of October

[1] No. 163.

3rd, which is printed in the Telegrams Sections,[2] a statement to the effect that according to the information of Monsieur Clemenceau it was practically certain that Holland would refuse to surrender the ex-Emperor.

I venture to express the opinion that it is not yet possible to foretell what the reply of the Netherlands Government would be to a request for surrender. It depends very largely, to my mind, upon what form the request takes. There can be little question that both the Netherlands Government and people are at present under the impression that the Allies are by no means unanimous in desiring that the ex-Emperor shall be given up for trial; in fact, they seem to think that it is mainly His Majesty's Government who are inclined to insist upon it. It is important, therefore, that if the request is made at all, this should be done by all the Allies and in clear and unmistakable terms. While the Dutch Government will, as I have reported in previous despatches, closely scrutinise any legal arguments that may be used, I myself feel that an appeal to their sense of international morality and to the necessity of fixing responsibility for international crime, with a view to discouraging any Head of a State in future from plunging the world into war, would not be out of place.

In this connection, I have the honour to enclose a translation of an article[3] by Professor van Hamel which appeared in *De Amsterdammer* of October 18th, in which the writer scarcely conceals his view that the ex-Emperor should be handed over for trial. This is the first article of its kind that I have yet seen in the Dutch press, and I think that it is worth your Lordship's perusal.

I have, &c.,

ARNOLD ROBERTSON

[2] Selections of recent telegrams circulated confidentially to H.M. Representatives abroad.
[3] Not printed.

## No. 201

*Earl Curzon to Sir H. Stuart (Coblenz)*

*No. 5 Telegraphic [143466/140610/1150 RH]*

FOREIGN OFFICE, *October 21, 1919*

Your despatch No. 92.[1]

Our view is that High Commission comes into being simultaneously with coming into operation of Peace Treaty. You should, in concert with your colleagues, make best possible arrangements to give effect to this view which circumstances permit.

[1] No. 187.

## No. 202

### Sir E. Crowe (Paris) to Sir C. Marling (Copenhagen)

*No. 16 Telegraphic [460/3/10/19686]*

PARIS, *October 21, 1919*

Your telegram No. 6.[1]

The Supreme Council has decided[2] that all Commissions will be competent to act if composed of representatives designated by the Powers which have ratified the Treaty or which have appointed delegates without having ratified. Their decisions will be valid even if all the Powers designated by Treaty have not appointed representatives.

It is not intended to ask the German Government whether they accept this decision or not. If they enquire it will be communicated to them.

[1] No. 189.
[2] See Volume II, No. 2, minute 7.

## No. 203

### Earl Curzon to Sir E. Crowe (Paris)

*No. 1276 Telegraphic [143977/1362/39]*

FOREIGN OFFICE, *October 22, 1919*

Your telegram No. 1463[1] of October 20th.

Neither the Prime Minister nor Mr. Balfour have any recollection of decision by the Conference that the first meeting of the Council of the League of Nations should be held in Paris, as stated by Monsieur Pichon[2] and recorded in the fourth paragraph of your telegram.[1] They hope that you will press strongly for London meeting which they thought had been agreed upon.[3]

[1] Not printed. This telegram summarized the discussion at the meeting of the Supreme Council on that day, for which see Volume II, No. 3.
[2] See Volume II, No. 3, minute 6.
[3] Sir E. Crowe replied in his telegram No. 1486 of October 24, 1919, that Monsieur Clemenceau's statement that it was 'agreed between him, Mr. Lloyd George and Colonel House that President Wilson should summon meeting of the Council in Paris is confirmed' by a letter of October 21 from Sir E. Drummond, Secretary-General Designate of the League of Nations. 'In these circumstances, and as Sir Eric Drummond is expected to arrive here to-night I propose to take no action until I have discussed whole matter with him.' (Sir E. Crowe was informed in Foreign Office telegram No. 1291 of October 25 that Sir E. Drummond's departure for Paris had been postponed till October 28.)

## No. 204

### The Earl of Derby (Paris) to Earl Curzon (Received October 25)
### No. 1025 [145463/2114/17]

PARIS, *October 22, 1919*

My Lord,

The press reports the discovery of a widely spread anti-French plot at Strasbourg with ramifications throughout the re-annexed provinces. The object of the plot was apparently to provoke a movement in Alsace and Lorraine on November 9th next in favour of the neutralisation of those provinces, simultaneously with the outbreak of a fresh Spartacist rising in Berlin. The movement in Alsace had been prepared by a 'neutralist' committee, whose task it was to spread anti-French propaganda, specially among the French troops, by means of the distribution of pamphlets. In Lorraine the movement took the form of continuous strikes organised by German agents. Five members of this neutralist committee have now been arrested, including a certain Koessler, a Strasbourg professor and an officer of the German reserve.

Additional interest is lent to the affair, owing to the accusation brought by the *Petit Parisien* against Monsieur Jean Longuet, the well-known French Socialist Deputy, of having been in relations with the neutralist committee through Herr von Grunelius, a rich German landowner in the neighbourhood of Strasbourg. Monsieur Longuet admits having visited Strasbourg last August, but he denies in his newspaper *Le Populaire* of last night that his visit had any connection with political intrigues.

I have, &c.,
DERBY

## No. 205

### Sir F. Villiers (Brussels) to Earl Curzon (Received October 25)
### No. 394 [145482/4187/4]

BRUSSELS, *October 23, 1919*

My Lord,

I have the honour to report that in accordance with the instructions contained in Your Lordship's Despatch No. 371[1] (137457/W/4) of the 18th instant, I have suggested unofficially to the Minister for Foreign Affairs that since the claim of the French Government to control the Luxemburg railways would appear to be based on a misunderstanding of Article 67 of the Peace Treaty, the Belgian Government would no doubt consider whether it would not be advisable for them to raise the question of this Article's interpretation before the Supreme Council.

Monsieur Hymans attached much importance to this suggestion which would, of course, be duly considered.

I have, &c.,
F. H. VILLIERS

[1] No. 198.

# No. 206

*Letter from Sir H. Stuart (Coblenz) to Mr. Waterlow (Received October 28)*

*No. 102 [146384/105194/1150 RH]*

COBLENZ, *October 23, 1919*

My dear Waterlow,

I enclose copies of a Memorandum[1] by Noyes on the subject of the coming into force of the Rhineland Agreement and a Memorandum by myself[2] on the same subject. The latter is little more than a restatement of Malkin's opinion which you communicated to me with your despatch No. 234[3] of July 31st, 1919. Noyes's original intention was to send his Memorandum to Tirard but after discussing the matter with me he has decided not to do so but to talk the matter over with Tirard.

Yours sincerely,

HAROLD STUART

ENCLOSURE 1 IN No. 206

*Memorandum to the President of the Inter-Allied Rhineland Commission, Coblenz*

Copy.

*October 21st, 1919*

Our Legal Department has presented to me an interpretation of the Treaty which, if correct, would very vitally affect the questions now under discussion relating to the time when the new High Commission comes into power. I confess that I can see no way of avoiding this interpretation.

First, the Rhineland Commission stands on a different footing than any other Commission, being created, not by the Treaty, but by a separate Agreement.

Second, this agreement being a contract between Germany, on the one hand, and Four Contracting Nations, on the other hand, can only come into effect when all of the Five Contracting parties have ratified it, unless the Agreement itself provided otherwise.

Third, there is nothing in the agreement creating the Rhineland Commission providing for its consummation in any other way than through the signature and ratification of all the contracting parties.

Fourth, the Treaty of Peace, by a clause therein, comes into effect when three of the Great Powers ratify, but this clause has no connection with the Rhineland Agreement; the Rhineland agreement is no part of the Treaty, but is a 'subsequent agreement' mentioned in that Treaty.

Fifth, under the above conditions there can be no Rhineland High Commission organized or effective in the Occupied Territories until all of the Five Contracting parties have ratified.

Sixth, if the Treaty goes into effect for three of the Powers before the High

[1] Enclosure 1 below.      [2] Enclosure 2 below.
[3] Not printed: see No. 37, note 4.

Commission can be organised, as suggested above, the status of their occupation will be the ordinary status under international law covering the occupation of a conquered country by the conquering army, the only chance [?change] being that, whereas the Armistice was a specific limitation of these more unlimited powers under international law, such limitation will be non-effective in the interim between the cancelling of the Armistice through ratification of three Powers and the creation of the Rhineland Commission through the ratification of the Rhineland Agreement by all the parties.

I should like your opinion on this position which is concurred in by all the American legal authorities here in Coblenz, and I believe the matter should be discussed on this basis by the Commission at an early date.

PIERREPONT B. NOYES
American Commissioner

ENCLOSURE 2 IN NO. 206

*Memorandum*

COBLENZ, *October 22nd, 1919*

I invite attention to the correspondence which passed between Baron de Lersner and Monsieur Clemenceau on the 5th July, 1919, on the subject of the relation between the Rhineland Agreement and the Treaty of Peace.[5] The view given in M. Clemenceau's letter is expressly stated to be that of the Allied and Associated Governments. According to that view the Treaty of Peace, the Protocol and the Rhineland Agreement 'constitute the conditions of Peace and are "solidaires les uns des autres" ' and require only one instrument of ratification. I attach copies of these two letters.[5]

The Legal Adviser to the British Peace Delegation concluded from this correspondence that the three instruments all come into force together; and he added that this was certainly always the intention and that the Drafting Committee were unanimously of the opinion that this was in fact the position. The matter must in any case be regarded as settled by the correspondence mentioned above.

If the Rhineland Agreement be regarded as a distinct Agreement it would follow that it come into force as from the date of signature since it contains no ratification clause and does not require ratification. This is not a possible conclusion since the Rhineland Agreement is clearly dependent on the Treaty of Peace and contemplates the existence of a state of Peace which could only come into being on the coming into force of the Treaty.

It is understood that the United States had at one time contemplated making appointments of American representatives to Commissions before the United States had ratified the Treaty. It follows from this that in the opinion of the United States Government those Commissions might come into existence before ratification by the United States.

HAROLD STUART

[5] Enclosures 3 and 4 below.

*Baron von Lersner to M. Clemenceau*

(*Copie*)

Délégation Allemande
de la Paix

VERSAILLES, *le 5 juillet 1919*

Monsieur le Président,

Le Gouvernement allemand suppose que seul est à ratifier le Traité de Paix lui-même, et non pas le protocole et l'arrangement relatif aux territoires occupés.

Je me permets de prier V.E. de vouloir bien me faire connaître si les Gouvernements alliés et associés partagent cette interprétation.

Si les Gouvernements alliés et associés avaient l'intention de ratifier également le protocole et l'arrangement, il y aurait également ratification du côté allemand. Il serait alors nécessaire de dresser un instrument commun de ratification pour le Traité de Paix et pour le protocole, et un second instrument de ratification pour l'arrangement.

Je serais reconnaissant à Votre Excellence de me répondre le plus tôt possible.

Agréez, etc.,
BARON DE LERSNER

ENCLOSURE 4 IN NO. 206

*M. Clemenceau to Baron von Lersner*

(*Copie*)

Conférence de la Paix
Le Président

PARIS, *5 juillet 1919*

Monsieur le Président,

J'ai l'honneur de vous faire connaître le point de vue des Gouvernements alliés et associés sur les questions posées par votre lettre en date de ce jour.[6]

La ratification par l'Allemagne du Traité de Paix signé à Versailles le 28 juin 1919, doit comporter une ratification globale du Traité, ensemble les actes qui le complètent, c'est-à-dire le Protocole et l'arrangement relatif à l'occupation des pays rhénans. Ces documents constituent les conditions de paix et sont solidaires les uns des autres.

Le caractère de ces actes a été déjà signalé à la Délégation allemande dans la lettre que les Puissances alliées et associées lui ont adressée le 26 [27] juin 1919.[7]

Pour les mêmes raisons, ces trois actes ne sauraient donner lieu qu'à un seul instrument de ratification.

Veuillez agréer, etc.,
G. CLEMENCEAU

[6] Enclosure 3 above.          [7] See No. 23, note 3.

## No. 207

*Record of a meeting in Paris on October 23, 1919, of the Committee on Organization of the Reparation Commission*

*No. 15 [Confidential/Germany/31]*

The Meeting opened at 10.30 a.m., M. Loucheur in the Chair.

*Present:*

Mr Rathbone, Mr. Dresel, Col. Logan (United States), Sir John Bradbury, Mr. McFadyean, Major Monfries (Great Britain), M. Loucheur (France), Signor d'Amelio (Italy), Col. Theunis, Major Bemelmans (Belgium).

. . . *XIII.*[1]   *Attitude of the U.S. concerning the Interpretation of Article 235.*[2]— *B. 142 [143]*[3]

THE CHAIRMAN stated that France, Italy, and Belgium adopted the interpretation given by the United States and asked Sir John Bradbury if he could express the opinion of the British Government.

SIR JOHN BRADBURY answered that he had carefully read the American Note which presented the arguments in favour of this theory in an excellent manner. Nevertheless, he was not convinced; the literal interpretation would, in fact, be contrary to the American theory. It was true that it would be necessary to take the intention of the experts of the Treaty into consideration; he would consult his Government on this question, and in particular the Prime Minister.

THE CHAIRMAN added that M. Jouasset, one of the authors of Article 235, should be asked to hasten the despatch of his manuscript notes which had been requested from him at a former meeting. If the British Government was not in agreement with the interpretation of the other nations represented on the C.O.R.C. it would be best to submit the question to the Supreme Council where it would be discussed in the presence of the Delegates of the Reparation Commission. . . .[4]

### ANNEX TO No. 207

*Memorandum of American Delegation*

B.143

*Subject: Construction of Article 235*[2]

The American Delegation has given close attention to memorandum B 95[5] prepared by the British Delegate on the subject of the construction of Article 235, and has now received instructions from its Government on the question.

---

[1] The preceding minutes recorded discussion of other matters.
[2] Of the Treaty of Versailles.                [3] Annex below.
[4] The remaining minutes recorded discussion of other matters.
[5] Annex 1 to No. 148.

The American Delegation agrees entirely that the questions raised by reason of this Article are highly important and can to advantage be immediately discussed without waiting until the organisation of the permanent Commission. The Delegation regrets, however, that it is unable to accede to several of the propositions advanced by the British Delegate.

The note of the British Delegation calls attention to the difference of language in Article 235 in (a) mentioning the Reparation Commission as the agency for fixing the instalments and manner of payment of the twenty billion gold marks, and (b) that the governments of the principal Allied and Associated Powers shall determine what supplies of food and raw materials are essential. The Department of State in its instructions to the American Delegation points out that it was always understood by the American Delegates that the Treaty itself designates the Reparations Commission as the agency through which the judgment contemplated by Article 235 shall be exercised by the principal Allied and Associated Powers, and in the opinion of the Department the matter is also clear from the point of view of construction merely. The American Delegation is confirmed in this view by the consideration that if the words imply an action by the Governments themselves and it is to be inferred from them that no delegation of powers is given to the Reparation Commission, in such case it is equally wrong to delegate the powers to another body such as the Supreme Economic Council or the Economic Section of the League of Nations.

Further the provisions of other parts of the Treaty seem conclusively to show that the Reparations Commission should determine what food and raw materials are necessary to carry out the reparation obligation, thus:

(a) Article 248 provides that while the cost of reparation and all other costs arising under the Treaty shall be a first charge upon all the assets and revenues of the German Empire, this is 'subject to such exceptions as the Reparations Commission may approve'. From this it appears clear that the intention of those who drafted the Treaty was to have the whole reparation problem controlled and handled by the Reparations Commission, and to have the latter regulate all questions relating to the use to be made of the assets and revenues of the German Empire. Article 235 would, from this point of view, be merely a specific application of the general authority which, by Article 248, is conferred without qualification upon the Reparations Commission in order to relieve Germany from the full severity of the reparation terms, in the interests of its future economic life and ability to pay.

(b) Article 240 of the Treaty provides that the German Government 'will supply to the Commission all the information which the Commission may require relative to the financial situation and operations and to the property, productive capacity and stocks and current production of raw materials'. It seems apparent from this wording that all important information of this kind will come to the Reparation Commission, which will therefore alone 'have wide latitude as to its control and handling of the whole reparation problem'. (Annex 2, Paragraph 12.)

(c) Similarly under Article 234, 'the Commission shall after May 1, 1921,

747

from time to time, consider the resources and capacity of Germany'. On this occasion the Reparations Commission will evidently be the agency to form an independent judgment as regards the German stocks of food and raw materials, the requirements of Germany and all similar questions.

(*d*) Besides the language of Paragraph 12 of Annex 2 above quoted, the same Paragraph stated 'the Commission is constituted as the exclusive agency of the Allied and Associated Governments for receiving, selling, holding, and distributing the Reparation payments'. It is evident that in the two provisions quoted from this Paragraph, the Reparations problem is being considered as a whole. If this whole problem is within the competence of the Reparations Commission, it is for such Commission alone to be able to form an opinion as to the supplies of food and raw materials essential to enable Germany to meet her obligations.

III. Passing to general considerations, in the opinion of the United States Government, it is wholly inconsistent with the views above expressed that an independent body should be established which should have authority to exercise an independent judgment on subjects which the Reparations Commission is itself required to investigate and that such body should, on the basis of this judgment, actually be in a position to compel the surrender by the Reparations Commission of payments made by Germany by way of reparation. This would not only involve a useless duplication of effort, but would inevitably lead to a conflict resulting either in the independent economic body being suppressed or else in the reduction of the Reparations Commission to a subordinate body as a mere collection agency. The view of the British Government, which suggests that the duty of the Reparations Commission is 'to extract from the estate in its hands the last penny of the bill formulated under Annex 1', is wholly inconsistent with the provisions of the Treaty referred to above, and is especially inconsistent with the views set forth in the reply of the Allied and Associated Powers to the President of the German Delegation of June 16th, pages 32 and 33.[6] In this reply, it is stated *inter alia* (page 32) that the reparation problem can only be 'solved by a continuing body, limited in personnel and invested with broad powers to deal with the problem in relation to the general economic situation. The Allied and Associated Powers, recognising this situation, themselves delegate power and authority to a Reparation Commission.' To adopt the view that the Reparations Commission is merely to proceed blindly to collect the greatest amount possible without regard to economic and political situation would have the effect, considering the enormous power conferred by the Treaty, to make such Commission into a most dangerous agency and into one which would imperil European peace. The Government of the United States is obliged vigorously to reject such a construction.

IV. It is not without interest to note that in the report addressed to the French Parliament on the Reparation Clauses of the Treaty by one of the Deputies, when mentioning clauses giving priority over reparation to certain

[6] See *British and Foreign State Papers*, vol. cxii, pp. 254 f. The reference is to the section on Reparations printed on pp. 282–7.

other payments to be made by Germany, he says incidentally: 'It is thought that no raw material has been furnished so far to Germany and that none will be furnished before the Reparations Commission will so decide.'

V. The American Government is therefore convinced that none of the powers, as understood to be conferred on the Reparations Commission, should be transferred to the Supreme Economic Council or other future similar body. The Reparations Commission should be left free to act at its own discretion in regard to submitting programs of and orders for purchase of foodstuffs and raw materials under Article 235. When the Reparations Commission is organised it should be amply sufficient in itself to handle all such matters as is believed are required by the Treaty to come under its jurisdiction. While the American Government does not approve of the continuance of the Supreme Economic Council, it is not opposed in principle to some general economic commission which would function under the League of Nations as an advisory body and for collecting and directing economic information. Such a body should, however, have no control over or direct relations with the functions as above set forth delegated to the Reparation Commission under the Treaty of Peace with Germany.

PARIS, *October 11, 1919*

## No. 208

*Mr. Russell*[1] *(Berne) to Earl Curzon (Received October 31)*

*No. 600* [*147403/58017/43*]

BERNE, *October 25, 1919*

My Lord,

With reference to Your Lordship's despatch No. 282[2] of the 3rd ultimo (123254/W/43), I have the honour to inform you that the question of the union of the Vorarlberg province of Austria with Switzerland continues to be the subject of comment in the Swiss press. The *Bund* in particular has been making violent appeals to the Federal Council to take some active step in favour of the union and to depart from the purely passive policy which the Swiss Government have followed up to the present. The Federal Council, however, appear to maintain their point of view that the question of the union cannot become one of practical politics for Switzerland until the Vorarlberg inhabitants have secured from the Government of Vienna the right freely to dispose of their destinies.

The question has again been rendered somewhat acute through an alleged application by the Vorarlberg Government to the Government of Württemberg to be supplied with certain of the necessaries of life, in particular with potatoes. Whatever may be the diversity of opinion in Switzerland on the

---

[1] The Hon. Theophilus Russell had recently succeeded Sir H. Rumbold as H.M. Minister at Berne.

[2] Not printed.

question of incorporation in the Swiss Republic, there is at all events complete unanimity in the desire to prevent the Vorarlberg joining Germany and it is felt, not without reason, that food supplies will not be sent from Württemberg except under conditions which may influence the future disposal of this province. The *Neue Züricher* [*sic*] *Zeitung* consequently proposes the establishment of a financial consortium for the purpose of issuing a loan to the Vorarlberg secured on the forests of that country, thus enabling the inhabitants to make their necessary food purchases in Switzerland.

It will be remembered that the Swiss Government were invited by the Allies to arrange for the revictualling of the Vorarlberg as part of the general world scheme of revictuallment [*sic*] and, up to the present, they have, I think, efficiently carried out this work. An official communiqué was issued on the 24th instant denying the allegations that the supplies from Switzerland had been insufficient and affirming that up to the present Switzerland had sent everything she could spare to the population of the Vorarlberg. No single application from the Vorarlberg for food had been refused and, while at the present moment the Swiss authorities are not in possession of any application for food from the Vorarlberg Government, they are prepared to continue in the future as they have done in the past, to send supplies within the limits of Switzerland's capacity.

I have, &c.,

THEO RUSSELL

## No. 209

*Mr. Russell (Berne) to Earl Curzon (Received October 31)*

*No. 601* [*147404/4916/43*]

BERNE, *October 25, 1919*

My Lord,

Considerable space has recently been occupied in the Swiss press through the publication by the *Bund* of a Bolshevist circular urging the proletariat to leave work on the 7th November and to fight for the realisation of the Bolshevist programme. This programme is said to consist of the preservation of revolutionary Russia, the suppression of the blockade, the withdrawal of the occupying troops in Germany, the cessation of all support to the counter-revolutionary Russian armies, the creation of revolutionary workmen's committees, the disarmament of the middle classes, the arming of the proletariat, the dissolution of the bourgeois parties and the institution of the dictature of the proletariat. The circular states that the 7th November should not be regarded as a day for isolated action but as the commencement of a general revolutionary movement, the plans of which will be elaborated by the executive committee of the Third International.

It appears that this circular was found by the Swiss frontier guard on certain Bolshevist agents who were endeavouring to cross the frontier near the Lake of Constance and it is signed by the Russo-German agitators Heilmann, Lazare Schatzkine and W. Munzenberg, the latter having been the originator of several disturbances at Zürich before his expulsion about a year ago.

The publication of this document is interesting as showing the influence which the Russo-German Bolshevist element exercises over the extreme section of the Socialist Party in this country, and as proving that there is direct communication between that section and the Moscow leaders, but I understand that the Swiss authorities attach no great importance to the matter since they consider the forces of which they dispose sufficient to prevent the appeal from being carried into effect. Similar manifestos were also seized addressed to agents in France and Italy, and the enquiry shows that duplicates were sent via Holland. Kurella and Koller, the two agents on whom the documents were found, are, I understand, to be expelled back to Germany.

The Socialist newspapers are naturally extremely embarrassed at these sudden revelations on the eve of the elections, and their opponents are, of course, making every possible use of the discovery as an electioneering weapon.

Mr. Cameron, British vice-consul at Bâle, in reporting on the incident, states that it is likely to have but little effect in Bâle: since the last strike there has been a certain rapprochement between the larger employers and their workmen, the result not only of the revolutionary element having been discredited through the failure of the recent strike, but also of the perception among the broader-minded of the employers that the triumph gained in the last contest must not be abused. Mr. Cameron adds that the Bürgerwehr[1] in Bâle is now more thoroughly organised than ever.

I have, &c.,

THEO RUSSELL

[1] Volunteer civic guard.

## No. 210

*Sir F. Villiers (Brussels) to Earl Curzon (Received October 28)*

*No. 396 [146236/127515/4]*

BRUSSELS, *October 25, 1919*

My Lord,

I have the honour to acknowledge the receipt of your Lordship's despatch No. 366[1] of the 16th instant, enclosing copy of a despatch to His Majesty's Ambassador at Paris[2] requesting him to ascertain the exact position as to the proposal made by the Belgian Government for an agreement providing for the defence of Belgium similar to that recently concluded in regard to the defence of France.

[1] Not printed. This formal covering despatch transmitted to Sir F. Villiers a copy of No. 184: cf. below.   [2] No. 184.

I had already observed in the printed sections Sir E. Crowe's statement, in his despatch No. 1903[3] of the 3rd instant, that he was not aware of any conversations having taken place in Paris on the subject. I also gathered from Sir George Grahame's despatch No. 925,[4] Very Confidential, of the 22nd September, that His Majesty's Embassy had no information on the subject. I therefore enquired of Monsieur Hymans how the matter stood.

His Excellency repeated what he had told me before as reported in my memorandum of the 2nd September,[5] that when he visited Paris at the end of August the question had been discussed with Monsieur Clemenceau who seemed favourably inclined. Monsieur Hymans went on to say that the point had subsequently been raised as to whether the proposal should be brought before the Committee of Fourteen,[6] but it had been decided that the presence of the Dutch and other Delegates, not directly concerned, rendered this inadvisable. He further informed me that the idea had been mooted when Monsieur Pichon was here with President Poincaré.[7] The communication to Monsieur Clemenceau had not, therefore, been quite the initial stage.

No further progress has been made, and I am inclined to think that the Belgian Government are not disposed to press the question with the French pending a reply from His Majesty's Government. Monsieur Orts has expressed the view to me that if the French alone gave the guarantee their influence, indeed their hold over the country, would be increased to a dangerous extent.

With further reference to your Lordship's despatch No. 366[1], I beg leave to point out that a misapprehension has occurred. Mr. Gurney in his despatch No. 377,[8] when speaking of an agreement similar to that 'concluded' with the French Government, alluded to the arrangement made by His Majesty's Government for the defence of France. No agreement has yet been concluded with France for the defence of Belgium.

I have, &c.,

F. H. VILLIERS

[3] No. 160.      [4] No. 139.      [5] No. 108.
[6] The Commission for the revision of the Treaties of 1839.
[7] President Poincaré, accompanied by M. Pichon, had paid a state visit to Belgium in July 1919.      [8] No. 170.

## No. 211

*Sir F. Villiers (Brussels) to Earl Curzon (Received October 30)*

*No. 399 [146970/11763/4]*

BRUSSELS, *October 28, 1919*

My Lord,

With reference to my despatch No. 396[1] of the 25th instant, I have the honour to report that the Minister for Foreign Affairs gave me this morning some further details as to his communications with the French Government

[1] No. 210.

respecting an arrangement for the defence of Belgium similar to that concluded in regard to France.

The question, Monsieur Hymans said, was first raised two days before the signature of the Peace Treaty by Monsieur Clemenceau who expressed the view that an arrangement of the kind was desirable in the general interests and could well be considered by the Belgian Government.

When Monsieur Pichon was here with President Poincaré the matter was pursued, and Monsieur Hymans stated that the Belgian Government were favourably inclined. The idea of reference to the Committee of 14, as I have already reported, was considered and rejected. A preferable course would be that the arrangement should be made at the same time as the conclusion of the Treaty of Revision.

When Monsieur Hymans visited Paris in August he conveyed to Monsieur Clemenceau, as he had already done to Monsieur Pichon, the acceptance of the Belgian Government. No further communication had passed.

Monsieur Hymans requested me to consider that this information was furnished in strict confidence.

I have, &c.,
F. H. VILLIERS

## No. 212

*Sir F. Villiers (Brussels) to Earl Curzon (Received October 30)*

*No. 398* [*146969/4187/4*]

BRUSSELS, *October 28, 1919*

My Lord,

With reference to my despatch No. 394[1] of the 23rd instant, I have the honour to inform your Lordship that I asked the Minister for Foreign Affairs this morning whether he had brought before the Council of Ministers which met yesterday the suggestion, unofficially made, that the claim of the French Government to control the Luxemburg railways should be raised before the Supreme Council at Paris.

Monsieur Hymans answered by saying that the question had to some extent entered upon a new phase. It was true that so far the French Government had insisted upon their claim which was based on strategic reasons, although it was evident that economic considerations were not absent. A certain feeling was, however, gaining ground in France that the matter had been pushed too far, there was a pause in French activity and his Excellency believed that the Government would be relieved of some embarrassment if they could find means to arrive at a conclusion satisfactory to Belgium. There were also indications in Luxemburg itself that public opinion would not regard with favour any arrangement involving complete French control.

The impressions derived by Monsieur Hymans had been confirmed by a suggestion made within the last few days through the French Ambassador

[1] No. 205.

that all questions relating to Luxemburg, strategic and economic, should be discussed between the two Governments. His Excellency had stated at once that he was quite ready for this discussion, and he was now awaiting proposals which he expected would include some scheme to regulate the military position and status of the Grand Duchy.

In the circumstances Monsieur Hymans was of opinion that it would not be advisable at present to make any appeal to the Supreme Council. The idea would of course be borne in mind, but any such measure would only be taken, if necessary, as a last resource.

Monsieur Hymans begged me to consider his communication as strictly confidential.

I have, &c.,

F. H. Villiers

## No. 213

*Sir E. Crowe (Paris) to Earl Curzon (Received October 29)*

*No. 1495 Telegraphic: by bag [146741/11763/4]*

PARIS, *October 28, 1919*

Brussels telegram No. 175[1] (of October 23rd) repeated to me direct by Sir F. Villiers. Belgium, Holland and 1839 Treaties.

Belgian Delegates saw Monsieur Laroche October 23rd and have again gone back to Belgium.

They put forward a revised text of para. 3 of preamble to proposed treaty running as follows:

'Considérant que la sécurité de la Belgique demeure d'un intérêt primordial pour la paix générale, et que les risques particulièrement graves auxquels sa situation et sa configuration géographiques exposent ce pays nécessitent des dispositions spéciales destinées à mettre son territoire à l'abri de l'invasion;'

They also submitted a re-draft of Article I as follows:—

'Les Hautes Parties contractantes agissant comme membres et conformément au pacte de la Société des Nations, sont d'accord pour se concerter, le plus tôt possible, sous le contrôle du Conseil de ladite Société des Nations, afin de déterminer les garanties jugées indispensables, comme conséquence de la révision du traité du 19 avril 1839 entre la Belgique et les Pays Bas, pour assurer la sécurité de la Belgique, en vue du maintien de la paix général[e].

[1] Not printed. In this telegram (received in Foreign Office, October 23) Sir F. Villiers had reported with reference to No. 185 (cf. No. 185, note 2): 'Minister for Foreign Affairs and Belgian delegate think that altered form of paragraph 3 of preamble may be accepted with a slight modification but they do not wish to express a final opinion until whole of draft of treaty is discussed. Belgian Government will propose alterations in Article 1 but their suggestions are not yet in a definite shape. Delegates returned to Paris yesterday and will be meeting Monsieur Laroche to-day.'

'Elles s'engagent à prendre toutes les mesures qui seront reconnues nécessaires à cet effet.'

The remaining articles were discussed, and in a re-draft of article 2 the Belgians have asked for a continuance of the guarantee contained in the 1839 treaty by Great Britain and France until such time as the other agreements, providing for the security of the country, contemplated in Article I can be drawn up, and be approved by the Council of the League of Nations. Monsieur Laroche has made a separate article of this, which runs as follows:—

'La Grande Bretagne et la France s'engagent à maintenir en vigueur jusqu'à la conclusion des accords prévus à l'article I^er, la garantie donnée par elles à la Belgique en vertu des traités du 19 avril 1839, en tant que cette garantie concerne l'indépendance de la Belgique, l'intégrité et l'inviolabilité de son territoire.'

I do not know how far Your Lordship would wish our delegates on the 1839 Committee of the Peace Conference to go in assenting to some such stipulation, the formulation of which by Belgium was foreshadowed in my telegram No. 1447[2] (of October 16).

As a matter of form I do not think a treaty to be signed by seven Governments, in order to abolish the guarantee of 1839, should continue that guarantee on behalf of two only amongst them. Matter should rather, in my opinion, form subject of separate treaty between Great Britain, France and Belgium.

Another point for consideration is whether the United States Government should be invited to join in a guarantee to Belgium, similar to that given by them in conjunction with His Majesty's Government to France. Presence of the King of the Belgians in United States[3] might afford favourable opportunity for Belgian Government to address similar request to United States Government. The matter has not been mentioned to the United States delegation here, or to any other delegations represented on the 1839 Committee, except the French.

[2] No. 185.
[3] The King of the Belgians was at that time paying a state visit to the United States.

## No. 214

*Sir F. Villiers (Brussels) to Earl Curzon (Received October 28)*

*No. 178 Telegraphic [146336/11763/4]*

BRUSSELS, *October 28, 1919*

My telegram No. 175.[1]
Minister of Foreign Affairs informs me that Council of Ministers decided to accept draft Treaty recently communicated to Belgian delegates by M.

[1] See No. 213, note 1.

Laroche with substitution of word 'auspices' for 'control' of League of Nations and on condition that Treaty is presented to Supreme Council with a statement explanatory of object and intention of Powers.

Repeated to Astoria.

## No. 215

### Sir E. Crowe (Paris) to Earl Curzon (Received October 29)

#### No. 1498 Telegraphic: by bag [146744/146744/39]

PARIS, *October 28, 1919*

The Supreme Council to-day considered the attached letter from Marshal Foch[1] asking to be relieved of his functions as Commander in Chief of the Allied forces, and submitting a proposal for establishing an Inter-Allied organization to come into being at the same time as the Treaty with Germany comes into force.

M. Clemenceau and Marshal Foch explained the latter proposal more fully than is stated in the Note.[2] Marshal Foch pointed out that it is certain that the Inter-Allied Commissions of Control, the Plebiscite Commissions, the Commanders of Troops in Plebiscite areas etc., will find themselves at intervals faced with questions of a military character which they will have to refer to higher authority for instructions. Such questions will have to be considered by the Supreme Council so long as it exists, and subsequently by the Council of Ambassadors which it was recognised will succeed the Supreme Council. Both the Supreme Council and the Council of Ambassadors will need to refer such questions to a body of Inter-Allied Military experts, which should include representatives of Belgium, Poland and Czecho-Slovakia in addition to representatives of the Great Powers. It was submitted that the present military organization at Versailles, supplemented by representatives of the countries mentioned, would be the most suitable organ for the purpose in question. It was further submitted that it would be necessary to invest the reconstituted Versailles Council (should this proposal be approved) with executive powers such as were possessed by the Executive War Board in February 1918.[3] Marshal Foch explained that unless this were done, the Supreme Council (or the Council of Ambassadors) would find themselves without any instrument capable of giving effect to their decisions. It was recognised that the Versailles Council would only act executively upon decisions taken by either the Supreme Council or the Council of Ambassadors.

M. Clemenceau supported the proposal by the further argument that

[1] Not here printed. An English text of this letter is printed in Volume II, No. 7, appendix A.
[2] V. loc. cit.
[3] The Executive War Board had been constituted by the Supreme War Council on February 2, 1918, to organize and control the Allied general war-reserve and to plan a counter-offensive on the western front. The Executive War Board was dissolved on May 2, 1918.

Germany would be quick to take advantage of the disappearance of all Allied Military Executive authority. It was therefore necessary to maintain some such authority, but he was particularly anxious that the Allies should also not discard the weapon that they held in the shape of Marshal Foch's name and prestige. He did not seek to obtain any special powers for Marshal Foch, but he wished to use the Marshal to the fullest possible advantage in enforcing the peace terms.

I reserved my opinion on this question but I cannot help thinking that the arguments advanced in favour of the proposal are extremely strong. The necessity for maintaining an Interallied Military Executive is emphasised by the recent decision of the Cabinet that the British troops for plebiscite areas are to be despatched to their destinations, and maintained, by rail.[4] Marshal Foch is actually making all arrangements for the movements involved. I understand that it will be necessary to carry out the ordinary reliefs of the British troops in plebiscite areas during the next six months, and I have no doubt that the difficulties involved in so doing would be greatly increased if, when the time comes, no Allied Military Executive should be in being.

I should be glad if I may be furnished with instructions as early as is convenient as to the attitude which I am to adopt when this question again comes up for consideration. It is clearly essential that the matter should be settled in good time before the Treaty comes into force.

[4] Cf. Volume VI, Chap. I.

## No. 216

*Record of a meeting in Paris on October 28, 1919, of the Committee on Organization of the Reparation Commission*

*No. 16 [Confidential/Germany/31]*

The Meeting opened at 10.30 a.m.—M. Loucheur in the Chair:

*Present:*

Mr. Rathbone, Mr. Dresel, Col. Logan (United States), Mr. McFadyean (United Kingdom), M. Loucheur (France), Signor d'Amelio (Italy), Major Bemelmans (Belgium).

*. . . Communication[1] by the Chairman concerning Coal*

THE CHAIRMAN pointed out that Germany was not keeping her contracts with regard to the supply of coal. The supplies of last month should have amounted to about 1,000,000 tons. They had been only half that amount although the production had increased.

Further, Herr von Lersner had telegraphed to his Government to request it to carry out the supplies provided for.

The Chairman took this opportunity of drawing the attention of the Committee to the question of the transport of coal on the Rhine. It had always been admitted that the Belgians, the French and the Italians had the right of

[1] The preceding minutes related to other matters.

fetching coal at Ruhrort. Further the Kohlensyndicat had always recognised this right and promised to facilitate its exercise, but in fact did not permit the loading at Ruhrort of a single one of our boats.

On the contrary it took from us by paying higher prices for them the boats which we had chartered in Holland when the freightage which they paid was in the end at our expense.

*Communication by the Chairman concerning Dyestuffs*

THE CHAIRMAN explained that, in the course of the discussions which had taken place both at Paris and Versailles, concerning the supply of dyestuffs from stock and which preceded the establishment of the protocol at present submitted to the consideration of the C.O.R.C., the agreement concerning the transmission of orders had been arrived at under the following conditions:—

The percentage of each quality of dyestuffs, of which each Power had a right, having been fixed at Paris by the Committee of Experts, each Power interested ought to send to a representative of the Committee on Organisation on the I.A.R.C. at Coblentz its list of orders. There was to be also at Coblentz a representative of the German Government charged with the duty of receiving the orders and presenting them to the German factories for execution.

The English Delegation proposed in a subsequent letter a different method which, as regards itself, it had begun to put into execution.

It considered that, once an agreement had been arrived at in Paris on the total quantities to be drawn and the percentage to be assigned to each power, nothing prevented that Power from giving its orders itself directly to the factories without employing an Inter-Allied organisation as intermediary.

It must be pointed out that, in any case, as regards the requisitions at present authorised by the C.O.R.C. an indispensable formality had been omitted before the direct transmission of orders to the factories could be considered as having no disadvantage: no agreement had been arrived at to fix the factories in which each country could order the part which fell to it.

But, except for this error which could be obviated easily in the future, the English proposal did not seem to raise any objection. Broadly, it consisted in admitting that a Power once covered by the authorisation in principle of the Reparation Commission, could enter directly and under its own responsibility, into relations with Germany for the execution of the details of this decision and report, equally under its own responsibility, to the Reparation Commission on the character and the value of the goods which it had thus received from Germany in execution of its orders.

It was therefore proposed that the English solution should be adopted, it being clearly understood that each Power should undertake to keep its orders within the limit of the authorisation given by the Reparation Commission and should reduce them proportionally if the amounts for disposal in the factories were inferior to the estimates of [on] which the authorisation had been based.

MR. McFADYEAN answered that there had been a misunderstanding. The British Delegation have not transmitted their orders direct to the factories; the British Expert had been first to the I.A.R.C. as had been agreed upon and it was the I.A.R.C. which had sent him to the factories.

THE CHAIRMAN considered that this explanation removed the misunderstanding and Major Bemelmans pointed out that the procedure followed was in agreement with the decisions arrived at since it was a member of the I.A.R.C. appointed by that body which acted as representative of the Reparation Commission.

SIGNOR D'AMELIO proposed that, to avoid a fresh misunderstanding, the Experts should meet and draw up a precise formula.

This decision was adopted.[2]

The Sub-Commission on Experts, after having come to an agreement, would send a telegram to the I.A.R.C.

MR. DRESEL announced that it was the last meeting at which he would be present and expressed his regret at leaving the Committee where he had always received a most sympathetic reception.

THE CHAIRMAN answered, on behalf of the Committee, that he also keenly regretted Mr. Dresel's departure and that he must express to him the thanks of all his colleagues for his valuable collaboration.

The next meeting was fixed for Thursday, the 6th November at 10.30 a.m.

The meeting rose at 11.55 a.m.

[2] At a subsequent meeting on December 19–20, 1919, of the Commission on Organization of the Reparation Commission Major Bemelmans reported on behalf of the Dyestuffs Sub-commission that Herr von Le Suire of the German Delegation had accepted a protocol for the delivery by Germany of 5,200 tons of dyestuffs, though certain details remained to be settled before the protocol was signed.

## No. 217

*Sir E. Crowe (Paris) to Earl Curzon (Received October 31)*

*No. 1506 Telegraphic: by bag [147536/1362/50]*

PARIS, *October 30, 1919*

Sir E. Drummond has been taking up with the French Government and the American Delegate the plans for the meeting of the first council[1] and of the agenda to be discussed at it. The French Government are of opinion that, if the treaty comes into force before America has ratified, the Council of the League should, in view of Article 48,[2] meet shortly after the coming into force of the treaty, and Mr. Polk is prepared to recommend to the President the convocation of the Council two days after that date. The French Government and Mr. Polk further agree that the only subject to be discussed at this meeting should be the selection of the three members of the Sarre Valley

[1] Of the League of Nations: cf. No. 203.
[2] Of the Treaty of Versailles.

Delimitation Commission. It is felt that, in these circumstances, it would be undesirable that any great publicity shall be given to this formal meeting, and for this reason, and because the meeting is peculiarly connected with the treaty of peace, it is hoped that the British Government will concur in its being held in Paris.

Personally, I am of opinion that the course suggested is the best and it in no way prejudices London as the place where future meetings of the Council should be held.

I should be grateful for an early expression of your views.[3]

Sir E. Drummond proposes to return to London on Saturday, November 1st.

[3] In reply Sir E. Crowe was informed in Foreign Office telegram No. 1322 of November 3, 1919, to him: 'As the meeting is to deal with the Saare Valley Delimitation Commission only, His Majesty's Government concur in proposal to hold it in Paris.'

## No. 218

### Mr. Ramsay[1] (Stockholm) to Earl Curzon (Received November 6)

### No. 504 [149085/7724/30]

STOCKHOLM, *October 30, 1919*

My Lord,

I have the honour to report that Mr. Branting[2] on the 28th instant addressed a meeting arranged by the Stockholm section of the Social Democratic Party on the subject of 'Democracy or Dictatorship?' All the tickets for the meeting, which was held at the largest hall in Stockholm, the Auditorium, had been sold about a fortnight in advance.

Mr. Branting began by pointing out that Bolshevism is a relapse to the most primitive socialistic ideas. The Swedish Social Democrats, on the other hand, had as early as 1889 rejected attempts to carry through democratic reforms by revolutionary methods.

Proceeding, Mr. Branting said that the war had swept away almost insurmountable obstacles to democratic development.

In Eastern Europe it had given rise to a social revolution, which is not Socialism any more than was the French Revolution. Only a few among the masses of the Russian population had any socialistic training and the rest were the prey of primitive instincts and the shibboleths. By appealing to the primitive instincts of the masses the Bolshevik leaders had secured their own power, but they were leading up to an economic catastrophe which would recoil on Socialism everywhere. It is therefore the duty of the Social Democrats to declare explicitly that they will have nothing to do with that degenerate variety of socialistic methods which is applied in Russia. This latter statement was received with loud applause.

Continuing, Mr. Branting said that Bolshevism is simply a return to the

[1] H.M. Chargé d'Affaires at Stockholm.
[2] Swedish Minister of Finance.

first tentative efforts to establish a Socialistic State, and thus belongs to the pre-Marxist period. This is intelligible in Russia, but primitive Socialism is not a suitable 'export article' to free countries.

Mr. Branting drew attention to Marx' doctrine that Socialism must start with moral reforms.

In the middle of the Swedish Social Democratic Party socialism and democracy had always been intertwined. Their goal was a new order of production which should abolish the class distinctions between rich and poor. To belittle democracy was to play into the hands of the anti-democratic classes.

Mr. Branting argued that the Moscow programme, in contradistinction to that of Marx, pits dictatorship against democracy. Bolshevik dictatorship savours of the Inquisition. Bolshevism is more arbitrary than was that of the Paris Commune.

In a country like Sweden, which had not taken part in the war, soldiers' councils would be madness. As for workmen's councils, they belong to countries like Russia which had no organised trades unionism.

After pointing out that Bolshevism had resulted in the extinction of production, Mr. Branting said that the Swedish Social Democrats should take as their models the Anglo-Saxon countries, which seemed to be leading the course of democratic development. He declared himself convinced that Swedish workmen would never abandon democracy.

In Sweden there was no foundation for a revolution on the Bolshevik pattern.

Mr. Branting's address, which lasted an hour and a half and was received with loud applause, was followed by a short debate.

The Extreme Socialist Party had put up Herr Zeth Höglund, editor of the *Politiken*, as their leading chairman. The latter endeavoured to defend Bolshevism. He said *inter alia* that the order in Russia was exemplary, a statement which was greeted with shouts of laughter. An attempt was made by another Extreme Socialist, Herr Ture Neuman, to induce the meeting to pass a resolution against the Entente policy in Russia. This proposal was, however, rejected.

The following resolution was passed by the meeting by an overwhelming majority:

'The Workers' Meeting at the Auditorium on the 28th October 1919, assembled for the discussion of the question "Democracy or Dictatorship?", adhere to the traditional view of the Social Democracy that a Socialistic order can be established and maintained only with the support of the majority of the people. Democracy is an indispensable condition for Socialism. Attempts which have been made to sow among the people distrust of democracy, whether they are made with the object of preparing the way for the restoration of the bourgeois oligarchy or for a dictatorship on the Bolshevik model, only serve to create confusion and to hamper the working classes in their struggle for liberation. The meeting therefore repudiate such attempts as militating against Socialism and the interests of the working classes.'

I have, &c.,

PATRICK RAMSAY

## No. 219

### Sir A. Hardinge[1] (Madrid) to Earl Curzon (Received November 5)

### No. 380 [148793/1134/41]

MADRID, October 30, 1919

My Lord,

. . . The[2] local agent of our Anti-Bolshevist Department at Barcelona, came to see me yesterday, and referred to the situation in that city. Your Lordship is aware from the reports of Mr. Consul-General Rowley[3] of the seriousness of the position created there by the Syndicalist agitation, and the extreme and violent form which it has assumed. The agents of the Syndicalist propaganda, which is maintained by money supplied from Germany, with the probable knowledge of the German Government, are not content with paralysing all manual and mechanical industries; they have begun to intimidate clerks and shop-assistants into joining a so-called syndicate of their own and paying for this purpose forced contributions into the general trade union funds, though the so-called shop-assistants' syndicate has no practical existence, except as a means of blackmailing and robbing its imaginary members for the benefit of genuine revolutionary trade unionists. This is at least what I hear, not only from serious Spaniards, but from serious Englishmen of business connected with Barcelona.

Meanwhile the Federation of Employers' Unions (*Sindicatos de los Patrones*), has drawn up a scheme regarding the future relations of employers and workmen, based on the formation, in all the most important centres of Spain, of Associations of Employers and Workmen. The scheme contemplates the formation, in each of the 'regions' (great provincial divisions, as distinct from the modern provinces, or as we should call them, administrative counties of the kingdom), of unions of both classes, whose duty it will be to reconcile and defend the joint legitimate interests of capital and labour. It requires that fifteen days' notice should in future be given of any strike, other than strikes by workmen in national industries which shall, it demands, be declared illegal by Government; and further that the latter should introduce a Bill into Parliament regulating the hours of labour, the minimum wages to be paid in the various industries, and the legal and personal liabilities of employers and workmen respectively, in case of breaches of any regulations affecting either class which may be enacted in these matters, and the creation

---

[1] H.M. Ambassador at Madrid.
[2] The name of the agent is here omitted.
[3] H.M. Consul-General at Barcelona.

of an arbitration tribunal for the settlement of industrial disputes, to which all such disputes must, failing any other settlement, be finally referred, and whose decisions must be deemed to be final. All workmen throughout Spain belonging to trade unions and not agreeing to these conditions are to be locked out on the 4th of next month.

The Government of Sr. Sanchez Toca regards these decisions as very dangerous to public peace and has expressed its disapproval of the proposed lockout, though it admits that the lawless conduct of the labour leaders and the reign of terror which the more revolutionary ones among them have attempted to initiate, specially in Catalonia and Valencia, are mainly responsible for their adoption. I have been told that during the last few months about 150 attempts have taken place on the lives of employers of labour, as well as workmen who refused to join the Syndicalists, and that 87 of them have been killed throughout the country, chiefly in Catalonia, but . . .[2] considers this an exaggeration, and believes that the number of such successful outrages does not exceed 50. There is however apparently a state of terrorism, something like that produced in Ireland towards the end of the last century by the Land League, and at earlier periods by Moonlighters and Whiteboys,[4] and this is what had decided the well-to-do classes to bring matters to a crisis, even if it involves open war against the forces of disorder and revolution. . . .[2] himself seems to think that the latter stand to lose if it comes to a real fight, as the trade union funds are just now low, many of the members belonging to them indifferent to the political aims of the wire-pullers, and desirous of earning their livelihood, if only the latter will allow them to do so, and the military authorities quite prepared to support the Civil Guard, should disturbances of a revolutionary character break out, in suppressing them with all the forces at their disposal, without waiting for instructions from Madrid. The Civil Governor, Señor Amado, is like his predecessor under Count Romanones, Sr. Montaner, whom the Officers' Military Juntas expelled from the city as too inactive, rather timid and temporising. He tries to placate the Red leaders and soothe Cerberus with caresses and a bun. The commercial world is getting impatient at what it calls trifling, and a Liberal-Conservative Member of Parliament whom I saw to-day said that many thought a military dictatorship under La Cierva[5] would alone save the country from ruin.

The revolutionary movement, disguised as an industrial one, which is responsible for all this trouble and is I hear fast converting the Republican capitalist Lerroux into a Tory of the 'Six Acts' type,[6] is, I understand, largely financed by German and Russian money, the object being to produce widespread riots and civil war all over Spain, with the object of overthrowing the Monarchy, despoiling the upper and middle classes by means of brigand organisations of the Russian Soviet type, in the hope that this attractive

[4] Bands of Irish agrarian agitators in the eighteenth century.
[5] Spanish right-wing conservative leader.
[6] The reference was to the Six Acts of 1819, which had restricted certain civil liberties in Great Britain.

programme may find imitators in other countries, especially in France, England, and America.

The Germans, who are helping and directing the movement from their own country, and of whose complicity . . .[2] hopes to obtain written proof, are, I am told, influenced by commercial rather than by political or sentimental considerations: most of them are too sensible to feel any sympathy with Bolshevism, and some of them are themselves capitalists and active business men. But they think that if they can for a time paralyse trade and industry in Spain, and ultimately, or better still simultaneously, in other countries of Western Europe, whilst preserving internal peace in Germany itself, they will in the interval recover the Spanish markets for German imports, and reestablish, perhaps even extend, the commercial relations which their military defeat, and the loss of many neutral markets, including this country, has imperilled or destroyed. The Russian Jewish element, on the other hand, is, I fancy, anarchical in its aims and conceptions, and is, generally speaking, out for pure useless mischief and destruction, unredeemed by any rational or patriotic motives. The Marquis of Lema[7] would, I think, be quite willing to deal drastically with both these poison centres and expel all foreign revolutionaries, German or Russian, in this country, provided His Majesty's Government would undertake their transport to their nearest native ports. . . .[2] is much in favour of this course, and I have no doubt that its adoption would relieve the present situation. It might, for a moment, somewhat irritate the Syndicalists, as happened at Malaga, when a strike of stevedores lately broke out as a protest against the deportation of an incendiary mob orator, who had, it appears, been advocating crimes of violence and riots at Barcelona. The Governor, however, suppressed the demonstration which the strikers had attempted to arrange in the honour of this agitator, and the strike has now peaceably collapsed.

Things were very bad in Andalusia during the summer; under the influence of Socialistic or Anarchistic propaganda the agricultural labourers in large portions of the province of Cadiz, and notably around Jerez, refused to reap the harvest, and said the gentry had better come and do the work themselves. The Governor of the province was, however, a man of energy, and he sent for the leaders of the movement, thoroughly frightened them, and then induced them to go quietly back to work. Everywhere there exists, as one of the effects of this communistic preaching among the uneducated classes, a kind of vague expectancy of some change for the better in their condition as a sort of indirect and illogical consequence of the great war which has so long convulsed the world. Such a feeling is in a sense more natural in Spain than in England, as the life of the Spanish labourers—on the whole, in rural Spain especially, a very patient, good-tempered and deserving class—is much harder than in our own islands, more especially as higher prices, often raised artificially and unfairly, are not compensated by a corresponding increase in wages.

Before closing this despatch I should mention that . . .[2] has asked me to

[7] Spanish Minister for Foreign Affairs.

write a letter of thanks to a private friend of his in Barcelona who has given him considerable assistance in tracking Bolshevists and other dangerous persons. I have said that the matter was a somewhat delicate one, affecting as it did questions of internal policy, but that I had no objection to writing to him a letter referring to his services to British commercial interests, and I have the honour to enclose a copy[8] of the one which I have given him.

I have, &c.,<br>ARTHUR H. HARDINGE

[8] Not printed.

## No. 220

*Sir A. Hardinge (Madrid) to Earl Curzon (Received November 7)*

*No. 381 [149646/1134/41]*

MADRID, *November 3, 1919*

My Lord,
I have the honour to transmit herewith a copy and its enclosures of a confidential despatch just received by me from His Majesty's Consul General at Barcelona, illustrating the connection between the movement of the Trades Unions in that city, and generally throughout Spain, with a Revolutionary central Committee at Paris, which aims apparently not so much at economic improvements in the condition of the working classes, but at a political revolution which would establish in Spain, and indeed throughout Europe, a Communistic Government of the Russian Bolshevist type.

I have, &c.,<br>ARTHUR H. HARDINGE

ENCLOSURE 1 IN NO. 220

*Mr. Rowley (Barcelona) to Sir A. Hardinge (Madrid)*

BARCELONA, *October 30, 1919*

*Industrial unrest in Barcelona*

*No. 370*

Sir,
With reference to Your Excellency's despatch No. 116[1] of the 23rd instant, I have the honour to transmit herewith a report[2] on the Syndicalist organization in this city which may be found of interest.
The enclosures referred to[3] are copies made from photographs taken from the original documents which were in cypher.[4] As these documents are

[1] Not in Foreign Office archives.    [2] Enclosure 2 below.    [3] In enclosure 2.
[4] i.e. enclosures 3–8 below. All these documents are translations, as in the filed copy, from Spanish texts (not printed) also included in the filed copy. Occasional emendations to the original translations are inserted in square brackets.

highly confidential I am sending this despatch by Mr. Lawton[5] to be handed to you personally on his arrival in Madrid. These documents amply corroborate the statements made in my previous reports on the critical state of affairs in this city and the reign of terror which exists owing to the power of the syndicates.

The whole of this unrest is due to a carefully arranged plan of campaign, the leaders of which receive their instructions from their Paris Head Quarters.

I have nothing further to add to my above mentioned despatch[6] and to my private letter to you of October 20th,[7] except that a general lock-out is expected to take place on Monday 3rd, and a lock-out of the whole of the tramway system is threatened for next Saturday. Should this take place I fear it will exasperate the working classes and lead to serious trouble and possibly to street fighting.

Melquiades Alvarez[8] has arrived and the presence of this stormy petrel is not expected to improve matters.

I have, &c.,

ARTHUR L. ROWLEY

ENCLOSURE 2 IN NO. 220

During December 1918 the Barcelona Committee reported to Paris that the organization of the workers' syndicates in Cataluña had progressed satisfactorily, but that funds were lacking. It was pointed out that all the organization and propaganda work had been done by the working class, without the help of Socialist deputies or others outside this class. The Paris Committee, while promising financial aid, advised securing the services of persons in higher positions, such as lawyers, prominent party leaders, etc., in order that the Spanish branch might gain more prestige and importance in so far as concerned the other branches of the International Confederation.

The Paris Committee asked for an opinion as to the advisability of declaring a general strike throughout Spain, and the Barcelona Committee replied saying that they did not think the time was opportune, and such an attempt at a general stoppage of work would end disastrously for the Syndicates. However as the Paris Committee had promised other Federations that such a strike would take place, they said they would study the matter. Later they reported that it was almost certain that the whole of Spain was not prepared, but that as far as Cataluña was concerned they felt sure the various Syndicates would respond unanimously. They said they had hopes of arranging a strike of the Canadiense Company, and the Paris Committee wrote on January 2nd 1919 (Annexure 'A')[9] approving heartily of this movement, not only because it would paralyze a great many industries but also, as it involved a foreign company, it would tend to cause friction in diplomatic circles between England and Spain. This letter, while recommending a pacific strike, says that should it assume a violent nature no opportunity

---

[5] Mr. F. F. Lawton.　　　　　　　　[6] The reference is uncertain.
[7] Untraced in Foreign Office archives.
[8] Leader of the Spanish reformist party.　　[9] Enclosure 3 below.

should be lost to take advantage of the occasion, as there would be no lack of weapons for defence, especially explosives.

Early in February the Barcelona Committee advised that good progress was being made with the organisation of the Canadiense strike, that nearly all the employees of the Company had been syndicated, as well as most of the employees of the Tramway Company. It was reported that the number of workmen in Cataluña who were members of the various syndicates amounted approximately to one million.

Trouble commenced on February 5th with the employees of the Canadiense Company, and a general strike was declared on the 21st, paralyzing the industries in Barcelona.

It is noticeable that there has always been an insistence on the part of the Paris Committee, upon the adoption of a revolutionary programme. In the letter referred to above ('A')[9] it is seen that the proposed strike of the Canadiense was welcomed as being a means of bringing about a state of general disorder, and also as leading possibly to conflicts in governmental spheres. Nor has the Paris Committee ceased to urge that class hatred and the spirit of rebellion should be fostered as much as possible by means of strikes, social conflicts, etc.,.[10] For propaganda purposes large sums of money have been remitted from time to time, and in the letter from Paris dated May 31st 1919 (Annexure 'B')[11] it will be seen that 18 million marks were deposited in the Bank of Berlin for international propaganda, and 12 millions had been remitted to Paris for this purpose. On 31st July a letter was sent to [? from] Paris (Annexure 'C')[12] announcing that a representative was leaving immediately for Barcelona with funds and instructions. In this letter it will be noticed that disappointment is shown at the pacific attitude of the Spanish syndicalists, who are urged to promote conflicts, and to obtain the release from prison of the propaganda leaders.

While approving all means of exciting the animosity of the working class towards the authorities and the capitalist, the Paris Committee in their letter of August 7th (Annexure 'D')[13] warned the Barcelona Committee that all strike movements should appear to have an economic origin, and the fact that they were part of a vast international revolutionary plan should be concealed from the working class. A further letter dated September 1st (Annexure 'E')[14] shows the international nature of the movement, and the desire of the leaders to bring about a state of chaos, while in a letter dated September 16th[15] the following passage appears:—

'. . .[10] Para que España no carezca de materiales de defensa, si son necesarios, el camarada Pestierre ha salido para Suiza con objeto de adquirir armamentos que sería preciso remitir de una manera paulatina y segura a la mayor brevedad posible.[16] . . .'[10]

[10] Punctuation as in original.     [11] Enclosure 4 below.     [12] Enclosure 5 below.
[13] Enclosure 6 below.     [14] Enclosure 7 below.     [15] Not annexed to filed copy of original.

[16] Translation: 'In order that Spain may not lack defence materials, if they are necessary, Comrade Pestierre has left for Switzerland with the object of acquiring armaments, which it will be necessary to send in a gradual and safe manner as soon as possible.'

Writing on the same day (Annexure 'F')[17] the Barcelona Committee reported on the situation here, and ridiculed the efforts of the authorities to bring about a conciliation.

Recently the Syndicalists in Spain have not concealed their intentions, as can be seen from the speeches made in Madrid by their leaders Angel Pestaña and Salvador Seguí on October 3rd and 4th, when it was openly stated that they were working for a revolution and the establishment of a state of communism. Throughout the country speeches of an inflammatory character (reported in such newspapers as *España Nueva* &c.) are daily being made, openly inciting the workers to rebellion against their masters, ridiculing the authorities and the methods adopted by the Government to settle disputes by legalizing the syndicates, by granting a general pardon to those agitators who were imprisoned, by making large contributions to the syndicalist funds, and by endeavouring to establish a commission of masters and workers.

Since their release, these syndicalists have spared no efforts to strengthen their different branches, by obtaining new members, either willingly or by coercion, and using threats towards the workers to obtain large amounts in subscriptions to their funds, so that to-day their organization is more powerful than it ever was.

Many factory owners have been compelled to close down completely on account of labour difficulties.

Endeavours have recently been made to obtain control of the Barcelona press, and the directors of *El Correo Catalán* have now decided to suspend publication rather than have their newspaper deprived of its freedom. (see Annexure 'G').[18]

ENCLOSURE 3 IN No. 220

A

PARIS, *January 2, 1919*

(The usual seals)

Comrades,

We have been pleased by all that you tell us in your letter[19] respecting organisation, but you will understand that no opportunity of promoting serious social disturbances and conflicts should be missed.

We should see with pleasure the strike of which you tell us of the Canadiense, first because such a step would have splendid strike results; secondly, because the Company is a foreign one, the stoppage of whose work might involve serious disturbances in Government circles with the nation to which it belongs.

For this reason, whilst doing all you can to make the strike pacific you must at least do your best to allow it to be consistent with a declaration of acts of

[17] Enclosure 8 below.          [18] Not printed: see note 22 below.
[19] Not in Foreign Office archives: cf. enclosure 2 above.

violence, so that the Company may select suitable persons to examine into the question of responsibility.

Our comrade Pierre leaves Paris for Barcelona in order to take a part in this strike, and assist you with money as far as may be suitable and reasonable.

If the movement should assume a violent character, do not lose the opportunity of making use of this circumstance, since you will not lack means of defense [sic] and particularly explosives. Pierre will write to you about it. We should see with delight the extension of this stoppage of work throughout all the provinces.

Yours and the cause's.<br>
(Signed) DUCHESNEL

The usual seal.

ENCLOSURE 4 IN No. 220

B

PARIS, <i>May 31st, 1919</i>

Comrades,

In accordance with the agreement of the Interallied Conference at Leeds in 1916, when I was still filling the post of secretary of the General Labour Confederation, I was made secretary of the Provisional Syndical Centre, a similar organism destined to replace the International Syndical Secretariat which had its roots in Berlin.

For this reason, and without having exceeded my duties, I have summoned all the Syndicalist entities to take part in the International Syndicalist Conference which will be held at the same time and at the same place as the mis-called Peace Conference; for this reason I have also in strict fulfillment [sic] with the duties of my office, asked the Secretary of the Central Dutch Conference to summon the representatives of the Central Powers, Germans, Austrians, &c. for that day. I believe that these explanations will be sufficient to show our comrades in the Spanish Confederation that the provisional syndical centre concerned has not exceeded its duties by calling these conferences without consulting the section which constitutes the organism in question.

This directory agrees with you that the utility of having recourse to the teaching of abstract doctrines has passed, and that the time has come for the Mausers to talk, but it does not forget that it is first necessary to unite for this purpose the wills of all the syndicalists forming the International, in order to avoid a failure, and this is our reason for holding so many conferences. Have no fear that when the moment comes there will be any lack of cash, for we have deposited in the banks of Berlin eighteen millions of marks for our propaganda. We have been sent twelve millions of francs, which we keep under our control.

Strive by every means in your power to keep alive passion and rebellion by means of strikes.

We accept Francis Romero, railway man, for the purpose of transmitting our correspondence.

We will go into the antecedents of Guer[r]a del Rio and shall be pleased to accept him if he combines the requisite qualifications and character.

(Signed) JOUHAUX

ENCLOSURE 5 IN No. 220

C

*International Labour Committee,*
PARIS, *July 31, 1919*

Comrades,

It is with some regret that we have to inform you of the surprise felt by us at the pacific attitude displayed by the Spanish Syndicalists in the presence of the strike movements now developing.

In such solemn moments as the present, when a general strike must already have begun at Zurich and Bale, there, i.e. in Spain,[20] we see abstention. In the whole of Switzerland, so much progress has been made that France is bound here to follow on the same lines, but Spain cannot remain in this kind of inactivity.

We hope that you will let us know if there are hopes that the Spanish propagandists will quickly get out of jail, as well as respecting plans of future conflicts to be started.

Eldustirno Rahdjs [*sic*] will shortly start from Paris for Barcelona with funds and instructions respecting propaganda.

It is absolutely necessary to unite all the strikes in the North so as to form a link between them and those of the South. On Wednesday we will correspond with you at length.

Yours and the cause's.
(Signed) DUCHESNEL

ENCLOSURE 6 IN No. 220

D

*International Committee of Labour,*
PARIS, *August 7th 1919*

Comrades,

We beg you to stop sending us news of no real interest. Our work is overwhelming. We applaud every effort tending to excite the feeling of the working classes and of the public armed forces. What is necessary is that all these strike movements should appear to be simply Trade Union affairs, with no other object than an economic one. Many working men would withdraw their support from us if they knew that the actual strikes are expressions of a vast revolutionary plan.

[20] The words 'i.e. in Spain' were inserted in the translation.

770

It is moreover essential to attract to us at all cost, and whenever it is necessary, elements belonging to the forces of the State. We think it quite a mistake to believe that these elements are bound to be on the side of the classes. Those belonging to the masses are ours, and it is to them that we must address ourselves. The officers will have to be suppressed; that is the most practical thing.

In the Revolutions of Toulouse Sapernaut Chevenez Amar had not bound himself to us, and nevertheless the thing came off.

It is necessary that you should circulate instructions to this effect throughout the whole of Spain and especially in the North. We are doing the same, and can assure you that we have a good contingent of supporters in the South. Mr. Samuel Gompers gives us similar impressions of the North of America, although we don't absolutely trust him, in spite of the American Labour Federation. This Committee calculates that it will be able to begin the revolutionary movement in November; our calculations would be mistaken if Spain were insufficiently prepared.

Hartvig (? Hartwig) must already have arrived here [there]. He has fifteen millions of francs for propaganda and other expenditure. Neglect no effort which can tend to stimulate class hatred. It is however necessary that these hatreds should break out simultaneously, (literally should be simultaneous). Briefly, we are not yet quite sure how we shall send you the materials which you asked for in your last letter. Hartvig will give you an envelope containing the last decisions adopted by our Allied Confederation. These documents must be kept in a safe place, and their existence must be known to no one outside our Confederation.

Hartvig will stay in the North, probably at Bilbao. It is essential that you should give him all possible protection and the necessary means of being looked after by your Organisation.

Yours and the cause's.
(Signed) H. DIEU

There is a seal which runs:—
  Comité International de
    Travail
      Paris.

ENCLOSURE 7 IN NO. 220

E

(The usual stamps)

PARIS, *September 1st 1919*

Comrades,

This week we have received no letter from you. We attribute your silence to the Sailors strike, for we learn that the ship has not reached Marseilles. Please correspond with us as soon as possible.

Guerra del Rio communicates to us a whole vast plan of strikes which he has in contemplation, and tries to prove to us the importance of the campaign

771

for federating agricultural labourers, which you are carrying on in Catalonia.

We do not attach much importance to this gentleman's statements, for our wishes are to treat with associations and not with individuals. We therefore beg you to inform us officially in laconic and concrete form of whatever happens.

On our side we have to inform you that the Marseilles movement did not answer our desires for reasons independent of our own wills.

Nevertheless we shall not abandon our object and we hope very shortly to be able to bring about a general strike in that highly industrial city.

From Switzerland the news which reaches us is very satisfactory, notwithstanding the pessimistic notes published in the press.

Hartvig reports to us from Bilbao on the propaganda work which he has been carrying out, and assures us that in the Miners Congress to be held on the 13th instant at Oviedo important decisions will be taken in order to disconnect completely the workmen of the mines from the general union of workers. Be kind enough to tell us what happens in so important a coal industry, so as to verify our information with that of Hartvig. Do everything that you possibly can in order to create discontent among the miners.

A strike in these mines would signify grave economical disturbances throughout the country and would result in bringing to us assistance which has been offered to us by the British Miners.

We must not waste any financial assistance which they offer to us, since we are spending a great deal in propaganda and agents. Hartvig has funds and will give you what you need in return for your receipt.

(Signed) DUCHESNEL

The usual stamps.

ENCLOSURE 8 IN NO. 220

F

BARCELONA, September 16th 1919

Comrades,

After four weeks without communications we at length resume our correspondence. In resuming it we should like to send concrete answers to all the letters you have sent us during this period, but they are so vague that we confine ourselves to acknowledging methodically and without delay the receipt of your scanty news.

We are bound to call your attention to this point, because although the Federation does not rely on the protection of any given Governments, it places a high value on its own personality, and will in no wise deign to work on the outskirts of the international revolutionary work of the Protectorate [Proletariate], like a puppet in a show at the fair.

We therefore ask the Council of the Workmens Federation to be explicit in its dealings with us, and to substitute concrete facts for vague phrases.

You will not fail therefore to understand that our wish is to know who are the real directors of our movement, whatever the country to which they may belong, as also to have a detailed account of what they may decide and think of doing, so that we ourselves may in due time express our opinion and give our vote.

We regard as inconsistent with this aim, and a mark of patent want of confidence in us, the despatch of French, German and Belgian emissaries to traverse the provinces of Spain for the purpose of collecting information, since these personal missions imply a lack of confidence in the notes and statistics which we send you. Apart from this we cannot acquiesce in the French Confederation sending thousands of pesetas every month to keep these delegates who squander them like lords [princes], and question the expenditure by the Spanish Federation of a few pence for the cost of our propaganda.

The Delegate of whose mission you inform us, and who[m] we have not yet seen, can only give you the information which we ourselves supplied, and the documents which he may place in our hands, with all this mystery might perfectly [well] have been sent to us through the channel already established by ourselves. [We expect a categorical answer to what we ask for in this letter.][21]

As regards the social condition of Spain, we would observe that the Workers Organisation has never been more flourishing in spite of the many struggles which it has to maintain against the Government and the middle classes.

So much is this the case that when the employers declared their lock-out, they were themselves frightened at their own action, and the labour branch of the Ministry of Public Works has used the services of poor Sanchez Toca in order to reconcile class rivalries, the Government having actually gone so far as to negotiate with some of our leading comrades, thus trampling on the principle of authority, so essential to every ruling power.

Such being the state of things, it is easy to understand the state of view of the workers, especially if we add to the list of the ignomin[i]ous acts of the Government, and of the cowardly proceedings of the Department of Industry, the death of the tyrant Bravo Portillo (ex-Commissioner of Police, prosecuted for acts of espionage, thanks to the measures taken by Pestana), whom ten glorious bullets have removed to the mansions of the departed.

We hear that the band (of spies) is still working in spite of its chief's death, under the leadership of an ex-Secretary of the Woodcutters Branch, an able man, well acquainted with the Syndicalist question, and with the whole staff of our organisation, whom we regard as an excellent strike-breaker, and ally of the employer class. We think that in spite of his youth, he has not many days still to live.

Once the constitutional guarantees are re-established and the Workers Unions reestablished, we shall intensify our federation campaign, and we think that by the end of the year we shall be able successfully to attempt the movement planned by us.

[21] This sentence in the original Spanish was inadvertently omitted from the filed translation: cf. note 4 above.

Among the many Syndicalists are Pestana, Buenacasa and David Rey.

Eduardo Ugarte has gone to Russia to study the Soviets on the spot. He is at the present moment at Berlin. According to news received by us, the comrades of the Red Flag (Rote Fahne) are to introduce him in Russia.

Ugarte is a blackguard: it would be well to warn these comrades, so that they may not be blackmailed by this person.

The railwaymen will soon enter our Federation.

Hoping you will oblige us, we wish you health and revolution.

(Signed) J. BUESO

The[22] extract from, or rather supplement to the *Correo Catalán*, which forms the last enclosure in Mr. Rowley's despatch is not worth translating, it consists of a sensible appeal by Catholic working men of Barcelona against the extreme measures advocated by some of their Syndicalists [*sic*] fellow workmen.

[22] The following note is appended thus in the filed copy: see note 18 above.

## No. 221

### Mr. Russell (Berne) to Earl Curzon (Received November 7)

### No. 612 [149624/65910/39]

BERNE, *November 3, 1919*

My Lord,

With reference to Lord Acton's telegram No. 1158[1] of July 30 last, I have the honour to inform Your Lordship that the Federal Council has published a message addressed to the Federal Assembly in regard to the question of the neutralisation of Northern Savoy.

The message sets forth the character of the perpetual neutrality of Switzerland and of the neutralisation of Savoy in accordance with the treaties and conventions of 1815, 1816, and 1860.[2] It goes on to outline the negotiations which have taken place on this subject between France and Switzerland and which resulted in the inclusion of Article 435 in the Treaty of Peace. The Powers which were party to the neutralisation of Savoy in 1815 took so little interest in this matter that they refused to participate in the Conference convened to settle this question after the annexation of Savoy by France in 1860. This annexation rendered useless the protection which Switzerland had promised to accord to Savoy—a territory which in 1815 was defenceless. Switzerland has never been able to agree either with the Kingdom of Sardinia or with France on the question of how far the right of military occupation was obligatory or optional, nor again on the manner in which

[1] Not printed.

[2] See (i) General Act of the Congress of Vienna, article 92: *British and Foreign State Papers*, vol. ii, p. 45; (ii) the Act of November 20, 1815, ibid., vol. iii, pp. 359 f.; (iii) the Sardinian-Swiss Treaty of Turin of 1816, ibid., vol. iii, pp. 763 f. and vol. vii, pp. 21 f.; (iv) the Franco-Sardinian Treaty of Turin of 1860, ibid., vol. l, pp. 412 f.

such occupation should be carried out nor again in regard to the extent of territory which the Confederation would have to defend. Since 1815 the military importance of Savoy has constantly diminished and to-day, having regard to the difficulties which beset this question, the right of occupation is a disadvantage rather than an advantage for Switzerland.

The message, after indicating the reasons in favour of the suppression of the neutral zones, shows the advantages which Switzerland would lose from this act of renunciation and the compensation which she would receive. This compensation consists in the recognition by the Allied Powers of the guarantees formulated in 1815 in favour of Switzerland. This article copy of which[1] I enclose for convenience of reference, after recognising the perpetual neutrality of Switzerland, points out that the earlier treaty stipulations in regard to the neutralised zone of Savoy no longer correspond to the circumstances of the present day and recognises that this is a matter in which France and Switzerland should regulate between them, by common accord, the régime to be set up in these territories.

Thus Switzerland renounces her right to the military occupation of Northern Savoy in return for the definite recognition by all the signatories of the Peace Treaty of Switzerland's perpetual neutrality, whether or not she becomes a member of the League of Nations. The Federal Council maintain in their message that this advantage compensates Switzerland for the loss of a right which would give a certain military assistance to the Swiss military authorities in the defence of the exposed region occupied by the Canton of Geneva.

The above arrangement leaves for future decision between the French and Swiss Governments the purely economic question of the free zones of Haute Savoie and the Pays de Gex. On this point the French Government have urged that the normal French customs lines should be re-established but this proposal has been strongly resisted by the Swiss Government and it seems probable that a solution will eventually be found which will enable the free zones to be maintained in some form or another.

I have, &c.,
THEO RUSSELL

## No. 222

*Sir A. Hardinge (Madrid) to Earl Curzon (Received November 12)*

*No. 382 [151258/1134/41]*

MADRID, *November 5, 1919*

My Lord,

I asked the Marquess of Lema yesterday, in the course of an interview on other matters, what he thought of the latest internal political developments here. He said, with respect to Barcelona, that the look[?lock]-out was not so serious, as the more unyielding and combative elements in the employer class (represented by Señor Junoy, and consisting largely of self-made men, who had themselves risen from the ranks of labour) had received less support than they expected. Only about 11 per cent. of the total number of factory hands and other manual labourers had been locked out, say about 35,000 men, though I should add that to-day's papers report the closing of an increased number of factories. The Marquess hinted plainly that he connected the unconciliatory attitude of the employers with the political activities of Sr. La Cierva, supported by Sr. Maura, both of whom have declared war, on the part of their section of the Right, on the present more moderate Conservative Cabinet. This declaration found expression in a manifesto, published on the 23rd ultimo, by Señor Maura, in which he attacked the men composing the present Government, whom he regards as having wrecked his own, a few months ago, by lack of adequate support, as well as the whole working of Spanish parliamentary politics since 1909, when the old Conservative and Liberal parties each split into divided personal factions. His language was, as is often the case, lofty, cloudy and lacking in precision or definitiveness, like a mountain peak wrapped in mist, but it seemed to hint, without saying so, that his followers might deem it a duty to refuse supplies to the present Cabinet; for he accused the latter of having betrayed his own administration by a secret compact with the Liberal Opposition, which, since May last, had endeavoured to rally to its own support the most revolutionary forces in Spanish society, and he intimated that that opposition might, in virtue of this compact, and with the object of accomplishing its own sinister purposes, strive to keep for the present these false Conservatives in power. It seems probable, however, that if the Government fails to carry its budget, and if the King, after consulting the party leaders, does not feel that he can constitutionally dissolve a Parliament so recently elected until every other solution has been tried and failed, he will decide to send for Count Romanones[1] or Señor Dato,[2] rather than for Señor Maura, and let one or other of them, if they cannot get the estimates voted, make a fresh appeal to the country. There can be no doubt that the attitude of Señor Maura and his apparent inability to rise above personal questions at a moment when these questions and their effects upon politics have brought about a constitutional deadlock, have not increased his reputation as a patriotic and farseeing statesman, and he is suspected of working with Señor La Cierva with a view to bringing about an acute conflict between capital and labour, which the Ministry of Sanchez Toca is prudently bent on avoiding, as long as possible, but which, if decided by the sword, might end in the military dictatorship desired by many otherwise peaceful men of business, sick of seeing industry paralysed, and internal peace disturbed by continual revolutionary strikes and outrages. I am inclined to think myself that the Government is wise to temporise as long as it can do so; if your Lordship reads the correspondence between the Barcelona Trade Union and the Revolutionary Committee at Paris,[3] you will see that the former shrink from converting its economic into political revolutionary aims precisely because a majority of the union workers want

[1] Leader of the Spanish Liberal party.
[2] Leader of the Spanish Liberal Conservative party.                    [3] See No. 220.

776

economic improvements, but not revolution, and the thing to do is for it to work through this reasonable majority, instead of driving them, by a refusal of all concessions, into the arms of the enemies of society. A policy of pure repression might of course succeed, but it might also mean the supersession of civil by military authority, and if for any reason it fails, it might, which would be far worse, land the whole country, at least for a time, in the miseries and horrors of the Russian revolution.

I have, &c.,
ARTHUR H. HARDINGE

## No. 223

*Sir H. Stuart (Coblenz) to Lord Hardinge (Received November 10)*

*No. 141 [150504/4232/18]*

COBLENZ, *November 5, 1919*

Sir,

I have the honour to forward copies of a further memorandum on the present situation in Birkenfeld.

I have, &c.,
HAROLD STUART

### ENCLOSURE IN NO. 223

*Recent Developments in Birkenfeld*

The elections at Birkenfeld which were postponed by order of Marshal Foch were held on the 19th and the 26th October. On the 19th on which date the new Town Council was elected, the Government gained only three seats out of 15, a result which rightly foreshadowed a crushing defeat at the Provincial elections on the 26th. The actual results for the seven Electoral districts of the Provinces were:

The United German Parties 13004 votes,

For the Government 1822,

For the Independent Socialists, 47 votes.

The Government therefore obtained only two seats out of twenty five (Appendix A).[1]

In order to present a solid front to the Government, the German political parties, in almost every district, had come to an agreement, and voted as one party.

These results have proved that the Zöller Government, beginning its career as it did by a mere trick, has never represented the wishes of the Birkenfeld people. They show also that Berkenfeld [*sic*], though anxious to maintain its freedom from Oldenburg, has no desire to be amalgamated either with the Saar basin, or with the Palatinate. A union with the Rhine-

---

[1] Not printed.

777

land, on the other hand, representing probably the original intention which underlay the impulse to break from Oldenburg, would satisfy, no doubt, a large section of the population.

Articles from the local German Press[1] dealing with this question are attached.

## No. 224

*Sir H. Stuart (Coblenz) to Earl Curzon (Received November 8)*

*No. 142 [150185/105194/1150 RH]*

COBLENZ, *November 5, 1919*

My Lord,

I have the honour to acknowledge receipt of your Lordship's endorsement No. 63[1] of the 24th October, on copies of correspondence[1] with the War Office in which a decision is announced to withdraw the five officers who for the past two months have been attached to the Economic Sections of the Armies of Occupation in the Belgian, American and French Zones.

2. These officers, during the short time in which they have held their present positions have been most useful in furthering British trade interests. Before their appointment there was a tendency on the part of British traders to confine their activities to the British Zone of Occupation. Although the British Zone is the most important from a commercial point of view, a large amount of trade has been done in the other zones and traders in the United Kingdom have secured only a small portion of it. During the period of the Occupation, which may extend over many years, the whole of Occupied Germany will be of much greater interest commercially to the Allied nations than the rest of Germany. Security will be greater and facilities for finance and therefore for business more plentiful. Our Allies will make great efforts to establish their trade here and every form of official assistance will be made available. The Occupation will probably bring all the Rhine ports into a prominence and importance never before known for trade with Middle Europe.

3. It is important that the United Kingdom should be in a position to take full advantage of the opportunities that will arise, and I accordingly feel it my duty to urge that the decision to withdraw these officers should be modified, and that at least the two at Aix la Chapelle and Mayence should be retained as Vice-Consuls. The comparatively small expense involved should be repaid many times by the increased business that would accrue to traders of the United Kingdom.

The attitude of the French towards these Economic Sections may be gathered from the annexed extract[2] from *Le Petit Parisien* of the 3rd instant,

[1] Not printed.
[2] Not printed. This extract, headed 'Comment M. Tirard conçoit son rôle en territoires occupés', was a message, dated November 2, 1919, from Mainz, wherein a special representative of *Le Petit Parisien* reported an interview with M. Tirard. This message stated, in

and I have little doubt that in one form or another they will be retained for the furtherance of French trade.

I have, &c.<br>HAROLD STUART

particular, with regard to the Economic Sections: 'On sait avec quel dévouement éclairé des officiers français, dont la plupart étaient dans la vie civile des spécialistes des questions commerciales, industrielles ou financières, se sont employés dans chaque grande ville des pays occupés à créer, sous le nom de 'section économique' un organisme destiné à faciliter le [la] reprise des relations d'affaires entre la France et l'Allemagne. Ces sections économiques ont déjà rendu les plus grands services et elles en auraient rendu de beaucoup plus efficaces encore si la timidité routinière de notre administration centrale n'en avait pas trop souvent entravé l'action par une série de prescriptions ou prohibitions dont l'intérêt échappe à tout esprit net et bienveillant qui se refuse à chercher une cause inavouable à une simple maladresse. Je crois avoir compris que M. Tirard désire ne pas se priver d'une collaboration militaire qui, là encore, a été si désintéressée et si utile. Ces sections économique[s] deviendraient — c'est là le vœu de notre haut commissaire — des sortes de consulats modèles, dégagés de toute préoccupation politique, dont les agents, officiers spécialistes démobilisés mais autorisés à garder l'uniforme, on [? ou] officiers de l'active expérimentés, s'emploieraient, avec l'autorité que donne seule en ces pays allemands le prestige de soldat, à défendre au mieux nos intérêts nationaux.' See, however, M. Tirard's comment reported in No. 277.

No. 225

*Sir F. Villiers (Brussels) to Earl Curzon (Received November 8)*

*No. 404 [150026/11763/4]*

BRUSSELS, *November 5, 1919*

My Lord,

With reference to my telegram No. 178[1] of the 28th ultimo, I have the honour to report information, given to me yesterday at the Ministry of Foreign Affairs, that the Dutch Government are not inclined to accept the proposals put forward by Monsieur Laroche for revision of the Treaties of 1839.

The belief entertained at the Ministry is that an uncompromising attitude will be maintained at The Hague, at least until after the forthcoming general election in this country upon the result of which high hopes are founded. The expectation is that the Catholic Party, so long in power, will lose their majority and that the present Government will have to retire which will involve the resignation of Monsieur Hymans, to whom personally the existing difficulties are in a great measure attributed.

The forecast respecting the result of the elections may prove to be more or less correct—I am reporting upon this matter in another despatch—but it is an error, I think, to imagine that a change of Government will entail a change of policy in regard to the question of providing adequately for defence of the Belgian frontier. It is also a mistake to consider the policy of the Government as being dictated by Monsieur Hymans. The whole Cabinet

---

[1] No. 214.

779

are, I understand, in complete agreement and, if all available evidence is correct, they are supported by a great weight of public opinion.

I take this opportunity of mentioning that Monsieur Laroche is extremely anxious that the Dutch Government should not know that before his proposals were communicated to them the Belgian Government were consulted.

I have, &c.,

F. H. VILLIERS

## No. 226

*Sir E. Crowe (Paris) to Earl Curzon (Received November 6)*

*No. 1529 Telegraphic [149311/11763/4]*

PARIS, *November 6, 1919*

Your[1] telegram No. 1495.[2]

It is becoming increasingly urgent for me to have some indication of policy of His Majesty's Government as regards assurances requested by Belgium.[3]

Netherlands Delegates have sent in their observations on Draft Treaty submitted them by Monsieur Laroche and there are indications that they may be induced to agree to it. If this anticipation proves correct, Belgian Delegates will require to know at once whether His Majesty's Government and French Government extend a guarantee to their . . .[4] until such time as other measures safeguarding their territory can have been taken under auspices of the League of Nations.

[1] It was noted on the filed copy that this word was a mistake for 'My'.
[2] No. 213.
[3] Mr. Tufton had previously written in the same sense from Paris in a letter of November 1, 1919, to Mr. Oliphant (received November 3). Mr. Tufton had, in particular, asked Mr. Oliphant: 'Do you think you can expedite the matter? None of our telegrams seem to call forth replies.'
[4] The text as received was here uncertain. The text as sent from Paris here read '. . . guarantee to them until', &c.

## No. 227

*Sir A. Hardinge (Madrid) to Earl Curzon (Received November 11)*

*No. 387 [150769/1134/41]*

MADRID, *November 7, 1919*

My Lord,

The lock-out of Union workmen in Catalonia which formed the subject of my despatch No. 382[1] of the 5th of November, has shown signs of spreading, more employers having joined it in the last day or so, but side by side with this, there seems to be a growing disposition in both camps to settle the dispute by a compromise which the Government and all its local repre-

[1] No. 222.

sentatives are doing what they can to promote. Meetings aiming at a friendly settlement have been held by representatives of both parties, and may, it is to be hoped, find a means of arriving at a working compromise or at least a truce.

Apart from the numerous cases of unpunished murders of employers and non-union workmen, not to speak of even more frequent outrages and assaults short of actual killing, of which the agents of the labour Unions are accused by their opponents, the great grievance of which the latter are determined to be rid, is the regular and obligatory presence in every factory of an Union delegate for the nominal purpose of seeing that its owners and workers all strictly conform to the Union rules, as regards hours of work, payment of piecework and other kindred matters. These delegates, the employers complain, are not content with discharging the duties for which they are ostensibly appointed. They meddle in the whole management of the mines or factory, favour some workmen, who conciliate them by obvious methods, whilst being hostile to others less subservient, dictate to the masters and foremen as to how the work is to be distributed and performed and become in fact middlemen, without whose consent nothing can be done. The employers are determined to put an end once for all to this interference and *imperium in imperio* or double Government, and this I am assured on good Spanish authority, is the chief impediment in the way of a rapid settlement.

Whilst on the subject of Spanish domestic politics I may mention that Count Romanones told me yesterday that his followers will support the present Government by voting for its budget, and I understand that the leaders of the Democratic Liberals (Marquis of Alhucemas) and Sr. Alba's more Radical followers will do the same.

I have, &c.,<br>ARTHUR H. HARDINGE

## No. 228

### *Memorandum by Earl Curzon*[1]

*[148226/11763/4]*

FOREIGN OFFICE, *November 10, 1919*

The question has arisen of the continuance by Great Britain of a guarantee of the independence and integrity of Belgium, and an immediate decision on the matter is required.

It will be well if I briefly recapitulate the position with regard to this question.

Negotiations have been proceeding at Paris between the Belgian and Netherlands Governments for the conclusion of a Treaty of Revision of the Treaties of 1839 by which Great Britain, France, Prussia, Russia and Austria

[1] This memorandum was circulated to the Cabinet.

declared the perpetual neutrality of Belgium, and guaranteed that neutrality against attack from any party. These negotiations have been attended with a considerable amount of friction, and at one time it appeared likely to be abortive. I need not go into the causes of the misunderstandings which arose between the Netherlands and Belgian Governments, as these difficulties would now appear to have been surmounted, and a draft treaty prepared by the Chairman of the Committee of the Peace Conference dealing with this question is, according to our information from Paris, likely to be accepted by both sides, provided that the Belgian Government receive adequate assurances with regard to the question of a guarantee of their immunity from attack by Germany.

The Belgian Government have stated that they are ready to accept the assurances given by the Netherlands Delegates on the Revision Committee to the effect; (1) that the Netherlands will adhere to the League of Nations; (2) that in any case the Netherlands Government will treat the violation of Dutch territory, including Limburg, as a *casus belli*, and (3) that in the case of attack the territory of Dutch Limburg will be defended. On these conditions the Belgian Government are prepared to consent to the abrogation of the Treaties of 1839, and they agree that the question of the guarantees to replace those stipulated in the Treaties of 1839 should be left for settlement subsequently by the League of Nations. At the same time M. Hymans, the Belgian Minister for Foreign Affairs, has pointed out to Sir F. Villiers that this reference to the League of Nations presents a serious difficulty for the Belgian Government.[2] He emphasised that Germany would probably adhere to the League of Nations, and have a place in the Council, and that the German Government would not agree to any arrangement directly opposed to their interests, and might even decline to join the League if some decision— contrary to their interests, but required by the Belgian Government for their security—had already been taken. M. Hymans also pointed out that some delay must occur before the League of Nations could decide upon the guarantees to be given to Belgium, and that if the Treaties of 1839 were abrogated, and no means of security for Belgium substituted, the position of that country would be more perilous than ever. M. Hymans accordingly requested Sir F. Villiers to ask His Majesty's Government to give the most favourable consideration to the following proposal, namely, that until some other satisfactory arrangement should be concluded, the British and French Governments should consent to retain as operative the provisions in the Treaties of 1839 by which those Powers guaranteed the independence of Belgium and the integrity of the Kingdom.

M. Hymans has therefore in effect asked that Great Britain and France should come forward as guarantors of the independence and integrity of Belgium from the date of the Ratification of the proposed Treaty between Belgium and Holland until such time as the League of Nations shall have provided fresh guarantees for the security of Belgium.

Further, early in September last, the Belgian Ambassador, on instructions

2 See No. 196.

from his Government suggested to me that the French and British Governments should conclude with the Belgian Government a Treaty guaranteeing Belgium against unprovoked attack by Germany.[3] The proposal was that this Treaty should be similar to that concluded between Great Britain, the United States of America and France for the protection of France in the same circumstances. The Belgian Government have made a similar suggestion to the French Government, but no specific request has yet been received from them for such a Treaty; and it is clear from reports received from Sir F. Villiers and from Paris that the French Government have not committed themselves in any way to the Belgian Government on this point. M. Hymans, however, when asking for the interim guarantee, to which I have referred above, stated that he did not desire this latter suggestion to supersede the proposal submitted to me by Baron Moncheur that the British and French Governments should enter into an engagement for the defence of Belgium in case of unprovoked aggression on the same lines as the British and American Treaty with France.

My latest information from Paris is that the Netherlands Delegates have accepted, or are on the point of accepting the draft Treaty for the Revision of the 1839 Treaties which the Belgian Government are also ready to accept, but it is clear that the Belgian Government will not accept this Treaty unless they are satisfied on the question of guarantees.[4] In fact the Belgian Delegates now wish to insert in the Treaty an article as follows:—

'Great Britain and France undertake to maintain in operation until the conclusion of the arrangements foreshadowed in Article 1 (*i.e.* the new guarantees to be provided by the League of Nations) the guarantee given by them to Belgium in virtue of the Treaty of 19th July, 1839, in so far as that guarantee concerns the independence of Belgium and the integrity and inviolability of her territory.'

Sir E. Crowe has pointed out to me that, in his opinion, the insertion of a guarantee of this kind in the proposed Treaty would be a mistake.[5] The object of the Treaty being to abolish the guarantees set up in 1839, it would surely be wrong to include in the new Treaty an article expressly continuing the guarantees of 1839 on behalf of two Governments only among the seven Governments signing the Treaty. He expresses the opinion that if a guarantee is to be given at all the matter should form the subject of a separate Treaty between Great Britain, France and Belgium, and that possibly the United States of America should be invited to join.

On this point the following considerations arise:—

1. If we and the French refuse to give this guarantee to Belgium in some form the negotiations between the Dutch and the Belgians are likely to break down. They have only been kept alive with great difficulty, and if a rupture occurs many important problems will remain unsolved.

---

[3] See No. 122.      [4] Cf. No. 226.      [5] See No. 213.

2. It is unlikely that the United States will join in the guarantee. Not only were they not a party to the guarantees of 1839, but their general policy is to avoid alliances of this nature affecting only European countries.

3. Although a guarantee of any kind to Belgium is not likely to be popular here, and would probably be criticised in Parliament, it might be possible to defend an interim guarantee of the nature for which M. Hymans presses, while I do not think that the country should be asked to enter with France into an indefinite guarantee of Belgium against German aggression such as M. Hymans has hinted at. Not only would this be unpopular, but we should not in my judgment be justified in undertaking so heavy a responsibility.

I understand that the French Government would be prepared, if necessary, to join with us in giving an interim guarantee to the Belgians, and in all the circumstances the best course of action seems to be as follows:—

The British Delegates at Paris should be instructed to resist the insertion of the interim guarantee in the Treaty in the manner now proposed by the Belgian Delegates at Paris. We should explain to the French and the Belgians that for the reasons given by Sir E. Crowe the guarantee should be put in the form of a separate instrument, and that His Majesty's Government are ready to conclude, at the same time as the conclusion of the Treaty of Revision, a separate Treaty whereby France and Great Britain undertake the guarantee of the integrity and inviolability of Belgium until such time as the League of Nations shall have provided fresh guarantees, and in no case for a period longer than five years, after which period, if the League of Nations have not taken action, the question must be reconsidered.

This would not, in my opinion, be a dangerous, while it would be an easily defensible, responsibility.

C. of K.

## No. 229

*Sir E. Crowe (Paris) to Earl Curzon (Received November 13)*

*No. 2128 [151544/11763/4]*

PARIS, *November 11, 1919*

My Lord,

With reference to my telegram No. 1529[1] of November 6th on the subject of the revision of the 1839 treaties, I have the honour to report that Mr. Tufton and Monsieur Laroche have had two discussions with the Dutch and Belgian delegates separately, as the result of which the treaty, which it is proposed

---

[1] No. 226.

should be signed by the four principal allied and associated powers, Belgium and Holland, has been drafted as shown in enclosure 1 herewith.

2. Paragraph 3 of the preamble and article 1 have been slightly modified, and in their present form it is hoped will be accepted by both the Belgian and the Dutch governments. Monsieur Segers and Monsieur van Swinderen have undertaken to submit this text to their respective governments, and I transmit herewith a copy of a private letter (enclosure 2) which is being sent to both of them by Monsieur Laroche and Mr. Tufton, explaining exactly the intentions of the proposed treaty. This letter will be dated November 12th.

3. If this text is eventually accepted by the two governments it will be necessary, in submitting it to the Supreme Council, for the committee to explain very clearly the precise meaning of the various articles, and the draft of a report to the Supreme Council has, at the same time, been submitted to Monsieur Segers and to Monsieur van Swinderen, and is also enclosed herein (enclosure 3).

4. I am sending copies of the text to His Majesty's Ambassador at Brussels and His Majesty's Minister at The Hague for their information,[2] in case the Ministers for Foreign Affairs recur to the subject in conversation.

5. Monsieur Segers, the Belgian delegate, said in the course of the conversations, that his government were most anxious to have the assurance of France and Great Britain that the integrity and inviolability of Belgium would be guaranteed, pending the decision of the League of Nations. The Belgian government would prefer such guarantee to be embodied in the same treaty as revised the treaties of 1839, but Mr. Tufton explained to him that he had, as yet, no instructions on the subject from Your Lordship.

I have, &c.,

EYRE A. CROWE

[2] These copies were sent under cover of identic letters, *mutatis mutandis*, of November 11, 1919, from Mr. Tufton to Sir F. Villiers and to Sir R. Graham (cf. No. 236, note 1) respectively. Mr. Tufton stated therein: 'This text has been discussed exhaustively with M. Segers and M. van Swinderen separately by M. Laroche, the French delegate, President of the 1839 Committee of the Peace Conference, and myself, and so far as we can tell it seems to meet the views of both parties, who have undertaken to submit it now to their respective Governments. As you know, it has been no easy task to bring both sides to agree on a common text. Paragraph 3 of the preamble and Article 1 have been the stumbling blocks. The treaty between Belgium and Holland on economic matters would, it is proposed, be annexed to this treaty, as was done in 1839. Article 6, the ratification Article, is somewhat curiously drafted, in order to get round the difficulty which we always encounter of the constitution of the United States, where, as you know, no treaty can be ratified unless passed by the Senate. . . . It seemed to us better to carry on these negotiations privately, as we were really making no progress in the Committee itself, and if we can once get the Belgians and the Dutch to agree we do not anticipate difficulties with other delegations represented on the Committee. Finally I enclose a copy of the despatch [not filed] which is being addressed to your French colleague by the Quai d'Orsay, and anything you could do in support of any action he may take would, we feel, help matters considerably here.'

*Révision des Traités de 1839*

*Avant-projet de Traité*

*Novembre 9, 1919*

Copie

Les Etats-Unis d'Amérique, la Belgique, la Grande-Bretagne, la France, l'Italie, le Japon et les Pays-Bas,

Considérant que la clause de neutralité perpétuelle et la garantie stipulées par les traités conclus à Londres le 19 avril 1839 entre 1) l'Autriche, la France, la Grande Bretagne, la Prusse et la Russie d'une part, et les Pays-Bas d'autre part; 2) entre la Belgique et les Pays-Bas; 3) entre l'Autriche, la France, la Grande Bretagne, la Prusse et la Russie d'une part, et la Belgique d'autre part, avaient pour objet essentiel de contribuer au maintien de la Paix générale,

Considérant que ces stipulations, comme l'ont démontré les évènements de 1914 n'ont pas répondu à l'espoir qu'on avait fondé sur elles,

Considérant que la situation géographique de la Belgique l'expose à des risques particulièrement graves pour le maintien de la paix générale, et qu'à ce point de vue toutes les dispositions utiles doivent être prises pour $\left\{\begin{array}{l}\text{écarter du}\\\text{mettre le}\end{array}\right\}$ territoire belge $\left\{\begin{array}{l}\text{le danger d'invasion,}\\\text{à l'abri de l'invasion}\end{array}\right\}$

Considérant d'un commun accord, que le maintien de la clause de neutralité perpétuelle et de la garantie mentionnées plus haut n'est plus justifié, et que les garanties à y substituer, en vue de la conservation de la paix générale doivent être élaborées dans le cadre de la Société des Nations,

Considérant que toutes les Hautes Parties Contractantes font partie de la Société des Nations,

Et ayant pris connaissance du traité conclu en date de ce jour entre la Belgique et les Pays-Bas,

Ont nommé pour leurs plénipotentiaires, savoir: . . .[3]

Lesquels, après avoir échangé leurs pleins pouvoirs reconnus en bonne et due forme, sont convenus des dispositions suivantes:

## Article 1er

Les Hautes Parties Contractantes agissant comme membres de la Société des Nations et conformément à l'article 4, alinéas 4 et 5 du Pacte, sont d'accord pour saisir, dès la mise en vigueur du présent traité, le Conseil de la Société des Nations afin que les garanties jugées indispensables à substituer, pour assurer la sécurité de la Belgique, au point de vue de la paix générale, à celles stipulées par les traités du 19 avril 1839, soient déterminées sous ses auspices.

Elles s'engagent à procéder à cet effet sous les dits auspices aux études concertées jugées utiles, et à prendre les mesures qui seraient ensuite reconnues nécessaires.

[3] Punctuation as in original.

## Article 2

Les Hautes Parties Contractantes reconnaissent comme abrogés le traité conclu à Londres le 19 avril 1839 entre l'Autriche, la Grande Bretagne, la France, la Prusse et la Russie d'une part et les Pays-Bas d'autre part, ainsi que le traité de même date conclu entre l'Autriche, la Grande Bretagne, la France, la Prusse et la Russie d'une part et la Belgique d'autre part.

## Article 3

Les Etats-Unis d'Amérique, la Grande Bretagne, la France, l'Italie et le Japon prennent acte du traité ci-annexé, conclu en date de ce jour entre la Belgique et les Pays-Bas, à l'effet de remplacer par des dispositions nouvelles les articles . . .[3] du traité conclu le 19 avril 1839 entre ces deux puissances, et déclarent tenir pour bonnes et valables ces dispositions en ce qui les concerne.

## Article 4

Le présent traité ainsi que le traité entre la Belgique et la Hollande visé à l'article 3 seront, par les soins du Gouvernement de la République Française notifiés à l'Allemagne et à l'Autriche (et à la Hongrie) en vue de l'observation des engagements pris par ces deux Puissances dans les articles 31 du traité de Versailles du 28 juin 1919 et 83 du traité de St. Germain en Laye du 10 septembre 1919.

## Article 5

Dès qu'un Gouvernement russe aura été régulièrement reconnu par les Hautes Parties Contractantes, la Russie sera invitée à donner son adhésion au présent traité.

## Article 6

Le présent traité sera ratifié.

Le dépôt des ratifications sera effectué à Paris aussitôt que possible, et le traité entrera en vigueur dès qu'il aura été ratifié par celles des Hautes Parties Contractantes qui étaient signataires des Traités du 19 avril 1839 mentionnées à l'article 1er.

ENCLOSURE 2 IN No. 229

*Letter to Monsieur Segers*

*Letter to Monsieur Van Swinderen*

*Révision des traités de 1839*

*12 novembre 1919*

Les conversations qu'ils ont eues successivement avec les délégués de la Belgique et des Pays-Bas, ont permis aux premiers délégués de l'Empire britannique et de la France à la Commission de Révision des Traités de 1839 de se rendre exactement compte de la portée des observations des deux parties, ainsi que de leurs vues respectives sur les points essentiels de la question dite de 'sécurité', posée par la suppression des garanties stipulées en 1839.

M. Tufton et M. Laroche très reconnaissants de la confiance que les deux délégations ont bien voulu leur accorder, estiment qu'ils ne peuvent mieux y répondre qu'on [? en] leur soumettant à toutes deux simultanément un texte qui leur paraît conforme à l'objet poursuivi, dans les conditions indispensables pour obtenir l'assentiment des deux pays les plus directement intéressés. Ils ont l'honneur de remettre ci-joint ce texte[4] à la délégation Belge (Néerlandaise).

Le projet dont il s'agit est basé sur l'avant-projet du 25 octobre dernier.[5] Il comporte des modifications dont la plupart sont connues des deux délégations. Quelques-unes cependant ont été introduites en vue de préciser des idées qui se sont fait jour dans les entretiens poursuivis par les signataires, avec chacune des délégations, au cours de la semaine qui vient de finir.

Ces modifications, très peu nombreuses, portent principalement sur le troisième 'Considérant' du préambule, et sur l'article 1er des stipulations proprement dites. Un commentaire de ces dernières n'est pas inutile.

Il est apparu très difficile de condenser clairement dans un article, qui par essence doit être aussi court que possible, toutes les idées exprimées au cours des conversations de ces derniers jours, en ce qui concerne la manière dont les parties entendent le 'processus' relatif à l'intervention du Conseil de la Société des Nations. Tout le monde est d'accord qu'il convient de faire trancher, soit dans un sens, soit dans un autre, mais très nettement la grave question qui est en jeu. Il n'entre dans la pensée d'aucune des parties en cause d'admettre que le traité en projet puisse laisser subsister une équivoque à cet égard. Les Pays-Bas, d'autre part, ont spécifié que c'est à l'autorité morale de la Société des Nations, représentée par son Conseil, qu'ils entendent déférer la solution de la question posée.

Pour éviter tout malentendu sur l'interprétation de la réponse que le Conseil de la Société des Nations fera aux Hautes Parties Contractantes, quand elles le saisiront, il a paru à M. Tufton et à M. Laroche: 1° — qu'il était indispensable de remanier l'article 1er suivant le texte ci-joint,[4] qui reprend dans son second alinéa l'expression 'sous les auspices' contenue dans le premier alinéa: 2° — que le rapport qui accompagnera le texte définitif proposé par la Commission donne sur la pensée inspiratrice de cet alinéa des éclaircissements ne laissant aucun doute quant à sa portée exacte. A cet effet les délégués britanniques et français ont rédigé un projet à insérer dans cette partie du rapport, qui se trouve également ci-joint,[6] et sur lequel il est indispensable que l'entente s'établisse.

Au cours de l'examen qu'ils ont été amenés à faire ainsi à nouveau de l'article 1er M.M. Tufton et Laroche ont constaté qu'au cours de ses remaniements successifs, le texte du premier alinéa était devenu imprécis en ce qui concerne la définition de la question à soumettre à la Société des Nations, c'est-à-dire: les garanties à substituer à celles de 1839 'pour assurer la sécurité de la Belgique' au point de vue de la paix générale. C'est bien là, en effet

[4] Enclosure 1 above.      [5] Cf. No. 213.      [6] Enclosure 3 below.

l'objet de l'article 1ᵉʳ dont sera saisi le Conseil de la Société des Nations. Il a donc été remédié à cette omission.

M.M. Tufton et Laroche, s'inspirant du caractère tout officieux et amical des conversation[s] dont le projet ci-joint est le résultat, présentent ce projet en leur nom personnel, mais s'étant sans cesse inspirés de leurs instructions générales, au cours de cette tractation, ils sont convaincus qu'ils agissent conformément aux vues de leurs gouvernements respectifs. C'est pourquoi, tout en se tenant très volontiers à la disposition des délégations belge et néerlandaise pour recevoir et étudier leurs propres observations, ils expriment le désir que les deux délégations veuillent bien soumettre les deux textes ci-joints à leurs gouvernements respectifs, en signalant à leur attention les considérations qui viennent d'être exposées. Si, comme ils l'espèrent fermement, ces deux textes rencontrent à Bruxelles et à la Haye un acceuil [*sic*] favourable [*sic*], ils seront heureux d'avoir pu apporter ainsi leur contribution à l'aboutissement, si désirable à tous égards, de la tâche importante confiée à la Commission dont ils ont le grand honneur de faire partie.

ENCLOSURE 3 IN No. 229

*Révision des Traités de 1839*

*Projet pour le rapport*

*9 novembre 1919*

La Commission a estimé que, dans l'intérêt de la paix générale, il était essentiel que la question des garanties à substituer à celles stipulées par les traités de 1839, quelle que fût d'ailleurs la solution à intervenir, fût, dans tous les cas, nettement tranchée.

Elle a pensé que cette tâche devait être confiée, conformément à l'art 4, alinéa 4 et 5 au [?du] Pacte au Conseil de la Société des Nations, et que les Hautes parties contractantes s'inclineraient volontiers et sans hésitation devant une si haute autorité morale.

Le texte ci-joint[4] a donc pour objet de déférer cette question au Conseil dans de telles conditions que sa décision ne puisse être ni douteuse, ni contestée.

Les Hautes Parties Contractantes s'engagent, en conséquence: à s'en remettre au Conseil, soit qu'il se réserve entièrement l'étude et la tractation de la question, soit qu'il les délègue à telles Puissances qu'il jugera qualifiées à cet effet. Dans le 1ᵉʳ cas, les Hautes Parties Contractantes s'inclineront devant la décision du Conseil, à supposer même qu'il écarte la nécessité de substituer des garanties à celles stipulées en 1839. Dans le second cas elles s'engagent à procéder aux études concertées nécessaires, sous les auspices du Conseil, auquel en tout état de cause il appartiendra de valider le résultat de leurs travaux.

Enfin les Hautes Parties Contractantes s'engagent dès à présent, cela va de soi, à prendre toutes les mesures d'exécution dont la nécessité aurait été reconnue à la suite des études faites suivant l'une ou l'autre des procédures qui viennent d'être envisagées.

789

## No. 230

*Mr. Russell (Berne) to Earl Curzon (Received November 17)*

*No. 634 [152678/58017/43]*

BERNE, *November 12, 1919*

My Lord,

With reference to my despatch No. 600[1] of the 25th October, I have the honour to transmit to Your Lordship a translation of a short paragraph from the *Bund*.[2] As the information contained therein comes from Bregenz, it may be taken as correct and it would indicate that for the moment at least Germany is sending supplies of food to the Vorarlberg. There can be little doubt that the motive for this action is political and that an effort is now being made in Germany to make up for the defection of the Vienna Government by winning over the Vorarlberg, so much so that the Federal Council is, according to the press reports, seriously considering the advisability of adopting a more active policy in regard to the question of union with Switzerland.

A copy of this despatch has been sent to the British Delegates at the Peace Conference.

I have, &c.,

THEO RUSSELL

[1] No. 208.

[2] Not printed. This translated paragraph from the *Bund* of November 7, 1919, was a message dated from Bregenz, November 5. This message stated, in particular: 'The negotiations between the Vorarlberg Government and the Berlin Government with regard to the supply of food to Vorarlberg have so far resulted in our receiving from Germany 250 waggons of 15,000 kilos of potatoes each and 80 waggons of flour. The Vienna Government have promised mark-value for payment and partly delivered same. The potatoes are 50 marks per 100 kilos and are taken over at Friedrichshafen, where the first consignments have already arrived. The flour will arrive in two consignments, each consisting of 40 waggons; the first consignment has been announced for November 8, the second one for November 22. The price of wheaten flour is 4,000 marks a ton, that of rye flour 3,800 marks a ton. Berlin promises further consignments of potatoes and flour for the spring.'

## No. 231

*Sir L. Carnegie[1] (Lisbon) to Earl Curzon (Received November 20)*

*No. 151 [153682/692/41]*

LISBON, *November 12, 1919*

My Lord,

I have the honour to report that I had my first interview yesterday with the President of the Republic who assumed office last month during my absence on leave. I received a very cordial greeting from his Excellency whom I have known fairly well for some years. Our conversation was lengthy and ranged over a number of subjects with the majority of which I need not trouble your Lordship. After expressing his great admiration for

[1] H.M. Minister at Lisbon.

England and especially for Mr. Lloyd George who in his opinion would stand out in history as the great man of the war, he observed with some bitterness that while Great Britain had emerged from the world conflict more powerful and dominant than ever, Portugal, who had made enormous sacrifices in blood and money by participating in the campaigns in France and Africa, had lost much and had gained nothing, not even any recognition from the Allies of what she had done. In fact, the Allies showed a coldness and indifference towards Portugal that he could not understand. I asked if he referred to anything in particular that had passed at the Peace Conference at Paris or elsewhere. He said no, he had not any facts which he could cite but he felt that his country was left in the cold. I replied that I was sure that His Majesty's Government still cherished the same sentiments towards England's old ally as before and that I could tell him that at my last interview with Lord Hardinge he had said that the Alliance with Portugal was regarded as important as ever. His Excellency interrupted to observe that he was convinced of England's loyalty to her engagements with Portugal. I went on to say that owing to the many difficulties of life caused by the war I had found most people at home inclined to be self-centred and unsympathetic with the troubles of others. He must well know what grave problems, both financial and social, existed in England, and in most other countries. Countries after all much resembled individuals and I thought that their alleged coldness of which he made complaint must be quite unintentional and should be attributed to the causes I had mentioned. His Excellency seemed somewhat comforted by my words but he evidently feels sore at the small attention which he thinks is paid to his country, which he contrasted with the respect shown to Spain who did nothing to help the Allies during the war.

Senhor Antonio José d'Almeida however became more cheerful and hopeful later on and expatiated on the natural riches of Portugal and her colonies which when developed were in a few years to restore the financial prosperity of the country.

I have, &c.,

LANCELOT D. CARNEGIE

No. 232

*Record of a meeting in Paris on November 14, 1919, of the Committee on Organization of the Reparation Commission*

*No. 19 [Confidential/Germany/31]*

The Meeting opened at 10.30 a.m.

*Present:*

Mr. Rathbone, Col. Logan (United States), Sir John Bradbury, Mr. McFadyean (Great Britain), M. Mauclère (France), Signor d'Amelio (Italy), M. Theunis, M. Bemelmans (Belgium).

In the absence of M. Loucheur, M. Theunis took the Chair in accordance with the principle[1] adopted at the meeting of the 6th November, 1919.

... 7.[2] *Note from the Belgian Delegation concerning Deliveries of Coal by Germany to Holland.* (*B. 175 a & b.*)[3]

THE CHAIRMAN (M. Theunis) reminded the Meeting that Belgium urgently required certain special qualities of coal. The Belgian Government had learnt that these qualities existed in Germany in sufficient stocks, and that at present important sales were being concluded with neutrals, and especially with Holland. According to the latest information received by the Belgian Government, these deliveries had just been augmented to 150,000 tons a month. It was difficult for the Belgian Government to admit the possibility of authorising Germany to export coal to neutral countries while countries which had a right to coal as reparation under the Treaty of Peace did not succeed in obtaining it.

He stated that the Belgian Government had contemplated measures to remedy this situation.

According to recent information, German stocks are continually increasing on account of the lack of transport, which is largely produced by the lack of willingness shown by the German authorities.

He announced that M. Bemelmans had had the opportunity of going to Essen a few days before, and asked him to tell the Committee the conclusions which he had drawn from his visit.

M. BEMELMANS stated that he had gone to Essen on 19th [?9th] November, not as a Delegate from the C.O.R.C., but in order to introduce the Belgian Delegate to the Sub-Commission on coal.

He had had occasion during his visit to the town to attend a meeting of the Sub-Commission with the Germans.

The German Delegation consisted of:—

Herr Gessler, Minister of Reconstruction; Herr Schmitt; Herr Lubsen, Director of the Rhenish-Westphalian Syndicate; and Herr Silvenstock, Secretary to the Imperial Coal Commissary.

The German Delegation immediately stated that its Government had not yet nominated a Delegate to the Sub-Commission on Coal at Essen, as it wished to know what were the powers of this Sub-Commission.

The powers of the Sub-Commission were read out and Herr Schmitt then observed:—

(1) The absence of the American Delegate made the Commission of Essen inoperative in his opinion.

(2) That, as the Treaty of Peace had not yet come into force, he made every reserve as regards the authority of the Commission, all the more because the date of the coming into force of the Treaty remained doubtful,

[1] The principle that, in the absence of M. Loucheur, the chairmanship should be offered to the different delegations in succession according to their order in the Treaty of Versailles.
[2] The other minutes related to other matters.
[3] See annex below.

seeing that everything had again become questionable on account of the note sent by the Allies on 3rd November[4] on the non-execution by Germany of the Armistice Clauses and the fresh conditions which were therefore imposed.

(3) That the deliveries of coal which Germany was at the moment carrying out were sent at her own free will, and that she was under no obligation to send them.

Commandant Aron, who represented Monsieur Loucheur, immediately replied to the first point that the absence of the American Delegate in no way deprived the Commission of the powers which it derived from the C.O.R.C. As regards the other points, he recalled the existence of the agreement of 29th August,[5] under the terms of which Germany had engaged to begin the delivery of coal at once.

Herr Schmitt replied that the protocol of 29th August no longer bound Germany, since the Allies had neither ratified the Treaty nor kept their promises either in general or in particulars, concerning the return of prisoners of war.

The Sub-Commission then examined some questions of detail, and specially the examination of the delivery of German coal via Rotterdam, whence it should be sent to France.

M. Bemelmans recalled the fact that the French Government demanded 300,000 tons a month under this head.

Herr Lubsen admitted that there was a sufficient quantity of coal in order to make this delivery, and stated that it was impossible to find the necessary boats for the transport of the tonnage required to Holland, chiefly on account of the low level of the Rhine, which made it necessary to reduce the loads of the barges by about 50%.

Commandant Aron asked why, under these conditions, the Coal Syndicate refused to load the ships which the French firm of Worms would be able to send through at Duisburg.

Herr Lubsen replied that, in his opinion, according to the terms of the Treaty of Peace, and especially in accordance with Paragraph 6 of Annex 5 of Part VIII, it was the business of the German Government to ensure the transport of coal as far as the frontier, and that it was hence incumbent upon the German Government to freight boats for the transport of coal to Rotterdam.

M. Bemelmans replied to Herr Lubsen that this was an interpretation which the Reparation Commission could not admit.

Herr Schmitt declared that, when the Reparation Commission functioned, it would have the necessary power to impose its own interpretation, but that, as the Treaty of Peace was not at present ratified, the German Government had a right to maintain its point of view on the interpretation which was to be placed upon the Article in question.

M. Bemelmans concluded that the attitude of the German Government seemed to him chiefly due to the desire to ensure that the coal which was in

[4] See Volume II, No. 10, appendix B.
[5] See No. 99, annex 2.

stock at the present moment should be used for its nationals. This was the reason why the German Government had latterly suspended passenger traffic in order to distribute all over Germany the stocks which exist in her coal districts. These stocks amounted to about 700,000 tons in the Ruhr District alone.

The German Government gave him the impression of having no power over the Coal Syndicate. The latter refused to execute the orders of the German Government under the pretext of transport difficulties.

M. Bemelmans was under the impression that the Coal Syndicate had a threefold motive in doing so:—

(1) To maintain the monopoly which existed in practice before the War to the advantage of the Germans in traffic on the Rhine.

(2) Finally to cause their coal to be sent to Rotterdam by sea, and hence to formulate the right of demanding for this coal the export price of English coal.

(3) By failing to supply coal to the Allies to keep a larger share, which could be sold in the open market, especially to neutral countries.

M. Bemelmans concluded that, in his opinion, unless the Allies were very energetic in exacting deliveries from Germany, the only means at the moment of procuring German coal was to buy it in the open market.

THE CHAIRMAN (M. Theunis) concluded that this state of affairs was produced by the very false situation in which the Allied and Associated Powers were placed on account of the fact that the Treaty had not been ratified. The attitude of the German authorities once more emphasized this disadvantage.

In the absence of M. Loucheur he proposed that the various Delegations should consider between then and the next Meeting what measures should be taken in order to compel the Germans to respect their engagements in the matter of coal deliveries to the Allies, and in order to oppose exports to neutral countries.

A decision in this sense was adopted. . . .[2]

ANNEX TO No. 232

*Note from the Belgian Delegation concerning Deliveries of Coal from the Ruhr to Holland*

*B. 175. b*[6]

Latterly large deliveries of coal, amounting on the average to 100,000 tons a month, have been made by the German Coal Syndicate to Holland.

[6] Also included in this annex in the original was a brief covering note (not printed), numbered B. 175a and dated at Paris, November 12, 1919, from M. Theunis to the secretariat of the Committee on Organization of the Reparation Commission. This note stated in particular that the deliveries of coal from Germany to Holland, 'in accordance with very recent information which I have received today, tend to increase'. M. Theunis requested that in view of 'the importance and urgency of the question', it might be placed upon the agenda of the next meeting of the committee.

We hear that a new agreement has just been reached between Dutch Groups and the Rheinisch-Westfaelisches Kohlensyndikat. The quantities which are to be sent have been increased by 50%, thus bringing the total of deliveries up to about 150,000 tons a month.

The Belgian Delegation is of opinion that it is essential to take urgent steps. Deliveries to Holland are of such a kind as to obstruct the application of the Treaty as regards deliveries of coal to the Allies.

## No. 233

*Sir F. Villiers (Brussels) to Earl Curzon (Received November 17)*

*No. 428 [152697/4187/4]*

BRUSSELS, *November 14, 1919*

My Lord,

With reference to my despatch No. 398[1] of the 28th October last, I have the honour to report that the negotiations between the French and Belgian Governments in regard to Luxemburg have taken a new development.

Monsieur Hymans informed me this afternoon, in confidence, that the French Government had urged him strongly to suggest some 'formule' which would serve as a basis for discussion. He had therefore proposed that the Guillaume–Luxemburg Railway should be controlled by a company with four French directors, four Belgian, and three of Luxemburg nationality. The president would be chosen from among the latter, and there would be two vice-presidents, one French and one Belgian.

Upon this basis of exact equality the Belgian Government were prepared to come to an agreement on condition that an intimation should be given that the French Government did not desire an economic union, and that for any arrangement of this kind the Government of the Grand Duchy must turn towards Belgium.

The French Government were anxious, Monsieur Hymans said, that all questions relating to Luxemburg should be treated separately and not in connection with any other matters.

I have, &c.,

F. H. VILLIERS

[1] No. 212.

## No. 234

*Sir E. Crowe (Paris) to Earl Curzon (Received November 15)*

*No. 1569 Telegraphic: by bag [152441/11763/4]*

PARIS, *November 14, 1919*

My despatch No. 2128[1] (of November 11th).

Monsieur van Struycken and Monsieur Orts, the second Dutch and

[1] No. 229.

Belgian delegates on the 1839 Treaties committee, are proceeding to the Hague and Brussels respectively to lay the draft treaty before their Governments.

Mr. Tufton, who has seen both of them, tells me neither showed much liking for the text submitted on behalf of the British and French delegations in the private letter of November 12th, enclosed in my above-mentioned despatch.[1]

The Dutch delegate said he would not advise his Government to put their signature to such a document. The principal allied and associated powers had no right to ask Holland to provide any guarantees for the security of Belgium. It was pointed out to him that all Holland was being asked to do was to join with other Powers in submitting to the League of Nations a question which affected the peace of the world, and to abide by the decision of that body.

It is evident that Monsieur van Struycken will use his influence at the Hague in an adverse sense.

The Belgian delegate was suspicious of the whole proceeding; affected to see no safeguard for Belgium in the decisions of the League of Nations; and said everything Belgium wanted in the way of guarantees had disappeared from the treaty. He said his Government would certainly come to no decision, pending an indication on the part of His Majesty's Government as to their willingness to continue to guarantee the integrity of Belgium until such time as other measures can be devised.

On the whole, therefore, the reception given to the proposed treaty by the principal delegates of Holland and Belgium was more favourable than that of their second delegates, who are both extremists, but who, unfortunately, have more influence with their Governments, I fancy, than Monsieur van Swinderen or Monsieur Segers.

## No. 235

*Record by Lord Hardinge of a conversation with the French Ambassador in London*

[153408/11763/4]

FOREIGN OFFICE, *November 15, 1919*

The French Ambassador called this afternoon. He read me a despatch which he had received from Paris stating that the negotiations between Belgium and Holland were making good progress and that there was every prospect of a satisfactory conclusion in the immediate future. At the same time the Belgians felt that, since no agreement has yet been arrived at as regards the military dispositions to be taken by the two countries, Belgium would find herself, so to say, 'in the air' in the interval between the cessation of the international guarantee assured by the Treaties shortly to be revoked and the conclusion of the necessary military arrangements. The Belgian

Government had, therefore, asked the French Government for a guarantee during the intervening period, and the French Government had acceded to this request. Mr. Orts, one of the Belgian representatives at the negotiations in Paris, had informed the French Government that they were much concerned at no reply having been received from the British Government to the request for a similar guarantee on our part, and M. Cambon was instructed to urge His Majesty's Government to accede to their request.

I told M. Cambon that it was true that some time ago in conversation with His Majesty's Ambassador at Brussels M. Hymans had stated that the Belgian Government would be very glad of an interim guarantee on the part of France and Great Britain, but that so far no formal request had been made by the Belgian Government either through the Embassy at Brussels or the Belgian Ambassador in London: in fact, Baron Moncheur had only recently spoken to you[1] on the subject of the Belgian-Dutch negotiations in Paris without referring at all to the request for an interim guarantee. I added, as my personal opinion, that the attitude of His Majesty's Government would probably be favourable to such an idea.

H.

[1] i.e. Lord Curzon, for whom the present record was made.

## No. 236

*Sir R. Graham[1] (The Hague) to Earl Curzon (Received November 16)*

*No. 1507 Telegraphic [152448/11763/4]*

THE HAGUE, November 16, 1919

Paris telegram No. 1569.[2]

French Minister has been instructed to concert with me in order to press Netherlands Government to give favourable consideration to proposed Treaty. I have told him that no instructions in this sense have reached me. Netherlands Minister for Foreign Affairs in conversation yesterday alluded to draft Treaty, text of which had reached him. I did not discuss matter beyond laying stress on vital importance of good understanding between Holland and Belgium, both in their own and in general interests. But His Excellency did not impress me as being favourably disposed towards new Treaty and he said emphatically that it would be useless to lay before Dutch Chamber any arrangement which would impose upon Holland military obligations to provide for security of Belgium.

Later French Minister showed me text of proposed agreement and it could only be said to bear most indirectly, if at all, implication to which Netherlands Minister for Foreign Affairs objected.

Repeated to Peace Conference.

[1] Sir R. Graham had recently been appointed H.M. Minister at the Hague.
[2] No. 234.

## No. 237

### Mr. Russell (Berne) to Earl Curzon (Received November 21)
### No. 642 [154107/58017/43]

BERNE, *November 17, 1919*

My Lord,

With reference to my despatch No. 634[1] of the 12th instant, I have the honour to report that the Minister for Foreign Affairs, in the course of conversation yesterday, told me that the question of the Vorarlberg was engaging the serious attention of the Federal Council. In Monsieur Calonder's opinion, there were only two alternatives: either this province would have to be linked up, at all events commercially, with Switzerland, in accordance with the express wish of eighty per cent of her population, or she would be compelled to cast in her lot with Germany. His Excellency, after assuring me that he possessed incontestable proof that Germany was striving incessantly for commercial and political predominance in the Vorarlberg, led me to a large map hanging on the wall of an adjoining room, in order to demonstrate with greater earnestness the peril to the Confederation of such a solution—a peril which might, he said, threaten her very existence in the future. The Supreme Council in Paris were, he knew, in favour of the Vorarlberg remaining a portion of the Austrian State. This, though no doubt desirable, from the Austrian point of view, was no longer feasible and the Powers would be compelled eventually to make their choice between the two solutions he had just mentioned. Monsieur Calonder concluded by expressing the personal hope that the settlement of this question would be entrusted to the League of Nations.

I have sent a copy of this despatch to the British Delegates at the Peace Conference.

I have, &c.,
THEO RUSSELL

[1] No. 230.

## No. 238

### Earl Curzon to Sir E. Crowe (Paris)
### No. 1382 Telegraphic: by bag [152457/49167/43]

FOREIGN OFFICE, *November 18, 1919*

Following is decypher of telegram from Berne, No. 1317, November 15th:—
My telegram No. 1314[1] League of Nations.

Minister for Foreign Affairs who delivered a great speech in Chamber on Thursday[2] in debate which is to decide Switzerland's future action, assured me last night that he felt confident of a large majority in favour of adherence. He hoped that Division would take place before end of next week and that Switzerland would thus be in a position to notify her adherence within pre-

[1] Not printed.   [2] November 13, 1919.

scribed two months and to enjoy advantages granted to original members of League. Though naturally pleased with turn of events, due in no small measure to his own efforts on behalf of League, Minister for Foreign Affairs displayed considerable anxiety with regard to action of Senate in Washington.[3] If that body rejected Peace Treaty, or even insisted on reservations, impression created in this country would, according to him be deplorable, and might easily lead to demand for a further discussion in Swiss Chamber. But even in that event, he harboured no doubts concerning final result, as Swiss public opinion was now increasingly in favour of League.[4]

[3] Cf. No. 239.

[4] Mr. Russell further reported in Berne despatch No. 655 of November 22, 1919, 'that the Government motion in favour of Switzerland's adherence to the League of Nations has now passed both Chambers and that Switzerland may be considered as having adhered, so far as her Parliamentary vote is concerned, to the principle of accession, the decision of the people and of the Cantons by referendum being reserved. . . . Dr. Alfred Frey, . . . who is perhaps the greatest Swiss expert on commercial and economic matters, pointed out that Swiss economic independence had ceased to exist during the late war and that circumstances had now so altered that it was ridiculous for the Swiss to think that they could in future maintain the same freedom in economic matters as that to which they had clung before the war. This point was also emphasised by Monsieur Schulthess, the Federal Councillor in charge of the Swiss Economic Department. The latter speaking towards the end of the debate, further assured the House that, when the time came to make the Swiss declaration relative to Switzerland's accession to the League, the Federal Council would draw special attention to Switzerland's neutrality as guaranteed by Article 435 of the Treaty of Peace. They would point out that Switzerland considered her military neutrality to be a fundamental principle of Swiss policy and that the country would consider herself under no obligation to admit the passage of troops or to furnish military support. If this declaration were accepted by the Powers, Swiss neutrality would, Monsieur Schulthess stated, be safeguarded; in the contrary event Switzerland's declaration of accession to the League would be considered as null and void and the question would be again submitted to Parliament and to the people. In other words, while Switzerland is prepared to cooperate economically with any measures which the League of Nations might find it necessary to take, she clings to her neutrality as guaranteed in Article 435 of the Peace Treaty to save her from any measures of military character. Monsieur Schulthess further declared, after consulting his colleagues, that should the League of Nations not be ratified by at least five of the Great Powers, the Federal Council would submit the question of Switzerland's accession again to Parliament. The final majority of eighty-five (one hundred and twenty-eight to forty-three) was in excess of what even the warmest supporters of the League had hoped and was due to the skilful way in which the debate was conducted on the Government side. The motion was then submitted to the States Council or Upper Chamber and, after a short debate, was passed by thirty-three votes to six.'

## No. 239

### Earl Curzon to Sir E. Crowe (Paris)

#### No. 1386 Telegraphic [152441/11763/4]

FOREIGN OFFICE, *November 18, 1919*

Your telegram No. 1569[1] (of November 14th. Belgium.)
Cabinet discussed this morning proposed Anglo-French interim guarantee

[1] No. 234.

799

of Belgian integrity pending creation by League of Nations of effective guarantees for future. It was felt undesirable to join in any such guarantee until our own obligations as regards defence of French territory have been finally determined. Proposed Treaty has passed British Parliament, but does not become operative without similar action by America. Senate has not yet discussed the Treaty but has passed an important reservation to Article X of Peace Treaty by which it disclaims any obligation to preserve the territorial integrity or political independence of any other country, or to use the United States Army and navy for such purpose unless authorised by Congress. If this reservation stands, ratification by [*sic*] Franco-British American arrangement seems unlikely. Belgian question must therefore be postponed for present.

Repeated to Brussels No. 210.

## No. 240

### *Sir F. Villiers (Brussels) to Earl Curzon (Received November 19)*

### *No. 185 Telegraphic [153367/11763/4]*

BRUSSELS, *November 18, 1919*

Telegram No. 1569[1] from (? Sir E. Crowe).

Minister for Foreign Affairs spoke to me this afternoon respecting draft Treaty. He expressed much disappointment and dwelt upon disappearance of provisions favourable to Belgium which had appeared in previous draft. It would be impossible, he stated, to defend in Parliament and before public opinion conditions so entirely inadequate for protection of vital Belgian interests.

I urged strongly that answer should not be an absolute refusal, that counter-proposals should be made and that too much attention should not be paid to form of words.

Finally after a long conversation Minister said he would accept draft on two conditions: 1. Maintenance by Great Britain and France of guarantee of relative independence and integrity contained in Treaty of 1839. 2. Revival in some form or another of declaration made by first Netherland Delegate that his Government would consider violation of Dutch territory as a *casus belli*.[2]

---

[1] No. 234.

[2] In connexion with the foregoing, Sir F. Villiers further reported in Brussels telegram No. 188 of November 19, 1919 (received that day): 'Belgian Government are most anxious for answer to their proposal for interim guarantee as they are uncertain how to deal with draft Treaty presented by (? British and) French Delegates at Paris until they know intentions of His Majesty's Government. Is it desired that I should make any communications to Minister for Foreign Affairs?'

## No. 241

*Record of a meeting in Paris of the Commission on the Organization of Mixed Tribunals*

*No. 1 [Confidential/General/177/10]*

*Procès-verbal No. 1. Séance du 18 novembre 1919*

La séance est ouverte au Quai d'Orsay à 15 heures 30.

*Sont présents*[1] :

*Délégués*: Sir Ernest M. Pollock (*Empire britannique*); M. Edouard Ignace (*France*); M. d'Amelio (*Italie*); M. J. Yamasaki (*Japon*); M. Rolin-Jaequemyns (*Belgique*); M. L. Lubienski (*Pologne*); M. C. Antoniade (*Roumanie*); M. M. R. Vesnitch (*État serbe-croate-slovène*); M. S. Osusky (*Tchéco-Slovaquie*).

*Secrétaires*: M. O. M. Sargent (*Empire britannique*); M.M. Escoffier et de Seguin (*France*); M. le Baron J. Guillaume (*Belgique*).

M. E. Ignace (*France*) expose la mission dont est chargée la Commission.
*Désignation du Président*
Le Conseil suprême, dans une de ses dernières séances,[2] a décidé qu'une Commission interalliée serait constituée à l'effet de déterminer les conditions d'application des articles 228 et 229 du Traité de Versailles.

Conformément à l'usage, M. Ignace croit que le premier soin de la Commission doit être de désigner un président.

Sir Ernest M. Pollock (*Empire britannique*) propose M. Ignace comme Président. (*Assentiment unanime.*)

Le Président se déclare très flatté du choix de la Commission et ne veut y trouver d'autre motif qu'une bienveillance exagérée à son égard. Il se permettra cependant d'ajouter qu'en 1916, étant simple député, il avait déposé, sur le bureau de la Chambre des Députés, une proposition de résolution tendant à engager des pourparlers avec les Puissances alliées et associées, pour créer une Haute-Cour de justice internationale à l'effet de juger précisément les Allemands coupables d'atrocités.

*Établissement des listes.*

Sir Ernest M. Pollock répond qu'on doit savoir gré au Président d'avoir pris cette initiative et, une fois arrivé au Gouvernement, de l'avoir poursuivie.

Le Président expose à la Commission comment il a procédé pour l'établissement des listes. Au début de la guerre, une Commission de trois hauts magistrats dite 'Commission des atrocités' a été constituée; ces magistrats ont été chargés d'aller enquêter dans les différents endroits pour y constater les atrocités et les crimes. Il y a eu ainsi une série de constatations qui

---

[1] Note in official French edition of original: 'La Délégation américaine ne s'est pas fait représenter à la Commission.'
[2] On November 7, 1919: see Volume II, No. 16, minute 1.

devaient servir de base à l'établissement des listes. En outre, au fur et à mesure que les armées reprenaient possession des territoires envahis, les magistrats militaires dressaient des procès-verbaux réguliers contre tous les individus qui étaient signalés comme ayant commis des crimes ou des atrocités. D'autre part, la justice militaire a été saisie, par les victimes, d'un grand nombre de plaintes et, sur ces plaintes, on a procédé à des instructions, on a délivré des mandats d'amener dont un certain nombre ont pu être exécutés.

Pour les criminels dont on exige la livraison de l'Allemagne, le Gouvernement français n'a pas voulu exagérer leur nombre, parce que ce qu'a voulu le Traité de Paix, c'est frapper l'opinion en relevant les crimes les plus graves. La nomenclature a ainsi été réduite à 600 noms. Certaines des infractions ainsi retenues sont de nature à frapper l'opinion du monde entier et le Président est convaincu que la divulgation de ces crimes aura un retentissement considérable dans la population allemande elle-même.

Jusqu'ici, les listes ont été tenues absolument secrètes; un exemplaire en sera distribué à chacun des Membres de la Commission et ces listes ne seront publiées qu'après avoir été approuvées, de façon à ne pas livrer à la publicité les noms de ceux qu'on ne réclamera peut-être pas.

Après avoir énuméré quelques crimes typiques, le Président expose l'objet précis du travail de la Commission. L'article 228 prévoit deux catégories bien distinctes. D'une part, les crimes qui sont commis au préjudice de ressortissants d'une seule nation; la Commission n'a pas à s'en occuper, si ce n'est pour vérifier les listes, de manière à ne pas réclamer deux fois le même individu pour des faits différents; d'autre part, les crimes dont les victimes appartiennent à des nationalités différentes. Dans ce cas, l'individu passerait dans la seconde catégorie celle qui est justiciable des Tribunaux mixtes.

*Collationnement des listes.* Il y a donc, avant de déterminer la composition et la procédure des Tribunaux mixtes, à régler l'établissement et la vérification des listes. Il faudrait nommer une Sous-Commission qui serait chargée de collationner les listes.

Sir Ernest M. Pollock (*Empire britannique*) demande à poser une question préliminaire. Le chiffre de 600 accusés donné par le Président correspond-il à un chiffre limite? Dans ce cas, si un chiffre correspondant était également fixé aux autres Gouvernements, il serait à prévoir que le chiffre total serait trop faible comparé au grand nombre de crimes commis.

Le Président répond que le chiffre de 600 n'apparaît pas comme une limite qu'on ne puisse pas dépasser; c'est par hasard que, dans le travail de réduction des listes, on est arrivé à ce chiffre.

*Publicité à donner aux listes.* M. Rolin-Jaequemyns (*Belgique*) fait remarquer qu'il y aurait intérêt à publier toute la liste des coupables, même de ceux dont la livraison n'est pas demandée. Il y a certaines catégories de faits pour lesquels on ne réclamera pas la livraison d'Allemands, mais encore est-il bon qu'on sache le nom des coupables.

M. M. R. Vesnitch (*État serbe-croate-slovène*) est d'avis de ne livrer à la publicité que les jugements; il peut, en effet, se présenter dans les listes d'accusation des cas où les informations ne sont pas très solides, d'autres cas où l'on admettra des circonstances atténuantes. Ces cas-là, si les listes sont livrées d'avance à la publicité, affaibliraient la portée morale du résultat que l'on veut obtenir.

Le Président rend hommage aux préoccupations très nobles qu'a fait valoir M. le Ministre de Serbie. Mais il est certain que le plus gros argument, à l'appui de la prétention d'exiger la livraison des coupables, est de faire connaître le caractère horrible des crimes. La manière dont la guerre a été conduite par les généraux allemands constitue une atteinte aux droits de l'humanité, et par conséquent, c'est le monde qu'il faut saisir.

Sir Ernest M. Pollock (*Empire britannique*) rappelle les observations que le Gouvernement allemand a faites à cet égard: ce Gouvernement a déclaré que s'il était obligé de livrer certaines personnes, cette obligation pourrait aboutir à saper son autorité![3] Il est certain qu'aucun Gouvernement ne pourrait invoquer de tels arguments si, au moment où les coupables lui sont réclamés, on pouvait produire les raisons pour lesquelles ils sont poursuivis, et montrer que ces crimes ne sont pas seulement des crimes de droit commun, mais des faits contre lesquels se révolte l'opinion universelle.

Le Président partage l'avis de M. le Délégué britannique, il ajoute que sur le fond la Commission n'a qu'un avis à formuler, car c'est le Conseil suprême qui tranchera lui-même la question de la publicité à donner aux listes.

M. M. R. Vesnitch (*État serbe-croate-slovène*) indique qu'il a simplement voulu faire part à la Commission, dans l'intérêt général, de ses scrupules de conscience.

Le Président dit que les préoccupations de M. Vesnitch sont d'un ordre très élevé, mais qu'il faut bien se mettre en présence de la réalité. Voilà, par exemple, un fait pris au hasard et qui est à la charge d'un commandant et d'un capitaine dont les noms figurent sur la liste française. C'est un fait qui s'est passé en Belgique et qui résulte de la déposition d'un soldat allemand. Le témoignage n'est donc pas suspect. Voici ce qu'il a déclaré: 'Quand la mère fut morte, — on venait de la massacrer — le Commandant a donné l'ordre de fusiller l'enfant, parce que l'enfant ne devait pas rester seul au monde, et au moment où l'on fusillait la mère, l'enfant tenait encore la mère par la main, de sorte que, en tombant, elle tira l'enfant en arrière avec elle. On a bandé les yeux de l'enfant; j'ai même pris part à cela, parce que nous en avions reçu l'ordre du Commandant un tel et du Capitaine de réserve un tel.'

Quand on connaîtra des faits de cet ordre, on ne pourra pas admettre que l'Allemagne refuse la livraison des coupables.

Pour le moment, la première question à résoudre est de savoir quels sont les Gouvernements qui ont des listes à présenter et comment on va procéder à leur vérification.

[3] See Volume I, No. 25, appendix A.

SIR ERNEST POLLOCK a une liste déjà établie et est prêt à la remettre; il y
*Liste britannique.* aurait cependant quelques petites adjonctions à faire, notamment les charges relevées contre certains coupables.

Les États-Unis ne présentant pas de liste, le PRÉSIDENT indique que si le
cas se présente de crimes commis aux États-Unis contre des Américains, le
Gouvernement français n'aurait pas à s'en occuper. Mais si, par exemple,
des crimes avaient été commis sur le territoire français à l'égard des ressortissants américains, le Gouvernement français aurait le droit de poursuivre les
coupables, en vertu du principe de la compétence territoriale en matière
criminelle.

*Liste italienne.* M. M. D'AMELIO (*Italie*) a une liste prête.

M. J. YAMASAKI (*Japon*) dit que le Japon n'est pas en mesure de donner
une liste des coupables, les crimes dont les sujets japonais ont été victimes
ayant été commis par des commandants de sous-marins dont les numéros
n'ont pu être identifiés.

M. ROLIN-JAEQUEMYNS (*Belgique*) fait remarquer à M. le Délégué japonais
qu'il n'est pas nécessaire de connaître le numéro du sous-marin pour réclamer, par exemple, le Capitaine qui aurait commandé ce sous-marin. Il
suffit de réclamer le Capitaine qui a coulé tel bateau. Les Allemands savent
très bien quel est cet officier.

M. J. YAMASAKI répond qu'il télégraphiera à ce sujet à son Gouvernement.

LE PRÉSIDENT indique que les Allemands auront presque toujours la res-
source de dire que le Commandant a péri avec son bâtiment.

M. ROLIN-JAEQUEMYNS ajoute qu'ainsi l'autorité morale du Japon se
serait néanmoins manifestée.

La Belgique a fait sa liste; cette liste a été établie par les soins du
Ministère de la Justice. Seulement, en procédant à la revision,
*Liste belge.* ni la Commission qui a fait ce travail, ni le Ministre de la
Justice n'ont cru pouvoir prendre la responsabilité de faire
une distinction des coupables de même catégorie qui étaient également
responsables de leurs actes. Par conséquent, le Gouvernement belge présente
une liste complète qui comprend 1,132 désignations, dont 751 nominatives et
381 par indication du grade, de la fonction ou de l'emploi. Peut-être y aura-
t-il certaines catégories de crimes contre la propriété qu'on pourrait éliminer
par principe? On pourrait peut-être diminuer la liste de 200 noms, ce qui
ferait encore un total de 900. Ce sera à la Sous-Commission de voir ce qu'il
y aura lieu de faire. Quant au Gouvernement belge, il ne s'est pas senti
capable de faire cette distinction.

Pour les crimes qui sont des infractions collectives et pour lesquels le Gouvernement belge n'a pas de noms précis de coupables, on a examiné le cas
de tous les corps d'armée allemands qui ont passé en Belgique. Il estime
que, pour les crimes collectifs commis par certaines unités, la Commission
devra examiner si dans des cas semblables il faut réclamer le grand chef.
Dans quelle mesure le grand chef a-t-il laissé à ses inférieurs liberté de commettre des horreurs, dans quelle mesure les inférieurs en ont-ils usé largement? Il y a lieu de croire que tous les deux sont responsables quand on voit

par exemple tous les régiments du XII<sup>e</sup> corps se livrer au meurtre et à l'incendie. Le régiment n° 100, en particulier, a commis à Dinant, du 23 au 25 août, 600 meurtres et s'est livré aux mêmes excès à Lisogne, à Anthée et à Morville.

Voici les règles que le Gouvernement belge a adoptées:

Pour les unités qui ont commis des infractions sans qu'il soit possible d'identifier nominativement les coupables, les chefs sont réclamés dans les cas suivants:

1° Les chefs de l'unité, quels qu'ils soient, lorsqu'ils paraissent impliqués comme tels dans une affaire ayant spécialement ému l'opinion publique (Louvain, Aerschot, Dinant, etc.);

2° Le Commandant du régiment ou de l'unité formant corps, si ce corps se trouve impliqué dans, au moins, trois infractions distinctes commises soit à des dates, soit en des lieux différents;

3° Le Commandant de la brigade:

*a)* Si les deux chefs de corps de la brigade sont réclamés en exécution des règles ci-dessus;

*b)* Ou si les deux régiments sous ses ordres ont commis au moins cinq infractions à des dates ou en des lieux différents et que celui de ces deux régiments qui compte le moins d'infractions à sa charge en a au moins commis deux.

4° Le Commandant de la division:

*a)* Si deux commandants de brigade sous ses ordres sont inculpés en application des règles ci-dessus;

*b)* Ou si au moins trois commandants de régiments sous ses ordres sont inculpés en application des règles ci-dessus.

5° Le Commandant du Corps d'armée si la totalité des commandants de division sous ses ordres sont inculpés en application des règles ci-dessus.

C'est en procédant avec toutes ces restrictions que la Commission belge arrive au chiffre de 350 individus non dénommés, mais qui sont réclamés à raison de leurs fonctions.

SIR ERNEST M. POLLOCK (*Empire britannique*) ne trouve pas exagéré le chiffre total de 900 auquel la liste belge pourrait être arrêtée, étant données toutes les souffrances par lesquelles a passé la Belgique.

LE PRÉSIDENT fait remarquer que, d'autre part, il y aura beaucoup de noms communs aux listes française et belge, de sorte qu'il y aura là encore une réduction du chiffre total.

*Liste hellénique.* Le Président demande ensuite si la Grèce a envoyé une liste à ce sujet.

M. ESCOFFIER (*France*) donne lecture de la lettre suivante envoyée par la Délégation hellénique.

La Délégation de Grèce a l'honneur de porter à la connaissance du Secrétariat général de la Conférence de la Paix, en réponse à sa note du 11 novembre[4], que le Gouvernement hellénique n'a pas encore pu dresser

4 Cf. Volume II, No. 19, note 7.

la liste des inculpés à réclamer au Gouvernement allemand, à la suite des difficultés auxquelles elle s'est heurtée pour recueillir les informations exactes et les témoignages décisifs nécessaires à la composition de cette liste.

Le Gouvernement hellénique se réserve de soumettre à la Commission compétente les noms des inculpés, aussitôt que les informations et les preuves établissant complètement la culpabilité de ces personnes seront recueillies.

Le Président recommande de demander au Gouvernement hellénique de donner sa liste le plus tôt possible à la Commission. Il demande ensuite si la Pologne a fourni une liste.

*Liste polonaise.*  M. L. Lubienski (*Pologne*) répond que la Pologne a dressé sa liste, mais qu'elle n'est pas encore parvenue.

Le Président demande si la Délégation roumaine a envoyé une liste.

M. Escoffier (*France*) répond que la Délégation roumaine a fait connaître qu'elle serait représentée à la Commission par M. Antoniade, mais qu'elle n'a pas parlé de liste.

*Liste serbe-croate-slovène.*  M. M. R. Vesnitch (*État serbe-croate-slovène*) déclare qu'il a demandé à son Gouvernement de lui envoyer aussitôt que possible la liste des personnes à livrer par l'Allemagne.

M. M. d'Amelio (*Italie*) fait connaître que l'Italie a dressé deux listes, c'est-à-dire la liste complète de tous les inculpés, et ensuite une liste qui porte seulement les noms des personnes indiquées comme le plus coupables et sur lesquelles on a pu recueillir les preuves les plus éclatantes et les plus sérieuses.

Sir Ernest M. Pollock (*Empire britannique*) estime que l'Italie devrait suivre l'exemple de l'Angleterre, c'est-à-dire donner seulement la seconde liste.

Le Président demande à M. Osusky (*Tchéco-Slovaquie*) si son Gouverne-

*Liste tchéco-slovaque.*  ment a l'intention de fournir une liste. M. Osusky répond qu'il espère être en mesure de la donner d'ici peu.

Il y a donc 7 listes, et éventuellement 9: il s'agit maintenant de composer la Sous-Commission chargée de les examiner.

Sir Ernest M. Pollock propose de charger du soin d'examiner ces listes M. Escoffier (*France*), M. le Baron Guillaume (*Belgique*) et M. Sargent (*Empire britannique*).

Cette proposition est adoptée.

La Commission passe à l'étude de l'organisation des tribunaux mixtes.

*Organisation des tribunaux mixtes.*  Le Président expose que la question de l'organisation des tribunaux mixtes peut se décomposer en trois parties: composition, procédure et loi applicable.

*Composition.*  La composition va avoir pour base le caractère même du tribunal mixte qui est de comprendre plusieurs juges de nationalités différentes. Tout d'abord, la composition doit être assez souple pour permettre à ce tribunal de juger par exemple des Allemands ayant commis des crimes à l'égard de Français et d'Anglais, et ensuite des Allemands ayant commis des crimes à l'égard de Français et d'Italiens et ainsi de suite. Lorsqu'il s'agira de juger un crime commis à l'encontre

d'Anglais et de Français, ce sera un tribunal composé d'Anglais et de Français qui en sera chargé; quand il faudra juger un crime commis au préjudice d'un Belge et d'un Anglais, il entrera dans la composition du tribunal des Belges et des Anglais.

M. ROLIN-JAEQUEMYNS (*Belgique*) a un doute sur cette conception du tribunal mixte. En effet, quand un Allemand aura été livré à la justice interalliée pour certains crimes déterminés, si après cela on découvre à sa charge d'autres crimes de guerre, on aura le droit de le juger sur cette nouvelle inculpation. En d'autres termes, la règle ne serait pas stricte comme en matière d'extradition. Est-ce que, dans ce cas, on sera obligé de recomposer le tribunal? Cela pourrait donner lieu à certains inconvénients et le Délégué belge se demande s'il faut lier la nationalité des juges aux lieux où les infractions ont été commises ou à la nationalité des victimes.

SIR ERNEST M. POLLOCK (*Empire britannique*) estime que dans un cas de ce genre les Anglais seraient tout disposés à s'en remettre aux bons offices de juges français et belges pour juger l'affaire.

M. ROLIN-JAEQUEMYNS (*Belgique*) dit que c'est là un point qu'il faut fixer.

LE PRÉSIDENT croit qu'il faut ici tenir compte des grands principes des garanties de la défense; il est possible que l'accusé réclame les juges de la nationalité à laquelle il a droit. Dans le cas cité par Sir Ernest Pollock, on pourrait déférer l'accusé à un tribunal mixte, ensuite à un tribunal anglais, sauf aux juges à appliquer la règle du non-cumul des peines qui existe dans toutes les législations criminelles.

*Nombre des juges.* Le Président pose la question du nombre des membres qui composeront les tribunaux mixtes. Il convient de remarquer tout d'abord que ces tribunaux mixtes auront le caractère militaire.

M. ROLIN-JAEQUEMYNS fait remarquer qu'il ne s'agit pas de savoir si les membres de ces tribunaux seront des civils ou des militaires, car dans les tribunaux militaires belges, par exemple, le Président est un magistrat de carrière.

Les membres des tribunaux mixtes seront donc des membres de tribunaux militaires, mais ne seront pas forcément des militaires.

La question de la présidence est réservée.

LE PRÉSIDENT dit qu'avant de fixer le nombre des juges, il serait intéressant que chacun des Délégués exposât comment fonctionnent les tribunaux militaires dans son pays.

SIR ERNEST M. POLLOCK répond que les tribunaux militaires britanniques comportent au moins cinq membres.

Les tribunaux militaires belges comprennent aussi cinq membres.

Les conseils de guerre italiens comptent également cinq membres: quatre juges et un président.

M. ROLIN-JAEQUEMYNS est d'avis de s'arrêter au chiffre de 6; on peut très bien constituer un tribunal en nombre pair, en admettant que le partage des voix profite à l'accusé.

SIR ERNEST POLLOCK partage l'avis du Délégué belge; il propose que le nombre des juges de chaque Puissance soit de 3, soit 6 juges s'il y a deux Puissances intéressées, et 9 juges s'il y a trois Puissances intéressées.

Le Président consulte les membres de la Commission qui acceptent ces chiffres.

Le Président soumet la question des grades à l'examen de la Commission. Il croit qu'on pourrait adopter le principe de la législation française d'après lequel un accusé ne peut être déféré à un tribunal dont les membres sont d'un grade inférieur au sien.

*Grade des juges des tribunaux mixtes.*

M. Rolin-Jaequemyns (*Belgique*) fait remarquer que s'il s'agit de juger des personnages d'un rang élevé, il sera difficile en suivant ce principe de trouver des juges en nombre suffisant.

Sir Ernest M. Pollock (*Empire britannique*) voit également des inconvénients à ce qu'on fixe d'avance la concordance des grades entre les juges et l'accusé; il serait plutôt d'avis qu'on établît dans chaque pays le rôle sur lequel figureraient tous les membres, de divers grades, susceptibles de siéger dans les tribunaux mixtes et que chaque Gouvernement conservât l'initiative d'envoyer les juges qu'il estimerait qualifiés pour juger les accusés, quel que soit le rang de ceux-ci.

Le Président retient la proposition britannique de dresser une liste de juges, mais il fait cependant une objection: si peu de pitié qu'inspire le criminel, on doit toujours se préoccuper des droits de la défense. Or, il est à cet égard un principe qu'on doit respecter: c'est qu'on ne peut pas choisir le juge pour juger tel accusé; le juge doit être choisi d'avance. Aussi, le Président propose de dresser dans chaque pays un tableau de juges qui seront appelés à siéger dans l'ordre du tableau, sauf empêchement personnel.

M. M. R. Vesnitch (*État serbe-croate-slovène*) prévoit que des pays comme la Roumanie et la Serbie qui auront à demander le jugement du Maréchal Mackensen seront embarrassés pour lui donner des juges ayant un rang correspondant au sien.

Sir Ernest M. Pollock est d'avis, étant donné ces difficultés, de ne pas trop préciser et de dire simplement que lorsqu'il s'agira d'accusés de haut rang, on prendra sur le tableau des juges de haut rang.

Le Président insiste sur la nécessité de poser le principe des équivalences. On pourrait diviser le tableau des juges en trois catégories, par exemple y comprendre des officiers de rang subalterne, de rang supérieur, de rang élevé.

M. Rolin-Jaequemyns demande que la liste établie par chaque pays puisse varier de temps à autre. On pourrait, par exemple, désigner les juges pour une période de trois mois. Le Délégué belge pense qu'après cet échange d'idées on pourrait confier à un petit Comité le soin de rédiger un avant-projet qui pourrait servir de base à la prochaine délibération. (*Assentiment.*)

Le Président indique encore à la Commission qu'il faudra régler les conditions dans lesquelles la poursuite devra être exercée, ainsi que la procédure à suivre dans chaque affaire. Enfin, il faudra déterminer les lois applicables.

Le Président convient avec Sir Ernest Pollock et M. Rolin-Jaequemyns d'une réunion pour le lendemain mercredi à 10 heures.

La séance est levée à 18 heures 45 et renvoyée au mercredi 19 novembre à 15 heures.

## No. 242

*Record of a meeting in Paris of the Commission on the Organization of Mixed Tribunals*

No. 2 *[Confidential/General/177/10]*

*Procès-Verbal No. 2. Séance du 19 novembre 1919*

La séance est ouverte à 15 heures 30 sous la présidence de M. Édouard IGNACE, *Président*.

*Sont présents*:

Sir Ernest M. Pollock (*Empire britannique*); M. É. Ignace (*France*); M. Bianchi (*Italie*); M. J. Yamasaki (*Japon*); M. le Baron Guillaume (*Belgique*); M. L. Lubienski (*Pologne*); M. C. Antoniade (*Roumanie*); M. M. R. Vesnitch (*État serbe-croate-slovène*); M. S. Osusky (*Tchéco-Slovaquie*).

*Secrétaires*: M. O. M. Sargent (*Empire britannique*); MM. Escoffier et de Seguin (*France*).

LE PRÉSIDENT donne lecture du projet de texte élaboré le matin même, au cours d'un entretien avec Sir Ernest Pollock,[1] au sujet de *Projet d'organisation des tribunaux mixtes. Article 1er.* l'organisation des tribunaux mixtes. (*Voir Annexe ci-après.*) Le Président ouvre la discussion sur chacun des articles du projet.

SIR ERNEST M. POLLOCK (*Empire britannique*) fait observer que l'article 1er *Constitution du Tribunal mixte.* du projet ne fait que reproduire l'alinéa 2 de l'article 229 du Traité de Paix, qui est ainsi conçu:

Les auteurs d'actes commis contre des ressortissants de plusieurs Puissances alliées et associées seront traduits devant des tribunaux militaires composés de membres appartenant aux tribunaux militaires des Puissances intéressées.

LE PRÉSIDENT estime qu'il vaut mieux dire: 'Les tribunaux mixtes sont composés', plutôt que: 'Les tribunaux mixtes seront composés', puisque c'est précisément en vertu de ce texte que les tribunaux sont institués. On devrait aussi mentionner dans l'article 1er le nombre des juges qui composeront le tribunal.

SIR ERNEST M. POLLOCK se range à l'avis du Président, mais voudrait qu'on indiquât que, quoique composé de six membres, le tribunal pourrait siéger même si trois de ses membres n'étaient pas présents.

[1] No record of this conversation has been traced in Foreign Office archives.

Le Président propose alors de rédiger l'article de la façon suivante:

Ils siègent au nombre de six juges au moins, à raison de trois juges par Puissance intéressée, et leur décision, pour être valable, doit être prise par cinq juges au moins.

Le jugement est rendu à la majorité.

Sur une observation de M. Escoffier (*France*), on décide de remplacer la phrase: 'Le jugement est rendu à la majorité' par: 'La déclaration de culpabilité intervient à la majorité'.

Sir Ernest M. Pollock (*Empire britannique*) demande qu'on ajoute qu'en cas de partage égal des voix, l'accusé bénéficiera du doute.

M. M. R. Vesnitch (*État serbe-croate-slovène*) est également d'avis que cette précision fera bonne impression.

Le Président propose, en conséquence, de rédiger comme suit la fin de l'article I$^{er}$:

La déclaration de culpabilité intervient à la majorité. En cas de partage égal des voix, l'accusé est acquitté.

Il n'en sera pas de même pour l'application de la peine. Si l'accusé est reconnu coupable à la majorité et que les voix des juges se partagent quant à l'application de la peine, il sera facile cependant aux membres du tribunal de se mettre d'accord.

Sir Ernest M. Pollock pense qu'en effet si quatre juges sur cinq reconnaissent un homme coupable des crimes pour lesquels il est poursuivi, ces juges pourront convenir entre eux de la peine à lui appliquer.

Le Président aborde la question de la présidence.

*Présidence du Tribunal mixte.* Sir Ernest M. Pollock estime qu'il suffit de convenir que, par courtoisie, le président du tribunal sera choisi parmi les nationaux de l'État sur le territoire duquel siègera le tribunal.

Le Président est d'avis qu'il ne faudrait pas, au regard de l'accusé, laisser la désignation du président au libre choix des juges, car le président, qui dirige les débats, est toujours présumé avoir une influence sur leur résultat. Si on faisait dépendre la désignation du président du lieu où siègera le tribunal, il faudrait établir une règle de compétence pour la fixation même du siège.

M. Bianchi (*Italie*) considère qu'il est nécessaire de fixer cette règle de compétence. Il faudrait dire que le tribunal siègera dans le pays sur le territoire duquel l'infraction la plus grave aura été commise.

Le Président signale l'inconvénient qui résulterait, si l'on admet le principe de la compétence territoriale, du fait que le plus grand nombre de crimes ont été commis en Belgique et dans le Nord de la France. D'autre part, il y a eu des crimes commis dans les camps de prisonniers et ceci présente encore des difficultés si on admet le principe de la compétence territoriale.

Sir Ernest M. Pollock croit qu'il faudrait dire que, dans ce dernier cas, ce serait d'après le crime le plus grave que serait déterminé le tribunal compétent.

M. C. Antoniade (*Roumanie*) demande s'il ne conviendrait pas mieux de suivre, pour la désignation du président, la règle adoptée pour les tribunaux militaires et de dire que le président serait l'officier le plus ancien dans le grade le plus élevé.

Le Président croit que la proposition de M. Antoniade ne peut pas se concilier avec l'article 4 du projet, dans lequel il est dit que les juges auraient le grade que leur conférerait leur fonction judiciaire.

M. Bianchi insiste pour que le tribunal compétent soit déterminé à raison du crime le plus grave. Dans les cas nombreux où les crimes seraient d'une égale gravité, on pourrait décider que ce serait le crime le plus récent qui déterminerait la compétence du tribunal.

Sir Ernest M. Pollock (*Empire britannique*) demande à la Commission de décider provisoirement que c'est le tribunal qui désignera son président; peut-être la suite de la discussion permettra-t-elle d'arriver à une solution meilleure.

Le Président propose de dire que le président sera désigné par les membres et qu'en cas de partage des voix un tirage au sort interviendra.

Sir Ernest M. Pollock n'est pas partisan du tirage au sort.

M. M. R. Vesnitch (*État serbe-croate-slovène*) indique qu'il est très désirable que le président appartienne au pays dans lequel siégera le tribunal. En effet, en dehors de ses fonctions propres, le président aura à s'occuper de nombreuses questions d'ordre administratif que, seul, il sera en mesure de faire aboutir.

Le Président dit que c'est un sentiment de courtoisie pour les Alliés qui l'amène non à écarter cette solution, mais à en rechercher une autre.

En fait, la majeure partie des affaires seront jugées en France, étant donné que dix départements ont été envahis. Le Président ne voudrait pas que chaque fois le tribunal fût présidé par un Français; il préférerait de beaucoup qu'il fût décidé que le tribunal sera présidé tour à tour par un Français, un Anglais et un Belge.

La question de la présidence est réservée.

La Commission passe à l'examen de l'article 2.

*Article 2.*
*Liste des juges.*
> Art. 2. Les Puissances alliées prépareront une liste de membres de leurs tribunaux militaires dans laquelle les juges seront pris pour former les tribunaux mixtes.

Sir Ernest M. Pollock dit qu'il faudrait fixer le nombre des membres qui figureront sur chacune de ces listes, ou du moins indiquer un minimum. La Commission adopte ce point de vue et fixe le chiffre de quinze comme minimum de la liste que chaque pays dressera.

*Nombre des juges qui seront appelés à siéger.*

Le Président propose la rédaction suivante:

Les Puissances alliées prépareront une liste comprenant au minimum quinze membres de leurs tribunaux militaires. Les juges devant former les tribunaux mixtes seront pris sur ces listes.

La Commission adopte cette rédaction.

La Commission aborde l'examen de l'article 3.

Le Président propose de remplacer dans: 'chacune des Puissances alliées intéressées dans le jugement de personnes coupables' le mot: 'coupables' par le mot: 'accusées', parce que l'individu ne peut juridiquement être appelé coupable qu'après que le jugement le condamnant est rendu. (*Adopté.*)

Le Président ne comprend pas bien dans la suite de l'article 3 les mots: 'de temps en temps'.

Sir Ernest M. Pollock explique que ces mots ont été insérés dans le but de réserver à chaque Puissance intéressée une certaine latitude dans la désignation de ses juges au tribunal mixte.

Le Président demande d'indiquer dans le texte que les tribunaux tiendront des sessions et que ces sessions ne pourront durer plus d'un certain temps, quinze jours par exemple. On pourrait aussi prévoir que les juges ne resteront en fonctions au delà d'un certain délai que si leur Gouvernement les y autorise.

Sir Ernest M. Pollock (*Empire britannique*) voudrait que l'on spécifiât non une limite de temps, mais un certain nombre d'affaires.

M. Bianchi (*Italie*) met en évidence la difficulté de prévoir combien de temps dureront les diverses affaires. En fixant au contraire une limite dans le temps, chaque Gouvernement saura qu'il sera privé des services de ses officiers pendant quinze jours, un mois, etc., suivant ce qui serait adopté.

Le Président propose la rédaction suivante, qu'il croit susceptible de donner satisfaction à Sir E. Pollock:

> La désignation des trois juges sera faite par chacune des Puissance alliées intéressées dans le jugement . . . . .[2] pour une session d'une durée maxima de . . . . .[2]

Il suffit de préciser cette durée et, pour répondre à l'observation très juste de M. Bianchi, d'ajouter que toute affaire commencée devra être terminée.

M. Bianchi demande qu'il soit inséré dans l'article 3 une disposition permettant aux Gouvernements, si ceux-ci le désirent, de laisser les juges en fonctions pour une nouvelle période de trois mois.

La Commission adopte le texte suivant:

> Les désignations des juges seront faites pour chaque Puissance pour une durée maximum de trois mois, sous réserve de la liquidation des procès commencés. Les juges désignés pour une session pourraient être appelés à siéger dans la session suivante.

Le Président donne lecture de l'article 4 du projet:

Pour tout jugement d'une personne qui devra comparaître devant un tribunal mixte, ce tribunal sera composé de juges choisis dans la liste établie par chaque pays intéressé. Ces juges auront le grade que leur conférera cet emploi judiciaire.

Le Président commente cet article qui supprimerait la difficulté résultant

---

[2] Punctuation as in original.

de la différence de grades. On pourrait appeler les membres du tribunal mixte des juges-généraux.

Sir Ernest M. Pollock craint que les Allemands ne considèrent comme une simple fiction le grade conféré par l'emploi judiciaire. Il revient sur une proposition qu'il a déjà faite tendant à dire que, pour constituer ce tribunal mixte, chaque pays aurait la possibilité non seulement de désigner, mais de 'réputer' juges d'un rang élevé telles personnes qu'il estimera qualifiées pour remplir ces hautes fonctions. Par exemple la Serbie, la Roumanie, la Belgique, qui n'ont pas de maréchaux, pourront dire que tels juges sont qualifiés pour juger un maréchal.

Cette solution aurait l'avantage de supprimer la question des équivalences de grades dans la discussion de laquelle on s'était trouvé la veille en face de sérieuses difficultés.

Le Président ne partage pas la crainte de Sir E. Pollock. La Commission doit surtout chercher à donner aux accusés des juges présentant toutes garanties. On ne peut pousser le libéralisme jusqu'à permettre aux Allemands de choisir leurs juges.

Sir E. Pollock (*Empire britannique*) insiste pour que la Commission adopte le texte suivant:

Pour le jugement de toute personne qui sera traduite devant le tribunal mixte, ces tribunaux mixtes seront composés de membres qui seront choisis par chaque Puissance intéressée et qui seront réputés par chacune de ces Puissances comme étant qualifiés pour juger telle personne.

Le Président objecte à cette rédaction qu'ainsi les Puissances intéressées choisiraient les juges pour les accusés, et que cela présenterait, au point de vue de la défense, des inconvénients dont il avait déjà été question.

Les tribunaux vont avoir à juger les criminels les plus haut placés. Pourquoi ne se bornerait-on pas à dire que chaque Puissance ayant à dresser une liste de juges choisirait ces juges parmi ses officiers des grades les plus élevés?

Sir Ernest M. Pollock craint surtout qu'on puisse croire en quelque façon que l'on confère aux juges un grade fictif. Il propose donc de dire simplement que chaque pays aura le droit de choisir ses juges parmi ses officiers des grades les plus élevés et que ce choix les habilitera à juger tous les accusés, sans que les Allemands puissent arguer qu'ils ne sont pas d'un grade suffisant.

M. M. R. Vesnitch (*État serbe-croate-slovène*) estime qu'il vaut mieux ne pas entrer dans les détails, et dire simplement que les inculpés seront jugés, dans la mesure du possible, par leurs égaux en grade. Il est bien certain que le général Diaz, ou bien un général roumain ou belge, ayant commandé une armée serait considéré comme d'un grade suffisant pour juger un maréchal.

Le Président propose la rédaction suivante, qui lui paraît susceptible de donner satisfaction à M. Vesnitch.

Les listes établies par chaque Puissance comprendront autant que possible les membres des tribunaux militaires appartenant au rang le plus élevé dans la hiérarchie des grades. Dans tous les cas, leur inscription sur la liste les habilitera à juger tous les accusés, quel que soit leur grade.

La Commission adopte ce texte.

Le Président donne lecture de l'article 5 du projet.

Article 5.
Loi applicable.

Art. 5. Le tribunal mixte statuera d'après les principes du droit des gens tels qu'ils résultent des usages établis entre nations civilisées, des lois de l'humanité et des exigences de la conscience publique, et qualifiera l'infraction relevée en suivant les prévisions des législations de l'un ou l'autre des pays intéressés.

Cette rédaction reproduit le texte inséré dans le rapport qui a été soumis au Conseil suprême pour la rédaction du Traité de Paix (*Voir Partie IV, B (2) du Recueil général,*[3] *page 161*). Il n'y a été ajouté que le membre de phrase qui suit les mots 'et des exigences de la conscience publique'. Pour éviter l'arbitraire, on a dû en effet se préoccuper de la qualification de l'infraction.

Sir Ernest M. Pollock (*Empire britannique*) désirerait avoir quelques explications sur les mots: 'suivant les prévisions des législations'. Il se peut que certains codes ne prévoient pas les déportations en masse, c'est le cas du code belge. Assimilera-t-on, en concluant du particulier au général, la déportation à l'enlèvement ou à la séquestration des individus?

Le Président dit qu'en matière criminelle il faut s'appuyer sur des lois positives. Or, les infractions à la conscience publique ne sont codifiées nulle part. On ne peut donc se contenter de cette formule et il faut s'appuyer sur des législations écrites pour qualifier les crimes, ne serait-ce que pour l'application de la peine.

Pour illustrer ce raisonnement par un exemple, le Président prend comme cas concret la déportation, à laquelle Sir E. Pollock vient précisément de faire allusion.

Cela ne répond à rien dans le Code pénal français. Mais quand il s'agira de qualifier cet acte, qui par lui-même constitue une atteinte au droit des gens et à la conscience publique, une infraction aux lois de l'humanité, on cherchera dans le Code pénal le texte qui peut le mieux s'appliquer à ce cas. On trouve, par exemple, sous le titre: 'Attentats à la liberté', l'article 114 ainsi conçu:

Lorsqu'un fonctionnaire public, un agent ou un préposé du Gouvernement aura ordonné ou fait quelque acte arbitraire ou attentatoire soit à la liberté individuelle, soit aux droits civiques d'un ou plusieurs citoyens, il sera condamné à la peine de la dégradation civique. Si néanmoins il justifie qu'il a agi par ordre de ses supérieurs pour des objets du ressort de ceux-ci, sur lesquels il leur était dû l'obéissance hiérarchique, il sera exempt de la peine, laquelle sera dans ce cas appliquée uniquement aux supérieurs qui auront donné l'ordre.

Sur une remarque de Sir Ernest M. Pollock que la peine de dégradation civique est peu susceptible d'être appliquée aux chefs allemands qui ont

[3] *Conférence de la Paix 1919–1920: Recueil des Actes de la Conférence* (Paris, 1922).

ordonné les déportations, Le Président répond qu'il a pris un article au hasard pour montrer qu'en se référant aux divers codes on trouvera le moyen de qualifier les crimes commis par les Allemands. Il y a d'ailleurs dans le Code pénal français un autre article d'après lequel, chaque fois que la dégradation civique est prononcée, on y ajoute une peine de prison; de plus, le Code militaire français est plus sévère que le Code pénal.

M. M. R. Vesnitch (*État serbe-croate-slovène*) remarque que l'article ne parle pas de la Convention de La Haye, qui est quelque chose de positif.

Le Président répond que les expressions, 'les usages établis entre nations civilisées, les lois de l'humanité et les exigences de la conscience publique' sont précisément empruntées à la Convention de La Haye.

M. M. R. Vesnitch propose la rédaction suivante:

> Le tribunal mixte statuera d'après les principes du droit des gens tel qu'il résulte des lois conventionnelles, des usages établis entre nations civilisées, etc.

Sir Ernest M. Pollock dit que les Allemands ayant signé la Convention de 1899,[4] relative à la conduite des hostilités dans les guerres sur terre, dans laquelle figuraient les termes: 'les usages établis entre nations civilisées, les lois de l'humanité', sont liés pleinement par cette Convention. L'observation de M. Vesnitch est donc pleinement justifiée.

Le Président propose, en conséquence, la rédaction suivante:

> Le tribunal mixte statuera d'après les principes du droit des gens tel qu'il résulte soit des conventions internationales, soit des usages établis entre nations civilisées.

*La Commission adopte ce texte.*

M. Yamasaki (*Japon*) intervient à ce moment pour exprimer ses regrets de ne pouvoir adopter le texte du projet que sous réserves, n'ayant pas encore reçu de réponse à un télégramme demandant au Gouvernement impérial si le Japon produira des listes d'inculpés.

Le Président donne lecture de l'article 6 du projet:

Article 6.            Le tribunal mixte appliquera la peine prévue dans la légis-
Peines à appliquer.    lation en vigueur de l'un ou l'autre des pays intéressés.

M. Antoniade (*Roumanie*) fait observer que, les peines étant plus ou moins sévères d'après les législations, les Allemands ne manqueront pas de se prévaloir du principe du droit pénal d'après lequel le coupable doit n'être frappé que de la peine la moins forte.

Sir Ernest M. Pollock (*Empire britannique*) propose le texte suivant, qui lui semble tenir compte de la préoccupation de M. Antoniade:

> Quand l'accusé sera reconnu coupable, le tribunal aura le pouvoir de le condamner à la peine ou aux peines qui pour l'infraction dont il s'agit

[4] The Hague Convention on the Laws and Customs of War by Land, printed in *British and Foreign State Papers*, vol. xci, pp. 988 f.

pourraient être appliquées par la justice répressive de l'un des pays représentés par le tribunal ou du pays du coupable lui-même.

Le Président est d'avis de supprimer 'ou du pays du coupable lui-même'. Sir Ernest M. Pollock y consent.

Le texte proposé par Sir E. Pollock, ainsi modifié, est adopté par la Commission.

Le Président indique qu'en arrivant à l'article 7 on se trouve en présence d'un chapitre nouveau. Il s'agit, en effet, de la Commission d'instruction. On doit prévoir la constitution de deux organes: l'un chargé de l'instruction proprement dite, c'est-à-dire de réunir les preuves, d'entendre les moyens de défense de l'accusé, de faire les constatations matérielles; l'autre chargé de la poursuite, c'est-à-dire d'exercer ce que dans tous les pays du monde on appelle la vindicte publique. Le premier de ces organes sera la Commission d'instruction, le second le ministère public. L'article 7 du projet, qui prévoit l'institution de la Commission, est rédigé de la façon suivante:

*Situation de gauche: Article 7. Commission d'instruction.*

> *Art. 7.* Il est institué une Commission d'instruction composée des Délégués de toutes les Puissances. Les membres de cette Commission représentant les pays intéressés procéderont seuls à l'instruction des crimes commis au préjudice de leurs ressortissants.

Le Président, commentant cet article, dit que les tribunaux mixtes auront à juger des accusés que l'on pourrait qualifier de complexes à raison de la complexité des crimes commis. Pour instruire ces crimes, deux méthodes étaient possibles: ou bien il y aurait pour chaque crime une Commission d'instruction composée, comme le tribunal lui-même, de membres appartenant aux pays intéressés; ou bien il n'y aurait pour toutes les affaires qu'une Commission d'instruction unique, dans laquelle toutes les Puissances alliées intéressées seraient représentées.

C'est à cette dernière solution que se sont arrêtés les rédacteurs du projet. L'article 7 institue une Commission unique qui déléguera, pour faire l'instruction, un membre de chacun des pays auxquels appartenaient les victimes.

M. Bianchi (*Italie*) voudrait voir préciser que ce n'est pas toute la Commission d'instruction qui doit instruire les affaires, et propose d'intercaler dans l'article la phrase: 'L'instruction sera faite par une Commission composée de Délégués de toutes les Puissances intéressées'.

M. M. R. Vesnitch (*État serbe-croate-slovène*) fait remarquer que le texte pourrait prêter à confusion si on parlait de 'toutes les Puissances intéressées'.

Sir Ernest M. Pollock (*Empire britannique*) ajoute que les Puissances qui n'auront pas présenté de listes ne pourront être considérées comme intéressées.

Le Président demande qu'il soit tenu compte de situations spéciales comme celle du Japon. Cette Puissance n'a pas fourni de liste, parce qu'elle n'est pas arrivée à identifier les commandants de sous-marins qui ont commis des crimes au préjudice de Japonais. Il pourrait se faire qu'au cours d'une instruction

*Situation de gauche: Situation particulière du Japon.*

contre un commandant de sous-marin pour un crime commis contre un bâtiment anglais, un autre crime au préjudice d'un navire japonais soit relevé à la charge de ce commandant. Au point de vue de la composition de la Commission, il semble qu'il n'y ait aucun inconvénient à faire représenter tous les pays alliés par un Délégué, étant entendu que, lorsqu'il s'agira d'instruire contre les criminels, seuls les Délégués des Puissances intéressées mèneront l'instruction.

Sir Ernest M. Pollock reconnaît la valeur des arguments que le Président présente en faveur du Japon. Mais il a dans l'esprit le cas des Etats-Unis. Il est peu probable que le Gouvernement américain présente une liste.

Dans ces conditions, quelle serait la situation de ses représentants, s'ils ne prennent part ni à la préparation matérielle des poursuites, ni aux poursuites elles-mêmes?

Le Délégué britannique pense, d'autre part, que la Commission ne doit pas être trop nombreuse et que tout en réservant aux intéressés leur part légitime on ne doit pas compliquer l'œuvre de la Commission.

M. M. R. Vesnitch propose que l'on dise:

> Il est institué une Commission d'instruction composée des Délégués de toutes les Puissances ayant présenté des listes d'accusés.

M. M. R. Vesnitch commente sa proposition. Si on n'adopte pas cette rédaction, on livre l'accès de la Commission à tous les Alliés et Associés et on aboutit à ce qu'on voulait éviter, l'encombrement, tandis que la rédaction proposée répond au but que la Commission désire atteindre.

Sir Ernest M. Pollock croit qu'on pourrait aplanir la difficulté, en ce qui concerne le Japon, en convenant que si, au cours d'une affaire, on découvre que cette Puissance y est intéressée, elle sera invitée à collaborer avec les autres Puissances dans ce cas-là. Mais Sir E. Pollock persiste dans son avis, à savoir qu'un État qui n'a pas présenté de liste ne devrait pas faire partie de la Commission.

Il attache beaucoup d'importance à ces mots:

> Les membres de cette Commission représentant les Pays intéressés procéderont seuls à l'instruction des crimes commis au préjudice de leurs ressortissants.

La Commission est d'avis de maintenir cette rédaction.

M. M. R. Vesnitch (*État serbe-croate-slovène*) tient à présenter une suggestion à propos du rôle qui sera dévolu à la Commission d'instruction. Ne pourrait-on pas conférer à cette Commission le pouvoir de trier les cas qui seront présentés à son examen? Cette mesure présenterait un avantage d'ordre politique. En effet, l'opinion publique de certains pays n'aurait pas supporté que les Gouvernements réduisissent les listes des personnes coupables d'avoir contrevenu aux règles de la guerre sur terre et sur mer. Mais si la Commission d'instruction trouvait que certains cas qui lui sont soumis ne sont pas susceptibles de donner lieu à des poursuites, sa décision serait acceptée par les pays intéressés.

SIR ERNEST M. POLLOCK (*Empire britannique*) dit que dans son esprit il s'agit d'aller vite et pour cela d'alléger autant que possible la tâche de la Commission. Sir [E.] Pollock serait tout prêt, pour sa part, à laisser la France libre d'instruire suivant sa procédure les affaires qu'elle aurait à examiner, même si des ressortissants britanniques y étaient parties.

LE PRÉSIDENT répond aux observations de Sir Ernest Pollock et de M. Vesnitch en remarquant qu'en effet il arrivera qu'au cours d'une instruction menée dans un pays contre un individu, d'autres crimes seront relevés à la charge de celui-ci; si ces crimes ont été commis au préjudice de ressortissants d'autres pays, les tribunaux mixtes seront saisis. Ces tribunaux pourront, soit se déclarer compétents, soit s'en remettre au tribunal primitivement saisi, ce qui répond à l'observation de Sir Ernest Pollock, soit rendre une ordonnance de non-lieu, ce qui répond à l'observation de M. Vesnitch.

Le Président propose à la Commission d'aborder la dernière partie du travail, l'organisation du ministère public, c'est-à-dire de l'autorité chargée d'exercer la poursuite et de requérir la condamnation devant le tribunal, l'autorité qu'on appelle en Angleterre l'avocat de la couronne et qu'on appelle en France le procureur général ou le ministère public.

*Article 8.*
*Ministère public.*

Cette fonction ne peut être confiée qu'à des 'Commissaires du Gouvernement' des Puissances intéressées. Il en faudra plusieurs, parce qu'il serait impossible à un seul homme de suffire à cette tâche. Chacun aurait sous ses ordres un ou plusieurs 'substituts'. Il faudrait, en un mot, instituer un parquet militaire chargé de diriger les poursuites, de les introduire devant la Commission d'instruction, et finalement de renvoyer les coupables devant le tribunal et de soutenir l'accusation devant cette juridiction.

SIR ERNEST M. POLLOCK désirerait, avant d'aborder le fond de la question, comparer les législations anglaise et française en la matière.

En Angleterre, la liste d'inculpés, les charges, les preuves et témoignages sont remis au ministère public. Le ministère public prépare la cause et rédige l'acte d'accusation. La préparation de la cause consiste à rassembler toutes les preuves et tous les témoignages et à donner des instructions à l'avocat général chargé de soutenir l'accusation devant le tribunal. Dans le cas des Allemands dont la livraison sera demandée, il n'y aurait pas d'autres préliminaires, pas d'autre enquête, parce que la liste d'inculpés ne comprendrait que des gens mûrs pour passer en jugement.

Dans ces conditions, Sir E. Pollock demande s'il doit comprendre que si les Anglais envoyaient en France des coupables pour y être jugés, le ministère public anglais n'aurait qu'à préparer le dossier, comme il le ferait en Angleterre, et qu'il n'y aurait plus aucune enquête préliminaire ou supplémentaire devant un magistrat.

Sir E. Pollock désire savoir si, à cet égard, la procédure anglaise est différente de la procédure française et si la Commission est d'accord ou non sur la méthode.

LE PRÉSIDENT répond à Sir E. Pollock que les deux procédures se ressemblent beaucoup. Il y a, en effet, en France un magistrat qui est chargé de déférer aux juges les gens présumés coupables. Ce magistrat, c'est le procureur général, le ministère public.

Mais, avant de faire juger le coupable, il faut réunir contre lui les éléments de l'accusation et les preuves et le magistrat chargé de cette tâche n'est pas le même que celui qui poursuit: c'est le juge d'instruction. Quand le juge d'instruction a fait son enquête et réuni ses preuves, il remet son travail au magistrat qui dirige les poursuites, c'est-à-dire au ministère public, lequel examine si les preuves sont suffisantes ou non. Si elles ne le sont pas, l'affaire est abandonnée; il est rendu une ordonnance de non-lieu. Si, au contraire, les preuves sont suffisantes, on renvoie l'accusé devant un tribunal pour être jugé.

Le juge d'instruction, on l'a déjà désigné: c'est la Commission d'instruction instituée par l'article 7. Il n'y a plus qu'à instituer un ministère public interallié.

Le Président propose pour l'organisation du ministère public interallié la disposition suivante:

> Il est créé un parquet militaire interallié, qui sera composé d'un représentant de chaque Puissance ayant remis une liste d'accusés.
> Dans chaque affaire spéciale, les représentants des Puissances intéressées poursuivront de concert et porteront l'accusation devant le tribunal mixte. (*Adopté.*)

*Article 9.*
*La défense.*

Le Président demande à la Commission d'étudier la question de la défense. Le Président croit qu'il suffira de dire que la défense sera assurée suivant la législation des pays qui poursuivront. Comme la défense est extrêmement libre en Angleterre, en France et en Belgique et d'une façon générale dans tous les pays représentés à la Commission, il n'y a pas lieu de légiférer longuement à ce sujet. Il suffira de dire que l'accusé aura le libre choix de son défenseur. (*Assentiment.*)

Sir Ernest M. Pollock (*Empire britannique*) rappelle qu'il a toujours été tacitement admis, en tout cas qu'aucun pays n'a fait d'objections au très vif désir qu'avaient ses compatriotes de voir juger en Grande-Bretagne toutes les affaires concernant des attentats commis en mer. La plus grande partie de ces attentats intéressant l'Angleterre, ce désir est assez naturel. Sir E. Pollock ne pense pas que dans ce cas il soit nécessaire de recourir à la Commission d'instruction.

*Les attentats*
*commis en mer.*

Le Président répond à Sir E. Pollock que les Français ont été eux-mêmes victimes des sous-marins allemands, mais que le Gouvernement français ne verrait pas d'inconvénients, au contraire, à laisser à la Grande-Bretagne le soin d'instruire ces affaires suivant sa procédure ordinaire; du reste, le recours à la Commission instituée par l'article 7 ne sera jamais obligatoire. Mais si les accusés sont convaincus à la fois de crimes contre le pavillon anglais et le pavillon français, il semble qu'il faudrait constituer en Angleterre un tribunal mixte pour juger les coupables, conformément au Traité, qui spécifie que lorsque les victimes appartiennent à des nationalités différentes, le procès doit être jugé par un tribunal mixte.

Il est bien entendu du reste que, pour ces questions d'attentats sur mer, ce ne seront pas des officiers de l'armée de terre, mais des officiers de l'armée de mer qui siégeront comme juges. Il faudra naturellement faire figurer sur la liste des juges éventuels un certain nombre d'officiers de marine, mais ce n'est pas la peine de l'indiquer dans l'article 2.

*Droit de recours.* Le Président consulte la Commission sur la question du droit de recours.

Sir Ernest M. Pollock (*Empire britannique*) et M. M. R. Vesnitch (*État serbe-croate-slovène*) sont d'avis que les décisions des tribunaux mixtes ne doivent pas être susceptibles d'appel. Sir E. Pollock dit que la loi anglaise pose en principe qu'aucune voie de recours n'est ouverte aux condamnés, à moins que cela ne soit nettement spécifié et seulement dans les cas visés. Aucun homme ne possède *a priori* le droit d'appel. Le même principe vaut ici.

Le Président partage l'avis de Sir E. Pollock et de M. Vesnitch.

Sur une question de M. Vesnitch au sujet des dispositions qui seront prises à l'égard des criminels ennemis autres que les Allemands, *Cas des Autrichiens, des Hongrois, des Bulgares et des Turcs.* le Président dit qu'on adoptera pour eux des mesures analogues à celles qui sont précisées dans le projet.

Le Président demande aux membres de la Commission dont les Gouvernements n'ont pas encore fait parvenir les listes d'en réclamer l'envoi d'extrême urgence.

La Commission décide ensuite de confier à M. Lubienski le soin de rédiger le texte définitif du projet d'organisation des tribunaux mixtes. MM. Osusky et Antoniade acceptent de collaborer avec M. Lubienski.

La Commission se réunira pour approuver ce texte et pour prendre connaissance de la liste des coupables réclamés par plusieurs Puissances, qui seront par là justiciables des tribunaux mixtes.

La séance est levée à 18 heures 40.

## Annex to No. 242

### Projets d'Organisation des Tribunaux Mixtes

| A | B |
|---|---|
| *Projet No. 1* | *Projet No. 2* |
| (*soumis à la Commission dans sa séance du 19 novembre*). | (*établi après la discussion de la séance du 19 novembre*). |
| I. | I. |
| Les tribunaux mixtes seront composés de membres des tribunaux militaires des Puissances intéressées dans le jugement des personnes coupables d'actes | Les tribunaux mixtes sont composés de membres des tribunaux militaires des Puissances intéressées dans le jugement des personnes accusées d'actes criminels |

criminels commis contre des nationaux de plus d'une des Puissances alliées.

### 2.

Les Puissances alliées prépareront une liste des membres de leurs tribunaux militaires dans lesquelles des juges seront pris pour former les tribunaux mixtes.

### 3.

Chacune des Puissances alliées intéressées dans le jugement de personnes coupables d'actes criminels contre ses propres nationaux et contre les nationaux d'une autre Puissance alliée désignera de temps en temps (pour chaque session), trois membres choisis sur la liste préparée conformément à l'article 2 ci-dessus.

### 4.

Pour tout jugement d'une personne qui devra comparaître devant un tribunal mixte, ce tribunal mixte sera composé de juges choisis dans la liste établie par chaque pays intéressé. Ces juges auront le grade que leur conférera cet emploi judiciaire.

commis contre des nationaux de plus d'une des Puissances alliées. Ils siègent au nombre de six juges au moins, à raison de trois juges par Puissance intéressée, et leur décision, pour être valable, doit être prise par cinq voix au moins: la déclaration de culpabilité intervient à la majorité. En cas de partage[5] des voix, l'accusé est acquitté.

### 2.

Les Puissances alliées prépareront une liste comprenant au minimum quinze membres de leurs tribunaux militaires. Les juges devant former les tribunaux mixtes seront pris sur ces listes.

### 3.

Chacune des Puissances alliées intéressées dans le jugement de personnes coupables [*sic*][6] d'acte scriminels contre ses propres nationaux et contre les nationaux d'une autre Puissance alliée désignera, pour chaque session, trois juges choisis sur la liste préparée conformément à l'article 2 ci-dessus. Les désignations des juges seront faites pour chaque Puissance pour une durée maximum de trois mois, sous réserve de la liquidation des procès commencés. Les juges désignés pour une session pourront être appelés à siéger dans la session suivante.

### 4.

Pour tout jugement d'une personne qui devra comparaître devant un tribunal mixte, ce tribunal mixte sera composé de juges choisis dans la liste établie par chaque pays intéressé. Les listes établies par chaque Puissance comprendront, autant que possible, les membres des tribunaux militaires appartenant au rang le plus élevé dans la hiérarchie des grades. Dans tous les cas leur inscription sur la liste les habilitera à juger tous les accusés, quel que soit leur grade.

[5] Cf. p. 810 ('En cas de partage *égal* des voix . . .').

[6] Cf. p. 812.

## 5.

Le tribunal mixte statuera d'après les principes du droit des gens tel qu'il résulte des usages établis entre nations civilisées, des lois de l'humanité et des exigences de la conscience publique, et qualifiera l'infraction relevée en suivant les prévisions des législations de l'un ou l'autre des pays intéressés.

## 6.

Le tribunal mixte appliquera la peine prévue dans la législation en vigueur de l'un ou de l'autre des pays intéressés.

## 7.

Il est institué une Commission d'instruction composée des Délégués de toutes les Puissances.˙ Les membres de cette Commission représentant les pays intéressés procéderont seuls à l'instruction des crimes commis au préjudice de leurs ressortissants.

## 5.

Le tribunal statuera d'après les principes du droit des gens tel qu'il résulte soit des conventions internationales, soit des usages établis entre nations civilisées, soit des lois de l'humanité ou des exigences de la conscience publique, et qualifiera l'infraction relevée en suivant les prévisions des législations de l'un ou l'autre des pays intéressés.

## 6.

Quand l'accusé sera reconnu coupable, le tribunal mixte aura le pouvoir de le condamner à la peine ou aux peines qui, pour l'infraction ou les infractions dont il s'agit, pourraient être appliquées par la justice répressive de l'un des pays représentés dans le tribunal mixte.

## 7.

Il est institué une Commission d'instruction composée de[s] Délégués de toutes les Puissances qui ont présenté des listes. Les membres de cette Commission représentant les pays intéressés procéderont seuls à l'instruction des crimes commis au préjudice de leurs ressortissants.

## 8.

Il est créé un Parquet militaire interallié qui sera composé des représentants de chaque Puissance ayant remis une liste d'inculpés; dans chaque affaire spéciale, les représentants des Puissances intéressées poursuivront de concert et porteront l'accusation devant le tribunal mixte.

## 9.

L'accusé aura le libre choix de son défenseur.

# No. 243

## Earl Curzon to Viscount Grey (Washington)

### No. 2068 Telegraphic [153408/11763/4]

FOREIGN OFFICE, *November 19, 1919*

The Belgian Government having proposed, and the French Ambassador having supported the proposal, that the British and French Governments should give an interim guarantee of the territorial integrity of Belgium, pending the setting up of the League of Nations and the provision of suitable guarantees by that body, matter was discussed in Cabinet yesterday.

On one hand it was represented that such a provisional guarantee would greatly facilitate conclusion of agreement between Belgian and Dutch Governments which has been under discussion between both parties, but hangs fire owing to mutual suspicions.

On other hand His Majesty's Government did not like to commit themselves until situation is cleared up as to American participation in contemplated Anglo-American guarantee of French integrity. Our Bill has already passed through Parliament and Treaty awaits formal ratification. But American Senate does not appear to have even discussed the matter; while reservation passed by Senate to Article X of Peace Treaty, pledging United States Government against any territorial guarantees, seems to render their participation unlikely. Can you inform us as to probable attitude of American Government? Question is of considerable importance.

Repeated to Brussels, No. 212, The Hague, No. 1505, and Astoria No. 1391, (for information of His Majesty's Embassy.)


# No. 244

## Record of a meeting in Paris on November 19, 1919, of the Committee on Organization of the Reparation Commission

### No. 20 [Confidential/Germany/31]

The Meeting began at 10.30, M. Loucheur in the Chair.

*Present:—*

Mr. Rathbone, Colonel Logan, Captain Madison (United States); Sir John Bradbury, Sir Hugh Levick, Mr. McFadyean, Commander Dunne (British Empire); M. Loucheur, Controller-General Mauclère (France); Signor d'Amelio, Signor Ingianni (Italy); MM. Theunis, Bemelmans (Belgium); M. Tokuso Aoki (Japan).

... IV.[1] *Note from the Belgian Delegation regarding Shipments of Coal by Germany to Holland.* (*B. 175 a & b*)[2]

M. THEUNIS made a short statement on the situation as it appears from Minutes No. 19 Section 7.[3] He added that the Committee had awaited M. Loucheur's return to discuss the question thoroughly.

THE CHAIRMAN replied that it appeared from the facts that Germany was displaying the greatest illwill; the supplies of coal to France, which should amount to 1,666,000 tons per month, had not been approximatively more than 270,000 tons for the last twenty-three days of September—500,000 tons for October—and 280,000 tons for the first fifteen days of November, and this at a time when the German production had increased to such an extent as to permit us to demand from 22 to 23 million tons per year in accordance with the scale which had been contemplated.

At the meeting at Essen, the Germans had begun by refusing to recognise the Sub-Commission, alleging as pretext the absence of the American Delegate and the failure to constitute the Reparation Commission.

In a word, the situation was serious, and measures would have to be taken as soon as the Treaty came into force. Till then, it seemed that nothing more could be done than to point out to the Supreme Council the urgency of ratification from this point of view.[4]

SIR JOHN BRADBURY added that ratification was equally urgent as regards the control of foreign securities which were not covered by Article 297.

THE CHAIRMAN proposed that he should make a statement to the Supreme Council under these two heads.

The decision was adopted.

The Secretariat would prepare a note to this effect. . . .[1]

[1] The other minutes recorded discussion of other matters.
[2] See annex to No. 232.
[3] See No. 232.
[4] At a subsequent meeting of the Committee on Organization of the Reparation Commission held at 10.30 a.m. on November 27, 1919, M. Loucheur further informed the committee that 'the supplies [of coal] made by Germany were still defective and that coercive measures of the most severe character were under consideration. On the other hand, France had agreed that Germany should herself transport from Ruhrort to Rotterdam a part of the coal supplies to France via Rotterdam, but she did not agree that the price should be that of supplies by sea or f.o.b. Indeed, France was disposed to accept delivery of the coal at Ruhrort, and it was at Germany's request that she had partially renounced her right in a spirit of conciliation.

'Mr. McFadyean stated that he must reserve the opinion of the British Delegation on the question of prices. Mr. Rathbone made the same reserve in the name of the U.S. Delegation.

'The Chairman answered that he based his opinion on the text of the Treaty, and that the opinion of the French Delegation was definite.

'Signor Bertolini and M. Theunis stated themselves to be entirely in agreement with the Chairman.'

## No. 245

*Sir E. Crowe (Paris) to Earl Curzon (Received November 20)*

*No. 1588 Telegraphic: by bag [153811/106767/350]*

PARIS, *November 19, 1919*

On receipt of your despatch No. 7287[1] (145914/350/T) of October 29 in which Your Lordship left it to my discretion to decide when the ratification should be exchanged with the French government of the Anglo-French treaty respecting assistance to France in the event of unprovoked aggression by Germany, I informed the Secretary General of the conference that I should be prepared to exchange ratifications at such time as the French government might consider convenient, whether at the moment of the exchange of ratifications of the German peace treaty, or independently at some other date.

On November 13 M. Dutasta wrote to me to express M. Pichon's thanks for my communication and promised to let me know later the date which the French government would propose.

I received to-day an intimation that M. Pichon would be glad to proceed to the exchange of ratifications tomorrow.

I have little doubt that the French government in choosing the present moment for the exchange of ratifications are animated by the desire to impress public opinion in this country by this testimony to the good understanding between our two countries and perhaps to influence opinion in the United States so far as this may yet be possible, in favour of America's taking a similar line. In any case I think there are advantages of a general political kind in our giving this evidence of our goodwill to France at this moment when the possible defection of the United States may put her in a peculiarly embarrassing position.

In these circumstances I have agreed to the exchange of ratifications tomorrow afternoon.

[1] Not printed: see below.


## No. 246

*Aide-Mémoire from the French Embassy in London*
*(Received November 20)*

*[155085/11763/4]*

AMBASSADE DE FRANCE À LONDRES

On croit que le Gouvernement belge refusera de signer le projet de traité hollando-belge préparé à Paris si le Gouvernement britannique ne consent pas à maintenir provisoirement sa garantie de la neutralité belge.

Quelles seraient les conséquences de l'échec de la convention hollando-belge? Le maintien *sine die* du traité de 1839 que cette convention doit annuler et par conséquent de la garantie par la France et la Grande Bretagne de la neutralité belge inscrite dans ce traité.

En réalité, ce que demande le Gouvernement belge à la France et à la Grande Bretagne n'est pas un engagement nouveau, mais la constatation d'un engagement qui existe encore et peut être prolongé sans nouvelle action des Gouvernements.

*ce 19 novembre 1919*

## No. 247

*Sir E. Crowe (Paris) to Earl Curzon (Received November 20)*

*No. 1589 Telegraphic: by bag [153812/11763/4]*

PARIS, *November 19, 1919*

Your telegram No. 1386[1] of November 18th. Revision of 1839 treaties.

Monsieur Laroche whom I saw this morning had apparently heard of your decision from Monsieur Cambon.

He explained to me that the 1839 treaties now in existence are being revised, but that Belgium will not agree to revision unless guarantees contained in them are continued in some form or other by Great Britain and France.

If no revision can now take place the 1839 treaties with their guarantees will remain, whereas Belgium would be satisfied with the abolition of these treaties and a guarantee for a limited period until other measures can be taken by League of Nations. Great Britain and France are not therefore being asked to incur any fresh obligation.

I submit above for Your Lordship's consideration.

[1] No. 239.

## No. 248

*Letter from M. Laroche to Mr. Tufton (Paris)*

*No. 28 [22/1/1/20539]*

PARIS, *le 19 nov. 1919*

Cher Monsieur Tufton,

Je vous envoie ci-joint, à toutes fins utiles, une copie de la lettre que j'ai reçue de M. Nielsen.[1]

D'après les nouvelles qui me parviennent de Londres, votre Gouvernement hésiterait à accueillir la demande belge. J'ajoute que j'en suis assez étonné, car si les Belges refusent de signer notre projet de traité, ceux de 1839 resteront en vigueur, et par conséquent, le Gouvernement britannique, comme le Gouvernement français, se trouvera lié par la garantie de 1839. La prolongation que demandent les Belges ne constitue donc pas un fait

[1] Not appended to filed original. Cf. No. 249.

nouveau. La seule conséquence qu'elle comporte, c'est de fixer un terme, plus ou moins éloigné il est vrai, à cette garantie, tandis que le maintien du *statu quo* la prolongerait indéfiniment.

Il me paraîtrait utile que ces considérations fussent signalées à votre Gouvernement. Il est d'ailleurs probable que vous avez attiré son attention sur elles. Mais le fait actuel, c'est que, d'après un télégramme reçu de Bruxelles ce matin, le Gouvernement belge ne semble devoir adhérer au projet de traité que s'il est en possession de nos prolongations de garantie. Vous voyez que la question se pose donc bien dans les termes que je viens d'exposer, à savoir que si nous ne prolongeons pas la garantie, ce qui veut dire la prolonger en échange de l'abrogation des traités de 1839, ceux-ci subsisteront et que cette garantie sera donc *ipso facto* prolongée, avec cette différence que la Belgique, au lieu de nous être reconnaissante, considérera que nous avons perdu là une occasion de lui être agréable à bon compte.[2]

Croyez moi, etc.,

J. LAROCHE

[2] Mr. Tufton transmitted a copy of this letter, omitting the first paragraph, to Mr. Oliphant at the Foreign Office on November 20, 1919 (received next day).

## No. 249

*Letter from Mr. Tufton (Paris) to M. Laroche*

*Unnumbered [22/1/1/20539]*

ASTORIA, *le 20 novembre, 1919*

Cher Monsieur Laroche,

Je vous remercie de vos deux lettres du 16[1] et du 19 novembre,[2] me transmettant la correspondance avec Monsieur Nielsen. I[l] m'avait bien expliqué son opinion au sujet de notre manière de procéder, mais je crois que j'ai réussi à le convaincre qu'on n'aurait jamais pu rédiger un projet de traité tel que vous avez fait en pleine Commission.

Nous n'avons pas tardé à faire connaître à Londres les arguments que vous m'exposez sur la question de la garantie à la Belgique de la part de la France et de l'Angleterre, et j'attends la réponse. Si la Belgique ne veut pas accepter le nouveau traité tel qu'il est sans la continuation de la garantie de nos deux gouvernements je ne vois pas d'autre solution que de laisser pour le moment le traité de 1839, et de renouveler les negotiations [*sic*] à une date ultérieure, peut-être dans le conseil de la Société des Nations.

Croyez toujour[s], etc.,

C. T.

[1] Untraced in Foreign Office archives.
[2] No. 248.

## No. 250

*Sir F. Villiers (Brussels) to Earl Curzon (Received November 22)*

*No. 436* [*154480/11763/4*]

BRUSSELS, *November 20, 1919*

My Lord,

I have the honour to forward copy of a private letter which I received yesterday evening from the Minister for Foreign Affairs after the despatch of my telegram No. 188.[1]

Monsieur Hymans exactly confirms the reports which I have submitted to Your Lordship. The Belgian Government make their acceptance of the draft Treaty proposed by the British and French Delegates at Paris subject to two conditions—(1) revival of the declaration made by the first Netherland Delegate that his Government would consider a violation of Dutch territory as a *casus belli* (2) maintenance by Great Britain and France of the guarantee contained in the Treaty of 1839 with respect to the independence and integrity of Belgium.

The Belgian Government will wait to know the views of His Majesty's Government upon these two points before coming to a decision in regard to the proposed Treaty.

A specific demand is made in Monsieur Hymans' letter that the two requirements of the Belgian Government should be embodied in the Treaty, but I do not think he will insist upon this point, at any rate so far as the guarantee is concerned.

I have, &c.,
F. H. VILLIERS

ENCLOSURE IN NO. 250

*Letter from M. Hymans to Sir F. Villiers*

BRUXELLES, *19 novembre 1919*

Mon cher Ambassadeur,

J'ai réfléchi à notre conversation d'hier[2] au sujet des négociations relatives à la revision des Traités de 1839, et je crois utile de préciser le sentiment du Gouvernement belge sur le dernier projet qui lui a été communiqué par Monsieur Laroche.

Le Gouvernement belge considère que deux conditions notamment sont nécessaires pour lui permettre d'adhérer à ce projet.

La première c'est que le traité constate la déclaration des Pays-Bas qu'ils feraient de toute violation de leur territoire par un autre Etat un *casus belli*.

La seconde c'est que le traité assure jusqu'à la conclusion d'accords nouveaux prévus à l'article Ier le maintien de la garantie de la France et de

---

[1] See No. 240, note 2.  [2] See No. 240.

la Grande-Bretagne stipulée par les traités de 1839, en tant que cette garantie concerne l'indépendance de la Belgique, l'intégrité et l'inviolabilité de son territoire.

Le Gouvernement belge tient pour essentiel que cette garantie soit insérée dans le Traité qui prendra la place du Traité de 1839.

Je vous serais reconnaissant de vouloir bien attirer l'attention spéciale de votre Gouvernement sur ces points.

Il me serait très agréable d'être renseigné le plus tôt possible sur le sentiment du Gouvernement britannique.

Le Gouvernement belge attendra de le connaître pour se prononcer sur le projet qui lui est soumis.

Veuillez croire, etc.,
HYMANS

## No. 251

*Record of a meeting in Rome of the Supreme Economic Council* [1]

*No. XXXI [Confidential/General/128/II]*

The Supreme Economic Council held its 31st meeting on the 21st November at 3 p.m., the 22nd November at 10 a.m. and 3 p.m., and the 23rd November at 11 a.m., at the Palazzo Corsini at Rome, under the Chairmanship of Sig. Dante Ferraris.

The Associated Governments were represented as follows:

*British Empire:*
 Mr. G. H. Roberts.
 The Earl of Crawford and
  Balcarres.
 Mr. Cecil Harmsworth.

*France:*
 M. Noulens.
 M. Vilgrain.
 M. Sergent.

*Italy:*
 Sig. Schanzer.
 Sig. Murialdi (part time).
 Sig. Maggiorino Ferraris.
 Comm. Volpi.
 Sig. Pirelli.
 Sig. Salvatore Orlando (part time).

*Belgium:*
 M. Theunis.
 M. Bemelmans.

U.S.A. were not represented.

319.

M. NOULENS opened the Session and excused the absence of M. Clementel. He thanked the Italian Government for their invitation to the Allies to hold a meeting in Rome, and proposed that Sig. Dante Ferraris should take the Chair.

On behalf of the British Delegation, Mr. Roberts and Lord Crawford

[1] This document is printed in *Papers relating to the Foreign Relations of the United States: the Paris Peace Conference, 1919*, vol. x, pp. 613 f.

associated themselves warmly with the proposal of M. Noulens, and expressed the deep regret of the British Delegation at the temporary loss to the Council of M. Clementel's wide experience and sympathetic insight.

M. FERRARIS, on taking the Chair, associated himself with the remarks concerning the regrettable absence of M. Clementel. In view of the fact that the economic situation in Europe was still difficult, he hoped that the Council might continue to meet until such time as it could hand over to the League of Nations the economic reconstruction of the world. On the proposition of the Chairman, *it was agreed* to despatch a telegram to Lord Robert Cecil, Mr. Hoover, M. Clementel, M. Jaspar and M. Crespi, thanking them in the name of the Council for the work which they had jointly carried through in the common interest of Europe (Doc. 293).[2]

The minutes of the 30th meeting[3] were approved. . . .[4]

### 323. *Supply of raw materials to Europe*

Referring to minute 312,[3] the French Delegation asked if any further statements could be made on the matter.

The Belgian Delegation stated that in respect of the proposed negotiations with Germany and Austria regarding the 2nd resolution under minute 312, it had not been possible to make any progress. In view of the fact that even in questions of greater importance, such as coal, governed by specific Treaty stipulations, it had been found difficult or impossible to make any progress, the Organisation Committee of the Reparation Commission had considered it expedient to take no further action for the moment to obtain flax from Germany and Austria. The dilatory tactics in this and other matters displayed by the German Government were to a large extent facilitated by the delay in the ratification of the Peace Treaty.

As regards resolution No. 4, submitted by the French and Italian Delegations as reported in minute 312,[3] the British Delegation pointed out that the words: 'Specific measures of discrimination' used in the resolution, seemed to imply that there was some misunderstanding as to the exact purport of the present British regime for the prices of British coal for export and for inland consumption.

Under this system, there could be no question of discrimination against France or Italy. It was the agreed policy of the British Government to control the home price in order to secure that heat, light, power and transport should be available at reasonable prices and in sufficient quantities. That policy entailed at present a heavy burden on the British taxpayer. Over a period of sixteen months, the cost to the Exchequer had been 26 million sterling, and even if the recent improvement in output were maintained, it would take time appreciably to lighten the accrued deficit. In fact, the policy of the British amounted to a coal subsidy.

If the British Government were to change its domestic price policy, the

---

[2] Not here printed: *v.* ibid., vol. x, p. 628.
[3] See No. 137.
[4] The ensuing minutes recorded discussion of other matters.

result would be not that export prices would be reduced, but that domestic prices would be increased up to the level of the world price charged for exported coal.

In this connection, the British Delegation pointed out that the export of British coal to British coal stations abroad for bunkers was identical with the world price charged for British coal exported to other destinations. There was no question of 'discrimination'. If the British Government had discriminated at all, it had done so in favour of France and Italy.

The British Delegation were accordingly not in a position to state that their Government was contemplating any change of policy. The sole remedy for the present disparity of prices must, in their opinion, be sought in increased output not merely in Great Britain, but also in France and in other European coalfields.

The French Delegation, while expressing their appreciation of the points raised by the British Delegation, stated that one of the dangers of the present British system lay in the possibility of its indiscriminate adoption by other countries.

At the request of the French Delegation, the British Delegation undertook that a copy of the remarks of the British Delegation on this subject should be handed to the French Government.

### 324. *General economic state of Europe*

Arising out of minute 315,[3] the Council noted that the Supreme Council had deferred consideration of a memorandum submitted by the Council to the Supreme Council on the general economic state of Europe (Doc. 290).[3]

In connection with this question, the Italian Delegation drew attention to the continued deterioration in the situation of exchange in the various countries of Europe. In their opinion, the only practical and permanent solution of the difficulty lay in a general reduction of consumption and increase of production. But the existing situation was so serious as to demand some temporary solution of a more or less artificial character. For this solution they held that only two alternatives presented themselves.

1. The re-establishment of governmental control of exchange either internally or by agreement among the various countries of Europe;

2. The opening of credits among the various countries.

The French Government expressed doubts whether the first of the two temporary solutions proposed by the Italian Delegation was practical under peace conditions, in view of the considerable interference with personal liberty which it entailed: on the second point, they thought that useful precedents could be found in pre-war practices.

After discussion, the following resolution was *adopted:*

'In view of the extreme urgency of solving the exchange problem and, pending a more complete solution through international co-operation, it is necessary for the moment to treat the question as one between the Allied Countries.

'Each Delegation shall draw up a report for its own Government on the financial situation as it has been presented in the present discussion, and shall, before December 20th, submit to the Permanent Committee of the Council practical proposals for a satisfactory solution of the problem, or at least for a substantial improvement in the situation.'[5] . . .[4]

### 327. *Report of the Consultative Food Committee*

(a) The Council noted and approved a report (Doc. 296)[6] submitted by the Consultative Food Committee on its work since September 20th, 1919, and especially on the establishment and working of Sub-Committees for:

> Wheat and flour,
> Meat,
> Sugar,
> Hog products,
> Butter and cheese.

In reply to a question from the French Delegation, the British Delegation stated that the conferences held with the German food experts at Cologne on September 23rd were attended only by British members of the Consultative Food Committee, and that the report forwarded to the Committee on Organisation of the Reparation Commission was a report by the British members.

(b) The Council considered a memorandum (Doc. 297)[7] by the Consultative Food Committee with reference to:

1. The competition of Germany in purchasing foodstuffs (see minute 328):
2. Supplies to Austria (see minute 329);
3. Supplies to and from Russia (see minute 335).[8]

The action taken is recorded hereafter.

### 328. *Competition of Germany in purchasing foodstuffs*

The Council approved part 1 of the above mentioned report,[7] the Belgian Delegates expressing the view that the Reparation Commission should keep in touch with the Consultative Food Committee on all technical questions arising out of ex-enemy food programmes.

### 329. *Supplies to Austria*

With reference to part 2 of the above mentioned report,[7] the Italian Delegation stated that the Italian Government had, since the Armistice, given all possible assistance to the necessities of Austria, even to such an extent as to involve a reduction in Italian food rations. As regards the immediate necessities of Austria, the Italian Government was ready, in agreement with the

---

[5] For further action arising out of this resolution cf. op. cit., vol. x, pp. 676–7.
[6] Appendix 296 below.
[7] Appendix 297 below.
[8] Not printed. This minute is printed op. cit., vol. x, pp. 622–3. See also, in the present series, Volume II, No. 37, minute 1 and appendix A.

Allies, to send 30,000 tons of wheat to Austria, contingent on payment being made by means of the balance of the original 48 million dollar loan,[9] and of the Swiss francs at the disposal of the Austrian Government. It was mentioned that the actual availability of the said amounts was being discussed between the Treasuries concerned.

MR. HARMSWORTH, on behalf of the British Delegation, expressed his gratification at the information that the Italian Government was ready to take immediate measures to assist Austria. The food situation in Vienna was, at the moment, engaging the most anxious consideration of the British Government,[10] and no doubt of all other Governments represented on the Council as well. There was no ambiguity about that situation. It was a desperate situation, and unless immediate and far-reaching measures of relief were adopted it might develop into one of the greatest tragedies in the history of the world.

He felt it, however, his duty to quote the words of the British Chancellor of the Exchequer to a deputation which recently laid before him the case of Vienna. The Chancellor, while he expressed his warm sympathy with Vienna, nevertheless pointed out that H.M. Government was not in a position to render by itself any appreciable assistance to the needs of Austria. He could not consent to increase for the British Government alone a burden of indebtedness which could only be borne as a part of an inter-allied effort or a world effort.

On a further point, Mr. Harmsworth considered it probable that the general public of Europe, and of Austria in particular, regarded the Supreme Economic Council as a body charged with responsibility for meeting the food requirements of Austria. Speaking generally, Mr. Harmsworth considered that no time should be lost in making known to the world the exact situation in Austria and in pointing out that the Supreme Economic Council had no resources from which it could meet the necessities of Austria.

The Belgian Delegation expressed the view that the final responsibility for meeting the present situation in Austria rested at the present time neither with the Supreme Economic Council nor with the Reparation Commission, but with the Supreme Council, which, having referred the whole question to the Allied Treasuries, would have to take a decision.

The French Delegation expressed their entire concurrence in the views expressed by Mr. Harmsworth, but they also were bound to recognise the impossibility of anything definite being accomplished by the Supreme Economic Council. They pointed out that the Supreme Council had on the 15th November reiterated its decision that the Reparation Commission should deal with the question.[11] The matter could not now move until the various Treasuries had decided what could be done.

The Belgian Delegation concurred in the views of the French Delegation.

The Italian Delegation concurred in the view that the Supreme Economic

---

[9] For this loan cf. Volume II, No. 27, appendix E.
[10] See Volume II, No. 23, minute 5 and No. 27, minute 4.
[11] See Volume II, No. 23, minute 5.

Council could neither take a decision in the matter nor accept responsibility. The financial situation of Italy was such that she could not do for Austria as much as she would like. She had in the past contributed to the relief of Austria up to and even beyond her resources. They considered that the matter was one for general adjustment in a wider sphere.

In reply to a question from the French Delegation, the Italian Delegates confirmed the fact that the provision of the 30,000 tons in question was entirely contingent on the acceptance of the financial terms.

After discussion, the following resolution was, on the proposal of the French Delegation, *adopted* for transmission to the Supreme Council.

> 'The Supreme Economic Council has noted the decision of the Supreme Council of the Allies of the 15th November entrusting to the Organisation Committee of the Reparation Commission the task of studying the problem of the supply of food and raw materials to Austria.
>
> 'The Supreme Economic Council, which formerly was able by means of a credit granted by Great Britain, France and Italy, with the assistance of the United States, to relieve to some extent the Austrian situation, possesses at the moment neither the powers nor the resources necessary to afford any effective assistance. It can therefore only most earnestly direct the attention of the Supreme Council to the extreme necessity of obtaining some solution calculated to remedy a tragic situation, the prolongation of which is fraught with danger to the security of all the civilised nations of the world.
>
> 'The Supreme Economic Council has noted the declarations of the British, French and Italian Treasuries, setting out the impossibility of increasing the financial commitments of the nations which have been exhausted by the war.
>
> 'In any case, the Council considers that the necessary resources should be furnished not only by the Governments represented on the Supreme Economic Council but by the Governments of all other nations. It suggests that steps should at once be taken to consider the possibility of international action on these lines.'

330. *Continuation of Allied purchasing arrangements*

The Council noted a memorandum on this question (Doc. 298)[12] by the Italian Delegation, proposing the maintenance of the present arrangements for inter-allied co-operation, especially as regards the Wheat and Flour Sub-Committee, with a view to preventing an increase in the prices of food-stuffs.

The Chairman of the Consultative Food Committee reminded the Council that the Committee had established five Sub-Committees, the termination of whose functions had been originally fixed as follows:

Wheat and Flour Sub-Committee, 31st Dec., 1919.
Meat Sub-Committee, 31st March, 1920.

[12] Appendix 298 below.

Sugar Sub-Committee, 31st August, 1919.
Hog Products Sub-Committee, 30th June, 1920.
Butter and Cheese Sub-Committee, 31st March, 1920.

The Consultative Food Committee itself was nominally to terminate its labours on the 31st December 1919.

The memorandum of the Italian Delegation had referred primarily to wheat. The British Delegation agreed that the Wheat Sub-Committee should be prolonged. Their Government had decided in principle to abolish the bread subsidy in the early part of the summer of 1920. A good many duties hitherto devolving upon the State would be thereby thrown upon private enterprise. They could not, therefore, undertake to commit their Government to an indefinite prolongation of the Wheat and Flour Sub-Committee. The British Delegation proposed accordingly that the Wheat and Flour Sub-Committee should be continued until the 30th April 1920, thus affording an opportunity for the Governments concerned to observe the situation.

The Italian Delegation considered it desirable that the Wheat and Flour Sub-Committee should continue at least until the end of the cereal year 1919/1920, both for the reason that an earlier date constituted a national peril, and also because the present purchasing organisation, by stabilising prices, gave some possibility of reducing the risk involved in the abolition of the bread subsidy.

The French Delegation asked that the Wheat and Flour Sub-Committee should be continued until the end of the cereal year 1919/1920. The British Delegation were prepared to agree to this, subject to the reservation of two months' notice by Great Britain should such a course be rendered necessary.

After discussion, *it was agreed:*

That the Consultative Food Committee should be prolonged until the 31st August 1920 and that the Sub-Committees of the Consultative Food Committee should be continued in operation so long as the Consultative Food Committee held their continuance to be necessary.

331. *Future functions of the Raw Materials Committee*

The Council considered a memorandum by the Permanent Committee (Doc. 299)[13] relative to the future functions of its Raw Materials Committee, containing the proposals that the existing Raw Materials Committee should be reconstituted as a Committee on Raw Materials and Statistical Information.

The Council approved the recommendations of the Permanent Committee, subject to the observations of the Belgian Delegation that the future functions of the Committee, as laid down in document No. 299,[13] involved the fusion of the existing Committee charged with the publication of the Statistical Bulletin with the existing Raw Materials Committee.

The Council directed that the new Committee on Raw Materials and

[13] Appendix 299 below.

Statistical Information should maintain with the Economic Section of the Secretariat of the League of Nations relations similar to those maintained by the former statistical Committee. . . .[4]

### 337. *Relations of the Supreme Economic Council with the League of Nations and the Reparation Commission*

The French Delegation read a statement (Doc. 306)[14] and a memorandum (Doc. 307)[15] inviting the Council to consider in general which of its functions arising from the decisions of the Supreme Council of February 8th, 12th and 21st,[16] and of June 28th, 1919,[17] were intended to be continued after the coming into force of the Treaty, and in particular what were to be its relations with the League of Nations and with the Reparation Commission.

The British Delegation concurred in the view of the French Delegation that this question was one of the most important which the Council had to consider. They had taken steps to obtain explicit instructions from their Government before attending the meeting of the Council, and they were directed to inform the Council that in view of recent political developments the British Government preferred not to be committed to any definite plans for the future of the Supreme Economic Council. The British Government would have to take into careful consideration current political events in the United States and the position of Great Britain in relation to these events. Pending this, the relations of Great Britain with the Council would continue as at present. They moved an adjournment of the consideration of definite plans for the future until the next meeting of the Council. Their personal view in the matter was that the Council had accomplished invaluable work, and that the information which it had gathered in the course of its labours would be of the greatest use to the bodies which the definitive state of peace would call into existence.

The Belgian Delegation stated that the view of their Government was, as it had always been, that the Supreme Economic Council should be maintained. The services of the Council had been of the most invaluable order, and it was certainly the body best qualified to look after the economic interests of the Allies.

As regards the relations between the Council and the League of Nations, there seemed to be a general agreement among the various Governments, including that of the United States, that an Economic Section of the League of Nations should be established. What would be the exact relations between the Supreme Economic Council and the Economic Section of the League? It was as yet too early to say.

With reference to the relations between the Supreme Economic Council and the Reparation Commission, they expressed the view that it would no doubt be expedient that the very efficient advice of the Sub-Committees of

[14] Appendix 306 below.
[15] Appendix 307 below.
[16] See op. cit., vol. iii, pp. 934–5, 1005–6, and vol. iv, pp. 62 f.
[17] See No. 3, note 8.

the Council should be available for the Reparation Commission when that body should come into existence. As regards the former Finance Section of the Council, and the Allied Maritime Transport Executive, arrangements of this nature had already been made or were under discussion. In the opinion of the Belgian Delegation, it was advisable also that the services of the Consultative Food Committee should be utilised by the Reparation Commission in questions affecting the revictualling of ex-enemy countries, as had been the case in the instance referred to in Minute 327 above. In any case, they considered it necessary that the Council should, prior to a decision, ascertain the views of the other bodies concerned.

The Italian Delegation recalled the statement made by M. Clementel in London in August 1919,[18] that the Allies had been in too great a hurry to lay down their war organisations. They warned the Council against similar precipitate action in the transition period between Armistice conditions and Peace conditions. They reminded the Council of the fact that Mr. Hoover had in August proposed the creation of an International Economic Council, and that it had even been decided that this Council should hold its first meeting in Washington in September 1919.[18] Although this proposal had for the moment collapsed, they held that Mr. Hoover might possibly yet be able to persuade his fellow countrymen of the advantages of such a course. They therefore agreed with the British delegation that this was not the moment to take decisions, and suggested that the Council should continue for the time being without change of organisation until such time as the League of Nations should come into existence. For them the fundamental point was whether the Allies should still have a table round which they might exchange views on topics of current economic interest. The form under which such consultation was to be assured was a matter of secondary importance. They further suggested that the Council should instruct its Permanent Committee to keep in close touch with the Economic Section of the Secretariat of the League of Nations on all matters likely to be of interest both to the League of Nations and to the Supreme Economic Council.

At the request of the Council, MR. SALTER (Economic Section, Secretariat, League of Nations) delivered his views on the question under discussion. He reminded the Council that his remarks were offered from an international standpoint. He was not of course able to speak officially on behalf of the League of Nations, since the League did not yet formally exist. There were, however, one or two considerations which he might recall to the Council, and one or two suggestions which he would like to make. (His statement and proposals are issued as Doc. 308.)[19]

After further discussion, the following resolution proposed by the Italian Delegation *was agreed:*

'The Supreme Economic Council, after discussion of its future and its relations with the League of Nations, considers any definite decision to be premature and gives instructions to its Permanent Committee in London

[18] Cf. No. 44.                         [19] Appendix 308 below.

to keep in close touch with the League of Nations for the purpose of studying from every relevant standpoint the relations between the Council and the League, and remits all decisions to a future meeting, fixed provisionally for the beginning of January in Paris.'

338. *The establishment of an International Scientific Food Commission*

The Council noted:

(*a*) A report (Doc. 309)[20] approved by the Interallied Scientific Food Commission at its meeting held at Brussels May 22–26th, 1919, containing *inter alia* resolutions and a proposed agreement concerning the creation of an International Scientific Food Commission.

(*b*) A recommendation by the Permanent Committee (Doc. 310)[21] suggesting that the question of the creation of an International Scientific Food Commission should be referred by the Council to the Council of the League of Nations, with a recommendation that in some form or another the physiological enquiries undertaken during the war by the Interallied Scientific Food Commission should, in the interests of Europe as a whole, be continued on an international basis.

The Council approved the recommendation of the Permanent Committee.

339. *Coal supplies to Italy*

The Italian Delegation laid before the Council certain aspects of the existing situation in Italy as regards the supply of coal. They stated that Italy's situation had slightly improved. They recognised, with gratitude, the help afforded them by their Allies, but they thought it their duty to their country to point out that on the most favourable estimate the general situation was still critical.

Even if the most rigid economy in consumption were maintained, Italy needed 500,000 tons of coal per month. The Italian Delegation requested the British Delegation to take note of this minimum requirement, and to furnish them with a general guarantee that this supply would be maintained, whatever changes were made in the system of export control in Great Britain.

They further drew the attention of the British Delegation to the very great financial sacrifices which Italy had to make in order to pay for the coal which she received from Great Britain and the United States. The existing price of approximately 400 lire per ton constituted a well-nigh insupportable burden upon the iron and other metallurgic industries of their country.

The British Delegation replied that they took the most serious note of the declaration made by the Italian Delegation, and gave an assurance that every effort would be made by Great Britain to secure the delivery at the required time of the minimum quantities under discussion. They recalled the fact that throughout the war Great Britain had made very considerable

[20] Not printed. This report is printed op. cit., vol. x, pp. 664–73.

[21] Not printed. This short recommendation, which was as here indicated, is printed ibid., vol. x, p. 673.

efforts to export both to France and to Italy the greatest possible quantity of coal.

As regards the technical side of the discussion, they invited the expert representatives of the countries concerned to attend a conference with the British experts, in order to discuss proposed change in the British licensing system, the object of the change being to increase British production, with a corresponding increase in the quantities available for export.

*It was agreed* that a conference on this question between technical experts of Great Britain, France and Italy should take place at the earliest possible moment.[22] . . .[4]

## APPENDIX 296 TO No. 251

*Report of the proceedings of the Consultative Food Committee*

The Consultative Food Committee have held two meetings since the Brussels meeting of the Supreme Economic Council,[3] on the 3rd and 10th November, and several meetings have been held of Sub-Committees. Progress may be recorded under the following headings:

### 1. *Belgian representation*

The Belgian Government have expressed a desire to purchase certain food-stuffs in co-operation with the United Kingdom, France and Italy, and have appointed representatives to the Consultative Food Committee.

### 2. *Meeting with German Delegates*

The British representatives on the Consultative Food Committee held a conference with representatives of the German Finance and Food Ministries at Cologne on the 23rd September. The food situation in Germany—with special reference to the importation requirements during the first four months of the cereal year 1919–1920—was discussed, but it was pointed out by Herr Bergmann, the German Minister of Finance, that finance was in every case the limiting factor, and that German financial resources must be more fully explored before a programme of buying could be framed.

The situation had been temporarily eased by importation under the Armistice arrangements, but further gold was not available for payment of food.

The Organisation Committee of the Reparation Commission considered a report of the conference and decided to take no action until the German Government had put forward a definite buying programme with suggestions as to finance.

---

[22] In this connexion it was recorded in minute 70 (*e*) of the proceedings of the Permanent Committee of the Supreme Economic Council (seventh meeting, December 18, 1919), as amended by minute 81 (eighth meeting, January 6, 1920): 'The Italian Delegate stated that owing to the present situation his government had not yet been able so far [*sic*] to convene the conference of experts suggested at Rome.'

### 3. *Formation of Sub-Committees*

Sub-Committees have been set up to deal with the following commodities:

(*a*) Wheat and Flour.
(*b*) Meat.
(*c*) Sugar.
(*d*) Hog Products.
(*e*) Butter and Cheese.

(*a*) The Wheat and Flour Sub-Committee meets regularly every week. After consultation between the Allies, orders for purchases are sent out to the various exporting countries through the agency of the British Royal Commission on Wheat Supplies. Purchases which for one reason or another are not made according to this method are reported by the respective Allied Delegates to the Sub-Committees, so that complete exchange of information regarding prices and available supplies is effected.

(*b*) The Meat Sub-Committee in the same way as the Wheat and Flour Sub-Committee places all buying orders in the hands of the purchasing organisation set up by the British Government. After an exhaustive survey of the probable world supplies of meat, it has been estimated that in the first half of 1920 there will be both meat and refrigerated tonnage to cover the requirements of France, Belgium, Italy and the United Kingdom, and probably, to leave a moderate balance available for other European importing countries. The requirements of Belgium have been co-ordinated with those of the three other Powers signatory to the Consultative Food Committee agreement.

(*c*) The Sugar Sub-Committee held a preliminary meeting on 27th October, at which the principle of consultative buying was agreed by the United Kingdom, France and Italy, all purchases being made either by or in consultation with the Royal Commission on Sugar Supplies. Where private importation is taking place, as in the case of manufacturing sugar for France, endeavours are being made to centralise purchases through a Committee of importers with a view to their sending representatives to the Sub-Committee.

At a subsequent meeting, the disposal of the Czecho-Slovakian surplus was fully discussed, and a decision was taken to restrict the purchases of the Sugar Sub-Committee in this market to a figure which would leave an available surplus sufficient to fulfil the requirements of Austria, Hungary, and any other countries normally dependent on Czecho-Slovakia for supplies of sugar.

These arrangements for co-operative purchasing are to continue until 31st August 1920, subject to revision or suspension at three months' notice given by any one of the contracting parties.

(*d*) The Sub-Committee on Hog Products has agreed that purchases in New York on behalf of each country shall be co-ordinated among the buying agencies of the several Governments. The arrangements for consultative buying hold good until 30th June 1920, subject to revision or suspension at one month's notice by any one of the contracting parties.

(e) The Sub-Committee on Butter and Cheese agreed that in North America and other exporting countries, Belgian, Italian and British buyers should co-operate and buy within agreed limits of price. Repartition of purchases in Denmark was also arranged. The French Government have undertaken to prevent competition by private importers, which might lead to increase of prices, by restricting the use of refrigerated tonnage to normal Government imports and by prevention of profiteering.

In the case of all Sub-Committees arrangements have been made whereby future programmes and a record of all purchases made by each participating country shall be placed on the table. The buying arrangements are to continue for the same period as those for Hog Products.

## 4. *American representation*

The principles adopted by the Consultative Food Committee and the method of procedure agreed in respect of the commodities for which the Executive Sub-Committees are responsible have been communicated to the State Department at Washington, and the cordial invitation to assist the Committee and to appoint representatives has been reiterated. No reply has yet been received.

*November 4th, 1919*

APPENDIX 297 TO NO. 251

*Co-operation among the Allies as regards purchasing*

*Memorandum by the Consultative Food Committee*

The Consultative Food Committee desires to lay before the Supreme Economic Council certain difficulties which seriously hamper its work, and on which it desires instructions.

## 1. *Competition of Germany in purchasing foodstuffs*

The Belgian Representatives have brought to its notice considerable purchases of foodstuffs by the Germans through Antwerp and Rotterdam at considerably higher prices than those now being paid by the Allies. Reports have also been received from other sources of Central Empire purchasing operations or proposals in other markets, which have also tended to increase prices or to deprive the Allies of supplies which they need.

In respect of several vital food products, the upward trend of prices has not yet been steadied, though the work of the Consultative Food Committee has been of great value to the various countries concerned in regard to this. The Committee cannot achieve its full usefulness, however, unless it is kept informed from day to day as to German and other Central Empire purchases and requirements. For this purpose it is probably not necessary that German representatives should be formally added to the Committee, but it is essential that information regarding German purchases and requirements should be

841

constantly available, and that orders should not be placed by them save with the prior knowledge of the Committee. This proposal applies not merely to purchases of foodstuffs financed under the Reparation Clauses of the Treaties, but to any other purchases.

It is believed from what transpired at a meeting at Cologne between the members of the Consultative Food Committee and the representatives of the German Food and Finance Ministries, that the Germans would raise no objection to this course.

## 2. *Supplies to ex-enemy countries*

Responsibility for dealing with imported supplies from overseas to Austria and other ex-enemy countries needs more definite determination. The Consultative Food Committee is not at all concerned with the provision of finance, but foodstuffs in the quantity likely to be needed by Austria from oversea cannot be provided without the scheme of provision being carefully worked out and adjusted from time to time, with a full knowledge of the requirements and programmes of the Allied Countries.

The provision of supplies for Austria is becoming a matter of very grave concern. Unless some decision can be reached very rapidly it may be impossible in any case to provide for her needs in time to prevent disaster, for which the Allied Governments as a whole might be held responsible. At the present moment, the Reparation Commission may have the finance, but it does not appear to have available the necessary foodstuffs nor the machinery for providing it. The Consultative Food Committee has the foodstuffs, but is unable to discover from what source the finance will, if at all, be provided.

It is of great importance, therefore, from the point of view of the Consultative Food Committee, that a decision should be reached whether or not finance is to be [p]rovided, and by whom, and as to the responsibility for providing the foodstuffs.

## 3. *Supplies of foodstuffs to and from Russia*

The Consultative Food Committee is unaware whether it has any responsibility as regards the provision of supplies to certain parts of Russia as and when they may be required; nor as to whether anybody has such responsibility. It appears certain that there are some hundreds of thousands of tons of surplus grain in South Russia which can be obtained if adequate undertakings can be given to feed Petrograd and Moscow if and when necessary. These quantities of grain, if secured, would at once transform the whole food situation in Europe. The Consultative Food Committee desires to know whether if, in the course of negotiation with General Denikin's Government for the procuring of surplus grain from South Russia, it finds it necessary to give undertakings with reference to relief supplies for other parts of Russia, it is authorised to give such undertakings, and to organise its shipment and supply programme.

*Co-operation among the Allies as regards purchasing*

*Memorandum by the Italian Delegation*

The Consultative Food Committee was constituted at the meeting of the Supreme Economic Council in London on the 2nd August last,[18] for a period fixed provisionally until the 31st December next.

The most important functions of the Consultative Food Committee are those fulfilled by the Executive Sub-Committee for Wheat and Flour and by the Meat Sub-Committee: therefore this memorandum will be mainly concentrated on these two points.

Practically the action of these two Sub-Committees is a continuation of that followed during the war, with the only difference that there was no pooling of finance and transport, it having been established that each party should be solely responsible for providing its own finance and tonnage. For the rest, the Sub-Committee on Wheat and Flour still acts as in war time, the fundamental basis of their action being based on purchases and shipments through the Wheat Commission in London and their agencies abroad.

The reason which in August last rendered the continuance of such a system useful, was practically that the markets showed a great uncertainty, both in regard to quantity available, and prices, in view of the requests of the ex-enemy and new countries.

The effect of the requests from ex-enemy countries was not actually so important as it appeared, because, owing to financial difficulties, though in a different measure, both Germany and Austria were prevented from buying even the minimum necessary for their requirements. At any rate, the benefit derived from the system adopted in August appeared to be very great, and one of the proofs is that the Plate prices[23] showed a substantial decrease.

Considering that the duration of the Consultative Food Committee expires on the 31st December next, the question arises as to the future regime.

For that there are two alternatives.

I. To continue for the year 1920, or at least up to the completion of the current cereal year, with the existing system, in view of the fact that even now the situation of the markets, both as regards quantity available and prices, is not clear, and also of the fact that the national controls would continue for at least a part of the next year. Such solution appears still more necessary when it is considered that the return to normal trade must be preceded by the abolition of the state subsidy for bread, which appears urgent almost everywhere in order to eliminate such heavy financial burdens on the Governments, and for the purpose of increasing internal production. The elimination of the bread subsidy, however, is not practicable, if it is not possible to anticipate the prices for a large part of the next year. In fact, if prices remain the same, or decrease, abolition is possible, but if they are going to be higher,

---

[23] i.e. prices in Argentina and Uruguay.

it is impossible, or at any rate very difficult. It is improbable that we shall have at least any increase if the existing system is maintained.

II. The other alternative is to pass rapidly to a state of commercial freedom.

The reasons for advocating this solution are, first of all, that the present system of Executives is and cannot be other than temporary. Moreover, there is the fact that the Executives are practically composed of war volunteers, business men who desire to return to their normal occupations, and without whom the action of the Executives would be impeded.

This second solution offers the possibility, even with the abolition of the Executives, of leaving the Consultative Food Committees as a general clearing House of information and as a centre of international information and advice.

Between these two solutions there is practically no direct opposition, the second being the logical and definite one; the only point which it is necessary to discuss is that of the date for the passage from the first to the second. Two elements must be considered, viz.: the general world situation, and the possibility of putting into immediate action the national organisations. It is necessary, therefore, to examine whether such transformation is possible in the very first part of next year, or at the completion of the cereal year, or afterwards. The last suggestion seems the most convenient.

First of all, it is necessary to consider the question of the subsidy already mentioned. The passage from the present prices under the subsidy to the cost prices is of great importance also from a political point of view, and it is only possible when the cost prices can be to a certain extent foreseen and fixed. If the prices are known, even approximately, all the financial operations involved can be determined. Moreover, the operations would be very difficult, if not impossible, should the prices be higher than at present; on the other hand, it would be easy if the prices should be lower. Thus two elements are necessary: the prices must be foreseen, and the prices must not be higher. Under the present system, that is possible. This point is of the greatest importance, particularly for countries where bread plays such a large part in the popular diet, and where the present cost of living, in comparison with the level of wages, leaves only a very narrow margin.

Apart from the subsidy, the question of prices is the central one.

It is true that, generally speaking, the last crops were good; that the possibilities of buying for the ex-enemy and new countries were and are not so large as expected, and the supplying countries show a certain anxiety to sell; there are, however, three facts to consider:

(a) The numerous and serious difficulties which the European Countries find in the re-organisation of their national production of cereals.

(b) The general increase in consumption which can be reckoned at approximately 20 per cent.

(c) The fact that free buying will give rise to a concentration of an extensive, anxious and undisciplined demand from the Allied countries in America, which constitutes the principal market.

It is also necessary to consider some other very important facts.

(*a*) The buyers have before them, not many and various producers and merchants, but, on the contrary, strong national combines which either directly or indirectly control sales and exports. The most clear cases are those of the Export Corporation in the United States and Canada.

(*b*) Further, profiteering and speculation are more possible and probable in goods of this kind which are of such a great political value, and for which, even with a general good crop as the last, the margin remains always very narrow.

(*c*) The Russian situation also needs consideration. If the Bolshevik Government in Russia should be overturned, Russia would immediately become both an importer and exporter of cereals. In order to take full advantage of this, even in the interest of Russia herself, it is necessary for the Allies to come to a certain understanding, to discipline both the sales and the purchases of food for Russia, in order to avoid the effect of too large exports from the South, increasing the need of relief in the North, and rendering more difficult the political and economic situation of that country.

(*d*) Finally, there is another important case, the supply to Austria. Until a general equilibrium is reached between distribution, production and consumption, cases like that of Austria must be dealt with through an understanding among at least the Allied countries. It is a fact that, as a definite solution, the first source of supplies for Austria must be found in the nearest countries. Through the present system of buying, the Allies can easily avoid purchases in such countries, in order to direct the cereal surplus there to Austria. With the free system of buying, this is not possible.

All the above facts are considered to show that the moment of passing from the first to the second solution has not come. This, however, does not prejudice the necessity of returning, as soon as possible, to the normal system of buying and importing, and preparing immediately such a return, giving to the national organisations wider powers, as for example, for shipping, receiving and distributing cereals, but leaving the purchases for a further period to the actual Interallied organisations.

APPENDIX 299 TO No. 251

*Functions of the Raw Materials Committee*

*Note by the Permanent Committee*

At the 29th meeting of the Supreme Economic Council[18] it was decided to request the Raw Materials Section to meet and draw up a report on the deficits in the supply of Europe with raw materials. This meeting took place and a report was presented at Brussels on Sept. 20th.[3] It is stated that in the case of raw materials, as in that of food, the situation had changed for the worse since the time when the Raw Materials Section adjourned in May.

On the other hand, the events which have taken place in the world as a whole since the signature of the Peace Treaty with Germany show that it is more necessary than ever to make a careful examination of the general situation, and to carry on this examination on common lines.

The Raw Materials Section, which in its present form is not adapted for dealing either with common purchases or transport, should be organised so as to be able to undertake this other work. It is particularly well qualified for it on account of the information which it has already collected in the course of its work.

In order to make it quite clear that it would not have the same functions as the former Raw Materials Section, it would be desirable to give it another name, such as 'Committee on Raw Materials and Statistical Information'. This would correspond to what was done in the case of the Finance Section and the Food Section.

It does not appear necessary that Ministers should be members of this new Committee. High officials who, by the nature of their work, are in a position to be acquainted with all the necessary information up to date, might be appointed members of this Committee. The Committee would also undertake the publication of the Statistical Bulletin.

The situation as thus defined would correspond to the present *de facto* position.

In these circumstances, it is proposed that the Council should approve the adoption of the following proposals:

1. There shall be constituted a Committee on Raw Materials and Statistical Information.

2. It shall be the duty of this Committee:

(a) To be acquainted at all times with the situation as regards raw materials;

(b) To collect and to publish, as far as may be considered opportune, either in the Statistical Bulletin or elsewhere, all statistical or other information concerning not only the situation as regards raw materials, but also the various controls and regulations and important economic facts;

(c) To consider the actual results on the supply of raw materials, distribution of trade, &c., arising either from Government action or from the commercial practices of the various nations;

(d) To study the possibilities of increasing production in the producing countries, and the means of removing the obstacles to such increase.

3. Each Government shall appoint a delegate to represent it on this Committee.

4. This Committee will report to the Supreme Economic Council, and to the Reparation Commission.

*November 12th, 1919*

### Relations of the Supreme Economic Council with the League of Nations and the Reparation Commission

#### Statement of the French Delegation

On the 30th August 1918, Lord Robert Cecil made a proposal in London for the constitution of a Great Interallied Economic Council, and the French Government concurred in this proposal.

Nevertheless this Council was not constituted at that time; the Allied Maritime Transport Council filled its place as far as possible. The French Delegation is happy to see at this conference Mr. Salter, who has been the mainspring of the A.M.T.C. in concert with Prof. Attolico and M. Jean Monnet.

Before the Armistice, the French Government had declared its concurrence in the proposal to adapt to the necessities of the Armistice period the functions of various Interallied organisations. Unfortunately these proposals bore no fruit until the arrival of President Wilson, when it was possible to constitute first the Superior Council of Supply and Relief, and then the Supreme Economic Council.

After the Treaty of Peace had been handed to the Germans, a certain opposition to the continuance of the Supreme Economic Council manifested itself in certain quarters; the French Government demanded the continuance of the Council, and finally on the 28th June a decision was taken by the Supreme Council[14] recognizing the necessity for continuing international consultation in economic matters until such time as the Council of the League of Nations should be able to proceed with the examination of the economic situation.

As a result of this decision, the draft of a council,[24] no longer interallied but international, was prepared by the Supreme Economic Council. This proposal has not yet received the support of the American Government, with the result that up to now no more has been done than simply to maintain the Supreme Economic Council.

The French Government is persuaded that interallied economic co-operation must be continued. Such also is the opinion clearly expressed by the French Parliament.

The method by which this co-operation is to be assured must naturally undergo certain modifications from the moment when the Peace Treaty enters into force.

At that moment large interallied or international organisations will come into being, among them the League of Nations and the Reparation Commission.

The French Government accordingly considers that the moment has come to consult the other Delegations on the question of the relations of the Council with these new organisations.

---

[24] The French text here read 'un projet de conseil'.

*Relations between the Supreme Economic Council and the League of Nations*

*Questionnaire of the French Delegation*

The French Delegation proposes to invite the Supreme Economic Council to consider the following questions:

Which of the functions of the Supreme Economic Council resulting from the decisions of the Supreme Council of February 8th, 12th and 21st[16] and of June 28th[17] 1919 are intended to be continued after the coming into force of the Treaty?

To what extent does the Supreme Economic Council maintain, after the Armistice period, its functions relative to the provisioning of ex-enemy countries? What will be its relations with the Reparation Commission?

Do the interallied organisations, and in particular the recent food supply organisations (Consultative Food Committee, &c.) remain subject to the authority of the Supreme Economic Council?

Is the Supreme Economic Council to continue the mission entrusted to it by the decision of the Supreme Council of June 28th?[17] Does this decision continue to have the same force now that the American Government has resolved not to maintain its representation on the Supreme Economic Council?

What attitude should be taken by the Supreme Economic Council after the constitution of the Council of the League of Nations, and what will be its relations with the latter?

To what extent should the communication made by the American Government to the Reparation Commission (B. 143)[25] influence its attitude? Although it does not consider it desirable to maintain the Supreme Economic Council, the American Government has no objection to the institution of a General Economic Commission attached to the League of Nations.

*Nov. 15th 1919*

*Résumé of Mr. Salter's remarks on the relations of the Supreme Economic Council with the League of Nations and the Reparation Commission*

Mr. Salter reminded the Council that his remarks were not offered in the capacity of a British subject, but from an international standpoint. He was, of course, unable to speak officially on behalf of the League of Nations, since the League did not formally exist. There were, however, one or two considerations which he might recall to the attention of the Council.

The League of Nations would come formally into existence with the deposition of the ratifications of the Treaty by three of the Great Allied Powers; the first meeting would be a meeting of the Council of the League. Mr. Salter remarked that the constitution of the Council of the League was on a some-

[25] See Annex to No. 207.

what wider basis than that of the Supreme Economic Council, a non-allied nation (*i.e.* Spain) being represented upon it. The Council itself was obliged first to deal with the important political questions entrusted to it, *e.g.* the questions of Danzig and the Sarre basin, but it was probable that at an early meeting it would find it necessary to discuss the economic responsibilities of the League. As regards these economic responsibilities, it might be said in a general way that under its constitution the League had obligations to carry out some of the functions at present performed by the Supreme Economic Council, while it had the opportunity to extend further its sphere of competence. Mr. Salter instanced the question of the economic weapon against recalcitrant members of the League, and also that of securing equal opportunities of commerce for all nations and freedom of transit for commerce. Speaking personally, Mr. Salter could not conceive it possible that certain of such functions could be effectively performed without some form of organisation offering opportunities for direct discussion between the various countries concerned. While it was clearly necessary that the new form of organisation should be established upon a wider basis, and that it should be in some sense part of the League, it was not necessary that it should be so closely attached to the League as to interfere with its independence of deliberation or even of action. Mr. Salter quoted the instance of the labour organisation established under the auspices of the League, the freedom of whose action was not restricted as the result of its affiliation to the League.

Mr. Salter considered it of the greatest importance to call attention to some of the difficulties with which the Council of the League would be faced if it attempted to consider the economic responsibilities of the League. If the Council were to deliberate on the establishment of an International Economic Council to be set up before the first meeting of the assembly of the League, it would be immediately faced with the difficulties presented by the existing political conditions in the United States. It was possible that it might be convenient to the League if the Supreme Economic Council were to continue temporarily in existence in order that some form of international co-operation should be continued. It was quite possible that when the Council first met it would feel that, in view of the political situation, it could not enter upon any more ambitious policy of co-operation than that embodied by the Supreme Economic Council; but, if the Council thus postponed a definite decision, it was also possible that later the march of events might confront the Council with a situation offering no alternative but immediate action.

The economic situation of Europe at the beginning of the winter of 1919/20 was already grave. The Council had already had experience of two of the most serious problems in the cases of Austria[26] and Armenia.[27] The situation was likely to be more serious at the end of the winter when the harvests of the previous autumn would be exhausted. Should the Council of the League

[26] See minute 329 above.
[27] The question of Armenian relief had been considered at the thirty-first meeting of the Supreme Economic Council (minute not printed): see Volume II, No. 37, minute 1 and appendix A.

find itself faced with such an urgent situation in the early spring of 1920, it was in the highest degree important that there should be in existence an international body ready and able to shoulder the immediate burdens imposed by the economic situation. The temporary prolongation of the existence of the Supreme Economic Council might ensure the existence of such a body.

Mr. Salter reminded the Council of a striking instance of the effects produced by the lapse of continuity in the economic organisation of the Allies. In November 1918, the Allied Maritime Transport Council, having regard to the economic situation of Europe, proposed to the various Governments that an Interallied Economic Council should be established. In consequence of certain dissensions to this view there was a delay of three months in the establishment of this body. The result of this delay was (1) that all German sea-going tonnage was immobilised for this period, and (2) that as a result of this immobilisation the supply of foodstuffs to Germany was begun in April instead of in February, with political, economic and industrial results with which all the members of the Council were familiar.

The above was an instance of the effect of a lapse in organisation in the period between war conditions and Armistice conditions. Mr. Salter warned the Council against a repetition of such a lapse in the interim period between Armistice conditions and Peace conditions.

In this connection he paid tribute to the attitude adopted by the French Government in all these questions of interallied co-operation.

Finally Mr. Salter made four suggestions:

1. That the Supreme Economic Council should be continued until it was transformed into, or replaced by, a new economic body under the auspices of the League of Nations.

2. That the Supreme Economic Council should in the meantime occupy its time in obtaining all possible information on the economic state of Europe calculated to facilitate the work of the new economic body.

3. That the Supreme Economic Council should, in order to facilitate more ambitious action if that should prove necessary, take all possible steps to prepare the public mind by means of a much greater publicity than that hitherto attempted by the Council.

4. That, with a view to obtaining the last two of the above objects, the Permanent Committee of the Supreme Economic Council should act in the closest liaison with the Economic Section of the League of Nations.

## No. 252

*Sir R. Graham (The Hague) to Earl Curzon (Received November 22)*

*No. 1513 Telegraphic [154692/11763/4]*

THE HAGUE, *November 22, 1919*

On November 20th Netherlands Minister for Foreign Affairs made a statement (? on) foreign policy in Chamber. He referred to question at issue with

Belgium but his language was so carefully guarded that it conveyed no information of practical importance. Summary[1] is being sent by bag.

Yesterday evening at a secret meeting of Parliamentary Committee (? on) Foreign Affairs Minister for Foreign Affairs was more explicit. He said he did not intend to make any immediate decision on question with Belgium but would maintain a temporizing policy. Belgians were coming to regard their greater Allies with ever decreasing sympathy and confidence, indeed French attitude especially on economic question inspired them with serious misgiving and fears of losing their economic independence. In the circumstances Belgium was likely to turn more and more towards Holland and her attitude would become increasingly reasonable and in the end a mutually satisfactory arrangement between the two countries would be reached.

I am convinced and my French colleague entirely shares this view that Netherlands Government have no intention of accepting proposed agreement recently drafted in Paris, and that strong pressure would be required to make them do so.

I have been asked by Astoria to support any action my French colleague may take in the matter.[2] But he will not take any except in concert with me and has privately expressed his relief that no instructions for concerted action have reached me.

Minister for Foreign Affairs in concluding his statement to Parliamentary Committee referred to League of Nations. He said Netherlands Government were carefully watching course of events in United States of America and would adopt [?adapt] their attitude accordingly. If United States only consented to enter League after formulating reservations Dutch would certainly follow suit refusing to agree to Article 1 of Covenant.

Sent to Paris.

[1] Not printed.  [2] See No. 229, note 2.

## No. 253

*Viscount Grey (Washington) to Earl Curzon (Received November 24)*

*No. 1594 Telegraphic* [155085/11763/4]

WASHINGTON, *November 23, 1919*

Your telegram 2068[1] submitted to me on my return from New York[2] this morning.

Some weeks ago Senator Lodge informed French Ambassador that if reference to League of Nations was omitted from Franco-American Treaty it would pass Senate without difficulty. General opinion now seems to be that Franco-American Treaty is dead and Americans have recently spoken to me in that sense. I should however hope that if compromise on general

[1] No. 243.
[2] On November 18, 1919, Lord Grey had accompanied H.R.H. the Prince of Wales to New York on the occasion of his visit to the United States.

Treaty and covenant is reached it might include a compromise that would carry out Franco-American Treaty in some form.

I have spoken privately of shock it will be to France and unfavourable effect it will have in Great Britain if Franco-American Treaty is dropped.[3] Opinions vary as to prospects of compromise on Treaty and covenant in Senate. My own opinion is that some modification of Lodge (? reservation)s[4] could be secured if President would take new departure of admitting that Senate majority leaders must be consulted about policy.

Friends of President are doubtful whether he can be brought to consent to this.

[3] Lord Hardinge minuted on this as follows: 'If dropped, it will be a cause of jubilation to Germany. H.'     [4] Cf. No. 434, note 2.

## No. 254

*Note by Sir J. Tilley of a conversation with M. de Fleuriau*

[*157333/11763/4*]

FOREIGN OFFICE, *November 24, 1919*

M. de Fleuriau called on Saturday[1] to speak about the draft Belgian Treaty.

His main point was that the French Govt. have come to the conclusion that pending the signature of a new Treaty that of 1839 holds good & the Powers are still bound to guarantee Belgium's neutrality. When the Belgian Govt. therefore ask France & Great Britain for a provisional guarantee they have really no option but to give it.

The French Govt. are anxious to know whether H.M.G. agree in this conclusion.

They think that if time goes on without any new Treaty being agreed on the Belgians may realize that they are better off under the old one, which they can then perpetuate by refusing to agree to a new one.

At the same time I understood him to want the discussion of the new Treaty deferred a little longer in order that France & Great Britain may come to an understanding, but he called again this morning to say that at the instance of the Americans it is possible that a meeting of the Commission may be held in Paris tomorrow so that he would like to know the views of H.M.G. at once.[2]

J. A. C. T.[3]

[1] November 22, 1919.

[2] In this connexion Sir F. Villiers reported in Brussels telegram No. 189 of November 24 (received that day): 'Minister for Foreign Affairs has written me a note expressing hope that he may receive answer as soon as possible respecting conditions in which Belgian Government will accept proposed Treaty. His Excellency points out matter is urgent as last meeting of Committee of fourteen is fixed for 27th instant.' (No meeting of the Commission was held on that date.)

[3] Lord Hardinge minuted as follows on this paper: 'I understood from the S. of State that our present policy is to contract no new obligation towards Belgium which will mean

the protection of the French frontier coterminous with Belgium. The French Govt. would undoubtedly favour the prolongation of the old Treaties, while the Belgian Govt. do not like them although they would be ready to adhere to them as providing interim guarantees. There seems to be every prospect of the new Treaty being rejected by the Dutch Govt., and it seems to me that our wisest policy would be to leave things alone in this case. I am much puzzled by the whole question as I cannot see the use of an interim guarantee so long as the old Treaties remain in force, and from a previous note by Mr. Hurst they evidently are so still. H.'

## No. 255

*Mr. Russell (Berne) to Earl Curzon (Received November 24)*

*No. 1330 Telegraphic [155102/4916/43]*

BERNE, *November 24, 1919*

League of Nations.
My telegram No. 1323.[1]
Minister for Foreign Affairs sent for me last night to say that Federal Council had just decided that result of vote in Chamber in favour of adhesion of Switzerland was to be communicated to Powers in form of a note. This would probably be despatched in about a week and in the meantime he was most anxious to secure powerful support of Great Britain both as regards admission of Switzerland as an original member and as regards selection of Geneva as seat of League. Difficulties might arise owing to impossibility of taking popular vote[2] within prescribed two months and renewed efforts were being made in favour of Brussels as seat of League but he earnestly hoped that Great Britain with her preponderating influence would champion cause of Switzerland at the turning point in her history.

Minister for Foreign Affairs who has thrown himself heart and soul into campaign for League and has successfully surmounted all obstacles excepting last is nervously apprehensive of encountering difficulties in last phase.

I much hope that Your Lordship will instruct me to give him some sort of reassurance on above two points before formal reply of Powers to Swiss note is decided on. A little friendly encouragement administered just now would be greatly in British interests as well as in those of League which have been somewhat adversely affected these last days by attitude of American Senate.

[1] Not printed.      [2] i.e. a referendum in accordance with the Swiss constitution.

## No. 256

*Mr. Russell (Berne) to Earl Curzon (Received November 28)*

*No. 656 [156344/58017/43]*

BERNE, *November 25, 1919*

My Lord,
With reference to my despatch No. 634[1] of the 12th instant, I have the

[1] No. 230.

honour to inform your Lordship that in the course of the recent debate in the National Council on the Vorarlberg question Monsieur Calonder made a long speech, of which the following is a summary.

After having outlined the latest development of the question, he pointed out that the situation of the Vorarlberg had become so critical that the inhabitants of the Vorarlberg could expect help only from Germany or Switzerland. There was no doubt that Germany was working for a union with the Vorarlberg, and that Vienna was in favour of such a union, should the Vorarlberg become separated from Austria. In spite of all German propaganda, the great majority of the Vorarlberg people were for a union with Switzerland, and there could be no doubt that an eventual union would from many points of view be of advantage to Switzerland, while union with Germany would constitute a political danger for eastern Switzerland.

There had, Monsieur Calonder continued, been rumours that Italy would, in case of a union between the Vorarlberg and Switzerland, demand compensation, but such rumours were without foundation, and Monsieur Tittoni had made a statement to that effect to the Swiss Minister at Rome. Switzerland, for her part, would never consent to any question of compensation being connected with the Vorarlberg question.

Speaking on behalf of the Federal Council the Minister for Foreign Affairs came to the following conclusions: Switzerland would not interfere in any internal question between the Vorarlberg and Austria. Should, however, the former desire to be separated from Austria the Federal Council would support the Vorarlberg people, as far as their desire for a realisation of the right of auto-decision was concerned, in any appeal they might make either to the League of Nations or to the Paris Conference. Moreover, the Federal Council were ready to give economic support to the Vorarlberg, particularly in the shape of credits and food supplies. This speech has attracted considerable attention as marking the end of the policy of complete disinterestedness which the Federal Council appear to have followed hitherto in regard to the question. I understand that some assurance of Switzerland's benevolent intentions will now be sent to the Vorarlberg authorities.

In the course of an interview yesterday with the local correspondent of the *Journal de Genève*, Monsieur Bovet informed me that a really determined effort was now being made by Germany, and especially by Württemberg, to secure the annexation of the Vorarlberg. The campaign was apparently being conducted under Count Moltke, at Stuttgart. From the best possible source he had been informed that the present Austrian Government were seriously considering a scheme to declare the dissolution of the Austrian Republic, and to give the various provinces of the country a free decision as to their future lot. In practice, however, the scheme of the Württemberg propagandists and of the Austrian Government was so to arrange matters that, when the decision in favour of dissolution came about, the Vorarlberg would go over to Germany. The present tendency of the Vorarlberg to play with the question of annexation to Germany was due, Monsieur Bovet thought, primarily to the difficulties in connection with the exchange, the Vorarlberg finding it much more advantageous to buy in Germany than in Switzerland; unless something positive was done to counteract the present German effort the Allies might find themselves faced with a *fait accompli*. The present idea of the Federal Council was, Monsieur Bovet said, to submit the matter to the League of Nations, and to endeavour to secure complete independence for the Vorarlberg, which would then enter into some form of customs union with Switzerland. The exchange question could, in such an event, be put right by an advance of, say, 30,000,000 fr. to the Vorarlberg; it would of course be understood that the Vorarlberg would remain responsible for her share of the Austrian war debt.

Monsieur Bovet left with me an interesting and comprehensive memorandum on this question, a copy of which[2] I transmit to your Lordship herewith. Monsieur Bovet observed that he personally was opposed to the immediate union of the Vorarlberg with Switzerland as advocated in the memorandum, but that he concurred generally in favour of the terms of this document, which contained a useful history of the case.

A copy of this despatch has been sent to the British Delegate at the Peace Conference.

I have, &c.,

THEO RUSSELL

2 Not printed.

## No. 257

*Mr. Grant Watson*[1] *(Copenhagen) to Earl Curzon (Received November 26)*

*No. 1656 Telegraphic* [155690/548/30]

COPENHAGEN, *November 25, 1919*

My telegram No. 1632.[2]

Following for Sir C. Marling[3] from Mr. Bruce.

I learn that Colonel Frumme formerly commander in Flensborg has been appointed head of Corn Central [? Control] and has already taken office in one of barracks. He has already staff of about 200 Non Commissioned Officers and men. He stated to delegate of Commission in Flensborg that they were now under orders of Ministry of Labour but further enquiries from reliable source have elicited fact that they are still receiving pay as military persons and are

1 First Secretary in H.M. Legation at Copenhagen.
2 Not printed. This telegram of November 17, 1919, reported the German Government's intention of demobilizing certain troops in Schleswig and finding them civil employment in the plebiscite area during the Schleswig Commission's occupation. On November 20 Lord Curzon instructed Sir E. Crowe in Foreign Office telegram No. 1393 to the Peace Delegation to bring this matter before the Supreme Council and state that 'His Majesty's Government consider that the German Government should at once be informed that the employment of these men in this manner cannot be allowed.' For the consideration of this matter in the Supreme Council see Volume II, No. 29, minute 8, and No. 30, minute 6.
3 Sir C. Marling was then visiting London and Paris.

still inscribed in official military accounts. Doctor Koster, German 'Kommissar' for Schleswig-Holstein resident in Schleswig town, has now taken office Flensborg and has announced his intention of remaining in plebiscite area during Commission's occupation.[4]

[4] Cf., however, No. 337.

## No. 258

### *Earl Curzon to the Earl of Derby (Paris)*

### *No. 1391 [155758/11763/4]*

FOREIGN OFFICE, *November 25, 1919*

My Lord,

M. Cambon opened his conversation with me this afternoon by raising again the question of the proposed Anglo-French guarantee for the integrity of Belgium.

He seemed to be under the false impression that the British Government had finally and definitely declined to have anything to do with the matter. I pointed out to him that this was not the case, and that the decision taken by the Cabinet was merely this: that they did not wish at the moment to take independent action about Belgium before the question of the Anglo-American guarantee of the French frontier was itself in a less precarious position.

We presently found ourselves simultaneously pointing out to each other a feature of the case which neither of us had fully realised at our last interview, namely, that if a new guarantee is not given to the Belgians by Great Britain and France, the Guarantee Treaty of 1839 still survives, and is equally obligatory upon both our countries; in other words, if Belgium does not get the new guarantee, she will continue to subsist upon the old one.

I said that, in these circumstances, inasmuch as, even if we gave the new guarantee to the Belgian Government, while it might satisfy their desires, it did not seem clear to me that it would at all tempt the Dutch Government to accept the draft treaty that had been proposed in Paris, I did not quite understand why the Belgian Government were so eagerly pressing the matter.

The Ambassador also was unable to answer this question.

When I asked him whether his Government would prefer to offer the new guarantee or to remain content with the old one he said that he had no official instructions on the subject, but that personally he inclined towards maintaining the Treaty of 1839.

I promised to examine the question of the two alternatives and to communicate with him again about them. . . .[1]

I am, &c.,

CURZON OF KEDLESTON

[1] The remainder of this despatch reported discussion of other matters: cf. Volume III, No. 566, and Volume IV, No. 605.

## No. 259

*Note from the Belgian Chargé d'Affaires in London*
(*Received November 26*)

[*157733/11763/4*]

Les premiers délégués français et britannique à la Commission pour la révision des traités de 1839, dite Commission des XIV, ont élaboré un avant-projet de traité entre les cinq principales Puissances alliées et associées, la Belgique et les Pays-Bas, et ils l'ont soumis aux Gouvernements belge et néerlandais en les invitant à y donner leur adhésion. Ce document, dont un exemplaire[1] se trouve sous ce pli, porte la date du 8 novembre.

Aux termes de l'article 1er les parties contractantes se déclareraient d'accord 'pour saisir le *Conseil de la Société des Nations* afin que les garanties jugées indispensables à substituer, pour assurer la sécurité de la Belgique au point de vue de la Paix générale, à celles stipulées par les traités du 19 avril 1839, soient déterminées sous ses auspices'.

Ce texte révèle l'impuissance de la Commission des XIV à s'acquitter de la tâche qui lui avait été confiée par le Conseil des Ministres des Affaires Etrangères des Principales Puissances. Dans sa résolution du 4 juin dernier, le Conseil avait chargé la Commission 'd'étudier les mesures devant résulter de la révision des traités de 1839 et de leur soumettre des propositions'.[2]

En présence de l'opposition des Pays-Bas et après des débats prolongés, la Commission renonce aujourd'hui à formuler les propositions que les Puissances l'avaient invitée à leur soumettre et elle suggère, n'ayant pu s'en acquitter elle-même, de confier cette tâche à un autre organisme qui négocierait sous les auspices de la Société des Nations.

La première conséquence de l'échec de l'œuvre de la Commission est que la procédure en révision introduite devant le Conseil Suprême prendrait fin sans que la Belgique ait obtenu les garanties de sécurité auxquelles elle a droit ainsi que l'ont reconnu, à toutes les étapes de la procédure en révision, les représentants des grandes Puissances, à commencer par le Conseil Suprême lorsqu'il a adopté le 8 mars les conclusions du rapport de la Commission des affaires belges[3] et, en dernier lieu, les délégués des Puissances alliées et associées dans la Commission des XIV.

En effet, le Président de la dite Commission formula au nom des délégués au cours de la séance du 16 septembre les conclusions suivantes:

'Les Délégués des Grandes Puissances estiment que si on se bornait purement et simplement à supprimer en droit une garantie que les faits

---

[1] Not printed. This document was the same as enclosure 1 in No. 229 except: (i) the text communicated by the Belgian Embassy was headed: 'Le 8 novembre 1919'; (ii) in this text article 6 of enclosure 1 in No. 229 was unnumbered and read: 'Le présent traité sera ratifié et entrera en vigueur dès l'échange des ratifications qui aura lieu à Paris. *Variante*. Le présent traité sera ratifié. Le dépôt des ratifications...' &c. as in article 6 of enclosure 1 in No. 229.

[2] Cf. No. 39, note 1.   [3] See No. 39, note 2.

ont démontré inopérante, on aboutirait évidemment, en rendant sa liberté à la Belgique à ne rien lui donner qui puisse remplacer complètement la sécurité qu'elle trouvait dans la neutralité perpétuelle. L'instabilité de la Paix Générale se trouverait ainsi augmentée et les Puissances alliées et associées, parmi lesquelles deux sont garantes de la neutralité de la Belgique, estiment qu'elles ne pourraient moralement mettre leur signature au bas d'un traité de révision abolissant la neutralité de ce pays, sans que la Belgique reçoive d'autres garanties qui viennent en quelque sorte remplacer les anciennes ou plutôt qui viennent parer aux inconvénients devant résulter pour elle de la suppression pure et simple de la neutralité perpétuelle.'[4]

Or le projet de traité du 8 novembre qui vient d'être soumis à la Belgique est en contradiction avec cette déclaration de principe et avec la résolution du 4 juin[2] acceptée par le Gouvernement Belge.

Les délégués français et britannique à la Commission des XIV avaient présenté le 24 octobre dernier, un premier projet de texte du traité de révision.[5] Le Gouvernement Belge avait déclaré se rallier à ce texte, qui impliquait déjà le renvoi de la discussion à la Société des Nations, mais dans lequel avait été introduit, à sa suggestion, un article conçu comme suit:—

'Par dérogation à l'article 3, la Grande-Bretagne et la France s'engagent à maintenir en vigueur jusqu'à la conclusion des accords prévus à l'article 1er la garantie donnée par elles à la Belgique en vertu du traité du 19 avril 1839, en tant que cette garantie concerne l'indépendance de la Belgique, l'intégrité et l'inviolabilité de son territoire.'[6]

Toutefois, le projet du 24 octobre ne fut pas maintenu, et l'article proposé par le Gouvernement Belge ne figure plus dans le projet de traité du 8 novembre.

Il résulte d'un entretien de M. Orts, premier Délégué Belge avec Mr. Tufton, premier Délégué Britannique, que celui-ci ignorait si son Gouvernement était d'accord quant à l'adoption de cette clause.

L'Ambassade du Roi a été chargée, dans ces conditions, de s'enquérir du point de savoir si le Gouvernement Britannique accepte l'insertion dans le traité de révision des traités de 1839 d'un article conçu dans les termes indiqués plus haut et consacrant le maintien provisoire de la garantie franco-anglaise.

Le Gouvernement Français vient d'informer le Gouvernement Belge qu'il accepte, en ce qui le concerne, l'insertion de la clause dont il s'agit.

Le Gouvernement du Roi attacherait le plus grand prix à ce que la garantie en question figurât dans le traité à substituer au traité de 1839, car il s'agit du maintien dans une mesure limitée de la garantie stipulée par ce traité.

Il estime que cette demande est logique et en harmonie avec les déclarations faites au nom des délégués alliés par M. Laroche, au cours de la séance de la Commission des XIV en date du 16 septembre dernier.

[4] See No. 132.    [5] Cf. No. 213.    [6] See Nos. 213 and 214.

La Commission n'ayant pu assurer à la Belgique les garanties militaires qui, de l'avis unanime des délégués alliés, lui sont indispensables, il est juste que ses anciens garants maintiennent leur engagement, limité aux objets indiqués, jusqu'à ce que des garanties nouvelles aient été acquises par la Belgique.

La clause qui constatera le maintien de l'ancienne garantie a sa place marquée dans l'acte qui se substituera au traité de 1839, source de cette garantie.

LONDRES, *le 26 novembre 1919*

## No. 260

*Sir E. Crowe (Paris) to Earl Curzon (Received November 26)*

*No. 1617 Telegraphic [155760/11763/4]*

PARIS, *November 26, 1919*

Your telegram 1398.[1]

M. Orts second Belgian Delegate who has returned to Paris has (? sent me) a message to say his Government can come to no decision as to proposed treaty until they know attitude of His Majesty's Government on question of continuing in some form or other guarantee of Belgian inviolability.

It is desirable to avoid, if possible, giving Belgians or Dutch any excuse to say failure to arrive at agreement as to revision of 1839 Treaties is due to His Majesty's Government and if we undertook to continue with France for a strictly limited period guarantee of 1839, it might now be as well, in order to mark fact that old guarantee was only being prolonged and that no new obligation was being undertaken, to embody stipulation in an article in Treaty itself and not to make of it a separate Treaty as suggested in my telegram 1495.[2] Article might run as follows:—

'Until a decision has been come to by League of Nations in accordance with terms of Article I but not in any event for a longer period than five years from ratification of present Treaty, Great Britain and France agree to maintain guarantee given to Belgium by Treaties of April 19, 1839 in so far as that guarantee concerns independence of Belgium and integrity of inviolability[3] of her territory.'

Mr. Tufton has seen both Dutch and Belgian delegates. Former put forward proposal whereby five Great Powers and Belgium alone (? should) agree to lay question of Belgian security before League of Nations but Holland should not join in this step.

It was pointed out to them that we are engaged in trying to revise Treaties

[1] Not printed. This telegram repeated to the British Peace Delegation No. 240.
[2] No. 213.
[3] The text as sent from Paris here read '. . . and integrity and inviolability', &c.

to which Holland is a party and it would not be possible to proceed with revision without Dutch co-operation.

Belgian delegates profess to believe that Dutch will in the end agree to Draft Treaty submitted to them on November 12th with a few slight modifications and Dutch delegates have already agreed to insert in Preamble a sentence making it clear that any violation of Dutch territory will be considered as a *casus belli*. This was one of two points on which Belgium will insist. See Brussels telegram 1398 (*sic*)[4] and it may well be that Dutch know of Belgian demand for continuation of guarantee by France and Great Britain and our hesitation in giving it, and are trying to put upon us onus of impending [impeding] settlement.

Please send copies by bag to Brussels and Hague.

[4] i.e. Foreign Office telegram 1398 repeating a Brussels telegram: see note 1 above, and No. 240.

## No. 261

*Sir R. Graham (The Hague) to Earl Curzon (Received November 26)*

*No. 1518 Telegraphic* [*155762/11763/4*]

THE HAGUE, *November 26, 1919*

My telegram 1513.[1]

My French colleague acting on instructions of his Government has informed Netherlands Minister for Foreign Affairs that text of proposed agreement had full approval of French Government and that they hoped that Netherlands Government would accept it.

Netherlands Minister for Foreign Affairs replied that in no circumstances would his Government accept Agreement as it stands as it imposed obligations upon Netherlands for protection of Belgium. But he added that he had sent counter proposals to Paris through Dutch Delegates which would he hoped be considered satisfactory. When pressed to disclose their nature His Excellency asked to be excused from giving further information.

Repeated to Paris No. 51.

[1] No. 252.

## No. 262

*Sir R. Graham (The Hague) to Earl Curzon (Received November 28)*

*No. 1519 Telegraphic* [*156484/11763/4*]

THE HAGUE, *November 27, 1919*

My telegram No. 1518.[1]

Holland and Belgium.

In conversation today Netherlands Minister for Foreign Affairs confirmed

[1] No. 261.

what he had told my French colleague. He said that draft article of agreement was generally acceptable excepting for paragraph 3 of Preamble read in conjunction with Article 1. His Government would never accept obligation implied unless under compulsion and if it were forced upon them relations between Holland and Belgium would be embittered for a generation. His Excellency complains acridly of Belgian attitude on whole question. He had received notes and proposals from them couched in such insulting terms that were he to publish them which he had no intention of doing strongest feeling would be aroused here.[2]

I said that it would be deplorable if some formula could not be devised which would lead to satisfactory agreement between the two countries. I had not as he was aware pressed him in the matter but established close and amiable relations between Holland and Belgium was a matter of great interest to His Majesty's Government. His Excellency who was evidently grateful that we had not joined French representations agreed that this was essential. He had sent to Paris through Dutch delegates a tentative formula. This he read to me. It appeared to amount to a suggestion that greater Allied Powers should refer questions of abrogating existing Belgian treaties and of future safe-guarding of Belgium to League of Nations; Netherlands, he said, intended to join League at an early date in a spirit completely loyal towards it and he showed me text of law about to be submitted to Chamber. In view of His Excellency's previous language on the subject as reported in last paragraph of my telegram No. 1513[3] I asked him whether attitude of Netherlands Government would be affected by what had happened in United States. He replied that he thought not and that he believed that most of his colleagues in Government agreed with him that Holland should adhere to League without waiting for United States Government to do so. I congratulated him on this intention.

Sent to Astoria.

[2] In this connexion Sir F. Villiers subsequently reported in a Brussels telegram of December 5, 1919 (received that day): 'In conversation with [Belgian] Minister for Foreign Affairs I mentioned allusion in Hague telegram of November 27th to notes and proposals made to Netherlands Government respecting revision of 1839 Treaties. His Excellency stated most positively that Belgian Government have sent no Notes on the matter to the Hague nor made any verbal proposals to Dutch Minister here. Their only communications have been through Belgian Delegates at Paris.'
[3] No. 252.


## No. 263

*Sir E. Crowe (Paris) to Earl Curzon (Received November 27)*

*No. 1621 Telegraphic [156084/11763/4]*

PARIS, *November 27, 1919*

(? My telegram No. omitted) (? 16)17[1] of November 26th. Belgium and Holland 1839 Treaties.

[1] No. 260.

At a meeting this morning . . . (? principal)[2] French, British, and Belgian delegates gave provisional assent to a text which does not differ materially from that submitted in my despatch No. 2128[3] of November 11th.

They would not commit themselves definitely before seeing new text as a whole and this is now being prepared at Ministry for Foreign Affairs. Modifications made are in preamble and Article 1 and I will endeavour to send them by bag tomorrow.

Next meeting is fixed for Saturday afternoon, November 29th when principal American, Italian, and Japanese delegates will be present.

Repeated to Brussels No. 15 and the Hague No. 35.

[2] The text as received is here uncertain. The text as sent from Paris here read '. . . this morning with principal French, British and Belgian delegates, Dutch delegates gave provisional assent . . .' &c.　　　　　　　　　　　　　　　　　　　　　　　　[3] No. 229.

## No. 264

### Sir E. Crowe (Paris) to Earl Curzon (Received December 1)

### No. 2214 [157140/9019/39]

PARIS, *November 27, 1919*

My Lord,

1. The Belgian plenipotentiary delegate communicated to me confidentially today the accompanying copy of a paper which he said had reached him from an anonymous German source. It is a letter referring to the execution of Miss Edith Cavell. My Belgian colleague said it was to be assumed that the original had been either stolen or copied by someone anxious to convey the information to the allied governments. The signatory—who subscribed himself as General S.—was evidently General Sauberzweig,[1] and the person referred to in the letter by the initial L was Baron von der Lanken.[2]

2. Your Lordship will no doubt wish to communicate the paper to the Solicitor General who has dealt with the question of the surrender of the enemy criminals as Chairman of the 'Responsibilities Committee' of the conference.

I have, &c.

(For Sir Eyre Crowe)

H. NORMAN

### ENCLOSURE IN No. 264

*Translation*[3]

CASSEL, *30th July, 1919*

Dear Major H.,

Some time ago I was informed that I should probably appear on the list

[1] Military Governor of Brussels and Chief of Staff to the German Governor-General of Belgium during the First World War.

[2] Chief of the political department of the German Governor-General of Belgium.

[3] The German text of this letter (not printed) was enclosed in the original together with the present translation. (The translation is literal except in certain minor respects noted below.)

of those to be handed over on account of the 'C' case. I have been advised in the proper quarter to apply to the head offices of the organisation for the defence of Germans before foreign tribunals to which you belong. I have no occasion to defend myself, and should therefore merely like to inform you shortly of the following facts:—[4]

Some time ago the Judge-Advocate St. wrote to me that even the Belgian barristers K. and B. in Br.[5] had repeatedly and publicly acknowledged the justice of the sentences in the 'C' case[6] and my execution of them. Going over to the enemy was systematically practised. It was a matter of several thousands[7] who had been helped over the frontier through C. alone.

From the appended copy of a newspaper article in the *Kölnische Zeitung*[8] of July 8, 1919, the English jurists apparently see the political and legal justification for the sentence.

Naturally, I confirmed the sentence after mature consideration and careful study of the documents and report of the Judge-Advocate St. The presiding justiciary cannot interfere in the proceedings.

The main proceedings took place a few days after my arrival in Br. as Governor. General von B. discussed the trial with me, and urged me to proceed with great severity in order to stop the work of bands of conspirators in Br., among whom women were especially active. I felt it my duty to protect my comrades at the front before everything else. That was what they would expect of me. Many of them had lost their lives through the action of officers and men brought back to the fighting line by C. In this way German women were deprived of their husbands, German children of their protectors.[9]

On the evening of the execution, the German Chargé d'Affaires Freiherr . . .[10] wished to hand me a petition for pardon from Belgians which, as far as I remember, had been transmitted to him by the American Chargé d'Affaires. L. expressly stated that, should I receive the petition, I should have to present it to His Majesty for decision. *I replied that I myself had already come to a decision after mature consideration and would not depart from it. I then asked if he had anything else to say.* As this was not the case, our conversation came to an end. L. took the petition away with him again. On my side Lieut. Count Bl. formerly of the Augusta Regt. was present, as far as I remember.[11]

Further petitions arrived when the sentence had already been carried out.

I was informed at the time that Miss C. was not a nurse but lady housekeeper in a clinical hospital which was empty on account of the war. She lodged in these empty storeys the officers and men brought together by her in order to send them back to the enemy.

---

[4] In the German text there here followed a series of stops.  [5] Brussels?

[6] The German text here read '. . . der Urteile über die C'.

[7] The German text here read 'Hunderte'.

[8] Not appended to the filed copy.

[9] The German text here read 'ihrer Führer'.

[10] Punctuation as in the original.

[11] Note in original: 'According to the person who has transmitted a copy of this document this statement by General S. is incorrect and the interview was between S. & L. alone.' (In the German text this note was appended in French.)

Had she been a Belgian, I should perhaps not have rejected the question of pardon as a matter of course. But as she was English and I was informed that she even boasted of her crime, I had even less grounds to recommend her to His Majesty for pardon.

I am now going away for some time, on account of severe heart trouble. My doctor urgently advises me to think no more of the whole matter, as he fears a heart attack.

With apologies for troubling you,

Yours, &c.,

(Signed)[12]

General (retired)

[12] This indication was apparently inserted in the translation in error for the initial S, which, in the German text, preceded the word 'General'.

## No. 265

### The Earl of Derby (Paris) to Earl Curzon (Received December 1)

### No. 1134 [157159/53817/17]

PARIS, *November 27, 1919*

My Lord,

One of the effects of the printers' strike in Paris, which has entailed the concentration of all Parisian journalistic activity in the columns of the one or two newspapers appearing, is that an article written by the editorial staff of any of the newspapers whose existence is temporarily suspended and which is published by one of the newspapers in question is more universally read throughout France than when the usual quantity of newspapers were appearing. This point is worth bearing in mind in reading the summary, which I have the honour to transmit to you herewith,[1] of an article published to-day in the *Presse de Paris* (over 4,000,000 copies of which are stated to be issued daily), and written on behalf of the *Éclair* by its editor, M. Émile Buré, in which a violent attack is made upon the British Prime Minister.

The *Éclair* has recently changed hands. In former years its editor was

[1] This summary is not printed. It began as follows: 'Mr. Lloyd George is like those children "whose eyes are bigger than their stomachs", and whose gluttony is the despair of their parents, who are anxious for their health. This Governmental Quaker, who believes himself now safe from all attack in his island, places no limits on the selfish satisfaction of his appetite. He cares nothing for his Allies; France, who saved his country from disaster, is the object of his absolute contempt. He never misses an opportunity to insult her or do her an injury.' The summary concluded: 'It is time to put an end to the dangerous fantasies of the Imperialist demagogue Lloyd George. In order to obtain the doubtful benefit of an Anglo-American treaty of guarantees, M. Clemenceau, misled by M. Tardieu, gave up the solid guarantees which Foch advocated on the Rhine. America is showing that she disinterests herself from the European question, and the British Government, often in contradiction to the British members of Technical Commissions, give us proof every day that their only interest is to obtain the maximum of profit for England from the various settlements, even if the result be harmful to French interests.'

M. Ernest Judet, who fled to Switzerland and is now charged with dealings with the enemy. He remained, even in the best times of the Entente cordiale an avowed enemy of England. I am unable to say how the *Éclair* is at present financed, but its present editor was one of M. Briand's private secretaries when the latter was in office. On more than one occasion recently the *Éclair* has written in a disagreeable tone about England.

The article in the *Éclair* is unfortunately only the most recent of a very long series of anti-British articles which have appeared in the French press since the opening of the Peace negotiations. His Majesty's Ministers who were in Paris during those negotiations had opportunities of observing themselves the attacks in the French press against Great Britain and the British plenipotentiaries. Since the signing of the Treaty of Versailles a large number of French newspapers, both in Paris and in the provinces, have attacked Great Britain, sometimes in the most scandalous manner, on the question of Syria,[2] and with regard to other matters.

It must be said that during the present year the French press, including the newspapers in touch with the Government, have given abundant proof of their entire indifference to the effect which their attacks might have on the general relations between the two countries. It was to be expected that the Socialist press, both in France and elsewhere, would attack the Allied Governments with regard to the Peace settlement, but such attacks are doubtless discounted, as it is realised that it is the habit of Socialists everywhere to attempt to discredit the representatives of régimes to which they are hostile. In England a totally different view has, I believe, prevailed in the press, with the possible exception of Socialist organs, as to the propriety of abstaining from violent attacks upon the French Government or upon France. The correspondents in Paris of British newspapers seem indeed to have deliberately abstained from giving an exact idea to the British public of the frequently violent anti-British tone constantly used by the French press. The result is that the British public does not seem to realise the extent of the attacks made upon Great Britain in the French press, or to have noted the readiness here to start a journalistic campaign on any point where French and British interests appear divergent without any regard to the effect upon the relations between the two countries.

The consequence is that French public opinion has been continually exasperated by what it is told of British policy, whereas British public opinion either does not know, or regards with equanimity, controversies between the two countries which here are treated with the utmost acerbity. One is even tempted at times to wonder whether the French Government, following the practice often observed in the past, do not view with complacency the campaign of the French press against a foreign Power, in the hope that through this means resistance to their wishes on the part of the latter will be weakened.

I have, &c.
DERBY

[2] See Volume IV, Chap. II *passim*.

## No. 266

### Earl Curzon to Sir E. Crowe (Paris)

*No. 1418 Telegraphic* [155690/548/30]

FOREIGN OFFICE, *November 27, 1919*

Following from Sir Charles Marling for you.

Mr. Grant Watson's telegram No. 1656.[1]

I submit that this scarcely veiled retention of troops cannot be permitted. In any case the Inter-Allied Commission would not tolerate the existence of a Corn Control established at this late hour without its consent.

Without further knowledge of reasons which may be advanced for it I cannot express decided opinion as to proposed residence of Dr. Koester at Flensburg during our occupation but it looks like an attempt to nullify provision of Treaty for evacuation of Superior Civil Officials such as Regierunger praesident [*sic*].

Telegram above quoted seems to indicate an unmistakeable intention on part of German Government to influence voting, and in my opinion a third battalion of troops is more than ever necessary.[2]

[1] No. 257.

[2] The substance of this telegram was communicated to the Supreme Council by Sir E. Crowe on December 3, 1919: see Volume II, No. 35, minute 2. Sir E. Crowe informed Sir C. Marling of this action in Peace Delegation telegram No. 24 of December 3 to Copenhagen. Sir E. Crowe commented therein: 'I am afraid there is no chance of a third battalion being sent.'

## No. 267

### Mr. Grant Watson (Copenhagen) to Earl Curzon (Received November 29)

*No. 1672 Telegraphic* [156606/548/30]

COPENHAGEN, *November 28, 1919*

Petition with 315,000 signatures was handed to Prime Minister urging Danish Government [to] request military evacuation[1] of third zone.

Prime Minister replied this step seemed unnecessary. He was all the more disinclined to act in this sense as he foresaw that the step would lead to demand for plebiscite in third zone.

Petitioners replied their sole object was to safeguard voting in third [? second] zone.

[1] By German forces.

## No. 268

*Mr. Grant Watson (Copenhagen) to Earl Curzon (Received November 29)*

*No. 1673 Telegraphic [156918/548/30]*

COPENHAGEN, *November 28, 1919*

There is renewed agitation against Government on account of their Schleswig policy especially in connection with Flensborg.

Opposition are not united, as Conservatives want Government to accept Flensborg whatever may be result of Plebiscite if International Commission should offer it (? their claim) rests on (? League of Nations) interpretation of words 'Geographical and economic (? conditions') in Article 110 (? of Treaty of Peace) while Left want Flensborg if offered by Commission only in case of Danish or a small German majority.

When matter was brought up this week in Folketing, Government pointed out that in February last all parties had joined Delegation sent to Paris to ask Allies to settle question only according to result of Plebiscite and accused Conservatives of changing their standpoint. Prime Minister states that if such a case arose, voting gave small German majority, and Commission offered Flensborg to Denmark then Danish Government would arrange in certain circumstances for plebiscite in Denmark to decide whether they could accept Flensborg or not.

Minister for Foreign Affairs in conversation with me was most emphatic in his assurances that Danish Government in no way wished to reflect upon judgment of Commission but they felt as they had asked Allies for Plebiscite they were bound to correct impression given by opposition that Denmark had changed her standpoint.

Matter will come up in Land[s]ting next week when vote of censure against Government is likely to be passed but this is not expected to lead to any change of Government.[1]

Campaign against Government is likely to increase in violence and throughout country meetings of protest are taking place designed not so much to influence Danish Government as to lead Commission and Paris Conference to believe that Denmark ardently desires recovery of Flensborg.

Agitation reflects dissatisfaction with many Danes who feel Schleswig policy of Government is too subservient to German interests. Its immediate cause however is artificial as it pre-supposes that votes in Flensborg will be undecisive, either small German or small Danish majority, or town with German majority and neighbouring communes with a Danish. . . .[2] Minister thinks that result of Flensborg election will be decisive as population is homogeneous consisting chiefly of small traders with similar interests.

[1] Mr. Grant Watson further reported in Copenhagen telegram No. 1698 of December 4, 1919 (received next day): 'Landsting or Second Chamber yesterday passed vote of non confidence in Government in regard to their Schleswig policy by 38 votes to 25.' This vote did not occasion a change of government.

[2] The text here is uncertain.

He could not predict result as one week population swarmed towards Denmark next towards Germany.

Government who have been in (? office) for six and a half years have a great number of enemies and Conservatives (? may be) forced by constituencies especially in Jutland to coalesce with Left and to make another effort to overthrow Government before work of International Commission is finished.

Minister for Foreign Affairs state[d] that result of votes for electors union in Schleswig would not affect policy of Government.

## No. 269

### Earl Curzon to Sir E. Howard (Madrid)[1]

### No. 318 [155836/1134/41]

FOREIGN OFFICE, November 28, 1919

Sir,

In his despatch No. 380[2] of the 30th ultimo Sir A. Hardinge reported that the Marquis of Lema would, he thought, be quite willing to expel all foreign revolutionaries, German or Russian, from Spain, provided that His Majesty's Government would undertake their transport to their nearest native ports.

In case the Marquis of Lema should revert to this subject, I think it useful that Your Excellency should know that this is a matter in which His Majesty's Government do not see their way to intervene.

I am, &c.[3]

[1] Sir E. Howard had recently succeeded Sir A. Hardinge as H.M. Ambassador at Madrid.
[2] No. 219.                                                                 [3] Signature lacking on filed copy.

## No. 270

### Sir H. Stuart (Coblenz) to Earl Curzon (Received December 2)

### No. 197 [157539/4232/18]

COBLENZ, November 28, 1919

My Lord,

I have the honour to transmit to your Lordship a memorandum by Captain J. J. W. Herbertson on the development of the Movement for a West German Republic.

I have, &c.,<br>HAROLD STUART

### ENCLOSURE IN NO. 270

#### The Development of the Movement for a West German Republic

Since the meetings of the Centre Party Congress in Cöln on the 15th, 16th and 17th September, at which a common ground, i.e. autonomy for the

Rhineland was found for the two 'particularist' factions, legalists and activists, into which the party had split, no important developments of the Rhineland Republic movement have taken place until quite recently. Open opposition continues to be shown by all other political parties to the creation of a Rhenish republic. Resolutions to this effect have been frequently passed at various meetings. On the 6th November, the *Kölnische Zeitung* published the following resolution, signed by all political parties of the Cöln–Aachen district, except the Centre:

We, the undersigned parties of the Cologne–Aachen electorate have never permitted any doubt to exist in all our decisions that we strongly condemn all public or secret endeavours towards secession (Loslösung) (Rhenisch Republik (Smeets Journal) Rheinlandbund etc. [*sic*]).

The followers of such movements should clearly understand that we have no place for them in our ranks. We therefore beg them to retire from our party and we on the other hand pledge ourselves to exclude every member of our party who joined for the purpose of taking part in such movements.

We shall therefore use any means in our power to combat the establishment of a Rhenish Republic.

This resolution was submitted also to the Centre for signature. It was accepted by the party with the following alterations:

We strongly condemn all public or secret endeavours towards secession (Loslösung) *from the German realm.*

We shall therefore use any means in our power to combat the establishment *in an illegal manner* of a Rhenish Republic.

The amendments are important. They show that the Centre Party is still solid in its support of autonomy for the Rhineland and at the same time desirous of dispelling any impression that it favours a secession from the Fatherland. While little has been heard during the past eight weeks of the Rhenish question, there is no doubt that steady propaganda has been secretly carried on. The question was not one of the issues in the recent town council elections.

Recently, owing to the efforts of Dr. Dorten, 'President of the Rhineland Republic', the movement has developed on two important new lines:

(1): A league has been formed, called the Rhe[i]nische Volksvereinigung, with the aim of securing autonomy for the Rhineland.

(2): Dr. Dorten has got into personal touch with the leaders of similar particularist movements in Hanover and Bavaria. Pledges have been exchanged to work hand in hand for the establishment of a Germany composed of federal states.

This Volksvereinigung[1] has been working steadily and quietly; 600,000 marks have been subscribed in the Rhineland, and it is hoped to raise 1,000,000 by the middle of December. It is proposed to publish a paper in

[1] People's Union.

the British Occupied Zone entitled the *Rheinische Herald* [*sic*], the printing plant for which has been already purchased. So far it is not known who will be the President of the Vereinigung. Dr. Dorten does not wish his name to appear at the head of the organisation. It is evident that he now realises the harm he did to his cause by enlisting the aid of the French authorities, and thus placing himself under the strong suspicion that he was working for French annexationist aims and was in receipt of French gold. He is content to work steadily, keeping as much as possible in the background. The number of subscribers to the new league is not yet known, but in Aachen 2,000 members have already been enrolled. The total number of members will be published when the League brings out its official organ.

The particularist movement in Bavaria is of great importance as it is capable of exercising a vital influence on the political future of Hanover and the Rhinelands. The reason for this is that Bavaria, having already a State Government, can proceed much further along the road to federalism by legal means than either Hanover or the Rhinelands, which have no legal body through which to express their aims. In Bavaria, therefore, the movement has a much greater chance of success, and should this State weaken the predominant position of Prussia its success will undoubtedly react on the Prussian Provinces which seek independence.

The characteristics of the various parties in Bavaria differ very strongly from those bearing the same names in the Rhinelands. To a great extent their members are Bavarians first and party men afterwards. The strongest party is the Bavarian People's Party which is said to contain the largest 'particularist' element. The aims of this party are to make Bavaria the first of a series of federal states, each represented in a national senate similar to the Bundesrat. A President will be chosen from and by the Senate to act as head of the Government for a term of years. By this means, the scheme of a Centralised Government (Einheits[s]taat) so much desired by Prussia would be defeated; each federal state would govern itself, the Bundesrat dealing solely with such matters as foreign policy, traffic etc. which could only be settled by representatives from the whole of the realm. In the eyes of the Bavarian particularists, the present system of Government by Noske[2] and his friends is reducing the National Assembly to a farce. Berlin is regarded as the future Bridgehead of Russian Bolshevism, and Communism is considered the only future for Germany if the present regime continues. They believe that the only way to defeat Communism is to decentralise the Government. Should the Red Flag be hoisted at Berlin, Bavaria feels strong enough to keep it from her frontiers, but only by the establishment of a strong home government with the motto of 'Bavaria for the Bavarians.'

It is interesting to note that should the Bavarian Volkspartei become solid on the question of autonomy and by converts from other parties (e.g. the Mittelpartei, United Socialists, and the Bauernbund) gain sufficient strength to form a Government composed not only of Catholics but also of Protestants and peasants, the power of the German Centre Party would fall to the

[2] German Minister of Defence.

ground. In this connection, the attack on the Berlin Government by the Archbishop of Munich at the Katholikentag[3] in Munich at the end of October, 1919, is important, in that it exemplifies the independence and local political attitude which is being adopted by the Bavarian parties.

The strength of these particularist factions is hard to estimate as so much goes on under the surface. It is equally hard to estimate the chance of their achieving definite results. As long as conditions in Berlin remain normal, it is not probable that the Rhenish movement will realise its aims. If, however, the Communist Party should succeed in grasping the reins of government, it is to be expected that Bavaria will act, and probable that the Rhineland, influenced by her example, will also decide to take its future into its own hands. There is no doubt, however, that the desire to see the Rhineland separated from Germany is felt by only a small section of its inhabitants.

*Wednesday, 26th November, 1919*

[3] Catholic Day.

## No. 271

*Sir E. Crowe (Paris) to Earl Curzon (Received December 1)*

*No. 2215 [157053/11763/4]*

PARIS, *November 28, 1919*

My Lord,

With reference to my telegram No. 1621[1] of yesterday, I transmit to Your Lordship herewith copies of the revised text of the preamble and articles 1 and 3 of the proposed treaty on the subject of the revision of the treaties of 1839 between Holland, Belgium, and the Great Powers. The other articles have not been modified.

2. The third paragraph of the preamble has been worded so as to exclude Holland, whose Government pretends not to share the views of the other contracting parties as to the security of Belgium being a question of supreme interest for the general peace of the world, and a fourth paragraph has been added to justify the participation of Holland in the new treaty.

3. The firm intention of Holland to make any violation of her territory a *casus belli* has also been embodied in a paragraph in the preamble.

4. As I had the honour to point out in my telegram above-mentioned,[1] the Dutch delegates accepted provisionally this text at a private meeting with the principal French, British and Belgian delegates yesterday.

5. A copy of this despatch and enclosures is going to Brussels and the Hague direct.

I have, &c.,
(For Sir Eyre Crowe)
H. NORMAN

[1] No. 263.

Copie.

*Le 27 novembre, 1919*

*Revision des Traités de 1839*

*Avant-projet de Traité*

Les Etats-Unis d'Amérique, la Belgique, la Grande Bretagne, la France, l'Italie, le Japon et les Pays-Bas:

Considérant que la clause de neutralité perpétuelle et la garantie stipulées par les traités conclus à Londres le 19 avril 1839 entre (1) l'Autriche, la France, la Grande Bretagne, la Prusse et la Russie d'une part, et les Pays-Bas d'autre part; (2) entre la Belgique et les Pays-Bas; (3) entre l'Autriche, la France, la Grande-Bretagne, la Prusse et la Russie d'une part, et la Belgique d'autre part, avaient pour objet essentiel de contribuer au maintien de la paix générale,

Considérant que ces stipulations, comme l'ont démontré les événements de 1914, n'ont pas répondu à l'espoir qu'on avait fondé sur elles, et que leur maintien, dès lors, n'est plus justifié,

Considérant que, dans l'opinion des Etats-Unis d'Amérique, de la Belgique, de la Grande Bretagne, de la France, de l'Italie et du Japon, la sécurité de la Belgique demeure d'un intérêt primordial pour la paix générale, et que les risques particulièrement graves, auxquels sa situation géographique expose ce pays, nécessitent que toutes les dispositions utiles soient prises pour écarter du territoire belge le danger d'invasion,

Considérant que les Pays-Bas sont signataires des traités du 19 avril 1839,

Considérant d'un commun accord que les garanties de sécurité à donner à la Belgique, en vue du maintien de la paix générale, doivent être élaborées dans le cadre de la Société des Nations,

Considérant que toutes les Hautes Parties Contractantes font partie de la Société des Nations,

Considérant, d'autre part, que les Pays-Bas ont déclaré qu'ils feraient un *casus belli* de toute violation de leur territoire dont un autre Etat se rendrait responsable,

Et ayant pris connaissance du traité conclu en date de ce jour entre la Belgique et les Pays-Bas,

Ont nommé pour leurs plénipotentiaires, savoir:— . . .[2]

Lesquels, après avoir échangé leurs pleins pouvoirs reconnus en bonne et due forme, sont convenus des dispositions suivantes:—

### Article 1ᵉʳ

Les Hautes Parties Contractantes, agissant comme membres de la Société des Nations et conformément à l'article 4, alinéas 4 et 5 du Pacte, sont d'accord pour saisir, dès la mise en vigueur du présent traité, le Conseil de la Société des Nations, afin que soient déterminées, sous ces [?ses] auspices, les garanties de sécurité indispensables à donner à la Belgique, pour le maintien de la paix générale, en substitution des garanties stipulées par les traités de 1839.

[2] Punctuation as in original.

Les Hautes Parties Contractantes s'engagent en conséquence à procéder aux études que le Conseil de la Société des Nations jugerait utiles et à prendre les mesures qu'il reconnaîtrait nécessaires et dont l'exécution leur incomberait.

## Article 3

Les Etats-Unis d'Amérique, la Grande Bretagne, la France, l'Italie et le Japon prennent acte de l'accord intervenu, à la date de ce jour, entre la Belgique et les Pays-Bas, à l'effet de modifier le traité du 19 avril 1839 dont ces deux puissances sont signataires, et ils déclarent adhérer expressément aux articles . . .[2] de ce nouveau traité.

## No. 272

### Sir E. Crowe (Paris) to Earl Curzon (Received November 30)

### No. 1632 Telegraphic [156916/11763/4]

PARIS, *November 30, 1919*

My telegram No. 1621[1] of November 27th and 1839 treaties. At meeting yesterday[2] Dutch delegates went back on their provisional assent to revised text of agreement, and restated all their former objections; whilst declaring that Holland would in no circumstances assume any responsibility for security of Belgium and no obligation in addition to any which she had assumed under treaties. At meeting M. Van Swinderen tried to obtain elimination of clause in preamble declaring that violation of Dutch territory would be *casus belli* in spite of his formal declaration before committee of October 9th[3] that he was authorized (? by) his Government to include declaration (? to that effect) in a treaty if desired.

Long and acrimonious discussion ensued at end of which Van Swinderen observed that now he appreciated importance attached by Belgium to such a declaration he would reflect on matter and trusted he would be able to formulate text acceptable to all parties.

Text of Article 1, was again slightly modified as result of discussion, but in spite of Dutch objections to paragraph 2 difficulties do not appear insurmountable.

Next meeting is fixed for December 3rd and I think it would do good if (? Your Lordship) could instruct His Majesty's Representative at the Hague to associate himself with representations already made to Dutch Government by French Minister (see Hague telegram of November 27th,[4] repeated to me direct. . . .[5]

[1] No. 263.

[2] It would appear that, contrary to Sir E. Crowe's anticipation in No. 263, this was an informal meeting attended only by British, French, Belgian, and Dutch representatives. The official record of the proceedings of the Commission for the revision of the Treaties of 1839 contains no minute of this meeting.

[3] See No. 178.    [4] No. 262: cf. also No. 261.

[5] The text as received is here uncertain. The text as sent from Paris here read 'repeated to me direct No. 52', i.e. repetition to Paris of No. 262.

Netherlands Minister for Foreign Affairs may, I fear, have gained impression that British Government and French Government do not see eye to eye on this, in spite of fact that their delegates on Committee of Conference have been working in closest co-operation. It seems very desirable if any such impression has been created it should be definitely dispelled. I think we owe this much at least to the French. I hope I may receive before Wednesday[6] some indication of opinion as to continuing for limited period on behalf of His Majesty's Government guarantee of Belgian inviolability (see my telegram No. 1617[7] of November 18th [26th]).

Repeated to Brussels.

[6] December 3, 1919.  [7] No. 260.

## No. 273

*Sir G. Buchanan (Rome)[1] to Earl Curzon (Received December 5)*

*No. 503 [158753/151922/22]*

ROME, *November 30, 1919*

My Lord,

As there may at first sight appear to be a considerable discrepancy between the reassuring statements recently given me by Signor Nitti and Count Sforza, and the alarmist views which the same Ministers expressed to me some five weeks ago,[2] I ought perhaps to explain that this is due to the fact that they have on each occasion adapted their language to suit the particular aspect of the political situation which was for the moment of paramount importance.

When I arrived at Rome the electoral campaign had only just begun and public interest was centred on Fiume.[3] D'Annunzio[4] was then at the zenith of his popularity, the army and navy were in open sympathy with him, the Nationalists were clamouring for annexation, and in many quarters fears were entertained of a military *coup de main* that might involve Italy in war with the Jugo-Slavs and provoke a revolutionary movement on the part of the extreme Socialists. The Government, no longer master in its own house, could not count on its orders being obeyed by the army, and had only two courses open to it—either to yield to the clamour of the Nationalists and proclaim annexation, or to wait upon events, in the hope that the Allies would, in response to its appeals, put an end to an intolerable situation by consenting to a settlement of the Fiume question that would satisfy national sentiment.

It fortunately opted for the second course and, as the day of the elections

[1] Sir G. Buchanan had succeeded Sir R. Rodd as H.M. Ambassador at Rome on October 21, 1919.

[2] See Volume IV, Nos. 89 and 94.

[3] For the general question of the Adriatic at that time see Volume IV, Chap. I.

[4] On September 12, 1919, Italian armed bands under Signor D'Annunzio had occupied Fiume: cf. Volume IV, No. 23.

approached, the passions excited by the strife of parties gradually drove the Fiume question into the background. The victory of the Socialists[5] has ever since been the one absorbing topic of discussion, and the centre of interest has consequently shifted from Fiume to Monte Citorio.[6] By a certain section of the public exaggerated fears were entertained of the possible consequences of the return of some 150 Socialists, while Reuter's Agency sounded a note of alarm by announcing that the throne was in danger and that Italy was on the verge of revolution. It was to allay these unwarranted apprehensions that Signor Nitti has been at pains to issue reassuring statements both through the press and through the foreign representatives accredited to the Quirinal.

If there is one thing on which Signor Nitti prides himself, it is on his ability to maintain order in the country. He has maintained it in the past, and he will, as he has more than once assured me, maintain it in the future. The country, he declares, is quiet. There are no strikes, and the fact that so many Socialists have been returned, owing partly to the abstention of more than 50 per cent. of the electors and partly to the war-weariness of the people, does not in the least prove that the country has turned Socialist. He views the parliamentary situation with his usual calm confidence and counts on being able, with the support of the Catholic Party, to form a Government bloc of nearly 350 members. Though this figure is likely to prove a somewhat optimistic estimate, he will probably dispose of a working majority that will, unless something unforeseen happens, enable him to hold his own for the present. How long the various groups of the Constitutional Party, who have been fighting each other during the elections, can be counted on to give him their undivided support is another matter; but for the present, at any rate, Signor Nitti's confidence in himself and in the tranquillity of the country is, in my opinion, justified.

There is, however, always the possibility of the Fiume question taking a dangerous turn that may provoke both international complications and internal convulsions. As M. Clemenceau told M. de Martino, a Government that cannot ensure the execution of its orders by its army and navy is a Government only in name,[7] and Signor Nitti fully realises that he is in such a position. Though the Fiume question is not so much spoken of as it was a month ago, and though d'Annunzio's recent raid on Zara[3] was generally condemned, Fiume still holds the imagination of the Italian people captive and hangs like a sword of Damocles over the Government. Until a satisfactory settlement has been found, it is impossible to speak with any certainty of what may happen in this country, for should the army get really out of hand and have recourse to some rash action, the Socialists would start a revolutionary movement.

The reassuring statements made by Signor Nitti were intended to apply only to those dangers which were supposed to be threatening Italy owing to the election of so many Socialists; but the dangers which threaten her from

5 Cf. below, also Volume IV, No. 132, note 2.
6 i.e. the Italian parliament.
7 See Volume IV, No. 119, note 3.

875

some untoward incident on the side of Fiume are still existent, and Signor Nitti is therefore persistent in his appeal for a prompt solution of that question as the only sure guarantee of internal peace.

I have, &c.,

GEORGE W. BUCHANAN

## No. 274

*Memorandum by Earl Curzon on the Interim Guarantee of Belgium*[1]

*No. C.P. 228 [157333/11763/4]*

FOREIGN OFFICE, *December 1, 1919*

*Memorandum by the Secretary of State for Foreign Affairs*

When I brought before the Cabinet on November 18th the question of our joining France in giving a guarantee of the independence and integrity of Belgium, it was felt to be undesirable to take any such step until our obligations as regards the defence of French territory in conjunction with America had been finally determined. I therefore informed Sir Eyre Crowe that the Belgian question must be postponed.[2]

I think, however, that we may now safely take action for two reasons: (1) that by meeting the Belgian Government in respect of this guarantee we incur no fresh responsibility, and (2) that the Dutch and Belgian Governments have now come to terms over the new Treaty between them, of which the renewal of the former guarantee by Great Britain and France is an essential condition.

As I explained in my Memorandum of November 10th[3] the Belgians have asked the British and French Governments to continue the guarantee, created by the Treaty of 1839, from the time of the signature of the new Treaty which will abrogate the 1839 Treaty until such time as the League of Nations shall have provided fresh guarantees; and M. Hymans has now definitely stated that he will not agree to the signature of the new Treaty until he knows that such an interim guarantee will be given.[4]

From the point of view of Belgium his attitude is entirely justifiable, owing to the doubt as to the future existence or intentions of the League of Nations. On the other hand from our point of view nothing is to be gained by refusal, since if no new Treaty is signed to abrogate the 1839 Treaty, the latter remains in force, and the French and ourselves will still be bound by the guarantee given under it. This view has always been held, and is supported by an opinion of the Law Officers as far back as 1870. If therefore we agree to the abrogation of the 1839 Treaty and at the same time continue our guarantee, we incur no fresh responsibility. Legally it may perhaps be said that a 'new' responsibility is created in so far as our guarantee under the

---

[1] This memorandum was circulated to the Cabinet.
[2] See No. 239.          [3] No. 228.          [4] See Nos. 250 and 259.

1839 Treaty was conditional on the perpetual neutrality of Belgium, and this will now disappear with the abrogation of the 1839 Treaty. Accordingly our guarantee will not carry with it any corresponding obligation on the part of Belgium.

At the same time I do not think that this legal point should be unduly pressed, since it is clear that the guarantee must be continued in some form, and indeed under the 1839 Treaty is unlimited in time, whereas if we agree to the Belgian request now, our obligation will only continue until the League of Nations shall have provided new guarantees, when we shall have no further direct responsibility other than what may be imposed on us as a member of the League of Nations. If on the other hand we now refuse, we shall, I fear, give lasting offence to the Belgians.

It is also, I think, impossible for us to delay our decision until we know the fate of the Treaty of Versailles and of the Tripartite Treaty in America. The latter may be a matter of months, and meanwhile the Dutch–Belgian negotiations which have encountered great difficulty would infallibly break down. I should not like to be held responsible for their failure.

Sir E. Crowe, who strongly advocates the decision which I recommend, originally proposed that the new guarantee should take the form of a separate Treaty to be signed at the same time as the Treaty abrogating the 1839 Treaty.[5] He now proposes that the stipulation should be embodied in an article in the Treaty itself.[6] The formula which he suggests for this purpose in his telegram No. 1617[6]—of which a copy is annexed[7]—would I think meet the wishes of the Belgian Government.

I recommend therefore that we agree to the continuance of the guarantee, subject to a time limit of a short term of years.

C. OF K.

[5] See No. 213.     [6] See No. 260.     [7] Not here reprinted: see No. 260.

## No. 275

*Sir E. Crowe (Paris) to Earl Curzon (Received December 2)*

*No. 1638 Telegraphic: by bag [157684/7067/39]*

PARIS, *December 1, 1919*

Marshal Foch spoke to me at some length to-day on the position into which the Allies were drifting as towards Germany. He deplored the want of some definite line of policy and unity of purpose. He recognised of course that this was due in the main to the dropping away of America. But the moment seemed to him to have come for facing the momentary defection of the United States, accepting it as a *fait accompli*, and adopting a clear policy based upon the new situation so created.

I asked him whether he considered the Allies were still in a position to enforce their will on Germany should she continue recalcitrant. He said he had no hesitation in answering: Yes. The difficulty was not to enforce what we wanted, but to make up our minds quite clearly as to what we did want. He asked me for my opinion whether there were, besides the protocol and the exchange of ratifications,[1] other matters which we must demand from Germany in obtaining what we require. I said I thought there were: so long as the Americans did not ratify, there were in the treaty a number of important stipulations which Germany could claim, on purely technical and formal grounds, to be inapplicable. For instance: the treaty prescribed American participation in the Reparations Commission, the Military, Naval and Air Commissions. It would be open to the Germans to contend, and there were indications of their intending to do so, that none of these Commissions could be allowed to function unless and until the American Representatives on them had been appointed and were ready to take part in the proceedings. I said there might be, and probably were, other points likely to give rise to similar difficulties. To my mind there was only one suitable way of meeting them, and that was to make Germany give a formal undertaking to recognise the validity of any decisions made by the several Commissions without American participation until America ratifies. Perhaps this and possibly other demands would have to be embodied in yet another protocol. In any case they represented fresh conditions which we might be obliged to impose on Germany.

Marshal Foch strongly urged that an exhaustive list should be prepared showing exactly everything that we have to get Germany to accept in order to reach the state of peace. Such a list would enable the Military authorities to arrive at a decision as to what action would be appropriate to enforce the demands. It was high time that this was done. He was expecting Field Marshal Wilson[2] in a few days time, and hopes I might assist in discussing the political and military situation, with a view to a definite course of action being recommended to the Supreme Council.

I promised to speak to Sir Henry Wilson on his arrival, and expressed my personal concurrence in the course suggested.

I venture to think that Marshal Foch is right in urging that the Allies should come to an early and clear decision as to their attitude in this important matter. So far as the reports which reach us from our officers and agents in Germany enable me to judge, there is every reason to believe that the German Government will yield, but will yield only, so soon as they realise that the Allies are quite determined to take action for the enforcement of their demands. At present the German Government neither fulfil the terms of the Armistice, nor show any readiness to proceed to the exchange of ratifications. It should be possible to make them understand that if they are unwilling to let the peace treaty come into operation they cannot count on the continuance of the Armistice, which the Allies can terminate at any moment on giving three days notice.

[1] For these questions see Volume II, Chap. I *passim*.
[2] Chief of the Imperial General Staff.

## No. 276

*Sir E. Crowe (Paris) to Earl Curzon (Received December 3)*

*No. 1644 Telegraphic: by bag [158014/7067/39]*

PARIS, *December 2, 1919*

Critical position of the Allies' relations with Germany. My telegram No. 1638[1] of yesterday.

The German Government have now come into the open by the declaration (transmitted as annex to my telegram No. 1643[2] of to-day) which they have made through the mouth of M. von Lersner on the subject of their intentions with regard to the Peace Treaty and protocol.

The German Government, as was to be anticipated have fixed upon the provisions in the treaty which imply American co-operation in order to demand a revision on terms. They also refuse to sign the protocol. The conditions on which they make the exchange of ratifications dependent include the abrogation of the clauses stipulating for the rendition of the war-criminals, and the abandonment of all reparation for the ships sunk at Scapa Flow.

I presume that the Allies will not consider it possible to give way on either of these points. Their refusal to do so must bring to a head the crisis of which the effective cause has to be sought in the failure of the United States to ratify the treaty. The situation is to be discussed at the Supreme Council to-morrow.[3] I do not at present see any other way out of the difficulty than the presentation to Germany of a complete statement of our requirements including such fresh demands as may be necessitated by the non-participation of America, and a final and categorical summons to the German Government to give effect to the decisions of the Conference on pain of a formal rupture, which in turn could in the circumstances only be a preliminary of some military action on the Rhine. The issues involved are therefore of the gravest, and I desire to convey to Your Lordship at once this warning that very grave decisions may have shortly to be taken.

[1] No. 275.

[2] Not printed. This telegram summarized the proceedings of the meeting of the Supreme Council on December 2, 1919. The official minute of these proceedings is printed in Volume II, No. 34. A text of the German declaration under reference is printed in Volume II, No. 34, appendix A.

[3] This discussion was apparently postponed till December 4, 1919: see Sir E. Crowe's telegram No. 1656, printed in Volume II, No. 36, note 1.

## No. 277

*Sir H. Stuart (Coblenz) to Earl Curzon (Received December 5)*

*No. 204 [158821/4232/18]*

COBLENZ, *December 2, 1919*

My Lord,

With my despatch F.O. 142,[1] dated 5th November, 1919, I forwarded to

[1] No. 224.

your Lordship an extract from *Le Petit Parisien* giving an account of an interview with Monsieur Tirard.[2] This pronouncement has produced a crop of indignant replies by the German press and has been the subject of hostile criticism in the Prussian Assembly.

2. M. Tirard's speech is considered to be the clear expression of an intention to 'gallicise' the Rhineland, and to further the Rhenish Separatist movement. Resentment appears to have been aroused especially by M. Tirard's statement that he would secure freedom for the Rhineland, and by his applying the designation of foreigners to Prussian and Bavarian officials installed there.

3. The only paper which does not adopt a hostile attitude is the *Rhe[i]nische Volksstimme*, the organ of the Separatist faction. This journal, in a violent attack on the Government over the food supply for the Rhineland, approves of M. Tirard's proposals to control administration in the occupied zone by officers attached to each Landrat, and states that in view of the disgraceful way the Rhineland has been neglected by the Government, its inhabitants will prefer in future to turn for help to M. Tirard. The *Rheinische Volks[s]timme* is a journal of small importance, and is not free from the suspicion of being under French control.

4. In the Prussian Assembly the question of M. Tirard's programme was raised in the form of an interpellation by all the political parties with the exception of the Independents. The Speaker of the House spoke at length, protesting against the interference with the freedom of the German people, the violation of their principles, and the disregard of their feelings.

5. The Speaker was followed by Herr Hirsch (Minister Präsident of the Prussian Diet) who expressed the intention of the State Government to represent to the Entente the true situation in the Rhineland, and to take all necessary steps for its organization and protection.

6. I have the honour to enclose a translation of articles from the German press[3] and of the report of the proceedings in the Prussian Assembly.[4]

7. I mentioned the subject of this alleged interview to Monsieur Tirard who assured me that it was a gross exaggeration of what he had said, and that when he gave an interview he took the precaution to write it out beforehand. I do not myself believe that Monsieur Tirard has any intention of imposing a military administration upon the Rhineland or of following any policy which would be in opposition to the views of the Allied Governments embodied in the Rhineland Agreement.

> I have, &c.,
> HAROLD STUART

[2] See No. 224, note 2.
[3] Not printed.
[4] Not printed: cf. above.

## No. 278

### Mr. Lindley (Vienna)[1] to Earl Curzon (Received December 2)

### No. 28 Telegraphic [157694/58017/43]

VIENNA, December 2, 1919

Provincial Assembly of Vorarlberg is about to consider question of declaring Provincial independence as a preliminary to voting for Union with Switzerland.

It is to be feared that, if this is permitted by Allies, remaining provinces will in turn decide for Union with Germany.

Repeated to Astoria.

[1] H.M. High Commissioner at Vienna.

## No. 279

### Earl Curzon to Sir R. Graham (The Hague)

### No. 1526 Telegraphic [156916/11763/4]

FOREIGN OFFICE, December 2, 1919

Sir E. Crowe's telegram No. 1632[1] (of November 30th: Belgium).

Please address Netherland Government as proposed.

His Majesty's Government consider agreement most important.

Repeated to Brussels No. 225 and Astoria No. 1430.

[1] No. 272.

## No. 280

### Earl Curzon to the Earl of Derby (Paris)

### No. 1416 [157591/11763/4]

FOREIGN OFFICE, December 2, 1919

My Lord,

The French Ambassador called at the Foreign Office on the 27th ultimo and read to Lord Hardinge a telegram showing that the Netherlands Government were ready to agree to sign the proposed Treaty with Belgium.

2. Monsieur Cambon asked for information as to the reasons of His Majesty's Government for hesitating to give the interim guarantee which the Belgian Government desire and to which the French Government are ready to agree.

3. Lord Hardinge was naturally unable to explain to His Excellency the reasons of the Cabinet for not having accepted the proposed guarantee, but he explained the whole situation in the light of a discussion which he (Lord Hardinge) had had with me on the same morning. Lord Hardinge showed the Ambassador that if the Dutch and the Belgians signed the Treaty between them without any further Treaty abrogating the neutrality of

Belgium, the Treaty of 1839 would still remain in force. This would have certain advantages since it would impose upon Belgium the obligation of neutrality. This, however, is not what Belgium desires, since she is anxious to rid herself of this servitude, and to achieve this purpose it would be necessary for the guaranteeing Powers to abrogate the Treaty of 1839, and to give an interim guarantee until the League of Nations should be able to create fresh guarantees for Belgium. It was clear therefore that Belgium was pressing for an advantage to herself, and the question under discussion was whether this advantage should be granted or not. Lord Hardinge told Monsieur Cambon that the whole question was under discussion[1] and would in the end have to be decided by the Cabinet.

4. The Ambassador was perfectly satisfied with this explanation, which, he said, he would put before his Government as the views of the Foreign Office. Lord Hardinge told His Excellency that nothing had been said to the Belgians on the subject and cautioned him against letting them know.

I am, &c.[2]

[1] Cf. No. 274.  [2] Signature lacking on filed copy of original.

## No. 281

### Earl Curzon to Sir E. Crowe (Paris)

*No. 1428 Telegraphic* [156916/11763/4]

FOREIGN OFFICE, *December 2, 1919*

Your telegram No. 1632[1] (of November 30th. Belgium.)

His Majesty's Government are prepared to join French Government in giving an interim guarantee of not more than five years to Belgium pending future guarantee by League of Nations provided that as long as the new Anglo-French guarantee lasts the Belgian Government will give a guarantee for the neutrality of Belgium. These were the reciprocal features of the Treaty of 1839, and we feel that we cannot fairly be asked to renew the obligation without receiving the corresponding security.

Repeat to Brussels, and The Hague.[2]

[1] No. 272.

[2] This instruction to the communications department of the Foreign Office was transmitted in error to Sir E. Crowe.

## No. 282

### Earl Curzon to the French Ambassador in London

*No. 153862/W/4* [153862/11763/4]

FOREIGN OFFICE, *December 3, 1919*

Your Excellency,

With reference to Monsieur de Fleuriau's memorandum of the 19th ultimo[1] relative to the provision of an interim guarantee for Belgium pending

[1] No. 246.

882

the creation of new guarantees by the League of Nations, I have the honour to inform Your Excellency that His Majesty's Government are prepared to join the French Government in giving an interim guarantee of not more than five years duration pending the future guarantee by the League of Nations, provided that as long as the new guarantee by Great Britain and France lasts, the Belgian Government will give a guarantee for the neutrality of Belgium.

2. His Majesty's Government feel that, as these were the reciprocal features of the Treaty of 1839, they cannot fairly be asked to renew their obligation without receiving the corresponding security.

3. I have informed Sir E. Crowe in the above sense.

I have, &c.[2]

[2] Signature lacking on filed copy of original.

## No. 283

### Sir F. Villiers (Brussels) to Earl Curzon (Received December 4)

#### No. 195 Telegraphic [158060/11763/4]

BRUSSELS, December 3, 1919

Telegram 1428[1] to Astoria.

I fear the Belgian Government will find difficulty in accepting proposal.

Guarantee of neutrality which did not save country from invasion in 1914 had produced false impression of security and thus prevented adoption of measures for defence and resistance. Guarantee of neutrality is, moreover, considered to be derogation from full sovereignty and both during war and since determination to assume complete independence has been expressed for instance in speech delivered by The King on re-opening of Chambers in November 1918. Matter excites very strong and very general feeling.

[1] No. 281.

## No. 284

### Sir R. Graham (The Hague) to Earl Curzon (Received December 4)

#### No. 1530 Telegraphic [158528/11763/4]

THE HAGUE, December 3, 1919

Your telegrams Nos. 1525[1] and 26.[2]

Representation by French Minister here reported in my telegrams Nos. 1518[3] and 19[4] and referred to in Paris telegram No. 1632[5] was with reference to draft Treaty dated November 9th. This representation proved abortive and I am satisfied that there was never any prospect of Netherlands Govern-

[1] Repetition to the Hague of No. 272.
[3] No. 261.
[4] No. 262.
[2] No. 279.
[5] No. 272.

883

ment accepting text then proposed. My French colleague concurred in this view.

I have therefore associated myself with fresh representation made by French Minister December 2nd recommending a new text of Treaty and in an interview today I strongly urged Netherlands Minister for Foreign Affairs to agree to this revised version. Latest text shown to me by French Minister had not yet reached me, last in my possession being that dated November 27th.

Netherlands Minister for Foreign Affairs stated there could be no question of Netherlands Government going back on their declaration that violation of Dutch territory would be *casus belli*. He would have preferred that paragraph relating to this point should be incorporated in report rather than in text of Treaty. He was however prepared to accept agreement as it stood provided at end of paragraph in question following sentence could be added 'en tant que ce *casus belli* découlerait des prescriptions de la Société de[s] Nations.'

I represented that any such resolution was superfluous but His Excellency said that Government would be attacked in Chamber over agreement and it was essential to show that Netherlands were not undertaking special obligations for protection of Belgium but only such as were incumbent on them as a member of League of Nations.

Repeated to Peace Conference.

## No. 285

*Mr. Lindley (Vienna) to Earl Curzon (Received December 3)*

*No. 32 Telegraphic* [*158029/58017/43*]

VIENNA, *December 3, 1919*

(? My Telegram) 28.[1]

At meeting mentioned in third paragraph of (my telegram) 25[2] State Chancellor called serious attention of representatives of five Great Powers (? to) encouragement given by Swiss Government to movement in Vorarlberg in favour of union with Switzerland.

He said that his Government had in vain done all they could to discourage movement in Vorarlberg.

Unless Powers forbad Union without any further delay Tyrol, Styria and perhaps other Austrian provinces would certainly declare their independence of Vienna. Capital would then be completely isolated and an outbreak of despair would be inevitable.

Repeated to Astoria and Berne.

[1] No. 278.
[2] For this telegram of November 29, 1919, see Volume VI, Chap. I.

## No. 286

*Sir E. Crowe (Paris) to Earl Curzon (Received December 4)*

*No. 1651 Telegraphic [158527/11763/4]*

PARIS, *December 4, 1919*

Your telegram No. 1428.[1]

I delivered message to Belgian Delegates in accordance with your telegram. In talking of Belgian Government's guaranteeing neutrality of Belgium I assume that all that is intended is that Belgian Government should undertake not to go to war except in defence of Belgian territory. There (can omitted) presumably be no desire on our part that Belgian neutralization should be same as that which existed before 1914 because Belgium could not, for example, as a neutral Power be in occupation of German territory as she is in fact now.

Belgian delegates assured me that for (? the) Allies to suggest Belgium returning to the state of complete neutrality even for 5 years would (? cause) an upheaval in the country and would be regarded as an invitation by His Majesty's Government to Belgium to renew friendly relations with Germany.

I will endeavour to work out with French Delegate a form of words which would give satisfaction to all parties and will submit it to Your Lordship for approval as soon as possible.

At meeting yesterday with principal delegates on Commission of Conference text of proposed Treaty was accepted by Dutch. Negotiations between Belgium and Holland for conclusion of an Economic Treaty (? are), we are assured, progressing favourably and provided that question of guarantee by France and Great Britain is settled satisfactorily both treaties should be ready very shortly.

Repeated to Brussels No. 17.

[1] No. 281.

## No. 287

*Sir E. Crowe (Paris) to Earl Curzon (Received December 5)*

*No. 1653 Telegraphic [157333/11763/4]*

PARIS, *December 4, 1919*

My telegram No. 1651.[1]

In brief interview [with][2] Monsieur Orts today before he left for Brussels to lay proposals of His Majesty's Government before his Government following text [of][2] an article was proposed by Monsieur Laroche.

(Translate following into French [*sic*]).

'Until moment when decision of League of Nations provided for in Article 1 becomes effective, Great Britain and France will continue to

[1] No. 286.
[2] The brackets indicate the text as sent from Paris.

885

guarantee Belgium her independence, integrity and inviolability of her territory against unprovoked and unjustified attack.'

(End of French [*sic*]).³

Contention of League of Nations is⁴ that by terms of Article 1 Council of League of Nations is to be approached as soon as proposed Treaty comes into force and decision will certainly be taken immediately and in any event before five years, there seems therefore no need to stipulate precise period of His Majesty's Government's Treaty itself.

Mr. Tufton undertook to submit matter to you but said he thought you would insist on a time limit in order to satisfy British public opinion.

I am sending Mr. Tufton over to London in order that he may explain more fully the situation and issues involved. He will call at the Foreign Office Monday morning December 8th.

Repeated to Brussels No. 18.

³ The text of the preceding paragraph as sent from Paris read: 'Jusqu'au moment où interviendra la décision du Conseil de la Société des Nations prévue à l'article 1ᵉʳ la Grande Bretagne et la France continueront de garantir à la Belgique contre toute attaque non provoquée et non justifiée, son indépendance, l'intégrité et l'inviolabilité de son territoire.'

⁴ The text as sent from Paris here read: 'Contention of M. Laroche is . . .', &c.

## No. 288

### Draft Treaty for the revision of the Treaties of 1839¹

*[159428/11763/4]*

*4 décembre 1919*

*Revision des Traités de 1839*

*Projet de Traité*

Les Etats-Unis d'Amérique, la Belgique, la Grande-Bretagne, la France, l'Italie, le Japon et les Pays-Bas, Hautes Parties Contractantes,²

¹ This draft was entered on the Foreign Office file under the following minutes by Mr. Howard Smith, Lord Hardinge and Lord Curzon:

'Mr. Tufton left this this morning. The Dutch accept it and it will be seen that the preamble is now altered [see notes 2–4 below].

'Mr. Tufton also left a formula, which I have marked "proposed Article 6". This was drawn up by M. Laroche and M. Orts has taken it to Brussels with him and will endeavour to get the Belgian Govt. to agree. This formula leaves out the time limit of 5 years, and makes no mention of Belgian neutrality. It is quite clear that the Belgians will not accept any clause which binds them to neutrality, and it is unlikely that they would now agree to a time limit of 5 years. All parties are now agreed and the settlement of the treaty rests with H.M.G. If they still insist on Belgium's neutrality the treaty will not go through and our relations with Belgium will, I think, be permanently impaired.

'I understand Mr. Tufton has seen the S[ecretary] of S[tate] to-day.

'C. Howard Smith, 8/12/19

'[P.S.] This 'projet' has gone to Brussels and The Hague.

'L. O[liphant]

'If the Treaty falls through the old Treaties remain in force.

'Of course the fact must be faced that our attitude will probably throw Belgium into the arms of France, and we shall suffer commercially from the fact, but that is all.    'H.

'I explained the Cabinet's point of view to Mr. Tufton and he by no means despaired of finding a formula at Paris that would satisfy it.    C. 9/12'

² Also filed with the present draft treaty was a subsequent redraft of the preamble (cf.

Considérant d'un commun accord que les garanties destinées à assurer le maintien de la paix générale doivent être élaborées dans le cadre de la Société des Nations,

Considérant que toutes les Hautes Parties Contractantes font partie de la Société des Nations,

Considérant le traité conclu en date de ce jour entre la Belgique et les Pays-Bas,[3]

Les Etats-Unis d'Amérique, la Belgique, la Grande-Bretagne, la France, l'Italie et le Japon,

Considérant que la clause de neutralité perpétuelle et la garantie stipulées par les traités conclus à Londres le 19 avril 1839 entre 1°) l'Autriche, la France, la Grande-Bretagne, la Prusse et la Russie d'une part, et les Pays-Bas d'autre part; 2°) entre la Belgique et les Pays-Bas; 3°) entre l'Autriche, la France, la Grande-Bretagne, la Prusse et la Russie d'une part et la Belgique d'autre part, avaient pour objet essentiel de contribuer au maintien de la paix générale,

Considérant que ces stipulations, comme l'ont démontré les évènements de 1914, n'ont pas répondu à l'espoir qu'on avait fondé sur elles, et que leur maintien, dès lors, n'est plus justifié,

Considérant que la sécurité de la Belgique demeure d'un intérêt primordial pour la paix générale, et que, à ce point de vue, les risques particulièrement graves, auxquels sa situation géographique expose ce pays, nécessitent que toutes les dispositions utiles soient prises pour écarter du territoire belge le danger d'invasion,

Considérant que[4] les Pays-Bas déclarent que, pour autant que le Pacte de la Société des Nations le permet, toute violation délibérée d'une partie quelconque de leur territoire, dont un autre état se rendrait responsable pour des fins militaires, constituerait à leurs yeux un *casus belli*,

note 1 above). This redraft carried the same two French headings as the draft of December 4, with the addition of the words '(2e Edition)', and a pencilled alteration of the date '4 décembre 1919' to '9 décembre 1919'. In the redraft of the preamble the words 'Hautes Parties Contractantes' were omitted. (The redraft was further the same as the present draft save in those respects specified below.)

[3] In the redraft of the preamble the two immediately preceding paragraphs read as follows:

'Considérant respectivement que chacun d'eux fait partie de la Société des Nations,

'Prenant en considération le traité conclu en date de ce jour entre la Belgique et les Pays-Bas'.

[4] The ensuing paragraphs read as follows in the redraft of the preamble:

'Considérant que les Pays-Bas déclarent que toute violation délibérée d'une partie quelconque de leur territoire, par un autre Etat, pour des fins militaires, constituerait à leurs yeux, et en tant que le Pacte de la Société des Nations le permet, un *casus belli*,

'Les Pays-Bas,

'Se déclarant comme Puissance signataire des Traités du 19 Avril 1839 prête à s'associer à l'abrogation des clauses de garantie et de neutralité perpétuelle stipulées dans les dits Traités,

'Ont résolu de conclure un Traité et, à cet effet, ont désigné pour leurs plénipotentiaires, savoir:' &c.

Les Pays-Bas,

Considérant qu'ils sont co-signataires des traités du 19 avril 1839 et qu'à ce titre, ils sont prêts à s'associer à la suppression des clauses de garantie et de neutralité perpétuelle stipulées dans les dits traités,

Les dites Hautes Parties Contractantes ont nommé leurs plénipotentiaires, savoir: . . .[5]

Lesquels, après avoir échangé leurs pleins pouvoirs reconnus en bonne et due forme, sont convenus des dispositions suivantes:

### Article 1er

Les Hautes Parties Contractantes, agissant comme membres de la Société des Nations et conformément à l'article 4, alinéas 4 et 5 du Pacte, sont d'accord pour saisir, dès la mise en vigueur du présent traité, le Conseil de la Société des Nations, afin que soient déterminées, sous ses auspices, quelles dispositions devraient être prises, pour le maintien de la paix générale, en substitution des garanties stipulées par les traités du 19 avril 1839.

Les Hautes Parties Contractantes s'engagent en conséquence à procéder aux études que le Conseil de la Société des Nations jugerait nécessaires, et à se conformer, chacune en ce qui la concerne, aux décisions du dit Conseil.

### Article 2

Les Hautes Parties Contractantes reconnaissent comme abrogés le traité conclu à Londres, le 19 avril 1839, entre l'Autriche, la Grande-Bretagne, la France, la Prusse et la Russie d'une part et les Pays-Bas d'autre part, ainsi que le traité de même date conclu entre l'Autriche, la Grande-Bretagne, la France, la Prusse et la Russie d'une part, et la Belgique d'autre part.

### Article 3

Les Etats-Unis d'Amérique, la Grande-Bretagne, la France, l'Italie et le Japon prennent acte de l'accord intervenu, à la date de ce jour, entre la Belgique et les Pays-Bas, à l'effet de modifier le traité du 19 avril 1839 dont ces deux Puissances sont signataires, et ils déclarent expressément reconnaître pour bonnes et valables les dispositions des articles x. y. z. de ce nouveau traité.

### Article 4

Le présent traité, ainsi que le traité entre la Belgique et la Hollande visé à l'article 3, seront, par les soins du Gouvernement de la République française, notifiés à l'Allemagne et à l'Autriche (et à la Hongrie) en vue de l'observation des engagements pris par ces deux Puissances dans les articles 31 du traité de Versailles du 28 juin 1919 et 83 du traité de Saint-Germain en Laye du 10 septembre 1919.

### Article 5

Dès qu'un Gouvernement russe aura été reconnu par les Hautes Parties Contractantes, la Russie sera invitée à donner son adhésion au présent traité.

[5] Punctuation as in original.

*Proposed Article 6*[6]

Jusqu'au moment où interviendra la décision du Conseil de la Société des Nations prévue à l'article 1er la Grande Bretagne et la France continueront de garantir à la Belgique contre toute attaque non provoquée et non justifiée, son indépendance, l'intégrité et l'inviolabilité de son territoire.

Le présent traité sera ratifié.

Le dépôt des ratifications sera effectué à Paris aussi tôt que possible[7] et le traité entrera en vigueur dès qu'il aura été ratifié par celles des Hautes Parties Contractantes qui étaient signataires des Traités du 19 avril 1839 mentionnées à l'article 1er.

[6] Insertion by Mr. Howard Smith: see note 1 above.
[7] Appended to the redraft of the preamble (see note 2 above) was a redraft of the two concluding paragraphs of the draft treaty. In this redraft the words 'aussi tôt que possible' were deleted from their present position and inserted above after the words 'traité sera ratifié'.

## No. 289

*Note by Lord Hardinge of a conversation with the French Ambassador in London*

[*159436/11763/4*]

FOREIGN OFFICE, *December 5, 1919*

M. Cambon called this afternoon and told me that the Belgian Delegates in Paris & the French Govt. are much agitated over the decision of the Cabinet upon the question of the Treaties of 1839, and he gave me the annexed text of an article which he was instructed by the French Govt. to press for insertion in the Treaty.

I pointed out to him that the text contains no mention of Belgian neutrality nor of a term of 5 years limiting the guarantee by England & France, which would therefore render it inacceptable, but I said I would lay the matter before you.[1]

## ANNEX TO NO. 289

En tant qu'elle concerne l'indépendance de la Belgique et l'intégrité de son territoire, la garantie stipulée en faveur de la Belgique, dans les Traités du 19 avril 1839, par la France et la Grande Bretagne, demeurera en vigueur jusqu'au moment où interviendra la décision du Conseil de la Société des Nations prévue à l'Article 1er.

[1] Lord Curzon, who minuted on this: 'He merely restates the old position. C.'

## No. 290

### Earl Curzon to Mr. Russell (Berne)

#### No. 829 Telegraphic [157914/4916/43]

FOREIGN OFFICE, *December 5, 1919*

Your telegram No. 1330[1] (of November 24th).

His Majesty's Government consider that a declaration of accession by Switzerland based on the decision of the Federal Parliament and made in accordance with Article I of the Covenant would be valid. Switzerland would become from the date of such declaration, an original member of the League of Nations, securing the advantages and undertaking the obligations which membership of the League involves.

The measures which the Swiss Constitution stipulates as to confirmation of this decision by a vote of the Swiss people are, in the opinion of His Majesty's Government, matters of domestic concern. Should the vote confirm the declaration no question arises; but if the vote is contrary the question of the immediate withdrawal of Switzerland without the two years' notice required by the last paragraph of Article I would have to be considered by the Council. His Majesty's Government suggest that it might be prudent for the Swiss Government to accompany the declaration of accession with a statement to the effect that owing to the Swiss Constitution, ratification by a vote of the Swiss people will be required and that such vote will be taken as soon as possible. His Majesty's Government are advised that such a statement would not constitute a reservation under Article I.

His Majesty's Government are not aware of any concrete proposal to substitute Brussels for Geneva as the permanent seat of the League and would not support such proposal should it be made, if Switzerland has acceded to the League.

[1] No. 255.

## No. 291

### Mr. Russell (Berne) to Earl Curzon (Received December 6)

#### No. 1339 Telegraphic [159257/4916/43]

BERNE, *December 5, 1919*

League of Nations.

My telegram No. 1330.[1]

Minister for Foreign Affairs told me to-day that he contemplated sending Professor Rappard to London in order that he might report after seeing Sir E. Drummond on more recent development in progress of League. Minister for Foreign Affairs who is absorbed with this question almost to exclusion of everything else is nervously anxious to learn to what extent

[1] No. 255.

opinion in Great Britain and France has been affected by recent attitude of American Senate before setting machinery in motion in this country for obtaining popular vote. On my enquiry whether delay in ratification of Peace Treaty and consequent gain of time would not now permit referendum to be taken within prescribed period Minister for Foreign Affairs shook his head leaving me with impression nothing would be achieved in that line until it is clearly seen which way the wind blows.

## No. 292

*Sir E. Crowe (Paris) to Earl Curzon (Received December 8)*

*No. 2267 [159595/7067/39]*

PARIS, *December 5, 1919*

Sir Eyre Crowe presents his compliments to Lord Curzon, and transmits herewith copies of the under-mentioned paper.

| *Name and Date.* | *Subject.* |
|---|---|
| German Delegation No. 56—Decr. 4th. | Military Conditions of the treaty of peace. |

### ENCLOSURE IN No. 292

*Baron von Lersner to M. Clemenceau*

*Translation*

### No. 56

PARIS, *December 4, 1919*

Sir,

I am instructed by my Government to reply as below to Your Excellency's Note of December 1, concerning the military conditions of the Treaty of Peace.[1]

The information received by the Allied and Associated Governments to the effect that the German Government has for some time past been preparing to increase its military forces, gives no correct idea of the real state of affairs. On the contrary, all authorities concerned are now occupied with the preparation and execution of the reduction of troops to the figure stipulated by Par. 2 of Article 163 of the Treaty of Peace.

The German Government has never concealed the fact that the police authorities in various parts of German territory and in certain communes have found it necessary, during the current year, to create security police and citizen corps which can be reinforced by part-time volunteers. Questions connected therewith have been discussed quite openly. Apart from that, two official memoranda were sent to General Nollet (Chairman of the future Military Commission of Control sent to Berlin) with a letter dated October 6, one memorandum referring to the creation of Security Police for the 50

[1] This note is printed in Volume II, No. 33, appendix D.

891

kilometre zone east of the Rhine,[2] the other to the organisation of citizen corps in general. The German Government regrets that a meeting with General Nollet to discuss details could not then be arranged. The German Government must accordingly reserve its right to lay further details before the Inter-allied Military Commission of Control as soon as the latter shall have entered upon its duties. The Commission will thus be able to convince itself that the proposed measures are not in contradiction to the Treaty of Peace. The German Government is, however, also willing to discuss these questions even earlier, should the Allied and Associated Governments so desire. It believes that this offer will best prove that nothing is further from its mind than the non-fulfilment of the conditions of peace.

I remain, &c.,

FREIHERR VON LERSNER

[2] i.e. the zone demilitarized under article 180 of the Treaty of Versailles.

## No. 293

*The Earl of Derby (Paris) to Earl Curzon (Received December 8)*

*No. 1153* [*159606/159606/17*]

PARIS, *December 5, 1919*

My Lord,

Several Parisian newspapers stated yesterday that negotiations are in progress in London, the object of which is to obtain the suppression of the dependence of the British Treaty of Guarantee upon a similar engagement being undertaken by the United States towards France. It was stated that the negotiations were far advanced and that it would be a new and precious proof of friendship given by Great Britain if the Treaty were modified in such a manner that, in the event of German aggression, Great Britain would come to the assistance of France independently of any Treaty obligation on the part of the United States to do likewise.

A Reuter telegram from London is published in the Press to-day, in which it is stated authoritatively that no conference has taken place between the British and French Governments with regard to a modification of the British and American Treaties of Guarantee.

The *Matin* adds a note, which is probably a communiqué, in which it is stated that it is not a question of modifying the Treaties of Guarantee as it may still be hoped that the American Senate will ratify the one which concerns the United States. It is natural, the Note adds, that the British and French Governments should not at this juncture desire publicly to consider a withdrawal of the United States from the Alliance, and that is the explanation of the 'démenti' contained in the Reuter telegram. But it would have been a want of foresight on the part of the British and French Governments not to have examined what new duties might arise, should the United States not ratify the Treaty.

892

Sir George Grahame reported in his despatch No. 935[1] of September 25th last, an incident caused in the Chamber by Monsieur Barthou asking what would happen if the United States did not ratify the Peace Treaty or the American Treaty of Guarantee. Messieurs Tardieu, Pichon and Clemenceau answered him, and the last-named accused Monsieur Barthou of trying to make political difficulties for him out of the question, and shewed considerable temper.

The doubt which prevails here at present as to whether, and in what form the American Senate will ratify the Peace Treaty and the Treaty of Guarantee, makes the apprehensions expressed by Monsieur Barthou appear as not having been without some foundation. The present uncertainty as to the attitude of the United States places the French Plenipotentiaries, who have told Parliament that they only agreed to certain provisions of the Peace Treaty on account of the conclusion of the Anglo-American Treaties of Guarantee, in a somewhat delicate position *vis-à-vis* their critics.

I have, &c.,

DERBY

[1] No. 146.

## No. 294

*The Earl of Derby (Paris) to Earl Curzon (Received December 6)*

*No. 1212 Telegraphic: by bag* [159347/7067/39]

PARIS, *December 5, 1919*

Many of the French newspapers are pressing the Government to take strong action against Germany. The *Echo de Paris* declares that only an ultimatum will be efficacious, and that Marshal Foch has the necessary means with which to back it up. Effect should be given to Marshal Foch's proposal made to the Conference on the 28th of October last for the maintenance of the Military Council at Versailles.[1] *Eclair* says that the Allies should give permission to Marshal Foch to occupy the Ruhr basin. French Government is being criticised for not having already adopted measures for immediate use in case Germany should be refractory.

[1] See No. 215.

## No. 295

*The Earl of Derby (Paris) to Earl Curzon (Received December 5)*

*No. 1211 Telegraphic* [158956/7067/39]

PARIS, *December 5, 1919*

Acting on your instructions[1] I saw Clemenceau this afternoon. He at once

[1] In an unnumbered telegram of December 4, 1919, Lord Curzon had instructed Lord Derby to see M. Clemenceau at once and impress upon him the desirability of his coming to London. This telegram is printed in Volume IV, No. 617.

fell in with your suggestion that he should go to London, although it would not be possible for him to do so before Tuesday.[2] He wished me however to put following forward for your consideration.

At tomorrow's Conference a Note will be prepared to be sent to Germans. Crowe will telegraph it at once to you and Clemenceau asks that Crowe may have authority to sign, if you approve, as soon as possible in order to present it before departure of Polk.[3] Clemenceau is of opinion the result will be that Germans will immediately accept above conditions, his secret information being that German Government wish to sign, and that von Lersner has exceeded his instructions in putting obstructions in the way of signature. He asks whether in the event of Germans accepting terms and signing you still wish him to come to London. He would prefer not do [to] do so as he is very busy. On the other hand, if Germans do not agree to sign he will leave that very day for England.

Am writing by tonight's post giving fuller account of interview. Letter[4] marked 'Urgent'. Perhaps you can have it delivered to you immediately on arrival.

[2] December 9, 1919.
[3] Mr. Polk was preparing to return from Paris to the United States; he left with accompanying staff on December 9.
[4] This private letter is untraced in Foreign Office archives.

### No. 296

*Sir E. Crowe (Paris) to Earl Curzon (Received December 5)*

*Unnumbered.   Telegraphic* [*159348/7067/39*]

PARIS, *December 5, 1919*

German Situation.

Your private telegram[1] of to-day.

I have seen Lord Derby who has shewn me telephonic instructions[2] he had received as well as telegram he has sent to Your Lordship to-night[3] recording result of his interview with Monsieur Clemenceau.

I have taken great care from outset to make it clear to Supreme Council that importance of issues involved precludes me from definitely agreeing to any course without specific approval of His Majesty's Government. The discussions have led to unanimous opinion amongst plenipotentiaries that no question should at this stage be allowed to arise as to any military action or as to position of America. The general impression is that Germans are prepared to yield and this being so Monsieur Clemenceau is alive to importance of so wording the proposed Note that whilst giving no evidence of weakness on our part it will not encourage German (? opposition).

[1] The reference is uncertain. Cf., however, Volume IV, No. 619.
[2] The reference is uncertain. Cf., however, Volume IV, No. 618, note 2.
[3] No. 295.

I am sending by bag in my official communication of to-day[4] the text of draft note as first submitted by Monsieur Clemenceau which however he has since himself rejected and I shall not fail to telegraph new text which he proposes to submit to-morrow.

[4] No. 297.

## No. 297

*Sir E. Crowe (Paris) to Earl Curzon (Received December 6)*

*No. 1661 Telegraphic: by bag [159352/7067/39]*

PARIS, *December 5, 1919*

German situation. My telegram No. 1656[1] of December 4th.

Monsieur Clemenceau submitted to the Supreme Council to-day[2] his draft of the proposed note to the German delegation[3] of which a copy[4] is attached hereto. He explained however, that he did not feel satisfied with the draft as it stood and that he would submit a revised draft to-morrow.

I said that I desired at once to suggest an alternative wording of the passage in the draft note which dealt with the Scapa Flow reparation. I proposed to substitute for that passage the text shown in the annex,[5] this being a French version of the clause as telegraphed to the Admiralty by my naval advisers yesterday. The latter are most reluctant to accept the United States proposal in the more radical form shown in your telegram No. 1439,[6] which would deprive the naval authorities of all opportunity of being heard in regard to the final settlement. I explained to the Supreme Council that the demand for the delivery of naval material as reparation for a grave breach of the armistice stood on practically the same footing as the demand for the delivery of the German merchant fleet as reparation for the submarine sinkings. In the latter case, it was never admitted or suggested that the Reparations Commission should have power to cancel Germany's obligation to surrender the ships according to whether or to what degree such surrender might cripple Germany's economical resources.

I reminded Mr. Polk that the United States Government had themselves

[1] See No. 276, note 3.

[2] Cf. the minute of this meeting printed in Volume II, No. 36.

[3] This was the draft of 'the general note', referred to in Volume II, No. 36, minute 2. For the draft of the Allied detailed note to the German Government, relating more particularly to reparation for the sinking of the German battle-fleet at Scapa Flow, see Volume II, No. 34, appendix C, and No. 36, note 6.

[4] Annex I below.

[5] Annex II below.

[6] This telegram of December 4, 1919, read as follows: 'American Ambassador has handed to me memorandum from Polk, repeating latter's view that reparation demanded from Germans for sinking of ships at Scapa Flow is excessive and may lead to fall of German Government. Memorandum ends with proposal that question whether German harbours would be crippled by surrender of 400,000 tons of material should be referred to Interim Reparation Committee. Has this proposal been made or discussed in Supreme Council? We think it might afford a way out of the difficulty.'

unhesitatingly retained an important proportion of the German merchant fleet without raising the question whether by depriving Germany of these ships, they were not rendering it difficult for her to meet the allied demands under the general head of reparation.

I expressed the hope that, on consideration, the alternative clause which I proposed would be found to meet the case satisfactorily. Monsieur Clemenceau declared his entire concurrence in my view and accepted the text I had proposed. Mr. Polk reserved his opinion until Monsieur Clemenceau's revised note should come up for discussion.

## ANNEX I TO No. 297

### Draft Note to German Delegation

Submitted to Supreme Council by Monsieur Clemenceau, 5th December, 1919.

1. The Supreme Council has taken note of the communication made to the Secretary General of the Peace Conference by Baron de Lersner,[7] who was charged by the German Government to make known its reply to the Allied and Associated Powers.

2. The Allies cannot admit the statement that the delay in ratification is not due to the action of Germany; the real situation in this respect has been clearly set forth in their Note of November 1st[8] and the responsibility of the German Government was made clear by the letter of November 22nd[9] last, to which no adequate reply has been made.

3. The suggestion concerning the alleged right of Germany to demand (as compensation for the absence of the American Delegates from the Commissions until the ratification of the Treaty by the United States) a modification of the clauses of the Treaty dealing with the surrender of guilty persons and the return of prisoners of war, is not well founded. According to the final clauses of the Treaty, the Treaty is to enter into force as soon as Germany and three of the principal Allied and Associated Powers shall have ratified it; it is useless for Germany to attempt to make its putting into force dependent on a new condition, the presence of American Delegates in the Commissions.

4. It is not correct to say that the German point of view was accepted in this respect on October 14th.

5. It is no less incorrect to state that Herren von Simson[10] and von Lersner were invited on the 20th November to oral and written negotiations on the subject of the Protocol of November 1st;[11] they were simply informed that, having received a note in writing, the German Government must reply in writing to those demands, and those alone, which were formulated in it.[12]

[7] This communication is printed in Volume II, No. 34, appendix A.
[8] This note is printed in Volume II, No. 10, appendix B.
[9] This letter is printed in Volume II, No. 29, appendices C and D.
[10] Herr von Simson was a member of the German Peace Delegation.
[11] This draft protocol is printed in Volume II, No. 10, appendix C.
[12] Cf. Volume II, No. 28, minute 3.

6. The Supreme Council considers that Article 221 of the Treaty of Peace (regarding the return of prisoners of war) is perfectly explicit and is in no need of amplification. France has already declared on several occasions that she would liberate the prisoners as soon as the Treaty was put into force; there is no reason for her to repeat it again.

7. The Council can only take into consideration the objections raised to the demand for compensation for the destruction of the German fleet at Scapa Flow, and to the foreshadowing of eventual measures of military coercion described in the Allied note of November 1st.[8]

8. The reply,[13] which is annexed hereto, to the German note of November 24th [? 27th] regarding Scapa Flow,[14] sets forth the legal point of view. (The[15] Allies, taking into account the observations relative to the damage which could result to the river craft and the resumption of the economic life of Germany from a loss of material (docks, cranes, tugs and dredgers), which nevertheless they hold to be justified, will agree to the examination of the question from this point of view by the Reparations Commission, which will study the technical observations of the German Delegates).

9. As regards the last paragraph of the Protocol,[11] the Supreme Council has always interpreted the expression 'all coercive measures, military or other' as applying to the period of the Armistice, during which the state of war is only suspended. The signature of the Protocol of November 1st and of ratification will determine when the Treaty comes into force and consequently when a state of peace is reached. Thereafter, the execution of the clauses of the Protocol will be guaranteed by the general provisions of the Treaty of Peace; a declaration of war would be necessary in order to proceed to military action.

10. At the present time, a denunciation of the Armistice would suffice to give to the Allied Armies complete freedom in respect of the military measures which they might judge necessary. The allusion made to measures of military coercion was thus intended as a warning to the German Government that if it continues to delay indefinitely the signature of the Protocol of November 1st and, as a result, the definite ratification of the Treaty, the Supreme Council will find itself obliged to bring Germany face to face with a cessation of the Armistice involving immediate military measures. Germany has forced the Allies to give her this warning. Please take it as given.

ANNEX II TO No. 297

*Alternative wording proposed by Sir Eyre Crowe*[16]

Before making their demand, the Allied and Associated Powers examined this question. They do not share the fears of the German Government as to the economic effects which might result therefrom for the German ports.

---

[13] i.e. the detailed Allied note referred to in note 3 above, q.v.

[14] Cf. Volume II, No. 33, appendix G.

[15] Note in original: 'See alternative wording proposed by Sir E. Crowe (Annex [II]).'

[16] Cf. note 15 above.

They adhere to the Protocol in the form in which it is drawn up.

After having received a complete list of all the floating docks, floating cranes, tugs and dredgers, demanded by the Protocol, the Allied and Associated Powers will make known their choice, taking into account the general economic situations of the German ports.

If the German Government then considers it can show that one of the said demands is of such a nature as to affect seriously the capacity of Germany to satisfy its legitimate needs in respect of the maintenance of its river navigation or other vital economic interests of the same class, the German Government can present its claims to the Principal Allied and Associated Powers, who, on their part, will be prepared to examine them in a spirit of equity in consultation with their Naval Advisers and after hearing the views of the Reparations Commission.

## No. 298

### Sir E. Crowe (Paris) to Earl Curzon (Received December 6)

#### No. 1663 Telegraphic [159380/7067/39]

PARIS, *December 6, 1919*

Since despatch of my telegram No. 1662[1] I have received your telephone message[2] asking for text of draft Note. Following are alterations to text as given as annex to my telegram No. 1661[3] sent by bag yesterday. I give altered passages in literal English translation. First two paragraphs run as follows:

1. Supreme Council has considered verbal communication which you made on behalf of German Government on December 1st.[4]

2. Notes of November 1st and 22nd November[5] have defined the responsibility for the German Government for delay of the ratification of the Treaty and conclusion(? s) stated therein hold good. Paragraphs 3 to 7 inclusive remain unaltered.

In paragraph 8 the original wording is replaced by my alteration in text (? as) given in annex [II] to my telegram No. 1661 except that following words 'in consultation with their Naval advisers' disappear.

Paragraph 9 reads as follows: 'as regards last paragraph of the Protocol of November 1st[6] Supreme Council holds that signatories of said Protocol

[1] This telegram, reporting on the redrafting of the Allied draft note (see annex I to No. 297) at a private meeting of the Supreme Council on December 6, 1919, is printed in Volume II, No. 37, note 4.

[2] Untraced in Foreign Office archives.

[3] Annexes I and II to No. 297.

[4] Cf. No. 297, note 7.

[5] Cf. No. 297, notes 8 and 9 respectively.

[6] Cf. No. 297, note 11.

and depository of the ratifications will decide the coming into operation of the Treaty and consequently the state of Peace.

It follows that execution of provisions of Protocol on which coming into operation of Treaty of Peace is dependent will be guaranteed by general stipulations of that Treaty as well as by application of the ordinary rules recognised by Law of Nations.'

The 10th and last paragraph is worded as shown in my telegram No. 1662[1] of to-day.

## No. 299

*The Earl of Derby (Paris) to Earl Curzon (Received December 7)*

*No. 1214 Telegraphic [159381/7067/39]*

PARIS, *December 6, 1919*

Your private letter[1] duly received.

I do not think any of my telegram [*sic*][2] should have given impression M. Clemenceau was not willing to go to London if Prime Minister so desires. I have again seen him and he is perfectly willing to go Wednesday[3] or any subsequent day if you so wish.

M. Clemenceau has further evidence showing that Germans will sign. Mr. Dresel, United States Minister Designate to Berlin, had long conversation with Von Lersner. Latter telegraphed to Berlin deliberate misrepresent[at]ion of Dresel's communication.

Berlin was informed of this with result that they have asked French Government whether Von Lersner is *persona ingrata*, if so whom would French Government like sent in his place (?.) They have been told he is *persona ingratissima* but leave to German Government choice of man to replace him. Americans have again sent privately to Von Lersner telling him Germans must sign.

Two reasons for urgency of signature are:—

1. Germans know note is being considered and delay makes them think there is division in ranks of Allies.

2. Necessity urged by Americans as well as by M. Clemenceau note should be presented before Americans leave.[4]

M. Clemenceau begged me to represent to you his earnest desire that authority to sign should be sent to Sir Eyre Crowe to-morrow Sunday.

I am writing you fully.[5]

[1] Untraced in Foreign Office archives.
[2] The reference is uncertain: see, however, No. 295.
[3] December 10, 1919.
[4] Cf. No. 295, note 3.
[5] Presumably in a private letter, untraced in Foreign Office archives.

## No. 300

### Earl Curzon to the Earl of Derby (Paris)

### No. 1294 Telegraphic [159379/7067/39]

FOREIGN OFFICE, *December 6, 1919*

My telegram No. 1451[1] to Sir E. Crowe.

Prime Minister still considers it desirable in highest degree that M. Clemenceau should come over with Foreign Minister or another colleague this week in order to discuss the many questions of first class importance that still remain undecided.[2]

[1] Printed in Volume II, No. 37, note 4.

[2] The Earl of Derby briefly replied in Paris telegram No. 1217 of December 7 (received next day) that he had seen M. Clemenceau who 'agrees to go to London and will leave day after present incident is satisfactorily settled'. Cf. Volume II, No. 37, note 4.

## No. 301

### Sir R. Graham (The Hague) to Earl Curzon (Received December 10)

### No. 355 [160249/11763/4]

THE HAGUE, *December 6, 1919*

My Lord,

I had the honour to report to Your Lordship in my telegram No. 1530[1] of the 3rd instant that I lost no time in carrying out your instruction to make joint representations with my French colleague urging the Netherlands Government to agree to the last text proposed for the Dutch–Belgian treaty. I understand that this text has now been accepted by all the parties concerned.

In view of the penultimate paragraph of the Astoria telegram, No. 1362 [1632][2] of the 30th ultimo, I should like to make it clear that I have lost no opportunity of impressing upon the Netherlands Minister for Foreign Affairs the absolute necessity of a satisfactory agreement being reached between Holland and Belgium, and I have found that Jonkheer van Karnebeek abounded [sic] in the same sense. I have, therefore, in principle, acted throughout in concert with my French colleague. But, in the absence of instructions from Your Lordship, I did not join with him in urging the Netherlands Government to agree to the text of the Agreement drafted in Paris on November 9th, being perfectly satisfied that there was no prospect of that Government accepting it, unless under a pressure which the Allied Powers were most unlikely to exert. I was consequently spared the rebuff met with by the French Minister, whose representations were made with extreme reluctance and only in response to categorical instructions from Paris. The final text of the Treaty (which has been shewn to me, although it has not yet reached me) appears to be framed on lines entirely acceptable to the Netherland Government.

[1] No. 284.  [2] No. 272.

In the despatch from Sir Eyre Crowe to Your Lordship, No. 2315 [2215][3] of November [2]8th, copy of which has reached me from Paris, the following passage occurs:—'The third paragraph of the Preamble has been worded so as to exclude Holland, whose Government pretends not to share the views of the other contracting parties as to the security of Belgium being a question of supreme interest for the general peace of the world.' I can well understand the irritation which Dutch obstinacy and the difficult attitude of the Dutch delegates in Paris must have caused. At the same time, I cannot regard the above paragraph as giving a fair presentment of the Dutch point of view. The Dutch are fully sensible of the importance of the security of Belgium both to their own interests and to those of the world. They are ready to adhere to the League of Nations, and to join in the general guarantee of Belgian security which that League will afford. At the same time, they absolutely decline to assume any fresh or special obligations on their own account for the protection of Belgium. The earlier drafts of the Treaty, prepared in Paris, appeared to them to impose such obligations. They therefore resisted them. This has been the attitude of the Dutch Government throughout, and it undoubtedly enjoys the support of the Chambers and of the country as a whole.

All responsible Dutch Statesmen—and not least among them the Foreign Minister—realise that an agreement between Holland and Belgium on mutually satisfactory lines is essential. It is in this spirit that they have agreed to economic concessions which it will not be easy for them to defend in the Chamber against the representatives of the Dutch interests affected.

But they have all along been apprehensive that, as has been threatened in so many words by the Belgians, an unpalatable treaty would be forced upon them by the Greater Allied Powers. It is with this idea that they have constantly endeavoured to narrow the negotiation to one between the Belgians and themselves. An agreement unpalatable to the Dutch would, as Jonkheer van Karnebeek has pointed out, frustrate its own object by rendering more acute and lasting the present bitter feeling against Belgium which certainly exists here. The Dutch consider that, after the hospitality which they have shewn during the war to Belgian refugees and the State expenditure, in addition to private charity, of some forty-five million florins upon them without hope of reimbursement, the Belgian claims to their detriment, and, more especially, the manner in which these claims have been presented and the intrigues on Dutch territory with which they have been supplemented, savour of black ingratitude. A succession of petty frontier and other incidents, magnified by sections of the Press in both countries, has increased this irritation. It is a pressing task for Allied diplomacy to allay these feelings and to work for the restoration of more amicable relations between Holland and Belgium,—a task which should be materially facilitated by the conclusion of the present Treaty.

I have, &c.
R. GRAHAM

[3] No. 271.

# No. 302

*Sir F. Villiers (Brussels) to Earl Curzon (Received December 9)*

*No. 447 [159960/11763/4]*

BRUSSELS, *December 7, 1919*

My Lord,

In my telegram No. 195¹ of the 3rd instant I submitted the view that the Belgian Government would find difficulty in accepting the proposal that they should give a guarantee of neutrality for the five years during which His Majesty's Government were prepared to retain as effective the guarantee of independence and integrity contained in the Treaty of 1839.

The guarantee of neutrality did not save Belgium from invasion in 1914, and had besides produced a false impression of security which proved an obstacle to the adoption of measures needed for resistance and for the defence of the country. Moreover, the obligations imposed by a state of neutrality were deemed to derogate from complete sovereignty, and a determination to assume full independence had been strongly evinced both during the war and since the termination of hostilities.

On the 24th September, 1918, Baron Moncheur left with Mr. Balfour a memorandum which contained the following statement:

'Le statut international que la Belgique prétend acquérir est l'indépendance complète, sans conditions ni restrictions — l'indépendance politique, militaire, économique telle que la possèdent les Pays-Bas, la Suède, ou le Danemark. La Belgique ne réclame rien de plus et rien de moins, dans cet ordre d'idées, que le droit commun des nations libres. Elle a donné tant de preuves de sa loyauté, de son amour de l'indépendance et de sa sollicitude pour l'intérêt général de l'Europe qu'elle est fondé[e] à refuser qu'on lui impose contre son gré une diminution de souveraineté où elle ne pourrait voir qu'une humiliation après les épreuves et les efforts de cette guerre.'

In reply Mr. Balfour addressed a note to Baron Moncheur on the 31st of October, 1918, in which he said: 'His Majesty's Government have given their careful consideration to the memorandum which you were so good as to hand to me on the 23rd [24th] ultimo with regard to the status of Belgium after the war, and I have now the honour to inform you that they entirely agree that Belgium should enter the Society of Nations after the war as an equal, free from any special servitude, and entitled to the same protection as that granted by the peace settlement to all free nations.'

The King of the Belgians, when reopening the Chambers on November the 22nd of last year, said that Belgium by the heroism of her army and people had won the admiration of the world. Victorious and liberated from the treaties of which the war had destroyed the foundations she would enjoy complete independence. Those treaties did not protect her and could not

¹ No. 283.

survive the crisis of which the country had been the victim. Belgium would be independent and would have to find in her new position the guarantees which would secure her from further aggression.

Monsieur Orts, speaking to me in Monsieur Hymans' name on the following 8th of December, said that, as indicated in the King's speech, the Belgian Government desired to obtain complete liberty. They did not then propose any form of guarantee in substitution of that established in 1839, but looked rather to revised treaty conditions as offering a measure of security for territorial independence.

Monsieur Hymans himself in the Chamber declared a few days later: 'Les traités ne nous ont pas mis à l'abri du péril. Ils ont endormi la nation. Ils lui ont donné une fausse sécurité. La Belgique dégagée de toute servitude internationale, affranchie de la neutralité que lui imposaient des traités profondément ébranlés par la guerre et dont la revision s'impose, la Belgique entend jouir d'une indépendance sans condition ni restriction; elle entend régler ses destinées dans sa pleine souveraineté.'

This policy of escaping from the obligations of an enforced neutrality has been consistently advocated in the press and by public speakers.

Since my telegram of the 3rd instant was transmitted, I have had the advantage of reading the despatch No. 1391[2] to His Majesty's Ambassador at Paris, recording a conversation with Monsieur Cambon. Your Lordship observed that if a new guarantee were not given to the Belgians by Great Britain and France the Treaty of 1839 would survive, and was equally obligatory upon both countries; in other words, if Belgium did not get the new guarantee she would continue to subsist upon the old one. It was not clear therefore why the Belgian Government were so eagerly pressing the matter.

I have shown by the recapitulation of various statements why the Belgian Government desire to be freed from the obligation of neutrality imposed by the Treaty of 1839. This object can only be effected by the abrogation of the treaty.

As regards the question of independence and integrity I beg leave to draw your Lordship's special attention to the fact that the Belgian Government only asked for the maintenance of the guarantee after the Revision Committee at Paris had proposed reference to the League of Nations. This proposal presented a serious difficulty, as I reported in my despatch No. 387[3] of October 18th. There was naturally some doubt as to the view which the League would take, especially if Germany should adhere. Delay too was likely to occur. Should the Treaty of 1839 be allowed to lapse and no means of security be clearly substituted the position of Belgium would be more perilous than ever. If the vital point of providing for the defence of the country were neglected an outburst of popular feeling would occur which no Government would be willing to encounter. There seemed only one solution of the matter which was that the British and French Governments should assent to retain as operative *until some other satisfactory arrangement should be*

[2] No. 258.    [3] No. 196.

*concluded* the provision in the 1839 treaties by which the Powers guaranteed the independence and integrity of the kingdom.

Such was the origin of the proposal for an interim guarantee. It would not have been made if the Revision Committee had been able to find means to ensure that Belgium be afforded assistance and protection in the event of unprovoked aggression.

There are also some general considerations in connexion with the matter. Sir Eyre Crowe in his telegram addressed to your Lordship on the 4th instant[4] mentions that if the condition of neutrality were to continue as before the war, Belgium could not as a neutral Power be, as she is now, in occupation of German territory. I would also point out that if the neutrality were prolonged Belgium, for the period of that prolongation, could not undertake the obligations which she intends to assume by adhering to the League of Nations.

I have, &c.,

F. H. VILLIERS[5]

[4] No. 286.

[5] Lord Curzon minuted on this despatch as follows: 'At the Conference today with M. Clemenceau & M. Berthelot I said we wanted an assurance from Belgium that during the period of our guarantee she should be guilty of no unneutral conduct. They said that there should be no difficulty in finding a suitable formula. C. 11/12.' Cf. Volume II, No. 55, minute 14.

## No. 303

### *Letter from Sir F. Villiers (Brussels) to Lord Hardinge*[1]

#### *Unnumbered [159960/11763/4]*

BRUSSELS, *December 7, 1919*

My dear Hardinge,

I am very anxious for a settlement of the difficulties connected with revision of the 1839 Treaties. I believe the question of Belgian neutrality is now alone outstanding.

Please let me call your attention to two special points in a despatch, No. 447,[2] which I am sending to-night.

1. The communication made to Baron Moncheur by Mr. Balfour in October, 1918.

2. The view, held here I know, that neutrality would prevent the Belgian Government from undertaking the obligations which they intend by [? to] assume by adhering to the League of Nations—see articles 10 & 16 of the Covenant.

I have forwarded a copy of my despatch direct to Tufton.

Ever yrs

F. H. VILLIERS

[1] The date of receipt is uncertain.
[2] No. 302.

## No. 304

### Mr. Lloyd George to Mr. Kerr (Paris)[1]

Unnumbered. Telegraphic [159379/7067/39]

FOREIGN OFFICE,[2] December 7, 1919

Since you left last night we have seen Crowe's telegram No. 1657[3] describing Friday's proceedings of Supreme Council. From this it is clear that Mr. Polk was strongly opposed to the portion of the draft despatch to the German Government dealing with the Scapa Flow incident. We[4] only agreed last night[5] to this part of the despatch because we understood that the Council was unanimous. On merits we should prefer Mr. Polk's proposal which was shown us by the American Ambassador.

It is urgent that you should see Polk.[6]

[1] Mr. Kerr, Private Secretary to Mr. Lloyd George, had arrived in Paris on December 7, 1919, in order to confer there concerning the drafting of the Allied note to the German Government: cf. Volume II, No. 37, note 4.

[2] This telegram was transmitted by the Foreign Office.

[3] Not printed. This telegram summarized the proceedings of the Supreme Council on December 5, 1919, for which see the official minute printed in Volume II, No. 36.

[4] i.e. the Cabinet.

[5] For this meeting of the Cabinet, cf. Volume II, No. 37, note 4.

[6] In this connexion Sir E. Crowe stated in telegram No. 1670 of December 7, 1919 (received next day in the Foreign Office): 'As regards Scapa Flow reparation Mr. Polk's message as described in my telegram No. 1657 [see note 3 above] to which Prime Minister's message to Mr. Kerr refers was modified subsequently as reported in my telegram No. 1662 [see No. 298, note 1] when he agreed to formula which I had altered to meet his objection. The sole difference between Mr. Polk's last proposal and that now adopted is that whilst he left ultimate decision entirely to Reparations Commission the version adopted retains authority of Allies and Associated Governments to decide after hearing Reparations Commission. In pressing more effectual provision which I got adopted I have throughout acted on ... [text uncertain] representations of my Naval advisers who had their instructions from Admiralty. If in light of these observations you still think that we should revert to original American proposal I will raise question at tomorrow's meeting of Supreme Council on receiving your instructions to this effect. May I remind you that Mr. Polk's departure on Tuesday December 9th makes it imperative to get note to Germans signed and despatched tomorrow. Could you therefore let me have decision as early as possible tomorrow?' For further correspondence in this connexion and for the subsequent approval and publication of the note in question, see Volume II, No. 37, note 4.

## No. 305

### Mr. Lindley (Vienna) to Earl Curzon (Received December 8)

No. 40 Telegraphic [159385/58017/43]

VIENNA, December 7, 1919

Vorarlberg Diet resolved yesterday by twenty votes to seven to call on Vienna Government to recognise the right of Vorarlberg to self-determination and to place the question in the hands of Supreme Council or of League of Nations. By a further motion the Diet is itself empowered if necessary to make right of self-determination valid.

Repeated to Astoria.

## No. 306

*Mr. Russell (Berne) to Earl Curzon (Received December 15)*

*No. 684 [161825/58017/43]*

BERNE, *December 8, 1919*

My Lord,

With reference to my despatch No. 681[1] of the 9th [*sic*] instant, I have the honour to inform your Lordship that the Swiss Government have issued a communiqué to the press denying that they have ever taken any action to encourage the separation of the Vorarlberg from Austria, and pointing out that Monsieur Calonder has declared in the most categorical manner that Switzerland will in no way interfere with the internal relations between the Vorarlberg and Austria. After declaring that the Vorarlberg question is not one which concerns Switzerland so long as this region remains an integral part of Austria, the communiqué observes that quite a different situation would be created were the Vorarlberg to endeavour to join some other State. The communiqué concludes as follows:—

'The Federal Council are disposed, independently of any other political consideration, to aid to the best of their ability a little neighbouring country in its endeavours to overcome the temporary difficulties connected with its revictualment. Furthermore, should the Vorarlberg require their aid, they are disposed to support the demand of the Vorarlberg for the right of free disposition if this is made to the Peace Conference and the League of Nations. They are, however, resolved to abstain from any step calculated to promote the separation of this country from the political body to which it at present belongs.'

I further observe that in a statement communicated to the press by the Austrian Government, the latter state that they are prepared to submit to Paris any application which may be made through the Vienna Government

[1] Not printed. In this despatch (received December 12) Mr. Russell briefly reported that the *Basler Nachrichten* of December 3 had published an article 'drawing attention to Germany's economic activities in the Vorarlberg. Germany, it was stated, was obliged to obtain a certain amount of electric power from abroad and was now negotiating with the Vorarlberg in order to come to an arrangement whereby the greater part of the Vorarlberg water-power should be placed at her disposal. This appeared to be an important step towards a close economic union, to be followed by a political union between the Vorarlberg and Württemberg, and it was desirable that Switzerland should pay more attention to the Vorarlberg question, and especially watch carefully the development of its economic side as far as the Vorarlberg water-power was concerned.'

for the union of the Vorarlberg with Switzerland, but that they reserve the right of presenting, at the same time, a defence of Austrian interests. On the other hand, the Austrian Government will oppose any action which is contrary to the Treaty of Peace and to the laws at present in force.

For Switzerland, the whole matter resolves itself into the following question: Is there really a danger, should Switzerland remain passive, of the Vorarlberg detaching itself from Austria and joining Germany? According to the information available here, such a danger would undoubtedly appear to exist, as the majority of the inhabitants of the Vorarlberg seem to be determined to push through separation from Austria at all costs. It would be of interest to this Legation to learn how far His Majesty's High Commissioner at Vienna is able to confirm this alleged tendency on the part of the Vorarlberg population.

I have communicated a copy of this despatch to the Peace Delegation and to Mr. Lindley.

I have, &c.,
THEO RUSSELL

## No. 307

*Sir R. Graham (The Hague) to Earl Curzon (Received December 16)*

*No. 359 [162153/148864/29]*

THE HAGUE, *December 8, 1919*

My Lord,

In accordance with the instructions conveyed to me in your Lordship's despatch No. 389[1] of the 24th ultimo, I informed the Luxemburg Minister of State that I would receive him, and he came down to The Hague and called upon me on the evening of the 6th instant.

Mr. Reuter commenced by expressing the extreme gratification of the Luxemburg Government at the recognition granted by the King and by His Majesty's Government, and his regret that I had not been able to represent His Majesty at the wedding of the Grand Duchess.[2] He said that the Grand Duchess would return from her honeymoon to-day, and he pressed me to come to Luxemburg and present my credentials as soon after that date as possible. The Luxemburg Government attached great importance to my immediate visit, and it would probably result in early recognition by France

[1] Not printed. In this despatch Sir R. Graham had been instructed that His Majesty's Government intended to abide by their decision to recognize the Luxemburg Government (see Volume II, No. 21, minute 6 and note 7) and that he would shortly receive his credentials as Minister to Luxemburg. Sir R. Graham was authorized to inform M. Reuter and receive him when convenient. The French and Belgian Governments were informed of the action thus taken.

[2] See Volume II, No. 15, minute 11, and No. 21, minute 6.

and Belgium, which they were extremely anxious to obtain. I agreed provisionally to be received by the Grand Duchess early next week.

Mr. Reuter then proceeded to give at length a carefully prepared defence of the attitude of the Grand-Ducal Government during the war. As he has expressed the intention of handing me a note on the subject, I need not record his observations very fully. He pointed out the extreme difficulty of the position in which Luxemburg had been placed. The Germans had simply taken over control of the country, placing a pistol at the head of the Government by refusing permission for the purchase of foodstuffs except through their own agencies, and the country had therefore been obliged to choose between subserviency and starvation. His Excellency declared that the Grand Duchess Marie Adelaide had not deserved the reputation of pro-Germanism which had been fastened upon her. She had acquiesced with reluctance in receiving the visit of the German Emperor;[3] she could scarcely do otherwise, but it had been against her own wishes and those of her subjects. The projected marriage between her younger sister and Prince Ruprecht of Bavaria was an error of judgment which the Government of Luxemburg recognised and regretted. In view of the attitude of the French Government towards the Grand Duchess Marie Adelaide, it had been considered best that she should retire and make way for her younger sister, and this she had been very ready to do. The Grand Duchess mother and her other daughters had left Luxemburg and taken up their residence in Switzerland. The people of Luxemburg were, with few exceptions, Ententophil. They had suffered great hardship and inconvenience and moral and material prejudice from the presence of the German army and from the inconsiderate and autocratic attitude of the German commanders. The new Grand Duchess, Princess Charlotte, had always been intensely pro-Ally, and the Prince, her husband, although, owing to his being a godson of the late Emperor Frans [*sic*] Joseph, he had unfortunately found himself in the Austrian army at the beginning of the war, had never made any secret as to which way his real sympathies lay. The one hope and desire of Luxemburg was henceforth to enjoy the confidence of the Allies and to receive their sympathy and support. Luxemburg entertained the most friendly feelings towards France and Belgium, and recognised that close political, and especially economic, relations must exist with them, but the country desired to retain its independence.

There was much in this *ex parte* statement of the case that laid itself open to comment. But I did not consider it necessary to say more than that the past was the past and that we must now look to the future. The King's message to the Grand Duchess,[4] His Majesty's desire to be represented at her wedding, and the recognition offered by His Majesty's Government were sufficient evidence of British sympathy and goodwill towards the Grand Duchess of Luxemburg, her Government and her people.

Mr. Reuter then proceeded to give me an explanation of the economic

[3] Cf. No. 55, note 1.

[4] On the occasion of her wedding: cf. note 2 above.

position of Luxemburg. He said that a commission, appointed during the war, had published a report at the beginning of this year to the effect that the interests of the Grand Duchy demanded close economic relations both with France and with Belgium, but that, if a choice had to be made between the two countries, an economic union with France was preferable. At the conclusion of the armistice the Grand-Ducal Government had proposed both to France and to Belgium to enter into negotiations with them with a view to economic union. The Belgian Government had accepted this proposal, and preliminary conversations had taken place at Brussels and at Luxemburg and the most important questions had been placed under examination. The French Government had replied in January 1919 that the general situation did not seem to admit of the immediate opening of negotiations, but that they would examine the Luxemburg proposals with goodwill as soon as the right moment had come.

Public opinion in the Grand Duchy was unanimous in desiring a simultaneous economic agreement both with France and with Belgium. This solution had been proposed by the Luxemburg delegation at the Peace Conference, and had been accepted by Monsieur Clemenceau in the name of the French Government. The Belgian Government, on the other hand, did not seem disposed to agree to an economic union between the three countries.

In these circumstances the inhabitants of Luxemburg had demanded a plebiscite in order to decide whether the preponderating economic interests of the country lay towards France or Belgium. This plebiscite had resulted in 60,000 votes for a union with France and 23,000 for one with Belgium. After this plebiscite the Belgian Government had declared that they considered the negotiations at an end.

Before the plebiscite took place, the French Government had asked the Grand-Ducal Government whether they were disposed to agree to a convention under which France would succeed to the German right to exploit the Guillaume–Luxemburg railway system. The French Government invoked the chapter in the Treaty of Versailles regarding Alsace-Lorraine, under which they succeeded to certain German rights. The Grand-Ducal Government had replied that they saw no objection in principle to the proposed contract between the French Government and the Guillaume–Luxemburg Company, and that they were ready to discuss with the French delegation conditions for a definite agreement; these negotiations were now in progress. But the Grand-Ducal Government could not consent to cede the right of exploiting their railways unless the future conditions of their economic life had been determined to their entire satisfaction. Mr. Reuter's statement of the economic position did not call for any comment on my part.

His Excellency lunched with me to-day, and has sent me a letter expressing his cordial thanks for the reception given to him here, and his pleasure at my forthcoming visit to Luxemburg. I should be received by the Grand Duchess on the morning after my arrival, and a State dinner would be given in the evening. His Excellency made no secret of his hope that my visit will assist the Grand-Ducal Government in their negotiations with the French and the Belgians.

I have, &c.,

RONALD GRAHAM

P.S. Since writing the above, I have received your Lordship's and Sir F. Villiers' telegrams with regard to postponing my visit to Luxemburg.[5] The position is a somewhat difficult one. The week after next is Christmas week, and during January there are certain to be Court receptions and functions here which it is necessary for me to attend. Moreover, political questions, which are now dormant, may arise and render it difficult for me to absent myself. In the circumstances, I could scarcely proceed to Luxemburg to present my credentials before the end of January or in February. In view of my having been unable to attend the marriage of the Grand Duchess, and of my having had to ask the Minister of State to postpone his visit to me (as I had not then received your Lordship's definite instructions), I fear that, if I now have to put off my reception for over a month, it will be difficult to avoid giving offence, but I await your Lordship's instructions in the matter.

R. G.

[5] These telegrams are not printed. Sir F. Villiers had reported in Brussels telegram No. 197 of December 5, 1919 (received next day) that the Belgian Foreign Minister had expressed the hope that the presentation of Sir R. Graham's credentials as H.M. Minister at Luxemburg might be postponed for a short time. Sir F. Villiers stated that the Belgian Government was anxious that its representative should be the first foreign envoy to take up his post at Luxemburg: cf. No. 335. In Foreign Office telegram No. 1530 of December 8 to the Hague Sir R. Graham was accordingly instructed to delay, if possible, the presentation of his credentials.

No. 308

*Earl Curzon to the Belgian Chargé d'Affaires in London*

*No. 157733/W/4* [*157733/11763/4*]

FOREIGN OFFICE, *December 8, 1919*

Earl Curzon of Kedleston presents his compliments to the Belgian Chargé d'Affaires and, with reference to the memorandum[1] which Monsieur Maskens was so good as to communicate to the Foreign Office on the 26th ultimo relative to the question of the revision of the Treaties of 1839, has the honour to state that His Majesty's Government are prepared to join the French Government in extending an interim guarantee to Belgium from the date of the ratification of the Treaty, which is now proposed for the abrogation of the Treaties of 1839, for the period of five years, or until such less time as the League of Nations shall have provided fresh guarantees, provided that the Belgian Government on their part are willing to guarantee the neutrality of Belgium for the same period.

[1] No. 259.

# No. 309

## The Earl of Derby (Paris) to Earl Curzon (Received December 12)

### No. 1166 [160921/11763/4]

PARIS, *December 8, 1919*

My Lord,

The attitude of the United States Senate towards the European obligations of America, and the difficulties which have arisen in the negotiations with the Belgian and Netherland Governments on the revision of the Treaties of 1839, have combined to force into prominence in the French Press the question of a system of military guarantees having for their object the security of both France and Belgium against a possible recurrence of the situation of 1914.

For instance, the *Echo de Paris* of December 7th publishes an article by 'Pertinax' on the subject of Belgium, which begins with the following statement: 'France and England have decided to guarantee the territorial integrity of Belgium for a period of five years, until the League of Nations is in a position to take over the responsibility of the guarantee. On the other hand, Belgium agrees to observe during that time an attitude of neutrality.' The writer then goes into an explanation of the reasons which have led up to the policy outlined above. He points out that a year after the suspension of hostilities Belgium is still without any Treaty binding her to the two Powers who have shared her victory. France, it is true, did obtain the Anglo-Franco-American Treaty of assistance which is now endangered, but no-one seems to have thought of including Belgium. Consequently, Belgium is more isolated than she was in 1914, for no faith can be placed in the trembling structure of the League of Nations. The Belgian Cabinet has not failed to show its desire for guarantees. France and England should have profited by this request to formulate military and economic treaties with Belgium. The British Government would only consent to the arrangements mentioned above, and instead of accepting Belgium as a part of the anti-German defensive system, the Allies have again turned towards a policy of neutrality. In conclusion 'Pertinax' draws attention to a speech made at Liverpool by 'that subtle athlete of the League of Nations, Lord Robert Cecil', in which he is said to have declared himself definitely opposed to any Anglo-Franco-American alliance. If such tendencies are to carry the day in France, England and America, writes 'Pertinax', the Treaty of Versailles has become a 'scrap of paper', and he hopes that the new Chamber will obtain from the French Government 'the necessary explanations'.

Today's *Matin* states that the Belgian Government are considering the proposal for a military alliance between England, France and Belgium, and that Belgium, having renounced her neutrality, demands instead a guarantee of her territorial integrity.

The *Figaro* denies that there can be any question, at least so far as France is concerned, of the agreement with Belgium being limited to five years, and states that France and England are now considering what guarantee they can give to Belgium as from the present time.

Copies of this despatch have been sent to His Majesty's Embassy at Brussels and His Majesty's Legation at The Hague.

I have, &c.,
DERBY

## No. 310

### *The Earl of Derby (Paris) to Earl Curzon (Received December 12)*
### *No. 1167 [160922/159606/17]*

PARIS, *December 10, 1919*

My Lord,

The *Matin* in informing its readers that Monsieur Clemenceau is about to leave for London to confer with His Majesty's Ministers, mentions the urgent necessity of establishing a military Entente between England, France and Belgium.

It is, adds the *Matin*, to be hoped that on this occasion the Allies will propose to Italy that she should become a party to their engagements.

The doubt as to whether the United States will ratify the Franco-American Treaty of Guarantee has strengthened the desire in France for a series of military agreements directed against Germany.

I have, &c.,
DERBY

## No. 311

### *Sir H. Stuart (Coblenz) to Earl Curzon (Received December 13)*
### *No. 221 [161390/140610/1150RH]*

COBLENZ, *December 10, 1919*

My Lord,

I have the honour to refer to my despatch of the 16th October, F.O. 92,[1] to Your Lordship's telegraphic reply thereto, No. 10048/53 [*sic*],[2] dated October 20th [21st], and to the papers which accompanied my semi official letter to Mr. Waterlow, No. 102/11[3] of the 23rd October.

2. It is now generally admitted that the Rhineland agreement will come into force when the treaty of peace takes effect, even though the treaty has not then been ratified by the Government of the United States. There is still, however, some doubt regarding the application of that agreement to the zone occupied by the American troops. I enclose a copy of an opinion[4] by Major Maxwell Thin, my legal adviser, to the effect that the agreement will apply

[1] No. 187.     [2] No. 201.     [3] No. 206.
[4] Not printed. This opinion, dated December 10, 1919, was as indicated below.

to the whole of the occupied territories including the area held by the troops of the United States. This view is shared by Monsieur Tirard and his advisers, and also, I believe, by Monsieur Rolin Jacquemyns, the Belgian High Commission[er], with whom I have had an informal conversation on the subject. Those of us who hold this opinion consider that the troops of the United States merely form part of the forces of the Allied and Associated Governments who were parties to the armistice and will continue to be under the High Command even though the treaty of peace has not been ratified by the United States Government at the time when it first comes into force.

3. The view which was held at one time by the American legal department at Coblenz, so far as I have been able to gather it, is that the United States troops are here independently by right of conquest, that until the United States has made peace with Germany their troops will retain all the rights and powers given by the armistice convention, and that the Rhineland agreement will not apply to the area held by them. Major Davis, the present legal adviser to Mr. Noyes, has, however, without committing himself on the legal position, stated that in his opinion the United States Government would never put forward a claim of this character, but would either withdraw their troops or agree to the authority of the High Commission being extended to the zone occupied by them. The enclosed cutting[5] from the issue of the 9th instant of *The Amorac News*, the newspaper published in Coblenz for the American troops of occupation, and invariably well informed about the views of the American Peace Delegation in Paris, suggests that no objections would be raised to the extension of the High Commission's authority to the American zone, but adds that a reference has been made to Washington for instructions.

4. It was at one time proposed, with the object of avoiding any trouble from a clash of authority between the High Commission and the American Army Command, that the Commanding General of the United States troops in the occupied territories should withdraw those of his orders which applied to the inhabitants of the occupied area and adopt in their place the Ordinances of the High Commission, which he would issue as his own orders; and General Allen was prepared, I am told, to adopt this course provided that Mr. Noyes, though not a member of the High Commission, should be allowed to attend informally the sittings of that body and take part in its discussions. This may be the only possible solution of a difficult and probably unprecedented problem, but the exercise of powers of control by the High Commission in one part of the occupied territories and by the American Commanding General in another part is likely to lead to no little confusion among both the inhabitants and officials and possibly to regrettable conflicts of authority in the American zone.

5. I therefore venture to suggest to Your Lordship that an earnest endeavour should be made to induce the Government of the United States to accept the view that the jurisdiction of the High Commission extends to the whole of the occupied territories, including the zone held by the American

[5] Not appended to filed copy of original.

army, notwithstanding the fact that the treaty of peace may not have been ratified by the United States Government when it comes into effect and that no appointment of a United States High Commissioner has been made. Until there is a representative of the United States on the High Commission, however, Mr. Noyes would be invited to attend its meetings and take part in its discussions, and unless that course is rendered impossible by the urgency of the matter, the same weight would be given to his objections to any action proposed to be taken by the High Commission as if he were a full member of that body.

6. In conclusion I have the honour to ask that, if there is no objection, I may be kept informed from time to time of the course of the negotiations connected with the issue of the *procès verbal* bringing the treaty into force. At present I am dependent on the newspapers and such information as is communicated to me by my French and American colleagues.

I have, &c.,
HAROLD STUART[6]

[6] Lord Curzon transmitted a copy of this despatch to Sir E. Crowe in Paris under cover of Foreign Office despatch No. 7925 of December 17, 1919. Lord Curzon stated therein that he agreed with Sir H. Stuart that the jurisdiction of the Rhineland High Commission upon the entry into force of the Treaty of Versailles 'should extend to the American zone of occupation. It seems desirable that the Supreme Council should pronounce a decision to that effect. I should therefore be glad if you would bring the matter before the Council and support the solution which Sir Harold advocates.' The question was discussed in the Supreme Council on December 30, 1919: see Volume II, No. 48, minute 2.

## No. 312

*Sir E. Crowe (Paris) to Earl Curzon (Received December 12)*

*No. 1678 Telegraphic: by bag [161092/11763/4]*

PARIS, *December 11, 1919*

My tel. No. 1653[1] (of Dec. 4) Holland, Belgium and 1839 treaties.

Belgian delegates are in Brussels and Belgian Government await, I understand, definite proposal about guarantee before deciding whether they can accept treaty as now drafted.

I submit for your approval following text of an article which seems to me to meet the wishes of H.M. Government, as expressed in your tel. No. 1428[2] (of Dec. 2), whilst not containing anything which Belgians might consider humiliating.

'Confiantes dans l'attachement du Gouvernement belge à la politique pacifique qu'il a toujours résolument pratiquée, la Grande-Bretagne et la France continueront jusqu'au moment où interviendra une décision du Conseil de la Société des Nations, de garantir l'indépendance de la Belgique, ainsi que l'intégrité et l'inviolabilité de son territoire contre toute attaque non provoquée et non justifiée.

[1] No. 287.                                    [2] No. 281.

914

Si dans les cinq ans qui suivent la mise en vigueur du présent traité, le Conseil de la Société des Nations n'avait pas pris la décision prévue à l'article I$^{er}$, la Grand[e]-Bretagne et la France procéderaient à un nouvel échange de vues à ce sujet avec le Gouvernement belge.'

If Belgian Government accepted this we should only be guaranteeing Belgium against an unprovoked and unjustifiable attack on her territory, so long as she on her side pursued the pacific policy she has adopted hitherto, whilst in five years time we should be at liberty to reconsider the situation if the council of the league of nations has come, contrary to our expectations, to no decision.

If the league of nations should not come into effective existence whole treaty of course becomes void, whilst should it come into existence and expire after but a brief interval without deciding the Belgian question our joint guarantee will only last five years.

## No. 313

*Mr. Grant Watson (Copenhagen) to Earl Curzon (Received December 20)*

*No. 353 [163653/548/30]*

COPENHAGEN, *December 12, 1919*

My Lord,

I have the honour to report that the Opposition continue to attack the Government on account of their Slesvig policy, their last manœuvre being an effort to discredit the Minister for Foreign Affairs, M. de Scavenius, by bringing discredit on the Danish Minister in Berlin, Count Moltke, who is known to be friendly to Germany. One of his letters written in 1911 has been published which if genuine would show that he discouraged Danish national manifestations in Slesvig.

In the course of a quite informal conversation the Minister for Foreign Affairs complained that the Opposition were misrepresenting the Danish case in Paris which was all the more regrettable as the French had never understood the true position of Denmark. M. de Scavenius went on to say that the French statesmen were so concentrating their attention on the possibility of France being attacked by a resurrected Germany, that they wished to gain as many friends and allies as possible. They felt that it was not to their interest to see the Slesvig question settled in such a manner as to leave Germany no just cause for complaint, but rather they wished for a settlement which would continue the mutual irritation between Germany and Denmark so that Denmark would be obliged to look to France for protection and would come within the French sphere. Such a policy, M. de Scavenius said, would be harmful to Denmark and he was sure that in the long run it would be harmful to France also.

The Danish Government desired to make Denmark as independent of Germany as possible, and especially to remove every pretext for Germany to invade Denmark. If Germany decided to make an unwarranted attack on Denmark then the Danish Government were helpless but they were determined to ensure that such an attack would be unwarranted. In pursuance of this policy the Government were determined not to allow Germany any excuse for interfering in Danish affairs and undoubtedly the incorporation of German minorities in Denmark, if annexed against their will, would furnish Germany with such an excuse. The policy of the Opposition was to endeavour to induce the Allies to allow Denmark to annex as much of Slesvig as possible, even though by doing so the result of the plebiscite were falsified. Such a policy, however, would have the effect of bringing Denmark into the German orbit as Germany would be continually interfering on behalf of her nationals. The freer Denmark can be made of German interference the stronger she will be, economically and politically.

The French, M. de Scavenius said, prejudged the Slesvig case in the light of their experience with Alsace-Lorraine and because the latter had not been divided they could not understand the desire of Denmark to split up Slesvig according to nationality, especially as Slesvig, though in the course of history it had been both German and Danish, had never before been divided in such a manner. In the future, when Germany again became powerful, Denmark's sole defence of such a division would be that it had been carried out in accordance with the wishes of the population.

Under modern conditions Denmark could never act as guardian of the Baltic and the French statesmen who advocated such a theory did not understand how defenceless Denmark was in the face of an attack by Germany.

M. de Scavenius ended the conversation by expressing the hope that London at any rate would appreciate more exactly the position of Denmark.

I have, &c.,
H. A. GRANT WATSON

## No. 314

*The Earl of Derby (Paris) to Earl Curzon (Received December 18)*

*No. 1197 [162782/7067/39]*

PARIS, *December 13, 1919*

My Lord,

I have the honour to report that the comments of the Paris press on the last two notes addressed to Germany by the Supreme Council[1] are on the whole not very favourable, and in many quarters His Majesty's Government are directly blamed for the weakening of their wording.

The *Action française* observes that England has seen fit to soften the terms of the note at the very moment when Herr Noske was declaring that Germany will resist the Allies with vigour. The *Écho de Paris* is even more outspoken, and announces as a fact that the final paragraph of the note was watered

[1] Cf. No. 297, note 3, and No. 304, note 6.

down at the wish of Great Britain through the instrumentality of Mr. Philip Kerr, whom the Prime Minister sent over on the 8th December to negotiate the adoption of the formula approved by the British Cabinet on the previous day. (It may be noted that the *Écho de Paris* is the only paper which mentions Mr. Kerr's visit to Paris; the information was presumably derived from French official sources.) The British Prime Minister, it adds, need not have displayed such concern; the Allies in launching their feeble threats are forcing an open door, for they had already made two important concessions to Germany; they no longer claim (*sic*) the 400,000 tons of shipping material in compensation for the Scapa Flow affair, and renounce as from the coming into force of the treaty those military measures by which alone it can be enforced. The *Journal des Débats* maliciously remarks that while the passages relating to the Scapa Flow incident (in which Great Britain is specially concerned) are only softened in form and in the period of time allowed, the passages regarding military coercive measures (which are of vital concern to France, Germany's immediate neighbour) are cut out altogether. The *Temps* asks how it has come about that Herr Bauer, Herr Noske, and Herr Müller—who came into office in June as the men who were prepared to sign and execute the treaty—have now swung round and become openly defiant; the reason, it says, may be found in a recent article in the semi-official *Deutsche Allgemeine Zeitung*, which draws a contrast between the policy of France and England, the former being determined to ruin Germany altogether, while the latter only supports the French threats of violence with reluctance and without conviction. The *Temps* denies that there is any foundation for the German accusations against France, and warns Germany that it is idle for her to try to drive wedges between the Allies. The article concludes as follows: 'We must speak frankly to our British Allies. The present attitude of Germany gives them a foretaste of what will occur if the policy of England returns to the tradition (only too well known) of refusing definite alliances and systematically playing off one continental Power against another. Humanity desires peace, and the future is not a field for selfish calculations.'

On the following day, however, the *Temps* published another article, greeting the note to Germany as just and firm. It points out that the geographical position of England makes it natural that the British Cabinet should not view Germany's resistance from exactly the same angle as the Supreme Council sitting in Paris; that complete agreement was reached without difficulty or delay; that the formula finally adopted in regard to the denunciation of the armistice covered the essential point, and that such modifications as were made must have been of form rather than of substance. The concession as regards shipping material is equitable, and also advantageous for Germany's creditors. A limitative interpretation is now put upon the 'measures of coercion, military or otherwise,' announced in the protocol of the 1st November; but there need be no apprehension lest the clauses of the treaty should not suffice, together with 'the ordinary methods recognised by the law of nations,' to ensure its execution; for instance, as regards the disarming of Germany, complete liberty of action is guaranteed by article 204, and as regards compelling her to pay, there is the Reparation Commission, armed with very extensive powers.

I should, however, observe that this article in the *Temps* is the only sign of a favourable reception for the note in the Paris press; and there can be no doubt that the generally hostile attitude of the press is, in this matter at least, a faithful reflection of the great mass of French public opinion. It is not a case of idle, alarmist, or sensational journalese talk, but of genuine convictions shared by responsible and influential Frenchmen of all parties except the Extreme Left. The desire of France to hold Germany in subjection for many years to come was voiced by Marshal Foch himself at the secret plenary session of the Peace Conference on the 6th May last, when he protested vigorously against the clauses of the treaty providing for a gradual reduction of the military forces on the Rhine in inverse ratio to the need for them. (Protocol No. 6, pp. 38–41.)[2]

I have, &c.,
DERBY

[2] See *Papers relating to the Foreign Relations of the United States: the Paris Peace Conference 1919*, vol. iii, pp. 384–8.

## No. 315

*Sir G. Grahame (Paris) to Earl Curzon (Received December 17)*

*No. 1192 [162466/17993/17]*

PARIS, *December 13, 1919*

My Lord,

With reference to my despatch No. 1188[1] of to-day's date, I have the honour to inform your Lordship that M. Clemenceau's visit to London has induced the Paris press to take a careful stock of the situation. The leader-writers criticise America somewhat severely. Monsieur Joseph Reinach in the *Figaro* does not hesitate to attribute the excesses of the Republican Party to the personal dislike of Senator Lodge for President Wilson, and the writer bewails the loss of Colonel Roosevelt,[2] who might, he thinks, have saved the Republicans from the calamity which their petty jealousy has brought about.

Several other newspapers, while lamenting the idealistic theories on which Mr. Wilson acted in limiting French desires with regard to the settlement in Europe, hope that they will have no effect in the future on the conduct of European affairs.

'Pertinax' in the *Echo de Paris* strikes a characteristic note when he declares that the world is at the end of an epoch—the epoch of the League of Nations. Both he and Monsieur Raymond Recouly in the *Figaro* rejoice that at last the field is left clear for France and England to work out the salvation of Europe

[1] Not printed.
[2] The former President Theodore Roosevelt had died in January 1919.

on reasonable lines. Monsieur Recouly, under the usual excuse of talking frankly to an old friend, reminds England that she has gained much by her clever concessions to Wilsonian principles. Mr. Wilson obtained his League: in exchange England obtained the German fleet and colonies and the freedom of the seas. The President's activities therefore cost England nothing. France was the sufferer.

The point of view above described is found in various organs of the French press. The field is clear of Wilsonian obstacles, let us make the most of our Entente with England; this is the general sentiment. To this sentiment there is, however, one notable exception. The *Temps*, in an article dealing with the consequences of the attitude of America, considers that the reservations introduced in the Senate by no means deal an irreparable blow at the treaty, nor should they necessarily delay the entry of the United States into the League of Nations, or diminish the part which America is destined to play in European affairs. All the newspapers congratulate themselves on the fact that happily the Entente is a reality, and is stronger than ever. Monsieur Clemenceau has gone to England to build with Mr. Lloyd George a structure, designed this time by European architects, to deal with the problems which yet remain unsolved, namely, the Adriatic, Turkey, Russia, in the political sphere, and the coal shortage and the exchange in the economic one.[3] The newspapers are silent on what they would consider to be a possible solution of the Adriatic problem, but it is expected here that Monsieur Clemenceau, Mr. Lloyd George and Signor Scialoja[4] will together be able to work out a satisfactory arrangement, not only in the interests of Italy herself, but in those of all the Allies—for it is important that Italy should take her place again in the Allied councils. On the subject of Russia the French press agrees with the British press that something must be done at once. The Conservative Republicans, while crying the loudest that something should be done, can only propose the purely negative policy of refusing to consider anything that would seem like an understanding with the Bolsheviks. The Socialist press demands peace and trade with the Soviet Government.

As to Turkey, considerable anxiety is shown as to her ultimate fate, but the *Temps* is the only paper which has recently discussed the problem fully. It thinks the moment opportune to read England a friendly lesson on the treatment of the Mahommedan problem. The *Temps* no doubt has at the back of its mind the fear that a too drastic policy with regard to Turkey will have an unfortunate effect on French Mussulman subjects. It reminds England that Mahommedan troops have fought loyally for both of the Allied countries, but that the Islamic world has been thrown into confusion by the appearance of the Turks on the German side. An early peace with Turkey and a reorganisation of the chaos which reigns there are essential. England is warned that unless this is done Bolshevism will spread to Turkey and from thence it will infect Persia and endanger the British possessions in India and Egypt.

The article concludes with an appeal not to delay further the Turkish

[3] Cf. Volume II, Nos. 55–62.
[4] Italian Foreign Minister in succession to Signor Tittoni.

settlement on the old plea of American absenteeism from the councils. It is to the interest of France and England alike to settle the problem.

As regards the solution of the two economic problems mentioned above, little is said beyond an insistence on the importance both to England and France that the value of the franc should be raised and that France should be supplied with sufficient coal to reorganise her industries.

I have, &c.,

GEORGE GRAHAME

## No. 316

*Sir H. Stuart (Coblenz) to Earl Curzon (Received December 16)*

*No. 2 Telegraphic [162302/140610/1150RH]*

COBLENZ, *December 15, 1919*

My despatch No. 221[1] of December 10th.

I have discussed again with Tirard position of High Commission in American Zone if Treaty comes into force before ratification by United States. Unless we get instructions to the contrary we propose after consulting with Belgian High Commissioner who returns on Wednesday[2] to suggest to General Allen that he should issue order[s] in pursuance of instructions[3] of High Commandant which Tirard will obtain, directing his officers to assist men put into [*sic*] execution ordinances of High Commission. Tirard holds view that if General Allen maintains that régime of armistice continues for him until United States ratifies, Allen remains under orders to Army Council of Marshal Foch [*sic*] while if he admits that Armistice ends with coming into force of Treaty then he passes under orders of General Degoutte.[4] Thus in any case (? he) remains under orders of High Command in one form (? or other). I think that Allen in absence of instructions will avoid this dilemma by maintaining that armistice conditions continue for him alone (? and that) he ceases to be under Marshal Foch as France ceases[5] to be at war with Germany on Treaty coming into force and army of a country still at war with Germany cannot be under orders of a General of a country at peace with Germany. (? There is) force in this argument and I therefore press again most strongly adoption of course recommended in (? paragraph) 5 of my despatch. The last note sent to Germany implies that all commissions created by Treaty come into existence (? on) ratification by 3 principal powers. (? United States Government will) find it difficult to maintain that

---

[1] No. 311.

[2] December 17, 1919.

[3] The ensuing passage down to the words 'of Marshal Foch' was received in a very corrupt text, which was (imperfectly) corrected by repetition on December 19. The text here printed is that of the repetition.

[4] French Commander-in-Chief of the Allied forces of occupation in the Rhineland.

[5] The ensuing passage down to the words 'peace with Germany' was received in a very corrupt text, which was corrected, as here printed, in the repetition of December 19.

authority if [? of] Rhineland (? High) Commission does not extend to the whole of occupied territory. I shall press on General Allen this view which has Tirard's full concurrence. The anomalous position of High Commission if it has no authority in its own headquarters is obvious.

## No. 317

*Sir H. Stuart (Coblenz) to Earl Curzon (Received December 19)*

*No. 235 [163279/140610/1150RH]*

COBLENZ, *December 16, 1919*

My Lord,

In my despatch No. 221[1] of December 10th, I had the honour to draw attention to the problem created in the Occupied Territory by the American delay in ratifying the Peace Treaty, in so far as the constitution of the Inter-Allied Rhineland High Commission was concerned.

In regard to the general political situation, as seen from here, I have the honour to enclose a summary of articles[2] in the German press on the subject of Monsieur Clemenceau's recent notes.

The two clauses in his first note[3] which aroused most opposition were those regarding the handing over of 400,000 tons of shipping, and the right reserved by the Entente to take military measures after the exchange of ratifications of the Peace Treaty.

The retention of the prisoners of war in France is also the cause of very bitter feeling in this country, and extreme resentment against the attitude of France. It is the universal desire in Germany that these prisoners of war should be returned by Christmas. On the other hand the ferment of protest and indignation which greeted the terms of the Peace Treaty appears to have been lacking in the present crisis. In fact comparative indifference has been displayed in regard to the whole controversy.

There would seem to be no vigorous opposition, except by the parties of the Right, to the handing over of the war criminals, so long as Marshal Hindenburg is not included among them.

The German Government will, I think, consider itself safe in signing the Protocol without incurring much risk of being compelled to resign in consequence. There is, so far as I can gather, little doubt that they intend to sign, though they will, no doubt, take every advantage offered by the attitude of the United States to obtain modifications of the terms of the Entente.

An absolute defiance of the demands of the Allies in face of a military threat, disguised or undisguised, is not to be expected. Such a policy could only be carried out by a strong patriotic 'Deutschland' Party, the material for which appears to be lacking in Germany's present psychological condi-

---

[1] No. 311.
[2] Not printed: cf. below.
[3] i.e. the general note: cf. No. 297, note 3.

tion. The country is tired and would be opposed to any further military effort.

If I might be allowed to make a for[e]cast, it would be that the Government will sign the Protocol and subsequently endeavour gradually to revive the national spirit by the creation of military organisations under cover of such names as 'Reichswehr', 'Sicherheitspolizei', &c., and to prepare for a time when they may take advantage of dissensions among the Allies and feel strong enough to repudiate or evade the terms of the Peace Treaty, as did Russia in the case of the Treaty of Paris.[4]

In the meantime I would invite special attention to the concluding paragraph of the enclosure[5] to this despatch. The press in general, it is said, regards the departure of the American Mission from Paris and the French Prime Minister's journey to London as an indication that perfect harmony does not reign in the official circles of the Entente. Circumstances appear to the Press to be even more propitious than before for negotiations and intrigues on the part of German diplomacy.

I have, &c.,

HAROLD STUART

[4] For the text of this treaty of 1856 see *British and Foreign State Papers*, vol. xlviii, pp. 8 f.

[5] This short paragraph was, subject to minor verbal variation, the same as the two following sentences in the despatch.

## No. 318

*Sir H. Stuart (Coblenz) to Earl Curzon (Received December 16)*

*No. 3 Telegraphic* [*162303/105194/1150 RH*]

COBLENZ, *December 16, 1919*

My despatch No. 142[1] November 5th. Is matter being reconsidered? In addition to economic considerations I would point out complete withdrawal of these officers deprives me of a very useful means of information as to what is going on in French-Belgian zone so soon likely to be centres of political as well as of commercial intrigues. I should like to be able to send you (? distinct reports) on such matters as Separatist movements in Rhineland and independent sources of information are essential to both guaranteeing Powers and for obtaining intelligence about French–Belgian treatment of inhabitants of occupied territory.[2]

[1] No. 224.

[2] In reply Sir H. Stuart was informed in Foreign Office telegram No. 4 of January 13, 1920, to Coblenz that financial sanction had been obtained for the appointment of British vice-consuls at Aix-la-Chapelle and at Mainz as a 'temporary and exceptional measure'.

## No. 319

### Earl Curzon to Sir E. Crowe (Paris)

#### No. 1478 Telegraphic [161092/11763/4]

FOREIGN OFFICE, *December 16, 1919*

Your telegram No. 1678[1] (of December 11th. Belgium.)

I do not consider proposed article suitable. Not only does Belgium not undertake any obligation of neutrality under it, but if after five years, the League of Nations shall not have provided fresh guarantees, we are virtually committed to continue our guarantee.

Would it be possible to induce Belgium to accept some such formula as the following:—

Great Britain and France undertake to continue to Belgium their guarantee of her independence, and of integrity and inviolability of her territory against unprovoked and unjustified attacks for a period of five years or for such less period as may elapse before the League of Nations shall have provided fresh guarantees in accordance with Article I hereof, on the understanding that the Belgian Government on their part pursue, during the period provided for, the traditional neutral policy of the country.

[1] No. 312.

## No. 320

### Sir R. Graham (The Hague) to Earl Curzon (Received December 22)

#### No. 1548 Telegraphic: by bag [163987/11763/4]

THE HAGUE, *December 16, 1919*

Last night there was a secret session of the Second Chamber to discuss the revision of the Belgian Treaties of 1839 and the proposed Dutch–Belgian Agreement.

The Netherlands Minister for Foreign Affairs read to the Chamber extracts from the official correspondence exchanged on the subject, he explained the principles by which he had been guided throughout the political negotiations, and claimed that in the agreement now reached they were completely vindicated. This statement passed unchallenged. He then turned to the economic agreements, and sounded the temper of the Chamber as to the concessions which are to be made to Belgium. These proposals were also well received, and the sitting appears to have been a marked personal success for Jonkheer van Karnebeek as well as satisfactory for the future of Dutch–Belgian relations.

## No. 321

*Sir R. Graham (The Hague) to Earl Curzon (Received December 22)*

*No. 1549 Telegraphic: by bag [163988/1362/50]*

THE HAGUE, *December 16, 1919*

My immediately preceding telegram.[1]

During the latter part of the secret sitting of the Chamber the discussion turned to the League of Nations. The feeling that Holland should join the League under any circumstances and with as little delay as possible seems to have been practically unanimous.

The Netherland Minister for Foreign Affairs, questioned as to the effect of possible American abstention from the League, said that it would undoubtedly be serious. At the same time, so long as the League was not a purely European League and included Japan, it would safeguard Dutch possession of their Colonies, which was the most important feature from the Dutch point of view. In reply to an enquiry as to what would happen if Japan also abstained, the Minister said that the whole position would then have to be carefully reconsidered. But it was his own opinion that, even if Dutch participation in the League came to mean little more than a defensive alliance with Great Britain, France and Belgium, it would still be in Dutch interests to join it. Holland would at least be protected from chauvinistic Belgian territorial claims which might be renewed in the future. This expression of opinion seems to have been generally well received, but some Socialist speakers argued that such a League would mean the maintenance or even increase of armaments, which they were determined to reduce.

[1] No. 320.

## No. 322

*Sir R. Graham (The Hague) to Earl Curzon (Received December 22)*

*No. 376 [164126/9019/39]*

THE HAGUE, *December 17, 1919*

My Lord,

I have read, with much interest, the Political Intelligence Department's paper 11479[1] of the 2nd instant, which refers to Royalist schemes in Germany. For some time past reports have been current of considerable activity among the class of ex-officers of the German army and of the adherents of the old régime in Germany, which is strongly represented in this country. There are rumours of intrigues for the restoration of a Monarchy in Germany, either centreing around the ex-Emperor at Amerongen and the ex-Crown Prince at Wieringen, or for the purpose of placing on the German throne a son of the ex-Crown Prince or some Prince who is not a Hohenzollern.

[1] Printed in Volume VI, Chap. I.

There have also been stories of extensive military preparations, and of munitions and aeroplanes having been smuggled into Holland. The United States Chargé d'Affaires assured me that German arms and aeroplanes had been smuggled into this country with a view to being forwarded to Mexico via Sweden, although the execution of such a project seems to present formidable difficulties. On the other hand, I have been assured by Dutch friends that German warlike material is being stored in this country, near the frontier, to be used in a future revolution in Germany for the restoration of the monarchical régime.

I have recently pressed the Netherland Minister for Foreign Affairs for information on the subject, and he discredited both stories, but admitted, with evident reluctance, that Dutch private enterprise had imported about two thousand German machine-guns into Holland. This had been done as a speculation. A good many of these guns had been taken over by the Burgher Guards, anti-Bolchevik forces, at Amsterdam and elsewhere; the rest were under Government control, and would in no circumstances be used for the purposes I have indicated above. All further export had been prohibited. This explanation was not altogether satisfactory. I am making further enquiries.

It is by no means easy to establish the extent or nature of German military and royalist intrigues in this country. I am taking special measures to obtain more exact information, but my belief is that such information will only confirm my present impression that the reports in regard to them have been greatly exaggerated, at any rate in so far as William II and his eldest son are concerned. At the same time, these reports have caused a certain uneasiness in Dutch unofficial circles, and have, as reported in my telegrams Nos. 1543 and 1544[2] of the 11th instant, moved the German Socialists to inspire a change of attitude on the part of the Socialists here with regard to the continued presence of the ex-Emperor in Holland. They have gained in strength from the fact that certain well-known German notabilities of the old régime, such as Baron von der Lanken and Prince Fürstenberg, have recently visited Amerongen and have had long interviews with the ex-Emperor.

---

[2] These telegrams are not printed. Telegram No. 1543 (received December 12) had reported that during a debate in the Netherland Second Chamber on December 9 'Mr. Sannes of the Social Democratic Labour Party referred to the presence of the German ex-Emperor in Holland. He had always regarded ex-Emperor as a victim of circumstances and of outside forces, but after the revelations in Kautsky's work [cf. Vol. II, No. 58, note 7] the matter appeared in a different light. . . . When the Peace Treaty entered into operation, would it be possible to continue to keep the ex-Emperor under observation? The speaker did not think so, and urged the Government to consider other measures.' In telegram No. 1544 (received December 12) Sir R. Graham had further reported: 'Mr. Sannes and his party have hitherto opposed any idea of extraditing ex-German Emperor and he had himself spoken against it. Private enquiries made through an agent of Mr. Troelstra show that this change of attitude is due to pressure from German Independent Socialists who are alarmed at monarchical intrigues centring round Amerongen. Mr. Troelstra remarked "Interests of Socialism are more important than honour of Holland." Although such speeches and articles may not influence attitude of Netherlands Government they show that a gradual change in public feeling is taking place on this question.'

I have caused unofficial enquiries to be made of the Dutch authorities on the subject, and the General Staff has furnished to Colonel Oppenheim the following account of the conditions under which the ex-Emperor and ex-Crown Prince are living.

The guard on duty at Amerongen is forbidden to allow anyone to visit the castle without first obtaining the permission of the burgomaster, Jonkheer van Weede, and this order is obeyed. The burgomaster has strict injunctions not to permit any person whatsoever to visit the castle unless he has first seen that person and has satisfied himself that the object of the visit is genuinely harmless and non-political. As a matter of fact, the total number of individuals who from first to last have been admitted to see the ex-Kaiser is extremely limited, and the burgomaster has personally vouched for the harmless character of every visit paid. Jonkheer van Weede is a naturally cautious man, who is profoundly impressed with the responsibility now incumbent upon him. He is in constant communication with the General Staff in The Hague, and keeps the latter fully informed of everything which happens in Amerongen and of the details of all visits paid to the ex-Emperor.

With regard to Wieringen, no one can see the ex-Crown Prince without first obtaining the permission of the Ministry of Justice and satisfying that Ministry as to the nature of his visit. Wieringen is under effective police supervision.

The Chief of the General Staff added that anyone who imagined that plots could be occurring at Amerongen or at Wieringen evidently knew nothing of the precautions adopted by the Dutch authorities with the object of rendering such plots impossible. After Holland had unwillingly incurred the odium of affording an asylum to the ex-Emperor and ex-Crown Prince, it was unlikely that he, who was responsible to the Government for all precautions taken, would run the risk of gravely aggravating that odium. If any royalist plot was in progress in this country it was not being hatched at either Amerongen or Wieringen.

The above represents the views of the Dutch General Staff, and Colonel Oppenheim sees no reason to doubt their substantial accuracy. I may add that the German Minister at The Hague, Dr. Rosen, and his Legation are extremely nervous and apprehensive on the subject of royalist activities here. They believe that the German Government have placed spies upon the Legation, and that the slightest encouragement given to such activities will lead them into trouble. They are, therefore, constantly advising the Germans resident here to keep quiet, and are denouncing to the Dutch authorities those of their compatriots whom they think politically dangerous, with a view to their exclusion from Holland.

According to my information, the ex-Emperor's life at Amerongen is that of a favoured guest on a country estate, and he walks, shoots, cuts down trees and takes other forms of exercise in the grounds. He has lately shown himself more freely than he did at first in motor excursions, but he does not move far from the castle. The *Telegraaf* recently inserted a mischievous report that he had been present at a shooting party with Prince Henry[3] at The Loo, but it lacked all foundation and was at once denied. The ex-Emperor is in good health and spirits, and talks incessantly, a favourite topic being abuse of the ex-Crown Prince, towards whom he appears to cherish a real animosity. A German officer who recently visited him declared him to be distressingly garrulous, to the point of showing a loss of mental faculties; but I am not prepared to accept this account without further confirmation. He takes much interest in the new castle and properties at Doorn which he has bought for a very large sum; he seems prepared to settle down there for life. Doorn is an unattractive place, small (it has only eleven bedrooms), and with grounds of about 120 acres, while it is much exposed to the public view—a drawback which is being remedied by new walls and plantations. The ex-Emperor constantly sends for the burgomaster of Doorn, a strong Anglophil, to discuss future prospects with him, and keeps him in conversation for hours. A widely repeated remark he addressed to the burgomaster, who had asked for an interruption for luncheon, 'You Dutch are an extraordinary people; you think of nothing but food,' holds a sufficient savour of truth to have caused some irritation here. The ex-Emperor's host, Count Godard Bentinck, grumbles discreetly at the irksome and burdensome duties of hospitality which have been thrust upon him, but never leaves the side of his guest, and is believed to revel in the reflected lustre of a visitor whom he considers so distinguished, although 'extinguished' would be a more suitable epithet to apply. The ex-Empress is reported to be in indifferent health, and very dispirited and nervous. She anxiously enquires of all who visit the castle whether they think that the Emperor will be extradited and tried, or not.

The ex-Crown Prince at Wieringen receives few visitors, and appears to lead a life of almost unrelieved monotony.

In Dutch opinion (which I am inclined to share), such intrigues as centre around the ex-Emperor and ex-Crown Prince need not be taken seriously. Both of them are utterly discredited. Any following or influence that they possessed were already small enough, and the Kautsky revelations[4] have given the *coup de grâce*. On the other hand, the preparations for the eventual restoration of a monarchy in Germany are admitted to be in full swing, and the organisation of the movement centres to no small extent in Holland. I am in indirect touch with the numerous German notabilities residing here or visiting the country, and every one of them expresses the firm belief that such a restoration is only a question of time. But it is unlikely that any immediate move will be made. The coming winter promises to be fraught with overwhelming political and economic difficulties for the German people and their Government. The Royalist idea is that the present régime should reap the full benefit of the certain odium which confusion and suffering must bring. The impossible situation will be contrasted with that of old days, and an easy path for a restoration will be prepared.

As your Lordship will have observed from extracts from the Dutch press[5]

[3] Consort of Queen Wilhelmina.
[4] Cf. note 2 above.      [5] Not printed.

which I have recently forwarded to you, the question of the presence of the ex-Emperor in Holland, which had been for some time dormant, is again arousing attention here. This is principally owing to the Kautsky revelations, which have produced a profound impression. The tone of some of these articles has been distinctly favourable to the extradition of the ex-Emperor, or, at any rate, to his expulsion from Holland. Such articles embarrass the Netherlands Government, but are unlikely to have much influence upon their attitude. The only comment that I have heard Jonkheer van Karnebeek make upon them is that they show Bolshevik inspiration, which is not encouraging. The argument adduced by Monsieur Troelstra in support of extradition, 'that the interests of Socialism are more important than the honour of Holland',[4] will certainly not appeal to His Excellency. To judge from discussions on the subject with the Dutchmen one meets, it might be imagined that any idea of extraditing the ex-Emperor is out of the question. The false analogy of the position of Prince Louis Napoleon when a refugee in England is frequently raised. I have, moreover, found that there is a very widespread and strong impression that nobody outside Great Britain sincerely desires the ex-Emperor's extradition and trial, and that such few British statesmen as favour the idea only do so for the purpose of redeeming election pledges. Further, that if article 227 requires that a formal request should be addressed by the Allies to the Netherlands Government on the subject, a formal refusal by the latter will be in accordance with all expectation and will afford general relief. Justice, honour and the requirements of the Peace Treaty will have been satisfied. I have taken every favourable opportunity to dispel the above impression. Mr. van Oss, the editor of the influential *Haagsche Post*, at a recent interview held forth to me in the above sense, and I gave him the other side of the picture, dwelling on the inconvenient, and even dangerous, position in which this country might be placed by having to provide a refuge for the ex-Emperor during an indefinite period. As a result of this conversation, Mr. van Oss published in the last issue of his paper a letter urging the expulsion of the ex-Emperor from Holland and supported it with a strong editorial, which I am forwarding under separate cover.[5] For this article he was summoned to appear before the Netherland Minister for Foreign Affairs, who took him severely to task and begged him to abstain from commenting on this delicate question.

If and when a demand is made by the Allies for the extradition of the ex-Emperor the result cannot be predicted with any certainty. This result will, in my opinion, which is based on a very brief experience of this country, depend rather upon the form in which the demand is made than upon the force of the legal arguments used in support of it. Rightly or wrongly, the idea of delivering up a royal refugee, however guilty, to be tried by purely enemy judges and on enemy territory is repugnant to the Dutch sense of honour and fair play. A direct summons to the Netherland Government to hand over the ex-Emperor for trial in Great Britain or France is likely to meet with a direct refusal, and such an answer would be approved by the majority of the Dutch nation, if not by neutral opinion as a whole. On the other hand, a different result might be obtained if the demand could be put forward in the form of a request for Dutch support and co-operation in vindicating the sanctity of treaties, in establishing the responsibility for the violation of the rules of civilised warfare and for the unnecessary suffering caused thereby, and in preventing the future recurrence of the late catastrophic war, even if for so worthy a purpose old precedents have to be ignored and new ones created. In this connection, I beg to recall to your Lordship's attention Mr. Robertson's despatch No. 209[6] of the 1st August last, giving his views, based upon a longer experience of the country, as to the considerations most likely to influence the Dutch attitude in the matter.

I understand that the Netherlands Government have caused competent Dutch jurists to examine carefully Article 227 of the Peace Treaty, and that they are perfectly prepared to entertain a discussion on the juridical aspect of the case. My French colleague, with whom I have discussed the prospect, informs me that, if we have to enter into a juridical argument with the Dutch Government on the subject, he intends to request his Government that the services of Monsieur de la Pradelle [Lapradelle], or some other eminent French jurist, should be placed at his disposal.

I have, &c.,
RONALD GRAHAM

[6] No. 43.


## No. 323

*Note by Lord Hardinge of a conversation with the French Ambassador in London*

[*164979/11763/4*]

FOREIGN OFFICE, *December 17, 1919*

The French Ambassador handed to me this afternoon the accompanying formula[1] proposed by his Govt. to meet our objections to the proposed guarantee to be given to Belgium on the annulment of the Treaties of 1839.

I told him at once that I was sure that this text would be inacceptable,[2] and I showed him the text telegraphed to Sir E. Crowe in your[3] tel. 1478.[4] He took a copy of it.

H.

[1] Not here printed. This formula was headed 'Formule proposée par le Gouvernement Français le 11 décembre 1919' and was identical with the formula in French contained in No. 312 except that the passage in No. 312 reading 'de garantir l'indépendance de la Belgique' read in the present formula 'de garantir l'indépendance de son territoire'.
[2] Lord Curzon minuted on this: 'It is practically identical with the formula telegraphed from Paris [cf. No. 312] & will not do.'
[3] i.e. Lord Curzon's.
[4] No. 319.

## No. 324

*Sir E. Crowe (Paris) to Earl Curzon (Received December 19)*

*No. 1706 Telegraphic [163001/11763/4]*

PARIS, *December 18, 1919*

Your telegram No. 1478[1] (of Dec. 16th) Holland, Belgium and 1839 Treaties.

I am afraid that we shall find it practically impossible to get accepted any text which specifically contains word 'neutral' or 'neutrality'.

If, as I assume, the intention of His Majesty's Government is to restore to Belgium her full sovereignty, and not to continue former conditions of compulsory neutrality, we shall run counter to strong Belgian opinion if we insist on words which appear to show a desire that servitude imposed on Belgium in 1839 should continue to exist.

Might I suggest following alternative text?

'France and Great Britain will continue to guarantee the independence of Belgium, as well as the integrity and inviolability of her territory against any unprovoked and unjustifiable attack up to the time when the Council of the League of Nations shall have provided new guarantees in accordance with Article I, it being understood that the Belgian Government on their side will not during that period depart from their traditionally peaceful policy (*politique traditionnelle de paix*).

'If at the expiration of five years from the coming into force of the present Treaty, the Council of the League of Nations has not pronounced an opinion, the guarantee stipulated above would cease and France and Great Britain would in that event proceed to a fresh exchange of views with the Belgian Govt.'[2]

The Belgian Delegates are still in Brussels, and if Your Lordship approves of the above, it might be telegraphed to His Majesty's Ambassador for submission to them.

[1] No. 319.

[2] The French Ambassador in London subsequently handed to Lord Hardinge the following French text of this formula, dated from the French Embassy, December 20, 1919:

'La France et la Grande Bretagne continueront jusqu'au moment où le Conseil de la Société des Nations aura pourvu aux nouvelles garanties prévues à l'Article Ier à garantir l'indépendance de la Belgique ainsi que l'intégrité et l'inviolabilité de son territoire contre toute attaque non provoquée et non justifiée, étant entendu que le Gouvernement belge de son côté ne se départira pas pendant cette période de sa politique traditionnellement pacifique.

'Si, à l'expiration des cinq années qui suivront la mise en vigueur du présent traité, le Conseil de la Société des Nations ne s'était pas prononcé, la garantie stipulée à l'alinéa précédent prendrait fin et il serait procédé alors, par la France et la Grande Bretagne, à un nouvel échange de vues avec le Gouvernement belge.'

## No. 325

*Sir G. Buchanan (Rome) to Earl Curzon (Received December 29)*

*No. 527 [165453/151922/22]*

ROME, *December 18, 1919*

My Lord,

A somewhat interesting article in the *Tempo* of the 16th instant discusses Italy's future attitude towards her former Allies. The writer, who signs himself 'Luigi Salvatorelli', takes as his text M. Nitti's denial (in a speech of the 12th instant in the Chamber of Deputies) of the allegation that the Italian Government are contracting fresh international obligations and his undertaking that 'the Government will not assume any such obligation in future without giving an opportunity for the expression in Parliament of the views of the new and important sections of public opinion represented by the Socialist and Catholic parties'. This, in the writer's opinion, must mean that any proposal for an international agreement between Italy and another country must be discussed and decided, in advance of the conclusion of such agreement, in an entirely unbiased manner in Parliament. In this connection M. Nitti expressed the opinion that the new sections of public opinion in Parliament, to which he was specially alluding, have rendered necessary a different course of foreign policy from that hitherto pursued, and the writer observes that, without any intention to promote revolutionary tendencies, it must be henceforth the case that the country will not recognise or acknowledge any binding force in an international treaty concluded without the previous approval of Parliament and without full publicity.

The question of the future Italian, French, and British alliance, so widely mooted in France, is not, however, exhausted by these assurances; it ought to be discussed and freely developed, without obstruction on the part of the censorship, and the country must decide whether it is to its interests to conclude with France, or with France and England, an alliance directed against Germany and founded on the basis of the maintenance of the Versailles treaty. There is no question of Italy disavowing her signature of that treaty; she must respect the terms of the treaty as long as it lasts; but she must consider whether she should enter into special obligations (over and beyond those imposed on her as a signatory) for the execution of the treaty and for the maintenance of the conditions which it brings into existence. An alliance with France, having for its object assistance against Germany in any difficulty that may arise over the execution and maintenance of the treaty, would be a special obligation of the nature referred to; any form of defensive alliance would be a still more serious and far-reaching obligation. To say—as many people are saying—that Italy ought now to separate from her allies is equivocal, the real position being this: that, if Italy is still the ally of France and England, the war is not yet over and peace has not yet been made. The fact is that the treaties of Versailles, St. Germain, and Neuilly have terminated the alliance concluded in the Pact of London of April, 1915; it is hardly

931

affected by the question of the still outstanding peace with Turkey, and in any case Germany does not come into that matter in any way. In future Italy must consider her former Allies simply as friendly Powers with whom she can conclude alliances, and M. Nitti has admitted this in referring to 'new obligations,' which will not be assumed behind the back of Parliament.

It is clearly not to the interest of Italy to-day to enter into any alliance with France or with France and England, whether it merely provides for the maintenance of the Versailles Treaty or whether it contains a more far-reaching obligation of military support of France against Germany. The world of to-day is in a state of fluidity; any undertaking to 'crystallize' its present conditions would be rash, improvident, and dangerous; any partial alliance at this moment would entail the postponement of European peace and the risk of fresh complications and new wars. This is more especially the case for Italy, who, of all the victorious Powers, has the greatest need for peace and reconstruction and must therefore keep her hands free. She of all the Powers has the most serious reasons for discontent over the international settlement arranged by the Peace Conference, and it would be absurd for her to bind herself by an obligation extending even to the waging of a new war for the purpose of maintaining whole and for ever a state of affairs which she may have to support but on which she can in no way congratulate herself. Italy is suffering severely from the present political and economic uncertainty resulting from the war; her international importance has been diminished and the freedom of her action is fettered; it is not suggested that she should revolt against Anglo-Saxon hegemony which has the support of France, but there is all the difference in the world between doing that and forging fresh fetters for herself. She is affected more than other Powers by the disruption of Germany; it does not necessarily follow (as has been fantastically suggested of late) that she should now ally herself with Germany, or that she should urge Germany to resist the execution of the terms of the Versailles treaty; but there is no reason why she should contribute to Germany's further degradation and impotence against her own most obvious interests and against the interests of Europe and of the pacific reconstruction of the world; it would be an absurd and monstrous act on her part to do any such thing. There is no cause for enmity between Italy and Germany to-day, and Italy has nothing to fear from German Austria; she can defend herself unaided against Jugo-Slavia, and who could imagine France ever fighting for Italy on the Julian Alps or in the Adriatic against the Jugo-Slavs, her 'wards'? The same reasoning applies to the question of an eventual Danubian confederation. If, however, it is merely a matter of economic advantages, of loans, coal, wheat and raw materials, all these Italy will be able to get from England and, especially, America—not from France, whether France shows her goodwill or not.

The writer concludes his article by saying that there is still the question of Fiume; he had almost forgotten it, and one would think that Italians had had enough of it.

I have thought it worth while to call your Lordship's attention to this article, as in spite of the continuance of the censorship it has been allowed to appear uncensored. The *Tempo* is not in any way a vehicle for pronouncements of Government policy, but I understand that the present Government are in a position to exercise control over it by other means than those of the censorship.

I have, &c.,<br>GEORGE W. BUCHANAN

No. 326

*Sir E. Howard (Madrid) to Earl Curzon (Received December 29)*

*No. 431 [165738/1134/41]*

MADRID, *December 19, 1919*

My Lord,

I called on the Marquis de Lema as soon as the new Government under Señor Allendesalazar was formed[1] and congratulated him on retaining the portfolio of Foreign Affairs. I said this was a matter of sincere satisfaction to me as Sir Arthur Hardinge had told me that his Excellency had always been most friendly.

He replied that, apart from the fact that he had personally friendly feelings towards England where he had been in part educated, he had always believed in the necessity for Spain of maintaining the most friendly relations with Great Britain. The two countries had absolutely no points of difference —Gibraltar, the only subject which might be so accounted, was not a matter of real political importance but a sentimental grievance kept alive amongst a certain old-fashioned set of politicians. He did not pretend to say that he would not be glad if Gibraltar were returned to Spain, but he quite understood that, besides its strategic value as a naval base, it had a great sentimental value in the eyes of all Englishmen. Personally he did not consider the question of Gibraltar to be one of practical or immediate interest to Spain, whereas it was on the contrary of importance to Spain to be on the best terms with England. He thought also that it was important for England to maintain cordial relations with Spain since he believed that, apart from many other good reasons for maintaining friendly relations, the interests of the two countries in the Western Mediterranean were practically identic.

I thanked his Excellency for these expressions of goodwill which I felt sure, I said, were heartily reciprocated.

I have, &c.,<br>ESME HOWARD

[1] On December 12, 1919: cf. No. 333.

## No. 327

### The Earl of Derby (Paris) to Earl Curzon (Received December 24)
### No. 1217 [164838/159606/17]

PARIS, *December 21, 1919*

My Lord,

I have the honour to report that with the exception of the *Temps* the French press has practically confined its comments on Mr. Lloyd George's speech in the House of Commons on the 18th instant[1] to that portion which dealt directly with the question of the agreement to guarantee France. On this point, however, there is sufficient unanimity to draw the conclusion that the comments are the reflex of public opinion generally in this country.

The majority of the newspapers agree that the time has not yet arrived when it must be assumed that America will fail to carry out her obligations in respect of this treaty. They remark however that Mr. Lloyd George has apparently considered the possibility of an American refusal to ratify, but that nevertheless he has reached no definite conclusion as to the measures to be taken in that eventuality. They complain that he merely expresses the opinion that a guarantee to protect France in case of attack would be a heavy charge on the nation and an undertaking new to British traditions. Nearly all the papers express regret that Mr. Lloyd George has not been able to make a more definite statement on this subject, especially after the recent visit to England of M. Clemenceau. The *Temps* reminded England that the guarantee would be bi-lateral and not uni-lateral and that both France and England would give a mutual guarantee for the protection of each other. The *Figaro* recalls the fact that France relinquished the military guarantees desired by Marshal Foch in deference to British and American opinion, but that in exchange she was promised the protection to be afforded by the Tripartite Treaty. The *Temps* suggests that Great Britain is therefore under no obligation [*sic*] to make a definite promise of alliance.

I have, &c.,
(For the Ambassador),
NEVILE M. HENDERSON

[1] See *Parl. Debs.* 5th Ser. H. of C., vol. 123, cols. 758–72.

## No. 328

### Sir R. Graham (The Hague) to Earl Curzon (Received December 29)
### No. 1554 Telegraphic: by bag [165025/11763/4]

THE HAGUE, *December 22, 1919*

My telegram No. 1530[1] of December 3rd.

At a secret session of the First Chamber yesterday there was a discussion provoked by the Government, on the Dutch–Belgian agreement.

[1] No. 284.

The Netherlands Minister for Foreign Affairs made a statement practically identical in terms with what he had previously said in the lower chamber;[2] but he added a reference to the attitude of Great Britain and France in the question of guaranteeing Belgium, saying that the British attitude was most favourable to Holland as it was calculated to prevent chauvinistic enterprises being undertaken by Belgium against this country in the future.

[2] Cf. No. 320.

No. 329

*Sir R. Graham (The Hague) to Earl Curzon (Received December 29)*

*No. 391* [*165524/9607/29*]

THE HAGUE, *December 23, 1919*

My Lord,

I had the honour to report in my telegram No. 1553[1] of December 22nd the resignation of the Minister of War, Monsieur Alting von Geuseau, in consequence of an adverse vote on the Army Estimates in the Chamber.

The Army Estimates were first discussed in the Chamber on December 15th. As in the case of the Navy Estimates, on which I reported in my despatch No. 373[2] of December 16th, there was a general feeling in the Chamber in favour of economy and a reduction of armaments. The Social Democratic Labour Party pronounced themselves in favour of the liquidation of the Army, stating that the whole nation should see that an end was put to further military expenditure, and that they were opposed to any Government which did not adopt the standpoint of disarmament. One speaker from this party expressed the view that the time had come for the Netherlands to set an example, and to be the first to disarm. Naturally, the Communist Party were equally anxious to see the Estimates reduced. Dr. van Ravesteyn,[3] in a speech delivered on December 16th, dealt with the Government argument that the League of Nations would impose a certain degree of military preparation upon Holland. The Army Estimates, he said, as well as the Navy Estimates, were being regarded in the light of the so-called 'League of Nations', which League was practically dead. Recent political developments were characterised by two events. Firstly, that France and England, the two greatest Powers in Europe, had returned to the system of alliances, which did not fit into the idea of the League of Nations; while the departure of the American delegation from Paris had closed the League of Nations period and opened that of alliances. The second event was that, if the Treaty of Peace were ever to be ratified by the United States, that country would reserve to itself the right to develop in the military sphere. There was, said Dr. Rave-

[1] Not printed.

[2] Not printed. In this despatch (received December 22) Sir R. Graham had reported that the naval estimates of the Netherland Government had been rejected in the second chamber of the Estates-General by 46 votes to 32, and that the Minister of Marine had consequently resigned.     [3] Dutch communist deputy.

935

steyn, no public opinion in Holland regarding the League of Nations, and no-one really cared for it, or had ever done so. He enquired why the Minister of War and the Government considered that there was a great possibility of the League imposing exaggerated demands if Holland were to reduce her armaments before discussions had taken place in the League. Personally, he held the view that the smaller Holland's military strength was, the smaller would be the demands imposed by the League, if it were ever to be established.

Dr. van Ravesteyn asked whether the possessing class really intended to abandon their sovereignty by allowing a League to regulate Holland's internal affairs, of which the military system formed a part, while, of course, still retaining the existing capitalistic institutions and the social system. If the Government's supposition were realised, namely, that Holland would be compelled sooner or later to join a League of Nations, this would in practice mean that the Dutch proletariat would be forced in certain cases to serve as auxiliary troops, as hirelings, for capitalism, not only in the interests of the Dutch capitalist but also of foreign capital.

Mr. Duymaer van Twist, on behalf of the Anti-Revolutionary party, spoke also in favour of economy, but of economy by reorganisation rather than by reduction. He deplored a reduction of the defensive strength of the nation, and agreed that the numerical strength of the army should be maintained at 200,000 men.

Mr. Ter Laan, of the Social Democratic Labour Party, on the other hand, urged that, as the Treaty of Versailles prescribed an army of not more than 100,000 men for Germany (although in reality there were 300,000), Holland, according to the same standard, should only have 30,000. He stated that the idea of disarmament was very strong amongst the people.

In meeting the arguments in favour of disarmament, the Minister of War took the general line that for the present disarmament was out of the question, and that he could agree to nothing which aimed in that direction. He maintained that the international position of Holland was that she should be able to raise an army of 200,000 men in case of war, and that the Government considered that the numerical strength of the army should remain as it was in 1914. He could not estimate how far the institution of the League of Nations might make a reduction possible, but he reminded the House that Belgium was increasing her army to 300,000 men, the peace strength being 100,000 apart from troops occupying the Rhineland. He thought it would be very singular if Holland were to reduce her army at the present time, while the Belgian army was being increased, and he alluded to General von Ludendorff's recent statement[4] to the effect that the German General Staff had, in 1916, taken the view that they had not sufficient troops to cope with the possibility of a declaration of war by Holland.

Mr. Alting von Genseau [Geuseau] stated that the Government could not

---

[4] On November 18, 1919, in evidence before the Reichstag committee of enquiry into the responsibility for the war: see *Official German Documents relating to the World War* (Carnegie Endowment for International Peace, New York, 1923), vol. ii, pp. 856 f.

accept a motion brought forward by Mr. Marchant, of the Liberal Democratic Union, in favour of reduction of expenditure, and, in consequence, the Marchant motion was on December 17th rejected by 59 votes to 23, the minority being composed of the Social Democrats, Liberal Democrats and Communists.

A somewhat similar motion introduced by Mr. Dresselhuys, of the Union of Free Liberals, was also rejected.

On December 18th, however, various amendments dealing with minor points in the Government programme were brought forward by Mr. Marchant and others, and many of them were carried, including a proposal to abolish the posts of Military Attaché at Paris and Berlin, the discussion of the Estimates as a whole being adjourned to be put to the vote on December 22nd. It was on this last date that the crisis was reached through the adoption of an amendment proposed by Mr. Marchant to reduce Article 113 of the Army Estimates by one million eight hundred and twenty thousand guilders, in order to restrict as far as possible the manufacture and repair of material and ammunition. This amendment was carried by 45 votes to 41, the majority being composed of the members of the Left and three members of the Right parties.

After the adoption of this amendment, the Army Estimates were accepted by the Chamber by 56 votes to 31, all the Government majority, the Independent Liberals, the Union Liberals, the Neutrals and the Economic Union voting for it.

In spite, however, of the final adoption of the Estimates, the Minister of War tendered his resignation on the grounds that the Marchant motion, carried in opposition to his views on December 22nd, was practically identical with that rejected on December 17th and which he had stated to be unacceptable to the Government. He refused to bear responsibility for carrying out the Estimates in their reduced form.

Some surprise has been expressed by the Press here at the fact of the Minister's resignation, in spite of the Estimates having been ultimately passed. The *Telegraaf* rejoices at the fall of the Minister of War, and states that he and the Minister of Marine had fallen in the name of the limitation of armaments. Last week, the Minister had declared the Marchant motion to be unacceptable, and he did so, not only as regards himself, but also in the name of the whole Cabinet. The conclusion was therefore that the decision of the Chamber extends to the entire Cabinet. The *Telegraaf* states that the Minister of War himself has reduced the Army Estimates by six million florins; the Chamber has done so by three-and-a-half million florins, and the Minister has further withdrawn an item of three million florins. This paper advocates the constitution of a single department of defence.

An article in the *Handelsblad* of December 23rd, dealing with the incident, contains the following comment from the point of view of the Government as a whole:

'The Ministry has been placed in an unpleasant position by the fall of a second Minister within a fortnight. Naturally, all Cabinets are weakened by these blows, but with Ruys' Ministry matters are rather different. Under his general policy it has recently been accorded the approval of the very great majority of the Chamber during the debate on the National Budget. Ministers such as M. van Karnebeek, Aalberse and Visser have done good work, and much is expected of them; they enjoy the confidence of the great majority to such an extent that their resignation would cause extreme regret. The Cabinet enjoys much sympathy both for its moderation and great energy. Should the Cabinet resign on account of the resignation of two Ministers, it would be serving the country much worse than M. von Geusau has done. Let us bear in mind that we are approaching the happy end of the Belgian question, and that the resignation of Monsieur van Karnebeek is highly undesirable. In the interests of the country, we hope that the Cabinet will remain, and that a solution will be sought for the question of defence. Perhaps it would be better to wait until Monsieur Bomans' motion has been dealt with. If it is passed, only one Minister will be necessary.'

The key to the situation is probably to be found in the concluding remark quoted above. Mr. Bomans, as reported in my despatch No. 373[2] of December 16th, is to bring forward in January a motion for constituting a single Ministry of Defence in the place of the existing Minister of War and Marine. There seems to be a large body of opinion in favour of his proposal, in the Press and the country as well as in the Chamber, and it is not unlikely that this may prove to be the solution of the difficulty in which the Government now find themselves. Two successive defeats coming so closely together and the loss of two Ministers must evidently affect the position of the present Government, but they still enjoy the confidence of the Chambers and of the country as a whole, and there is no reason to believe that their stability is seriously endangered or that a Ministerial crisis is imminent. The recent votes have been a demonstration of the general determination to secure a reduction of armaments, rather than of lack of confidence in the existing Cabinet.

I have, &c.,

R. GRAHAM

## No. 330

*Earl Curzon to Sir E. Crowe (Paris)*

*No. 1525 Telegraphic: by bag [16300I/11763/4]*

FOREIGN OFFICE, *December 24, 1919*

Your telegram No. 1706[1] (of December 18th—Belgium).
His Majesty's Government are unable to accept formula now proposed.
If question cannot be settled on lines indicated in my telegram No. 1428[2]

¹ No. 324.            ² No. 281.

of December 2nd, it must be held over until Prime Minister and I come to Paris early in January.[3]

³ For this visit cf. Volume II, Chap. II *passim*.

## No. 331

*Earl Curzon to the French Ambassador in London*

*No. 164074/W/4 [164074/11763/4]*

FOREIGN OFFICE, *December 27, 1919*

Your Excellency,

I have the honour to inform Your Excellency that His Majesty's Government have given their careful consideration to the formula regarding the continuance of the Anglo-French guarantee to Belgium, which was put forward in Your Excellency's memorandum of the 20th instant.[1]

2. His Majesty's Government have, however, decided that they cannot accept it, and that they are unable to modify their former decision, namely that their guarantee must be for a period of not longer than five years, and that it must be conditional upon Belgium accepting a corresponding obligation to observe neutrality during that period.

3. I have accordingly informed Sir E. Crowe,[2] and intimated to him that, unless it is possible to settle the question on these lines, it must be left over until the Prime Minister and I proceed to Paris early in January.

I have, &c.[3]

¹ See No. 324, note 2.
² See No. 330.
³ Signature lacking on filed copy of original.

## No. 332

*Note from the Italian Ambassador in London (Received December 29)*

*No. 3691 [166405/146744/39]*

LONDON, *December 29, 1919*

[*Translation*]

The Ambassador of His Majesty presents his compliments to the Secretary of State for Foreign Affairs, and has the honour to transmit to him herewith a memorandum containing some observations and reservations formulated by the Government of the King concerning the deliberations of the Inter-Allied meeting which took place in London at Downing Street on the 13th December, with respect to the reorganisation of the Military Committee of Versailles.[1]

¹ See Volume II, No. 60, minute 2.

*Memorandum*

[*Translation*]

1. After the Treaties of Peace come into operation the control in respect of the execution of the military articles of each treaty will be entrusted entirely to the Commissions of Control, which will represent, with the former enemy States, the principal Allied and Associated Powers.

These Commissions will refer to the Supreme Council, and subsequently to the Committee of Ambassadors during the period in which that body will be in existence.

2. The action of the Supreme Council (Committee of Ambassadors) with respect to the Commissions of Control will essentially consist in following the labours of the above mentioned Commissions and in resolving doubtful cases which they may present to it. As regards the general regulations these are already very clearly defined in the Treaties.

3. If the action of one of the Commissions of Control does not result in overcoming the resistance, or the possible bad faith of a former enemy Government, it is evident that such action would have to be replaced by collective intervention on the part of the Allied and Associated Governments. It is also evident that such intervention could only be exercised in a political form.

4. In order to carry out the action mentioned in paragraph 2 it is, of course, necessary that the Supreme Council (Committee of Ambassadors) should continue to be assisted by a Committee of technical experts which will have to follow closely the labours of the Commissions of Control, in order that this Committee of experts may keep the Supreme Council (Committee of Ambassadors) continually informed, and may lay before it, as occasion arises, the necessary instructions to the Presidents of the Commissions.

5. However, in view of what is stated in paragraph 3, the functions of this Committee cannot be other than consultative. This Committee will, in fact, not be able to have any relations with the former enemy States, and will correspond only with the Presidents of the Commissions of Control, to whom it will transmit the instructions of the Governments.

6. This being the case, it would appear to be evident that the importance of this Committee must remain in proportion to its functions. The establishment of a very important military organisation is not advisable, inasmuch as such an organisation would not be able to take any practical action with respect to the former enemy States, and might give rise to inexact interpretations in our countries and raise apprehensions, which it is of the greatest importance to avoid.

7. The actual permanent Consultative Committee of Versailles is, therefore, sufficient for this purpose, and it would not appear to be necessary to modify its organisation. This Committee will have to be organised in such a way that its action may possess a character of continuity. The delimitation

of respective powers (?) [*sic*][2] within the Committee could be left to the military representatives.

8. The placing at the head of this Committee of a military authority of as high a rank as that of Marshal Foch is a regulation which would appear to be out of proportion to the importance which the Committee will have. The Italian Government submits that the authority of the great military leaders should not be appealed to, except in cases of grave necessity. Otherwise the impression might be given in our countries that the Treaties have not sufficient force to guarantee peace, and this might give rise to the fear that the state of peace might be seriously menaced from one moment to another.

9. On the other hand it would appear to be necessary to take into account the circumstance that the League of Nations will have a military Committee attached to the Council of the League. It is evident that this Committee will have to be constituted before the Treaty of Versailles has been applied in full (?) [*sic*];[3] and it is enough to remember that the occupation of the Rhineland territory will last for 15 years. This being the case, if the military authority of Marshal Foch is appealed to not only in respect of the application of the Peace Treaty with Germany, but also in respect of other military questions, the range of which is not defined in the London deliberations, what will be the limits of competency between the two Committees, and, above all, what authority will decide the controversy in respect of technical matters (?) [*sic*],[4] in the case of divergencies of opinion between the two Committees during the period in which both will exist?

10. In any case, for the reasons set forth in paragraph 8, the Government of the King cannot disregard the legitimate fears which may be expressed by Italian public opinion, and therefore it feels that it is its duty to avoid all provisions either of an internal or interallied character which might be of a nature to diminish the belief in the permanence of the state of peace now attained. The Government of the King is, therefore, of the opinion that in principle nothing should be altered in the character which the constitution of the Council of military representatives of Versailles has hitherto possessed. However, in order to comply as far as possible with the desire of the British and French Governments, the Italian Government is ready to accept No. 4 of the London Deliberations of the 13th November [December],[5] but modified in the sense that in respect of military questions not having any reference to the Treaty of Peace with Germany, the Military Committee of Versailles will continue to work as in the past.

No. 4 of the above mentioned deliberations will therefore have to be modified as follows:

[2] In the original Italian text this sentence read: 'La determinazione delle relative modalità di funzionamento potrà essere lasciata ai Representanti Militari.'

[3] In the original Italian text this phrase read: 'È evidente che questo Comitato dovrà costituirsi prima che sia completamente esaurita l'applicazione del trattato de Versailles'.

[4] In the original Italian text this phrase read: 'e sopratutto quale autorità dirimerà la controversia in sede tecnica'.          [5] See Volume II, No. 62, section B.

(4) the Inter-Allied Military Organisation of Versailles will have to continue to exist. Its task will be as follows:

(*a*) to work as a consultative organ of the Allied and Associated Governments with regard to military questions concerning the regulation of the Treaty of Peace with Germany.

(*b*) to execute such orders as may be given it by the Allied and Associated Governments.

With regard to the execution of the points which figure under (*a*) Marshal Foch will form part of the Committee of Versailles, and will preside over the same. With regard to all the others the Committee will be constituted and will continue to work as in the past.[6]

[6] Lord Curzon minuted as follows on this memorandum: 'I think that the Italians should be left to raise their objections at Paris. In his latest interview with me the Japanese Ambassador asked if Japan was to have a representative on the Inter-Allied Military organisation. I replied that I imagined this would certainly be the case, but that any request for information should be addressed to Paris.

C. 3/1/20.'

## No. 333

*Sir E. Howard (Madrid) to Earl Curzon (Received January 5, 1920)*

*No. 441 [167764/1134/41]*

MADRID, *December 30, 1919*

My Lord,

I have hitherto refrained from making any comments on the political situation in Spain because, having no previous knowledge of Spain, it seemed almost presumptuous to offer any observations on a situation so complicated and uncertain as that which I found on arrival here. If therefore I venture now to attempt any general review of the situation it is only with great diffidence and with the proviso that it represents only first impressions, which must be taken as such for what they are worth.

Judging roughly by the news in the daily press, one might suppose that this country was, if not actually in the midst of a most dangerous crisis, at least on the edge of one. The three principal factors which seem to me to have contributed to this state of things are, firstly, the general unrest amongst the working classes which may be considered as an epidemic all over Europe: secondly, the action of the army working through the military Juntas upon the Civil Government, and thirdly, the general dissatisfaction with the administration of the Government in Spain and one might almost say the bankruptcy of parliamentary institutions. Each of these three factors is to some extent separate and apart from the others, but each is also closely connected with the others and it is this connection which is often very difficult to trace.

As regards labour unrest I may say that ever since I have been in this country there has not been a day on which the first page of the papers was not almost entirely dedicated to news dealing with strikes or lock-outs or acts of violence arising from either of these causes and, judging by the arguments used on either side, one might suppose that there was very little hope of any peace, especially in Barcelona, until one side or the other has obtained a complete victory. The Federation of Employers have publicly declared that they are out to break the tyranny of the Syndicalists and the latter have replied that, whatever may be the outcome of the present conflict, they will never rest until they have abolished the capitalistic bourgeoisie and established a system of communism. In addition to the lock-outs in Catalonia and Madrid, which, especially in Barcelona, have produced serious acts of violence, minor strikes are daily reported from different parts of Spain. It is very difficult to say whether these are purely local and sporadic or whether they are part of a general plan concerted from the Syndicalist headquarters with a view to paralyse industry as far as possible throughout the country. These minor strikes do not as a rule last very long, but almost as soon as one is settled another breaks out in some other province. Considering all things, one can only be surprised at the patience and moderation shown by the public at large in the face of these continued industrial disturbances. There are, nevertheless, signs that public opinion is beginning to wake up and that public bodies will endeavour to bring about the cessation of these disturbances by endeavouring to act as mediators between the conflicting parties. Thus in Madrid the Federation of Householders has recently tried to bring about a meeting between the employers in the building trades who have locked out their employees and the workmen, and in Barcelona the Mancomunidad (Catalonian Home Rule Association) are now working in the same direction.

The difficulty of forming any judgment as to whether these attempts are likely to be successful may be inferred from the fact that two Liberal morning papers in Madrid on the same day took diametrically opposite views, one declaring that there was hope of an era of peace and conciliation, while the other stated that the publicly avowed intention of the Federation of Employers in Barcelona to crush the syndicates and unions meant that if they succeeded now they would be preparing an aftermath of bitterness which could only lead to revolution and Bolshevism. If the organisers of the lock-out could carry out their intention of fighting the battle to the bitter end and triumph over their workmen by starvation, it would seem likely that the views of the second journal are nearest the truth. In view of the state of things above described it is impossible to avoid the conclusion that the labour situation in Spain to-day is probably more serious than in most European countries, but at the same time it must be remembered that Barcelona and Catalonia have been for years past the centres of social unrest and that every time it was supposed that some serious cataclysm was likely to occur the movement died down and led to nothing more than some local disturbance.

The second factor referred to above is the activity and influence of the military Juntas. My predecessor and I have in various despatches described the causes generally arising from the action of these Juntas which have led to the downfall of one Government after another in Spain. There seems to be little doubt that in the first instance in 1917 when the Juntas again began to interfere in political matters their aims were confined to redressing purely military grievances, but having succeeded in overthrowing one Government they seem to have been encouraged to continue on this path. They are to some extent supported by a large section of public opinion which is thoroughly disgusted and dissatisfied with the administration of all the chief political parties in Parliament.

It is this which gives the Juntas the power which they would certainly not otherwise possess, for all the more liberal elements at any rate in the country quite understand the danger which a military dictatorship would involve. There is reason also to suppose that the King is very much averse to antagonising the Juntas since he considers that the army is one of the mainstays of the Throne. It has been recently hinted in more than one newspaper that if the King had been willing to support various Governments against the demands of the Juntas, they need not have resigned and many of the ministerial crises which have taken place in the last few years might have been avoided. How far this is the case it is impossible to say: one can but note the fact that it is very generally believed and does not go to increase the popularity of His Majesty amongst those who desire a strong and constitutional Parliamentary Government. As I reported in my telegram No. 785[1] of December 12th, Sir Arthur Hardinge was informed that during the last ministerial crisis in November last, when the Government of Señor Sánchez de Toca resigned on account of the pressure of the Juntas, His Majesty asked General Primo de Rivera, who is one of the leaders of the Juntas, to form a Military Government. If this was true, it certainly looks as though the King were indeed much under the spell of these military committees. For the moment, however, the military dictatorship has been avoided. According to the Liberal paper *El Sol*, General Villalba, the present Minister of War, is alleged to have declared his intention of dissolving the Juntas at the earliest possible moment. It remains to be seen whether he will dare to carry out this programme in face of the strong opposition it is sure to arouse both in the army and in the extreme Conservative party, who, together with the King undoubtedly look on these military unions as the principal bulwarks of order and of existing political institutions in Spain.

In view of the above, it is not easy to accept the well-founded rumours, which I reported in my telegram No. 774[1] of December 8th, of an understanding between the leaders of the Juntas and the leaders of the Extreme Left for upsetting Parliamentary Government and substituting therefor a sort of 'Gouvernement d'Affaires.'

The Republican leader, Señor Lerroux, in an interview with the editor of *El Liberal*, a Barcelona paper, on the 28th instant, in which he explained his programme of government if and when he should come into power, is, however, evidently at great pains to conciliate the army. He says, for instance, 'the army, which is perhaps the body which possesses the greatest prestige

[1] Not printed.

944

throughout the country, prestige due to its virtues, its activities, its moral courage, and not due to force, should be honoured and will itself honour whatever the superior authorities may ordain. . . .[2] The maintenance and strengthening of the army is a matter which interests all those who sincerely love their country, but that which cannot be done is to make use of its name for political combinations. The army is the guardian of national honour.'

This speech is evidently a bid on the part of the Republican leader for the support of the army and appears to confirm the report of some understanding between him and a portion at any rate of the Juntas. One may, however, suppose, if indeed the Juntas were to join forces with the parties of the Extreme Left, that each side, as soon as it believed it had the power, having made use of the other for the moment and playing its own game, would not hesitate to throw over its inconvenient allies.

Thirdly: as regards the third and last main factor of the present state of unrest in Spain, that is to say, a general dissatisfaction with the working of Parliamentary institutions. One can hardly read a paper of whatever political colour without coming across some evidence of this feeling, and it is impossible to speak about politics to anyone who has been long resident in Spain without becoming aware of its existence. The *Heraldo de Madrid*, a Liberal organ, states for instance as proof of the incompetence of the Cortes owing it may be supposed to frequent Ministerial crises that in 1917 the Spanish Parliament had only twenty-two sessions. In 1918 there were 110 and the old Cortes (elected in 1918) held twenty sessions in 1919 while the Cortes which was elected in June last has not sat for more than forty-two days. The Spanish Parliament has not been able to pass a budget since 1914 and in every direction there are complaints on account of the postponement of business and the delay in passing necessary reforms due to the constant changes of Government and to the few sessions of Parliament.

It would seem that since the time when the Spanish Cortes ceased to be dominated by the two principal parties (Conservatives and Liberals), up to which time, as your Lordship knows, there had existed a sort of understanding between these to take office in turn, known as the 'Rotatory System', the Spanish Parliament has fallen a victim to the fate common to the Parliaments of most Latin countries, and to be split up into various fractions which make government by a Cabinet depending on a majority vote almost impossible. In these circumstances the old parliamentarians seem at sea as to what to advise, and this had led to the chaos and futility of the last few years and to general discontent. The Extreme Conservatives prescribe the remedy of a military or other Government with dictatorial powers, while members of the Extreme Left wish to abolish parliamentary institutions altogether and adopt presumably something in the nature of a Soviet system. What will be the outcome of this it is impossible to say. The only end that appears certain is that parliamentary government is at present understood as generally discredited and this naturally causes revolutionary aspirations in one direction or another.

[2] Punctuation as in original quotation.

It seems strange that the countries in which the British system of government by majority vote in Parliament cannot be satisfactorily carried on should not turn to something in the nature of the American system or the Swiss system of government by which these continual Cabinet crises which so constantly disturb not only the political but also the commercial and general life of the country can be satisfactorily avoided. So far, however, I have seen no suggestion of any reform in this sense.

It seems impossible, however, that the present state of things can continue much longer and, though one hesitates to prophesy, it may well be inferred that, unless a stable and ordered Government can be set up before very long, serious consequences may be expected in this country.

I have, &c.,
ESME HOWARD

## No. 334

*Sir F. Villiers (Brussels) to Earl Curzon (Received January 5, 1920)*

*No. 474 [167743/4187/4]*

BRUSSELS, *December 30, 1919*

My Lord,

In my despatch No. 428,[1] Very Confidential, of the 14th ultimo, I had the honour to report that Monsieur Hymans had proposed to the French Government as a basis for discussion that the Guillaume–Luxemburg Railway should be controlled by a company with four French directors, four Belgian, and three of Luxemburg nationality. The president would be chosen from among the latter, and there would be two vice-presidents, one French and one Belgian.

Monsieur Hymans told me this morning that at first there was reason to hope that the proposal would be accepted. Monsieur Pichon seemed well disposed, and had stated to Baron Gaiffier, Belgian Ambassador at Paris, that if an arrangement respecting the railway were concluded he would intimate to the Luxemburg Government, as desired by the Belgian Government, that in regard to an economic union they must turn towards Belgium. This statement was, with the consent of Monsieur Pichon, recorded in an official note from the Belgian Embassy.

Unfortunately matters had since taken a much less favourable turn. Baron Gaiffier had been invited to a meeting with Monsieur Clemenceau, at which Monsieur Loucheur and Monsieur Berthelot were present, when he was informed that the French Government must retain management of the railway. They would, however, agree to the appointment of a committee, with representatives of France, Belgium, and the Grand Duchy, to which certain questions could be referred.

[1] No. 233.

946

This solution of the difficulty was described by Monsieur Hymans as quite inadequate, and, indeed, to be without any value.[2]

I have, &c.,

F. H. VILLIERS

[2] In this connexion Sir F. Villiers further reported in Brussels despatch No. 9 of January 8, 1920 (received January 10), that M. Hymans had subsequently 'read to me the report furnished by Baron Gaiffier, Belgian Ambassador at Paris, of his interview with Monsieur Clemenceau, Monsieur Loucheur, and Monsieur Berthelot. It appears that Monsieur Clemenceau used most emphatic language in declaring that the French Government must retain practical control of the Guillaume–Luxemburg Railway. He was no less vigorous in his manner of withdrawing to some extent the assurance given by Monsieur Pichon that if the railway question were settled an intimation would be given that in regard to an economic union the Grand Ducal Government must turn towards Belgium. The French Government could not officially give any such intimation. The most they could do would be to make an informal communication — *une communication officieuse* — in the sense suggested.'

## No. 335

### Earl Curzon to Sir F. Villiers (Brussels)

### No. 476 [166760/11763/4]

FOREIGN OFFICE, *December 31, 1919*

Sir,

The Belgian Ambassador called on me this afternoon after an absence of several weeks.

He began by referring to the question of Luxemburg, and reminded me of our previous conversations on the subject, and of the anxiety he had often expressed as to the future economic relations between Belgium and Luxemburg, and as to the railway policy of the French Government in the Grand Duchy. There was now, he said, a hope that his Government might be able to make a satisfactory arrangement on both points; they were in secret communication with the Luxemburg Ministry on the former, and they had reason to believe that the French Government were not unwilling to meet them on the latter. In these circumstances he begged me, as an act of friendship to his country, to postpone the official visit of Sir R. Graham to the Luxemburg capital, the reason for this postponement being that, if the British Minister appeared upon the scene, the French Minister, who had not yet presented himself officially, would think it his duty to follow, would get wind of the *pourparlers* going on between the Belgian and Luxemburg Governments, and would probably succeed in preventing the arrangement that was in view.

I said that I would enquire into the matter, and see if I could properly and reasonably help.[1]

Baron Moncheur then turned to the question of the proposed guarantee of the integrity of Belgium, which the British Government had hitherto been reluctant to give without some *quid pro quo* in the direction of a guarantee of

[1] Cf. No. 342, note 1.

947

neutrality, or at any rate of neutral conduct on the part of the Belgian Government. His Excellency stated to me the Belgian point of view, and defended the suggested Belgian formula which we had found to be inadequate.

I told him, on the other hand, that, while we were quite willing to adhere to the Treaty of 1839, with its mutual guarantees of protection on the one hand and neutrality on the other, I had been unable to persuade the Cabinet to give a renewed guarantee without any assurance from the Belgian Government at all. I pointed out that these military commitments were likely to be regarded with a good deal of suspicion by Parliament, and that, if the objection were raised that the British Government were accepting a serious responsibility without any return, I did not quite see what answer could be made.

In the course of the conversation, the Ambassador made a new point. I had more than once argued that, if the British Government consented to join the French Government in giving a guarantee for a limited period, say of five years, they might, in the event of the League of Nations not fulfilling the expectations that had been formed of it, find themselves in a position in which it would be difficult to avoid continuing the guarantee, with the result that it would tend to become permanent. The Ambassador now said that what alarmed his Government about a five years limit was this: they feared, not so much that the League of Nations might not come into existence, but that, when the five years had passed, the Council of the League might either decline to provide any guarantees itself, or find it impossible to create them. In these circumstances, the Belgian Government might find themselves with the Franco-British guarantee suspended, and with no substitute of any sort to take its place.

After some discussion of these points, and after I had pressed the Ambassador to induce his Government to find some formula which, without wounding their sense of pride, would yet satisfy us and enable an agreement to be arrived at in the forthcoming meetings in Paris, the Ambassador both surprised and relieved me by saying that he had formed a distinct impression, from his recent communications with his Government, that the latter would prefer to dispense with the territorial guarantee altogether, rather than give any assurance as to their own conduct in return for such a guarantee. He was not authorised to make this as an official statement, but, speaking privately and with the candour which had always characterised our relations, he felt it desirable to let me know that this was the case.

I took his intimation to mean that the Belgian Government did not expect the matter to be pursued.

I am, &c.,
CURZON OF KEDLESTON

948

*Sir R. Graham (The Hague) to Earl Curzon (Received January 3, 1920)*

*No. 399 [167364/11763/4]*

THE HAGUE, *December 31, 1919*

My Lord,

I have the honour to report that in a leading article regarding Holland and Belgium, in its evening edition of the 27th December, the *Handelsblad* says that, according to reports in the Belgian papers, an important change would appear to have taken place in the Dutch–Belgian question. In speaking of Belgium's safety, the Belgian papers now refer only to negotiations between Belgium, France, and Britain.

The journal considers it worthy of notice that the statements of the Dutch Minister for Foreign Affairs in secret session of the States-General were received with much satisfaction.

The stipulation that there should be no territorial concessions, a *conditio sine qua non* of the Netherlands Government from the beginning, unconditionally accepted by the Powers in their decision of the 4th June, was adhered to, and Belgium has apparently been obliged to submit to it.

'The Belgian delegation', continues the writer, 'supported by a great part of the press, put forward the idea of an alliance to take the place of territorial concessions. The Dutch Minister for Foreign Affairs repeatedly and emphatically stated in the Chamber that he would have nothing to do with any alliances. The Belgian papers have now nothing more to say on the matter, and it is probable that an agreement has been made at Paris.

'The Dutch people have never been in favour of military alliances, and now, on the eve of the League of Nations, they would assuredly never take them up. The question was referred to the League of Nations. If Belgium regards this as a 'first-class funeral', it is apparent that they have little confidence in the League of Nations. Perhaps they are right—the prospects of the League of Nations are not very bright—but that is no reason for the Dutch people to conclude political alliances with certain Powers.'

The Belgian papers emphasise the fact that the Netherlands Government will regard any invasion of Limburg as a *casus belli*. The *Handelsblad* fails to see the importance of this statement. The Netherlands would naturally regard as her enemy any country that violated her territory.

'The guaranteeing of Belgium's safety by France and Britain hardly concerns Holland. Holland never incurred any guarantee on behalf of Belgium, and it is a good thing that this now appears to be recognised in Belgium. The tone of the papers is becoming quieter, and it is to be hoped that there will be a speedy and complete restoration of good relations between the two countries, for both stand in need of them.'[1]

I have, &c.,

RONALD GRAHAM

[1] In this paragraph the inverted commas, which are as in the original, would appear to be misplaced.

## No. 337

*Sir C. Marling (Copenhagen) to Earl Curzon (Received January 8, 1920)*

*No. 363 [168701/548/30]*

COPENHAGEN, *December 31, 1919*

My Lord:

The Conference on the question of the Danish occupation of the Northern Zone immediate[ly] after the results of the first plebiscite are published took place at the Danish Ministry for Foreign Affairs on the 7th October, the four Commissioners and three Danish Ministers, i.e. for Foreign Affairs, Slesvig Affairs and Finance, being present. M. Scavenius opened the proceedings with a brief statement to the effect that while the Danish Government desired to avail themselves of the privilege offered by the Treaty, they quite recognised that there were serious difficulties partly arising out of the wording of the Treaty and partly practical. I replied that the manifest intention of the Treaty was to provide for Danish occupation, and it was the duty and the wish of the International Commission to facilitate it if possible. The memorandum given unofficially to the Minister for Foreign Affairs had pointed out some of the difficulties foreseen by the Commission; if the Danish Government could suggest ways of meeting those difficulties the Commission would do all in its power to second their efforts.

2. M. Brandes, the Minister of Finance, said that the chief practical obstacle, as was suggested in the memorandum, was in connection with the Customs. The Danish Government had at first thought it would be possible for them to take over that Service and to establish a Customs frontier between the First and Second Zones, but they now recognized that as under the wording of the Treaty it would not be permissible for them to introduce the Danish Tariff they would have to apply the German Tariff, an undertaking full of difficulty and bound to result in confusion and inconvenience, and that while the same drawbacks attended the establishment of Customs on the southern boundary of the First Zone, there was also the consideration of the expenses to be incurred merely for the few weeks that would elapse between the plebiscite in that Zone and the definite delimitation of the frontier with Germany, they had decided to leave the Customs in German hands, but in other respects to occupy the territory, as provided in the Treaty. Although my colleagues and I were far from believing that even in these conditions this partial and provisional occupation was feasible, we recognised that it was not for us to dissuade the Danish Government, and I suggested that as there would be a vast number of matters of detail which could only be adjusted by arrangement with the German Government, the Danish Government should enter into conversations with Landrat Böhme and work out with him a complete scheme for the transfer of the administration. The Danish Ministers agreed to this proposal and undertook to communicate the scheme to the Commission as soon as it was ready. On the 23rd October I went on the short leave of absence Your Lordship was so good as to grant

950

me and finding on my return on the 8th November that the Commission had heard nothing from the Danish Government I called on M. Scavenius and urged on him the necessity of expedition as from what I had heard in London it seemed that the Exchange of Ratifications between the Powers and Germany might be near at hand, and the Commission must have time to examine the proposed scheme for Danish occupation. His Excellency said that Mr. Hanssen-Nørremølle, the Minister for Slesvig Affairs, was very busy preparing a memorandum on the subject in collaboration with the other Departments concerned, but he must tell me frankly that he was encountering far greater difficulties than he had anticipated; the Minister for Justice, for instance, had declared from the point of view of his Department the thing was impracticable. He himself was inclined to the same opinion and he was not quite clear why Mr. Hanssen was still so bent on carrying it out. When the question was first mooted Mr. Hanssen had been anxious to secure for the Northern Zone, of which he is a native, a good start over Flensborg in the important economic advantages which were expected to accrue to Slesvig by incorporation with Denmark, but now that it was agreed not to disturb the existing Customs régime, that consideration was ruled out, and he, M. Scavenius, did not personally believe that the plebiscite would be materially affected by occupation or the failure to occupy.

3. Late in the evening of the 13th November M. Scavenius sent to let me know that the promised memorandum was ready, but as I left the next morning for Paris, the document did not actually reach me until a week or more later. It proved to be useless as it did not contain a single practical suggestion, and on calling on M. Scavenius on the 4th December I learnt that there had been no conversation with the German Delegate at all, and I gather further that Mr. Hanssen was very little disposed to meet him.

4. This new situation was discussed at two long sittings of the Commission on the afternoon of the 6th and morning of the 7th, and it was decided to suggest to M. Scavenius that as his Government did not appear prepared to come to an understanding with Germany, a solution might be found by an occupation by Danish Military Authorities only, leaving the Civil administration to be carried out by German officials under the supervision of the Commission; which would in fact be that Danish troops would replace the detachments of the Commission's forces stationed in Sonderborg, Tondern, Aabenraa and other towns in the Northern Zone. The Minister questioned whether the Germans would admit this and would not on the appearance of the Danish troops at once remove all their civil officials. I reminded His Excellency that the German Delegate had promised that all these officials would be maintained, and by a happy coincidence the very day after this conversation, the Commission received this assurance in writing.

5. On the 15th December M. Böhme asked me to receive him, and raised the question from the point of view of the hardship it would entail on German officials if they were suddenly evicted, of the impossibility of continuing the organised supply and distribution of food if Northern Slesvig were suddenly separated from Middle Slesvig, and of the great difficulty and expense of

establishing a temporary Danish Customs along the Southern boundary of the First Zone. This led to a frank discussion of the question. I told him of the suggestion made in the Commission for a military occupation in which he quite concurred and asked if the Commission would agree to eliciting a scheme in writing from the Danish Government on the following lines:—Danish troops to take the place of the Commission's detachments in the Northern Zone, and a certain small number of administrative posts, e.g. Post Masters, Telegraph Employees, Pastors, Schoolmasters: all to be carried on in the name of the Commission. I said I thought something more was required. Unless great injury was to be inflicted on the inhabitants of such districts as became Danish, the change from German to Danish regime must be carried out gradually, and I should like this 'occupation' to be considered as the initial stage of a change which might and probably would take years to complete. Böhme agreed and accordingly when I saw M. Scavenius the next day I asked him to let the Commission have a scheme drawn up with this idea as one of its guiding principles. The promised memorandum appeared on the 22nd December and for once is an intelligible and useful document.

6. Meanwhile, however, as a result of the visit of Mr. Brudenell Bruce and of Professor Molgaard, the Danish member of our Comité de Ravitaillement, has [sic] thrown fresh light on the subject. These gentlemen are convinced that Danish occupation is most inadvisable both on practical grounds as calculated to create very serious difficulties in matters of food supply, as explained later in this despatch, and on political considerations as likely to prejudice the voting in the Second Zone unfavourably to Danish interests. Professor Molgaard feels so strongly on the matter that, so he has assured me, he intends to urge the Danish Government to abandon the projected occupation altogether. It is a pity that the Danish Government cannot make up its mind, but the explanation lies in the circumstances that while it recognises that occupation of the First Zone is difficult and costly but probably not of much value as an influence on the voting in the Second Zone they do not dare to renounce their right of occupation and so provoke further attacks from the Opposition which has of late been mercilessly criticising the Government's Slesvig policy. What they really want is to be able to say that the Commission has advised them that the contemplated occupation is in practice undesirable, and having thus shifted all responsibility on to the Commission they would then cheerfully give up all idea of occupation. It is even believed that the Cabinet, or at least some of the Ministers, would feel no regret should this result in the loss of Flensborg, the possible incorporation of which with its large German population, in Denmark is regarded, as Your Lordship is aware, with no little misgiving by many thoughtful and prudent Danes, and how strong and general these prudential feelings are is shown by Prime Minister Zahle's recent declaration that when the Commission's work was over he might in certain circumstances take a plebiscite in Denmark to ascertain whether the new frontier line with Germany was acceptable to the Danish nation and, by agreement with Germany, to correct that frontier according to the voting. My French colleague is disposed to look on this

declaration as an affront to the Allied and Associated Powers and it was certainly tactless.

7. Except for Mr. Hanssen, the Danish Ministers, and in particular the Minister for Foreign Affairs, have shown a decided disinclination to concern themselves in the affairs of the Commission, but in mid November they took a tentative step in the direction of hastening the Plebiscite. The opportunity was furnished by the receipt of a telegram from the North Slesvig Electors' Union describing the gradual and steady relaxation of all authority in Slesvig, depicting the pitiful condition to which the population was being reduced and imploring the Government to bring about the immediate occupation of the Plebiscite Area by the Commission's forces. After sitting on this message for some days, indeed until the Electors' Union had sent it direct to the Commission, the Government enquired privately if we intended to take any action on it. The reply, also private, was naturally that it would be quite outside the scope of the Commission's work, but when at a meeting of the Commission on 11th November a discussion was started on the incident the inevitable remark was made that if Allied troops were to occupy Slesvig, the plebiscite might as well be taken at once. The notion at once captivated my colleagues who are well aware that the longer the delay the more difficult we shall find our task of administration and who are moreover heartily tired of the whole business, and the following suggestion, put forward by the Swedish Commissioner, who admitted that the idea was of Danish origin and enthusiastically supported and developed by M. Claudel, was adopted, viz:—that if the Danish Government could produce really strong evidence of an alarming state of affairs in Slesvig the Commission would submit it to Paris together with a request from the Danish Government for permission from the Supreme Council to sound the German Government as to its willingness to agree to the Plebiscite being taken without waiting for the formal ratification of the Treaty. So strongly did the scheme appeal to my colleagues that it was even suggested that one of us should go to Paris to support it. On general grounds of expediency there was much in favour of expediting the Plebiscite, but I was personally of opinion that however carefully wrapped up the scheme did in fact involve a request to Germany to modify the terms of the Treaty, and would on that account be unacceptable to the Supreme Council. However, I put the proposition before M. Scavenius who was already quite familiar with it, and who appeared to be so certain that the German Government would agree to it if proposed by Denmark as to arouse the suspicion that he had already sounded them. He assured me that so far as he was aware no step of the kind, either direct or indirect, had been taken, and he asked me to convey to the Commission his thanks for their sympathetic attitude and promised to provide a memorandum on the condition of Slesvig without delay. The memorandum received two days later proved useless. It gave a number of isolated cases of trifling disorders, and of burglary, a few instances of the resignation of German officials, mostly teachers and pastors, but produced no evidence whatever of any serious relaxation of authority or threat to public security.

This alone would have been sufficient to preclude further action by the Commission, but at the next meeting of the Commission M. Claudel, who had previously hotly advocated the proposal, now condemned it with even greater heat as being nothing but a political manœuvre to restore the waning popularity of Mr. Hanssen which was reacting on the position of the Cabinet. Like his predecessors M. Claudel has always been hostile to the Zahle Ministry and in particular to M. Scavenius, and he now declared that he could never consent to the Commission being 'roulée' by such a trick. M. von Sydow also withdrew his support, and the whole proposal was incontinently dropped.

8. The Commission's letter of October 15th to Landrat Böhme communicating to him the resolutions and measures adopted by it for carrying out its task and asking for a declaration of the German Government's adhesion thereto remained unanswered for more than six weeks, and their reply dated 8th December proved rather unsatisfactory. Only on one point, viz:— the maintenance of the German officials at their posts during the period of the Commission's Administration, does it give the assurance required, and for the rest it only offers certain 'observations'. One of these 'observations', however, amounts to a refusal to accept the Commission's ruling on the question of the inclusion of the Commune of Juhlschau in the Plebiscite Area. The Commission replied on 15th December declining to reconsider the question of Juhlschau, and asking for a declaration of German adherence to the letter of October 15th and also to a memorandum handed to M. Böhme by the Secretary of the Commission on October 24th containing our proposals for the dates and method of the Commission's entering on its period of administration, to which the Landrat had expressed his verbal assent. The Commission proposed that during the first five days of the ten days allowed by the Treaty for the evacuation of German troops, authorities, etc., the administration would remain in German hands; the personnel of the Commission, the temporary officials appointed by it, its Chief of Police, Ländrate, etc., arriving during this period, and receiving every facility to prepare to take over their functions. The Commissioners themselves would arrive on the 5th day and formally take over the administration as from the 6th day. No mention was made of military arrangements as the Commission presumed that the Supreme Council in Paris would, after consulting it, make the requisite arrangements with the German Government, and in reply to an enquiry from Sir E. Crowe, the Commission expressed the wish that the arrival of troops, etc., should be arranged on similar lines, it being a *sine quâ non* that the troops should arrive at Flensborg before the Commissioners themselves. Your Lordship will remember that at this moment the final exchange of the ratifications of the Treaty of Peace was expected to take place almost immediately, the actual date (first December 1st and then December 11th) having been fixed, and German Delegates were awaited in Paris to discuss and conclude the transport dispositions required for the conveyance of the troops to the various Plebiscite areas. The Commission therefore decided that to prevent any misunderstanding I should take

954

advantage of Sir E. Crowe's invitation to go to Paris and explain the views of the Commission. I arrived in Paris only to find that Dr. von Simon had left the day before. In company with Vice-Admiral Sheppard, who is to command the forces detailed for Slesvig, I saw Sir E. Crowe, M. Laroche, General Weygand, General Le Rond and Colonel Kysh [Kisch] and it was settled that the troops should arrive in Flensborg at latest on the 4th day counting from the date of exchange of ratification while in order to satisfy the decision taken by the Supreme Council that occupation of all the various Plebiscite areas should be effected immediately on the Treaty coming into force, the Admiral would arrive with his flagship at Flensborg on the first day. From what we learnt in Paris it seemed quite doubtful whether, when the time comes, it will be found possible to ensure the arrival of the troops earlier than the 4th day. In any case the arrangement which implies some consideration for German convenience and German susceptibilities seems to accord better with the neutral character of the Slesvig Commission implied by its international composition than an instantaneous and peremptory occupation such as is to take place in the other districts where the Plebiscite is to be taken by Interallied Commissions.

9. I also took the opportunity to urge on all the authorities with whom I came in contact in Paris the strongly held opinion of the Commission that the two Battalions of troops allotted to Slesvig was insufficient and that at least one more Battalion should, if possible, be provided. I found, however, that any addition to our force is considered to be out of the question. I must confess that personally I am not much perturbed at what all my colleagues consider to be the dangerous paucity of our forces.

10. During this period a small deputation consisting of M. Haa[r]berg, (Norwegian), Captain Cuffe, (British), and Lieutenant Hjelmfeldt, (French) went down to Flensborg to examine certain matters locally. They met with a satisfactory reception by the local authorities. One report sent by M. Haarberg to the effect that a Commission was being set up under the chairmanship of Colonel Frumme, late Commandant of the town with a personnel of some 200 ex-non-Commissioned Officers, was telegraphed to Your Lordship and then to Paris with the result that the matter was brought before the Supreme Council.[1] This was unfortunate as it has since been ascertained by Mr. Assistant Commissioner Bruce, who has since paid a visit to Flensborg, that the Danes who furnished Mr. Haarberg with his information had confused Colonel Frumme, who is head of a small local Military Board, with a corn merchant of the same name, chairman of a very useful food supply Committee. The fact is that the Danes of Slesvig are ridiculously prone to making protests on the flimsiest grounds and except for the fact that the protest was in this case brought to its notice by so careful and accurate an official as M. Haarberg, the Commission, with its experience of Danish ways, would never have transmitted it to London without careful enquiry. It is quite possible that after further enquiry the Commission will allow Colonel Frumme's Board to continue its labours. Another report brought by

[1] See No. 266, note 2.

M. Haarberg that Reichs Kommissär Dr. Koester intended to establish himself in Flensborg, which was also repeated to Your Lordship and to Paris, seems to have reposed on even less real foundation.

11. On my way through London in the last days of November Admiral Sheppard was good enough to arrange, in deference to the wish of the Commission, to send Colonel Butler, who is to be the senior member of his staff on shore, to Copenhagen and he accompanied me on my return here. Colonel Butler had visited Flensborg and travelled by motor along the Southern boundary of the Plebiscite Area and except on one occasion when as his car drove off, 'Deutchland über alles' was sung, met with no semblance of discourtesy. He has been able to prepare a scheme for the disposition of the troops which he will submit to Admiral Sheppard on his return to England. In his proposals Colonel Butler has kept in mind the view of the Commission that while the troops are of course to be available to assist the police and gendarmerie in the maintenance of order, the chief rôle will be to provide ocular evidence to the population that during the Plebiscite period they are under the aegis of an International Commission and therefore perfectly free to exercise their vote according to their own predilections, interests or consciences, and for this purpose, while the main body will be stationed at Murwich close to Flensborg, small detachments are to be placed in each of the larger towns, such as Aabenraa, Sonderborg, Haderslev and Tondern, and also at a few selected points along the Southern boundary so as to form a kind of reply to the cordon which, according to Landrat Böhme, the German Government intends to draw on the German side. Some of the members of the Commission, and particularly Captain Daniel Bruun, have felt strongly that a regular military cordon should have been established on this boundary so as to prevent the entry of paid agitators who it is said are to be sent from Germany to create disturbances. I must confess that I am not very much alarmed at these stories of intended syndicalist agitation from Hamburg, which lack real foundation, but in any case, with the small forces available it is clearly impossible to establish anything like an effective cordon some 50 miles long.

12. During his visit of a week, December 14th–20th, Mr. Bruce saw all the gentlemen selected by the Commission to act in place of the evacuated German officials, or as technical advisers, as well as the leading local personages such as Dr. Koester, etc., and has brought back an interesting and valuable report. Mr. Bruce gained the impression that whereas the general belief among Germans when the Commission first began its labours that its attitude would be markedly hostile, there was now an equally general conviction that strict impartiality would be observed. He found that though probably not as marked as in other parts of Germany the relaxation of authority, of which I have made mention above, is very noticeable in Slesvig; the ordinary administrative services work fairly well, but any exceptional order or temporary measure decreed from Berlin is beyond the power of the local authorities to enforce. The highly centralised system of pre-war days is gone, and gone so completely that it has been impossible to enforce the

requisitioning of cattle, butter, etc., since September last. In Slesvig there is consequently quite a strong feeling of impatience for the arrival of the Commission which, it is assumed, will at all events re-establish authority.

13. The impressions Mr. Bruce gained of the local feeling as regards the Danish occupation of the First Zone is [*sic*] worth recording here briefly. The attitude in the Northern Zone is in favour of it partly because it is expected that Danish occupation means the immediate introduction of the Kroner in place of the depreciated Mark, and partly because agriculture expects to be relieved of requisitions for the benefit of Flensborg and Germany, and to get immediate access to the Danish market for its produce, expectations which of course will not be fulfilled. In the Second Zone feeling is against occupation as likely to give the Northern Zone an unfair start in the benefits expected from the eventual change of currency, and again because if requisitions in the First Zone stop, Flensborg will suffer from shortage not only of agricultural produce but also of the coal which Germany is to supply in return for agricultural produce. As to the results of the voting on the destiny of Flensborg, Mr. Bruce thinks it impossible to make any forecast. Among Germans the opinion seemed to be that the attraction of the Kroner was the only factor they had to fear—'We can fight the Danes, but not the Krone'. On the other hand he got the conviction that quite a number of professed Germanophils would on other grounds trust to the secrecy of the ballot and vote Danish. The Germans were handicapped by the inadequacy of their organisation, and by the alleged indifference of the outvoter from other parts of Germany and from abroad, while the Danish organisation is perfect and very active, and practically every outvoter will be brought to the ballot box.

14. Another matter to which Mr. Brudenell Bruce has called attention is the question of the currency. Slesvigers, particularly landowners, agriculturalists, shopkeepers and labour, in fact all classes that have anything to sell are eagerly looking forward to the moment when they will be able to demand payment in Kroner instead of in depreciated Marks. In anticipation of that time prices, especially of landed and other real property, have already risen enormously, and in some districts in North Slesvig near the Danish frontier farm labourers are demanding to be paid in Kroner. Farmers are refusing to part with their cattle, grain and butter at the maximum prices fixed by the German Government and so serious is the outlook that Professor Molgaard advises us that unless their demands are complied with, it will be impossible for the Commission to supply the towns with these commodities which will as they now are be smuggled to Denmark, or to fulfil its arrangement with Germany on which depends the full supply of the Plebiscite Area. The Commission has of course no funds from which to meet such expenditure and the Professor has induced the Danish Government to place at our disposal Kr. 2,000,000, against which the Comité de Ravitaillement will issue orders in payment of requisitioned foodstuffs, such orders being payable only after the final frontier line is determined.

I have, &c.,

CHARLES M. MARLING

957

*Letter from Sir F. Villiers (Brussels) to Lord Hardinge*
*(Received January 5)*

*Unnumbered [167846/11763/4]*

BRUSSELS, *January 1, 1920*

My dear Hardinge,

I have received to-day in Foreign Office despatch No. 467[1] copy of Lord Curzon's telegram[2] stating that H.M.G. cannot accept the formula proposed in Crowe's telegram No. 1706[3] respecting the guarantee to Belgium.

I fear that the Belgians will not agree to any absolute condition of neutrality & it therefore occurs to me to suggest a modification of the draft in Lord Curzon's telegram No. 1428[4] to Crowe by the addition of the words which I have underlined:[5]

'On the understanding that the Belgian Government on their part pursue, during the period provided for, the traditional neutral[6] policy of the country *so far as the national defence & the obligations involved in adherence to the League of Nations will permit.*'

Having had no official instructions I write privately. For the same reason I have of course not discussed the matter with Monsieur Hymans, & I cannot say whether the Belgian Govt. would accept the proposal which I submit for consideration.

Ever yrs.

F. H. VILLIERS[7]

[1] Not printed.  [2] No. 330.  [3] No. 324.  [4] No. 281.  [5] Here italicized.

[6] This word was a subsequent insertion by Sir F. Villiers in the original manuscript of this letter.

[7] Lord Hardinge replied to Sir F. Villiers in a letter of January 9, 1920, wherein he referred to the view expressed by Baron Moncheur in his conversation with Lord Curzon on December 31, 1919, as recorded in the penultimate paragraph of No. 335. Lord Hardinge concluded: 'In the circumstances, therefore, I did not think it necessary to place your suggestion before Lord Curzon, who has left for Paris, where I understand he will probably see Monsieur Hymans and discuss the matter with him. If Baron Moncheur is correct in his statement, we may, I think, hope that this question will shortly be disposed of.'

## No. 339

*Sir H. Stuart (Coblenz) to Earl Curzon (Received January 6)*

*No. 4 Telegraphic [168175/140610/1150RH]*

COBLENZ, *January 5, 1920*

My telegram No. 2[1] of December 15th.

Have discussed today with French and American Commissioners, Belgian Commissioner being absent, powers of High Commission in American zone if Treaty comes into force before ratification by United States. Tirard and I

[1] No. 316.

pressed the view that High Commission's authority would extend over whole of occupied territory, but Noyes very doubtful whether he could accept this conclusion without consent of his Government. I then pointed out matter was really one for decision of American Army Commandant, and at my suggestion we had an interview with General Allen, who after some discussion decided to cable to his War Department that unless he received instructions to the contrary he proposed on Treaty of Peace coming into force to communicate High Commission's ordinances to his officers for their information and guidance directing that they should be carried out wherever possible. Tirard and I do not think this saving clause will cause inconvenience in (? practice) and we are satisfied that no conflict of authority which cannot be adjusted is likely to occur.

Repeated to British Embassy Paris for Peace Delegation.

## No. 340

*Sir E. Howard (Madrid) to Earl Curzon (Received January 9)*

*No. 3 [169060/1134/41]*

MADRID, *January 5, 1920*

My Lord,

I have the honour to enclose herewith a Précis[1] of the Royal Decree published in the Madrid Gazette of the 2nd of this month respecting the military Juntas. The object of this Decree seems to be by regularizing the status of the Juntas and giving them official recognition, to bring them under the direct control of the Minister of War and in this way limit their political action, while at the same time make [*sic*] use of them for social development in the Army. If this is indeed the programme of the Government, it would seem to be a clever move on the part of the Minister of War but the papers generally refrain from discussing the Decree until General Villalba has personally explained his views on the subject to the Cortes. The *Correspondencia de España*, a Romanones paper, practically accuses the Government of trying to throw dust in the eyes of the public by means of a half measure. On the other hand the same paper curiously enough in its subsequent issue of the 4th of January has a little article in praise of the Juntas in which it declares that they have accomplished a good deal of useful work especially by putting an end to the habit of the Government of using the Army to replace workmen on strike. The *A.B.C.* which represents the extreme Conservative and pro-German tendencies is on the other hand triumphant. It declares that the Juntas will exist from now with complete legality. The status which the Decree confers upon them is equal to their present regulations, hitherto only officiously recognized; they are neither suppressed nor is anything taken from them. Their functions are made more perfect and they receive greater efficacy and authority. The *Socialista de Madrid* naturally

[1] Not printed: cf. below.

959

criticises the Decree very sharply stating that by virtue of this Charter the Juntas are incorporated into the body of the State and can continue to act with absolute impunity. This is only one more abuse of Government in which the Liberals, who were consulted and have swallowed the Decree, have co-operated.

I have, &c.,

ESME HOWARD

## No. 341

*Record of a meeting in Paris on January 7, 1920, of the Committee on Organization of the Reparation Commission*

*No. 29 [Confidential/Germany/31]*

The Meeting began at 10.30 a.m.; M. Loucheur in the Chair.

*Present:*

Mr. Rathbone, Col. Logan (United States), Sir John Bradbury, Sir Hugh Levick (Great Britain), M. Loucheur (France), Signor Bertolini, Signor d'Amelio (Italy), M. Theunis, M. Bemelmans (Belgium), M. Tokuso Aoki (Japan).

. . . 2.[1] *Letter from Herr Bergmann of 6th December 1919, concerning the creation of a German Commission at Essen. (B.226 a.b.c.)*[2]

M. THEUNIS pointed out that, by Herr Bergmann's letter (B. 226 a),[2] two German members of the Essen Commission would be empowered to negotiate with the Allied members of the Commission. He thought that this procedure would injuriously affect the working of the Essen Sub-Commission, and that it was desirable for that Commission to deal with a single representative.

THE CHAIRMAN proposed that Herr Bergmann's letter should be referred to the Sub-Commission on Coal which would draw up a draft reply embodying the point of view expressed by Mr. Theunis.

This decision was adopted. . . .[3]

7. *Draft of provisional instructions for the Sub-Commission of Control of Dyestuffs. (B. 230 a & b.)*[4]

THE CHAIRMAN recalled that this draft had been unanimously adopted by the Sub-Commission, and asked whether anyone had any observations to make.

SIR JOHN BRADBURY pointed out that two different forms of control had been considered in succession: a form of physical control and an accounting

[1] The preceding minute related to other matters.
[2] Annex 1 below.
[3] The ensuing minutes recorded discussion of other matters.
[4] Annex 2 below.

control. It was the latter which the Sub-Commission had finally adopted, but the question arose whether the Treaty gave the Reparation Commission any power of control except by previous agreement with the Germans.

THE CHAIRMAN replied that there was no doubt that paragraph 12 of Annex II[5] conferred this power upon the Reparation Commission. 'The Commission shall, in general, have wide latitude as to its control and handling of the whole reparation problem, etc.'.

M. BEMELMANS explained that, as a matter of fact, three forms of control had been considered, firstly a physical control, which had the disadvantage of requiring many troops, secondly, an accounting control which might have enabled those exercising it to discover secrets of manufacture, and lastly, the system of control provided for in the document under discussion, which resembled the second form rather than the first. In the last scheme, efforts had, however, been made to give Germany sufficient guarantees as promised by the Allied and Associated Powers in their answer of 16th June, 1919.[6]

SIR JOHN BRADBURY replied that it was not at all clear to him that the Allied and Associated Powers possessed the right of control to which the Chairman referred when he quoted paragraph 12 of Annex II[5] in support of his argument. In fact, the text of paragraph 4 of Annex VI[5] provided that 'The German Government will furnish to the Commission all necessary information'. This seemed to indicate that the Reparation Commission should ask Germany for information, and settle the questions on the basis of such information.

SIR JOHN BRADBURY added that, for the moment, it was better to leave this controversial point and to consider the question from a practical point of view. On the admission of the experts themselves, the control proposed was not entirely efficacious on account of the fact that care had to be taken not to place those exercising the control in a position to discover secrets of manufacture. When police or control regulations were not entirely efficacious, they were merely an incentive to fraud, and it would be better to begin by having recourse to the information supplied by the German Government which could collect the sworn statements of the factory managers. If these statements proved to be false, the Allied and Associated Powers might then have recourse to police or control regulations which would be really efficacious. Their severity would then be justified by the deceit of those who made the statements.

SIGNOR BERTOLINI requested that the scheme of control proposed by the Sub-Commission should not be lightly abandoned. Their experts were, in fact, convinced that certain dyestuffs existed in Germany which Germany stated she did not possess. By this they could see at once how dangerous it would be to believe in statements.

THE CHAIRMAN answered that doubtless Signor Bertolini and Sir John Bradbury would be satisfied if the Committee, while not establishing any control to begin with, informed Germany that it reserved henceforward the

[5] To part VIII of the Treaty of Versailles.
[6] See No. 207, note 6.

right of establishing one in virtue of paragraph 12 of Annex II if the need arose. It was decided that M. Bemelmans should draw up and send to the Secretariat the draft of a letter to the Germans to this effect. . . .[3]

ANNEX 1 TO NO. 341

Document 1

*Herr Bergmann to M. Loucheur*

*No. W. 1379*

B. 226 *a*

PARIS, *December 6, 1919*

Sir,

Further to my letter of 1st inst.,[7] I have the honour to inform you that the 'Deutsche Kohlenkommission in Essen' has been set up as a Sub-Commission of the 'Deutsche Kriegslastenkommission' with a view to the maintenance of permanent relations with the Essen Coal Commission. The German Commission is composed of five members, two of whom represent the Ministry of Reconstruction. The German coal industry, water transport, and land transport are each represented by an expert member. The Imperial Minister for Reconstruction reserves the right of co-opting other members. The chairmanship is in the hands of the Imperial Reconstruction Ministry, and this Ministry maintains a permanent representative at Essen, who, with the assistance of a Secretary (and Interpreter), should engage in the despatch of current business. The Essen Coal Commission will be able, at any time, to place itself in communication with this officer. Bergrat Pascal has been nominated Chairman, and Bergrat Hilgenstock Deputy Chairman. The 'Deutsche Kohlenkommission' is authorised to treat all business with which the Essen Coal Commission is charged on this side. This competence extends to all practical and technical questions relating to the execution of the coal deliveries laid down by the Allied and Associated Powers. On the other hand, all communications bearing upon questions of principle in the delivery of coal, in special on the determination of monthly total amounts and questions of prices, should take place in Paris. The German Commission is instructed to keep the German Peace Delegation in Paris constantly informed of the course of negotiations in Essen.

I beg you to consider this communication as the mandate of the 'Deutsche Kohlenkommission in Essen'. A copy of this letter will be sent to the Essen Coal Commission by the 'Deutsche Kohlenkommission in Essen'.

I am, &c.,

BERGMANN

[7] Untraced in Foreign Office archives.

Document 2

*Herr Bergmann to M. Loucheur*

*No. W. 1517*

B. 226 *b*

PARIS, *December 22, 1919*

Sir,

With reference to my letter of the 6th inst., W. 1379,[8] I have the honour to inform you that the Oberbergrat Schulz-Brieson has been chosen to be the permanent President of the 'Deutsche Kohlenkommission' at Essen. The Bergrat Pasel [*sic*] is Vice-President and will deal with questions of deliveries of coal, in accordance with the Peace Treaty, at the Reconstruction Ministry at Berlin.

I have, &c.,

BERGMANN

Document 3

B. 226 *c*

The French Delegation request that the Coal Sub-Commission should meet to examine the reports of the Essen Sub-Commission, and begs [*sic*] the Committee on Organization of the Reparations Commission to make all the necessary arrangements.

ANNEX 2 TO NO. 341

Document 1

*Report from the Secretariat of the Sub-Commission on Dyestuffs to the Committee on Organization of the Reparation Commission*

B. 230 *a*

*December 15, 1919*

In its meeting of the 8th December the Sub-Commission on Dyestuffs examined draft instructions for the Commission of Control over Dyestuffs, which is to be set up at Mayence. This draft, prepared by a Committee of Expert Statisticians in dyestuffs in a meeting held on the 22nd of December [? November], was discussed article by article and certain of its dispositions were modified.

It was decided that the draft instructions thus drawn up should be presented to the Committee on Organization of the Reparation Commission.

The Secretary of the Sub-Commission

P. MICHAUT

[8] Document 1 above.

Document 2

*Provisional Draft of Instructions for the Commission of Control over Dyestuffs at Mayence presented to the Sub-Commission on Dyestuffs at a Meeting held on the 8 December 1919*

B. 230 *b*

I. In virtue of the powers conferred upon it by Para. 7 and 12 of Annex II and by Paragraph 4 of Annex VI of Part VIII of the Treaty of Peace, the Reparation Commission has decided to create a Commission of Control under the Sub-Commission on Dyestuffs.

This Commission will sit at Mayence and will be called *The Commission of Control over Dyestuffs at Mayence.*

It will consist of one representative from each of the following countries: United States, Great Britain, France, Italy and Belgium.

Each member of the Commission may be accompanied by an assistant who will be competent to replace him in his absence.

The Sub-Commission on Dyestuffs is further empowered to appoint experts to the Commission of Control whenever it considers this step to be necessary.

This Organisation will give rise to expenses, the estimate of which shall be approved by the Reparation Commission.

II. The Commission of Control, has, in general, the following duties:—

(1) To control the execution of the programme of deliveries of dyestuffs due from Germany to the Allied and Associated Powers in conformity with the provisions of the Treaty of Peace and with the decisions of the Reparation Commission.

(2) To obtain for the Reparation Commission all useful factors in determining prices in conformity with Para. 3 of Annex VI of the Treaty.

III. For the accomplishment of its mission, it shall perform the following duties in particular (taking as a basis the programme of manufacture which shall have been drawn up by the Reparation Commission in accordance with the proposal of the Sub-Commission on Dyestuffs):

(*a*) To cause the official statistics as to quantity and quality to be delivered to it by the mandatory of the German Government who will be accredited to it:

(1) of the production of raw material of German origin necessary for the manufacture of dyestuffs;

(2) of the consumption of raw materials for the manufacture of dyestuffs or of intermediary products;

(3) of all supplies delivered to the Allied and Associated Powers whether in Germany, or in other countries.

(*b*) To notify to the mandatory of the German Government details of the deliveries to be carried out in accordance with the instructions which the Commission shall receive from the Sub-Commission on Dyestuffs:

(*c*) To hear the mandatory of the German Government on all questions regarding the carrying out of the programme from the point of view of requirements of raw materials, of quantities and qualities to be delivered and of the general organization of transport and to propose to the Sub-Commission on Dyestuffs all measures which may be useful in this connection.

(*d*) To establish in German factories the control of commercial operations in regard to everything which involves the entry and despatch of raw materials, of intermediary products, of finished products, the purchase prices and the selling prices.

IV. The Commission of Control at Mayence shall as soon as possible make proposals to the Reparation Commission as to the practical means for realising the control laid down in Paragraph (*d*) of Article III and as to liaison with the other controlling Organizations of the Allied and Associated Powers existing or to be created in Germany.

V. In all cases in which control of commercial operations and the proposals made by Germany shall not provide factors sufficient to allow of the Reparation Commission fixing the prices of dyestuffs in conformity with the Treaty of Peace, the Commission of Control at Mayence shall request from the Reparation Commission authority to take steps, as regards the technical accountancy of the factories, towards the investigations necessary for obtaining the said information.

VI. The Commission of Control shall be empowered to decide as to the practical carrying out of the programme set up by the Reparation Commission when it shall be unanimous as to the measures to be taken.

Decisions taken by majority shall only be carried out immediately in case of urgency recognised by the majority and reference shall be made with respect to them to the Reparation Commission which shall give a ruling.

VII. It is understood that the control laid down in the present instruction is strictly limited to the stipulations under Annex VI of Part VIII of the Treaty.


### No. 342

*Sir F. Villiers (Brussels) to Earl Curzon (Received January 10)*

*No. 8 [169393/148864/29]*

BRUSSELS, *January 7, 1920*

My Lord,

In your Lordship's very confidential telegram to His Majesty's Minister at The Hague of the 1st instant[1] a statement by Baron Moncheur is recorded that the Belgian Government hoped to come to a satisfactory arrangement

[1] Not printed. This telegram briefly transmitted to Sir R. Graham the main substance of the first three paragraphs of No. 335.

with the French Government in regard to the Guillaume–Luxemburg Railway.

A completely different account is given in my despatch No. 474[2] Confidential of the 30th ultimo when, in reporting a conversation with Monsieur Hymans, I informed your Lordship that matters had taken an unfavourable turn and that the French Government had made proposals which were quite unacceptable.

The explanation is that at the moment when Baron Moncheur was directed to ask for a further postponement of Sir R. Graham's journey to Luxemburg there was a good prospect that the railway question would be satisfactorily settled. The less favourable news was only received from Paris just at the moment of my interview with Monsieur Hymans, and there had not been time to give Baron Moncheur the latest information before he carried out his instructions.

As regards the secret communications with the Luxemburg Government mentioned in your Lordship's telegram Baron Moncheur spoke, I think, in anticipation of what seemed the probable course of events. The Belgian Government expected that if the railway question were satisfactorily settled an intimation from Paris would be made to the Luxemburg Government that for an economic union they must turn towards Belgium. In present circumstances, however, no negotiations are in progress between the two Governments, and it is not likely that they will be resumed until the situation becomes clearer.

Although the position is not exactly as described by Baron Moncheur the Belgian Government are still most anxious that Sir R. Graham's visit to Luxemburg should be deferred. The presentation of his credentials would, they believe, be shortly followed by the arrival of the French Minister, and the presence of the latter would add a fresh complication to the difficulties which already exist.

I have, &c.,
F. H. VILLIERS

[2] No. 334.


## No. 343

*Sir F. Villiers (Brussels) to Earl Curzon (Received January 12)*

*No. 13 [169746/11763/4]*

BRUSSELS, *January 9, 1920*

My Lord,

I have the honour to inform your Lordship that the Minister for Foreign Affairs requested me to call upon him yesterday afternoon in order to announce that the Belgian Government, after careful consideration and a review of the recent negotiations at Paris, had come to the conclusion that they would accept the abrogation of those provisions in the treaties of 1839 which relate to the independence, integrity, and neutrality of Belgium, and that they would abandon their demand for guarantees in substitution. I reported accordingly by telegraph.[1]

Monsieur Hymans said that the views of the Belgian Government had been laid before the Conference and also before the Committee of Fourteen. Their expectations had not been realised, and upon this point he did not conceal his disappointment.

As regards the Scheldt the Allied naval and military authorities had pronounced an opinion contrary to that held by the Belgian experts. There was consequently nothing more to be said about measures of protection on that side.

The importance attaching to the defence of Belgium had been fully recognised by the Powers who had been called upon to discuss the question, and this was formally recorded in the preamble to the proposed Treaty of Revision, where it was stated that 'la sécurité de la Belgique demeure d'un intérêt primordial pour la paix générale et . . .[2] les risques particulièrement graves auxquels sa situation géographique expose ce pays nécessitent que toutes les dispositions utiles soient prises pour écarter du territoire belge le danger d'invasion'.

Nevertheless, so far as the Meuse and Limburg were concerned, the Committee of Fourteen had found no better solution than a reference to the League of Nations.

The difficulty felt by the Belgian Government in accepting this proposal had been clearly set forth. The League of Nations might reach an unsatisfactory conclusion or no conclusion at all. Delay would most probably occur and meanwhile the guarantees in the 1839 treaties would have disappeared and the Belgian Government felt bound to put forward the proposal of an interim guarantee of independence and integrity by Great Britain and France. The consent of His Majesty's Government had only been given subject to a continued obligation of neutrality on the part of Belgium. To this condition the Belgian Government would not subscribe for reasons which they deemed amply sufficient.

No agreement seemed possible, and the Belgian Government had therefore determined to settle the question by abandoning the guarantees. These had proved inadequate to protect the country from invasion in 1914 and had indeed tended to provoke disaster by lulling the country into a false sense of security. Other minor Powers had maintained their independence and integrity without guarantees, and moreover the League of Nations, if it came into existence, would afford security of equivalent value. In any event, considering the circumstances of the moment, it seemed more consonant with the dignity of Belgium as it would no doubt be in accordance with the opinion of Parliament and the national will that the country should assume a position of complete independence.

The request for an interim guarantee was therefore withdrawn and there

[1] This short telegram of January 8, 1920 (received next day), is not printed.
[2] Thus in original quotation. (Cf. No. 288.)

would be no need to pursue the idea of a reference to the League of Nations. The revision of the 1839 treaties would consist simply in retention of the articles concerning territorial questions and other provisions applicable to the present time, and the abrogation of the stipulations relative to neutrality, integrity, and independence.

I have, &c.,

F. H. VILLIERS[3]

[3] Lord Hardinge minuted on this despatch as follows: 'For us it is a satisfactory way out. H.'

## No. 344

*Record of a meeting in Paris of the Commission on the Organization of Mixed Tribunals*

*No. 7 [Confidential/General/177/10]*

*Séance No. 7. 9 janvier 1920*

La séance est ouverte à 15 heures, sous la présidence de M. Ignace, *Président.*

*Sont présents:*

Le Lord Chancelier,[1] Sir Gordon Hewart, M. Hankey (Empire britannique); M. Ignace (France); MM. Pilotti et Aloisi (Italie); M. Adatci (Japon); MM. Rolin-Jaequemyns et le baron Guillaume (Belgique).

*Assistent également à la séance:*

Le Capitaine G. Lothian Small (Empire britannique); M. Escoffier, *secrétaire* (France).

LE LORD CHANCELIER (Empire britannique), expose que la Commission lui a demandé de se joindre aux Représentants des Puissances alliées pour essayer d'arriver à une entente définitive sur le nombre des criminels allemands que l'on se propose de réclamer en dernière analyse à l'Allemagne.

*Nouvelle réduction des listes de coupables.*

Le chiffre qui est proposé est de 1,014. Le Lord Chancelier désire que le Président comprenne bien qu'à son avis ce chiffre n'est pas supérieur, étant donné le nombre de crimes commis, à celui qu'on doit exiger. Au contraire, si justice pleine et entière doit être faite, il estime que ce nombre est bien inférieur à la réalité; il devrait être beaucoup plus grand. Toutefois, il désire attirer l'attention des Délégués présents à la Commission sur un certain nombre de considérations politiques concernant cette question.

D'abord sur ceci: à son avis, la chose la plus importante est de faire ressortir la leçon morale qu'on doit en tirer pour toutes les générations à venir,

[1] Lord Birkenhead.

à savoir que les soldats qui se sont rendus coupables de crimes doivent en être rendus responsables en leur personne. Il est essentiel que cette leçon morale soit aussi forte [? que] possible et il est également essentiel que le plus grand nombre de ces coupables soient condamnés, à moins qu'en en [*sic*] exigeant trop on coure le risque d'atténuer cette leçon morale. C'est ce qui arriverait si les exigences des Alliés étaient telles que le Gouvernement allemand ne pourrait consentir à accepter un pareil chiffre.

*Point de vue britannique.* Le point de vue britannique est celui-ci: la question de nombre, bien qu'elle soit très importante, n'est que secondaire par rapport au principe moral qui vient d'être énoncé.

Toutes ces considérations amènent le Lord Chancelier à se demander quelle est exactement la situation actuelle du Gouvernement allemand. Il est certain qu'il faut surtout considérer le point de vue des Alliés, mais il est également essentiel que le Gouvernement allemand actuel reste au pouvoir. Ce serait perdre son temps que d'examiner toutes les alternatives et rechercher quels seraient les autres Gouvernements allemands susceptibles de prendre la place du Gouvernement actuel. Cependant, il faut, en ce moment, tout subordonner à ces considérations dans la crainte de nuire à l'objet visé ici par les Alliés.

Dans l'état actuel, la chose qui importe aux yeux du Gouvernement britannique, c'est de savoir si le Gouvernement allemand peut conserver la situation qu'il occupe en ce moment en Allemagne, au point de vue allemand, et s'il peut survivre s'il accepte de livrer un chiffre aussi élevé que celui de 1,000 coupables. Cette question est pleine de difficultés et le fait sur lequel le lord Chancelier invite la Commission à discuter est celui de savoir si, au cas où le Gouvernement allemand accepterait de livrer 500 criminels au lieu de 1,000, parce que cela ne lui serait possible qu'avec cette réduction, et quelles que soient les méthodes arbitraires employées pour cette réduction, il ne serait pas finalement plus sage pour les Alliés d'obtenir du Gouvernement actuel la livraison de 500 coupables seulement. Il faut craindre de courir le risque que le Gouvernement actuel ne se considère pas suffisamment fort pour livrer 1,000 coupables, et qu'il ne s'expose à être universellement détesté en Allemagne, ce qui poserait l'éventualité de sa démission.

Il faut donc se demander en ce moment, avant toute chose, si le Gouvernement allemand actuel s'estimerait assez fort pour livrer le chiffre élevé de 1,000 coupables. Il est nécessaire également de faire remarquer qu'à aucun moment une telle demande n'a été formulée. Jamais une Puissance vaincue n'a été mise en demeure de faire une telle livraison. Si le Gouvernement français ou le Gouvernement britannique avaient été battus et obligés de livrer des officiers pour que ceux-ci soient traduits devant des tribunaux hostiles, ils auraient sans doute éprouvé une humiliation poignante.

Le Lord Chancelier ne voudrait pas que les Puissances s'imaginent que l'Angleterre s'oppose en quoi que ce soit à la politique qui consiste à exiger la livraison des criminels allemands. Il leur demande de vouloir bien l'excuser de son apparent égoïsme, mais il se permet de leur signaler le fait suivant.

Dans la 5ᵉ édition d'un livre que lui-même a eu le plaisir d'écrire sur ce sujet,[2] il s'est placé surtout au point de vue de la législation internationale et, en tant qu'attorney général, poste qu'il a occupé pendant quatre années de la guerre, c'est lui qui, le premier, a réclamé que l'on demandât au Gouvernement allemand la livraison des coupables, quels qu'ils fussent. Il prie donc ses collègues de ne pas asseoir un jugement sur ce qu'il vient de proposer et de considérer que la question n'est pas le moins du monde une question de principe, mais une question de politique générale.

Il désire ajouter que ce n'est pas cette considération qui a pesé d'un poids quelconque sur leur décision, lorsque ses collègues et lui ont examiné la question.

Il y a tout d'abord une considération qui prime toutes les autres; c'est qu'il faut absolument établir le principe suivant, à savoir que ceux qui ont commis des crimes sous un prétexte quelconque, soi-disant pour accomplir des actes nécessités par la guerre, doivent être punis. L'autre considération est la suivante: il ne faut pas présenter actuellement une liste de coupables si longue que le Gouvernement allemand se trouve dans l'incapacité et dans l'impossibilité même de donner son consentement à leur livraison, parce que, s'il le faisait, il ne pourrait continuer à durer.

Le Lord Chancelier a eu l'occasion d'examiner à fond les suggestions finales et les listes proposées par les Puissances alliées et son collègue, l'attorney général. Il se rend parfaitement compte que la liste qui a été présentée comprend un nombre déterminé de criminels bien connus et dont les crimes sont gros de conséquences. Il comprend aussi qu'il sera difficile de réduire encore ces listes qui sont établies d'après la gravité du crime. Il tient à faire remarquer aussi que si les listes doivent encore être réduites, les méthodes qu'on emploiera seront tout à fait arbitraires.

Toutefois, malgré ces considérations, il ose proposer à ses collègues de vouloir bien examiner, même si ce procédé leur paraît illogique de prime abord, si une nouvelle réduction du chiffre de 1,000 coupables ne peut pas être envisagée et si cela ne serait pas préférable dans l'intérêt général. Cette réduction serait évidemment arbitraire et il y aurait des objections à formuler, mais à son avis elle est désirable. Dans ces conditions, voici les chiffres qu'il propose, qui pourraient servir de base à un travail ultérieur:

| | | | | |
|---|---|---|---|---|
| La Grande-Bretagne établirait une liste de | | | 70 | coupables. |
| La France | ,, | ,, | 180 | ,, |
| L'Italie | ,, | ,, | 15 | ,, |
| La Belgique | ,, | ,, | 180 | ,, |
| La Pologne | ,, | ,, | 25 | ,, |
| La Serbie | ,, | ,, | 4 | ,, |
| La Roumanie | ,, | ,, | 26 | ,, |

De cette façon, le total des listes serait ramené à 500.

Il reste peu de chose au Lord Chancelier à ajouter à ce qu'il vient de dire. Ce qu'il désire établir de la façon la plus nette, c'est qu'en faisant cette pro-

[2] F. E. Smith, *International Law* (5th ed. London, 1918).

position, ses collègues et lui ne sont animés d'aucun esprit dogmatique. Ce qu'ils veulent, c'est prouver qu'ils sont entièrement de cœur avec leurs Alliés. Ils se rendent compte que ceux-ci ont été victimes de crimes abominables qui, pour la France et la Belgique, notamment, sont beaucoup plus grands que pour les autres nations. Ils ne veulent pas qu'on pense qu'ils n'apprécient pas à leur juste valeur les sacrifices qui ont été consentis par les Alliés au cours de cette guerre, mais il faut que tous soient persuadés qu'ils désirent obtenir le maximum de réparations qu'il soit possible d'exiger dans les circonstances présentes.

Le Lord Chancelier espère s'être bien fait comprendre lorsqu'il a proposé de réduire à 500 le nombre des coupables dont on exigera la livraison de l'Allemagne. Il se peut même que le chiffre de 500 ne témoigne de trop de présomption de la part des Alliés et que le Gouvernement allemand ne veuille pas y consentir. Cependant, en tout état de cause, il garde le ferme espoir et la croyance qu'on pourra obtenir la livraison des criminels dans ces conditions. Il vaut mieux obtenir la livraison de 500 criminels que de se trouver en face de l'éventualité d'un Gouvernement qui ne pourrait pas livrer un nombre trop considérable de coupables.

Enfin, le Lord Chancelier insiste sur le fait que, pour la première fois dans les temps modernes, la grande loi morale pourra être appliquée, à savoir que tous les malfaiteurs de la guerre, qui ont commis des délits quelconques, vont être justiciables devant l'histoire de tous leurs crimes. Comparée avec ce grand résultat, la question de chiffre devient tout à fait secondaire.

Le Président dit que les principes que vient de poser le Lord Chancelier sont exactement les mêmes que ceux qu'il a eu l'honneur de formuler lorsqu'il s'est trouvé à Londres, à la conférence qui a été instituée dans le cabinet de l'attorney général. (*Voir Conférence de Londres, page 113.*)[3] Comme le Lord Chancelier, il pense, en effet, que la question de principe au point de vue du besoin de justice et de châtiment doit primer toute autre considération et il croit que ce besoin recevra une satisfaction suffisante, quel que soit le nombre des coupables qui seront traduits en justice.

*Point de vue de la France.*

Il reconnaît que c'est la première fois qu'à la fin d'une guerre on impose d'une façon aussi sévère au belligérant vaincu une livraison de coupables, ce qui constitue pour lui une humiliation sans précédent. Mais il faut reconnaître aussi que cette guerre a été conduite par l'Allemagne dans des conditions telles qu'aucun précédent n'en existe dans l'histoire du monde. D'autre part, l'Allemagne a souscrit dans le traité de Versailles à l'obligation de livrer les coupables.

Il entend bien que, dans un but de politique supérieure que faisait si exactement valoir tout à l'heure le Lord Chancelier, il faut que les Alliés se préoccupent surtout des possibilités et qu'il ne serait pas pratique d'exiger de

[3] The reference was to the record of the proceedings of the Commission on the Organization of Mixed Tribunals, printed in *Conférence de la Paix 1919–1920: Recueil des Actes de la Conférence*, part VI A (Paris, 1934). For the meeting of this commission held in London on December 22–23, 1919, cf. Volume II, No. 58, minute 5.

l'Allemagne un nombre de criminels tel qu'on puisse en inférer d'avance qu'on la place dans une situation sans issue. Telle a été toujours la préoccupation des Alliés, lorsqu'ils se sont réunis à Londres. Le total des criminels figurant sur les listes atteignait 2,000. A la suite d'une révision très sévère, on a réduit ce nombre de moitié. A ce moment déjà, cette réduction était arbitraire, mais il fallait réduire à tout prix.

Actuellement, on arrive à un total de 1,000 qui représente jusqu'à concurrence de 700 et quelques, les criminels réclamés par la Belgique et la France. Le Président maintient ces deux chiffres parce que la Belgique et la France ont souffert pendant le plus longtemps et sur la plus grande étendue de territoire. La Belgique tout entière a été occupée pendant quatre ans. La France a eu pendant quatre ans dix départements occupés par l'ennemi.

S'il était sûr que le Gouvernement allemand exécute le Traité dans la limite d'un chiffre de 500 coupables, il ferait l'impossible pour obtenir de la Belgique et de la France une réduction pour arriver à ce total. Mais son sentiment — ce n'est qu'un sentiment personnel et il s'excuse de formuler ici un sentiment personnel — c'est que, quel que soit le chiffre que l'on demandera, on se trouvera en présence d'une résistance identique de la part du Gouvernement allemand. Depuis que l'opinion publique, dans chacun des pays alliés s'est préoccupée de cette question de livraison des coupables, le Gouvernement allemand, par sa presse, a immédiatement exercé une sorte de chantage sur l'Entente en disant: 'Nous ne pourrons pas vous donner les gens que vous réclamez; vous viendrez les chercher; c'est une humiliation telle qu'aucun Gouvernement n'en a jamais consentie.'

Le Président est d'avis que, certes, c'est une humiliation, mais les Allemands, en signant, l'ont acceptée. Aujourd'hui, ils vont chercher, par tous les moyens possibles, à empêcher la livraison des coupables. Il croit que ce qui préoccupera surtout les Allemands, ce n'est pas tant le nombre des coupables réclamés que leur qualité et leur rang social. La résistance de l'Allemagne se fera sentir d'autant plus que l'on réclamera des coupables plus haut placés et il ne croit pas qu'en réduisant à 500 ou même à un chiffre quelconque on évitera la difficulté.

Une autre question le préoccupe. Il est tout à fait d'accord avec le Lord Chancelier pour reconnaître qu'il faut chercher, dans un but de politique supérieure, à ne pas mettre le Gouvernement allemand dans l'impossibilité de se maintenir au pouvoir.

Mais il faut tenir compte également d'un autre facteur. Les pays alliés sont des pays d'opinion. La question de la punition des crimes commis pendant la guerre a ému l'opinion publique qui, à l'heure actuelle, dans tous les pays, se préoccupe de l'exécution de la sanction prévue dans le Traité, qui a été acceptée par l'Allemagne. Si on arrive à réduire considérablement le chiffre des coupables réclamés, on diminuera l'importance de la question. En même temps que les Alliés causeront une déception à l'opinion publique dans chacun de leurs pays, ils se donneront moins de force pour résister aux difficultés qui seront soulevées par l'Allemagne. Si, en effet, il s'agit d'un nombre restreint de criminels, on dira: 'A quoi bon insister tant et aller au-devant de pareilles difficultés si, en définitive, l'Entente, après avoir remué l'opinion de tous les pays pour les crimes atroces que l'Allemagne a commis, ne peut pas arriver à aligner un nombre plus considérable de criminels?'

En d'autres termes, est-ce que les Alliés n'affaiblissent pas l'action de leurs Gouvernements en réduisant le nombre des accusés et est-ce qu'ils ne reconnaissent pas par là même que les crimes au sujet desquels ils ont fait tant de bruit se résument en un petit nombre de cas? L'Allemagne, avec la mauvaise foi qui la caractérise, ne manquera pas de dire: 'Voyez! On a déshonoré l'Allemagne; on a dit qu'elle avait accompli quantité de crimes horribles, et pendant cinq ans, et tous les pays réunis ne peuvent pas trouver plus de 500 criminels à nous dénoncer.'

En outre, on pourra faire aux Alliés le reproche suivant: 'Comment! vous êtes les combattants de la Justice et du Droit et vous allez volontairement faire un choix entre les criminels! vous en prendrez un certain nombre et vous reconnaîtrez que vous en avez laissé de côté dans un certain but!' On les atteindrait à l'aide des mêmes principes que ceux dont ils se réclament. Le Président craint bien qu'en faisant ainsi on n'enlève à ceux qui discuteront au nom des Alliés les moyens de soutenir leur argumentation.

LE LORD CHANCELIER (*Empire britannique*) en réponse au *Discussion de principe.* Président résume ainsi les deux objections qu'il voudrait formuler en réponse aux arguments de ce dernier.

Le premier argument était celui-ci: le Gouvernement allemand fera des objections, non pas tant au point de vue du nombre qu'au point de vue du rang et de la qualité des coupables réclamés. Mais alors l'essentiel est que ces personnes soient châtiées; leur châtiment est de la plus haute importance, parce qu'il faut par là affirmer qu'une loi morale existe. Mais, d'autre part, le Lord Chancelier est très frappé des conséquences immédiates de la mesure. La plupart des personnes qui sont réclamées le sont pour des faits qui peuvent être considérés comme étant d'une importance capitale. Le plus grand nombre de ces coupables vont être pendus ou fusillés. Les Anglais ont fait, lors de la Révolution irlandaise, des constatations qui les ont beaucoup frappés. Ils ont fait l'expérience de l'effet terrible produit sur l'esprit public quand il s'est agi de mettre à mort des coupables. Il y avait le fait de l'exécution elle-même et le temps considérable nécessité pour ces exécutions.

Le Lord Chancelier désire insister de nouveau et autant que possible sur ce point, à savoir qu'il importe infiniment plus d'affirmer la force et la valeur du principe de la loi plutôt que de passer des semaines ou des mois à la mise à mort des coupables.

Il voudrait ajouter encore une observation. Il a remarqué avec quelle énergie le Président a insisté sur ce qu'aurait de décevant pour l'opinion publique le fait, en face des crimes commis par les Allemands en quelque lieu que ce soit pendant toute la guerre, de ne pouvoir produire qu'une liste de 500 coupables. Ce serait, en effet, un piètre résultat. Il reconnaît qu'à première vue cet argument peut paraître avoir une valeur considérable et devoir peser d'un grand poids. Mais il lui semble que le poids véritable de la mesure réside plutôt dans la forme dans laquelle la demande des Alliés sera faite. Si les Alliés disent: 'Messieurs les Allemands, voilà notre liste complète de tous les criminels que nous avons relevés pendant cinq années de guerre', ils s'exposeraient à des critiques très fortes. Mais ils ne seront pas aussi naïfs. Il leur sera facile d'indiquer le chiffre de leurs listes précédentes et d'expliquer par quel procédé ils ont réduit ce chiffre. Ils définiraient en même temps leur point de vue actuel qui n'est pas tant de traduire chaque malfaiteur individuellement devant un tribunal et de le traîner à la potence, que de choisir des individus qui soient en quelque sorte représentatifs des crimes qui ont été commis, afin que la punition puisse servir d'exemple aux générations à venir qui seraient tentées de répéter des crimes analogues. Il semble au Président [*sic*] que le but poursuivi par les Alliés n'est pas tant de faire complètement justice, que de trouver les termes convenables dans lesquels leur demande devra être formulée.

LE PRÉSIDENT, en réponse à l'objection présentée par le Lord Chancelier, complète ainsi son argumentation. Il a dit qu'il était à craindre que, si on faisait une liste très réduite, l'opinion mondiale trouve la chose peu importante après tout le bruit fait autour de la question. On lui répond qu'il y a un moyen d'éviter cela, c'est de présenter la demande sous une forme adéquate. Mais il faut que les Alliés prennent bien garde. Vont-ils dire à l'Allemagne et au monde qui les regarde qu'ils ont établi des listes de criminels beaucoup plus longues mais que, par un sentiment de modération et pour ne pas demander des choses trop difficiles, ils ont considéré qu'il fallait réduire ce nombre, en se tenant surtout aux criminels les plus coupables, soit par leur rang social, soit par l'horreur que les crimes qu'ils ont commis peuvent inspirer? Le Président comprend très bien cette attitude vis-à-vis de l'Allemagne; cela l'empêchera de prétendre que les Alliés n'ont pas souffert autant qu'ils le disent. Mais il convient d'examiner la répercussion qu'une demande ainsi formulée pourra avoir au regard de l'opinion publique. N'est-il pas à craindre qu'on reproche aux Alliés d'avoir, sur un point aussi important, qui a fait, au début du Traité, l'objet des plus grandes discussions et qui apparaissait comme le premier sur lequel l'Entente voulait appeler l'attention de tous ceux qui participaient à la Conférence, fait des concessions injustifiées à l'Allemagne? Voilà l'inconvénient que le Président tenait à signaler.

M. ROLIN-JAEQUEMYNS (*Belgique*) ne dissimule pas tout l'embarras que lui cause, après les diverses diminutions que les Alliés ont déjà dû faire, la demande du Lord Chancelier.

Certes, le Délégué belge se rend très bien compte des motifs politiques que le Représentant britannique a fait valoir et il aborde l'exa*Point de vue de* men de cette question avec le plus grand désir de rechercher les *la Délégation* solutions pratiquement réalisables. Mais la difficulté, en cette *belge.* matière, est qu'il est animé d'un très grand scepticisme. Il croit fermement que l'Allemagne ne livrera personne. C'est précisément parce qu'il a cette idée et cette crainte, peut-être exagérée, qu'il est disposé à procéder avec beaucoup de timidité quand il s'agit de réduire les listes. Peut-être trouvera-t-on une solution à cette question? Le Délégué belge croit que le fait intéressant, au point de vue de la moralité publique, c'est d'établir une liste qui ait l'air sérieusement bâtie et qui soit comme une espèce de note d'infamie pour ceux qui y sont portés.

Après un triage très sévère de la Commission belge qui avait été chargée de ce travail par le Gouvernement, on était arrivé à un minimum de 1,043 noms. Ces 1,043 coupables ne représentent pas seulement tous ceux qui méritent vraiment d'être poursuivis; il y en a infiniment plus. On y est arrivé, après un triage sévère et en supprimant tous les ordres de délits qui pouvaient être considérés comme étant plutôt dirigés contre la propriété que contre les personnes, ceux également qui pouvaient être considérés comme des crimes passionnels plutôt que comme des crimes de guerre.

Après avoir éliminé tous les actes qui pouvaient paraître douteux, le Gouvernement belge est arrivé à réduire sa liste de 1,043 noms à 632 et, après un nouveau travail, de 632 à 370.

Toutefois, il a prévu qu'on demanderait peut-être encore à la Belgique un effort plus grand.

Le Délégué belge estime qu'il convient de considérer cette question au point de vue politique. Après ce travail de réduction il est arrivé à cette conviction, qu'à moins de renoncer à toute logique, il ne pouvait pas réduire cette liste au-dessous de 280 noms. Il n'est pas arrivé à ce chiffre d'une façon empirique; il a consulté les spécialistes qui se sont occupés de cette affaire depuis longtemps; ils ont dit qu'en faisant des sacrifices on pouvait arriver au minimum de 280, mais que s'il fallait encore descendre au-dessous on devrait prendre les gens au hasard. Or, il n'y a pas de raison pour prendre l'un plutôt que l'autre et les Belges se sentiraient eux-mêmes coupables d'injustice si, lorsque deux commandants de corps d'armée ont commis les mêmes crimes, ils prenaient le commandant du 4e corps d'armée et non le commandant du 5e corps. M. Passelicq, qui est à la tête de ce service, a dit: 'Ma conscience juridique m'interdit de descendre au-dessous d'un certain chiffre.' A ce compte, on pourrait estimer que le total de 500 noms est encore trop grand. Il faudrait dire que l'on veut prendre quelques hommes déterminés, qui sont déjà connus, pour les pendre ou les fusiller. Cela est tout différent; c'est un autre système dont il faut prendre la responsabilité collective. Cette question mérite d'être considérée. Le Délégué belge répète qu'à son avis les Allemands ne livreront pas les coupables réclamés; ils feront, en cette matière, ce que le Gouvernement ottoman a souvent fait en matière d'indemnité de guerre: on lui imposait des indemnités de guerre qu'il ne payait jamais. D'autre part, au moment où l'on dit qu'il convient de reprendre les relations avec l'Allemagne pour arriver à un état d'apaisement économique et peut-être social, il est très difficile, quand une année s'est écoulée depuis l'armistice, de procéder comme on l'aurait fait aussitôt après.

Au lieu d'amener l'apaisement, la répression contribue à maintenir l'agitation; au lieu de servir la cause de la justice, elle prend les apparences de la cruauté. Si l'établissement de sanctions et la punition des crimes peuvent être salutaires pour les Allemands, cela peut être malsain pour les peuples de l'Entente. On obéira peut-être, dans ces pays, à des sentiments de vengeance plutôt qu'à des sentiments de justice et on devra alors se demander s'ils ont fait une œuvre utile.

Pour sa part, dans toute cette affaire, le Délégué belge voudrait trouver un système grâce auquel tout serait vite fini. Ce qu'il voudrait également, c'est trouver le moyen de réaliser le but suivant, sur lequel il a compris que tous les Alliés sont d'accord: montrer que la liste, qu'elle soit de 1,000, de 700, de 500 ou de 100 noms, est très loin de correspondre au nombre des coupables. Il voudrait aussi que ces criminels, qui ont été si coupables, ne puissent pas venir impunément chez les Alliés les insulter de leur présence dans l'avenir.

Il aimerait autant les avertir. Il ne tient pas spécialement à les enfermer, ni à les pendre, ni à les fusiller; il tient énormément à ne plus les voir. Il tient surtout à ce qu'une affirmation collective des Puissances fasse connaître dans le monde combien est grand le nombre de ces individus qui se sont conduits comme des criminels à leur égard.

La seule réponse immédiate que le Délégué belge puisse donner au Lord Chan[ce]lier est qu'il peut descendre jusqu'à 280 noms. Si on lui demande descendre au-dessous, il demandera à réfléchir et à consulter son Gouvernement.

Le Président voudrait répondre à la dernière partie de l'observation de M. Rolin-Jaequemyns en ce qui concerne les criminels que les Puissances ne réclament pas et l'attitude qu'elles entendent, les unes et les autres, avoir vis-à-vis d'eux. Il est bien entendu que les Puissances procèdent en vertu d'un article du Traité de paix, qui concerne l'obligation pour l'Allemagne de livrer les coupables. Mais les unes et les autres restent maîtresses sur leur territoire d'instruire judiciairement contre tous ceux qu'elles voudront poursuivre. Elles ne pourront pas exiger la livraison de ces criminels, mais s'ils viennent accidentellement chez elles, elles pourront s'en emparer. La justice ne sera pas désarmée vis-à-vis de ceux qu'elles ne réclament pas; ils ne bénéficieront pas de l'impunité sur leurs territoires.

M. Rolin-Jaequemyns (*Belgique*) déclare que s'il a soulevé cette question c'est que, au point de vue belge, elle a une très grande importance. Les tribunaux belges se sont demandés si la liste que présentait le Gouvernement n'était pas une liste restrictive. Il y a même eu une décision judiciaire en sens opposé.

Le Président ayant fait un geste de dénégation, le Délégué belge en prend acte et demande que, dans une déclaration quelconque, il soit clairement dit que le droit des justices nationales reste entier à l'égard de ceux qui ne sont pas portés sur les listes, c'est-à-dire qu'il n'y a pas d'amnistie. Ce serait peut-être un correctif à la réduction demandée par le Lord Chancelier.

Le Lord Chancelier (*Empire britannique*) demande au Président si la Commission peut accepter, tout au moins provisoirement, les chiffres suivants pour ramener le total des coupables réclamés à 750:

| | |
|---|---|
| Grande-Bretagne | 90 |
| France | 275 |
| Belgique | 275 |
| Italie | 25 |
| Pologne | 40 |
| Serbie | 4 |
| Roumanie | 41 |

Le Président croit qu'elle le peut.

M. Escoffier (*France*) dit qu'il faudrait l'avis de l'Italie, de la Serbie, de la Pologne et de la Roumanie.

M. Pilotti (*Italie*) veut, avant de donner une réponse, prendre des instructions auprès de la Délégation italienne.

Le Lord Chancelier (*Empire britannique*) propose, avec le consentement du Président, de conférer avec le Premier Ministre d'Angleterre et de lui dire que, comme résultat de la discussion de ce jour, la Grande-Bretagne, la France et la Belgique, après les explications fournies et après avoir fait connaître leurs objections et fait des réserves, sont d'accord sur les chiffres suivants:

| | | |
|---|---|---|
| L'Angleterre réclamera | 90 | criminels. |
| La France      „ | 275 | „ |
| La Belgique    „ | 275 | „ |

D'autre part, le Représentant de la Délégation italienne devra consulter son Gouvernement pour savoir s'il consentira à la réduction suivante: abaisser le chiffre de 31 à 25. Enfin, on aurait:

| | | |
|---|---|---|
| Pour la Pologne | 40 | criminels. |
| Pour la Serbie | 4 | „ |
| Pour la Roumanie | 41 | „ |

Si l'Italie se dit d'accord, le total des criminels réclamés à l'Allemagne, qui était de 1,043, sera finalement réduit à 750.

*Réserves de la Délégation belge.*

M. Rolin-Jaequemyns (*Belgique*) demande que les réserves qui ont été faites et qui ont une grande importance soient insérées dans le rapport qui, sans cela, serait incomplet. En ce qui le concerne, il a demandé qu'il soit bien entendu, et on a dit qu'on était d'accord sur ce point, qu'on mentionnerait dans l'acte officiel, et cela de façon à éviter toute hésitation de la part des tribunaux nationaux, que la remise de la liste des individus à livrer par l'Allemagne laisserait entier le droit des Puissances alliées de traduire en justice les coupables non portés sur les listes.

Le Président confirme que c'est le principe de la souveraineté de chaque État qui est réservé.

Il est entendu que cette réserve sera consignée dans le rapport. On exprimera le vœu que, dans la demande de livraison à l'Allemagne, on indique que cette livraison ne met pas obstacle à l'exercice des droits de la justice dans chaque pays, conformément au droit commun de chaque pays.

LE LORD CHANCELIER se déclare également d'accord.

Une dernière discussion a lieu, au sujet de la confection des listes.

Sur une observation du Délégué italien, LE PRÉSIDENT précise qu'il faudra laisser une certaine marge, afin de tenir compte des morts, des disparus, etc.

*Projet de lettre d'envoi de la liste des coupables.* LE LORD CHANCELIER propose de rédiger un projet de lettre adressée à l'ennemi pour demander la livraison des coupables.

M. ROLIN-JAEQUEMYNS (*Belgique*) désire que dans le projet de lettre on mette la réserve qu'il a indiquée.

LE PRÉSIDENT se déclare d'accord.

Il est décidé que les Délégués britannique, français et belge se réuniront le lendemain, à 11 heures, pour rédiger ce projet. (*Voir réunion des Délégués britannique, français et belge, page 117.*)[4]

La séance est levée à 17 h. 30.

[4] The minutes of the meeting of this drafting subcommittee are not printed. The draft letter in question is appended to a record of later proceedings of the Commission on the Organization of Mixed Tribunals, as printed in a subsequent volume in this series.

## No. 345

*Sir C. Marling (Copenhagen) to Earl Curzon (Received January 10)*

*Unnumbered. Telegraphic* [*169238/548/30*]

COPENHAGEN, *January 9, 1920*

Sent today to Sir E. Crowe.

German Delegate has just called to say he has been informed by Lersner that deposit of ratifications fixed for January 10th has been delayed owing to his failure to make arrangements on military question of Schleswig.[1]

I trust that ratification is not so imminent as this seems to indicate. Commission is unanimous that if we do not get at very least five days notice, it will be impossible to carry out properly first plebiscite within three weeks prescribed.

Repeated to Foreign Office.

[1] i.e. the question of the German military evacuation of the Schleswig plebiscite area. In this connexion Sir E. Crowe had stated in his telegram No. 1788 of January 5, 1920, to Lord Curzon (received that day; repeated to Copenhagen): 'I was recently assured by Colonel Trew [on staff of Allied forces in Schleswig] that nothing remained to be settled in regard to proceedings of Schleswig Plebiscite Commission and that it had therefore been useless to summon him to Paris. I now learn from Sir C. Marling's telegram [not printed] of January 4th (repeated to you) that Commission has made no arrangements at all as to military evacuation. It seems to me inevitable in the circumstances that Colonel Trew should return here at once in order to negotiate the necessary arrangements with German representatives and remain here until this is done.' Lord Curzon replied in his telegram No. 1562 of January 6 to Sir E. Crowe: 'Admiral Shepherd [*sic*] and Colonel Trew will proceed to Paris on the evening of January 7th to negotiate necessary arrangements as to military evacuation of Schleswig area with German Delegates.'

# No. 346

*The Earl of Derby (Paris) to Lord Hardinge (Received January 10)*

*No. 22 Telegraphic [169530/7067/39]*

PARIS, *January 10, 1920*

Treaty of Peace with Germany came into force at 4.15 this afternoon when first *procès verbal* of deposit of ratifications was signed.

## CHAPTER II

# The mission to Washington of Viscount Grey of Fallodon

# August 13—December 30, 1919

## *INTRODUCTORY NOTE*

THE Earl of Reading, H.M. Special Ambassador at Washington since 1918, had terminated his embassy and left the United States in May 1919. Thereafter Mr. C. A. de R. Barclay acted as H.M. Chargé d'Affaires at Washington until June 14 when Mr. R. C. Lindsay assumed temporary charge during the summer. At that time Sir William Wiseman, head of the British intelligence service in Washington during the latter part of the First World War, returned to the United States after having served as Chief Adviser on American Affairs to the British Peace Delegation in Paris. On July 1, 1919, Mr. Bayley, H.M. Consul-General at New York, addressed an unnumbered telegram (received July 2) to the Earl of Derby in Paris, transmitting a general summary by Sir William Wiseman of the political situation in the United States. This telegram, as received in Paris, read as follows:

'Following for Sir ? Ian Malcolm[1] from Sir William Wiseman.

'Following is a summary of situation here for autumn.[2] (Please send copy to Sir W. Tyrrell.) It is based on interview of [with][3] members of Administration and leading Republicans.

'The Treaty of Peace and the League of Nations.

'The American people take little interest in the details of Treaty, being much less affected than Europe by the terms of peace. These terms are not questioned by the majority [of][3] Democrats, and only a small group of extremists consider them too harsh. On this account Republicans do not, and never would have criticised them, and no opposition to Treaty would exist had not Republicans sought to make political capital out of it. For this reason they attack the League of Nations, to which they make three main objections of sufficient popular appeal to arouse a certain amount of feeling against its incorporation in the Treaty.

'They charge (1) Abandonment of Munroe [*sic*] Doctrine and (2) Aban-

---

[1] Cf. No. 138, note 2.

[2] On July 3, 1919, Sir W. Wiseman sent an untelegraphed copy of the present telegram direct to Sir W. Tyrrell (cf. below), an Assistant Under-Secretary of State in the Foreign Office and subsequently, from August 23, private secretary to Lord Grey. In this copy (received July 15) the text here reads 'here for Mr. Balfour'. Henceforth corrections of substance to the text as received in Paris, supplied from that sent direct to Sir W. Tyrrell, are inserted in square brackets unless noted separately.          [3] See note 2 above.

donment of traditional American policy towards foreign Alliances, to which they say Article 10 regarding territorial integrity commits the United States, involving them in quarrels which do not concern them. They also object (3) to alleged vagueness of Article relating to withdrawal from League of Nations.

'This opposition would not be of so much importance to us were it not that it is accompanied by anti-British agitation. The Republicans, knowing that the anti-British cry is most easily raised here, have not hesitated to qualify [Great Britain][4] as evil genius of the Peace Conference, though in reality they know this is not true, and this aided by the attitude of Irish-Americans has given them a club with which to belabour President Wilson. As however their attacks are artificially manufactured and not inspired by any real or spontaneous feeling it is not likely that they will succeed. Furthermore the Republicans are divided among themselves and groups are developing lines of attack which do not appeal to parties [the party][3] as a whole.

'The three principal groups are:

'*a*. That led by Lodge and Knox, primarily inspired by personal hatred of President. This group is reluctantly anti-British, they are now endeavouring to compromise the [with][3] Democratic Senators on some formula covering all or any of above mentioned objections which would be harmless in effect and yet enable them to justify their attacks. The President will probably refuse any compromise, though his political advisers will urge him to accept from Republicans at least the same reservations as America made to Hague Convention.[5]

'*b*. The Extremists Party. Party headed by[6] Borah and Hiram Johnson who believe in a narrow Nationalist policy and are violently anti-British and anti-European generally. They are entirely opposed to League of Nations and to any ? participation of United States in Foreign affairs. They constitute the most troublesome body in American politics at the moment.

'*c*. ? The majority of party which is not American [not yet][3] committed for or against Treaty of Peace or League of Nations. They are waiting to see how American people receive the President and will act accordingly.

'There is however no serious opposition [in America][3] to the League of Nations and I believe the President can force the Senate to ratify the Treaty without amendment or reservation.

'The separate agreement guaranteeing France against German aggression seems to have almost escaped notice here. It would be much easier for Republicans to defeat than the League of Nations.

'July 1st.

'(Continuation of my cable of yesterday)[7]
'Irish Affairs. All Irish Americans complain that President lost unique

[4] The text is here uncertain on the copy received in Paris. (Cf. note 2 above.)
[5] See *Deuxième Conférence internationale de la Paix: La Haye 15 juin–18 octobre 1907: Actes et Documents* (The Hague, 1907), vol. i, p. 335.
[6] The text as sent direct to Sir W. Tyrrell here reads: 'The extremists of the party headed by . . .', &c.
[7] On the copy sent direct to Sir W. Tyrrell the date above was given as '2 July 1919' and

opportunity by not pressing their case at Peace Conference. The extremists have taken opportunity to seize on suggestion and[8] are steering whole party to support of a Sein [*sic*] Fein[9] republic, though great majority of Irish Americans, certainly most influential, are going against their own judgement and inclination. They have however no alternative project which appeals for their support and their temperament rejects a waiting policy. Cardinal O'Connel, for instance, recently expressed to friend of mine grave fears that present movement would lead to formation of a separate Irish party in American politics which would eventually do much harm to Church and people of Irish descent in America. He cannot however control enthusiasm of his people and younger priests. Democratic Party normally secures bulk of Irish vote, but it is possible [probable][3] that Irish machine here will threaten to vote Republican in order to force President to take up their case again. Republican leaders are not slow to take advantage of this powerful weapon and are making determined bid for Irish support, although some of the wiser regard weapon as dangerous to handle. This is explanation of recent Senate resolution[10] and although Lodge says his action [then][3] was a protest against alleged disregard of Monroe doctrine by League of Nations, it was afterwards realised nothing[11] more than an attempt to secure Irish support against President. Lodge and a number of the more reputable Senators feel ashamed of this [their][3] performance but they are so blinded by personal hatred of President that they are ready to adopt any measure to embarrass him. The practically unanimous Senate vote (sixty to one) in favour of resolution is deeply significant indicating that all politicians in this country regard it as matter of course that they must support any Irish movement. Several [of the][3] Senators, Republican and Democratic, with whom I talked, admit that they do not regard separate Irish Republic as either feasible or desirable and all they meant by resolution was to register their conviction that something ought to be done. Those who will discuss matter frankly admit that it is not practicable politics for them to oppose any Irish resolution however extreme. It is clear that Irish agitation here is more serious than it has been for a long time owing to fact that both parties will play Irish vote at next Presidential election and also arrival of De Valera[12]

the phrase in parenthesis was omitted. On that copy the preceding portion of the telegram was dated at head '1 July 1919'. It would thus appear from that copy that the first part of the telegram was drafted on July 1 and the second on July 2.

[8] The text as sent direct to Sir W. Tyrrell here reads: '. . . opportunity of seizing the helm and . . .', &c.

[9] Irish movement for political independence.

[10] A resolution of June 6, 1919, wherein the Senate had, by sixty votes to one, expressed its sympathy with the aspirations of the Irish people for a government of its own choice, and had requested the American Commission to Negotiate Peace to endeavour to secure a hearing for Irish nationalist representatives before the Paris Peace Conference: see *Congressional Record, Sixty-Sixth Congress, First Session*, vol. 58, no. 17, pp. 749–53.

[11] The text sent direct to Sir W. Tyrrell here reads: '. . . doctrine by the Covenant, it was, in reality, nothing . . .', &c.

[12] Mr. Eamon De Valera, President of the Sinn Féin, had arrived in the United States in June 1919.

has focused public attention on Sein Fein movement. There appears to be two dangers at present:

'1) Possibility of some incident in connection with De Valera which it would be impossible for H.M.G. to overlook. I mean something that would amount to an official recognition of De Valera and his Government. There have already been incidents which would have warranted a protest from British Embassy. De Valera boasts that he arrived in this country under an assumed name without proper papers thereby committing a breach of U.S. immigration laws. The open appeal for Irish Victory Funds—that is funds to support a Revolution against a friendly state—is same offence against United States neutral laws for which Hindustan agitators were recently convicted by American Courts. Proposal to confer on Valera freedom of City of New York and his public reception by State Governors approach official recognition.

'In spite of all this I venture to think that H.M.G. has been well advised to make no protest up to now. It is not unlikely that Valera and his Irish victory fund may become somewhat ridiculous. At the moment American people have hardly made up their minds whether to take him seriously or not. And again if in consequence of protest by H.M.G. United States authorities instituted proceedings against Valera and his friends, it would be impossible to find a Jury in United States to convict them and only result of protest and prosecution would be to increase enormously their popularity.

'Second danger I see from present situation is effect on American public opinion of speeches of Valera and his friends without any contradiction and without any presentation of other side of case. It may be that America will accept idea of a separate Irish Republic as something which is an inevitable and generally accepted solution, and may interpret silence of H.M.G. as meaning that they themselves regard this solution inevitable.

'Chief Secretary for Ireland recently gave an interview to a correspondent of *New York World*.

'It was not, however, interpreted here in at all a friendly spirit. It was written up merely as a defence of present military rule in Ireland and quoted as an example of lack of British policy. I believe that it would be of benefit if Prime Minister would make some statement in answer to questions in House of Commons to the effect that question of Ireland would be dealt with at an early date but that in no circumstances would British people ever consent to a separate Irish Republic and that Valera and his followers could only be regarded as dreamers who are doing a great disservice to cause of Ireland. Of course any appearance of yielding to Irish American agitators would have worst possible results here.

'*German Propaganda.*

'German Americans are very active again here. They are spending a lot of money and their propaganda is more subtle and better directed than during the war. It follows, however, the usual line: advocating a policy of isolation for America; attacking British Imperialism and exaggerating exhausted condition of France and Italy, at the same time pointing out the advantage of closer commercial relations with a reformed Germany. German American sources are undoubtedly financing Sein Fein movement here.

'*Bolshevik Movement.*

'Bomb outrages may be expected from time to time but movement is [not][3] widespread, majority of people demand stern repression of violence, organised labour (which is small part of labouring class) is less inclined to identify itself with Bolsheviks than in Europe. Real attitude and strength of Labour Party is hard to determine owing to remarkable prosperity and high wages.

'French credit commercially is very weak.

'In conclusion I believe American people realise that British Empire has been main force which vanquished Germany and prepared [carried through the][3] Treaty of Peace and their feelings towards us are respect and admiration and a very sincere though sometimes grudging recognition that future of world required [requires][3] Anglo-American co-operation.

' "Freedom of the Seas", "Colonial Ag[g]ression" and [are][3] forgotten temporarily at any rate. In fact Irish situation is only weapon left to our enemies here but it would be idle to deny that it is more potent than ever as an agenda [agent][3] for mischief between [the][3] two peoples.'

On July 18, 1919, Mr. Lindsay, in Washington telegram No. 1175 to Lord Curzon (received July 19), transmitted a further message from Sir William Wiseman. This telegram read as follows:

'Following for Mr. Balfour from Sir W. Wiseman.

'I have just had a conversation with President regarding situation here. He is confident that Treaty will be ratified but is dealing with Senate opposition seriously and patiently in contrast to attitude of some leading Democrats, who regard Republican attack as a complete failure, and are more intent on scoring off their opponents than in securing unanimous approval of Treaty. He has abandoned for the time being, at any rate, his defiant, rather contemptuous attitude and is now accessible to all political leaders. Every day he interviews separately half a dozen Senators and endeavours to explain Treaty.

'Following is a summary of President's observations:

'It is impossible at the moment to say how long it will be before Senate votes on ratification. In a few days more he may be able to judge. He has won over several of the opposing Senators who had not previously committed themselves in public. Trouble is that Senate-Foreign-Relations-Committee has been packed by his most irreconcilable opponents and a number of Senators pledged themselves to defeat League before they read Covenant, although some of them now regret that course.

'They have burnt their boats and are anxiously searching for a bridge. He complained rather bitterly that Mr. Taft[13] is weakening [in] his support and now thinks there ought to be reservations to the League.

'He is setting his face against any amendments or reservations, his main

[13] Former President of the United States (1909–13) and at that time a Republican Senator. Mr. Taft had been an advocate of the constitution of the League of Nations.

argument being that such a course would set up a precedent which would be followed extravagantly by newly created States who are not entirely satisfied with terms, and unless all the Great Powers, including United States, unite to support Treaty and League there is grave danger that Bolshevism may overrun Europe. Objectors are found to most of all the clauses [sic],[14] from Labour to German Colonies, but President thinks only one which might gain support in the country centres round the right to withdraw from League. Senators contend that United States may not be able to withdraw owing to a difference of opinion as to whether as far as possible[15] she has fulfilled her International obligations under Government [the Covenant].

'He does not believe Republicans can get a majority for any one amendment, but they might secure necessary majority by combining their chief objections into one reservation.

'*Confidential.*

'He admits[16] that he may be obliged, in order to secure a really satisfactory majority to agree to some reservation defining or interpreting language of one or more clauses of Covenant. Probably clauses Nos. 1, relative to withdrawal, 10, and 21.

'President is entirely satisfied that he has support of the people and is most eager to tour the country in support of Treaty. He will not do so unless he concludes that he cannot persuade sufficient Republican Senators by his present daily conferences.

'President points out that Senate has one eye on Parliaments of Allies, and will be influenced by progress of ratification by other Powers.

'Senator Lodge has told his supporters that he has received letters from a member of Government in London to the effect that proposed Republican amendments would be welcomed at Westminster. President does not believe this story, but thinks you ought to know such devices are being used.

'Irish Extremists are deliberately trying to wreck the Treaty on what he described as devilish theory that without League we [sic] may some day be able to pick a quarrel with England and go to war and liberate Ireland.

'Agitation against Shantung settlement[17] he regards more as an expression of mistrust of Japan than serious objection to terms themselves.

'President looks tired and Mrs. Wilson doubts if he can stand heavy strain of a speaking tour through the country during hot weather. President told me to send his warm regards to Prime Minister and yourself and to say that he misses you both.'

On August 13, 1919, Mr. Bonar Law, Lord Privy Seal, made the following

[14] The text as sent from Washington here read: '. . . to most all the clauses', &c. (Washington Archives/FO.115/2565).

[15] The text as sent here read: ' . . . whether or not she', &c.

[16] The text as sent here read: 'Confidentially he admits', &c.

[17] Articles 156–8 of the Treaty of Versailles. Under article 156, in particular, 'Germany renounces, in favour of Japan, all her rights, title and privileges—particularly those concerning the territory of Kiaochow, railways, mines and submarine cables—which she acquired in virtue of the Treaty concluded by her with China on March 6, 1898, and of all other arrangements relative to the Province of Shantung.' Cf. Volume VI, Chap. II.

announcement in the House of Commons: 'Pending the appointment of a permanent Ambassador, which will be made in the early part of next year, Lord Grey of Fallodon has consented to go on a mission to Washington to deal especially with questions arising out of the Peace. The House of Commons will, I am sure, share in the warm appreciation which is felt by His Majesty's Government of this patriotic action on the part of Lord Grey, which will, in their opinion, be of the highest value in its influence on the relations between the two Governments and peoples.'

## No. 347

### Mr. Lindsay (Washington) to Earl Curzon[1]

*Unnumbered. Telegraphic* [*Confidential/General/363/21*]

WASHINGTON, *August 16, 1919*

I met the Secretary of State at dinner last night, and he expressed to the table surprise that the State Department as yet knew nothing of Viscount Grey's appointment as Ambassador. This morning, at an interview with me, he opened the subject again, saying that he thought it very extraordinary that the appointment should be announced in the House of Commons *before* notification to the State Department.

He also said that he thought a temporary appointment, following on the previous temporary appointment of Lord Reading and the prolonged delay of a decisive nomination of his successor, would cause adverse comment in public, though of course it would not affect relations with the Government.

He considered that, even if Viscount Grey's health made it unlikely that he could remain as Ambassador for a long time, it would have been better to make the appointment on normal lines, and for him to retire when he saw fit.

Americans are very susceptible to breaches of etiquette, and Mr. Lansing himself is just now in a particularly susceptible frame of mind. The delay in the appointment has thoroughly puzzled people here, and I think it likely that the method of appointment may cause some comment, especially if the appointment is a temporary one. But I do not think that the latter point, in the circumstances of the case, is really very important.

[1] The date of receipt is uncertain but was not later than August 17, 1919.

## No. 348

### Earl Curzon to Mr. Lindsay (Washington)

*No. 1612 Telegraphic* [*118860/118567/45*]

FOREIGN OFFICE, *August 19, 1919*

Please express to Secretary of State my sincere personal regret and that of H.M. Govt. that announcement of Viscount Grey's appointment was made without the *agrément* of the U.S. Govt. having first been obtained.

In view of the almost daily questions asked in Parliament, and the rumours collecting round Lord Grey's name, it was almost impossible to keep matter concealed, as soon as Lord Grey's final answer had been given; and in this stress it was most unfortunately overlooked that the U.S. Govt. had not been asked to agree.

Nothing of course was further from the mind of H.M.G. than to spring decision upon U.S. Govt. or to show any discourtesy to them.

Please now ascertain whether the appointment of Viscount Grey of Fallodon as special Ambassador to the U.S. will be agreeable to the President and to the U.S. Govt.

## No. 349

### Earl Curzon to Mr. Lindsay (Washington)

*Unnumbered. Telegraphic [Confidential/General/363/21]*

FOREIGN OFFICE, *August 19, 1919*

Your private telegram of 16th.[1]

I have given explanation of unfortunate omission to consult United States Government in my official telegram[2] of to-day. The conditions of Lord Grey's appointment were sole conditions upon which he would accept the office, and he insisted upon their announcement. We thought that advantages of obtaining the services of so eminent a man greatly outweighed the drawbacks to which you refer, and we thought, and still think, that America would be of the same opinion.

[1] No. 347.   [2] No. 348.

## No. 350

### Mr. Lindsay (Washington) to Earl Curzon (Received August 21)

*No. 1287 Telegraphic [118567/118567/45]*

WASHINGTON, *August 20, 1919*

Your telegram No. 1612.[1]

Appointment will be agreeable to United States Government.

[1] No. 348.

## No. 351

### Mr. Lindsay (Washington) to Earl Curzon (Received August 21)

*Unnumbered. Telegraphic [Confidential/General/363/21]*

WASHINGTON, *August 20, 1919*

My telegram No. 1287.[1]

Fact that agreement had not been requested has escaped notice of Press altogether and in order that their attention shall not be drawn to the fact

[1] No. 350.

with possible result of unpleasant comment I have with Secretary of State's approval requested and obtained *agrément* verbally only.

(? Press) comment on appointment has been entirely favourable and it is regarded as a compliment. Comment on its temporary nature has been in nature of regret rather than of criticism.

### No. 352

*Mr. Lindsay (Washington) to Earl Curzon (Received September 5)*

*No. 585* [*125379/451/45*]

WASHINGTON, *August 21, 1919*

My Lord,

I have not troubled Your Lordship with the score and more of set speeches which have been delivered in the Senate on the Treaty of Peace, the League of Nations and the various international questions connected with them; but Mr. Lodge being leader of the Senate and Chairman of the Committee on Foreign Relations, I think it right to enclose the verbatim report[1] of the Speech he delivered on the 12th instant.

He opened by sketching the history of the Holy Alliance and showing how it had gradually developed into an instrument of repression with which England after a few years would have nothing further to do. But the League of Nations he said had far wider powers than ever attached to the Holy Alliance. It could deal with any matter affecting the Peace of the World. The French Revolution would have been within its scope; and the American Civil War; and as in the Treaty with Poland[2] the Associated Powers interest themselves on behalf of religious freedom, he infers that the League will be empowered to interfere in the affairs of other States for the repression of internal disturbances in a less justifiable cause.

Article X, he maintained, imposed on each state the obligation to respect and preserve the integrity and independence of all the other states without the intervention of the League. Though the United States might well do this in treaties with other states, and had indeed done so, he objected to the individual pledge being given indiscriminately to all. The obligation might be a moral obligation only, but was none the less binding. The power of the League to advise was, he considered, a mere detail of execution. On that advice, the United States Government would be morally bound to act.

Article XI increased the danger. Quoting the Article, that any war or threat of war is a matter of concern to the whole League, he read a telegram from the papers reporting the defeat of the Hadjaz forces by Ibn Saoud[3] and expressed his unwillingness to give King Hussein the right to call American troops to his rescue.

[1] Not here printed. See *Congressional Record, Sixty-Sixth Congress, First Session*, vol. 58, no. 69.

[2] The text of this treaty of June 28, 1919, whereby Poland guaranteed the rights of ethnic minorities within her frontiers, is printed in *British and Foreign State Papers*, vol. cxii, pp. 232 f.

[3] Cf. Volume IV, No. 199, note 3.

In Article XV the Senator found insuperable difficulties, and his words merit quotation. He said:

'It begins: "if there should arise between members of the League any dispute likely to lead to a rupture." "Any dispute" covers every possible dispute. It therefore covers a dispute over tariff duties and over immigration. Suppose we have a dispute with Japan or with some European country as to immigration. . . .'[4]

With this interpretation of the nature of the disputes to be dealt with he turned to paragraph 8 of the Article (excepting matters of domestic jurisdiction) and described it as 'protective colouring', i.e., a form of words intended to give a false impression of security on this subject. But it fails of its object, as the next paragraph prescribes that the Council may in any case under this Article refer the dispute to the Assembly. Here we have America's dispute over immigration referred to the Assembly and of course the Senator denies the jurisdiction. A state which cannot deny entry to anyone it likes has lost its sovereignty.

Article XXI, dealing with the Monroe Doctrine, next came up for notice especially in connection with the official British Commentary on it (Misc: 3, 1919,[5] page 18) which says that the League may settle any disputes that arise as to the Doctrine's interpretation. The Senator asserted the pure Americanism of the Doctrine and stated that once it was submitted to interpretation by other Powers it would lose all its force and virtue.

Finally with regard to Article I and the right of withdrawal, Mr. Lodge maintained that the proviso virtually annuls the right of withdrawal. The League would have to decide by unanimous vote that all the international obligations of the withdrawing state had been fulfilled, and to do so, would scrutinize not only all its obligations under the Covenant but all its treaties with all States—a humiliating posture indeed for America should she desire to withdraw.

Mr. Lodge then proves that the League will make for war rather than for peace. Then he expatiates on America's part in winning the war, then on her alleged selfishness, then on her alleged imperialism, and then emphasizes the importance of avoiding European entanglements. The finale was on an exceedingly high note of Americanism, and like the finale of a prima donna, it earned for the speaker vociferous applause from floor and gallery such as is seldom heard in the decorous Senate house.

To sum up shortly, Mr. Lodge dislikes especially four Articles—I about withdrawal, X about guarantees, XXI about the Monroe Doctrine and XV about domestic questions. He has said that all these must be changed, but he has not advocated any definite amendments or reservations and it is safe to assume that he was unwilling to commit himself to any decided ground. He still had an eye on the line of retreat.

The speech is one of the best that has been delivered in the prolonged

---

[4] Punctuation as in original quotation.
[5] Cmd. 151 of 1919: *The Covenant of the League of Nations with a commentary thereon.*

debate so far and contains many admirable passages. If Your Lordship is inclined to think that some of the arguments repose on rather a faulty basis, it should be remembered that thanks to the traditional Senatorial courtesy, a Senator may stand up and say anything he likes without fear of being interrupted or taken up in debate. Nowhere else can such freedom of oration be had except in the pulpit. There is therefore no compulsion on speakers to limit themselves to the use of sound and logical argument.

I have, &c.

R. C. LINDSAY

## No. 353

*Mr. Lindsay (Washington) to Earl Curzon (Received September 5)*

*No. 589 [125383/451/45]*

WASHINGTON, *August 21, 1919*

My Lord,

I have the honour to forward herewith Part 10 of the Hearing before the Committee on Foreign Relations,[1] United States Senate, giving the testimony of President Wilson before that body, on the 19th of August, 1919.

The President began with an address urging the necessity for speedy ratification of the Treaty by United States. He expressed his assent to interpretive ratifications of the Peace Treaty but stated that he was firmly opposed to any amendments or reservations. Germany's assent would not be necessary to changes in the League of Nations until she became a member; but amendments would necessitate submitting the treaty again to Germany and all other signatories.

Questioned as to the Right of Withdrawal of the United States from the League of Nations, the President asserted that the obligations imposed upon members of the League were moral and that consequently the United States had the right to decide such a question unchallenged by any other member. The President believed that the United States would always fulfil her moral obligations, but was adverse to inserting this interpretation into the Peace Treaty. The use of American troops under the League rested entirely upon the consent of Congress and required the consent of the American member of the Council of the League of Nations. The Monroe Doctrine was fully protected by the term 'Regional understanding' and domestic questions such as immigration and tariffs were plainly assigned to individual nations.

The Committee questioned President Wilson closely about the Shantung agreement. Admitting that he was not aware of the full facts until he reached Paris President Wilson stated plainly that he 'would have preferred a different disposition' but claimed that under the circumstances no other way could be found of dealing with the difficulty. He refused to state his

[1] Not printed. See *66th Congress, 1st Session, Senate Document No. 106: Hearings before the Committee on Foreign Relations . . . on the Treaty of Peace with Germany* (Washington, 1919), pp. 499 f.

opinion as to the justice of the award. In order to safeguard American cable routes in the Pacific the President disclosed that the island of Yap would be granted to United States as a cable and submarine base.

The President refused on international grounds to discuss the question of the adjustment of the French frontier with Germany; but stated that in his opinion the treaty between France and United States was necessary as a further safeguard and mark of gratitude to France.

The tone of the debate was pleasant throughout and President Wilson appears to have succeeded in answering most of the difficulties put in the way of ratification by the bitterest opponents of the League of Nations with which the Committee has been carefully packed. Their subsequent criticism of the President's answers appear to be only vague and general in character though they have not as yet had time to develop any counter-attack.

I have, &c.

R. C. LINDSAY

## No. 354

*Mr. Lindsay (Washington) to Earl Curzon (Received August 23)*
*No. 1296 Telegraphic* [*120173/7067/39*]

WASHINGTON, *August 22, 1919*

Senate and Treaty,

Previous to recent conference in White House reported in press[1] group of senators known to be in favour of mild reservations had been gaining in strength and number, though always remaining somewhat nebulous. Their object was to acquire enough strength to hold a balance of power and then by attracting to their views either of the two extreme parties to ratify treaty with reservations of a . . . ative[2] nature which they considered desirable.

President's attitude at conference was to insist on unreserved ratification. His only concession was to agree to concur in resolutions not attached to act of ratification. These would only amount to pious aspirations.

His action seems to have shattered middle group of senators and driven them towards one or other extreme parties. I am at present dubious as to whether it has improved his chances but his display of confidence is certainly impressive. His management of conference was admirable: statement with which he opened proceedings very adroit: and he made full use of his skill in debate. I think he probably made a good impression on the public but question is how he can win over to his views the fifteen or twenty republican senators required to secure ratification especially when he himself is so strong a party man. The conciliatory dispositions which he now shows personally have come too late.

Meanwhile there is strong pressure on Senate to expedite matters and treaty is likely to be reported out of committee soon, most likely with far

[1] Cf. below.
[2] The text as received was here uncertain. The text as sent read: '. . . of an interpretative nature', &c. (Washington Archives/FO.115/2565).

reaching amendments, which will not be meant to be taken seriously. Republicans are expressing themselves as very well satisfied with present prospects but at the moment there is something like a deadlock. Political excitement caused by such a situation will have as a bye product ventilation of minor grievances all over the world, Greek, Egyptian, Persian as well as Irish and this has already begun. It will be extremely unpleasant but I do not think it necessary to infer that (? final)[3] action is to be indefinitely delayed.

Repeated to Canada.

[3] This word was correct.

## No. 355

### Earl Curzon to Mr. Balfour (Paris)

*No. 1112 Telegraphic: by bag [116657/16000/10]*

FOREIGN OFFICE, *August 25, 1919*

Your telegram No. 1271.[1]

No record can be found in this office to shew exactly what was communicated to President Wilson during your mission to United States of America nor can Sir E. Drummond[2] remember whether our engagement with

[1] Not printed. This telegram of August 15, 1919 (received that day), had referred to Mr. Lindsay's Washington telegram No. 1252 (not printed) of August 12 (received next day) wherein he reported that on August 11 Mr. Lansing had testified before the Committee on Foreign Relations of the United States Senate as to his previous knowledge of, in particular, the secret Anglo-Japanese agreement of February 1917 relative to German rights in Shantung and possessions in the islands of the Pacific Ocean (see *66th Congress, 1st Session, Senate Document No. 106: Hearings before the Committee on Foreign Relations . . . on the Treaty of Peace with Germany*—Washington, 1919—pp. 215 f.). The text of the British undertaking to the Japanese Government in this respect, as recorded in the note of February 16, 1917, from H.M. Ambassador at Tokyo to the Japanese Foreign Minister, and as considered by the Council of Four at the Paris Peace Conference on April 22, 1919, is printed in *Papers relating to the Foreign Relations of the United States: the Paris Peace Conference 1919*, vol. v, p. 134. (Cf. also H. W. V. Temperley, *A History of the Peace Conference of Paris*—London, 1920 f—vol. vi, p. 376.) Mr. Lindsay reported in his telegram No. 1252 that Mr. Lansing had stated that the Anglo-Japanese 'arrangement relative to islands had been communicated to him by Sir C. Spring Rice [see note 3 below] in October 1916 [*sic*] and that Viscount Ishii had in September 1917 informed him that Japan intended to restore Shantung to China. He stated that not until February of this year did he learn that agreement contained anything admitting Japan's claims to Shantung. Mr. Balfour's answer to Mr. King in House of Commons on March 4th [1919] was then quoted and it was made to appear that United States Government had not been kept fully informed on these arrangements.' With reference to the above, Mr. Balfour stated in his telegram No. 1271: 'I have no papers with me, but I have no doubt that I communicated all our engagements with Japanese to President Wilson when I was at Washington [in April–May 1917], as I communicated to him all our Treaties and engagements. Perhaps Foreign Office records or Sir E. Drummond [see note 2 below] will confirm. I assume that you are taking steps to give publicity to the fact that I kept nothing back from President Wilson if fact that I gave him copies of Anglo-Japanese notes about Shantung and Pacific Islands is confirmed.'

[2] Sir Eric Drummond, at that time Secretary-General designate of the League of Nations, had in 1916 been appointed private secretary to Mr. Balfour and had accompanied him upon his mission to the United States in the following year.

Japan regarding Shantung was among the documents which you gave the President, though he believes that it must have been. We cannot however prove this. In any case it could only have been given to the President informally and it would be difficult to deny the charge that the United States Government were not kept fully informed.

As regards Pacific Islands assurance given by His Majesty's Government to the Japanese Government in February 1917 that they would support the Japanese claim to all the German Pacific Islands lying to the North of the Equator was communicated to American Government in August (not October) 1917 by Sir C. Spring Rice[3] in reply to a private and unofficial enquiry of Mr. Lansing. Latter's enquiry had been confined to matters connected with the Pacific and presumably for this reason no information was given at that time to the United States Government of the promise to support the Japanese claim to the disposal of Germany's rights in Shantung.

[3] At that time H.M. Ambassador at Washington.

## No. 356

*Mr. Lindsay (Washington) to Earl Curzon (Received August 27)*
*No. 1303 Telegraphic [121612/7067/39]*

WASHINGTON, *August 26, 1919*

Senate Committee(?s) action in amending Peace Treaty so as to transfer Shantung to China[1] is on face of it an answer of an extremist character to what majority of them regard as extremist standard [stand][2] of President in favour of ratification pure and simple. Both practice and precedent (in)[3] such matters make it perfectly possible that drastic action of Committee be reversed in Senate and I feel strongly convinced that it will be so treated. Republicans dare not take final action on Treaty of a nature to make its reference back to co-signatories necessary. To do so would enable President to appeal direct to country for support against congress in such a manner that latter would have to retract. Circumstances must compel President and Republicans to get together somewhere and question is how obstinate each will be and how long they will take.

Committee yesterday gave a hearing to Egyptian (? settlement)[4] but press reports of proceedings are very summary and give little more than extracts from printed documents enclosed in my despatch No. 583.[5] I will report further. Hearings are announced for next few days of Greeks, Yugo-Slavs, Hungarians, Irish, miscellaneous (Eastern)[3] European nationalities and American negroes on behalf of tropical African (? territories).[3] Press [Pressure on][2] Committee to expedite matter may cause some of these to be eliminated but (not the)[3] Irish.

Meanwhile there are . . . .s[6] that endeavours are being made to reform

[1] Cf. No. 357.　　　　　　　　　　　　　　[2] Washington Archives/FO.115/2565.
[3] This wording was correct.　　　　[4] The text sent here read: '. . . Egyptian case', &c.
[5] This despatch of August 21, 1919, is not printed.
[6] The text as received was here uncertain. The text as sent read: '. . . there are signs', &c.

group of moderates in favour of interpretative reservations. On the assumption that these can be drafted and attached to act of ratification in such a manner as not to necessitate reference of Treaty back to Conference I still hold that this is only possible solution of present . . . .[7]

Repeated to Canada by post.

[7] The text as received was here uncertain. The text as sent read: '. . . present deadlock.'

## No. 357

*Mr. Lindsay (Washington) to Earl Curzon (Received September 10)*
*No. 602 [127096/451/45]*

WASHINGTON, *August 29, 1919*

My Lord,

Your Lordship is aware that the Senate Committee on Foreign Relations has already adopted two amendments to the Treaty of Peace which materially alter the purpose of the document. The first makes Germany cede her rights in Shantung to China instead of to Japan; the second, introduced by Senator Fall, excludes America from participation in every International commission mentioned in the Treaty except from that on Reparations. It is quite possible that before the Committee reports further amendments of an equally far reaching scope may have been voted on favourably. The Sarre Basin is mentioned as likely to form the subject of one; and the six votes in Assembly of the British Empire of another; Ireland of a third; but it is almost impossible to foresee what may be chosen for criticism.

It must be remembered that the temper of the Committee is very different from that of the Senate. The Committee has been carefully packed with men not only bitterly hostile to the Treaty but personally antagonistic to the President himself. Of the ten Republican members at least seven can fairly be so described; of the other three one follows party lines (Senator New) one (Mr. Harding) was supposed to be of a moderate description but seems to have committed himself to the extreme views and actions of his colleagues and the third only, Mr. McCumber of North Dakota, stands firmly and courageously against mere partisan attack. Of the seven Democrats on the Committee, one, Mr. Shields of Tennessee has committed himself to mild reservations contrary to the views of his colleagues. It is significant that he had scarcely done so when meetings in his State began to call for his resignation; how serious this movement may be I do not know, but the fact is interesting.

The Republican majority is therefore able to carry the Committee towards uncompromising action; and the members of it inspire the proceedings with their own personal animus. It is surprising to talk to these gentlemen. In an instant they turn red in the face, begin to shout, and any argument or discussion becomes an impossibility. But the body of the Senate though it will approach the question of ratification in a frankly partisan spirit, will work in a less highly charged atmosphere. They will find no difficulty in reversing decisions of the Committee, even though the Committee on Foreign Relations is looked on as an august body whose decisions are not lightly reversed. They may even vote material and damaging amendments themselves which they may themselves subsequently reverse. But they will not take action which will make the Treaty or League of Nations into an issue for the forthcoming political campaign, and they will vote for its ratification —provided always some concession is made to their legitimate aspirations. I still think that mild reservations will suffice.

Intensely annoying as all this party fighting must be to the rest of the world it is not difficult to feel some sympathy with the Republicans. It is not surprising that in America now, as in England after other European wars, there should be a strong movement to withdraw from the complications of international politics. But besides this, the President is as strong a party man as the worst of his opponents; he considers that the war has been won by the Democrats and that it is now the duty of Republicans to sign the Treaty without reading it. I have little doubt he could get their signature tomorrow if he would allow them their little say in the matter in the insertion of some inoffensive interpretations. But he has categorically refused this and is now about to tour the country to rouse public opinion in favour of his uncompromising views. He has been reluctant to adopt this course, as he is a tired man and cannot undertake such work without causing anxiety to his doctor; besides, to 'light up fires behind the opposition' is politically rather a dangerous manoeuvre likely to increase friction without affecting the final result. His courage, or obstinacy as you may prefer to call it, is only the more to be wondered at.

There is one more obscure little political struggle in process which is affecting the attitude of the Senate Committee and may perhaps also affect matters when the fight is transferred to the floor of the Senate House. Among the Republican members of the Committee are two, Mr. Borah and Mr. Hiram Johnson, bitter opponents of the President and representatives of the 'Progressive' party, and a third party is anathema in American politics. They are impulsive gentlemen and are being egged on by the Republicans to adopt the most extreme attitude of opposition. Mr. Borah has irrevocably committed himself to vote against the Treaty and by the time his small following is similarly committed his Republican friends of the moment will in this minor matter be satisfied. When the question of ratification comes up for final vote if qualified with interpretative reservations, Mr. Lodge and his friends will profess themselves as acquiescent if not as satisfied; and the Progressive party will suffer the discredit of figuring in an impotent minority of a dozen malcontents.

I have, &c.

R. C. LINDSAY

## No. 358

*Mr. Lindsay (Washington) to Earl Curzon (Received September 2)*

*No. 1319 Telegraphic [123917/7067/39]*

WASHINGTON, *September 1, 1919*

Senate Committee has adopted further amendment to give United States same voting power as British Empire and Dominions in Assembly.

A further amendment to omit chapter about labour comes up this week. It is idle to speculate on chances which each amendment has of being adopted by full Senate. Real issue is between those who wish whole treaty referred back to Conference and those who rather than facilitate [face][1] that will accept treaty in such a form that reference back will be unnecessary. As regards material amendments it will be acceptance of all or of none and latter alternative is becoming daily more certain in spite of fact that Mr. Knox former Secretary of State has carried his opposition to its extreme logical conclusion and definitely advocates his rejection [advocated rejection][1] of whole treaty.

Opposition Press has been at some pains to prove that his attitude is not pro-German from which charge nevertheless he has not escaped.

Repeated to Canada.

[1] Washington Archives/FO.115/2565.

## No. 359

*Mr. Lindsay (Washington) to Earl Curzon (Received September 6)*

*No. 1331 Telegraphic [125699/7067/39]*

WASHINGTON, *September 5, 1919*

My telegram 1319.[1]

Senate Committee yesterday completed draft of resolution, of ratification of Peace Treaty including 4 reservations as follows.

1. United States reserves unconditional right that withdrawal[2] from League on notice as provided in Article 1.

2. United States declines to assume any obligation under Article 10 or other articles for protection of any country and will not accept any mandate except in both cases by action of Congress.

3. Right to decide what are domestic questions is exclusively reserved to United States and all domestic and . . . affairs[3] United States are declared solely within jurisdiction of United States and [? not] subjected in any way by treaty to League of Nations.

4. United States declines to submit to League of Nations any question depending on (? or)[4] related to Monro[e] doctrine which is declared wholly outside jurisdiction of League and un-affected by treaty. (? In addition to)[4]

[1] No. 358.
[2] The text as sent from Washington here read: '. . . right to withdraw', &c. (Washington Archives/FO.115/2565).
[3] The text as received was here uncertain. The text as sent read: '. . . and political affairs of', &c.  [4] This wording was correct.

above reservations the amendments previously adopted by Committee will come before Senate. These are (? to)[4] give United States 6 votes in League; to exclude United States from participation in Commissions under League except reparations Commission. Shantung amendment; and amendment to prevent nations participating in consideration by League Council [of] questions in which they themselves are concerned.

One of the democratic Senators in [on the] Committee voted with Republicans on reservations.

Report of Committee will now be prepared and this may be expected to come[5] before Senate for 10 days.

Repeated to Canada.

[5] The text as sent here read: '. . . prepared and it is not expected to come', &c.

## No. 360

### Letter[1] from Earl Curzon to Viscount Grey

*Unnumbered [120755/118567/45]*

September 9, 1919[2]

My dear Grey,

I now send you the instructions, which I hope will meet with your approval.

You will see that I have, with the consent of the Admiralty, introduced a passage about Naval Estimates and construction which goes further than your original draft,[3] and as far as we discussed at our last meeting. Indeed, the figures which Admiral Browning was to communicate to you this evening will show you that we might have gone even further.

I shall be glad to see you here[2] to-morrow afternoon at any time between 4.30 and 7 that may be agreeable to you.

There are the questions of Oppenheimer and Wiseman[4] still to be settled.

Yours sincerely,
CURZON

### ENCLOSURE IN No. 360

#### Letter from Earl Curzon to Viscount Grey

9 September 1919[2]

My Lord,

I have received the King's commands to inform you that he has approved of your appointment as His Majesty's Special Ambassador at Washington, pending a permanent appointment which will be made early next year.

[1] The filed copies of this letter and enclosure are typed copies of originals.

[2] The filed copy of this letter is unheaded but it was probably sent from the Foreign Office.

[3] Untraced in Foreign Office archives. For Lord Grey's views, at about that time, concerning the British naval programme cf. *Papers relating to the Foreign Relations of the United States: the Paris Peace Conference 1919*, vol. xi, p. 622.

[4] The question of new appointments in H.M. Diplomatic Service in the United States for Sir H. Oppenheimer and Sir W. Wiseman was at that time under consideration.

In order to ensure the success of your mission it is necessary that Your Lordship should be fully informed of the view of His Majesty's Government on certain subjects that must vitally affect the relations between Great Britain and the United States of America. I therefore propose to deal with each of these subjects separately, as follows:—

## (1) *The League of Nations*

His Majesty's Government believe that the League of Nations can be made the means of achieving great good. But to secure this it must be made a reality and must be prevented from becoming an instrument to further separate national interests. Should the League be used for such ends it will be a centre of intrigue, suspicion and distrust, the aspiration with which it was founded will disappear, and it will become a positive danger instead of a real security for the maintenance of the peace of the world.

His Majesty's Government are therefore determined to pursue no separate or selfish national policy themselves inside the League and to be influenced by no motive that does not conform to the ideal with which the League was founded. It should be the constant effort of Your Lordship to convince the United States Government that this is the desire of His Majesty's Government, just as the latter are convinced that the same desire animates the Government of the United States.

In giving this assurance you will have the fullest support of His Majesty's Government; who will, as occasion serves, take every opportunity of giving effect to these views in the Council of the League. And they venture to hope that in this endeavour they may look forward to the independent and spontaneous co-operation of the United States to preserve within the League the high ideals for which it has been formed and to resist any attempt, should such be made from any quarter, to degrade its character or impair its functions.

## (2) *Armaments*

The Navy estimates and the ship-building programme of His Majesty's Government before the War were based upon a European standard, the object being security against any probable combination of hostile Powers. Large as the British Navy was, events have shown that the provision made was not excessive but was absolutely necessary to meet a real danger not merely to the British Empire, but to all Europe and to the very liberty and independence of the British Islands. But during all these years of preparation it was, as Your Lordship can of your own knowledge assert, the unanimous opinion of the British Government that in framing their own naval estimates they would take no account of the United States' naval programme and would not build against the United States Navy as against that of a possible rival or enemy.

That is still the policy of His Majesty's Government. The strength of the British Navy next year will be based upon a standard of security that does not take account of the United States Navy as a possible enemy.

It is impossible to give an exact figure for next year's naval estimates, which are still under consideration, but it is confidently hoped to reduce the naval estimates for 1920–1921 to a figure which, having regard to the difference in value of money, is relatively less than that for 1914–1915. It is contemplated that the number of capital ships in full commission will be materially reduced below the pre-war figure. No new construction will be undertaken.

The Navy estimates will be fully explained in the House of Commons early in the Autumn Session this year, and if, as His Majesty's Government confidently expect, the policy they intend to adopt and explain meets with a similar response in the naval policy of the United States Government, this policy will, His Majesty's Government believe, continue from year to year to the mutual satisfaction of both countries and the advantage of the world.

## (3) *Ireland*

Absolute independence, is impossible; the creation of a hostile naval base on the Irish coast is impossible; an alliance or union of Ireland with a hostile Power is something that no nation in the position of Great Britain would tolerate. It would be at least as intolerable as the secession of a group of States from the American Union.

But His Majesty's Government recognize that the question of Ireland is not only urgent but must be considered in the light of changed conditions.

From more than one quarter—that was before the War opposed to Home Rule—have come proposals for an Irish settlement that are larger in scope than previous Home Rule Bills. As far as Great Britain is concerned some concessions that were impossible before are possible now.

His Majesty's Government will in a short time give the outline of their own scheme, but Your Lordship may rest assured that this scheme will take account of the new situation and will be generous and full. For instance, as regards control of Customs, if you find it necessary to say anything on the subject you should state that, though the Government does not wish to limit itself at the present state to any definite policy, and though the Customs Policy may present considerable difficulties as long as Ireland is not united, yet the difficulty is not so much one of principle as one of which the solution will depend entirely on practical considerations.

The Irish Administration will be chosen by the Irish people, and Ireland will be in the hands of the Irish themselves, with the reservation that army, navy and foreign policy must certainly remain in the hands of the Imperial Government, and that the area of Ulster which desires to be excluded must not be forced under another rule against its will. This area forms a unit in which the majority is separate from the rest of Ireland in feeling and in religion.

His Majesty's Government, however, are determined that this separate area of Ulster shall not prevent the rest of Ireland from having its own system of Government, and their desire is that this area should in one way or other form part of a united Ireland, but they cannot force its people to come under

999

a rule at Dublin which is to them as alien and repugnant as the present rule is to the most extreme of Irish Nationalists.

Your Lordship should, as occasion may offer or require, explain at Washington these features of the Irish question and emphasise the intention of His Majesty's Government, subject to the reservation mentioned above, to give to Ireland the most complete control—legislative and administrative—of its own affairs.

To make the efforts of Your Lordship effective in this respect further outlines of the policy of His Majesty's Government will be communicated to you at an early date.

I am, &c.<br>CURZON OF KEDLESTON

## No. 361

*Mr. Watson*[1] *(New York) to Earl Curzon (Received September 16)*

*No. 598 Telegraphic* [*130464/1362/50*]

NEW YORK, September 15, 1919

Following for Sir W. Tyrrell from Sir W. Wisemann [*sic*].

Find situation here difficult. Opposition to League of Nations and Treaty going strong.

Consider possible that Treaty will not be ratified (? until) October 29th.

Think that Committee[2] should consider what action is desirable in this event.

Alternatives appear to be postponement or European meeting. My present view is former much preferable, I am proceeding to Washington Friday[3] and will telegraph more fully after consulting Embassy and State Department, situation will then be clearer.

Reply Butler[4] at Embassy.

[1] Acting British Consul-General at New York.
[2] A committee in London which was at that time concerned with arrangements for the holding in Washington of the first meeting of the International Labour Conference on October 29, 1919.
[3] September 19, 1919.
[4] Mr. H. B. Butler, Principal Assistant Secretary in the British Ministry of Labour, was at that time in Washington in connexion with the arrangements referred to in note 2 above.

## No. 362

*Mr. Lindsay (Washington) to Earl Curzon (Received October 6)*

*No. 637* [*137665/466/45*]

WASHINGTON, September 22, 1919

My Lord,

The New York *Times* of the 18th September reports that, in reply to a series of questions sent to him by the San Francisco Labour Council, the President stated that the Covenant would not bind the United States to assist in putting down rebellion in any foreign country, nor would it limit the power of the United States to recognise the independence of any people who seek to secure freedom.

Replying directly to a question as to his attitude towards self-determination for Ireland, the President said that his position was expressed in Article XI of the Covenant, under which it is declared that any member nation can call the attention of the League to any circumstance whatever affecting international relations which threatens to disturb international peace or the good understanding between nations upon which peace depends.

The President's statement detailing the Labour Council's questions and his answers are as follows:—

1. Under the Covenant, does the nation obligate itself to assist any member of the League in putting down a rebellion of its subjects or conquered peoples?

*Answer.*—It does not.

2. Under the Covenant, can this nation independently recognise a Government whose people seek to achieve, or have achieved, their independence from a member of the League?

*Answer.*—The independent action of the Government of the United States in a matter of this kind is in no way limited or affected by the Covenant of the League of Nations.

3. Under the Covenant are those subject nations or peoples only that are mentioned in the Peace Treaty entitled to the right of self-determination, or does the League possess the right to accord a similar privilege to other subject nations or peoples?

*Answer.*—It was not possible for the Peace Conference to act with regard to the self-determination of any territories except those which had belonged to the defeated empires, but in the Covenant of the League of Nations it has set up for the first time, in Article XI, a forum to which all claims of self-determination which are likely to disturb the peace of the world or the good understanding between nations upon which the peace of the world depends can be brought.

4. Why was the case of Ireland not heard at the Peace Conference? And what is your position on the subject of self-determination for Ireland?

*Answer.*—The case of Ireland was not heard at the Peace Conference because the Peace Conference had no jurisdiction over any question of that sort, which did not affect territories which belonged to the defeated empires. My position on the subject of self-determination for Ireland is expressed in Article XI of the Covenant, in which I may say I was particularly interested, because it seemed to me necessary for the peace and freedom of the world that a forum should be created to which all peoples could bring any matter which was likely to affect the peace and freedom of the world.

In a speech at San Francisco, the President declared in a general way that the League of Nations not only did not put the United States in a position where it would have to aid England in the event that Ireland sought to obtain its freedom, but went further by providing a court of the world before which Ireland or any nation which felt that Ireland was wronged could seek the verdict of public opinion.

I am unable to determine at present whether the President really intends or wishes to bring the Irish question under the purview of the League, or whether his utterances are merely a counterblast to his political opponents, designed to keep the Irish vote from straying too far from the democratic fold.

I have, &c.<br>
(For His Majesty's Chargé d'Affaires),<br>
H. G. CHILTON

## No. 363

### *Earl Curzon to Mr. Lindsay (Washington)*

#### *No. 1774 Telegraphic [134965/466/45]*

FOREIGN OFFICE, September 28, 1919

His Majesty's Government have decided that de Valera shall not be allowed to return to Ireland for the present. If he applies for a visa to a passport to any British Consular Officer it will be refused. If he returns clandestinely he will be deported to his country of origin.

I leave it to your discretion whether to inform the United States Government confidentially of the decision or to wait until the occasion arises, or not at all. We have no information that de Valera has any immediate intention of returning.

In any communication to the United States Government you should emphasize fact that he is not a British subject. He is the son of a Spanish father and was born in the United States. He has not been naturalized a British subject and has never, as far as we know, claimed United States citizenship.

## No. 364

### *Viscount Grey (Washington)[1] to Earl Curzon (Received October 2)*

#### *No. 1401 Telegraphic [135965/106767/350]*

WASHINGTON, October 1, 1919

Leading Republican Senator opposed Treaty (? entirely on the ground that) His Majesty's Government have promised Dominions not to ratify

<hr>

[1] Lord Grey had arrived in Washington on September 27, 1919.

Treaty (? till) they have all done so that Australia was[2] making difficulties and His Majesty's Government could therefore not ratify yet. In-
ference was that prolongation of debate in Senate was not delaying general
ratification of Peace Treaty. I know such a promise was made to Canada
who has now ratified but am unaware of it[s] having been made to all Dominions. Please let me know facts as point has some importance.

[2] In the text as sent the preceding passage read: 'Leading Republican Senator opposed
to Treaty tells me State Department has informed him that H.M.G. has promised Dominions
not to ratify Treaty till they have all done so, that Australia was . . .', &c. (Washington
Archives/FO.115/2566).

## No. 365

### Earl Curzon to Viscount Grey (Washington)
### No. 1807 Telegraphic [135965/106767/350]

FOREIGN OFFICE, *October 4, 1919*

Your telegram No. 1401[1] (of October 1st. Ratification of Peace Treaty
with Germany by the Dominions.)

Australian Parliament has now approved Treaty so that no difficulty
remains in the way of British ratification.[2]

[1] No. 364.    [2] Cf. Nos. 155 and 162.

## No. 366

### Viscount Grey (Washington) to Earl Curzon (Received October 5)
### No. 1420 Telegraphic [137192/466/45]

WASHINGTON, *October 4, 1919*

I understood from Prime Minister that he would like to have my impressions as soon as possible after my arrival.

I am told it is of little use to discuss matter of first importance with any
official except President. His illness[1] makes prospect of his discussing anything remote.

Meanwhile everything is in suspense. No one can say what provision will
be made for conducting Government if he is incapacitated.

Belief is that debate in Senate will not be prolonged and will end in ratification with mild reservations.

In Anglo-American relations one comes on Irish difficulty everywhere.
It poisons atmosphere. Opinions of friendly Americans differ as to exact
effect of Irish hostility on General Policy and public opinion of United States.
But difference is only one of degree; some think that but for Peace Treaty
and Labour distractions Irish might work up serious move of feeling which
would have critical effect on relations between Great Britain and United
States. Individual Americans differ as to amount of good to be done by an
announcement by His Majesty's Government of self-government for Ireland.
Some think it would have great effect on American opinion and even on

[1] President Wilson had fallen ill on September 25, 1919.

many Irish; all agree that absence of any such announcement is doing great harm. Conclusion is that Irish hostility is at present an active and might become a critically unfavourable influence in American politics, that a statement of Irish policy on self-Government lines is now very desirable and might at any time become urgent.

It should be accompanied by definite statement that complete separation as advocated by extreme Sinn Feiners is impossible. A simultaneous statement of what is possible and impossible helps to concentrate attention on what is possible.

It would be desirable to let me know when possible what will be main outlines of His Majesty's Government's Irish policy in case I have observations to offer as to probable effect of any details on American opinion.

I am daily seeing private persons of influence in press and otherwise who are recommended to me but all my official or public activity is in abeyance pending recovery of President and conclusion of Senate debate on Treaty. Till latter is over I cannot even mention League of Nations in public.

Repeated to Canada by post.

## No. 367

*Viscount Grey (Washington) to Earl Curzon (Received October 5)*

*No. 1417 Telegraphic [137189/7067/39]*

WASHINGTON, *October 4, 1919*

Divisions in Senate on Peace Treaty amendment so far satisfactory. They do not indicate definitely what final result will be but a leading (Republican)[1] asserted a few days ago that debate would not be prolonged and that ratification with mild reservations was assured.

This prospect does not seem to be impaired by President's illness.

Reservations though mild may be prolix just as a larger glass is used for small beer, than for neat Whiskey.

President's view when last expressed was strongly opposed even to mild reservations and nothing should therefore be said to give impression such reservations would be acceptable or even unobjectionable to His Majesty's Government.

[1] This wording was correct.

## No. 368

*Viscount Grey (Washington) to Earl Curzon (Received October 5)*

*No. 1418 Telegraphic [137190/451/45]*

WASHINGTON, *October 4, 1919*

It is confirmed by State Department that President(?'s) mind is perfectly clear, but he suffers from severe headaches which prevent him from sleeping and is unable to digest food which is making him weak.

At present he is giving no attention to public affairs.

There is no Federal precedent for supplying temporarily place of President and no one can say what temporary arrangements can be made to meet this emergency.

Departments of State Department and Congress can hardly be expected to carry on automatically for more than 10 days or so.

Repeated to Canada.

## No. 369

### Earl Curzon to Viscount Grey (Washington)

### No. 1812 Telegraphic [137190/451/45]

FOREIGN OFFICE, *October 6, 1919*

The whole British nation is watching with intense anxiety and concern the illness of the President, whose life is of such importance not merely to his own country but to mankind. Please convey to the right quarter the joy with which we read the better news in latest bulletins and our earnest hope for a speedy and complete recovery.

## No. 370

### Earl Curzon to Sir E. Crowe (Paris)

### No. 6908 [135642/7067/39]

FOREIGN OFFICE, *October 6, 1919*

Sir,

With reference to my despatch No. 5926[1] of September 9th, transmitting a copy of a telegram[2] from His Majesty's Chargé d'Affaires at Washington in regard to the reservations to the Treaty of Peace with Germany reported by the Foreign Affairs Committee of the United States Senate, I transmit to you, herewith, a copy of a despatch[3] from Mr. Lindsay in regard to this subject, together with copies of the majority and minority reports[4] of the United States Senate Foreign Affairs Committee.

[1] Not printed.
[2] No. 359.
[3] Not printed. This despatch, No. 623 of September 13, 1919 (received in Foreign Office, October 1), recapitulated and somewhat amplified the information in No. 359, and transmitted copies of the reports referred to below: see note 4 below.
[4] Not printed. These reports are respectively printed in *Congressional Record, Sixty-Sixth Congress, First Session*, pp. 5426 f. and 5529 f. Mr. Lindsay had commented in his despatch No. 623 (see note 3 above): 'The Majority Report was drafted by Senator Lodge, and is couched in the rather cynical vein of which he is fond. It starts by objecting to criticisms of the Committee for delay in acting upon the Treaty, and denies the truth of the view that

2. The actual amendments to the Treaty reported by the Committee are as follows:—

(*a*) Amendment to article 3. 'Provided that when any member of the League has or possesses self-governing dominions or colonies or parts of empire, which are also members of the League, the United States shall have votes in the Assembly or Council of the League numerically equal to the aggregate vote of such member of the League and its self-governing dominions and colonies and parts of empire in the Council or Assembly of the League.'

(*b*) The substitution in articles 156, 157 and 158 of the word 'China' for the word 'Japan'.

(*c*) Amendment to the 9th paragraph of article 15 in the following terms:

'Whenever the case referred to the Assembly involves a dispute between one member of the League and another member whose self-governing dominions or colonies or parts of empire are also represented in the Assembly, neither the disputant members nor any of their said dominions, colonies or parts of empire, shall have a vote upon any phase of the question.'

(*d*) The addition of the words 'or the United States of America' after the words 'or Germany' in C. 2 (17) of Article 50 and the elimination of the words 'and Associated' in articles 35, 40, 41, 65, 83, 86, 87, 88, (annex 2, 4, 5 and 6) 93, 95, 97, 99, 100, 101, 102, 104, 107, 109, 110, 111, and of the words United States of America in Article 88 (Annex 2) and of the words 'United States' in article 244, annex 2, third paragraph, together with the addition of the following paragraph after the words 'on all occasions'.

'The delegate of the United States shall have no vote in the proceedings of the Commission except concerning a matter wherein such delegate is specifically instructed by his Government to take part in proceedings of the Commission and to cast and record the vote of the United States thereupon; but shall always have such right when Annex 3 to the reparation clauses or any section thereof is under consideration.'

I am, &c.

[(For Earl Curzon of Kedleston)

V. WELLESLEY][5]

ratification is necessary for the resumption of trade and for the restoration of settled conditions in the world. It also denies that textual amendments will cause serious difficulties in the final adoption of the Treaty, and recommends to the Senate the amendments and reservations which are already known to you. The textual amendments . . . now number 45 in all. . . . The Minority report is signed by the Democratic members of the Committee, with the exception of Senator Shields, of Tennessee, who accepted the majority view. This report opposes the majority report in every particular, and points out the serious objections to textual amendments of the Treaty and the important advantages which the United States would lose by sacrificing the treaty signed at Paris. With regard to the reservations, the authors of the minority report point out that these are designed to destroy the League, not to interpret doubtful points in the Treaty. The minority are therefore opposed to both amendments and reservations.'

[5] The signature is supplied from the files of the British Peace Delegation.

## No. 371

*Viscount Grey (Washington) to Earl Curzon (Received October 8)*

*No. 1430 Telegraphic [138237/451/45]*

WASHINGTON, *October 7, 1919*

Secretary of State to-day sent a representative of State Department to Embassy to make a confidential statement as to President's health.

His (? condition) is very serious. There is no possibility of his being brought in contact with people for at least six weeks or two months.

He cannot even be moved from Washington without danger.

No questions can be submitted to him for decision. Though there has been improvement, conditions are such that a relapse might take place at any moment. It was particularly requested that above information should be kept absolutely confidential. The representative of State Department would not say that the Prince's visit[1] would be inconvenient but Secretary of State thought His Majesty's Government ought to know of altered circumstances and that for His Royal Highness to stay in White House would be out of the question. A member of the Prince's suite is here now who knows His Royal Highness' views, and I shall see Secretary of State myself to-morrow after which I shall telegraph you further.

[1] Arrangements were then being made for H.R.H. the Prince of Wales to pay a visit to the United States.

## No. 372

*Earl Curzon to Viscount Grey (Washington)*

*No. 1827 Telegraphic [138237/451/45]*

FOREIGN OFFICE, *October 8, 1919*

Your Tel. No. 1430.[1]

Very Confidential.

H.M. Govt. have heard with the deepest concern of the serious news contained in above. Information will be kept absolutely confidential. But if any opportunity occurs of expressing our profound interest and anxiety, please take it, and continue to keep us informed.

[1] No. 371.

## No. 373

*Viscount Grey (Washington) to Earl Curzon (Received October 10)*

*No. 1439 [1434] Telegraphic [139459/451/45]*

WASHINGTON, *October 9, 1919*

Opponents of Covenant here allege that in a dispute for instance between Canada and United States in which United States as well as Canada would be precluded from voting the other five votes of British Empire could be used in League of Nations Assembly on side of Canada. Supporters of the League maintain that under last paragraph of Article XV of Covenant not one of votes of British Empire could be used in any controversy in which any part of British Empire was concerned. Latter is presumably (? correct) view. Has anything been said to show that is the view of British Government? If so please give me reference. If not a question in Parliament and an answer making this clear would be very desirable.

## No. 374

### *Viscount Grey (Washington) to Earl Curzon (Received October 11)*

#### *No. 1438 Telegraphic [140033/16000/10]*

WASHINGTON, *October 10, 1919*

Following is extract from speech of Senator Walsh in Senate yesterday.

Referring to President Wilson's statement 'America was trusted throughout the world' Senator Walsh said: 'Surely not by Representatives of British Empire or by Japan.'

'In all history' he added 'I do not believe there is more transparent act of diplomatic treachery and deception practised by one nation upon another than that of Mr. Balfour coming to America after we had declared war and agreed to join with his country in waging war upon Germany and withholding all information contained in secret Treaties he held concealed in his pocket the secret treaties [sic] made with Japan and other countries who were over [? our] co-belligerents.'

This represents an impression which is current here and is doing harm to our reputation for straight dealing.

I understand Mr. Balfour's clear recollection is that he gave or at any rate showed copies of secret Treaties to President during his visit to United States of America. May I say if necessary that this is so and that statement of President to Senate that he did not know of secret Treaties till last February though fully accepted by us must be due to misunderstanding or misplacing of documents which Mr. Balfour is sure he handed over or showed to President when he was here.

## No. 375

### *Viscount Grey (Washington) to Earl Curzon (Received October 12)*

#### *No. 1443 Telegraphic [140190/451/45]*

WASHINGTON, *October 11, 1919*

Opposition to British six votes power in League Assembly seems to be most serious danger to Covenant in Senate. First Contention is that in any controversy to which any part of British Empire is a party the six votes should not be used. This would put British Empire in Assembly on same footing as any other Power which is party to same controversy. May I if questioned say this is view of His Majesty's Government.

Second point is that British Empire should not have more than one member at the same time on Council of League. A reservation may be proposed that in no case shall a British self-governing dominion have representative on Council. This seems to me clearly objectionable but would His Majesty's Government consider a reservation that British Empire should not have more than one Representative on Council at the same time impossible of acceptance?

Had President been well he might at any moment have raised these questions with me; his supporters unable to consult him at present are in suspense but they may be driven by President's illness to sound me directly as to what compromise could be made on reservations without being fatal from British point of view of covenant.

## No. 376

### Viscount Grey (Washington) to Earl Curzon[1]

#### Unnumbered. Telegraphic [Confidential/General/363/21]

WASHINGTON, October 15, 1919

I am going to see Colonel House[2] who is ill at New York on Monday.[3] I hear he will probably consult me about reservations. I shall be glad if I can have an answer by Monday to my telegram No. 1443[4] about voting power of British Empire in League of Nations Assembly and Council.

[1] The date of receipt is uncertain.
[2] Colonel House had attended the Paris Peace Conference as a Commissioner Plenipotentiary of the United States.
[3] October 20, 1919.                                                   [4] No. 375.

## No. 377

### Viscount Grey (Washington) to Earl Curzon (Received October 17)

#### No. 1458 Telegraphic [142544/451/45]

WASHINGTON, October 16, 1919

My telegram No. 1443.[1]

Secretary of State informs me Johnson Amendment respecting British voting power in League of Nations is most serious danger now remaining in Senate. He said according to plain construction of Covenant it seemed to him that in any controversy to which British Empire was a party the Empire and its voting power must be regarded as a whole. For instance a controversy between Canada and United States would be one in which British

[1] No. 375.

Empire was concerned and therefore one in which none of British votes would be used just as United States vote could not be used. He urged most earnestly that His Majesty's Government should take some opportunity at once of stating publicly that this is their view. Such a statement would he said dispose of danger of Johnson Amendment being carried.

It seems to me clear construction of Secretary of State is right and that it would be very unfair in a dispute between Canada and United States in which United States vote could not be used that it should be contended that Canadian vote only was not available and that other votes of British Empire should be used against United States when latter was unable to vote at all. But I replied I could give no authorit[at]ive answer till I had consulted His Majesty's Government; after what Secretary of State has said it is most desirable that such an announcement should be made without delay (?.) His Majesty's Government may otherwise be held responsible for amendment of Treaty in Senate with all consequences that may follow.

My previous telegram will have prepared His Majesty's Government for this point and I shall be glad of an early reply. But a public announcement preferably by Prime Minister given spontaneously in London or in reply to some question at home is effective method of dealing with matter.

## No. 378

*Earl Curzon to Viscount Grey (Washington)*

*Unnumbered. Telegraphic [Confidential/General/363/21]*

FOREIGN OFFICE, *October 22, 1919*

I regret that I was unable to send reply to your telegram No. 1443[1] in time for your meeting with Colonel House.

Matter is a complex and important one and I wished Prime Minister and Milner to see the draft before despatch, which necessarily entailed some delay. Reply goes to you tomorrow.

[1] No. 375.

## No. 379

*Viscount Grey (Washington) to Earl Curzon (Received October 25)*

*Unnumbered. Telegraphic [A 28/13/45]*

WASHINGTON, *October 24, 1919*

Your Private telegram October 22nd.[1]

I will await further telegram promised. Meanwhile Hitchcock leader of democratic senators has pressed on me that some spontaneous announcement by British Government or even by an unofficial person who had special knowledge of the Covenant such as Lord Robert Cecil would be invaluable.

[1] No. 378.

If possible I would suggest answer in Parliament something as follows:

'In any dispute to which any part of British Empire was a party other parts of the British Empire would necessarily also be parties and would therefore according to last paragraph of Article 15 of Covenant be excluded from voting just as foreign nation or nations who were other parties to dispute would also be excluded.'

Such an announcement would be most helpful at this critical time to cause of League and absence of any such announcement is leaving it open to enemies of League to put voting power of Great Britain in a most unfavourable and as it seems to me quite untrue light.

## No. 380

*Earl Curzon to Viscount Grey (Washington)*

*No. 1924 Telegraphic [A 39/13/45]*

FOREIGN OFFICE, *October 24, 1919*

Your telegram No. 1443.[1]

The question raised in the first paragraph presents no serious difficulty. In our view the six votes in the Assembly which the British Empire, the British Dominions and India are between them entitled to give in the Assembly of the League of Nations should not be used in any controversy to which any part of the British Empire is a party. The reasons which have led us to this conclusion are as follows:—

The question arises in connection with Article 15 of the Covenant and the settlement of disputes likely to lead to a rupture. The phrase 'likely to lead to a rupture' implies that the dispute is one which might lead to war, and the party to the dispute must be the political unit which would in the event of war become belligerent. There cannot be war between a foreign State and a part only of the British Empire. It would be impossible for one part of the Empire to be at war while another remained at peace, consequently the party to the dispute must be the British Empire as a whole, and neither the representative of the Empire nor that of any particular Dominion accepting membership of the League nor that of India could claim that he stood on a different footing from that of the representative of the part of the Empire more immediately concerned in the dispute.

So far as Article 15 is concerned the question of voting turns not on membership of the League but on being a party to the dispute, and the fact that a Dominion's vote would be excluded from the calculation in a controversy where another Dominion was concerned does not in any way diminish the full membership of the League which the Dominions and India enjoy.

With regard to the second paragraph of your telegram His Majesty's Government could not accept any reservation which would prejudice the eligibility of a Dominion or of India to be selected as one of the 'four other

---

[1] No. 375.

members of the League' whose representatives are to sit on the Council. The question was raised in Paris and M. Clemenceau, President Wilson and the Prime Minister gave a written assurance[2] to Sir R. Borden that in their view upon the true construction of the first two paragraphs of Article 4 of the Covenant representatives of the Dominions might be selected or named as members of the Council.

We must stand by this absolutely.

[2] This note of May 6, 1919, is printed in *The Covenant of the League of Nations with a commentary thereon* (Sessional Papers: Third Session of the Thirteenth Parliament of the Dominion of Canada: Special Session 1919—Ottawa, 1919—vol. i, Sessional Paper No. 41 h, p. 19).

## No. 381

### *Earl Curzon to Viscount Grey (Washington)*

#### *No. 1925 Telegraphic [A 39/13/45]*

FOREIGN OFFICE, *October 24, 1919*

My immediately preceding telegram.[1]

There has been no time to consult the Dominion Governments and you will no doubt bear in mind the great risk involved in expressing opinions on the status and rights of the Dominions and of India as Members of the League in which their Governments have not concurred.

If therefore, it is possible to avoid making any formal declaration on the subject, it would be much better not to do so.

[1] No. 380.

## No. 382

### *Viscount Grey (Washington) to Earl Curzon (Received October 27)*

#### *No. 1499 Telegraphic [A 41/13/45]*

WASHINGTON, *October 26, 1919*

Your telegram No. 1924[1] now received.

An answer to a question in Parliament on first point in this sense would be invaluable if telegraphed at once to American press.

I am not asked for public statement here but it is urged that a spontaneous expression of opinion in England would be helpful.

Last paragraph of your telegram I take to confirm my view that a reservation excluding self governing dominions from eligibility to Council of League is impossible of acceptance and if (? approach)ed[2] by administration or Senator Hitchcock I shall advise in that sense.

I do not see that same (? objection applie)s[2] to a reservation that no country should have more than one member on Council at same time but this point has not yet been put to me. My general line is that all reservations are to be deprecated but I may be asked later on what would be absolutely fatal and what would not.

[1] No. 380.                    [2] This wording was correct.

## No. 383

### Earl Curzon to Viscount Grey (Washington)
### No. 1935 Telegraphic [A 63/13/45]

FOREIGN OFFICE, *October 27, 1919*

Following for Lord Grey from Lord Robert Cecil:

We are collecting money for the League of Nations Union[1] and have approached the *Times* for assistance in opening a subscription list. Before considering it they would like to know whether such a step with the necessary accompanying publicity, would in your opinion be likely to be interpreted in the United States as an effort to promote the League of Nations as a specifically British interest and so to impede ratification by the Senate.

[1] An unofficial society founded in Great Britain in 1918 to promote interest in and support of the League of Nations.

## No. 384

### Viscount Grey (Washington) to Earl Curzon (Received October 29)
### No. 1508 Telegraphic [146563/1362/50]

WASHINGTON, *October 28, 1919*

Following for Lord Robert Cecil. Begins:—

All British interest in League of Nations is used as illustration that League is specially desired by and favourable to Great Britain. An appeal for funds would be no exception to this practice. I am doubtful whether it would really enable enemies of League in Senate to increase harm they are doing but perhaps it would be well to postpone for a little the *Times* appeal on chance of Senate disposing of reservations in next fortnight though I fear this chance is very slight.

## No. 385

### Viscount Grey (Washington) to Earl Curzon (Received October 30)
### No. 1513 Telegraphic [A 76/13/45]

WASHINGTON, *October 29, 1919*

Though Johnson amendment on six votes to one has been defeated by a narrow majority fight will be renewed on reservations.

Supporters of League are (? having a very)[1] uphill contest (? in support of)[2] point which is being pressed very hard against them.

A public statement by His Majesty's Government or (? even)[1] by Lord R. Cecil that voting power of British Empire in League of Nations Assembly could not be used in a dispute to which any part of British Empire is a party is still very desirable.

[1] This wording was correct.
[2] The text sent from Washington here read: '. . . contest on this point', &c. (Washington Archives/FO.115/2566).

## No. 386

### Earl Curzon to Viscount Grey (Washington)

### No. 1973 Telegraphic [A 41/13/45]

FOREIGN OFFICE, *October 31, 1919*

Your telegram No. 1499[1] (of October 26th. Voting power of British Empire on the League of Nations.)

For reasons given in my telegrams Nos. 1924 and 1925[2] it is undesirable to answer a question in the House as you propose.

This view is strengthened by report in the press, which I presume is accurate, that the Senate has rejected the amendments of Messrs. Moses and Shields[3] designed to restrict the voting power of the Empire.

[1] No. 382.
[2] Nos. 380 and 381 respectively.
[3] On October 29, 1919, the Senate of the United States had rejected these amendments prior to rejecting a similar amendment introduced by Senator Johnson: cf. No. 385.


## No. 387

### Viscount Grey (Washington) to Earl Curzon[1]

### Unnumbered. Telegraphic [A 113/13/45]

WASHINGTON, *November 1, 1919*

Your telegram No. 1973.[2]

My telegram No. 1513[3] will have explained that the necessity for some declaration is as urgent as ever; even after ratification I am told that six votes to one will be a sore point (? in) this country. Secretary of State, Senator Hitchcock and others friendly to the Covenant, such as President Lowell of Harvard, have all urged on me the importance of a public statement such as I have pressed for.

Your telegram No. 1924[4] makes it clear that a statement that the six votes in the Assembly which the British Empire, the British Dominions, and India between them are entitled to give in the Assembly of the League of Nations should not be used in any controversy to which any part of the British Empire is a party, is a correct statement of fact.

In the circumstances, it seems to me an incredible statement of impotence that we should be unable to say so in public, and very unfair as well as unintelligible to those in the United States who are friendly to us.

[1] The date of receipt is uncertain.
[2] No. 386.　　　　[3] No. 385.　　　　[4] No. 380.

## No. 388

*Letter from Mr. Campbell to Sir W. Tyrrell (Washington)*

Unnumbered [*Confidential/General/363/21*]

FOREIGN OFFICE, *November 4, 1919*

My dear Tyrrell,

You will have wondered why you have never had an answer to Lord Grey's telegram No. 1438[1] of October 10th reporting an attack on Mr. Balfour by Senator Walsh for not having kept the United States Government informed of our secret treaties.

The trouble is that there is absolutely no record here of what documents were taken by Mr. Balfour or what were subsequently sent to him; nor apparently did anyone with him make any record at the time of what was actually given either to the President or Mr. Lansing. It is therefore simply a question of memory, in which—as you know—Mr. Balfour is not particularly strong. We sent the papers to him and subsequently, at his suggestion, to Eric Drummond. They both of them wrote notes which did not get us very much further. We then drafted a long telegram based on these notes and putting the best light on the matter that we could. When the telegram was submitted finally to Lord Curzon he recorded his own view that it would be better not to send the telegram, but to send copies of Mr. Balfour's and Drummond's notes confidentially to Lord Grey for his information and for such use, if any, as he could make of them. The papers were then again referred to Mr. Balfour from whom we were unable to extract them for a week or ten days. They came eventually with the words 'I entirely agree' written below Lord Curzon's minute, which I am therefore now acting upon.[2]

We much regret the delay, and still more that the matter should be left in this unsatisfactory condition, but you know the difficulties.[3]

### ENCLOSURE 1[4] IN NO. 388

*Note by Mr. Balfour*

WHITTINGEHAME, PRESTONKIRK, N.B., *October 14, 1919*

The statement reported to have been made by Senator Walsh is outrageous. I kept nothing intentionally from President Wilson during my visit to Washington in 1917. The Treaties with our Allies were secret Treaties; secret so far as I remember at their request not at ours. I could not and did not lay them officially before the U.S.A. Government; nor so far as I am aware had they any relation to questions with which that Government were

---

[1] No. 374.

[2] Copies of the two notes in question were not appended to the filed copy of this letter. Texts of the notes, printed below as enclosures 1 and 2, have been supplied from the originals on file 140033/16000/10.

[3] Signature lacking on filed copy of original.

[4] See note 2 above.

then directly concerned. But I shewed them confidentially to the President and talked with him quite frankly about any and every question in which I supposed our two countries were interested.

*Confidential*

I was not aware that the President had made any statement to the Senate about our secret Treaties. I thought Mr. Lansing was the sinner; and that if so he had without doubt sinned through ignorance. The President's action, if it was his, is utterly unintelligible to me. It is just possible, though most improbable, that in speaking about the territorial changes we had promised to support I did not speak about the transfer of German rights in Shantung to the Allied Power, i.e. Japan, which had conquered them. The proposed transfer was not of territory. It took nothing from China which China possessed; *China was not an Ally*;[5] she had not spent a shilling or lost a life either in defending her own interests or in supporting ours, and our duties to her were confined to seeing that she lost nothing by her neutrality. This we did.

I handed to the President, if I remember rightly, copies of all the Treaties which had been, at my request, sent me from London. If the Shantung document was among them, as it surely must have been, I certainly handed that also. Where are these copies now? If the President returned them to me they must be among the papers I brought back from Washington, and my Private Secretary must have some recollection of them. If the President did not return them, he must either have destroyed them or they are still at the White House. There ought to be some record at the Foreign Office both of my request that the Treaties should be sent to me at Washington, and of what those Treaties were.

Mr. Macleay's Minute of August 15th [18th][6] is liable to misconstruction. The American Delegation may, as he believes, only have *suspected* our promise to Japan about Shantung, but the President and the Big Four[7] knew all about it.

A. J. B.

Please shew this to Sir E. Drummond.[8]

[5] Note by Mr. Balfour: 'I am not quite sure of my dates.' (China had severed diplomatic relations with Germany on March 14, 1917. Mr. Balfour visited the United States in April–May 1917. China declared war on Germany on August 14, 1917.)

[6] This minute by Mr. Macleay, a member of the Diplomatic Service temporarily employed in the Foreign Office, had formed the basis for the last paragraph (beginning 'As regards Pacific Islands') of No. 355. Mr. Macleay had further minuted, in particular: 'My impression from what happened at Paris is that while the U.S. Delegation suspected that an assurance of support of Japan's claim to the German rights in Shantung had been given by H.M. Govt. and by the French & the Russian Govts., they did not know the actual terms until the text of all the agreements and treaties between Japan and China and between Japan and the Allies in regard to Kiaochow & Shantung had been laid before the Supreme Council at President Wilson's request.'

[7] The Council of Four (Supreme Council) at the Paris Peace Conference.

[8] Postscript by Mr. Balfour.

## Note by Sir E. Drummond

I hoped that there might have been found at the Foreign Office a record of the exact documents sent to Mr. Balfour in reply to his request that he might be supplied with copies of all secret treaties to send to the President.

As, apparently, this does not exist, I can only state, from my recollection, that I believe the President was supplied with all these treaties, and I remember that they went direct to him in a large envelope addressed to him personally, with I think a covering note from Mr. Balfour. I am absolutely certain, for instance, that the Italian Treaty[9] was included among others. I am not, however, sure about the Shantung arrangement. The treaties were, I believe, collected by the War Department,[10] while Shantung was dealt with by the China Department, and there therefore is a possibility that no record of the arrangement was sent. Copies of all these treaties were also given privately to Colonel House.

I am completely at a loss to understand the President's statement that he had no knowledge of any secret treaties until he actually reached Paris. The only explanation can be either that his memory was entirely at fault, or that Mr. Balfour's letter was opened by a subordinate and the contents kept from the President. I venture to suggest that Lord Grey should be made aware of the substance of this minute, and that it should be left to his discretion as to whether any use should be made of it. I much fear that if the facts were published, the effect would be either to shatter the President's reputation for veracity, or to cause great friction between the two countries. It may therefore be well, even at some loss to our own reputation, to leave matters as they are.

E. D.

*16th October*

⁹ The Treaty of London of 1915: Cmd. 671 of 1920.
¹⁰ Of the Foreign Office.

## No. 389

*Viscount Grey (Washington) to Earl Curzon (Received November 7)*

*No. 1543 Telegraphic [Confidential/General/363/21]*

WASHINGTON, *November 6, 1919*

Secretary of State has asked my opinion on proposed reservations in Senate of which he has given me a copy. I have replied I can only give a purely personal opinion which is not binding on His Majesty's Government. I do not think I should shirk this responsibility though it is unwelcome and I have to give opinion to Secretary of State to-morrow after considering text of reservations. I have already expressed opinion that preamble proposed in Senate which would require other powers to give express assent to Senate reservations is most objectionable and that any reservation inconsistent with letter written by the Prime Minister, President Wilson etc. to Sir Robert Borden could not be accepted by His Majesty's Government.

I will make clear that anything I say without having been able to consult Your Excellency does not commit His Majesty's Government and will keep Your Excellency fully informed.

Secretary of State again said that a public announcement that British Empire votes would not be used in a dispute to which any part of British Empire was a party would ease situation. I said I had telegraphed on this point as he had requested before and His Majesty's Government had confirmed opinion I had given; I gave as reason for no public pronouncement having been made that it was difficult for His Majesty's Government to make one without consulting Dominions as to exact form: I hope he was more impressed by this reason than I was.

## No. 390

*Viscount Grey (Washington) to Earl Curzon (Received November 7)*

*No. 1545 Telegraphic [Confidential/General/363/21]*

WASHINGTON, *November 6, 1919*

My telegram No. 1543[1] should not have been official. Please treat it as private and very secret.

Fact that Secretary of State consulted me must on no account leak out.

[1] No. 389.

## No. 391

*Viscount Grey (Washington) to Earl Curzon[1]*

*Unnumbered. Telegraphic [Confidential/General/363/21]*

WASHINGTON, *November 7, 1919*

I am reporting fully by despatch[2] my conversation with the Secretary of State to-day.

I repeated views expressed in my private and secret telegram[3] of yesterday, adding however, that any reservation infringing letter to Sir R. Borden not only could not be accepted, but I thought would be repudiated by H.M. Government. I said I do not think any purely (? interpretive)[4] reservation

[1] The date of receipt is uncertain but was not later than November 8, 1919.
[2] Untraced in Foreign Office archives.    [3] No. 389.
[4] The text as sent here read: 'I said I did not think any purely interpretative . . .', &c. (Washington Archives/FO.115/2522).

in general terms, stating that any State Government or Empire with more than one vote in Assembly could not use any of its votes in dispute to which any part of it was a party, could not [sic] be objected to, but I urged that any such reservation must be in general terms, and, if it mentioned self-governing parts of a State or Empire at all, it should do so on the assumption that all self-governing parts within an Empire were equal as between themselves.

Secretary of State regarded some of the reservations as fatal to the League. He told me, however, that reservations [the reservation] excluding questions of honour or vital interests would not be proceeded with by the Senate. On various other reservations he is trying to get alternatives or compromises which will make them less objectionable, and I made various suggestions with the same object, a full account of which will be found in my despatch.[2]

I pointed out that the real safeguard against the apprehensions underlying all the reservations was that the decision of the Council of the League must be unanimous, and the American Representative on the Council was therefore the real guarantee for American interests. Real difficulty is that the Senate assumes the existence of a President instructing the American Representative on the Council of the League to pursue a policy obnoxious to the Senate and Congress. Whole object of Senate would be achieved by one single reservation, stating that instruction[s] to the American Representative on the League would be given from time to time by and with the consent of the Senate, but it is possible that the President might consider this single reservation more objectionable than all the others put together, and his illness, it is assumed, makes effective consultation with him impossible.

The Secretary of State said that the Administration was in great difficulties over reservations.

## No. 392

*Viscount Grey (Washington) to Earl Curzon (Received November 8)*

*No. 1552 Telegraphic [149857/1362/50]*

WASHINGTON, *November 7, 1919*

Following from Foster and Sweetser[1] for Sir E. Drummond.[2] (Begins.) For Comemert [Comert].[3]

Making every effort to arrange for individual correspondence[4] but situation rendered most difficult by attitude of Congress. Otherwise situation satisfactory for press but question of ratification still bad.

[1] Mr. Sweetser was a member of the Information Section of the League of Nations.
[2] In his capacity as Secretary-General designate of the League of Nations: cf. No. 355, note 2.
[3] Director of the Information Section of the League of Nations.
[4] The reference is uncertain.

## No. 393

### Earl Curzon to Viscount Grey (Washington)

*Unnumbered. Telegraphic [Confidential/General/363/21]*

FOREIGN OFFICE, *November 12, 1919*

Your private and secret telegrams respecting voting power of British Empire in League of Nations Assembly.[1]

Our hesitation has been due to the fear, for which grounds are not lacking, that a public declaration such as you urge would give rise to awkward questions with the Dominions—without perhaps satisfying the hostile elements in the United States Senate. In view however of your strong insistence the Dominions are being consulted. This was essential.

Line you have adopted with Secretary of State, as reported in first half of your telegram of November 7,[2] accords with our views especially as regards repudiation by H.M. Govt. of any reservation infringing letter to Sir R. Borden. This cannot be too strongly emphasised.

[1] See Nos. 387, 389, 391.
[2] No. 391.

## No. 394

### Viscount Grey (Washington) to Earl Curzon (Received November 14)

*No. 1569 Telegraphic [A 361/13/45]*

WASHINGTON, *November 13, 1919*

Mr. Rowell, Canadian Minister showed me yesterday Lord Milner's telegram to Canadian Government about British voting power on League of Nations.[1] I was not previously aware that His Majesty's Government were actually consulting Dominion Governments on this point. Canadian Ministers are meeting Sir R. Borden at New York to-day and Sir R. Borden comes here tonight. I will discuss matter fully with him and inform Your Lordship of what passes.

[1] For this action cf. No. 393. Lord Milner's telegram in question was addressed to the Governor-General of Canada under date of November 8, 1919, and was identical with his official telegram of that date to the Governor-General and High Commissioner for South Africa—the first telegram cited in No. 401—except that the penultimate sentence of the telegram to the Governor-General of Canada for Sir R. Borden began as follows: 'The question was raised in Paris and President Wilson, Monsieur Clemenceau and the Prime Minister gave a written assurance *to you* [editorial italics] that in their view . . .', &c. (Lord Milner's telegram to the Governor-General of Canada is printed with verbal variation by Henry Borden, *Robert Laird Borden: his Memoirs*— London, 1938—vol. ii, pp. 1009–10). Telegrams identical with that to the Governor-General of South Africa were, on November 8, sent by Lord Milner to the Governors-General of Australia and of New Zealand.

# No. 395

*Viscount Grey (Washington) to Earl Curzon (Received November 15)*

*No. 1577 Telegraphic*[1] *[A 362/13/45]*

WASHINGTON, *November 14, 1919*

My telegram 1569.[2]

Sir R. Borden agrees that following question should be put in House of Commons.

'To ask what upon a fair construction of League of Nations Covenant are voting rights of different parts of British Empire under Article 15.'

Reply which Sir R. Borden thinks should be made and in which I entirely concur would be as follows:

'Under Article 15 of Covenant members of League do not vote upon a "dispute likely to lead to rupture" to which any of them are parties. All parts of British Empire will be parties to any such dispute in which any one of them is involved.

'While therefore His Majesty's Government of United Kingdom in common with His Majesty's Governments of other portions of the Empire firmly maintains rights of United Kingdom, of self-governing Dominions and of India as members of League, it is not understood[3] or contended that in case of a dispute likely to lead to a rupture arising between any portion of the Empire and a foreign power either United Kingdom or any of self-governing Dominions or India would be entitled to vote thereon in Assembly.'

Reasons which still make an announcement desirable are that though such an announcement would not apparently have any effect at this juncture upon fortunes of Treaty and League in Senate, it is possible that after present stiff reservations are passed a deadlock may arise on point of ratification which may lead to a compromise on (? enforcement of)[4] milder resolutions as an alternative to complete failure of Treaty in Senate. In such a contingency if announcement now suggested had been made by His Majesty's Government it might then help to ease situation.

Sir R. Borden feels and I entirely agree that complete failure of Treaty in Senate followed by a separate peace between United States and Germany would be a calamity and that nothing however slight the chance should be omitted which might help to avert it. I also feel after such men as President Lowell of Harvard, Secretary of State and Senator Hitchcock have urged privately that such an announcement would be helpful they will not understand our refusal to make it.

[1] This telegram is printed with verbal variation, from the text as sent from Washington, by Henry Borden, op. cit., vol. ii, pp. 1011–12.

[2] No. 394.

[3] In the text of this telegram printed by Henry Borden, loc. cit., the preceding passage reads as follows: '. . . and of India as members of the League to equal status with other members of the League, it is not understood', &c.

[4] The words in brackets, present thus in the filed copy of this telegram, are not in the text sent from Washington.

Supporters of League in America have to defend British six votes in Assembly and considerable odium is being however unfairly fastened on them by their political opponents on this ground both in Senate and their constituences. Whether they succeed or fail in their fight for League they will feel if we withhold this announcement that we have not played up to help them and their soreness will probably be even more in the event of failure than if they had won in Senate.

I have given a copy of this telegram to Sir R. Borden who concurs in it.

## No. 396

*Viscount Grey (Washington) to Earl Curzon (Received November 18)*

*Unnumbered. Telegraphic [Confidential/General/363/21]*

WASHINGTON, *November 17, 1919*

I am going to New York tonight and shall remain there till Prince of Wales' visit ends on Saturday[1] when I shall return to Washington.

Situation in Senate is very unfavourable to prospects of Treaty and League.

Administration Senators still profess hopes of forcing opponents to compromise on mild reservations; failing this it is being alleged that President will refuse to proceed with Treaty as it leaves Senate. There is however no certainty and it would seem advisable to suspend all decisions as to what attitude [of] His Majesty's Government would . . .[2] towards Senate's reservations until situation becomes clearer. Opponents of Treaty would like to kill it but would prefer responsibility for its death to be on Democrats or on President or on His Majesty's Government or indeed on anybody but themselves. Manœuvring for position on this point will continue for some time and it is very desirable for His Majesty's Government meanwhile to say nothing that would enable any section here to manœuvre them into position of responsibility for (? death of)[3] Treaty. This seems to me point to be kept most carefully in mind for moment.

President being still too ill to see Colonel House latter has not been to Washington and is I fear entirely without political influence at present.[4] I am to see him at New York this week, and will discuss situation fully with him and telegraph to Your Lordship again as his opinion will be valuable though his influence is suspended. All accounts agree that President's mind is quite clear but that he is too weak physically to (? initiate)[3] decision(?s).[3]

[1] H.R.H. the Prince of Wales paid a visit to the United States, November 10–22, 1919, and left New York on Saturday, November 22.

[2] The text as received was here uncertain. The text as sent read: '. . . would be towards', &c. (Washington Archives/FO.115/2566). [3] This wording was correct.

[4] In this connexion Mr. Watson had reported in New York telegram No. 557 of August 15, 1919, to the Foreign Office (received next day): 'Following for Malone. Tracy reliably informed that Colonel House no longer represents President's views. President regards him as too favourable to British interests and implies Colonel's British sympathies were responsible for three months delay of Peace Conference. Break may be serious and permanent. Please communicate this to Prime Minister and Mr. Balfour.' (003181/003181/N.45.)

## No. 397

### *Earl Curzon to Viscount Grey (Washington)*

*No. 2062 Telegraphic [A 362/13/45]*

FOREIGN OFFICE, *November 18, 1919*

Your telegram 1577.[1]

As you know, we consulted all the Dominions which are members of the League about the matter and invited their assent to our interpretation of Article 15. Replies received from Canada, Australia and South Africa are all unfavourable. That of Canada may be discounted, as it was only provisional, pending consultation with Sir Robert Borden, and he agrees with you. But Smuts[2] and Hughes both protest emphatically against the proposed declaration, and I fear that, if we made it, they would publicly proclaim their dissent. The effect of this would be disastrous, for it would not only exhibit to the world a most regrettable conflict of opinion within the Empire, but would certainly be used by the American opponents of the Covenant as an argument to prove that their interpretation of Article 15 was the right one. The declaration would thus fail in its object of favourably influencing American opinion, while it would involve us in an embarrassing controversy with some of the Dominions. In these circumstances I feel that it would be most unwise for us to commit ourselves publicly by such an answer in the House of Commons as you suggest at the present time, especially as it is, as you point out, very uncertain whether anything we say could save the situation in the Senate.

I may add that some of the objections raised to the proposed declaration, especially by Smuts, seem to me to have considerable weight.

[1] No. 395.
[2] Prime Minister of the Union of South Africa.

## No. 398

### *Earl Curzon to Viscount Grey (Washington)*

*Unnumbered. Telegraphic [Confidential/General/363/21]*

FOREIGN OFFICE, *November 18, 1919*

It has been suggested to me that it would have a beneficial effect if I gave an interview to Mr. Price Bell, London editor of the *Chicago Daily News* who from all accounts is the best type of journalist and entirely trustworthy.

Mr. Bell himself is urging it on the ground that misrepresentation in America of British methods and policy has reached alarming proportions, and that agitators of half a dozen nationalities are uniting with Séan [*sic*] Feiners and Germans in fanning the flames.

Would you recommend me to give suggested interview which would be in the form of question and answer?

# No. 399

## Memorandum by Mr. Hurst[1]

### [A 453/13/45]

FOREIGN OFFICE, *November 18, 1919*

### American Reservations to the Peace Treaty

Collectively the effect of the reservations to the Treaty of Peace now adopted by the Senate of the United States would be to create the situation that the United States should be allowed to come into the peace settlement upon a footing different to that upon which the other Powers come in. The United States is not the only country which would like to make special terms for itself in the peace settlement by agreeing to the Treaty subject to reservations. China asked to be allowed to do so,[2] and the request was unanimously rejected by the Supreme Council at Paris, none taking a more prominent part in the decision than the representative of the United States. Roumania and the Serbo-Croat-Slovene State have hesitated as to the acceptance of the Austrian Treaty. To accept now the reservations desired by the United States Senate would inevitably give rise to the impression among the other signatories of the Treaty of Peace, and more especially among the smaller Powers, that there is to be one rule for the United States and one rule for the rest of the world. President Taft appears to have told his countrymen that the reservations amount to an attempt on the part of the United States to obtain all the benefits of the Treaty while shirking all the burdens which its obligations entail.

The principle for which the Allied Powers at Paris purported to be struggling, and the basis upon which they posed as contracting, was that of substituting the principle of sharing in common the obligations of the civilised States for the condition of affairs which had prevailed up to the time of the war of mere individual regulation of international relations. Once the principle is admitted that one or more of the great Powers is to stand outside the settlement, the inevitable result must be to reintroduce the old state of affairs with all the uneasy conditions which have prevailed in Europe for the last two decades.

On the other hand, the failure of the attempt to effect the peace settlement in common deprives the work that was done of a great part of its value, and means that much of it must be done again. Questions like disarmament can only be dealt with by all the civilised States acting together. If the attempt made in the Covenant of the League of Nations to settle this problem has no

[1] This memorandum was circulated to the Cabinet by Lord Curzon under cover of the following note, dated November 19, 1919: 'The Prime Minister asked me to circulate a paper respecting the effect upon the Peace Treaty of the reservations adopted by the United States Senate. The following very clear statement has been prepared by Mr. Hurst, Legal Adviser to the Foreign Office. C. of K.'

[2] See *Papers relating to the Foreign Relations of the United States: the Paris Peace Conference 1919*, vol. vi, pp. 674-5.

success, the world must return to the condition of competition in armaments limited only by financial considerations. The United States is now so rich that no other Power could keep pace with her in a competitive struggle for armaments. For the British Empire, depending on its fleet for security, the outlook would be particularly disquieting; consequently any chance there may be of ultimately bringing in the United States ought not to be lost, but it should be the whole Treaty or nothing, for any reservations imply the admission of a principle which is fatal to the whole basis upon which the Treaty was prepared.

Dealing with the reservations individually, the first is to Article X. Under this article, as drafted, the members of the League undertake to preserve against external aggression the territorial integrity of other members of the League. Under the reservation no obligation is to be imposed upon the United States under this article without the consent of Congress on each occasion. In consequence, therefore, if Congress refused its assent to action being taken the United States would take no part in the protection of the other members of the League. The President is probably right in saying that the effect of this reservation is to cut the heart out of the Covenant. It may well be that in practice the United States would move in flagrant cases, being forced thereto by public opinion at the moment, but the importance of the reservation is that it would destroy the feeling of confidence which the existence of the obligation would afford to the smaller States more liable to external aggression than an island empire like Japan or a vast continental republic like the United States. The doctrine preached at Paris was that the small States must trust to the League to protect them, but the small States cannot trust to the League unless they know that the members of the League are pledged definitely to support them. If the United States are entitled to stand out, other countries may claim the same liberty, and so long as that is possible the small States may feel that they can trust to nothing but to their own right hand, and that they must arm and train in self-defence.

To the British Empire the exclusion of the United States from the obligation under Article X means that burdens might have to be supported single-handed which no Government would lightly undertake without an assurance that the other great States would do their part, more particularly its great commercial rival across the Atlantic. Great Britain cannot take part in a war without diverting its shipping and its commerce from their normal channel, and if the United States are to be free to stand out, the Americans would use the opportunity to seize trade opportunities which Great Britain was forced to forego.

There is the further danger that a country with world-wide trade like the United States might find the interests of her citizens adversely affected by the operations which were undertaken in support of one party under Article X and be driven into an attitude of opposition and to taking the other side in the struggle.

The second reservation, dealing with domestic questions, was of less importance up till the moment when the amendment to it was adopted bringing within its scope questions affecting the present boundaries of the United States, its insular and other possessions. In its present form the reservation is mere arrogance. It would be intolerable for the British Empire to admit that all questions affecting the 3,000 miles of boundary between Canada and the United States were questions solely within the domestic jurisdiction of the United States.

The importance of the reservation with regard to the Monroe Doctrine depends to a great extent upon the question whether the South and Central American Republics come into the League of Nations or not. If they came in and the United States stayed outside, the provision already appearing in the Covenant (Article XXI) that the Covenant is not to be deemed to affect the Monroe Doctrine, would operate only in cases where all parties concerned admitted that the Monroe Doctrine applied. The Monroe Doctrine is merely a policy which varies from time to time, and if the South American Republics threw in their lot with the League it is not probable that they would admit a very extended operation to it. For them to accept the reservation in its present form would mean the acceptance by them of the principle that the Monroe Doctrine is to be interpreted by the United States alone. It is inconceivable that States like the A. B. C. Powers[3] should agree to this. To my mind, unless the United States come in without reservations to the League of Nations the Monroe Doctrine is certain to give rise to so much friction as to render the Covenant unworkable, and I should be afraid that this fact will become so apparent to the other American Republics that they will hesitate to come into the League at all unless the United States do the same.

The fourth reservation is with regard to Shantung. It is difficult to see that the reservation will benefit China. Japan is now in possession of the rights which she claims in Shantung; China is hopeless without the support of the other Powers, and for the United States to dissociate itself from the Shantung articles in the Treaty means, I think, that the United States will not help in enforcing such limitations as the Treaty imposes upon Japan and will thereby weaken the elements that tend to help China.

The next reservation deals with the American representatives in all commissions, &c., under the Treaty of Peace. From the point of view of other Powers this reservation is of less importance. It is merely an attempt on the part of Congress to tie the hands of the Executive Government, but it means that where commissions, &c., are to be appointed by the Principal Allied and Associated Powers, America will not participate. If the other Powers are prepared to act without American participation their appointments of the commissions, &c., would not be invalid.

The next reservation, dealing with the expenses of the League, is also a domestic matter of small importance to other Powers. The objection to it is that which appertains to all reservations, that it purports to enable the United States to fail to carry out the obligations of the Treaty without violating it.

[3] i.e. Argentina, Brazil and Chile.

The seventh reservation deals with the limitation of armaments and provides that even if the United States adopts any plan for the limitation of armaments as proposed by the Council of the League, she shall be free whenever she is threatened with invasion, or whenever she is engaged in war, to increase such armaments. To my mind, this reservation destroys the chief merit of the League of Nations. The state of Europe before the war was one in which the perpetual increase in armaments and the continual state of tension that was arising between the European Powers were interacting upon each other in a way that rendered it impossible to say which was the cause and which was the effect; in practice armaments had grown to an extent which ensured tension, and periods of tension were becoming so frequent that the increase of armaments was inevitable. As Lord Grey once put it in the House of Commons,[4] the continual increase of armaments was slowly bleeding Europe to death. Nothing was likely to stop it except the introduction of a state of affairs which would create sufficient confidence in the minds of the Powers to render arming in self-defence unnecessary. Five hundred years ago no individual in this country dared to go unarmed. Now he trusts to the constituted authorities to protect him. Consequently the arming of individuals in self-defence has become unnecessary and is no longer practised. Armaments are not going to disappear as between nations except for the same reason, and if every nation is to be entitled to increase the armaments beyond the agreed limitation whenever it considers itself threatened with invasion it is obvious that on the Continent of Europe the scheme outlined in Article VIII of the Covenant is not worth the paper on which it is written. It may well be that the scheme in Article VIII is itself incapable of realisation, but in any event it cannot work unless all accept it literally.

The eighth reservation deals with the economic boycott. The economic boycott was the weapon wherewith the League intended to coerce an aggressive or recalcitrant member. The complexities of modern commerce have rendered no nation self supporting. On the other hand, there is no nation whose individual contribution to the commerce of the world is vital to all the rest; consequently an economic boycott, if it could be worked, was certain to be effective. An economic boycott with the Americans standing outside it is certain to mean that the Americans will endeavour to trade with the boycotted country. The drafting of Article XVI of the Covenant is very unsatisfactory because it is not made sufficiently clear that the prohibition of intercourse between nationals of the one party and nationals of the other is merely complementary to the prohibition of trade between the two countries; but whatever the precise effect of the article, it is essential that the United States and American citizens should not be allowed to trade in any way in which other members of the League and the nationals of those members are prohibited from doing. Any claim for special treatment for the citizens of an active commercial Power like the United States is bound to bring the whole machine of the economic boycott to grief.

[4] Cf. Sir Edward Grey's speech of March 13, 1911: *Parl. Deb., 5th Series, House of Commons,* vol. 22, col. 1986.

The last reservation deals with the rights of United States citizens in property affected by Articles 296 and 297 of the Treaty of Peace. This is a reservation aimed directly at the Allies. If it means anything it means that the measures which the Treaty entitles a country like the United Kingdom to take with regard to enemy property in this country are liable to be complicated by complaints that the property rights of American citizens are adversely affected. During the war we have had several tiresome questions with the United States of this kind, arising out of the liquidation of German businesses whose owners were alleged by the United States to be American citizens. Any acceptance of the principle embodied in this reservation would be made the excuse by the United States Government for all manner of inconvenient claims, and would certainly render more tiresome the working of all the proposed machinery for the settlement of debts and for the treatment of enemy property.

The papers this morning state that President Wilson has announced his intention to refuse to accept the reservations passed by the Senate. In that case the United States Government will not ask the other Powers whether or not they are prepared to accept these reservations. It is to be hoped that President Wilson will stand by the statements he has made. If he does not, His Majesty's Government will then be face to face with the question whether they are prepared to undertake the responsibilities which the Covenant of the League of Nations entails upon them if the United States decline to participate.

The Covenant cannot be separated from the rest of the Treaty, and, great as the responsibilities and obligations which the Covenant entails may be, it seems that the loss of the Treaty would be a great disaster. In these circumstances the suggestion which was recently made that His Majesty's Government should couple their ratification of the Treaty with a declaration that they will withdraw from the League at the end of the period of two years provided for in Article I ought to be seriously considered. To me it seems the only way out of the difficulty. It could be made subject to an intimation that if all the other civilised Powers joined the League it would be withdrawn, and also with a suggestion that unless they had done so a conference of all the Powers who signed the Treaty of Peace with Germany and all those who were invited to become original members of the League should take place to arrive at an agreed substitute for the existing Covenant.

The existing Covenant of the League is not by any means an ideal instrument, and if, within two years it were possible to substitute an improved and simplified draft for the existing one, it would be a great advantage.

C. J. B. Hurst

## No. 400

*Viscount Grey (New York) to Earl Curzon (Received November 21)*

*No. 642 Telegraphic* [*Confidential/General/363/21*]

NEW YORK, *November 21, 1919*

Colonel House expects that compromise will result from deadlock in Senate and wishes to discuss with me tomorrow how reservations could be modified so as not to be fatal to Treaty and Covenant. Please send me by telegraph gist of General Smuts's argument referred to in your telegram 2062[1] in which His Majesty's Government think there is force.

It seems to me impossible to contend that in a dispute between United States and Canada in which United States Government cannot vote the remaining five British votes should be used as if they were not parties to the dispute but it (? would be) well that I should know what General Smuts's argument to contrary is.

Please reply as soon as possible to New York, c/o Consulate General. I shall leave here tomorrow evening.

[1] No. 397.

## No. 401

*Earl Curzon to Mr. Watson (New York)*

*Unnumbered. Telegraphic* [*A 461/13/45*]

FOREIGN OFFICE, *November 22, 1919*

Following for Lord Grey with reference to his private and urgent telegram of November 21.[1]

Following is telegraphic correspondence between Colonial Office and South Africa. From Lord Milner to Lord Buxton.[2] Begins—

8th November. Following for your Prime Minister. Begins—

Ratification by America of the Peace Treaty still hangs in the balance and opponents of ratification are making great play with the argument that if a 'dispute likely to lead to a rupture' between a Foreign Power and the United Kingdom, or any one of the four Dominions or India, were brought before the Assembly of the League under Article 15 all the other five votes could be cast in support of the part of the Empire immediately affected although the member representing it could not vote. This is in our opinion a wrong interpretation. We hold that the representatives of all parts of the Empire would be debarred from voting in this particular case, i.e. a 'dispute likely to lead to a rupture' between a Foreign Power and any State of the Empire.

Our Ambassador at Washington, Viscount Grey, is urging us most strongly to make a declaration to this effect, which he believes would have a decisive

[1] No. 400.
[2] Governor-General and High Commissioner of South Africa: cf. No. 394, note 1.

influence on the American Senate's decision. But we have refused to sanction this course without the assent of the Dominion Governments. I should be glad to know at the earliest possible date whether your Government would approve of such a declaration being made? It would be made perfectly clear of course that the declaration referred only to the particular case just explained, which might arise under Article 15, and that in all other respects the rights of the United Kingdom and the Dominions and India as six original Members of the League were not affected.

It has, I ought to add, also been contended in the United States that British Empire should not have more than one Member on Council of League at the same time, but His Majesty's Government has refused definitely to accept any reservation which would prejudice eligibility of a Dominion or of India to be selected as one of the 'four other Members of the League' whose representatives are to sit on the Council. The question was raised in Paris and President Wilson, Monsieur Clemenceau and the Prime Minister gave a written assurance that in their view representatives of the Dominions might be selected or named as members of the Council upon the true construction of the first two paragraph[s] of Article 4 of the Covenant.

We are determined to adhere to this. Ends.

From Lord Milner to Lord Buxton. Begins—

8th November. Private and Personal. My telegram to your Prime Minister even date League of Nations.

Please take an early opportunity of raising this question with your Prime Minister.

You should emphasize to him the fact that the statement for which Lord Grey is pressing may well be a leading factor in the fate of the League of Nations. Senators who are keen supporters of the League have explained to him the great difficulty in which they find themselves by their inability to cope with the arguments put forward by opponents of the League on this point. Ends.

From Lord Buxton to Lord Milner. Begins.

November 11th.

With reference to your telegram 8th November regarding the League of Nations. My Prime Minister is much averse to proposed Declaration. The following are his views:—Disputes likely to lead to rupture will be dealt with as a rule by Council and not by Assembly. Now in Council at present and for a long time to come British Empire has one vote only, that of the United Kingdom. This vote would almost inevitably be eliminated by proposed Declaration? wherever[3] Dominion is party to dispute, for even if the Declaration is limited to disputes before Assembly, it will be contented? contended,[4] that the same principle applies to disputes before Council and that in the latter case also United Kingdom should not vote in support of one of Dominions. Thus in dispute between South Africa and Japan before League of Nations for instance former might completely lose United Kingdom support

3 'Wherever' is correct in the original text, as sent, of this telegram from Lord Buxton.
4 'Contended' is correct in the original text, as sent, of this telegram from Lord Buxton.

in Assembly as well as in Council. Declaration might seriously weaken position of British Empire and ability of United Kingdom to support Dominions.

There appears to be no reason if in exceptional case dispute is referred to Assembly why other parts of the British Empire should not vote in the same way as South and Central American Republics which are in very much the same position as Dominions to United States of America.

For even assuming position in Council was not affected, proposed Declaration would constitute great inducement to party to dispute with a Dominion to claim that matter should be referred to the Assembly under clause 15 and it would automatically secure thereby elimination of votes of Dominions and United Kingdom in the matter. Further serious defect in proposed Declaration is that it identifies Dominions with United Kingdom as one single entity before League of Nations while whole case fought for and achieved by Dominions was their separate recognition and individual nationhood in League.

Had issue now raised by United States been foreseen at Paris, Dominions would have ensured their position in same way as they did with regard to their right to eventual representation on Council. Question of Dominions status in League is calculated to be raised once more by American contention and this from South African point of view is most undesirable. Ends.

You will observe that General Smut[s]'s message is a confidential one to Lord Milner. It therefore cannot be shown or quoted, but I think that to place you in possession of the full correspondence is the best way of giving you an idea of the difficulties with which we were confronted.

## No. 402

### *Earl Curzon to Viscount Grey (Washington)*

*No. 2104 Telegraphic* [*154816/1362/50*]

FOREIGN OFFICE, *November 23, 1919*

Following from Gilchrist for Fosdick.[1]

Discussions held among us here last few days regarding Americans on the Secretariat. Should we continue to hold positions or should we resign before League comes into existence? From viewpoint of work of Secretariat it seems clear we should remain. Everyone here agrees that stenographers and probably Huston, Pierce, Gibbs and Miss Wilson should stay. Sweetser, Hudson, Beer, Gray, yourself and myself are concerned. Drummond feels that we should remain at least until Senate makes final decisions. Monnet[2] suggests that all Americans might be announced as on a separate provisional list. What will be reaction in America to announcement that Americans

---

[1] Mr. H. Gilchrist was a personal assistant to Mr. R. B. Fosdick, an Assistant Secretary-General of the League of Nations.

[2] M. Jean Monnet was an Assistant Secretary-General of the League of Nations.

are on League and especially a man of your standing? America will not be represented on any other commission connected with execution of Peace Treaty and will it be easy to make clear to average man that Secretariat positions are different? If we hold positions now will we not certainly be *persona non grata* to next administration if Republican? Polk, Davis and Butler Wright,[3] rather think we should resign but we all agree that your judgment as result of contacts in America would be better than ours over here regarding best course to pursue. If resignations are given would it be better to announce them publicly with much display or keep matter out of press entirely? Although he opposes the policy of resignation Drummond would, in case this plan were followed, hold open all present or prospective American positions and arrange for announcement to that effect. American Secretariat positions would thus be vacant exactly as Council and Assembly positions and as positions on interallied commissions under Treaty. Drummond is prepared to give preference for appointments at later date to present staff. Resignations should be made effective on day Treaty comes into force and salary will end then or continue for one month if arrangements can be made to that end. For positions which must be filled now temporary appointments from other nationalities could perhaps be made if necessary. Perhaps some of us could serve gratuitously without position for present to maintain connections in America and Europe. I am willing to do that temporarily if you wish. In this case do you think League to Enforce Peace[4] could continue salaries or a subsistence allowance and would that be wise? We do not in any way wish to prejudice your decision as we feel very incompetent to judge conditions at home. Please do not attach too much weight to names or arguments used here and send us your own free judgement. Ends.

[3] Mr. J. W. Davis was the American Ambassador, and Mr. Butler Wright American Counsellor of Embassy in London.
[4] An American organization to promote international co-operation.

## No. 403

*Viscount Grey (Washington) to Earl Curzon (Received November 24)*

*No. 1595 Telegraphic* [*155086/1362/50*]

WASHINGTON, *November 23, 1919*

Following from Fosdick for Sir. E. Drummond:—

Action of Senate last night[1] was decisive and I do not see any possibility of a change in position. Even if Democrats had consented to reservations which Republicans attached to Treaty, I cannot believe that these reservations would have been accepted by Allied Powers. Senate has adjourned and will not meet until December 1st. President will probably re-submit treaty at

[1] On November 19, 1919, resolutions for the ratification of the Treaty of Versailles had been rejected by the Senate, which adjourned that night.

that time but as personnel of Senate will be the same as at the present, there is no prospect of favourable action. Personally I believe matter will become an issue in Presidential campaign in November 1920 and that adherence of United States before that date cannot be looked for. This brings up the whole question of continuance of American personnel on Secretariat of League. I shall see Colonel House about the matter to-night and will get an interview with the President next week if his condition permits. I would appreciate it if you would cable fully and . . .[2] your views.

[2] The text as received is here uncertain. The text as sent read: '. . . fully and frankly your views.' (Washington Archives/FO.115/2522.)

## No. 404

### Viscount Grey (Washington) to Earl Curzon (Received November 24)

#### Unnumbered. Telegraphic [Confidential/General/363/21]

WASHINGTON, *November 23, 1919*

Your Private telegram November 18th.[1]

Nobody is better qualified to be granted an interview than Mr. Price Bell and it would be very helpful if you consented to do so bearing in mind that Americans, who feel they are disappointing European expectations, are particularly sensitive to adverse criticism just at present. It is for instance reported here that in an interview given by Lord Robert Cecil he used word 'repudiation' in his reference to American attitude to peace treaty; this has given offence as a large number of Americans maintain that President had no right to commit his country to extent he did in Paris.

Any statements clearly indicating that you are wrongly suspected here of Imperialistic and annexationist designs with which great play is made by our enemies would do good.

Misrepresentation of Anglo-Persian Treaty[2] is an illustration of this.

As regards Ireland line taken by Extremists is to deride all vague statements as merely political eye-wash and to urge that no British promises about Ireland ever came to anything.

I mention this not to deprecate any reference by you to Ireland but to suggest if you make one it should be as explicit and convincing as possible. My own lips as Ambassador are almost completely sealed on political questions by exceeding tension and sensitiveness of political situation but this does not apply in same degree to yourself speaking outside this country.

I would also suggest a statement on Treaty to the effect that it is fully realised in England that question of America's participation is essentially one for decision by great American people, whose sense of responsibility for justice and fair play is one of their chief characteristics.

[1] No. 398.
[2] Cf. Volume IV, Chap. V.

# No. 405

## Viscount Grey (Washington) to Earl Curzon[1]

### Unnumbered. Telegraphic [Confidential/General/363/21]

WASHINGTON, *November 23, 1919*

Colonel House thinks it probable that the French Ambassador and myself may be taken into consultation privately by the State Department, and possibly Senator[s] Hitchcock and Lodge, about a compromise on Reservations.

I should be glad of any observations or instructions you or the Prime Minister may think it useful to give me about Reservations.

[1] The date of receipt is uncertain.

# No. 406

## Viscount Grey (New York)[1] to Earl Curzon (Received November 23)

### Unnumbered. Telegraphic [A 455/27/45]

NEW YORK, *November 23, 1919*

Following for the King and Prime Minister. Begins:—

Visit of Prince to New York has not only been a great . . .[2] but one which has exceeded everything that was thought possible. The crowds in streets increased in numbers (? and) cordiality every day and assembled to see and greet him wherever he went. The dinners and indoor receptions were most successful and speeches made by His Royal Highness gave great satisfaction both in substance and in delivery and comments from everybody on all sides about the impression made by His Royal Highness personally were not only cordial but enthusiastic and most gratifying to hear.

It would be a mistake to (? attach) too much political importance to visit for though speeches strongly pro-British were made by General Pershing, Mr. Root,[3] Mr. Taft and other important Americans these were not reported in American Press.

Unexpected success of visit was in main due to personal popularity which Prince won for himself and yet it is true that visit was not only (? a) personal success but a great public service for which all of us have reason to be grateful to him. Ends.

[1] Lord Grey had accompanied H.R.H. the Prince of Wales on his visit to New York, November 18–22, 1919. Lord Grey would appear to have left New York before this telegram was despatched.

[2] The text here is uncertain. The sense would suggest 'success'.

[3] A member of the Republican Party and formerly Secretary of State (1905–9).

## No. 407

*Viscount Grey (Washington) to Earl Curzon (Received November 24)*

*No. 1592 Telegraphic [A 460/107/45]*

WASHINGTON, *November 23, 1919*

Visit of Prince of Wales became such an immense personal success that I thought it undesirable to run the risk of spoiling it by introducing any political note such as Irish question at end of visit. I therefore advised His Royal Highness not to make reference which had been suggested.[1] One or two wise and friendly Americans who were consulted confidentially thought any reference to Irish question by His Royal Highness would be a grave mistake.

It must not be supposed that visit of His Royal Highness has had great effect on political differences though for moment it obliterated them. It has however done more good than any number of political speeches however eloquent. His Royal Highness has created in New York a feeling of personal affection so strong that though it may have no direct influence on politics it must do something to create kindly feeling in New York itself.

Present line of Irish extremists is that all British promises about Ireland come to nothing and any statement made before a definite measure was produced would be derided as nothing more than political manœuvring.

[1] In a memorandum by Lord Reading.

## No. 408

*Mr. Watson (New York) to Earl Curzon (Received November 25)*

*No. WN. 11 Telegraphic [Confidential/General/363/21]*

NEW YORK, *November 24, 1919*

Following from Sir W. Tyrrell to Sir W. Wiseman:

Prince of Wales' visit has been a most unqualified success.

Everybody who worked for or in (? the programme) deserves great credit; nobody more than you who were the most strenuous and persistent advocate of it.

This is the message Viscount Grey wishes me to send you personally. I need hardly add that I abound (*sic*) in every word of it.

The Colonel[1] seems hopeful about compromise being arrived at by Senate factions and we are at work on a scheme, though personally I dread the obstinacy of President.

Line taken by London (? Press) on the crisis is quite sound from this side. Hope therefore you will induce it to continue.

Patience and self-restraint in our American comment should be our watchword, if we take a long view of our relations with this country.

[1] Colonel House.

## No. 409

*Viscount Grey (Washington) to Earl Curzon (Received November 26)*

*Unnumbered. Telegraphic [A 503/13/45]*

WASHINGTON, *November 25, 1919*

Your private telegram of November 23rd.[1]

I appreciate difficulty in which His Majesty's Government are placed by General Smuts and much regret that I cannot lessen that difficulty. In the case of General Smuts' own illustration of a dispute (? between)[2] South Africa and Japan one of two views must prevail (1) His Majesty's Government is a party to dispute, will support South Africa in case of rupture and cannot vote in League of Nations on this dispute or (2) His Majesty's Government is not a party to dispute, will not support South Africa in case of rupture and can vote in League of Nations on dispute. It seems clear (1) is correct view and is the only one consistent with interests of Great Britain and South Africa and British Empire. General Smuts wishes to have it both ways and I do not believe his position can for a moment be maintained in public. It means that American supporters of Covenant in Senate and in this country must be asked to accept and defend before the people United States view that in a dispute between (? Canada)[2] and United States the United States shall be disqualified from voting but that five votes of British Empire outside Canada should be used against United States. This is a view which it would be neither (? valid)[3] nor dignified for us to urge. Every part of British Empire must be a party to a dispute likely to lead to a rupture in which one part is involved and for a self-governing Dominion to vote in such a dispute would be to claim a right which is denied by the Covenant to United States and every other full member of League.

Telegrams [Telegram][4] follows as to my own position here on this point.[5]

[1] It was subsequently noted that this was a wrong reference. The reference was to No. 401, dated November 22 and received in Washington on November 23.

[2] This word was correct. (Cf. note 3 below.)

[3] In the text sent from Washington this passage read: '. . . neither fair nor . . .', &c. (Washington Archives/FO.115/2522).

[4] No. 410.

[5] In reply to the above a Foreign Office telegram was drafted wherein, in particular, Lord Grey was to be instructed to 'make no public statement which would commit the Empire to any acceptance of second part of Lenroot reservation [see No. 410, note 3]. Any such statement could only be made as result of agreement between H.M.G. and Oversea Governments after discussions at least as full and authoritative as those of the British Empire Delegation to the Peace Conference, at which the original form of Covenant was agreed upon. So far as can be foreseen no opportunity for such discussion will occur before meeting of special constitutional conference probably not before autumn next year.' This draft telegram was not, however, despatched since it was subsequently decided that in view of Lord Grey's forthcoming return to England (see No. 428) the question should be reserved for personal consultation with him.

## No. 410

*Viscount Grey (Washington) to Earl Curzon (Received November 26)*

Unnumbered. *Telegraphic* [*A 504/13/45*]

WASHINGTON, *November 25, 1919*

My immediately preceding private telegram.[1]

I am absolutely committed in private here on 2 points. (1) That any reservation inconsistent with triple letter to Sir R. Borden[2] must be repudiated by H.M.G. (2) That no British votes in League of Nations Assembly can be used in a dispute to which any part of Empire is a party. I read text of Lenroot reservation passed by Senate[3] on the subject of votive [voting] powers in League when I was with Prince of Wales at New York. Being unable to see Secretary of State who was at Washington I sent him a private letter saying that while second part of this reservation did not seem to me open to objection from British point of view first part appeared to me inconsistent with letter to Sir R. Borden and would therefore have to be repudiated.

Mr. Rowell, Canadian Minister asked to see me yesterday about text of this reservation. I told him what I had said on each part of it and he expressed complete satisfaction and said he was sure view I had expressed on both points would be that of Canada (? also)[5] and that Sir R. Borden would adhere to view already expressed by him after consultation with Canadian Cabinet. This view I must express in public if I speak on the subject of League of Nations but this I cannot do till ratification is settled here one way or the other. Fate of ratification here depends practically on whether Senator Lodge and President consent to compromise. This is very doubtful but I shall probably be consulted privately as to what compromise would be possible (? and)[5] must continue to express my view (? on)[5] Lenroot reservation. I have explained that all views expressed by me are personal and do not commit H.M.G. but if H.M.G. feel they cannot support this view they ought of course to accept my resignation to avoid future misunderstandings or disappointment.[4]

[1] No. 409.　　　　　　　　　　　　　　　　　　[2] See No. 380, note 2.
[3] On November 18, 1919. For the text of this resolution see Volume II, No. 58, appendix 2, para. 14.
[4] Cf. No. 409, note 5.　　　　　　　　　　　　[5] This word was correct.

## No. 411

*Earl Curzon to Viscount Grey (Washington)*

Unnumbered. *Telegraphic* [*A 501/501/45*]

FOREIGN OFFICE, *November 25, 1919*

Following from Prime Minister.

In considering Navy Estimates Cabinet wish to have fullest possible information about naval policy of United States. We have no desire to enter into naval competition with United States but cannot afford to ignore what they are doing. Several well-informed Americans in London have made statements indicating that great reductions are contemplated and have actually been carried out in personnel of United States Navy; Admiralty have not been able to obtain any official confirmation of this but learn from various sources that Navy Department cannot keep their men or get recruits at present rates of pay and are contemplating offering considerable increase; also that notwithstanding this fact they are proceeding with full building programme. I should be glad if you would obtain authoritative official information as to (1) present personnel of United States Navy (2) proposed eventual establishment of personnel (3) number of ships now in commission and reserve (4) intended eventual establishment of ships in commission and reserve.

Please telegraph results of inquiries as information is urgently required in connection with Navy Estimates.

## No. 412

*Viscount Grey (Washington) to Earl Curzon (Received November 27)*

*Unnumbered. Telegraphic [A 505/501/45]*

[WASHINGTON, *November 26, 1919*]

Following for Prime Minister.

Begins.

Your telegram November 25th.[1]

1. Present strength of personnel 107,400.

2. Proposed eventual establishment of personnel 11,000 officers and 139,000 men. (This number does not include marine corps whose establishment is 27,467).

3. Number of ships in Commission and reserve.

Dreadnought battleships full commission 15, reserve nil, reduced commission nil.

Pre-dreadnought battleships full commission 6, reserve 6, reduced commission 13.

Armoured cruisers full commission 3, reserve nil, reduced fleet [commission] five.

1st, 2nd and 3rd class cruisers full commission 15 reserve t[w]o reduced commission nil.

Destroyers full commission 131, reserve 34, reduced commission nil.

Submarines full commission 77, reserve 14, reduced commission nil.

Majority of above ships have at present moment only reduced crews on board due to shortage of personnel.

4. Intended eventual establishment of ships in commission and reserve.

Only information available is that base[d upon] estimate of 137,000 men

[1] No. 411.

and following ships could be kept in commission provided that this personne was available.

Dreadnought battleships 16.

Pre-dreadnought battleships 25.

Armoured cruisers 8.

Cruisers 25.

Destroyers 256.

Submarines 118.

Beyond this nothing can be forecasted except that it is presumed that as new battleships, battle cruisers and scout cruisers are completed pre-dreadnoughts and older cruisers will be put in reserve.

It is undesirable to make official enquiries of United States administration as to their prospect of [prospective] naval expenditure for (1) They would probably decline further information. (2) Information if given would be (? unreliable)[2] as friction between administration and Congress and illness of President prevent any (? settled)[2] policy in any Government Department.

I am convinced that best course for us is to produce moderate navy estimates as stated to me in London in September in expectation that example set by us will be followed here. Attempt to strike a bargain with Americans in advance about navy estimates will probably have contrary effect and stimulate agitation for biggest in the world navy. For the moment we have situation in hand as United States Navy cannot from its present condition be raised to a really efficient state for at least a year.[3]

[2] This wording was correct.

[3] This telegram was minuted as follows by Lords Hardinge and Curzon: 'In a matter of this kind I presume we should take the advice of the man on the spot. H.' 'It was a part of Lord Grey's instructions that if we reduced, the Americans should be asked & should promise to do the same. He took out our pledge and now we are to forego theirs. C 27/11.'

## No. 413

*Viscount Grey (Washington) to Earl Curzon (Received November 27)*

*No. 1603 Telegraphic* [*156096/7067/39*]

WASHINGTON, *November 26, 1919*

I told Secretary of State what I had telegraphed to you about proceeding with Turkish negotiations.[1] (? I said that) it[2] did not seem to me that situation here was clearing up.

Secretary of State, while not expressing very definite opinion, said he could not see that there was any other course that he could recommend. Mr. Polk would be leaving Paris about December 6th because it would be provocative to opinion here to continue him there after what had passed in the Senate.

I urged on Secretary of State that if United States withdrew from Treaty including Franco-American Treaty I foresaw endless trouble. The United

[1] See Volume IV, No. 603.

[2] The text sent from Washington here read: 'I said it', &c. (Washington Archives/ FO./115/2566).

States was in a sense the most important party to the Treaty. Trouble would probably begin with French who would say that Treaty looked entirely different with United States outside it. They might demand revision to get further guarantees for France. Every other State of the new States created by the Treaty and old States such as Roumania who were dissatisfied with any of its provisions would all begin to give trouble and Germany herself would see an opportunity to attempt to secure a revision of the Treaty in her interest. Secretary of State was quite alive to these consequences. He spoke of compromise being arrived at in the Senate, but indicated that it might not be a very favourable compromise. He thought however that peace must be made; no nation was prepared to resume the fight against Germany and German diplomatic position would therefore become a strong one if Treaty were thrown open to revision.

I hear some Senators, irreconcilable to Covenant and Treaty, are saying that if these are finally killed in the Senate they will agree to the passage of Franco-American Treaty with omission of reference to the League of Nations and for a term of five years. It remains to be seen whether the President will agree to this. I should be glad to learn what His Majesty's Government wish me to say here about France America Treaty. My own views is that our first desire is to see ratification of main Treaty and Covenant, but should this fail ratification of Franco-American Treaty in some form would still be most desirable and its failure a disaster.

## No. 414

### Earl Curzon to Viscount Grey (Washington)
Unnumbered. Telegraphic [Confidential/General/363/21]

FOREIGN OFFICE, November 27, 1919

Your private telegram of November 23rd,[1] asking for observations on the reservations adopted by the Senate.

A request addressed by the United States Government to the other signatories of the Treaty of Peace with Germany to accept reservations would place the Allied Governments in a very difficult position. Many States represented at Paris would have liked to make reservations on particular points but no reservations were allowed either to the German or to the Austrian Treaties and it was because of this refusal that China refused to sign the German Treaty and other Powers have felt such difficulty in signing the Austrian Treaty. For the United States to ask now that she should be allowed to make reservations would create a very bad impression and give rise among the smaller Powers to the feeling that the great Powers and the small were not to stand upon the same footing. Furthermore reservations by any Power run counter to the principle adopted as the basis for the peace settlement that the external political obligations incumbent on civilised States should in future be shared in common and that this principle should

[1] No. 405.

be substituted for the disordered conditions which have prevailed hitherto in international relations. Once the principle is admitted that particular Powers are to stand outside the settlement or to stand inside the settlement on a different footing from those of the other Powers, the result must be to reintroduce the uneasy conditions which have prevailed in European international politics for the last two decades. If the peace settlement cannot be achieved in common much of it must be done again for questions like disarmament cannot be settled otherwise than in common: consequently what we hope for is acceptance by the United States of the Treaty as it stands. Indeed we very much doubt whether it will be possible to admit the United States to the League with any reservations having an external effect without automatically breaking down the Covenant.

The reservation to Article 10, if accepted by all the Powers, would leave the United States free on particular occasions if Congress thought fit to abstain from any action in support of other members of the League. For the British Empire to be bound by any such obligation as this article imposes while the United States was free would place a burden upon the resources of the Empire which no Government could face. Moreover it would destroy the confidences which the small Powers were assured in Paris they must feel in the League of Nations. If they are to trust to the League for protection they must know that the members of the League are definitely pledged to support them. If the United States stood out and the British Empire felt bound to stand out in consequence no small State would feel that she could trust to the League for protection.

The reservation dealing with domestic questions in its present form could never be accepted by the British Government. To ask Canada to accept the principle that the 3,000 miles of boundary between her and the United States is a question solely within the domestic jurisdiction of the United States would produce an intolerable situation.

The reservation on the Munroe [sic] Doctrine is of more importance to the South American and Central American Republics than to His Majesty's Government but if the United States stood outside the League the friction which the Munroe Doctrine might entail over American questions might very possibly make the other American Governments hesitate to become Members. If they became Members with any such reservation by the United States of America as that now adopted, it is difficult to see how the organisation of the League could function. No information is available here as to the views entertained by the other American States as to this reservation but it may make them hesitate to come into the League at all unless the United States do the same.

As Japan is already in possession of the rights which she claims in Shantung and China is helpless without the support of the other Powers, it is difficult to see how China can benefit by the United States declining to help in enforcing such limitations as the Treaty imposes on Japan.

The reservations dealing with American representation on commissions under the Treaty of Peace and with the expenses of the League are of less importance to other Powers but the seventh, dealing with the limitation of armaments would destroy the provision in the Covenant on which the greatest hopes for the future have been built. The growth of armaments in the past was one of the causes contributing to the war. So long as all must arm for protection the feeling of confidence which alone could render disarmament possible cannot mature. If every nation after accepting the agreed limitation is to be entitled to increase the armaments whenever it considers itself threatened, the effect for States on the continent of Europe must be to render Article 8 of the Covenant worthless.

The reservation dealing with the boycott would render the United States free in ways in which other Powers were not free. An economic boycott in order to be effective must be universal. If the United States stood outside the boycott it is certain that American citizens would try to trade with the boycotted country and any claims for special treatment for her citizens would be bound to bring the whole machine of the boycott to grief.

The last reservation, dealing with the property rights of United States citizens under the Treaty of Peace, raises no great question of principle but would render the working of the provisions of the Treaty of Peace much more difficult. It is a measure which appears to be directed at the Allies.

Generally the attitude of His Majesty's Government cannot be decided until we have received the final text of the reservations and have received also your observations on the situation produced, but we feel so impressed with the difficulties that would accrue if the United States fail to become a party to the Treaty or endeavoured to become a party on terms in any way approximate to those indicated in the reservations, that we should have to consider the question of giving notice to withdraw from the League at the end of two years. Such notice of withdrawal might be coupled with intimation that if within two years all the States accepted the Covenant or agreed to amend the Covenant in a way to render it universally acceptable, the notice would be withdrawn.

By the next bag we are sending you a paper[2] on the whole subject by the Legal Adviser which has been circulated to the Cabinet.

[2] No. 399.

## No. 415

*Earl Curzon to Viscount Grey (Washington)*

*Unnumbered. Telegraphic [Confidential/General/363/21]*

FOREIGN OFFICE, *November 27, 1919*

My immediately preceding private telegram.[1] A suggestion has been made privately[2] to Mr. Polk that the differences between the political parties in the United States should be compromised in the following way:—That the United States should accept the Treaty as it stands and give notice imme-

[1] No. 414.        [2] By Mr. Philip Kerr.

diately the Treaty came into force that the Americans would withdraw at the end of two years unless the Covenant was modified to meet American views. This would enable the Republicans and the Democrats to fight the next election on this issue and would give the incoming President and Congress a free hand to withdraw from the League or to insist on amendments if they thought fit. It would enable the United States to avoid the charge of having wrecked the Treaty and the League. Very likely all Powers would like to amend it after a year or two's experience in practical working.

*Private.*

You are at liberty to make such use of this information as you may think wise.

## No. 416

*Viscount Grey (Washington) to Earl Curzon (Received November 28)*
*No. 1607 Telegraphic* [156378/1362/50]

WASHINGTON, *November 27, 1919*

Following from Fosdick for Sir E. Drummond.

Your telegram No. 2066[1] in regard to Beer action[2] of Senate has greatly embarrassed position of those Americans on the secretariat whose work is semi-political in character. This includes particularly Beer and myself. For the time being it does not include those Americans on the secretariat whose work is technical in character such as Hudson and Sweetser, Miss Wilson, &c.

Colonel House is strongly of opinion that before sending Beer over it would be wise to wait two or three weeks to see what action if any Senate will take. Beer is perfectly willing to go at any time but inasmuch as his relationship to secretariat is known in Senate it might be unwise for him to sail until situation clarifies.

Please telegraph if this is not in accordance with your wishes.

[1] Untraced in Foreign Office archives.
[2] There should be a full stop after 'Beer'.

## No. 417

*Viscount Grey (Washington) to Earl Curzon (Received November 28)*
*No. 1608 Telegraphic* [156499/1362/50]

WASHINGTON, *November 27, 1919*

Following from Fosdick for Sir E. Drummond begins:—

*Confidential.*

Further reference to my telegram No. 1595.[1] There is some slight hope that (? adequate) sort of compromise will be formed[2] when senate convenes

[1] No. 403.
[2] The text sent from Washington here read: '. . . that basis for compromise will be found', &c. (Washington Archives/FO.115/2522).

on December 1st but I am not inclined to be optimistic. Republicans are . . .³ rigid determination to reject any suggested changes in reservations, with possible exception of preamble which has to (do with)⁴ method by which Powers are to manipulate [signify] their acceptance of reservations. President's illness made [makes] it impossible for anyone to talk with him on this matter. Senator Hitchcock, leader of the democratic party in Senate has seen him twice but I understand conversation has been only of a general nature. Colonel House is not allowed to see him and I am afraid that he does not read letters that are sent to him.

I see no prospect of a solution of this question before January.

I assume Powers will go ahead with League without United States. Ends.⁵

³ The text as received is here uncertain. The text as sent read: 'The Republicans are rigid in their determination', &c.                                    ⁴ This wording was correct.

⁵ Sir E. Drummond replied to the above in Foreign Office telegram No. 2152 of December 1, 1919, to Washington for Mr. Fosdick. A copy of this telegram has been located in Washington Archives/FO.115/2522. Sir E. Drummond stated: 'The position with regard to the coming into force of the Treaty seems to me to be very obscure. Germany appears to be taking advantage of the Senate's action to test the attitude of the Allies and this may lead to extended delay. It may therefore . . . [text uncertain] even if decision of the Senate is postponed until January the Treaty may not yet have come into force. Only two Republican reservations seem to me vitally to affect the League namely (1) that excluding from the League activities, questions decided by the U.S. to be domestic and (2) giving to the U.S. power to increase armaments in case of threat of war.'

# No. 418

*Viscount Grey (Washington) to Earl Curzon (Received November 29)*

*No. 1611 Telegraphic [156976/1362/50]*

WASHINGTON, *November 28, 1919*

Following from Fosdick for Sir E. Drummond.

Begins:—Your telegrams 2103¹ and 2112² and Gilchrist's telegram 2104³ in regard to Americans on Secretariat.

I have talked matter over with Colonel House and others. We believe that within three or four weeks we shall know pretty definitely what Senate is going to do. We are therefore inclined to concur in your suggestion that for the time being Americans retain their membership on Secretariat.

If during this period it is necessary for you to obtain conformation [*sic*] of

¹ Not printed. In this telegram to Mr. Fosdick, despatched by the Foreign Office on November 23, 1919, Sir E. Drummond had expressed the hope that American citizens who were already members of the International Secretariat would continue to serve till the final decision of the United States with regard to the Treaty of Versailles was known. Sir E. Drummond continued: 'If America ratifies, their position will of course be quite regular. If not, while I personally would hope to retain their services, I think matter would have to be considered by Council. Meanwhile, I would suggest that if I find it necessary to obtain confirmation of the Council for appointments already made, I should place all American citizens on the temporary and provisional list.'

² Untraced in Foreign Office archives.                                    ³ No. 402.

Council for appointments already made United States citizens will be placed on a temporary and provisional list. If at the end of three or four weeks it appears that Senate will not ratify Treaty or that its ratification will be unduly delayed it is my [personal][4] belief that those Americans whose work is semi-political in character should immediately resign.

This includes Beer, Sweetsser [*sic*], Gilchrist and myself and perhaps Hudson. Whether Americans whose work is entirely technical in character like Miss Wilson, Pierce &c. should resign is a matter for you to determine.

In any case I am anxious that you should not be embarrassed in any way by presence at this time of an American Under-Secretary General or [on the][4] Secretariat.

If therefore in next three or four weeks my relationship to Secretariat should prove awkward please consider that my resignation is in your hands for immediate action.

[4] Washington Archives/FO. 115/2522.

## No. 419

### *Viscount Grey* (*Washington*) *to Earl Curzon* (*Received November 29*)

#### Unnumbered. *Telegraphic* [*Confidential/General/363/21*]

WASHINGTON, *November 28, 1919*

Your private telegram 27th November.[1]

I have impressed on every person to whom I have spoken that preamble demanding definite acceptance by the other Powers of reservations would put Allied Governments in impossible position. It is generally thought preamble may be dropped or altered. I have also protested that first part of Lenroot reservation about voting power in League of Nations would have to be repudiated by His Majesty's Government as inconsistent with rights of self-governing dominions. For the rest I have suggested various alterations of wording so as to make reservations affect only relations between President and Congress and not obligations which United States of America undertake. His Majesty's Government can be controlled by House of Commons in future action and I assume we could not object to any reservation which stated United States Government was in an analogous position. But an American in close touch with Mr. Root has informed me utmost to be hoped for is alteration of preamble and dropping of (? first)[2] part of Lenroot reservation about voting power. His Majesty's Government must therefore be prepared either for definite failure of American ratification altogether or for ratification without alteration of any reservations except preamble and Lenroot reservation. It is very doubtful whether President will accept such a one-sided compromise. He may probably hold the same view expressed in Your Lordship's telegram and regard Senate reservations as destroying treaty and Covenant.

[1] No. 414.

[2] This wording was correct.

## No. 420

*Viscount Grey (Washington) to Earl Curzon (Received December 12)*

*No. 710 [A 732/501/45]*

WASHINGTON, *November 28, 1919*

My Lord,

With reference to my telegram, unnumbered,[1] of the 26th instant, answering the questions with regard to the Naval Policy of the United States of America, which were embodied in your telegram, unnumbered,[2] of the 25th instant, I have the honour to transmit, herewith, copy of a memorandum on the subject by the Naval Attaché to this Embassy, with the request that you will be so good as to cause it to be forwarded as soon as possible to the Prime Minister.

I have, &c.

(For H.M. Ambassador)

R. C. LINDSAY

ENCLOSURE IN No. 420

*Notes on the Peace Strength of U.S. Navy*

*Construction:*

*Historical:*

The Secretary of the Navy, in his Annual Report to the President, dated December 1st, 1918, requested, in his estimates, authorization of a 'Second Three-Year Programme' of naval construction. This duplicated the programme authorized in August, 1916, known as the 'First Three-Year Programme', which, as regards capital ships, consisted of:—

10 Battle Ships.
6 Battle Cruisers.

As regards smaller vessels, it consisted of 10 Scout Cruisers, which correspond to British Light Cruisers, and 130 other craft.

In addition to these proposals, as a war measure, 150 extra Destroyers were authorized on October 6th, 1917.

During the Peace Conference at the beginning of 1919 considerable comment was caused by statements which led to the suggestion that it was proposed to carry out this 'Second Three-Year Programme'.

Subsequent to the visit of Mr. Daniels[3] to England, in April, 1919, he requested the House Committee on Naval Affairs, on 27th May, 1919, to omit any provision for appropriation for the 'Second Three-Year Programme', and when the question came up before the Committee as to whether the ships authorized for the 'First Three-Year Programme', which were not yet laid down, should be omitted, he advised that they should be constructed, the reason given being that most of the contracts had been awarded, and that millions of dollars had been spent in plans and other preparations.

[1] No. 412.    [2] No. 411.    [3] Secretary of the Navy of the United States.

After stating these facts he said: 'I think that we should finish that programme. I trust and believe that the League of Nations will formulate a policy that will not make necessary competitive naval building in the future.'

The 150 Destroyers which, as stated above, were not included in the 'Second Three-Year Programme,' were put down to be completed and are at present under construction.

*Future strength in modern ships:*

The ultimate authorized strength of the U.S. Navy, exclusive of small craft and pre-dreadnoughts, and old cruisers (that is, armoured first, second and third class), and destroyers with less than 4″ guns, will be:

> 27 Dreadnoughts—of these
> > 6 have 12″ guns.
> > 11 have 14″ guns.
> > 10 have 16″ guns.
> 6 Battle Cruisers—have 8–16″ guns ea.
> 10 Scout Cruisers—armed with 6″ guns.
> 268 Destroyers—with 4″ guns and above.
> 145 Submarines.

*Probable date of completion of 'First Three-Year Programme':*

As regards the dates of completion of the new construction, it is very difficult to give an estimate owing to delays caused by strikes, etc., and also due to the fact that dates of laying down are not known.

Taking each class separately, the approximate hypothetical estimate of modern ships which will be available on 1st January of each year will be:

| January 1st | 1920 | 1921 | 1922 | 1923 | 1924 | 1925 |
|---|---|---|---|---|---|---|
| Dreadnought Battleships . | 15 | 17 | 19 | 24 | 26 | 27 |
| Battle Cruisers . . . | nil | nil | nil | nil | 6 | 6 |
| Scout Cruisers . . . | nil | nil | 5 | 10 | .. | .. |
| Destroyers . . . . | | 256* | | | | |
| Submarines . . . | 77 | 111 | 124 | 134 | † | .. |

\* All destroyers, excepting those not under construction, should be completed before January 1st, 1921, i.e.: 268 less *12* authorized, but not under construction: *256*.

† 10 additional submarines are authorized but have not been contracted for at present.

*Personnel:*

*Historical:*

Public Bill No. 8, making appropriations for the Naval Service for the Fiscal Year ending June 30th, 1920, authorized personnel of 191,000 to December 31, 1919, and from January 1st, 1920 to June 30, 1920, 170,000.

The Director of Naval Intelligence informed Naval Attache that 139,000 was number that would be asked for, for permanent Navy. This is borne out in Hearings, the number varying between 137,000 and 143,000.

Due to Secretary Daniels's order which gave release to four-year men who had entered during the war, and had not completed their engagement, the Navy was put completely out of action, and the strength of the personnel was, on November 11th, 107,400. On that date they were losing 1,000 men a day, and the best recruiting returns show new enlistments of 6,000 men per month, to which must be added 4,000 re-enlistments per month, making 10,000 per month.

It is not known how much further this will go, but it is interesting to note that on a basis of 143,000, which is approximately the proposed post-war strength, there is a deficiency of 45,500 Petty Officers. These can at the moment only be replaced by men who have left the service re-engaging, as the new recruit will not attain promotion for some time.

This very large deficiency of skilled ratings has paralysed the ships and an officer informed me quite openly that there was only one battleship which could raise steam.

This critical situation is being covered up to a certain extent by statements that ships are undergoing re-fits which are considerably overdue.

Secretary Daniels stated, on 11th November, that they had little hope of getting anything like 143,000 men by next summer.

Another fact which militates greatly [?against] the personnel being efficient is that men can now enlist for two, three, and four years, and he gave the following figures on a basis of 25,000 enlistment:

2 years 76%                    3 years 8%                    4 years 16%

It is a fact that opening the enlistment for two years was the only method of getting recruits in anything like sufficient numbers.

The question of pay is intimately associated with the question of personnel, and until sufficient inducement is given, so as to make the Navy a profession in which a man can live reasonably without the anxiety of debts, recruiting will be stagnant, and the flow of resignations strong. On the other hand, it must be realized that the highly trained personnel which exists in the country, although dissipated, can be called on in a time of national emergency, and that it would be unwise to treat the personnel question too seriously. Further, Sec. Daniels has committed himself to a definite recommendation as regards pay, and the effect on recruiting cannot be accurately judged at present.

*Number of ships which can be kept in Commission:*

With an estimated personnel of 137,000, the following ships can be kept in commission during 1920:

| Dreadnought Battleships | . | 15 | Cruisers . | . | . | . | 24 |
| Pre-Dreadnought Battleships | | 25 | Destroyers | . | . | . | 256 |
| Armoured Cruisers . | . | 8 | Submarines | . | . | . | 118 |

In addition to these there will be various auxiliary craft.

It is presumed that if the peace strength of personnel is in the nature of 137,000 to 140,000, as the new dreadnoughts are completed the older battleships and cruisers will be paid off.

As regards Destroyers, it appears that practically all destroyers having 4″ guns and above can be kept in commission.

*Note:* With reference to previous remarks on personnel, the above matter [?number] of ships will probably be in commission with reduced crews for the greater part of 1920. As an alterative it is possible that the numbers may be reduced in order that ships which are in commission shall be efficient.

*Proposed answers to Questions of Prime Minister:*

1. Present Strength of Personnel: 107,400.
2. Proposed Eventual Establishment of Personnel: 11,000 officers.
   139,000 men.

(This number does not include the Marine Corps, whose establishment is . . . 27,467).

3. Number of Ships in Commission and Reserve:

|  | Full Commission | Reserve | Reduced Commission |
|---|---|---|---|
| Dreadnought Battleships . . . | 15 | nil | nil |
| pre-Dreadnought Battleships . . . | 6 | 6 | 13 |
| Armoured Cruisers · . . . | 3 | nil | 5 |
| 1st, 2nd and 3rd Class Cruisers . . | 15 | 2 | nil |
| Destroyers . . . . . . | 131 | 34 | nil |
| Submarines . . . . . . | 77 | 14 | nil |

*Note:* The majority of the above ships have at the present moment only reduced crews on board, due to shortage of personnel.

4. Intended Eventual Establishment of Ships in Commission and Reserve:

The only information available is that based upon the estimate of 137,000 men and the following ships will probably be kept in commission up to the end of 1920:

Dreadnought Battleships . 16    Cruisers . . . . . 25
Pre-Dreadnought Battleships . 25    Destroyers . . . 256
Armoured Cruisers . . . 8    Submarines . . . . 118

Beyond this nothing can be forecasted, except that it is presumed that as the new Battleships, Battle Cruisers, and Scout Cruisers are completed, Pre-Dreadnought and older Cruisers will be put in reserve.

## No. 421

*Note by Lord Hardinge of a conversation with the French Ambassador in London*

[*157647/7067/39*]

FOREIGN OFFICE, *November 29, 1919*

M. Cambon told me to-day that he has heard from Paris that Mr. Polk and the American Delegation propose to leave Paris for America on December 6th.

The French Government are much concerned at the moral effect which will be produced in Germany by the departure of the American Delegation before the ratification of the Peace Treaty, and instructions have been sent to the French Ambassador in Washington to impress this view upon the United States Government, and to urge that their departure might be delayed.

He added that, although he was without instructions to say so, he thought it might be useful if similar instructions were sent to Lord Grey. I said I would lay the matter before you.[1]

I doubt if this would have any effect with Mr. Lansing.

H.

[1] Lord Curzon, to whom the present note was submitted.

## No. 422

*Viscount Grey (Washington) to Earl Curzon (Received December 1)*

*No. 1614 Telegraphic [157313/1362/50]*

WASHINGTON, *November 30, 1919*

Following from Fosdick for Sir E. Drummond, begins:

From Sweetzer [*sic*] to Comert. Conference[1] ends to-day with complete success. Whole programme carried out, permanent organisation created, much important work laid down. Perhaps the greatest achievement is acceptance by backward states of liberal principles. Second uniform[2] ratification of policies amongst side states [*sic*] with assurance already secured here that when Conference presents results to local legislatures they will have the understanding and sympathy of three different groups.[3] One great drawback has been industrial situation here[4] and consequently American attitude both official and private which however distressing is purely temporary. Complete proceedings are being sent you and reports on public and general work are being prepared: my personal plans are undetermined.

Dulot requests me to send the following statement after election of Thomas[5] by 11 votes against 9 for Butler[6] on third ballot.

Si ligue tient garder appui forces internationales ouvrières elle doit être informée que Jouhaux et collègues difficilement empêché plusieurs reprises pendant sessions aurait été [*sic*] inévitable en cas d'élection fonctionnaires. Rupture reste encore possible si on persistait à contester résultat acquis en

[1] The First International Labour Conference, which had met in Washington on October 29 (cf. No. 361, note 2) and ended on November 29, 1919.

[2] It seems probable that there should be a comma after 'Second'.

[3] The reference was apparently to the groups of representatives of governments, employers and workers respectively in accordance with the constitution of the Governing Body of the International Labour Office under article 393 of the Treaty of Versailles.

[4] Strikes in the American coal and steel industries were then in progress.

[5] The Conference had elected M. Albert Thomas, a former French Cabinet Minister, to be the first Director of the International Labour Office.

[6] Cf. No. 361, note 4.

prétendant nomination faite hier regardant [*sic*]valeur provisoire. Jouhaux avant vote avait déclaré pouvons pas admettre que la mise en application du travail de la Conférence et organization [*sic*] définitive bureau soient confiées à des intérimaires. En (? cette) condition élection et déclarations faites par membres majorité conseil administration faudrait pas laisser Thomas faire dans interviews déclarations trop précises sur son programme que pourra arrêter seulement après connaissance exacte situation et relations détaillées conférence. Grands ménagements à garder égard ouvriers disposés à prendre premier prétexte pour claquer port[e]s ayant éprouvé nombreuses déconvenues auprès gouvernementaux et ménagements également ment égard patrons qui ont voté opposer élection avec ouvriers contre fonctionnaires. Compte rendu et travail professionnel impossible pendant Conférence par conditions trop délicates et risques aggraver difficultés multiples de première manifestation internationale dont réussite était nécessaire et peut être maintenant considéré[e] comme acquise.

## No. 423

### Earl Curzon to Viscount Grey (Washington)
### No. 2162 Telegraphic [156096/7067/39]

FOREIGN OFFICE, *December 2, 1919*

Your telegram No. 1603[1] of November 26.

We agree with you in attaching greater immediate importance to main Treaty and Covenant than to Franco-American Treaty. It would be unwise to let American Government think that they can find loophole of escape from impossible position which they have taken up on larger issue by a compromise on the smaller. Perhaps therefore it would be well not to bring Franco-American Treaty too much to the front at present. In the long run its ratification is most desirable, in the interest of all the parties concerned.

But even its temporary suspension may not be without its compensations, if it imposes upon the French Government a more moderate attitude in some of the troublesome issues that will presently confront us, and makes them a little more considerate in their administration of the occupied German provinces, which is reported to us as unnecessarily exasperating.

[1] No. 413.

## No. 424

### Earl Curzon to Viscount Grey (Washington)
### No. 2155 Telegraphic [157647/7067/39]

FOREIGN OFFICE, *December 2, 1919*

Impending departure from Paris on December 6th of Mr. Polk and American Delegation is more than likely to stiffen resistance of Germans and to delay ratification. It may be too late to alter above plans but continuance in Paris of even a portion of United States Delegation might have a good effect. Please use your own judgment as to whether you make a representation in this sense.

## No. 425

*Sir E. Crowe (Paris) to Earl Curzon (Received December 5)*

*No. 2250 [158732/7067/39]*

PARIS, *December 3, 1919*

My Lord,

I have the honour to transmit herewith a copy of a note in which Monsieur Clemenceau urges the American delegation in the strongest terms to abandon their intention of withdrawing from the conference at this moment. Monsieur Clemenceau reinforced his representation this morning by making a personal appeal to Mr. Polk, which he begged me to support. I had no hesitation in doing so, sharing entirely, as I do, Monsieur Clemenceau's view as to the impression which the American withdrawal at this juncture would be bound to create in Germany.

2. Mr. Polk finally consented to defer his departure for a week. Moreover, instead of letting the American Ambassador take his place, which might have seemed to imply that in the eyes of the United States Government the Peace Conference was at an end and was being succeeded by the projected ambassadors' commission or conference, Mr. Polk said he would arrange that General Bliss, one of the existing plenipotentiaries, should take his seat at the conference and that he should retain some of the American technical staff. This would have the effect of in practice continuing the American delegation even after Mr. Polk's own departure.

3. Mr. Polk explained that Mr. Lansing was compelled by the illness of President Wilson to take a prominent share in the work of the cabinet at Washington apart from the duties of the State Department, which therefore he felt it necessary to devolve upon Mr. Polk. I expressed to Monsieur Clemenceau the view, that the Supreme Council would have every reason to congratulate itself if the State Department was placed under the control of Mr. Polk instead of Mr. Lansing, however much we should have to regret Mr. Polk's departure from Paris, and Monsieur Clemenceau said he cordially agreed. I believe therefore he will now accept as satisfactory the arrangement proposed by Mr. Polk.

I have, &c.

(For Sir Eyre Crowe)
H. NORMAN

ENCLOSURE IN NO. 425

*M. Clemenceau to Mr. Polk*

Conférence de la Paix
Le Président

PARIS, *le 2 décembre, 1919*

Cher Monsieur Polk,

Je vous ai entretenu déjà de l'inquiétude éprouvée par le Gouvernement français à l'idée que la délégation américaine que vous présidez avec tant de bonne grâce et d'autorité, allait quitter la Conférence au milieu d'une discussion du caractère le plus grave engagée par les Alliés avec l'Allemagne,[1] qui cherche une fois de plus à se dérober à ses engagements.

La communication faite hier au Secrétaire Général de la Conférence par M. von Lersner, confirmée depuis par la note même du Gouvernement allemand,[2] pour refuser de souscrire aux sanctions fixées par les Alliés à la suite des violations de l'armistice par l'Allemagne, s'appuie essentiellement sur l'absence de ratification de l'Amérique. Quelle force prendrait la résistance allemande si les délégués américains choisissaient ce moment pour quitter la Conférence: tout l'effort de l'Allemagne consiste justement à circonscrire la discussion à la France et à dissocier les Alliés.

Il me faut le sentiment d'un grand devoir et d'un péril certain pour que je me permette d'insister ainsi auprès de vous dans un sens contraire aux instructions de votre Gouvernement: mais je suis assuré de défendre les intérêts non seulement de la France, mais de l'Amérique même et de la paix du monde.

La profonde reconnaissance que le peuple français éprouve pour le secours fraternel si généreusement donné par les Etats-Unis, et la confiance absolue qu'il garde dans le dévouement de l'Amérique à la grande cause que les Alliés ont fait triompher en commun, seraient soumises à une cruelle épreuve si les résultats de la victoire étaient remis en question par le départ de la Délégation américaine au moment même où l'Allemagne tente d'échapper à ses responsabilités.

Combien notre action serait affaiblie et la résistance de l'ennemi fortifiée si le retard de la ratification des Etats-Unis était souligné par le désintéressement de nos amis américains, avant même la ratification de la paix avec l'Allemagne, au plus fort des négociations finales, avant que les traités avec l'Autriche et la Bulgarie soient signés par tous les alliés, et à la veille du jour où les délégués hongrois viennent prendre contact avec la Conférence.

Pour la première fois, je me prendrais à douter de la victoire et de la paix que de si grands sacrifices doivent assurer au monde: si vous deviez nous quitter ainsi, je ne pourrais penser sans appréhension à l'opinion de tous ceux qui ont souffert et mis toute leur confiance dans les deux grandes démocraties du nouveau et de l'ancien monde.

La résolution prise à Washington n'avait pu tenir compte de conditions si spéciales que le cours des évènements nous impose et je connais trop la fermeté de caractère et la clarté de vues de vos hommes d'état pour douter de leur décision finale.

Je vous serai très reconnaissant de vouloir bien soumettre en ces termes la question à Washington.

Veuillez agréer, cher Monsieur Polk, mes sentiments de haute considération et d'affectueux dévouement.

(Signé) CLEMENCEAU

[1] Cf. No. 276.
[2] Cf. Volume II, No. 34, appendix A.

## No. 426

*Viscount Grey (Washington) to Earl Curzon (Received December 5)*
*No. 1640 Telegraphic [158606/7067/39]*

WASHINGTON, *December 4, 1919*

Your telegram No. 2155.[1]

State Department have replied officially[2] saying that proposal to postpone departure of American Commission from Paris has received President's careful consideration and according to his final decision they will all leave on December 9th.

[1] No. 424.
[2] To a note of December 3, 1919, which Lord Grey had addressed to the State Department in accordance with the terms of No. 424.

## No. 427

*Viscount Grey (Washington) to Earl Curzon (Received December 5)*
*No. 1641 Telegraphic [158628/1362/50]*

WASHINGTON, *December 4, 1919*

I should like to call your attention to your telegram No. 2114 (*sic*)[1] transmitting messages to and from League of Nations. Though Embassy is used for transmission of these messages it is I presume clearly understood that I am not responsible in any way for their substance and differences between putting forward views[2] and those of League of Nations agents on either side may occur. Present case seems to be one. I desire to repeat my recommendation that great caution be exercised in European comment on American action as regards treaty. See first paragraph of my private telegram of November 17th[3] and first paragraph of my private telegram of November 23rd.[4]

[1] The text as sent here read: ' . . . attention to my telegram No. 1612 [not printed] and your telegram No. 2114 [untraced]' (Washington Archives/FO.115/2522).
[2] The text as sent here read: '. . . between my views', &c.
[3] No. 396. (The reference was apparently to the third paragraph in the text as received.)
[4] No. 404.

## No. 428

*Mr. Watson (New York) to Earl Curzon (Received December 6)*
*Unnumbered. Telegraphic [Confidential/General/363/21]*

NEW YORK, [*December 6, 1919*][1]

Following for Lord Curzon from Viscount Grey, Personal and Secret.

President continues to be too ill to see any of his own Ministers and cannot be consulted even about coal strike and Mexican questions,[2] which are critical.

[1] The date of despatch is uncertain but was apparently December 6, 1919: cf. No. 429.
[2] For these questions cf. *Papers relating to the Foreign Relations of the United States 1919*, vol. ii, pp. 531 f.

Prospect of my ever discussing anything with him or even seeing him is as remote as ever.

Senate majority will make no concessions on Lodge reservations except possibly on preamble and I cannot speak on League of Nations or Peace questions in public.

There is no one with whom I can discuss anything effectively in Washington.

My time spent here is (? useless); indeed some surprise is being expressed that I remain here at all as my mission was for a temporary purpose which no longer exists.

I am therefore taking passage home on the *Adriatic* on January 2nd, but I should like to announce that I am returning to discuss situation with H.M. Government.

This will avoid comment if a permanent Ambassador has not yet been announced; it would also prevent Canadians being sore at my not going to speak there.

Situation has so changed since I received instructions to come here that even if I were permanent I should think it desirable to explain it to Your Lordship and the Prime Minister and discuss it.

Indeed the greatest service I could render at this moment to good relations between the two countries would be a public explanation of the situation here given with full understanding of American point of view, but this I could only do at home to a British audience or press.

I have discussed this decision with Colonel House who says he can offer no objection and that at the time I propose he agrees that I could do more good in England than here.

Please answer *through this Channel*.[3]

[3] It appears probable that the present telegram was that of December 6, 1919, referred to in Volume II, No. 58, minute 1, and noted in note 3 thereto as being probably a private telegram not entered upon the main files of the Foreign Office. As indicated in the heading to the present document, this private telegram is here supplied from the private papers of Lord Curzon, which are now available. The further private telegrams of December 8 and 12, referred to in Volume II, loc. cit., would appear to be those here printed as Nos. 429 and 433 respectively. (With regard to the latter it may be noted that the date of despatch was in fact December 11, the date of receipt being December 12.)

### No. 429

*Earl Curzon to Mr. Watson (New York)*

*Unnumbered. Telegraphic* [*Confidential/General/363/21*]

FOREIGN OFFICE, *December 8, 1919*

Following from Earl Curzon for Viscount Grey:—
Personal and Secret.
Decision announced in your personal and secret telegram of December 6[1]

[1] No. 428.

has caused me deep disappointment, since we had attached greatest weight to your presence and counsel in America not merely in circumstances in which you went out, but in altered conditions produced by recent events. Our views on this point were contained in my private letter[2] of November 25.

Prime Minister and I realise however that, if you feel that scope for useful action is denied to you in America and that you can render better service to the cause for which you consented to go by returning to this country than by remaining there, we have no right to oppose your wishes. We therefore acquiesce most reluctantly in your decision, and agree that you should make announcement in terms proposed by you.

Hoping that you might consent to stay till the Spring, we have taken no steps about a permanent appointment, and would prefer to discuss the matter with you. The reason that is offered for your early departure would indeed be invalidated by any announcement as to your successor now.

H.M. Government are most grateful to you for the services that you have rendered in exceedingly trying situation.[3]

[2] Untraced in Foreign Office archives.
[3] Cf. No. 428, note 3.

## No. 430

### Earl Curzon to Viscount Grey (Washington)

### No. 2183 Telegraphic [A 764/13/45]

FOREIGN OFFICE, December 8, 1919

Following is a personal telegram from General Smuts to Prime Minister despatched November 29th.
Begins:—

Reservations to League of Nations Covenant and Peace Treaty passed by American Senate have reached us in form which is not always intelligible. Most of them appear to be of minor importance and not affecting real essence of the Covenant. Thus America or other signatory state may well be sole judge as to fulfilment of its obligations in case of withdrawal from League provided that two years notice is given. Again Council will merely advise as to means of concerted action in case of violation of territory or independence under paragraph ten and it is in any case for America or other State to decide as to actual military action. Then again acceptance of mandates by America, money appropriations for League and appointment of America's officials to the League of Nations are entirely matters for American Government and Congress. So also are questions of a really domestic character like immigration and most of the others set out in reservation. Again the economic and personal boycott under paragraph 16 could not be applied to nationals of Covenant-breaking state residing outside its territory without grave trade dislocations in boycotting States and there is much to be said for American view which is not in express conflict with paragraph 16.

Reservation[s] to labour and economic clauses 296, 297 are not understood.

There remain three important reservations in reference to disarmament, Monroe doctrine and voting power of British Empire.

With regard to first reservation League of Nations Committee[1] was much (? exercised)[2] whether parties to dispute should be allowed to engage in military preparations during period of enquiry under paragraph 15. No result was reached but point is really important whether nation threatened should be expected during period of enquiry to sit still as there is no guarantee that war may not ensue. In case of actual war it is evident that limitation of armaments could no longer apply between belligerent[s].

With regard to second reservation if dispute with non-American power arises it appears practically to exclude whole American Continent from jurisdiction of League. But although this is serious limitation to scope of League reservation does little more than express contention which European Powers have acquiesced in for 100 years. I see no good reason for staking existence of the League on that issue. European Powers are not only not likely to commit aggression against American States but real danger of war is in Old not in New World. Matter is of great sentimental value to people of United States and it is one on which it is surely worth our while to meet them.

Real interest for British Empire centres in third reservation which affects future organic structure of Empire voting power and status of the Dominions and is therefore of vital importance. No concessions should be made there as in the future Empire can only continue as great organic league of free and equal states in view[3] of the above I think that we have elements of fair compromise with America. Let us concede Monroe doctrine if they will agree to voting power of Dominions which is vital to us. Give assurance that section 8 will be so revised by League when constituted as to meet American view on limitation of armaments in case of threatened invasion or aggression.

League is mostly work of British statesmen and we should make every effort to save it. America is really necessary to League and even where they are not quite reasonable we should spare no efforts to meet her points of view. Political structure of civilisation has become so unstable that danger of collapse is very great without new factor like League. I think that American situation should not be allowed to drift for these reasons and that if practicable we should take initiative to secure workable compromise which will give League at least a fair start. On above lines perhaps compromise might succeed. Ends.[4]

[1] Of the Paris Peace Conference.

[2] 'Exercised' is correct in the original text, as sent, of this telegram from General Smuts.

[3] In the original text, as sent, of this telegram from General Smuts there was a full stop after 'states' and a new paragraph beginning 'In view'.

[4] In his immediately following telegram, No. 2184 of even date to Washington, Lord Curzon stated with reference to the present telegram: 'I should be glad of your observations by telegraph.'

# No. 431

*Viscount Grey (Washington) to Earl Curzon (Received December 9)*
*No. 1657 Telegraphic [160098/1362/50]*

WASHINGTON, December 8, 1919

Following from Fosdick for Sir E. Drummond.

No new developments here in Washington (? President of the Republic) . . .[1] taking no initiative in hope that public opinion will force Senate to action and that more reasonable reservations can thus be obtained. Personally I am inclined to doubt whether much will come of this programme although it is probably the best that can be (? devised in the circumstances).[2] Senate is occupied with domestic matters and public opinion is lethargic. Good use is being made in the Press however of German refusal to sign Protocol[3] as evidence of lack of unity amongst the Allies, and it is just possible some action will develop in Senate but I am none too (? hopeful.)[4] Sweetser is just finishing up last details of Labour Conference work. What do you think it would be advisable for him to do? If you wish him in London I do not consider his going would attract public attention. My departure just now would however hinder rather than help. (I did not?)[5] cable the other day Sweetser and I are both ready to resign at any time you think our contined presence detrimental to cause as a whole and I am sure I speak for all Americans on Secretariat.

I know you will be perfectly frank about situation.[6]

[1] The text as received is here uncertain. The text as sent read 'President is taking' &c. (Washington Archives/F.O. 115/2522).

[2] The text as sent here read 'devised under the circumstances'.

[3] The protocol relative to unfulfilled clauses in the armistice convention with Germany: see Volume II, No. 34, appendix A.

[4] This wording was correct.

[5] The text as sent here read 'As I cabled you the other day' &c.

[6] Sir E. Drummond replied to the above in a telegram to Mr. Fosdick transmitted by the Foreign Office to H.M. Embassy at Washington on December 13, 1919. Sir E. Drummond stated therein that he had consulted M. Comert who would appreciate Mr. Sweetser's coming to London as soon as convenient. With regard to Mr. Fosdick's readiness to resign, Sir E. Drummond stated: 'Hope you will put all thought of it out of your mind.'

# No. 432

*Viscount Grey (Washington) to Earl Curzon[1]*
*Unnumbered. Telegraphic [Confidential/General/363/21]*

WASHINGTON, December 10, 1919

I much appreciate the terms of your personal and secret telegram of December 8.[2]

I am sure the decision is right, and I shall inform the Secretary of State.

It happens to be very desirable that I should be at home in January to

[1] The date of receipt is uncertain but was not later than December 11, 1919.     [2] No. 429.

attend to some private affairs and, even had my appointment been permanent, I should have been glad to return home now for a time, when public business here admitted of it.

I propose therefore to use the phrase 'leave of absence' and to mention private affairs as one reason.

I sent a private letter[3] to you by Bag yesterday, giving some light on the situation at the White House.

*See Curzon papers*

[3] Untraced in Foreign Office archives.

## No. 433

*Viscount Grey (Washington) to Earl Curzon (Received December 12)*

*Unnumbered. Telegraphic [Confidential/General/363/21]*

WASHINGTON, *December 11, 1919*

Secretary of State while exceedingly cordial in expressing regret on personal grounds at my departure expressed no surprise. He said situation here was very disappointing and one in which Foreign Governments could only do harm if they attempted to influence it. There was a quarrel between President and Senate; foreign opposition to reservations would only stiffen Senate; acceptance would be resented by President. All that Secretary of State said confirmed opinions expressed in my previous telegrams as to my being of more use at home just now.[1]

[1] Cf. No. 428, note 3.

## No. 434

*Viscount Grey (Washington) to Earl Curzon (Received December 12)*

*No. 1669 Telegraphic [A 743/13/45]*

WASHINGTON, *December 11, 1919*

Your telegram No. 2183.[1]

I think General Smuts under-estimates damage done to League of Nations by some of Lodge reservations.[2]

For instance it is not merely questions of entirely domestic character but questions relating in whole or in part to internal affairs that are excluded by reservation No. 5.[3] This really covers every conceivable question. Nevertheless I am of opinion it would be better to accept all the Lodge reservations in last resort rather than lose whole of Treaty. There is a fair prospect that United States having in principle disclaimed obligations would in practice

[1] No. 430.

[2] In reply to an inquiry from the Foreign Office, Lord Grey subsequently explained in Washington telegram No. 1686 of December 18, 1919 (received December 19), that by 'Lodge reservations' he meant all the reservations to the Treaty of Versailles introduced in the Senate 'except last two which are put in by Mr. Lenroot and Mr. MacCumber'.

[3] It was suggested on the filed copy that this reference should have been to reservation No. 4, for which see Volume II, No. 58, appendix 2, paragraph 4.

within League act as if obligations existed. Compromise desired by General Smuts based on acceptance of Lodge reservations in return for complete abandonment of Lenroot reservation about voting is impossible. Canada does not claim and United States would never accept that in a dispute between Canada and United States in which United States was disqualified from voting the other 5 Votes of British Empire should be used against United States. This reservation about voting power is going to give His Majesty's Government and Dominions more trouble than all the other reservations put together.

**No. 435**

*Viscount Grey (Washington) to Earl Curzon (Received December 12)*

*Unnumbered. Telegraphic [A 734/13/45]*

WASHINGTON, *December 11, 1919*

With reference to my telegram[1] in answer to your telegram No. 2183.[2]

From well-informed source I heard yesterday that situation is likely to develop in a way that will cause greatest embarrassment to His Majesty's Government. President forbids democratic Senator(s) (? to)[3] compromise with republicans about League of Nations. Nothing further will be done in Senate till after Christmas recess. A number of democrats and republicans will then, to relieve an intolerable situation, pass by at least two-thirds majority ratification of Treaty without League of Nations at all. Whatever action President takes upon this, League of Nations will then become party issue in coming election and fight will be concentrated on six votes to one and result will be tremendous development of anti-British feeling. American audiences see red about six votes to one.

I had conversation with Mr. Root yesterday. He agreed personally that it was more [than] probable that in a dispute in which British Empire was not involved votes of British Empire would be given on the same side as United States. He therefore regarded our voting power as something to be encouraged but said it was impossible to maintain six votes to one before a popular audience and held out no hope of any modification of Lenroot reservation.

I said in my personal opinion His Majesty's Government must repudiate first part of that reservation though second part might be accepted. You will have received copy of my letter[4] to Secretary of State here putting this view on record and I gave Mr. Rowell copy of that letter to take to Canadian Prime Minister. I shall maintain this opinion without modification till I leave.

It is impossible to affect general situation here by anything I can do but it is most important that His Majesty's Government and Dominions and French Government should come to a definite agreement about reservations

---

[1] No. 434.          [2] No. 430.          [3] This wording was correct.
[4] Note on filed copy: 'Not in Dep[artmen]t.' For this letter, untraced in Foreign Office archives, cf. No. 410.

and have it recorded eventually in writing with United States Government so that reluctance of His Majesty's Government to accept reservations may not be made responsible for League of Nations becoming electoral issue here.

Franco-American Treaty will be ratified with omission of League of Nations.

Whole situation is going to be very difficult for His Majesty's Government but decision how to meet it will have to be taken in London in consultation with French and not here.

There will be time for this after I return and can explain more fully.

## No. 436

*Viscount Grey (Washington) to Earl Curzon (Received December 13)*
*No. 1671 Telegraphic [161459/1362/50]*

WASHINGTON, *December 12, 1919*

Following for Sir E. Drummond for Comert from Sweetser. Begins:—

Now that Labour Conference is over I believe that I should stay over here for a few weeks at least as much can be done both in pointing out success of Conference and in explaining League itself. I have already prepared a series of articles on former meanwhile several[1] in mind on latter. Next few weeks should be important as Senate plans to renew Treaty discussion in middle of January. At present both Parties are anxious to dispose of it. Democratic Senators are willing even anxious to accept a considerable part of Republican reservations. Republicans except Lodge are willing to compromise on Reservations requiring positive acceptance abroad on Article 10 and perhaps others and are not so sure as they were that country would not hold them responsible for Treaty defeat. Difficulty lies in fact that neither President Wilson nor Lodge is willing to take first steps towards compromise former having been content so far with allowing public sentiment to crystal[l]ize as it would. Meanwhile country has become tired out with issue though signs are not wanting that it is rousing to another effort for compromise as in the mass it still wants Treaty and League though with vaguely ill-defined reservations answering a rather instructive [instinctive][2] fear of an unchart[er]ed[2] future.

Henceforth will you not regard us here as an office of issue and send on all important documents regularly? We have already telegraphed for a list of states which ratified Covenant and would appreciate all data on secretariat, new members, biographies, photographs and the like. I should like for official use here a statement of working out of wireless communiqués including countries receiving them—their methods of distribution to Press, their dissemination by Agencies and their general effect.[3]

[1] The text as sent here read '. . . on the former and have several' &c. (Washington Archives/F.O. 115/2522). [2] Amendment from text as sent.

[3] Sir E. Drummond replied in a telegram for Mr. Sweetser, transmitted by the Foreign Office to H.M. Embassy in Washington on December 17, 1919: 'Have discussed question with Comert and we agree to your proposals as regards your future plans. Comert will send you all material in his power.'

## No. 437

*Viscount Grey (Washington) to Earl Curzon (Received December 13)*
*No. 1673 Telegraphic* [A 745/501/45]

WASHINGTON, *December 12, 1919*

Navy estimates for year ending June 30th 1921, 573,000,000[1] dollars.

Included in this total 185,000,000 dollars are requested for continuing work on new construction already authorized.

No recommendation is made for money to proceed with any new construction but a separate estimate will be presented when recommendation of General Board[2] has been considered by secretariat of Navy.

General Board recommends laying down of two battleships one battle cruiser 10 scout cruisers 5 flotilla (? leader)s[3] and six special type of[4] submarines. This recommendation is subject to limitation in size of armaments being reached by international Agreement. Published reports are being sent by bag.

It must be understood that these are merely proposals submitted to Congress whose negotiations cannot[5] be forecasted. Their discussion is not likely to begin till late in Spring.

[1] In the text as sent the word 'total' preceded this figure (Washington Archives/F.O. 115/2535).    [2] A board of naval and marine officers in the U.S. Navy Department.
[3] This wording was correct.    [4] This word was inserted in error.
[5] The text as sent here read '. . . whose action on them cannot' &c.

## No. 438

*Viscount Grey (Washington) to Earl Curzon (Received December 17)*
*No. 1678 Telegraphic* [A 777/777/45]

WASHINGTON, *December 16, 1919*

American Director of Naval Intelligence has informed Naval and Air Attachés that for future for granting of naval and air information a reversion must be made to pre-war arrangement by which such information is only given in exchange for information of equal value. American officer was refused access to wireless telegraphy room on board *Renown* but Director of Naval Intelligence has made it clear that this is only an incident which is being made occasion for a deliberate change of policy on his part.

Mr. Campbell (? borrow)ed from Air Ministry for Airship construction purposes in United States is now here and is instructing United States authorities fully in construction of rigid airships.

It seems desirable [*sic*] to deal with Director of Naval Intelligence by simple departmental (? statements) without further attempt to come to an understanding. I suggest matter be taken up with United States Government at once informing them that naval, military and air services must all continue . . .[1] on hitherto existing footing or else all revert to pre-war conditions.

[1] The text here is uncertain.

Please send instructions as soon as possible whether matter should be put in this light to Secretary of State here with a view to arriving at a general understanding and if so which understanding His Majesty's Government prefer having regard to interest of all three services concerned.

To prevent situation being further compromised to our disadvantage by Mr. Campbell continuing to give information I am arranging that he shall leave Washington so as to give time for reply of His Majesty's Government to be received for a few days but matter cannot be kept in suspense for long as he is expected to sail for England on December 30th and I therefore urge His Majesty's Government should send instructions on general question with least possible delay.

## No. 439

*Viscount Grey (Washington) to Earl Curzon (Received December 17)*

*No. 1680 Telegraphic [A 778/777/45]*

WASHINGTON, *December 16, 1919*

Following is conclusion of my telegram No. 1678[1] which through a clerical error was omitted. Begins.

I have consulted Naval, Military and Air Attaches here and they are agreed that it would be desirable if possible to maintain full exchange of information as was done throughout the war. Navy and Air Services here are expanding and experimenting with large funds at their disposal and whatever may be the case at present balance of advantage is not likely to be against us in the future.

[1] No. 438.

## No. 440

*Earl Curzon to Viscount Grey (Washington)*

*No. 2254 Telegraphic [A 828/777/45]*

FOREIGN OFFICE, *December 24, 1919*

Your telegram No. 1695.[1]

We have impressed on Departments concerned urgency of matter, and hope to send reply very shortly. Question being of great importance had necessarily to be very carefully considered.[2]

[1] Not printed. This telegram of December 22, 1919 (received that day), requested, with reference to No. 438: 'Please send instructions urgently.'

[2] With reference to the present telegram Mr. Lindsay reported in Washington telegram No. 7 of January 8, 1920 (received January 9): 'Air Attaché has now received letter from American Director of Naval Intelligence in which latter withdraws letter which gave rise to present state of things, stating it had been misunderstood. This is probably due in large

part to general disapproval in American service circles of action taken by Director of Naval Intelligence', Mr. Lindsay accordingly proposed 'that so far as can be done old footing be resumed.' Mr. Lindsay further proposed in Washington telegram No. 88 of February 2 (received February 3) that, in accordance with the views of the British Service Departments (communicated to him in a telegram of January 30), the British Naval and Air Attachés in Washington should make a verbal communication to the American Director of Naval Intelligence 'in following terms: "Should subject on which information is requested be regarded as too confidential to be given, then question of giving this information in exchange for information of equal value should be considered." They would emphasize that within these limitations we desire as wide an intimation as possible.' In Foreign Office telegram No. 282 of March 18 to Washington, Mr. Lindsay was authorized to arrange for such a verbal communication 'if you still think any statement on the subject necessary if [? in] view of the length of time which has passed since the question was raised.'

## No. 441

*Viscount Grey (Washington) to Earl Curzon (Received December 25)*
*No. 1703 Telegraphic [A 921/13/45]*

WASHINGTON, *December 24, 1919*

It is probable that Senate will eventually pass ratification of Treaty with reservations, but little if at all modified, except as regards preamble. All indications are that reservation about voting power will be insisted upon in some form which it will be impossible to expect self-governing Dominions to accept.

Opponents of Treaty are using, and will increasingly use six British votes as most popular argument against Treaty. Opposition to Treaty will therefore increasingly assume anti-British character.

Opponents of Treaty insist upon indignity of United States, with several millions more English speaking white men than whole of British Empire, having only one vote to six. Mr. Fielding ex-Minister of Finance seems to have supported this view publicly[1] (*sic*) in Canada.

Indications are that some time next (? week)[2] when decision on reservations has to be taken His Majesty's Government will be placed in position of appearing to claim six votes for British Empire, and opposing more than one vote for United States.

There are other aspects of general situation, gathered from representative men of various opinions, which cannot be adequately explained by telegram or letter, but six votes to one issue, is certain to develop in a way so embarrassing[3] that His Majesty's Government ought to have it clearly in mind even before I get over.

I have continued to urge upon representative men of every shade of opinion that reservation about voting power should be confined to disputes to (? which)[1] British Empire is a party, but they all say it will be impossible to maintain this in public discussion before American people.

[1] This wording was correct.
[2] The text as sent here read '. . . some time next month' &c. (Washington Archives/F.O. 115/2566).
[3] The text as sent here read '. . . a way so serious and embarrassing' &c.

*Viscount Grey (Washington) to Earl Curzon (Received December 27)*

*No. 1705 Telegraphic* [*165078/1362/50*]

WASHINGTON, *December 26, 1919*

Following from Fosdick and Sweetser for Sir E. Drummond begins,—

American members of Secretariat in Letpoing (*sic*) cannot allow Christmas Season to pass without sending message friendship, good wishes to their colleagues overseas though present period may indeed seem dark one for the ideals we all cherish, nevertheless we over here hope and believe that light will soon break. In the meantime present world of distress and suffering offer to those who believe in International Co-operation and goodwill challenge for redoubled efforts may next Christmas see us all together at Geneva helping to build towards that better future which suffering of war justify world in expecting.[1]

[1] Mr. Gilchrist in London, in a telegram for Mr. Fosdick transmitted by the Foreign Office to H.M. Embassy in Washington on December 24, 1919, had stated: 'Drummond and Monnet are very cheerful about the prospects in America and we all wish you the happiest kind of a Christmas.'

## No. 443

*Mr. Campbell to Viscount Grey (Washington)*

*Unnumbered. Telegraphic* [*Washington Archives/F.O. 115/2522*]

FOREIGN OFFICE, *December 29, 1919*

Following for Fosdick from Sir E. Drummond, begins.

Confidential.

From what I can gather unofficially, the British Government are not likely to come to any decision regarding the attitude towards the reservations until the arrival of Lord Grey. The feeling seems to be that acceptance of the Lodge reservations or their like, might, in practice, amount to the gradual breakdown of the Covenant, since the other Signatories would begin to make similar reservations.

On the other hand, although I have no official information on the subject, I do not consider that this is tantamount to a refusal to accept reservations of any kind. I have sent you my own views both by letter and telegram. They remain unchanged but each reservation ought to be regarded in the light of how the Covenant would be affected if similar reservations were made by all or some of the other Signatory Powers.

1065
SHL
BIBL. LONDIN UNIV.
WITHDRAWN

SHL
WITHDRAWN